W KRAINIE BIAŁYCH OBŁOKÓW

Nakładem Wydawnictwa Sonia Draga
ukazała się następująca powieść tej autorki:

Pieśń Maorysów

SARAH LARK

W KRAINIE BIAŁYCH OBŁOKÓW

Z języka niemieckiego przełożyła
Daria Kuczyńska-Szymala

Tytuł oryginału:
IM LAND DER WEISSEN WOLKE

Projekt graficzny okładki: Mariusz Banachowicz
Zdjęcie autora: © Sarah Lark

Redakcja: Marcin Grabski, Olga Rutkowska
Korekta: Magdalena Bargłowska, Iwona Wyrwisz

ISBN: 978-83-7508-576-1

Sprzedaż wysyłkowa:
www.merlin.com.pl
www.empik.com
www.soniadraga.pl

WYDAWNICTWO SONIA DRAGA Sp. z o. o.
Pl. Grunwaldzki 8-10, 40-127 Katowice
tel. 32 782 64 77, fax 32 253 77 28
e-mail: info@soniadraga.pl
www.soniadraga.pl

Skład i łamanie:
DT Studio s.c.

Katowice 2012. Wydanie II

Drukarnia:
KNOW-HOW, Kraków

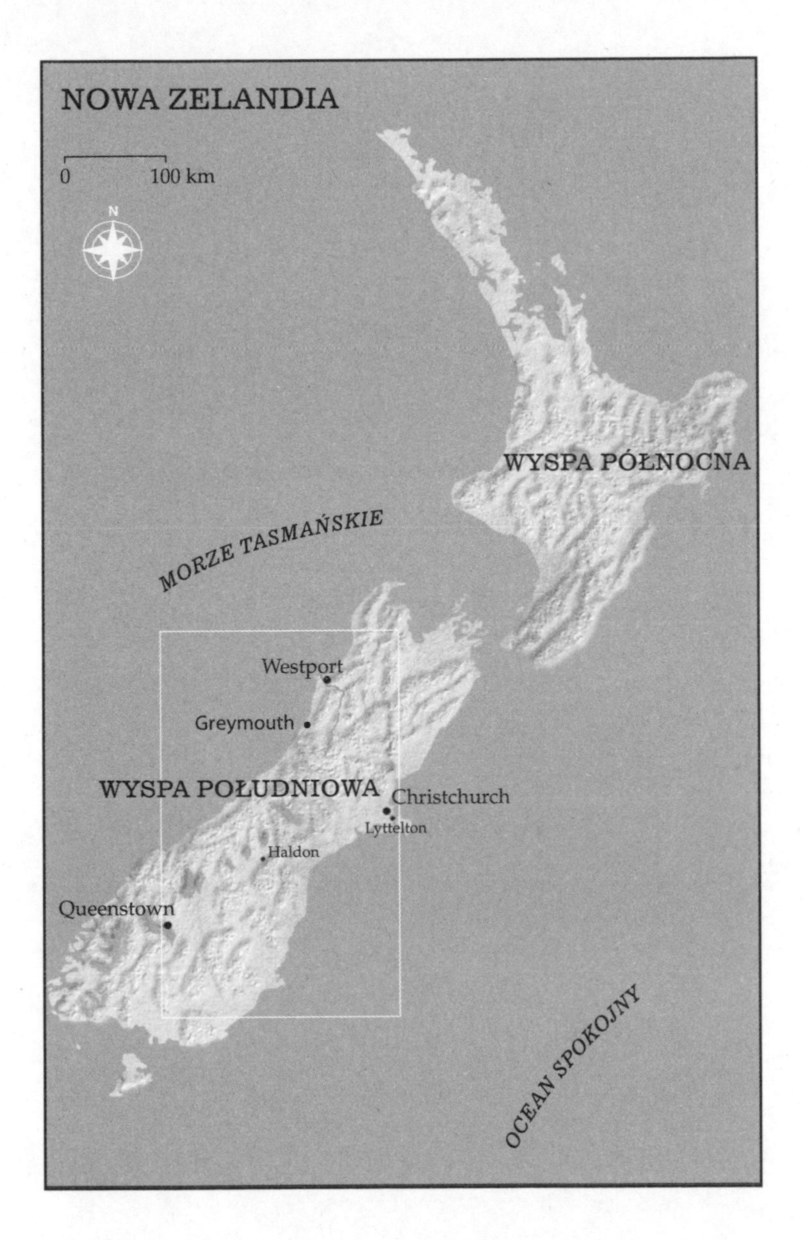
NOWA ZELANDIA
0
100 km
N
WYSPA PÓŁNOCNA
MORZE TASMAŃSKIE
Westport
Greymouth
WYSPA POŁUDNIOWA
Christchurch
Lyttelton
Haldon
Queenstown
OCEAN SPOKOJNY

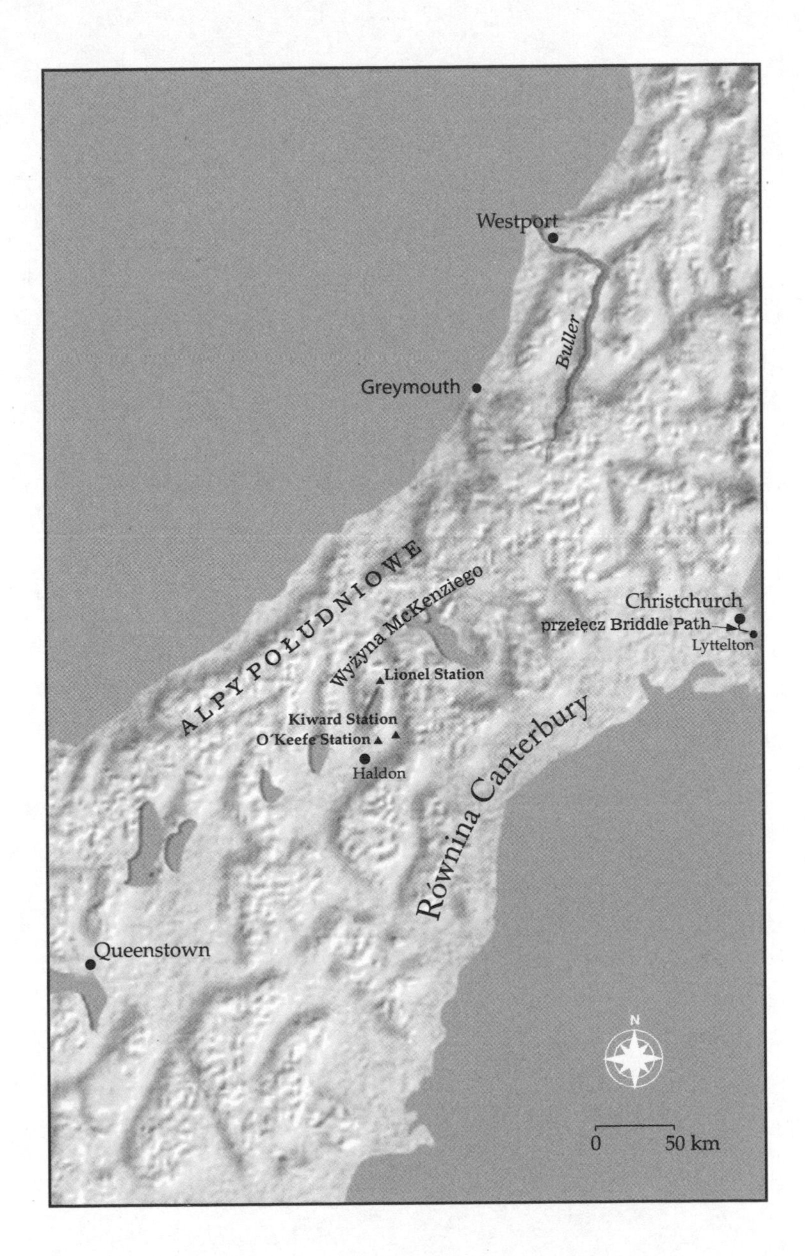
Westport
Buller
Greymouth
ALPY POŁUDNIOWE
Wyżyna McKenziego
Christchurch
przełęcz Briddle Path
Lyttelton
Lionel Station
Kiward Station
O'Keefe Station
Haldon
Równina Canterbury
Queenstown
N
0
50 km

POCZĄTEK

Londyn – Powys – Christchurch 1852 rok

1

Kościół anglikański w Christchurch w Nowej Zelandii poszukuje przyzwoitych i obeznanych z prowadzeniem domu oraz wychowywaniem dzieci młodych kobiet, które są zainteresowane wstąpieniem w związek małżeński z dobrze sytuowanymi i cieszącymi się nienaganną opinią członkami naszej parafii.

Helen zatrzymała na chwilę wzrok na niepozornym ogłoszeniu zamieszczonym na ostatniej stronie gazetki parafialnej. Udało się jej przejrzeć ją pobieżnie, ponieważ uczniowie wciąż byli zajęci ćwiczeniami z gramatyki. Helen wolałaby poczytać jakąś książkę, ale pytania, które nieustannie zadawał William, nie pozwoliłyby skupić się na lekturze. Jedenastolatek ponownie podniósł swoją ciemną, potarganą czuprynę znad książek.

– Panno Davenport, w trzecim zdaniu ma być przecinek czy też nie?

Helen z westchnieniem odłożyła gazetkę i po raz kolejny w tym tygodniu wyjaśniła chłopcu zasady wyłączania zdań wtrąconych. William, młodszy syn jej pracodawcy, pana Roberta Greenwooda, był miłym dzieckiem, niezbyt jednak uzdolnionym. Potrzebował pomocy przy każdym ćwiczeniu, zapominał to, co objaśniała mu Helen, jeszcze zanim zdążyła skończyć, i tak naprawdę jedyne, co potrafił, to patrzeć wzruszająco bezradnym wzrokiem i czarować dorosłych swoim słodkim chłopięcym sopranem. Lucinda, jego matka, zawsze mu ulegała. Jak tylko się do niej przytulił i zaproponował wspólne spędzenie czasu, odwoływała wszelkie dodatkowe lekcje zaordynowane przez Helen. Z tego powodu William do tej pory nie potrafił płynnie czytać, a najprostsze ćwiczenia z ortografii zupełnie go przerastały. Było czymś nie do pomyślenia, żeby mógł, zgodnie z życzeniem ojca, uczęszczać do szkoły w Eton czy Oksfordzie.

Szesnastoletni George, starszy brat Williama, nawet nie starał się okazywać wyrozumiałości. Przewrócił oczami i wskazał w podręczniku miejsce, gdzie jako przykład podano zdanie, przy którym jego brat majstrował już od pół godziny. Wyrośnięty dryblas skończył już swoje ćwiczenie z tłumaczenia łaciny. Zawsze pracował szybko, choć czasem popełniał błędy. Klasyczne przedmioty nudziły go. George nie mógł doczekać się chwili, gdy pewnego dnia rozpocznie pracę w przedsiębiorstwie importowo-eksportowym swojego ojca. Marzyły mu się podróże do dalekich krajów i zdobywanie nowych rynków w koloniach, których niemal z godziny na godzinę przybywało w imperium królowej Wiktorii. George bez wątpienia był urodzonym handlowcem. Już teraz wykazywał się talentem jako negocjator i świetnie potrafił wykorzystać swój całkiem spory urok osobisty. Niekiedy udawało mu się nawet oczarować Helen i skłonić ją do skrócenia lekcji. Spróbował tego i tym razem, gdy William w końcu zrozumiał, o co chodzi, czy raczej zorientował się, skąd może przepisać rozwiązanie. Helen sięgnęła wówczas po zeszyt George'a, żeby sprawdzić jego pracę, ale chłopiec prowokacyjnie odsunął go na bok.

– Och, panno Davenport, naprawdę chce pani to jeszcze raz przerabiać? Dziś jest zbyt piękny dzień na naukę! Zagrajmy lepiej w krykieta... Powinna pani popracować nad techniką. Na festynie znowu będzie pani tylko stała i nie zauważy pani żaden z młodych dżentelmenów. I wtedy nigdy nie zazna pani szczęścia u boku jakiegoś hrabiego i do końca swoich dni będzie musiała uczyć takie beznadziejne przypadki jak Willy!

Helen odwróciła wzrok, spojrzała przez okno i zmarszczyła czoło, dostrzegając ciemne chmury.

– Niezły pomysł, George, ale nadciągają właśnie deszczowe chmury. Zanim tutaj posprzątamy i dotrzemy do ogrodu, rozpada się tuż nad naszymi głowami, co z pewnością nie doda mi atrakcyjności w oczach młodych dżentelmenów. Skąd właściwie przyszło ci do głowy, że noszę się z podobnymi zamiarami?

Helen postarała się, żeby jej twarz nie zdradzała większego zainteresowania. Potrafiła to robić doskonale. Ktoś, kto pracuje jako guwernantka w rodzinach należących do londyńskich wyższych sfer, w pierwszej kolejności musi nauczyć się panowania nad wyrazem swojej twarzy. Państwo Greenwoodowie nie traktowali Helen ani jako członka rodziny, ani jako zwykłego pracownika. Uczestniczyła we wspólnych posiłkach, a często także w rodzinnych rozrywkach, wystrzegała się jednak wyrażania swoich opinii niepytana czy zwracania na siebie uwagi w jakikolwiek inny sposób. Nie było więc też mowy o tym, żeby na festynie Helen mogła swobodnie wmieszać się w tłum młodych gości. Trzymała się na uboczu, prowadziła uprzejme rozmowy z paniami i jednocześnie dyskretnie pilnowała swoich wychowanków. Oczywiście przy okazji przebiegała wzrokiem po twarzach młodych gości płci męskiej, a czasami oddawała się na krótko romantycznym marzeniom na jawie, w których spacerowała po parku swoich państwa z jakimś przystojnym wicehrabią czy baronetem. Ale to przecież niemożliwe, żeby George cokolwiek zauważył!

Chłopiec wzruszył ramionami.

– Ciągle czyta pani ogłoszenia matrymonialne! – odpowiedział bezczelnie i z niewinną miną wskazał na gazetkę parafialną. Helen przypomniała sobie, że często kładzie ją obok swojego pulpitu. Znudzony George z pewnością na nią zerka, gdy ona pomaga Williamowi.

– A przecież pani jest bardzo piękna – stwierdził młody pochlebca. – Dlaczego nie miałaby pani wyjść za jakiegoś baroneta?

Helen odwróciła wzrok. Wiedziała, że powinna zganić George'a, była jednak zbyt rozbawiona. Jak tak dalej pójdzie, chłopak zrobi furorę wśród kobiet, a i w świecie kupieckim docenią jego zręczne pochlebstwa. Ale czy w Eton to wystarczy? Poza tym Helen uważała się za odporną na tego rodzaju niewyszukane komplementy. Zdawała sobie sprawę z tego, że nie jest klasyczną pięknością. Miała co prawda regularne rysy, jednak nie idealne. Jej usta były odrobinę za wąskie, nos zbyt ostry, a pełne spokoju szare oczy przyglądały się światu z nadmiernym sceptycyzmem i uczonością, żeby móc wzbudzić zainteresowanie bogatego młodego lekkoducha. Najpiękniejszym atrybutem Helen były jej sięgające bioder włosy, gładkie i jedwabiste, a ich soczysty brąz miał miejscami rudawy odcień. Być może zwróciłaby na siebie uwagę, gdyby rozpuszczała je na wietrze, tak jak robiły to inne panny na piknikach i festynach, na których bywała w towarzystwie państwa Greenwoodów. Co odważniejsze młode damy wyjaśniały podczas spaceru z admiratorem, że jest im gorąco i zdejmowały kapelusz, albo pozwalały, żeby wiatr zerwał im go z głowy podczas przejażdżki łódką po stawie w Hyde Parku. Potem potrząsały głową, niby przypadkiem pozbywając się wstążek i spinek, i umożliwiały towarzyszowi podziwianie swoich wspaniałych loków.

Helen nie mogła się do tego przekonać. Jako córka pastora została wychowana surowo i już jako dziewczynka nosiła włosy zaplecione i upięte. Poza tym musiała wcześnie dorosnąć. Jej matka umarła, gdy Helen miała dwanaście lat, a ojciec bez ceregieli obarczył najstarszą córkę prowadzeniem domu i wychowywaniem trójki młodszego rodzeństwa. Wielebnego Davenporta nie interesowały sprawy dotyczące kuchni i opieki nad dziećmi, poświęcał się wyłącznie pracy na rzecz parafii oraz przekładowi i interpretacji pism religijnych. Helen obdarzał swoją uwagą jedynie wtedy, gdy mu w tym towarzyszyła, z kolei ona tylko uciekając do domowego gabinetu ojca, mogła na chwilę umknąć przed harmidrem rodzinnego życia. I tak jakoś samo wyszło, że Helen potrafiła już czytać Biblię po grecku, gdy jej bracia przerabiali dopiero pierwszy elementarz. Swoim pięknym strzelistym pismem przepisywała kazania ojca i kopiowała zalążki artykułów do biuletynu wydawanego w jego wielkiej parafii w Liverpoolu. Na inne rozrywki nie wystarczało już czasu. Podczas gdy Susan, jej młodsza siostra, traktowała kościelne pikniki i dobroczynne wyprzedaże głównie jako okazję do poznawania młodych kawalerów z parafii, Helen pomagała w sprzedaży, piekła torty i nalewała herbatę. Skutek był łatwy do przewidzenia. Siedemnastoletnia Susan wyszła za syna znanego lekarza, Helen zaś była zmuszona po śmierci ojca przyjąć posadę guwernantki. Ze swoich dochodów utrzymywała dodatkowo braci, którzy studiowali prawo i medycynę. Spadek po ojcu nie wystarczył na sfinansowanie odpowiedniego wykształcenia dla chłopców, a poza tym obaj niezbyt przykładali się do prędkiego ukończenia studiów. Helen ze złością pomyślała o tym, że jej brat Simon w zeszłym tygodniu znowu przepadł na jakimś egzaminie.

– Baroneci zwykle żenią się z córkami baronów – odpowiedziała dość obcesowo na pytanie George'a. – A jeśli o to chodzi… – Wskazała na gazetkę. – Czytałam artykuł, a nie ogłoszenie.

George nic nie odpowiedział, zrobił tylko wiele znaczącą minę. Artykuł opisywał zastosowanie ciepłych okładów u osób cierpiących na artretyzm. Temat z pewnością niezwykle interesujący dla starszych parafian, panna Davenport jednak raczej nie uskarżała się na bóle stawów.

Guwernantka spojrzała na zegar i postanowiła zakończyć dzisiejsze popołudniowe lekcje. Za niecałą godzinę zostanie podana kolacja. I o ile George potrzebował najwyżej pięciu minut, żeby przebrać się i uczesać przed jedzeniem, a Helen niewiele więcej, o tyle w wypadku Williama procedura zmiany poplamionego atramentem fartucha w przyzwoite ubranie zawsze trwała bardzo długo. Helen dziękowała niebiosom, że nie pokarały jej obowiązkiem dbania o wygląd Williama. Tym zajmowała się piastunka.

Młoda guwernantka zakończyła lekcję ogólnymi uwagami o znaczeniu gramatyki, których obaj chłopcy słuchali jednym uchem. Zaraz potem William zerwał się z miejsca, nie poświęcając swoim zeszytom i podręcznikom najmniejszej uwagi.

– Muszę jeszcze szybko pokazać mamie, co namalowałem! – obwieścił, tym samym skutecznie zrzucając na Helen obowiązek posprzątania po sobie. W końcu nie mogła ryzykować, że pobiegnie do matki z płaczem, skarżąc się na wołającą o pomstę do nieba niesprawiedliwość, jaka spotkała go ze strony guwernantki. George rzucił okiem na niewprawny rysunek Williama, którym matka z pewnością się zachwyci, i z rezygnacją wzruszył ramionami. Potem szybko poukładał swoje rzeczy i wyszedł za bratem. Helen zauważyła, że przy okazji rzucił jej niemal współczujące spojrzenie. Przyłapała się na tym, że myśli o tym, co powiedział wcześniej na temat jej zamążpójścia: „I wtedy nigdy nie zazna pani szczęścia u boku jakiegoś hrabiego i do końca swoich dni będzie pani musiała uczyć takie beznadziejne przypadki jak Willy".

Helen sięgnęła po gazetkę parafialną. Właściwie miała zamiar ją wyrzucić, ale zmieniła zdanie. Niemal ukradkiem wsunęła ją do torby i zabrała do swojego pokoju.

Robert Greenwood nie mógł poświęcać swojej rodzinie zbyt dużo czasu, ale wspólne kolacje z żoną i dziećmi były dla niego świętością. A obecność młodej guwernantki w niczym mu nie przeszkadzała. Wręcz przeciwnie, gdy udało mu się wciągnąć pannę Davenport do rozmowy, jej poglądy na temat światowych wydarzeń, literatury czy muzyki często okazywały się całkiem inspirujące. Panna Davenport zdecydowanie lepiej znała się na tym wszystkim niż jego żona, której klasyczne wykształcenie pozostawiało wiele do życzenia. Zainteresowania Lucindy ograniczały się do prowadzenia domu, ubóstwiania młodszego z synów oraz pracy w komitetach rozmaitych stowarzyszeń dobroczynnych.

Również tego wieczoru Robert Greenwood obdarzył wchodzącą Helen przyjaznym uśmiechem i oficjalnie ją powitawszy, przysunął jej krzesło. Helen odpowiedziała uśmiechem, starając się jednak, żeby skierować go jednocześnie do pani Greenwood. W żadnym wypadku nie powinna wzbudzać podejrzeń, że flirtuje ze swoim chlebodawcą, choć Robert Greenwood był bez wątpienia przystojnym mężczyzną. Był wysoki i szczupły, miał wąską i inteligentną twarz oraz brązowe oczy o badawczym spojrzeniu. Doskonale wyglądał w ciemnym surducie z kamizelką i złotym łańcuszkiem od zegarka, a jego maniery w niczym nie ustępowały manierom dżentelmenów z rodzin arystokratycznych, z którymi państwo Greenwood utrzymywali stosunki towarzyskie. W kręgach tych nie byli jednak w pełni akceptowani, ponieważ uważano ich za parweniuszy. Ojciec Roberta Greenwooda swoją doskonale prosperującą firmę zbudował właściwie od zera, a jego syn pomnożył majątek i zapragnął towarzyskiego uznania. Jego zdobyciu miało także służyć małżeństwo z Lucindą Raiford, która pochodziła ze zubożałej rodziny arystokratycznej. Małżeństwo to było możliwe przede wszystkim dzięki zamiłowaniu ojca Lucindy do hazardu i wyścigów konnych, jak przebąkiwano w wykwintnym towarzystwie. Lucindzie trudno było zadowolić się przynależnością do stanu mieszczańskiego, dlatego w reakcji na spadek na drabinie społecznej zaczęła obnosić się z przepychem. Przyjęcia i festyny u Greenwoodów zawsze były więc nieco bardziej wystawne niż te organizowane przez innych londyńskich notabli. Damy z towarzystwa z przyjemnością w nich uczestniczyły, co nie przeszkadzało im potem strzępić języków.

Dziś także Lucinda ubrała się zbyt odświętnie jak na zwykłą kolację w gronie rodziny. Miała na sobie elegancką suknię z liliowego jedwabiu, a jej fryzura musiała kosztować pokojówkę wiele godzin pracy. Lucinda opowiadała o spotkaniu dam z komitetu miejscowego sierocińca, w którym uczestniczyła tego popołudnia. Nie spotkała się jednak ze zbyt żywym odzewem, gdyż ani Helen, ani pan Greenwood nie byli tym tematem szczególnie zainteresowani.

– A jak wy spędziliście ten uroczy dzień? – pani Greenwood zwróciła się wreszcie do swojej rodziny. – Ciebie, Robercie, raczej nie muszę pytać, pewnie znowu zajmowały cię interesy, interesy, interesy. – Obdarzyła męża spojrzeniem, które miało prawdopodobnie wyrażać pobłażliwą tkliwość.

Pani Greenwood była zdania, że jej mąż zbyt małym zainteresowaniem obdarza ją samą oraz jej towarzyskie obowiązki. Teraz również Robert mimowolnie się skrzywił. Miał prawdopodobnie na końcu języka jakąś niemiłą ripostę, gdyż jego interesy zapewniały nie tylko utrzymanie całej rodzinie, ale także umożliwiały Lucindzie uczestniczenie w rozmaitych komitetach dobroczynnych. W każdym razie Helen wątpiła, żeby to wybitne talenty organizacyjne pani Greenwood zapewniały jej członkostwo w tych komitetach. Zawdzięczała je raczej hojności swojego męża.

– Odbyłem bardzo interesującą rozmowę z pewnym producentem wełny z Nowej Zelandii i… – Robert zaczął swoją wypowiedź, patrząc na starszego syna, Lucinda jednak nie skończyła mówić, tym razem swój pobłażliwy uśmiech kierując przede wszystkim do Williama.

– A wy, moi kochani synkowie? Pewnie bawiliście się w ogrodzie, prawda? Williamie, czy znowu pokonałeś George'a i pannę Davenport w krykieta, mój skarbie?

Helen z napięciem wpatrywała się w swój talerz, kątem oka spostrzegła jednak, że George spojrzał swoim zwyczajem w górę, jakby szukał poparcia u jakiegoś wyrozumiałego anioła. Tak naprawdę Williamowi tylko raz udało się zdobyć więcej punktów niż starszemu bratu, a było to wtedy, gdy George był mocno przeziębiony. Zazwyczaj nawet Helen posyłała piłki do bramki zgrabniej niż William, choć najczęściej udawała, że jest bardziej niezdarna niż w rzeczywistości, żeby umożliwić chłopcu zwycięstwo. Pani Greenwood doceniała jej starania, z kolei pan Greenwood zbeształ ją, kiedy zauważył oszustwo.

– Chłopak musi przyzwyczaić się do tego, że życie twardo obchodzi się z nieudacznikami! – powiedział ostrym tonem. – Musi nauczyć się przegrywać, bo tylko wtedy zacznie w końcu wygrywać!

Helen wątpiła, czy William kiedykolwiek zwycięży, i to w jakiejkolwiek dziedzinie, ale przelotny przypływ litości dla nieszczęsnego dziecka wyparował natychmiast po jego kolejnej wypowiedzi.

– Och, mamusiu, panna Davenport w ogóle nie pozwoliła nam się dzisiaj bawić! – powiedział William z zatroskaną miną. – Cały dzień siedzieliśmy w domu i tylko się uczyliśmy.

Pani Greenwood natychmiast rzuciła Helen pełne dezaprobaty spojrzenie.

– Czy to prawda, panno Davenport? Przecież wie pani, że dzieci potrzebują świeżego powietrza! W tym wieku nie mogą całymi dniami siedzieć tylko nad książkami!

W Helen zawrzało, nie mogła jednak wprost zarzucić Williamowi kłamstwa. Ku jej ogromnej uldze do rozmowy wtrącił się George.

– Przecież było zupełnie inaczej. William jak co dzień miał iść na spacer po obiedzie. Ale wtedy zaczęło już trochę padać i nie chciał wyjść. Niania obeszła z nim park dwa razy, ale na krykieta nie wystarczyło już czasu przed lekcjami.

– Za to William malował – Helen próbowała zmienić temat. Może pani Greenwood zacznie omawiać jego cudowny bohomaz i zapomni o wychodzeniu na zewnątrz. Przeliczyła się jednak.

– Mimo wszystko, panno Davenport, jeśli pogoda w południe nie sprzyja, musi pani zaplanować przerwę po południu. W kręgach, w których William będzie się obracać, tężyzna fizyczna jest równie istotna co rozwój umysłowy!

William zdawał się cieszyć z reprymendy, jaką otrzymała jego nauczycielka, a Helen po raz kolejny pomyślała o ogłoszeniu z gazetki parafialnej...

George jakby czytał w jej myślach. Uznając wątek rozmowy z Williamem i matką za niebyły, nawiązał do ostatniej uwagi swojego ojca. Helen już wielokrotnie zauważyła tę umiejętność u ojca i syna, i zwykle podziwiała te zręczne przejścia do innego tematu. Tym razem wypowiedź George'a sprawiła, że jej policzki się zaczerwieniły.

– Panna Davenport interesuje się Nową Zelandią, ojcze.

Helen z trudem przełknęła, gdy wszystkie spojrzenia skierowały się na nią.

– Och, doprawdy? – zapytał Robert Greenwood swobodnym tonem. – Myśli pani o emigracji? – Uśmiechnął się. – W takim razie Nowa Zelandia to bardzo dobry wybór. Nie jest tam nadmiernie gorąco i nie ma takich malarycznych bagien jak w Indiach. Ani żądnych krwi tubylców jak w Ameryce. Ani potomków kryminalistów jak w Australii...

– Naprawdę? – zapytała Helen i ucieszyła się, że rozmowa z powrotem przechodzi na neutralny grunt. – Na Nową Zelandię nie wysyłano więźniów?

Pan Greenwood potrząsnął głową.

– Ależ skąd. Tamtejsze osady zakładali prawie wyłącznie dzielni i uczciwi brytyjscy chrześcijanie, i tak zostało do dzisiaj. Oczywiście nie oznacza to, że nie ma tam podejrzanych typów. Zwłaszcza w obozach wielorybników na zachodnim wybrzeżu mogło się kilku takich zebrać, a i kolonie pasterzy owiec nie składają się z samych zacnych ludzi. Ale Nowa Zelandia z pewnością nie jest zbieraniną szumowin. Sama kolonia wciąż jest jeszcze młoda. Ma własny rząd dopiero od kilku lat...

– Ale tubylcy są przecież niebezpieczni! – wtrącił George. W oczywisty sposób chciał zabłysnąć swoją wiedzą. Helen wiedziała z lekcji, że chłopak pasjonuje się konfliktami wojennymi, a do tego ma doskonałą pamięć. – Jeszcze niedawno trwały tam walki, prawda tato? Czy nie opowiadałeś nam, że jednemu z twoich partnerów handlowych spalono cały zapas wełny?

Pan Greenwood z zadowoleniem przytaknął synowi.

– Masz rację, George. Ale to już minęło. Od dziesięciu lat panuje spokój, nawet jeśli od czasu do czasu dochodzi do jakichś utarczek. Zresztą nie chodziło wcale o samą obecność osadników. Jej tubylcy zawsze byli raczej przychylni. Kwestionowano zasady sprzedaży ziemi, a kto może wykluczyć, czy nasi najeźdźcy rzeczywiście nie oszukali wodza tego czy innego plemienia? Ale odkąd nasza królowa wysłała tam w randze generała porucznika naszego dobrego kapitana Hobsona, problemy znikły. Ten człowiek to doskonały strateg. W tysiąc osiemset czterdziestym roku kazał sześćdziesięciu czterem wodzom podpisać traktat, w którym uznali się za poddanych królowej. Od tej pory przy każdej sprzedaży ziemi Korona ma prawo pierwokupu. Niestety, nie wszyscy podpisali traktat, a i nie wszyscy osadnicy dotrzymują warunków pokoju. Dlatego ciągle dochodzi do drobnych utarczek. Ale ogólnie to bezpieczny kraj, proszę się więc nie obawiać, panno Davenport! – pan Greenwood mrugnął okiem do Helen.

Pani Greenwood zmarszczyła czoło.

– Chyba nie rozważa pani poważnie możliwości wyjazdu z Anglii, panno Davenport? – zapytała ponurym tonem. – Chyba nie zamierza pani odpowiedzieć na to oburzające ogłoszenie, które pastor zamieścił w gazetce parafialnej? I to przy wyraźnym sprzeciwie pań z komitetu, co chciałabym podkreślić!

Helen znów się zaczerwieniła.

– Jakie ogłoszenie? – zapytał Robert, zwracając się bezpośrednio do Helen. Ta jednak milczała zakłopotana.

– Ja... ja nie wiem dokładnie, o co chodzi. W gazetce była tylko krótka notka...

– Pewna nowozelandzka parafia szuka panien chętnych do zamążpójścia – wyjaśnił ojcu George. – Wygląda na to, że w tym południowym raju brakuje kobiet.

– George! – pani Greenwood była oburzona wypowiedzią syna.

Pan Greenwood się roześmiał.

– Południowy raj? Tamtejszy klimat przypomina raczej klimat Anglii – poprawił syna. – Ale to przecież żadna tajemnica, że w zamorskich krajach jest więcej mężczyzn niż kobiet. Może z wyjątkiem Australii, gdzie trafiają społeczne męty płci żeńskiej: oszustki, złodziejki, dziw... Oj, dziewczęta lekkich obyczajów. Ale jeśli chodzi o dobrowolną emigrację, to nasze damy ze swojej natury wykazują się mniejszą żądzą przygód niż panowie. Albo wyjeżdżają ze swoimi mężami, albo wcale. To charakterystyczne zachowanie słabszej płci.

– Właśnie! – pani Greenwood zgodziła się z mężem, Helen zaś musiała ugryźć się w język. Wcale nie była przekonana o męskiej wyższości. Wystarczyło jej popatrzeć na Williama albo pomyśleć o ciągnących się w nieskończoność studiach własnych braci. Helen trzymała nawet w swojej sypialni dobrze ukrytą książkę Mary Wollstonecraft, rzeczniczki praw kobiet, ale to nie mogło się wydać, bo pani Greenwood natychmiast by ją zwolniła. – Podróż brudnym statkiem pełnym emigrantów, bez męskiej ochrony, mieszkanie w obcych krajach i wykonywanie do tego prac, które Bóg przeznaczył mężczyznom, to sprzeczne z kobiecą naturą. A wysyłanie chrześcijanek za morze, żeby tam wychodziły za mąż, to jak handlowanie kobietami!

– Przecież nikt nie wysyła ich bez przygotowania – wtrąciła Helen. – W ogłoszeniu przewidziano wcześniejsze kontakty korespondencyjne. I wyraźnie pisano w nim, że chodzi o mężczyzn dobrze sytuowanych i cieszących się nienaganną opinią.

– A ponoć ledwie pani to ogłoszenie zauważyła – zadrwił pan Greenwood, ostrość jego słów łagodził jednak życzliwy uśmiech.

Helen ponownie spąsowiała.

– Ja... Cóż, możliwe, że je pobieżnie przeczytałam...

George się uśmiechnął.

Pani Greenwood zdawała się nie zauważyć tej krótkiej wymiany zdań. Od dłuższej chwili zajmował ją inny aspekt nowozelandzkiej problematyki.

– Znacznie gorszy od tak zwanego braku kobiet w koloniach wydaje mi się tamtejszy problem ze służbą – oświadczyła. – Omawiałyśmy tę kwestię szczegółowo na dzisiejszym zebraniu komitetu sierocińca. Wygląda na to, że rodziny w... Jak się nazywa ta miejscowość? Christchurch? W każdym razie nie mogą tam znaleźć odpowiedniej służby. Przede wszystkim trudno właśnie o służące.

– Co jak najbardziej potwierdza ogólny brak kobiet w tamtym rejonie – zauważył pan Greenwood. Helen musiała powstrzymać uśmiech.

– W każdym razie nasz komitet wyśle tam kilka sierot – kontynuowała Lucinda. – Mamy cztery dzielne małe stworzenia, może pięć, w wieku około dwunastu lat, które są wystarczająco duże, żeby zarobić na swoje utrzymanie. Tutaj, w kraju, trudno znaleźć dla nich posadę. Ludzie wolą trochę starsze dziewczęta. Ale tam będą się po nie ustawiać kolejki...

– To chyba bardziej przypomina handel kobietami niż parafialne pośrednictwo matrymonialne – wtrącił mąż.

Lucinda rzuciła mu jadowite spojrzenie.

– Działamy wyłącznie dla dobra tych dziewcząt! – stwierdziła i afektowanym gestem złożyła swoją serwetę.

Helen miała co do tego pewne wątpliwości. Najprawdopodobniej nawet nie zadano sobie trudu, żeby nauczyć te dzieci podstawowych umiejętności wymaganych w porządnych domach. Te biedne stworzenia mogą zostać najwyżej pomocami kuchennymi, a przecież kucharki wolą na swoje pomocnice silne dziewczyny ze wsi, nie zaś źle odżywione dwunastolatki z przytułku dla ubogich.

– W Christchurch dziewczęta mają szansę na dobrą posadę. A my wyślemy je oczywiście tylko do rodzin cieszących się dobrą opinią...

– Oczywiście – zauważył Robert z ironią. – Jestem pewien, że z przyszłymi chlebodawcami dziewcząt będziecie prowadzić co najmniej tak obfitą korespondencję, jak chętne panny ze swoimi przyszłymi małżonkami.

Oburzona pani Greenwood zmarszczyła czoło.

– Nie traktujesz mnie poważnie, Robercie! – upomniała męża.

– Ależ jak najbardziej, moja droga! – Pan Greenwood się uśmiechnął. – Czy mógłbym komitetowi sierocińca przypisywać cokolwiek innego niż najlepsze i najczystsze intencje? Poza tym na pewno nie wyślecie swoich małych wychowanic w podróż za morze bez żadnej opieki. Być może wśród chętnych do zamążpójścia młodych dam znajdzie się jakaś godna zaufania osoba, która w zamian za pokrycie wydatków jej podróży przez komitet zatroszczy się o dziewczęta...

Pani Greenwood nie odpowiedziała, a Helen znów wpatrywała się w swój talerz. Ledwie tknęła pyszną pieczeń, której przygotowanie zajęło kucharce co najmniej pół dnia. Zauważyła natomiast badawcze i pełne rozbawienia spojrzenie pana Greenwooda, które rzucił jej, wypowiadając ostatnią kwestię. W jej głowie rodziły się nowe pytania. Helen zupełnie nie uświadamiała sobie do tej pory, że trzeba mieć pieniądze na podróż statkiem do Nowej Zelandii. Czy można z czystym sumieniem się spodziewać, że pokryje je przyszły małżonek? Czy w ten sposób uzyskiwałby on prawa do kobiety, która powinna do niego należeć dopiero po tym, jak patrząc sobie w oczy, powiedzą „tak"?

Nie, ten cały pomysł z Nową Zelandią to czyste szaleństwo. Helen musi go sobie wybić z głowy. Posiadanie własnej rodziny nie było jej przeznaczone. Chociaż może?

Nie, nie powinna już o tym więcej myśleć!

Ale przez następne dni Helen Davenport tak naprawdę nie myślała o niczym innym.

2

– Chce pan od razu zobaczyć stada, czy najpierw się czegoś napijemy?

Lord Terence Silkham powitał swojego gościa mocnym uściskiem dłoni, który Gerald Warden odwzajemnił z jednakową siłą. Lord Silkham nie bardzo wiedział, jak powinien sobie wyobrażać człowieka, którego zrzeszenie hodowców z Cardiff przedstawiało mu jako „owczego barona" zza oceanu. Ale mężczyzna, który teraz przed nim stał, całkiem mu się spodobał. Był ubrany odpowiednio na walijską pogodę, jednocześnie zaś zgodnie z najnowszą modą. Uszyte z dobrego materiału bryczesy miały elegancki krój, a płaszcz przeciwdeszczowy był uszyty przez angielskiego krawca. Jasnoniebieskie oczy błyszczały w dużej, nieco kanciastej twarzy, częściowo osłoniętej szerokim rondem kapelusza typowego dla mieszkańców tej okolicy. Wystawały spod niego gęste i ciemne włosy, przycięte zgodnie z panującym w Anglii zwyczajem. Krótko mówiąc, Gerald Warden w najmniejszym stopniu nie przypominał kowbojów przedstawianych w tanich powieściach, w których zaczytywała się służba jego lordowskiej mości i – ku przerażeniu jego małżonki – również ich niesforna córka Gwyneira! Autorzy literatury straganowej opisywali krwawe walki amerykańskich osadników z ziejącymi nienawiścią tubylcami, a niewprawne rysunki przedstawiały zuchwałych młodzieńców z długimi potarganymi włosami, w stetsonach, skórzanych spodniach i butach o dziwnym kształcie, do których były przymocowane przesadnie długie ostrogi. Kowboje ci szybko chwytali za rewolwery, zwane coltami, które nosili w olstrach luźno opuszczonych pasów.

Dzisiejszy gość lorda Silkhama zamiast broni nosił przy sobie piersiówkę z whisky, którą właśnie odkręcił i podsunął gospodarzowi.

– Myślę, że to wystarczy na pierwsze wzmocnienie – powiedział Gerald Warden głębokim i przyjemnym głosem człowieka nawykłego do posłuchu. – Resztę toastów zostawmy sobie na czas negocjacji, jak już obejrzę owce. A jeśli o tym mowa, to lepiej się pośpieszmy, zanim znowu się rozpada. Proszę się częstować.

Silkham skinął głową i pociągnął z zaoferowanej piersiówki spory łyk. Pierwszorzędna szkocka! Żadna tania siwucha. Wysokiemu rudowłosemu lordowi coraz bardziej podobał się jego gość. Skinął w jego stronę głową, sięgnął po kapelusz i palcat i cicho zagwizdał. Trzy energiczne, czarno-brązowo-białe owczarki jakby tylko na to czekały i zbiegły się z narożników stajni, w której znalazły schronienie przed zmienną aurą. Było widać, że nie mogą się doczekać, aby dołączyć do jeźdźców.

– Pan nie jest przyzwyczajony do deszczów? – zapytał lord Terence Silkham, wsiadając na konia. Stajenny przyprowadził jego silnego huntera, gdy lord witał się z Geraldem Wardenem. Koń Geralda nie wyglądał na zmęczonego, choć tego ranka pokonał już dystans z Cardiff do Powys. Z pewnością był to wynajęty koń, bez wątpienia jednak pochodził z jednej z najlepszych stajni w mieście. Kolejna wskazówka potwierdzająca przydomek „owczego barona". Warden z pewnością nie był arystokratą, wyglądał za to na prawdziwego bogacza.

Teraz się roześmiał, zgrabnie wsiadając na swojego eleganckiego gniadosza.

– Wręcz przeciwnie, Silkham, wręcz przeciwnie…

Lord Terence przełknął ślinę, postanowił jednak nie brać za złe bezczelnej odzywki gościa. Widocznie tam, skąd pochodzi, nie wszyscy wiedzą, jak zwracać się do milordów.

– Pada u nas średnio przez trzysta dni w roku. Właściwie pogoda na nizinie Canterbury Plains przypomina tutejszą, zwłaszcza latem. Zimy są łagodniejsze, ale wystarczająco zimne, żeby zapewnić pierwszorzędną jakość wełny. A trawy, Silkham, to mamy aż nadto! Hektar za hektarem! Canterbury Plains to raj dla hodowców.

O tej porze roku także w Walii nie można było narzekać na brak trawy. Bujna zieleń niczym aksamitny dywan pokrywała wzgórza, sięgając aż po górskie zbocza. Cieszyły się nią również dzikie kuce, które nie musiały schodzić w doliny, żeby łasować na pastwiskach lorda Silkhama. Jego jeszcze nieostrzyżone owce objadały się nią, nabierając okrągłych kształtów. Mężczyźni z przyjemnością obserwowali stado maciorek matek, które trzymano w pobliżu domu ze względu na kocenie się.

– Wspaniałe zwierzęta! – Gerald Warden nie krył zachwytu. – Potężniejsze niż te rasy romney i cheviot. A przy tym dadzą wełnę o przynajmniej takiej samej jakości.

Silkham skinął głową.

– To rasa welsh mountain. Zimą wypuszczamy je w góry. Nic ich nie zmoże. A gdzie leży ten pański raj? Pan raczy wybaczyć, ale lord Bayliff wspomniał tylko o zamorskim kraju...

Lord Bayliff był przewodniczącym zrzeszenia hodowców owiec, który umożliwił Wardenowi nawiązanie kontaktu z Silkhamem. W swoim liście stwierdził, że „owczy baron" zamierza kupić trochę owiec wpisanych do ksiąg hodowlanych, żeby uszlachetnić swoją własną zamorską hodowlę.

Warden roześmiał się gromko.

– Niech zgadnę... Pewnie wyobraża już pan sobie swoje owce gdzieś na Dzikim Zachodzie, podziurawione indiańskimi strzałami! Proszę się nie niepokoić. Owce pozostaną bezpieczne na terytorium brytyjskiego imperium. Mój majątek znajduje się w Nowej Zelandii, na nizinie Canterbury Plains na Wyspie Południowej. Same pastwiska, aż po horyzont! Trochę jak tutaj, Silkham, tylko więcej, bez porównania więcej!

– Cóż, to też nie jest małe gospodarstwo – zauważył z lekkim oburzeniem lord Terence. „Co ten człowiek sobie myśli, mówiąc o posiadłościach rodziny Silkham jak o jakieś nędznej farmie!" – Mam ponad trzydzieści hektarów pastwisk.

Gerald Warden ponownie się uśmiechnął.

– W Kiward Station mam ponad czterysta – zatriumfował. – Ale jeszcze nie wszystko wykarczowane, tak że czeka nas trochę pracy. Mimo wszystko to wspaniała posiadłość. A jak do tego dojdzie jeszcze stado hodowlane najlepszych owiec, to powstanie prawdziwa kopalnia złota. Owce rasy romney i cheviot skrzyżowane z welsh mountain – to nasza przyszłość, proszę mi wierzyć!

Silkham nie miał zamiaru się sprzeciwiać. Był jednym z najlepszych hodowców owiec w Walii, jeśli nie w całej Wielkiej Brytanii. Bez wątpienia owce z jego hodowli uszlachetnią każde stado. Tymczasem dostrzegł pierwsze sztuki ze stada, które planował zaproponować Wardenowi. Były to młode maciorki, które jeszcze się nie kociły. A do tego dwa młode tryki o doskonałym pochodzeniu.

Lord Terence zagwizdał na psy, które natychmiast zaczęły spędzać rozproszone owce pasące się na ogromnej łące. Otoczyły je, zachowując spory odstęp i niemal niepostrzeżenie popędzały je tak, żeby szły prosto w kierunku obu mężczyzn. Nie pozwalały przy tym, by owce zaczęły biec – gdy tylko zaczynały iść w odpowiednią stronę, psy przypadały do ziemi i zastygały nieruchomo, obserwując, czy któraś z owiec nie wyłamie się z grupy. Gdy tak się działo, owczarek znajdujący się najbliżej reagował natychmiast.

Gerald Warden zafascynowany obserwował, jak psy radzą sobie zupełnie samodzielnie.

– Niewiarygodne. Co to za rasa? To owczarki?

Silkham przytaknął.

– Border collie. Zapędzanie stada mają we krwi i niemal nie potrzebują tresury. Ale te tutaj to nic. Powinien pan kiedyś zobaczyć Cleo. Doskonała suka, wygrywa wszystkie zawody! – Silkham rozejrzał się wokół. – Ale gdzie ona się podziała? Miałem ją ze sobą zabrać. W każdym razie obiecałem to mojej żonie. Żeby Gwyneira znowu nie... Och, nie! – Lord rozglądał się za suką, jego wzrok jednak spoczął na jeźdźcu, który wraz z koniem w szybkim tempie zbliżał się do nich od strony domu. Nie zadawał sobie trudu, żeby jechać drogą między okólnikami czy otwierać sobie bramy. Mocno zbudowany gniady koń bez wahania przeskakiwał wszystkie płoty i murki, które oddzielały okólniki Silkhama. Gdy koń i jeździec się zbliżyli, Warden zauważył mały ciemny cień, który ze wszystkich sił starał się dotrzymać im kroku. Pies albo przeskakiwał przeszkody, albo wspinał się po murkach jak po schodkach, albo prześlizgiwał się pod najniższym drągiem. W każdym razie to prędkie, machające ogonem stworzenie dobiegło do okólnika pierwsze i od razu przejęło dowodzenie. Owce jakby czytały mu w myślach. Jak na komendę uformowały zamkniętą grupę i grzecznie zatrzymały się tuż przed mężczyznami. Przy tym w ogóle się nie zdenerwowały. Spokojnie opuściły głowy w trawę i zaczęły się paść pod czujnym okiem trzech owczarków lorda Silkhama. Nowy psi przybysz, oczekując pochwały, podszedł do lorda, a jego pysk promieniał radością. Suka jednak nie patrzyła na mężczyzn. Skierowała swój wzrok na jeźdźca na gniadym koniu, który za ich plecami przeszedł w stęp i się zatrzymał.

– Dzień dobry, ojcze! – powiedział pogodny głos. – Przyprowadziłam ci Cleo. Pewnie się przyda.

Gerald Warden spojrzał na młodego człowieka, chcąc pochwalić jego elegancką jazdę *par force*. Zająknął się jednak, gdy dostrzegł damskie siodło, zniszczoną ciemnoszarą suknię oraz gęste, niedbale spięte na karku ognistorude włosy. Być może dziewczyna przed jazdą upięła je skromnie, zgodnie z obyczajem, ale nie bardzo się do tego przyłożyła. Zresztą przy tak szalonej jeździe nie utrzymałby się żaden kok.

Lord Silkham wyglądał na mniej zdumionego. W każdym razie pomyślał o tym, żeby przedstawić przybyłą pannę.

– Panie Warden, to moja córka Gwyneira. I jej suka Cleopatra, czyli rzekomy powód jej przybycia. Co ty tu robisz, Gwyneiro? O ile dobrze sobie przypominam, matka mówiła, że masz dziś po południu lekcję francuskiego...

Zwykle lord Terence nie znał planu lekcji swojej córki, lecz *madame* Fabian, francuska guwernantka Gwyneiry, cierpiała na silną alergię na psią sierść. Lady Silkham przypominała więc stale swojemu mężowi, żeby przed lekcją trzymał Cleo z dala od Gwyneiry, co nie było łatwe. Suka nie odstępowała swojej pani na krok i można ją było od niej odciągnąć, tylko proponując szczególnie interesujące zadania pasterskie.

Gwyneira z wdziękiem wzruszyła ramionami. Siedziała w siodle idealnie wyprostowana, a jednocześnie odprężona i pewna swojej silnej, małej klaczy, której popuściła wodze.

– To prawda. Ale biedna *madame* dostała strasznego ataku astmy. Musiałyśmy zaprowadzić ją do łóżka, nie mogła wykrztusić słowa. Skąd to się u niej bierze! Mama tak przecież dba, żeby nie zbliżyło się do niej żadne zwierzę...

Gwyneira starała się, żeby jej wzrok odzwierciedlał współczucie i rezygnację, na jej pełnej wyrazu twarzy odbijał się jednak rodzaj triumfu. Warden miał teraz okazję, żeby przyjrzeć się jej bliżej. Miała bardzo jasną cerę z tendencją do piegów, twarz w kształcie serca, która wydawałaby się niewinnie słodka, gdyby nie pełne i szerokie usta, nadające rysom dziewczyny pewnej zmysłowości. Ale najważniejsze w jej twarzy były wielkie niebieskie oczy. „To indygo" – przypomniał sobie Gerald Warden. Zapamiętał tę nazwę z pudełka z farbami, którymi jego syn zabawiał się przez większą część czasu.

– A czy Cleo przypadkiem nie przebiegła przez salon po tym, jak pokojówki wyzbierały stamtąd każdy psi włos, zanim *madame* wyszła ze swoich pokoi? – zapytał Silkham surowym tonem.

– Och, to niemożliwe – odpowiedziała Gwyneira z miękkim uśmiechem, który nadał barwie jej oczu cieplejszy ton. – Przed godziną osobiście zaprowadziłam ją do stajni i przywiązałam, bo miała tam na ciebie czekać.

Ale jak wróciłam, wciąż siedziała przed boksem Igraine. Czyżby coś przeczuwała? Psy potrafią być takie wrażliwe...

Lord Silkham przypomniał sobie ciemnoniebieską aksamitną suknię, którą Gwyneira miała na sobie podczas obiadu. Jeśli właśnie w niej zaprowadziła Celo do stajni i kucnęła przy niej, żeby wydać polecenie, to na materiale zostało wystarczająco dużo psiej sierści, aby unieszkodliwić biedną *madame* na trzy tygodnie.

– Porozmawiamy o tym później – stwierdził lord Silkham, mając nadzieję, że rolę oskarżyciela i sędziego przejmie jego żona. Nie chciał już besztać Gwyneiry w obecności swojego gościa. – Jak się panu podobają owce, panie Warden? Czy odpowiadają pańskim oczekiwaniom?

Gerald Warden zdawał sobie sprawę z tego, że powinien teraz przynajmniej *pro forma* przejść się od jednego zwierzęcia do drugiego i ocenić jakość ich wełny, budowę i wykorzystanie paszy. Ale tak naprawdę nie miał żadnych wątpliwości co do tego, że są to pierwszorzędne maciorki matki. Wszystkie były duże i wyglądały na zdrowe i dobrze odżywione. Było również widać, że wełna odrasta im od razu po strzyżeniu. Przede wszystkim jednak honor w żadnym wypadku nie pozwoliłby lordowi Silkhamowi oszukać zamorskiego kupca. Już prędzej oddałby mu swoje najlepsze zwierzęta, aby jego sława znakomitego hodowcy dotarła aż do Nowej Zelandii. Gerald zatrzymał więc swój wzrok na niezwykłej córce lorda Silkhama. Wydała mu się bardziej interesująca niż jego zwierzęta hodowlane.

Gwyneira bez niczyjej pomocy zsunęła się z siodła. Tak dzielna amazonka prawdopodobnie potrafiła też samodzielnie w nim usiąść. Gerald zdziwił się nawet, dlaczego używała siodła damskiego, bo najprawdopodobniej wolała jeździć po męsku. Być może jednak wtedy miarka by się przebrała. Lord Silkham nie wyglądał na zachwyconego jej widokiem, a i jej stosunek do francuskiej guwernantki nie stanowił wzoru zachowania młodej damy.

Geraldowi jednak dziewczyna się spodobała. Z przyjemnością przyglądał się jej drobnej, ale we właściwych miejscach odpowiednio zaokrąglonej figurze. Gwyneira była bardzo młoda, z pewnością nie miała więcej niż siedemnaście lat, jej ciało było już jednak dojrzałe. Poza tym sprawiała wrażenie bardzo dziecinnej, w końcu dorosłe panny nie wykazują aż takiego zainteresowania psami i końmi. Sposób, w jaki traktowała zwierzęta, zdecydowanie różnił się od typowo kobiecego pieszczotliwego podejścia. Ze śmiechem odpędziła konia, który właśnie spróbował otrzeć swój pysk o jej ramię. Klacz była zdecydowanie mniejsza od huntera lorda Silkhama, bardzo przysadzista, a mimo wszystko pełna gracji. Wygięta szyja i spadzisty zad kojarzyły się Geraldowi z końmi hiszpańskimi i neapolitańskimi, które oferowano mu podczas jego podróży po kontynencie. Wszystkie one wydały mu się jednak zbyt duże, a jednocześnie zbyt delikatne jak na warunki w Kiward Station. Prawdopodobnie nie dałyby rady pokonać nawet Bridle Path z wybrzeża do Christchurch. Ale ta klacz...

– Ma pani pięknego konia, *milady* – zauważył Gerald Warden. – Podziwiałem sposób, w jaki skacze. Czy bierze pani na nim udział w polowaniach?

Gwyneira skinęła głową. Na uwagę o swojej klaczy zareagowała podobnym błyskiem w oku, jak na wzmiankę o swojej suce.

– To Igraine – powiedziała swobodnym tonem. – Rasa cob. Typowy koń z tej okolicy, ma bardzo pewny chód i jest równie dobry pod siodło, jak i do zaprzęgu. Dorastają w stadach w górach. – Gwyneira wskazała na poprzerzynane rozpadlinami góry wznoszące się w dali za pastwiskami. Z pewnością było to surowe otoczenie, które kształtowało silne charaktery.

– To chyba nietypowy koń dla dam, prawda? – zapytał Gerald z uśmiechem. Widział już w Anglii inne młode damy w siodłach. Większość z nich preferowała lekkie konie pełnej krwi.

– To zależy, czy dama potrafi jeździć – poinformowała go Gwyneira. – Ja nie narzekam... Cleo, odczep się od moich stóp – krzyknęła na małą sukę, o którą niemal się potknęła. – Dobrze się spisałaś, przyprowadziłaś wszystkie owce. Ale to przecież nie było nic trudnego – zwróciła się do lorda Silkhama. – Czy Cleo może przyprowadzić tryki? Nudzi się.

Lord Silkham wolał najpierw podprowadzić swoje maciorki matki. Gerald zmusił się, żeby dokładniej im się przyjrzeć. Gwyneira w tym czasie pozwoliła swojej klaczy się popaść, a sama lekko drapała Cleo. W końcu ojciec skinął na nie.

– Dobrze, Gwyneiro. Pokaż panu Wardenowi, co potrafi twój pies. Na pewno nie możesz się doczekać, żeby móc się popisać. Zapraszam, panie Warden, musimy kawałek podjechać. Młode tryki są tam, na wzgórzach.

Tak jak Gerald się spodziewał, ojciec nawet nie próbował pomóc córce wsiąść na konia. Gwyneira pewnie i z wdziękiem poradziła sobie z trudnym zadaniem, polegającym na włożeniu najpierw lewej stopy w strzemię, a następnie zręcznym przerzuceniu prawej nogi ponad wystającą kulą siodła. W tym czasie jej klacz stała niczym posąg w całkowitym bezruchu. Gdy potem ruszyły, Gerald dostrzegł, jak elegancko się poruszają. Dziewczyna i koń podobały mu się w równym stopniu, a mała trójkolorowa suka także go zafascynowała. Podczas przejażdżki do stada tryków dowiedział się, że Gwyneira sama wyszkoliła Cleo i wygrała z nią już rozmaite konkursy dla psów pasterskich.

– Pasterze mają mnie już dość – wyjaśniła mu Gwyneira z niewinnym uśmiechem. – A stowarzyszenie pań wysunęło pytanie, czy to w ogóle przystoi, żeby panna prezentowała psa. Lecz cóż w tym nieprzystojnego? Stoję tylko, a czasem najwyżej otwieram czy zamykam bramę.

I rzeczywiście wystarczyło kilka gestów dłonią i wypowiedziane szeptem polecenie, żeby dobrze wyszkolona lordowska suka wyruszyła wykonać zadanie. Gerald Warden nie widział z początku żadnych owiec na wielkiej łące, której bramy Gwyneira tym razem nie przeskoczyła, lecz zręcznie otworzyła z siodła. Niewielki koń i pod tym względem okazał się użyteczny, Silkhamowi i Wardenowi trudno byłoby pochylić się tak nisko ze swoich wysokich rumaków.

Cleo i pozostałe psy potrzebowały zaledwie kilku minut, żeby zgromadzić stado, mimo że młode tryki były bardziej niezdyscyplinowane niż spokojne maciorki matki. Podczas zapędzania kilka tryków wyłamywało się z szyku, a nawet w wojowniczej pozie ustawiało się naprzeciwko psów, które jednak wcale nie traciły rezonu. Cleo z dumą machała ogonem, gdy na krótkie zawołanie z powrotem zjawiła się u boku swojej pani. Tryki stały teraz w niewielkich odległościach od siebie. Silkham pokazał Gwyneirze dwa z nich, a Cleo natychmiast pobiegła z wielką prędkością, żeby oddzielić je od innych.

– Wybrałem dla pana te dwa – oznajmił lord Silkham swojemu gościowi. – Najlepsze tryki z księgi hodowlanej, mają pierwszorzędne pochodzenie. Mogę panu później pokazać ich ojców. Zostałyby u mnie w hodowli i pewnie zdobyłyby wiele nagród. Ale… mam nadzieję, że wspomni pan w koloniach o mnie jako hodowcy. To dla mnie ważniejsze niż zdobycie kolejnych wyróżnień w Cardiff.

Gerald Warden z powagą skinął głową.

– Może pan być tego pewien. Wspaniałe zwierzęta! Nie mogę się doczekać ich potomstwa z moimi owcami rasy cheviot. Powinniśmy jednak porozmawiać także o psach. W Nowej Zelandii również mamy owczarki. Ale za taką sukę i odpowiedniego samca do pary byłbym skłonny sporo zapłacić.

Gwyneira, która z zadowoleniem głaskała swoją sukę, usłyszała słowa Wardena. Gwałtownym ruchem zawróciła konia i z gniewem zwróciła się do Nowozelandczyka. – Jeśli chce pan kupić mojego psa, to proszę rozmawiać ze mną, panie Warden! Ale od razu panu powiem, że nie sprzedam panu Cleo nawet za cały pański majątek. Ona jest moja! I beze mnie nigdzie nie pójdzie. W ogóle nie wykonywałaby pańskich poleceń, ona nie każdego słucha.

Lord Silkham pokręcił głową z niedowierzaniem.

– Gwyneiro, jak ty się zachowujesz? – zapytał ostrym tonem. – Oczywiście, że możemy sprzedać panu Wardenowi parę psów. Przecież to nie musi być twoja ulubienica. – Silkham spojrzał na Wardena. – Doradziłbym panu parę młodych z ostatniego miotu, panie Warden. Cleo to nie jedyny nasz pies, który zdobywa nagrody.

„Ale najlepszy – pomyślał Gerald. – A Kiward Station należy się właśnie to, co najlepsze. I do stajni, i do domu. Gdyby tę błękitnooką dziewczynę można było zdobyć równie łatwo co rasowe owce!". Kiedy cała trójka jechała z powrotem do domu Silkhamów, Gerald Warden przemyśliwał już pewien plan.

Gwyneira starannie ubrała się do kolacji. Po awanturze z *madame* nie chciała ponownie podpaść, choć matka i tak ciągle robiła jej wymówki. Gwyneira znała zarzuty lady Silkham na pamięć: jeśli dalej będzie się zachowywać jak dzikuska i więcej czasu spędzać w stajni i w siodle niż na lekcjach, nigdy nie znajdzie męża. Nie można zaprzeczyć, że francuski Gwyneiry pozostawiał wiele do życzenia. Podobnie jak jej umiejętności w zakresie prowadzenia domu. Robótki ręczne Gwyneiry zdecydowanie nie nadawały się na ozdobę domu. Pastor zawsze przypadkiem gdzieś je zapodziewał tuż przed kościelnym kiermaszem dobroczynnym i w ogóle nie wystawiał na sprzedaż. Dziewczyna nie miała również pojęcia o planowaniu uroczystych obiadów czy gruntownym omawianiu z kucharką kwestii typu „podać sandacza czy łososia?". Gwyneira jadła wszystko, co pojawiało się na stole. Wiedziała co prawda, których łyżek i widelców używa się do której potrawy, ale wszystko to uważała za głupstwa. Po cóż godzinami przystrajać stół, skoro potem wszystko zostaje zjedzone w kilka minut? A jeszcze to układanie kwiatów! Od kilku miesięcy do obowiązków Gwyneiry należało ozdabianie salonu i jadalni kwiatami. Niestety, jej starania zwykle nie spełniały oczekiwań, zwłaszcza gdy zrywała polne kwiaty i wtykała je do wazonów według własnego uznania. Jej się takie bukiety podobały, ale matka na ich widok niemal mdlała. Szczególnie gdy na jednym z liści dostrzegła sporego pająka. Od tamtej pory Gwyneira cięła kwiaty pod okiem ogrodnika w ogrodzie różanym Silkham Manor i układała je, korzystając z pomocy *madame*. Tego dnia jednak ominął ją ten uciążliwy obowiązek. W gości do Silkhamów przybył bowiem nie tylko Gerald Warden, lecz także najstarsza siostra Gwyneiry, Diana, wraz z mężem. Diana uwielbiała kwiaty i od ślubu zajmowała się niemal wyłącznie swoim ogrodem różanym – jednym z najpiękniejszych i najbardziej zadbanych ogrodów różanych w całej Anglii. Przywiozła ze sobą piękne bukiety róż w pąkach dla matki i od razu elegancko je poukładała w wazonach i koszach. Gwyneira aż westchnęła. Nigdy nie potrafiłaby tego tak pięknie zrobić. Jeśli mężczyźni naprawdę kierują się w wyborze małżonki takimi wymaganiami, to rzeczywiście umrze jako stara panna. Gwyneira odniosła jednak wrażenie, że wazony z kwiatami są jej ojcu i szwagrowi całkowicie obojętne. Na hafty Gwyneiry też dotąd nie rzucił okiem ani jeden mężczyzna, nie licząc niezbyt nimi zachwyconego pastora. Dlaczego nie mogłaby zaimponować młodym dżentelmenom swoimi prawdziwymi umiejętnościami? Mogłaby wzbudzić podziw na przykład na polowaniu. Zwykle goniła lisa szybciej i skuteczniej niż reszta towarzystwa. Ale tym wcale nie zjednywała sobie sympatii panów, podobnie jak sprawnym prowadzeniem owczarków. Choć z uznaniem wyrażali się o jej umiejętnościach, w ich oczach odczytywała rodzaj przygany, a na wieczornym balu prosili do tańca inne panny.

To jednak mogło się równie dobrze wiązać z nader skromnym posagiem panny Silkham. Gwyneira nie miała złudzeń i wiedziała, że jako ostatnia z trzech córek nie może oczekiwać zbyt dużo. Zwłaszcza że na utrzymaniu ojca był jeszcze jej brat. John Henry „studiował" w Londynie. Gwyneira ciągle się zastanawiała, co on tam studiuje. Gdy mieszkał jeszcze w Silkham Manor, nauka interesowała go mniej niż jego młodszą siostrę, a rachunki, które przysyłał z Londynu, były o wiele za wysokie jak na zakup podręczników. Ojciec jednak zawsze płacił je bez wahania, najwyżej mruczał pod nosem coś o „przycieraniu rogów". Gwyneira była pewna, że wydawane w ten sposób kwoty pomniejszają jej posag.

Mimo tych przeciwności nie trapiła się zanadto swoją przyszłością. Na razie było jej dobrze, a przecież obrotna matka w końcu znajdzie dla niej jakiegoś męża. Już teraz rodzice Gwyneiry zapraszali do siebie na herbatę niemal wyłącznie te zaprzyjaźnione małżeństwa, które jak się zupełnie przypadkowo składało, miały synów w odpowiednim wieku. Czasem nawet ich ze sobą przyprowadzali, częściej jednak rodzice przychodzili sami, a jeszcze częściej zjawiały się same matki. Takich wizyt Gwyneira nie znosiła najbardziej, ponieważ w ich trakcie sprawdzano wszystkie umiejętności, jakie panna rzekomo koniecznie powinna posiadać, żeby móc prowadzić elegancki dom. Gwyneira miała wykazać się umiejętnością odpowiedniego podawania herbaty, przy czym pewnego razu, niestety, niemal nie oparzyła lady Bronsworth. Była na dodatek zdumiona, gdy podczas tego właśnie niełatwego spotkania jej matka wierutnie skłamała, twierdząc, że Gwyneira sama upiekła podane ciasteczka.

Po herbacie damy sięgnęły po tamborki. Lady Silkham dla pewności podała Gwyneirze własny, z niemal ukończonym kunsztownym haftem *petit point*. Tocząca się rozmowa dotyczyła ostatniej powieści pana Bulwera-Lyttona. Jego książki działały na Gwyneirę jak środek nasenny – jeszcze nie udało jej się dokończyć żadnego z opasłych tomisk. Ale mogła posłużyć się którymś z często pojawiających się w takim kontekście wyrażeń, jak „budujący" czy „niezwykła siła wyrazu". Poza tym panie rozmawiały oczywiście o siostrach Gwyneiry i ich wspaniałych mężach, wyrażając przy okazji nadzieję, że wkrótce także Gwyneirze trafi się równie dobra partia. Gwyneira nie była pewna, czy tego właśnie chce. Uważała, że jej szwagrowie są nudni, a mąż Diany był na dodatek o tyle od niej starszy, że niemal mógłby być jej ojcem. Przebąkiwano, że być może właśnie dlatego ich małżeństwo nie doczekało się jeszcze potomstwa, ale Gwyneira nie do końca rozumiała, o co chodzi. Przecież stare tryki wyklucza się z hodowli... Zachichotała, gdy porównała w myślach srogiego męża Diany, Jeffreya, z trykiem Cesarem, którego ojciec niedawno z niechęcią musiał usunąć z hodowli.

A Julius, mąż Larissy? Mimo że pochodził z jednego z najznamienitszych rodów arystokratycznych, był koszmarnie bezbarwny i anemiczny. Gwyneira przypomniała sobie, że gdy ojciec zobaczył go po raz pierwszy, ukradkiem wymamrotał coś o „chowie wsobnym". Choć Julius i Larissa mieli już jednego syna, to chłopiec także wyglądał jak zjawa. Nie, nie o takich mężczyznach marzyła Gwyneira. Ale czy za morzem oferta była lepsza? Gerald Warden sprawiał co prawda wrażenie człowieka energicznego, dla niej jednak był oczywiście za stary. Chociaż znał się na koniach i nie próbował pomagać jej przy wsiadaniu w siodło. Czy to możliwe, żeby damy w Nowej Zelandii jeździły po męsku? Gwyneira przyłapywała się nieraz na marzeniach po lekturze tanich powieści pożyczanych od służących. Jak by to było, ścigać się z jednym z tych odważnych amerykańskich kowbojów? Albo z biciem serca przyglądać się pojedynkowi na rewolwery? A przecież kobiety na Dzikim Zachodzie same chwytają za broń! Gwyneira z pewnością wolałaby otoczony przez Indian fort od różanego ogrodu Diany.

Teraz jednak ścisnęła się nowym gorsetem, który zasznurowała jeszcze mocniej niż stary, który miała na sobie podczas jazdy. Nie znosiła gorsetów, ale gdy ujrzała w lustrze swoje odbicie, ucieszyła się, że jej talia wygląda tak szczupło. Żadna z sióstr nie miała tak zgrabnej figury. A w jasnobłękitnej jedwabnej sukni było jej wyjątkowo do twarzy. Suknia sprawiała, że oczy Gwyneiry promieniały jeszcze mocniej i podkreślała intensywną barwę jej rudych włosów. Szkoda, że musi je związać. I ile to pracy dla pokojówki, która stoi już obok z grzebieniami i spinkami! Włosy Gwyneiry były naturalnie poskręcane, a gdy w powietrzu była wilgoć, co w Walii zdarzało się niemal codziennie, kręciły się jeszcze mocniej i trudno było je poskromić. Gwyneira często musiała godzinami siedzieć, aż pokojówce uda się je porządnie upiąć. A spokojnego siedzenia nie znosiła najbardziej ze wszystkiego.

Z westchnieniem opadła na fotel i nastawiła się na pół godziny nudy. Jej wzrok padł jednak na niepozorny zeszyt leżący na stoliku tuż obok fryzjerskich utensyliów. Krzykliwy tytuł brzmiał *W rękach Czerwonoskórych*.

– Pomyślałam, że przyda się panience odrobina rozrywki – powiedziała młoda pokojówka i uśmiechnęła się w lustrze do Gwyneiry. – Ale to straszna opowieść! Jak ją sobie czytałyśmy na głos na zmianę z Sophie, to potem całą noc nie mogłyśmy spać!

Gwyneira już trzymała zeszyt w rękach. Nie tak łatwo było ją przestraszyć.

Gerald Warden nudził się tymczasem w salonie. Panowie zebrali się tam na drinka przed kolacją. Lord Silkham przed chwilą przedstawił mu swojego zięcia, Jeffreya Riddlewortha. Wyjaśnił panu Wardenowi, że lord Riddleworth służył w indyjskich koloniach i wrócił stamtąd z wysokimi odznaczeniami dopiero dwa lata temu. Diana Silkham była jego drugą żoną, pierwsza zmarła w Indiach. Warden nie odważył się zapytać, na co umarła, był jednak przekonany, że nie była to ani malaria, ani ukąszenie węża, bo musiałaby mieć więcej odwagi i chęci poznawania świata niż jej małżonek. Riddleworth wyglądał na takiego, który przez cały swój pobyt w Indiach nie opuścił murów pułkowego garnizonu. O Indiach był w stanie powiedzieć tylko to, że poza angielskimi enklawami jest tam hałaśliwie i brudno. Wszystkich tubylców uważał za hołotę, zwłaszcza maharadżów, poza granicami miast zaś wszędzie aż roiło się od tygrysów i węży.

– Raz nawet mieliśmy żmiję w naszej kwaterze – Riddleworth opowiadał ze wstrętem, muskając swoją wypielęgnowaną bródkę. – Oczywiście natychmiast zastrzeliłem bestię, choć kulis twierdził, że nie jest jadowita. Ale czy do tych ludzi można mieć zaufanie? A jak to jest u pana, panie Warden? Czy pańscy służący trzymają tę wstrętną zgraję pod nadzorem?

Gerald z rozbawieniem pomyślał, że strzały lorda Riddlewortha prawdopodobnie wyrządziły więcej szkód, niż uczyniłby to nawet tygrys. Nie sądził, żeby niewysoki i dobrze odżywiony pułkownik potrafił jednym strzałem trafić w głowę żmii. W każdym razie lord Riddleworth najwyraźniej wybrał sobie nieodpowiedni kraj na obszar swoich działań.

– Nasi służący czasem sami potrzebują... Hm... Przyuczenia – odpowiedział. – Zwykle zatrudniamy tubylców, dla których angielski styl życia jest czymś zupełnie obcym. Za to nie ma u nas tygrysów ani węży. W całej Nowej Zelandii nie ma ani jednego węża. Kiedyś nie było też tam prawie żadnych ssaków. Dopiero misjonarze i osadnicy przywieźli na wyspy bydło, psy i konie.

– Nie ma tam żadnych dzikich zwierząt? – zapytał Riddleworth, marszcząc czoło. – Panie Warden, chyba nie chce pan nam powiedzieć, że przed zasiedleniem było tam jak czwartego dnia stworzenia?

– Są ptaki – wyjaśnił Gerald – Duże, małe, grube, chude, latające, biegające... Ach tak, jeszcze kilka gatunków nietoperzy. A poza tym oczywiście owady, ale one zwykle nie są groźne. W Nowej Zelandii, milordzie, naprawdę trudno stracić życie. Chyba że uwzględni się niebezpieczeństwo grożące ze strony dwunożnych drapieżników z bronią palną.

– Albo i takich z maczetami, sztyletami czy szablami, prawda? – zapytał, śmiejąc się, Riddleworth. – Ale dla mnie to jednak zagadka, co może skłonić człowieka, żeby dobrowolnie udał się do takiej dziczy? Ucieszyłem się, gdy mogłem wreszcie opuścić kolonie.

– Nasi Maorysi mają w większości pokojowe nastawienie – odparł swobodnie Warden. – To niezwykły lud... Panuje wśród nich fatalizm, a jednocześnie tak łatwo ich zadowolić. Śpiewają, tańczą, rzeźbią w drewnie i nie uprawiają żadnego godnego wzmianki rzemiosła. Nie, milordzie, jestem pewien, że na Nowej Zelandii prędzej by się pan nudził, niż czegokolwiek obawiał...

Riddleworth chciał natychmiast wyjaśnić, że podczas pobytu w Indiach ani przez chwilę nie ogarnął go strach. Ale w tym momencie rozmowę dżentelmenów przerwało nadejście Gwyneiry. Weszła do salonu i speszyła się, gdy dostrzegła, że wśród obecnych nie ma jej matki ani siostry.

– Przyszłam za wcześnie? – zapytała, zamiast najpierw odpowiednio przywitać się ze szwagrem.

Lord Riddleworth wyglądał więc na odpowiednio urażonego, z kolei Gerald Warden nie mógł się napatrzyć na Gwyneirę. Już wcześniej wydała mu się ładna, ale teraz, widząc ją w odświętnym stroju, uznał, że jest prawdziwą pięknością. Błękitny jedwab podkreślał jasność jej karnacji i blask gęstych rudych włosów, które zostały gładko upięte. Taka fryzura wydobywała szlachetne rysy jej twarzy. A do tego te pełne usta i promieniejące błękitem oczy o czujnym, wręcz wyzywającym spojrzeniu! Gerald był zachwycony.

Ale ta piękność zupełnie tutaj nie pasowała. Nie mógł sobie jej wyobrazić u boku takiego mężczyzny, jak Jeffrey Riddleworth. Gwyneira była raczej typem kobiety, która potrafiłaby założyć sobie węża na szyję czy poskromić tygrysa.

– Nie, nie, jesteś akurat na czas, moje dziecko – stwierdził lord Terence Silkham, spoglądając na zegarek. – Twoja matka i siostra się spóźniają. Pewnie znowu zasiedziały się w ogrodzie...

– A pani nie była w ogrodzie? – Gerald zwrócił się do Gwyneiry. Prędzej ją wyobrażał sobie na świeżym powietrzu niż jej matkę, która przy pierwszym poznaniu zrobiła na nim wrażenie osoby sztywnej i znudzonej.

Gwyneira wzruszyła ramionami.

– Nie przepadam za różami – oznajmiła, pogłębiając tym samym niechęć Jeffreya i budząc niezadowolenie ojca. – Gdyby to były warzywa albo coś innego, co nie kłuje...

Gerald Warden roześmiał się, ignorując kwaśne miny Silkhama i Riddlewortha. „Owczy baron" uważał, że córka lorda jest czarująca. Nie była oczywiście pierwszą panną, którą niepostrzeżenie oceniał podczas swojej podróży do dawnej ojczyzny, ale do tej pory żadna z angielskich młodych dam nie wydała mu się tak naturalna i szczera.

– Ależ, moja panno! – przekomarzał się z nią. – Czyżby chciała mi pani ujawnić ciemne strony angielskiej róży? Czy mlecznobiała cera i złotorude włosy skrywają jakieś kolce?

Jak widać, wyrażenie „angielska róża", stanowiące określenie popularnego na Wyspach Brytyjskich typu dziewcząt o jasnej skórze i rudych włosach, znano również w Nowej Zelandii.

Gwyneira, która powinna była zaczerwienić się na te słowa, uśmiechnęła się tylko.

– Na pewno bezpieczniej jest nosić rękawiczki – zauważyła, kątem oka dostrzegając, że jej matce aż brakło tchu.

Lady Silkham i jej najstarsza córka, lady Riddleworth, weszły właśnie do salonu i usłyszały krótką wymianę zdań między Gwyneirą a Geraldem. Same nie wiedziały, co powinno je bardziej oburzyć: bezczelność Wardena czy błyskotliwa riposta Gwyneiry.

– Panie Warden, to moja córka Diana, lady Riddleworth. – Lady Silkham ostatecznie postanowiła pominąć ten incydent milczeniem. Gość jej męża nie miał co prawda obycia towarzyskiego, obiecał jednak zapłacić mu sporą sumę za stado owiec i miot owczarków. Kwota ta zapewniłaby Gwyneirze posag, a lady Silkham mogłaby wreszcie jak najspieszniej wydać ją za mąż, zanim wszędzie rozniesie się wieść o jej niewyparzonym języku.

Diana z godnością powitała zamorskiego gościa. Posadzono ją przy stole obok Geralda Wardena, czego ten szybko pożałował. Kolacja w towarzystwie państwa Riddleworth przebiegała wyjątkowo nudno. Gerald odpowiadał krótkimi zdaniami i udawał, że słucha wywodów Diany na temat hodowli róż, ale tak naprawdę wciąż obserwował Gwyneirę. Poza niewyparzonym językiem jej zachowanie było nienaganne. Wiedziała, jak należy zachować się w towarzystwie i zręcznie konwersowała, choć było widać, że sąsiad przy stole, Jeffrey, bardzo ją nudzi. Grzecznie odpowiadała na pytania siostry dotyczące jej postępów w nauce francuskiego czy samopoczucia szacownej *madame* Fabian. Guwernantce było niezmiernie przykro, że ze względów zdrowotnych nie może brać udziału w dzisiejszej kolacji. Tak chętnie porozmawiałaby ze swoją dawną ulubioną uczennicą, Dianą.

Dopiero gdy podano deser, lord Riddleworth powrócił do swojego wcześniejszego pytania. Widocznie rozmowa przy stole zaczęła nudzić nawet jego. Diana i jej matka zaczęły wymieniać się nowinkami o wspólnych znajomych, których uważały za „uroczych" i których równie „uroczych" synów należało uwzględnić w planowaniu przyszłości Gwyneiry.

– Panie Warden, wciąż nie opowiedział nam pan o tym, co zawiodło pana do Nowej Zelandii. Czy udał się pan tam z polecenia Korony? Może razem z naszym wspaniałym kapitanem Hobsonem?

Gerald Warden z uśmiechem pokręcił głową i pozwolił, żeby służący ponownie napełnił mu kieliszek winem. Do tej pory wspaniałym trunkiem raczył się z umiarem. Później będzie miał okazję skosztować doskonałej szkockiej lorda Silkhama, a jeśli ma mieć choć cień szansy na realizację swojego planu, musi zachować trzeźwy umysł. Pusty kieliszek zwróciłby jednak uwagę. Gerald skinął więc głową służącemu, ale najpierw napił się wody ze szklanki.

– Popłynąłem tam dwadzieścia lat przed Hobsonem – odpowiedział. – W tamtych czasach warunki na wyspach były jeszcze bardziej surowe. Szczególnie w obozach wielorybników i myśliwych polujących na foki…

– Ale pan jest przecież hodowcą owiec! – wtrąciła z zainteresowaniem Gwyneira. „Wreszcie jakiś ciekawy temat rozmowy!". – Chyba nie łowił pan wielorybów?

Gerald roześmiał się gromko.

– Jeśli chodzi o połowy wielorybów, moja panno, spędziłem trzy lata na „Molly Malone"…

Pan Warden nie chciał nic więcej powiedzieć na ten temat, odezwał się natomiast lord Silkham, marszcząc czoło.

– Ależ, panie Warden, za dobrze zna się pan na owcach, żebym uwierzył w te pańskie opowieści o rozbójnikach! Przecież nie nauczył się pan tego wszystkiego na statku wielorybniczym!

– Oczywiście, że nie – odpowiedział lekkim tonem Gerald. Nie był łasy na komplementy. – Pochodzę z Yorkshire Dales, a mój ojciec był pasterzem…

– I wyruszył pan na poszukiwanie przygód! – Oczy Gwyneiry błyszczały z podekscytowania. – Wymknął się pan pewnej mglistej nocy, opuścił kraj i…

Gerald Warden ponownie był jednocześnie zdumiony i rozbawiony. To z pewnością jest ta właściwa dziewczyna, nawet jeśli jest rozpieszczona i ma o pewnych sprawach zupełnie fałszywe wyobrażenia.

– Przede wszystkim byłem dziesiątym z jedenaściorga dzieci – sprostował. – I nie chciałem spędzić swojego życia, pasąc cudze owce. Gdy miałem trzynaście lat, ojciec chciał mnie oddać na służbę. Ale ja zaokrętowałem się na statek jako junga. Zobaczyłem prawie cały świat. Wybrzeża Afryki, Ameryki, Przylądek... Żeglowaliśmy też po Morzu Północnym. A w końcu trafiłem do Nowej Zelandii. Tam spodobało mi się najbardziej. Żadnych tygrysów, żadnych węży... – Gerald mrugnął okiem do lorda Riddlewortha. – Kraj w dużej mierze jeszcze nieodkryty i o klimacie przypominającym moją ojczyznę. W końcu człowiek zawsze tęskni za swoimi korzeniami.

– I wtedy zaczął pan polować na wieloryby i foki? – zapytała Gwyneira, wciąż nie dowierzając. – Zamiast zająć się od razu owcami?

– Owiec nikt nie rozdaje za darmo, droga panno – Gerald Warden odpowiedział z uśmiechem. – O czym mogłem się przekonać również dzisiaj. Żeby kupić stado pani ojca, trzeba by oprawić niejednego wieloryba! A choć ziemia na Nowej Zelandii była tania, to wodzowie Maorysów nie oddawali jej tak całkiem za darmo...

– Maorysi to tubylcy? – zapytała zaintrygowana Gwyneira.

Gerald Warden skinął głową.

– Nazwa oznacza „polujący na moa". Moa to były olbrzymie ptaki, ale myśliwi okazali się zbyt gorliwi. W każdym razie stworzenia te wymarły. A my, przybysze, określamy się mianem „kiwi". Kiwi to też ptaki. Ciekawskie, natrętne i niezwykle żywotne stworzenia. Przed kiwi nie można uciec. W Nowej Zelandii są wszędzie. Tylko proszę mnie teraz nie pytać, kto wpadł na pomysł, żeby tak właśnie nazywać osiedleńców....

Część siedzącego przy stole towarzystwa się roześmiała – byli to przede wszystkim lord Silkham i Gwyneira. Natomiast lady Silkham i państwo Riddleworth byli raczej oburzeni tym, że stołują się z byłym pastuchem i wielorybnikiem, nawet takim, który z czasem został „owczym baronem".

Lady Silkham wkrótce wstała od stołu i wraz z córką przeniosła się do salonu. Gwyneira z niechęcią rozstała się z męskim gronem. W końcu rozmowa toczyła się wokół interesujących spraw, a nie wciąż tego samego towarzystwa i niewypowiedzianie nudnych róż Diany. Gwyneira żałowała, że nie może udać się do swojego pokoju, gdzie czekała na nią do połowy przeczytana powieść *W rękach Czerwonoskórych*. Indianie właśnie porwali główną bohaterkę, córkę oficera kawalerii. Teraz jednak czekały ją przynajmniej dwie filiżanki herbaty w towarzystwie matki i siostry. Gwyneira z westchnieniem poddała się swojemu losowi.

W tym samym czasie lord Terence Silkham częstował w swoim gabinecie gości cygarami. Gerald Warden po raz kolejny udowodnił, że jest prawdziwym znawcą, wybierając najlepszy rodzaj kubańskich cygar. Lord Riddleworth sięgnął do pudełka, nawet do niego nie zaglądając. Potem panowie spędzili pół godziny, które zdawało się nie mieć końca, dyskutując na temat ostatnich decyzji królowej dotyczących brytyjskiej gospodarki. Zarówno Silkham, jak i Riddleworth uważali za pożałowania godne, że królowa wyraźnie stawia na uprzemysłowienie i handel zagraniczny, zamiast wzmacniać tradycyjną gospodarkę. Gerald Warden nie zajął w tej sprawie określonego stanowiska. Po pierwsze, nie bardzo się na tym znał, po drugie, sprawa ta była mu obojętna. Nowozelandczyk ożywił się dopiero wtedy, gdy Riddleworth rzucił pełne żalu spojrzenie na szachy ustawione na bocznym stoliku.

– Szkoda, że nie możemy zagrać dzisiaj partyjki, ale oczywiście nie chcielibyśmy znudzić naszego gościa – zauważył.

Gerald Warden zrozumiał aluzję. Lord Riddleworth próbował mu zasugerować, że gdyby był prawdziwym dżentelmenem, pod dowolnym pozorem udałby się teraz do swojego pokoju. Ale Gerald nie był dżentelmenem. Tę rolę odgrywał już wystarczająco długo. Musiał zacząć powoli przechodzić do rzeczy.

– A może rozegramy małą partyjkę w karty? – zaproponował z niewinnym uśmiechem. – Z pewnością na salonach w brytyjskich koloniach gra się w oczko, prawda, lordzie Riddleworth? Czy woli pan inną grę? Może poker?

Riddleworth spojrzał na Wardena z oburzeniem.

– Ależ, proszę pana. Oczko? Poker? W to gra się w portowych spelunkach, a nie w gronie dżentelmenów.

– A ja bardzo chętnie zagram partyjkę – stwierdził lord Silkham. Wyglądało na to, że podjął taką decyzję nie tylko z grzeczności wobec Wardena, ponieważ na karciany stolik spoglądał z prawdziwą pożądliwością. – Gdy służyłem w armii, często grałem w karty, ale tutaj trudno zebrać wesołe towarzystwo, które nie rozmawiałoby tylko o owcach i koniach. Dalej, Jeffrey! Możesz rozdawać pierwszy. Tylko nie bądź skąpy. Wiem, że otrzymujesz wysoki żołd. Zobaczymy, czy uda mi się dzisiaj dostać z powrotem choć część posagu Diany!

Lord Silkham mówił bez ogródek. Podczas kolacji nie żałował sobie wina, później zaś szybko wypił pierwszą szklankę szkockiej. Teraz bez wahania zaprosił swoich gości do stolika. Gerald Warden zajął miejsce z zadowoleniem, natomiast lord Riddleworth wciąż się ociągał. Niechętnie sięgnął po karty i zaczął je niewprawnie tasować.

Gerald odstawił swoją szklankę na bok. Musiał zachować teraz trzeźwość umysłu. Z radością zauważył, że lekko pijany lord Terence Silkham rozpoczął grę od wysokiej stawki. Gerald pozwolił mu wygrać. Pół godziny później przed lordem Silkhamem i Riddleworthem leżały kupki monet i banknotów o pokaźnej wartości. Jeffreya nieco to rozruszało, choć wciąż nie wyglądał na zachwyconego. Silkham radośnie nalał im whisky.

– Proszę nie przegrać pieniędzy na moje owce! – ostrzegł Geralda. – Właśnie przegrał pan kolejny miot owczarków!

Gerald Warden się uśmiechnął.

– Kto nie ryzykuje, ten nie wygrywa – powiedział i ponownie podniósł stawkę. – Co z panem, lordzie Riddleworth, wchodzi pan?

Choć pułkownik też nie był już zbyt trzeźwy, był jednak z natury nieufny. Gerald Warden wiedział, że powinien się go szybko pozbyć, najlepiej nie tracąc przy okazji zbyt wielu pieniędzy. Gdy Riddleworth po raz kolejny postawił swoją wygraną na jedną kartę, Gerald uderzył.

– Oczko, mój przyjacielu! – powiedział niemal z żalem, wykładając na stół drugiego asa. – W końcu pech musiał mnie opuścić! Od nowa! Zapraszam, lordzie Riddleworth, jeszcze odegra się pan podwójnie!

Zirytowany Riddleworth wstał od stolika.

– Nie, ja już dziękuję. Już wcześniej powinienem był skończyć. Tak, łatwo przyszło, łatwo poszło. Nie dam panu więcej wygrać. A ty, drogi teściu, też powinieneś skończyć grę. Zachowałbyś przynajmniej tę niewielką wygraną.

– Mówisz jak moja żona – zauważył lord Silkham, choć w jego głosie było słychać niepewność. – I cóż znaczy „niewielka wygrana"? Jeszcze tak naprawdę nie zaryzykowałem i wciąż mam wszystkie swoje pieniądze. I dopisuje mi szczęście! W ogóle dziś jest mój szczęśliwy dzień, prawda, panie Warden? Dzisiaj naprawdę mam szczęście!

– Życzę więc miłej zabawy – odpowiedział chłodno Riddleworth.

Gerald Warden odetchnął, gdy Jeffrey opuścił gabinet. Miał teraz wolną drogę.

– Niech pan podwoi swoją wygraną, lordzie Silkham! – zachęcił gospodarza. – Ile pan tam teraz ma? W sumie piętnaście tysięcy? Do diaska, do tej pory oskubał mnie pan na dziesięć tysięcy funtów! Wystarczy podwoić, a będzie pan mieć podwójną cenę za swoje owce!

– Ale... jeśli przegram, stracę wszystko – lorda Silkhama ogarnęły wątpliwości.

Gerald Warden wzruszył ramionami.

– Na tym polega ryzyko. Ale możemy je znacznie zmniejszyć. Proszę, dam teraz jedną kartę panu i jedną sobie. Pan zajrzy do swojej, ja swoją wyłożę i wtedy pan zdecyduje. Jeśli nie będzie pan chciał dalej grać, w porządku. Ale ja oczywiście też będę mógł się wycofać, gdy zobaczę swoją pierwszą kartę. – Uśmiechnął się.

Silkham niepewnie wziął od niego kartę. Czy takie rozdanie nie jest niezgodne z zasadami? Prawdziwy dżentelmen nie szuka wymówek i nie boi się żadnego ryzyka. Lord Terence Silkham niemal ukradkiem rzucił okiem na swoją kartę.

Dziesiątka! Tylko as byłby lepszy.

Gerald, który trzymał bank, odkrył swoją kartę. Dama. Czyli trzy punkty. Nie najlepszy początek. Nowozelandczyk zmarszczył czoło, jakby miał wątpliwości.

– Szczęście niedługo mi sprzyjało – westchnął. – A jak u pana? Gramy czy kończymy?

Silkhamowi nagle zaczęło bardzo zależeć na dalszej grze.

– Chętnie wezmę jeszcze jedną kartę – oznajmił.

Gerald Warden z rezygnacją popatrzył na swoją damę. Sprawiał wrażenie, jakby ze sobą walczył, ale w końcu podał lordowi jeszcze jedną kartę.

Ósemka pik. Czyli razem osiemnaście punktów. Czy to wystarczy? Czoło Silkhama pokryło się kropelkami potu. Dobierając jeszcze jedną kartę, ryzykuje przegraną. Trzeba więc blefować. Lord starał się, żeby jego twarz niczego nie wyrażała.

– Skończyłem dobierać – oznajmił krótko.

Gerald odkrył kolejną kartę dla siebie. Ósemka. Czyli razem jedenaście punktów. Nowozelandczyk znów sięgnął po kartę.

Silkham liczył na to, że Gerald dostanie asa. Wtedy gra zakończyłaby się jego wygraną. Ale i tak miał niezłe szanse. „Owczego barona" mogła uratować tylko ósemka lub dziesiątka.

Gerald odkrył kartę. Był to król.

Głośno wciągnął powietrze.

– Gdybym był jasnowidzem… – westchnął. – Ale wszystko jedno, pan z pewnością nie ma mniej niż piętnaście. Zaryzykuję więc!

Silkham zadrżał, gdy Gerald brał ostatnią kartę. Ryzyko przekroczenia dwudziestu jeden punktów było bardzo duże. Ale karta, którą odkrył Warden, była czwórką kier.

– Dziewiętnaście – policzył Gerald. – Ja pasuję. Karty na stół, milordzie.

Silkham z rezygnacją wyłożył swoje karty. Jeden punkt różnicy. Był tak blisko wygranej!

Gerald Warden odebrał to w ten sam sposób.

– O mały włos, milordzie, o mały włos! Rewanż jest konieczny. Wiem, że to szaleństwo z mojej strony, ale przecież nie możemy tego tak zostawić. Zagramy jeszcze raz.

Silkham potrząsnął przecząco głową.

– Nie mam już pieniędzy. To była nie tylko moja wygrana, ale także cały mój wkład. Gdybym przegrał jeszcze więcej, wpadłbym w poważne tarapaty. To nie wchodzi w rachubę, dziękuję.

– Ależ milordzie, proszę pana! – Gerald tasował karty. – Im większe ryzyko, tym większa przyjemność. A jeśli chodzi o wkład… Hm… Może zagrajmy o owce! Tak, o te owce, które chce mi pan sprzedać. Nawet jeśli się panu nie powiedzie, nic pan nie straci. Bo przecież gdybym się tutaj wcale nie pojawił, żeby kupić te owce, też nie miałby pan tych pieniędzy! – Gerald Warden zaprezentował ujmujący uśmiech, zręcznie przesuwając karty w swoich dłoniach.

Lord Silkham opróżnił swoją szklankę i spróbował wstać. Zachwiał się przy tym lekko, lecz słowa, które padły z jego ust, były bardzo wyraźne:

– A to by panu bardzo odpowiadało, panie Warden! Dwadzieścia najlepszych owiec hodowlanych w całej Anglii za kilka karcianych sztuczek? Nie, dziękuję. Już dosyć przegrałem. W tej pana dziczy pewnie chętnie gra się w takie gry, ale my tutaj wolimy zachować zdrowy rozsądek!

Gerald Warden uniósł butelkę z whisky i ponownie napełnił szklanki.

– Myślałem, że jest pan bardziej odważny – powiedział z żalem. – Czy raczej bardziej rzutki. Ale to chyba typowe dla nas, których nazywają kiwi. W Nowej Zelandii liczą się tylko ci mężczyźni, którzy mają odwagę.

Lord Silkham zmarszczył czoło.

– Silkhamom nikt nie może zarzucić tchórzostwa. Zawsze dzielnie walczyliśmy, służąc Koronie i… – Było widać, że lord ma trudności z jednoczesnym znajdywaniem odpowiednich słów i utrzymywaniem się w pozycji pionowej. Z powrotem opadł na krzesło. Ale nie był jeszcze pijany. Wciąż mógł wyzwać tego poszukiwacza przygód na pojedynek!

Gerald Warden się roześmiał.

– My w Nowej Zelandii również służymy Koronie. Kolonia zyskuje coraz większe znaczenie w gospodarce. Za jakiś czas oddamy Anglii wszystko, co Korona dotąd w nas zainwestowała. A królowa ma więcej odwagi niż pan, milordzie. Gra w swoją grę i wygrywa. Dalej, lordzie Silkham! Chyba nie chce pan się teraz poddać? Kilka dobrych kart i otrzyma pan podwójną zapłatę za swoje owce.

Mówiąc to, Gerald rzucił na stolik przed Silkhama dwie zakryte karty. Lord sam nie wiedział, dlaczego wziął je do rąk. Ryzyko było zbyt duże, wygrana jednak bardzo kusiła. Gdyby rzeczywiście wygrał, Gwyneira nie tylko miałaby zapewniony posag, ale byłby on na tyle duży, żeby zadowolić najlepsze rody w kraju. Podnosząc karty do oczu, widział, jak jego córka zostaje baronową… A kto wie, może nawet damą dworu królowej…

„Dziesiątka. To dobrze. Gdyby ta druga karta…". Serce lorda zabiło mocniej, gdy po dziesiątce karo zobaczył dziesiątkę pik. Dwadzieścia punktów. Niełatwo będzie z nim wygrać.

Z tryumfem w oczach spojrzał na Geralda.

Warden wyłożył swoją pierwszą kartę. As pik. Silkham jęknął. Ale to jeszcze nic nie znaczy. Następna karta może być dwójką albo trójką, a potem bardzo łatwo będzie przekroczyć zwycięskie dwadzieścia jeden.

– Może się pan jeszcze wycofać – powiedział Warden.

Silkham się roześmiał.

– O nie, mój przyjacielu, nie tak się umawialiśmy. Proszę grać! Silkhamowie dotrzymują danego słowa.

Gerald zaczął powoli wykładać swoją kolejną kartę.

Lord Silkham pomyślał nagle, że sam powinien był potasować karty. Ale przecież obserwował Geralda przy tasowaniu i wszystko było w porządku. Cokolwiek by teraz nie nastąpiło, Wardenowi nie będzie można zarzucić oszustwa.

Gerald Warden odwrócił kartę.

– Przykro mi, milordzie.

Silkham jak zahipnotyzowany wpatrywał się w leżącą przed nim na stoliku dziesiątkę kier. As dawał jedenaście punktów, dziesiątka oznaczała więc oczko.

– Pozostaje mi panu pogratulować – odparł sztywno lord Terence Silkham. W szklance miał jeszcze trochę whisky i wypił ją jednym haustem. Gdy Gerald chciał mu jej dolać, Silkham położył dłoń na szklance.

– Dość już wypiłem, dziękuję. Pora, żebym skończył... I z piciem, i z grą w karty, zanim nie tylko pozbawię córkę posagu, ale także syna domu i majątku. – Silkham mówił przytłumionym głosem. Ponownie spróbował wstać.

– Pomyślałem sobie... – rzucił Gerald tonem zwykłej rozmowy, napełniając swoją własną szklankę. – Gwyneira to pana najmłodsza córka, prawda?

Silkham gorzko przytaknął.

– Tak. A ja wydałem za mąż już dwie starsze córki. Ma pan pojęcie, ile to kosztowało? To ostatnie wesele całkiem mnie zrujnuje. Zwłaszcza teraz, gdy przegrałem połowę swojego majątku.

Lord chciał odejść, lecz Gerald pokręcił głową i uniósł butelkę z whisky. Zaczął powoli nalewać złocisty trunek do szklanki Silkhama.

– Nie, milordzie – powiedział. – Nie możemy tego tak zostawić. Nie było moim zamiarem zrujnować pana ani tym bardziej pozbawić pańską córkę posagu. Milordzie, zagrajmy ostatni raz. Postawię owce. Jeśli pan wygra, wszystko będzie po staremu.

Silkham roześmiał się drwiąco.

– A cóż ja postawię? Moje pozostałe stada? Proszę o tym zapomnieć!

– A może... Może postawi pan rękę swojej córki?

Gerald Warden mówił spokojnym i swobodnym tonem, Silkham jednak obruszył się tak, jakby Warden go uderzył.

– Postradał pan rozum! Chyba nie chce się pan starać o rękę Gwyneiry? Mogłaby być pańską córką.

– Tego właśnie życzyłbym sobie z całego serca! – Gerald starał się, żeby jego głos i spojrzenie były jak najbardziej szczere i pełne ciepła. – Moja propozycja dotyczy oczywiście nie mnie, lecz mojego syna, Lucasa. Ma dwadzieścia dwa lata, jest moim jedynym spadkobiercą, jest wysoki, dobrze wychowany i obrotny. Uważam, że wspaniale by do siebie z Gwyneirą pasowali.

– Ale ja nie! – odparł szorstko Silkham, potknął się i oparł o krzesło. – Gwyneira pochodzi ze szlachetnego rodu. Mogłaby zostać żoną barona!

Gerald Warden się roześmiał.

– Nie mając prawie żadnego posagu? I proszę nie mydlić mi oczu, widziałem ją przecież. Z całą pewnością nie o takiej synowej marzą matki baronetów!

W lordzie Silkhamie zawrzało.

– Gwyneira jest piękna!

– Zgadza się – potwierdził spokojnie Gerald. – I z pewnością stanowi ozdobę każdej gonitwy za lisem. Ale czy w pałacu poradzi sobie równie dobrze? To jest mała dzikuska, milordzie. Wydanie jej za mąż będzie pana kosztować podwójnie.

– Powinienem wyzwać pana na pojedynek! – rzucił wściekły Silkham.

– To ja pana wyzywam – Gerald Warden uniósł karty. – Proszę, tym razem pan tasuje.

Silkham chwycił swoją szklankę. W głowie miał gonitwę myśli. W ten sposób naruszyłby dobre obyczaje. Przecież nie może grać w karty o własną córkę. Warden chyba postradał rozum! Ale przecież... taka umowa nie byłaby wiążąca. Długi karciane to co prawda długi honorowe, ale nie można grać o młodą dziewczynę. Jeśli Gwyneira się nie zgodzi, nikt nie będzie mógł jej zmusić, żeby wsiadła na statek do Nowej Zelandii. „Zresztą wcale nie musi do tego dojść. Tym razem ja wygram. W końcu szczęście musi się od niego odwrócić".

Silkham potasował karty. Nie tak uważnie jak zwykle, lecz szybko, jakby w gorączce, jakby chciał jak najprędzej mieć tę hańbiącą rozgrywkę za sobą.

Niemal ze złością rzucił kartę Geraldowi. Resztę stosu ściskał w drżących dłoniach.

Nowozelandczyk odkrył otrzymaną kartę, nie okazując zdenerwowania. As kier.

– To... – Silkham nie dokończył. Wyciągnął swoją kartę. Dziesiątka pik. Nie tak źle. Lord starał się podać kolejną kartę bez drżenia rąk, jednak upuścił ją na stół, zanim Nowozelandczyk zdążył po nią sięgnąć.

Gerald Warden nawet nie próbował jej zakryć. Spokojnie położył dziesiątkę trefl obok swojego asa.

– Oczko – powiedział spokojnym tonem. – Czy dotrzyma pan słowa, milordzie?

3

Serce Helen, która stała przed drzwiami biura pastora parafii St. Clement, biło bardzo mocno. Nie była to jej pierwsza wizyta w tym miejscu, zwykle bardzo dobrze czuła się w pomieszczeniach, które tak bardzo przypominały biuro jej ojca. Poza tym wielebny Thorne był starym przyjacielem nieżyjącego wielebnego Davenporta. To on przed rokiem pomógł Helen zdobyć posadę u Greenwoodów, a jej bracia, Simon i John, mieszkali nawet przez kilka tygodni u państwa Thorne, zanim każdy z nich nie znalazł sobie pokoju w korporacji studenckiej. Chłopcy wyprowadzali się od nich z radością, lecz Helen nie podzielała ich zachwytu. Pastor Thorne i jego żona nie tylko pozwalali młodym Davenportom mieszkać u siebie bez żadnych opłat, ale jednocześnie sprawowali nad nimi pewien nadzór, natomiast pokoje w domach korporacji trzeba było opłacać, a na dodatek umożliwiały one studentom korzystanie z rozmaitych rozrywek, które niekoniecznie sprzyjały postępom w nauce.

Helen często żaliła się pastorowi w tej sprawie. Niemal każde wolne popołudnie spędzała w domu państwa Thorne.

Podczas dzisiejszej wizyty nie czekała jej jednak odprężająca herbatka w towarzystwie pastora i jego rodziny, a z jego gabinetu nie dotarło do niej teraz jego gromkie i wesołe „Zapraszam! Z Panem Bogiem!", którym duchowny zwykle witał swoje owieczki. Helen, która w końcu zdecydowała się zapukać, tym razem usłyszała kobiecy głos przyzwyczajony do wydawania poleceń. Tego popołudnia w gabinecie pastora urzędowała lady Juliana Brennan, żona emerytowanego podporucznika ze sztabu Williama Hobsona. Był on niegdyś jednym z członków założycieli parafii Christchurch, a obecnie znowu stanowił filar londyńskiej socjety. Lady Brennan odpowiedziała na zgłoszenie Helen i uzgodniła z nią termin spotkania w biurze parafii. Chciała koniecznie na własne oczy zobaczyć „godne szacunku oraz obeznane z prowadzeniem domu i wychowywaniem dzieci" panie, które odpowiedziały na jej ogłoszenie, zanim umożliwi im kontakt z „dobrze sytuowanymi i cieszącymi się nieposzlakowaną opinią członkami" osady Christchurch. Na szczęście wykazała się elastycznością. Helen miała wolne tylko jedno popołudnie na dwa tygodnie, a nie chciała prosić pani Greenwood o dodatkowe wychodne. Lady Brennan od razu się zgodziła, gdy Helen zaproponowała spotkanie w to piątkowe popołudnie.

Lady Brennan zaprosiła młodą guwernantkę do środka i z przyjemnością odnotowała to, że Helen już przy wejściu wykonała pełen szacunku ukłon.

– Daj spokój, dziecko, nie jestem królową – zauważyła jednak chłodno, a Helen się zaczerwieniła.

Jednocześnie rzuciły jej się w oczy podobieństwa między srogą królową Wiktorią a ubraną na ciemno i nieco krąglejszą od monarchini lady Brennan. Obie sprawiały wrażenie, jakby uśmiechały się tylko w wyjątkowych okolicznościach, a życie traktowały przede wszystkim jako zesłany przez Boga ciężar, który należy dźwigać z jak najwyraźniej okazywanym cierpieniem. Helen postarała się wyglądać równie surowo i bez czułości. Po raz kolejny sprawdziła w lustrze, czy po drodze przez smagane wiatrem i deszczem londyńskie ulice z jej ściśle upiętego koka nie wysunął się choćby najmniejszy kosmyk włosów. Większą część jej skromnej fryzury i tak zasłaniał prosty ciemnoniebieski czepek, chroniący głowę przed deszczem, który był teraz całkowicie przemoczony. Równie wilgotny płaszcz zostawiła w przedpokoju. Pod spodem miała niebieską spódnicę z sukna oraz jasną, starannie wykrochmaloną bluzkę z falbankami. Helen koniecznie chciała zrobić dobre, a najlepiej dystyngowane wrażenie. Lady Brennan w żadnym wypadku nie powinna uznać jej za jakąś lekkomyślną poszukiwaczkę przygód.

– A więc pragnie pani wyemigrować? – padło bezpośrednie pytanie. – Córka pastora, z dobrą posadą, jak widzę. Co skłania panią do wyjazdu za morze?

Helen starannie przemyślała swoją odpowiedź.

– Nie pociąga mnie przygoda, milady – stwierdziła. – Jestem zadowolona ze swojej posady, a moi państwo dobrze mnie traktują. Ale każdego dnia widzę ich rodzinne szczęście, a moje serce płacze z tęsknoty, żeby kiedyś samej znaleźć się w środku takiej kochającej się wspólnoty.

Helen miała nadzieję, że lady Brennan nie uzna jej wypowiedzi za przesadzoną. Sama musiała powstrzymać się od uśmiechu, gdy układała sobie te słowa. Państwo Greenwoodowie nie byli najlepszym przykładem rodzinnej harmonii, a już w żadnym razie Helen nie życzyłaby sobie posiadania takiej latorośli jak William.

Pani Brennan wydawała się jednak poruszona odpowiedzią Helen.

– A tu, w ojczystym kraju, nie widzi pani dla siebie takich możliwości? – zapytała. – Sądzi pani, że nie znajdzie tutaj kandydata na męża, który spełniłby pani wymagania?

– Nie wiem, czy moje wymagania są wysokie – odpowiedziała ostrożnie Helen. Tak naprawdę miała później zamiar zadać kilka pytań o „dobrze sytuowanych członków parafii Christchurch o nieposzlakowanej opinii". – Ale mój posag z pewnością jest skromny. Niewiele mogę zaoszczędzić, milady. Do tej pory wspierałam moich studiujących braci i nic mi nie zostawało. A mam dwadzieścia siedem lat. Niewiele mam więc czasu na poszukiwanie męża.

– Czy teraz pani bracia nie będą już potrzebowali pani wsparcia? – chciała wiedzieć lady Brennan. Widocznie uznała, że Helen chce przez emigrację uniknąć zobowiązań rodzinnych. I w pewnym sensie miała rację. Helen właściwie miała już dosyć finansowania swoich braci.

– Moi bracia niedługo kończą studia – wyjaśniła. To nawet nie było kłamstwo. Jeśli Simon jeszcze raz nie zda, zostanie wydalony z uniwersytetu, a sytuacja Johna była niewiele lepsza. – Ale nie widzę takiej możliwości, żeby potem wyłożyli środki na mój posag. Ani aplikant sądowy, ani asystent lekarza nie zarabiają wiele.

Lady Brennan skinęła głową.

– Rozumiem, że nie będzie pani tęsknić za rodziną? – zapytała nieco zrzędliwym tonem.

– Moją rodziną będzie mój mąż i jeśli Bóg da, nasze dzieci – stwierdziła stanowczo Helen. – Chcę stać u boku męża i pomagać mu we wznoszeniu nowego domu na obczyźnie. Niewiele będę więc miała czasu na tęsknotę za starym krajem.

– Wydaje się pani zdecydowana – zauważyła lady Brennan.

– Liczę na to, że Bóg mnie prowadzi – powiedziała Helen z pokorą i pochyliła głowę. Pytania, jakie chciała zadać na temat kandydatów na mężów, będą musiały poczekać. Najważniejsze, żeby ta smoczyca w czarnych koronkach jej pomogła! A jeśli panowie z Christchurch są sprawdzani równie dokładnie jak tutejsze panny, to wszystko będzie w porządku. W każdym razie lady Brennan zrobiła się trochę bardziej otwarta. Zdradziła co nieco na temat parafii Christchurch: – To osada z ambicjami, założona przez najlepszych osadników, starannie dobranych przez Kościół Anglii. W niedługim czasie miasto stanie się siedzibą biskupstwa. Jest planowana budowa katedry, a także uniwersytetu. Niczego nie będzie tam pani brakowało, moje dziecko. Nawet ulicom są nadawane nazwy angielskich diecezji.

– A rzeka, która płynie przez miasto, nazywa się Avon, jak ta przepływająca przez rodzinne miasto Szekspira – dodała Helen. Przez ostatnie kilka dni pilnie studiowała wszelką dostępną literaturę na temat Nowej Zelandii i była nawet gotowa narazić się z tego powodu na gniew pani Greenwood. William śmiertelnie się nudził w Bibliotece Londyńskiej, gdy wyjaśniała mu, jak z niej korzystać. George pewnie się zorientował, że przyszli tam tak naprawdę z całkiem innego powodu, nie zdradził jednak Helen, a wczoraj zaoferował się nawet, że w wolnym czasie sam zwróci wypożyczone przez nią książki.

– Zgadza się – potwierdziła lady Brennan z zadowoleniem. – Powinna pani, moje dziecko, zobaczyć kiedyś rzekę Avon w letnie popołudnie, gdy ludzie stoją na brzegu i obserwują wioślarzy. Człowiek czuje się wtedy zupełnie jak w starej dobrej Anglii...

Opowieści lady Brennan zaniepokoiły Helen. Była zdecydowana na tę przygodę, co jednak wcale nie znaczyło, że opanował ją prawdziwy duch pionierstwa. Miała nadzieję, że zamieszka w przyjemnym domu w mieście i że będzie posiadać starannie dobrany krąg przyjaciół – wszystko będzie być może skromniejsze i nie tak okazałe jak u państwa Greenwoodów, ale mimo wszystko znajome. „Dobrze sytuowany mężczyzna" mógł oznaczać urzędnika Korony lub drobnego kupca. Helen gotowa była dać szansę każdemu.

Gdy jednak opuszczała gabinet pastora z listem i adresem niejakiego Howarda O'Keefe'a, farmera z Haldon w Canterbury w parafii Christchurch, odczuwała niepewność. Nigdy dotąd nie mieszkała na wsi, jej doświadczenia w tym zakresie ograniczały się do krótkiego wakacyjnego pobytu w Kornwalii z państwem Greenwoodami. Odwiedzali tam zaprzyjaźnioną rodzinę i wszystko było jak należy. W każdym razie nikt nie nazywał dworku pana Mortimera gospodarstwem, a on nigdy nie mówił o sobie jako o rolniku, tylko...

„Dżentelmenie farmerze" – przypomniała sobie w końcu, po czym od razu lepiej się poczuła. Tak, tak właśnie mówił o sobie znajomy państwa Greenwoodów. I to określenie z pewnością pasuje również do pana O'Keefe'a. Helen nie bardzo potrafiła wyobrazić sobie zwykłego rolnika jako dobrze sytuowanego członka eleganckiego towarzystwa w Christchurch.

Helen najchętniej przeczytałaby list pana O'Keefe'a na miejscu, zdołała się jednak opanować. W żadnym wypadku nie powinna otwierać listu od razu w przedpokoju wielebnego, a na ulicy zmoczyłby go deszcz. Niosła więc swój nieotwarty skarb do domu i cieszyła się, że pismo na kopercie jest bardzo wyraźne. Nie, tak z pewnością nie pisze żaden nieokrzesany wieśniak! Helen zastanowiła się przez moment, czy nie mogłaby pozwolić sobie na dorożkę w drodze powrotnej do państwa Greenwoodów, w pobliżu jednak żadnej nie było widać, uznała więc, że i tak już się nie opłaca. Zrobiło się późno i miała akurat tyle czasu, żeby zdjąć czepek i płaszcz, zanim kolacja została podana. Z bezcennym listem w kieszeni pośpieszyła do stołu, starając się ignorować zaintrygowane spojrzenia George'a. Chłopak umiał dodać dwa do dwóch! Z pewnością się domyślał, gdzie Helen była tego popołudnia.

Natomiast pani Greenwood z pewnością nie żywiła żadnych podejrzeń i nie dopytywała się, gdy Helen wspomniała o wizycie u pastora.

– Ach tak, ja też powinnam odwiedzić wielebnego Thorne'a w przyszłym tygodniu – powiedziała z roztargnieniem. – W związku z sierotami wysyłanymi do Christchurch. Nasz komitet wybrał sześć dziewcząt, ale wielebny połowę z nich uważa za zbyt małe na samodzielną podróż. Nie mam nic przeciwko pastorowi, czasem jednak wykazuje takie nieżyciowe podejście! To wręcz nie do wiary, jak dużo dzieci tutaj kosztują, a tam mogłyby realizować swoje szczęście...

Helen nie skomentowała przemówienia pani Greenwood, a i pan Greenwood zdawał się dzisiaj nieskory do kłótni. Najprawdopodobniej napawał się pokojową atmosferą panującą przy stole, co z pewnością zawdzięczano przede wszystkim temu, że William był porządnie zmęczony. Ponieważ lekcji tego dnia nie było, a niania wymówiła się innymi zajęciami, zabawę z Williamem w ogrodzie powierzono najmłodszej ze służących. Pełne energii dziewczę wycisnęło z niego siódme poty podczas gry w piłkę, roztropnie pozwalając mu na koniec wygrać. W rezultacie był teraz spokojny i zadowolony.

Helen także wymówiła się zmęczeniem, żeby uniknąć dalszego ciągu konwersacji po posiłku. Zwykle ze względów grzecznościowych spędzała jeszcze z państwem Greenwoodami pół godziny przy kominku, pracując nad jakąś robótką, podczas gdy pani Greenwood relacjonowała niekończące się spotkania swoich komitetów. Dziś jednak od razu opuściła towarzystwo i już po drodze do swojego pokoju zaczęła otwierać schowane w kieszeni pismo. W końcu z powagą zajęła miejsce w bujanym fotelu, jedynym meblu, jaki z rodzinnego domu zabrała ze sobą do Londynu, i otworzyła list.

Helen poczuła ciepło w sercu już po przeczytaniu kilku pierwszych słów.

Najczcigodniejsza Pani!

Ledwie ważę się kreślić do Pani te słowa, tak niepojęte jest dla mnie, że mogę zabrać Pani cenną uwagę. Droga, jaką sobie po temu obrałem, z pewnością nie jest typowa, żyję jednak w młodym jeszcze kraju, w którym szanuje się co prawda stare zwyczaje, lecz czasem trzeba znajdować nowe i niezwykłe rozwiązania, gdy jakiś kłopot ciąży na sercu. W moim wypadku jest to głęboko odczuwana samotność i tęsknota, które często nie pozwalają mi spać. Choć mieszkam w przytulnym domu, to brakuje w nim ciepła, które stworzyć potrafi jedynie kobieca ręka. Otaczająca mnie kraina jest przestronna i nieskończenie piękna, całej tej wspaniałości brakuje jednak czegoś najważniejszego, czegoś, co wniosłoby do mojego życia światło i miłość. Krótko mówiąc, marzę o osobie, która chciałaby dzielić ze mną mój los, która uczestniczyłaby u mojego boku w sukcesach mojej rozwijającej się farmy, a jednocześnie gotowa była pomagać mi w radzeniu sobie z niepowodzeniami. Tak, pragnę kobiety, która zechciałaby połączyć swój los z moim. Czyżby to Pani mogła się okazać tą kobietą? Modlę się do Boga o kochającą niewiastę, której serce potrafiłyby zmiękczyć moje słowa. Ale Pani z pewnością wolałaby dowiedzieć się o mnie czegoś więcej, zamiast mieć jedynie wgląd w moje myśli i tęsknoty. Nazywam się Howard O'Keefe i czego zapewne domyśliła się Pani po nazwisku, mam irlandzkie korzenie. Ale to przeszłość. Nie zliczę lat, które spędziłem z dala od ojczyzny we wrogim często świecie. Nie jestem już niedoświadczonym młodzikiem, moja ukochana. Wiele przeżyłem i wiele też wycierpiałem. Ale znalazłem swoje miejsce, tutaj, na nizinie Canterbury Plains, u podnóża nowozelandzkich Alp. Moja farma nie jest duża, ale hodowla owiec ma w tym kraju wielką przyszłość, a ja mam pewność, że będę w stanie wyżywić rodzinę. Chciałbym mieć u swojego boku kobietę mądrą i serdeczną, obeznaną z prowadzeniem domu i gotową wychowywać nasze dzieci zgodnie z chrześcijańskimi zasadami. Będę jej w tym pomagał najlepiej, jak umiem, ze wszystkich sił pełnego miłości małżonka.

Czy to możliwe, droga Czytelniczko tego listu, żeby dzieliła Pani choć część moich pragnień i tęsknot? Proszę do mnie napisać! Będę chłonąć każde Pani słowo niczym pustynny piasek wodę, a już za samą uprzejmość, że czyta Pani moje słowa, zachowa Pani na zawsze miejsce w moim sercu.

Najuniżeniej Pani oddany
Howard O'Keefe

Po przeczytaniu listu Helen miała łzy w oczach. Jak ten mężczyzna cudownie pisze! Jak dokładnie potrafi wyrazić to, co ona sama tak często odczuwa! Jej również brakuje w życiu tego najważniejszego. Ona także chciałaby gdzieś poczuć się jak w domu, mieć własną rodzinę i ognisko domowe, nad którym pieczy nie sprawowałaby dla innych, lecz któremu sama nadawałaby kształt i którego byłaby częścią. Owszem, niekoniecznie myślała o farmie, raczej o jakimś domu w mieście. Ale człowiek zawsze musi godzić się na pewne ustępstwa, zwłaszcza gdy decyduje się na tego rodzaju przygodę. A w dworku państwa Mortimerów czuła się przecież zupełnie dobrze. Było nawet bardzo przyjemnie, gdy rankiem pani Mortimer wchodziła do salonu z koszykiem świeżych jaj i bukietem kolorowych kwiatów w dłoni. Helen, która zwykle wstawała wczesnym rankiem, często pomagała jej nakryć stół do śniadania i z apetytem próbowała świeżego masła i tłustego mleka od własnych krów państwa Mortimerów. Również pan Mortimer robił dobre wrażenie, gdy wracał ze swojej porannej przechadzki po polach, rześki i głodny od przebywania na chłodnym powietrzu, ze skórą opaloną słońcem. Helen wyobrażała sobie, że jej Howard jest równie energiczny i atrakcyjny. Jej Howard! Jak to brzmi! Jakie to uczucie! Helen miała ochotę zatańczyć wokół swojego malutkiego pokoju. Czy do nowej ojczyzny będzie mogła zabrać swój bujany fotel? Byłoby wspaniale opowiedzieć kiedyś dzieciom o tym momencie, w którym słowa ich ojca po raz pierwszy dotarły do Helen i od razu poruszyły ją do głębi...

Szanowny panie O'Keefe!

Pełna radości i ciepłych odczuć czytałam dzisiaj Pańskie słowa. Ja również z wahaniem wstąpiłam na drogę do naszego poznania, lecz sam Bóg tylko wie, dlaczego prowadzi do siebie dwoje ludzi, którzy żyją w odległych od siebie światach. Gdy jednak czytałam Pańskie słowa, zdawało mi się, jakby kilometry, które nas dzielą, coraz szybciej topniały. Czy to możliwe, że w naszych marzeniach spotkaliśmy się już wcześniej nieskończoną liczbę razy? Czy to jedynie wspólne doświadczenia i tęsknoty sprawiają, że czujemy się sobie tak bliscy? Ja również nie jestem już małą dziewczynką, z powodu śmierci matki byłam zmuszona wcześnie wziąć na siebie odpowiedzialność za prowadzenie domu. Jestem więc obeznana z prowadzeniem dużego gospodarstwa domowego. Wychowałam moje rodzeństwo, a teraz jestem guwernantką u majętnej rodziny w Londynie. Obowiązki zajmują mi wiele godzin dziennie, w nocy jednak odczuwam w moim sercu pustkę. Mieszkam w domu pełnym ludzi, w głośnym i tłocznym mieście, a mimo wszystko czułam się skazana na samotność, dopóki nie dotarło do mnie Pańskie wołanie zza morza. Wciąż nie jestem pewna, czy odważę się go posłuchać. Chciałabym więcej wiedzieć o kraju i o Pańskiej farmie, a przede wszystkim o Panu, Howardzie O'Keefe! Byłabym szczęśliwa, gdybyśmy mogli kontynuować naszą korespondencję. Oby odczuwał Pan, że znalazł we mnie pokrewną duszę. Oby, czytając moje słowa, odczuwał Pan to ciepło i bezpieczeństwo, jakie chciałabym ofiarować kochającemu małżonkowi i, o ile tak zechce Bóg, gromadce wspaniałych dzieci w Pańskim nowym i młodym kraju!

Na razie pozostaję pełna nadziei
Pańska Helen Davenport

Helen nadała swój list na poczcie od razu następnego ranka i wbrew rozsądkowi już kilka dni później serce biło jej szybciej, gdy tylko spostrzegała przed domem listonosza. Nie mogła się wtedy doczekać końca porannych lekcji, aby szybko ruszyć do salonu, gdzie gospodyni co rano wykładała pocztę dla rodziny i guwernantki.

– Nie musi się pani tak śpieszyć, to niemożliwe, żeby już odpisał – stwierdził George pewnego ranka trzy tygodnie później, gdy Helen znowu z rumieńcem na twarzy nerwowym ruchem zatrzasnęła książki, jak tylko zauważyła listonosza przez okno pokoju do nauki. – Statek płynie na Nową Zelandię około trzech miesięcy. To znaczy, że poczta idzie trzy miesiące w tamtą stronę i potem trzy miesiące wraca. O ile odbiorca odpisze natychmiast, a statek od razu wyruszy z powrotem. To może trwać i pół roku, zanim usłyszy pani od niego jakieś wieści.

Sześć miesięcy? Choć Helen sama mogła to sobie wyliczyć, była zdumiona. Jeśli tak, to jak długo będzie trwało uzgodnienie z panem O'Keefe czegokolwiek? A skąd w ogóle George wie...?

– Skąd ci przyszła do głowy Nowa Zelandia, George? I kim jest ten „on"? – zapytała surowym tonem. – Zachowujesz się impertynencko! Zadam ci dodatkową pracę za karę, będziesz miał się czym zająć.

George roześmiał się szelmowsko.

– Może umiem czytać w pani myślach! – odpowiedział bezczelnie. – A przynajmniej się staram. Ale niektórych rzeczy nie wiem. Och, chciałbym wiedzieć, kim „on" jest! Oficerem Jej Królewskiej Mości w pułku Wellingtona? Albo owczym baronem z Wyspy Południowej? A najlepiej, jakby to był kupiec z Christchurch albo Dunedin. Wtedy ojciec mógłby go mieć na oku, a ja zawsze wiedziałbym, jak się Pani układa. Ale oczywiście nie będę wścibski, zwłaszcza w takich romantycznych sprawach. Poproszę więc o tę dodatkową pracę za karę. Przyjmę ją z pokorą i jeszcze dopilnuję, żeby William odrobił swoją. Wtedy będzie pani miała czas, żeby wyjść i sprawdzić pocztę.

Helen spąsowiała. Musiała zachować spokój.

– Masz nadmiernie wybujałą fantazję – zauważyła. – Czekam po prostu na list z Liverpoolu. Moja ciotka zachorowała...

George się uśmiechnął.

– Proszę przekazać jej moje pozdrowienia – odpowiedział sztywno.

Rzeczywiście na odpowiedź pana O'Keefe'a trzeba było czekać prawie trzy miesiące od spotkania z lady Brennan i Helen straciła już niemal nadzieję. Otrzymała jednak wiadomość od wielebnego Thorne'a. Zapraszał ją na herbatę, gdy będzie miała wolne piątkowe popołudnie. Dawał do zrozumienia, że ma z nią coś ważnego do omówienia.

Helen spodziewała się raczej kłopotów. Prawdopodobnie chodzi o Johna albo Simona. Kto wie, co znowu zmajstrowali! Ich dziekanowi naprawdę kończyła się już cierpliwość. Helen zadawała sobie pytanie, co stanie się z jej braćmi, jeśli rzeczywiście zostaną wydaleni z uniwersytetu. Żaden z nich nigdy nie pracował fizycznie. W grę wchodziła więc tylko posada w biurze, najpierw jako pomocnik biurowy. A to z pewnością obaj uznają za zajęcie poniżej ich godności. Helen ponownie pomyślała, że chciałaby być daleko stąd. Dlaczego Howard jeszcze nie napisał? I dlaczego te statki tak wolno pływają, przecież są już parowce i nie trzeba czekać na pomyślne wiatry!

Pastor i jego żona przyjęli Helen tak serdecznie jak zawsze. To był cudowny i ciepły wiosenny dzień, pani Thorne nakryła więc stół do herbaty w ogrodzie. Helen głęboko wdychała woń kwiatów i napawała się ciszą. Park państwa Greenwoodów był co prawda znacznie większy i urządzony bardziej stylowo niż maleńki ogródek pastora, tam jednak nie miała ani chwili spokoju.

Z kolei z państwem Thorne miło było nawet pomilczeć. W atmosferze odprężenia pili we trójkę herbatę i częstowali się sandwiczami z ogórkiem i upieczonymi przez gospodynię torcikami. W końcu pastor przeszedł jednak do rzeczy.

– Powiem otwarcie, Helen. Mam nadzieję, że nie weźmie mi pani tego za złe. Oczywiście w związku z całą sprawą zachowujemy dyskrecję, szczególnie jeśli chodzi o spotkania lady Brennan z jej młodymi… rozmówczyniami. Ale ja i Linda wiemy oczywiście, o co chodzi. I musielibyśmy być ślepi, żeby nie zauważyć twojej wizyty u lady Brennan.

Twarz Helen na przemian bladła i czerwieniała. O tym więc pastor chciał porozmawiać. Z pewnością uważa, że przyniesie wstyd pamięci swojego ojca, jeśli opuści rodzinę i posadę, decydując się na przygodę z nieznajomym.

– Ja…

– Helen, nie jesteśmy strażnikami twojego sumienia – powiedziała pani Thorne przyjaźnie i uspokajająco położyła dłoń na jej ramieniu. – Ja nawet doskonale rozumiem, co skłania młodą kobietę do takiego kroku, i na pewno nie możemy zarzucić lady Brennan złej woli. Pastor nigdy nie udostępniłby jej wówczas swojego biura.

Helen opanowała się nieco. Nie będzie reprymendy? Czego więc państwo Thorne od niej chcą?

Pastor, jakby niechętnie, ponownie zabrał głos.

– Wiem, że moje następne pytanie jest żenująco niedyskretne, i niemal nie śmiem go zadać. Ale, Helen, czy pani… Oj! Czy rozmowa z panią Brennan przyniosła jakieś rezultaty?

Helen zagryzła wargi. „Dlaczego na miłość boską pastor ją o to pyta? Czyżby wiedział o Howardzie O'Keefe coś, o czym musi jej powiedzieć? Czyżby, Boże broń, trafiła na jakiegoś oszusta? Takiej hańby nie przeboleje do końca życia".

– Odpowiedziałam na pewien list – odrzekła sztywno. – Nic poza tym się nie wydarzyło.

Pastor szybko przeliczył czas, jaki upłynął od daty ukazania się ogłoszenia.

– Oczywiście, że nie, to przecież niemożliwe, Helen. Po pierwsze, wiatry musiałyby być wyjątkowo korzystne, po drugie, ten młody człowiek musiałby czekać na statek dosłownie na nabrzeżu i przekazać swoją odpowiedź od razu następnemu kapitanowi. Zwykle poczta idzie o wiele dłużej, proszę mi wierzyć. Prowadzę regularną korespondencję z kolegą pastorem w Dunedin.

– Ale… Ale skoro pan to wie, to o co chodzi? – wyrwało się Helen. – Zanim między mną a panem O'Keefe'em będzie mogło do czegokolwiek dojść, może minąć rok albo i dłużej. Przede wszystkim…

– Pomyśleliśmy o tym, że można sprawę nieco przyśpieszyć – pani Thorne, zdecydowanie bardziej praktyczna połówka pastorskiego stadła, od razu przeszła do sedna. – Pastor chciał tak naprawdę zapytać… Czy list tego pana O'Keefe'a poruszył pani serce? Czy może sobie pani wyobrazić, że podejmie się pani dla niego takiej podróży, paląc za sobą wszystkie mosty?

Helen wzruszyła ramionami.

– List jest cudowny – przyznała, nie potrafiąc ukryć uśmiechu, który pojawił się na jej ustach. – Wciąż od nowa go czytam, każdej nocy. I… Tak, mogę sobie wyobrazić, że za morzem rozpocznę nowe życie. To moja jedyna szansa na posiadanie własnej rodziny. I cały czas mam nadzieję, że to Bóg mnie prowadzi… Że to on sprawił, że zauważyłam to ogłoszenie… Że to on sprawił, że otrzymałam ten właśnie list, a nie żaden inny.

Pani Thorne skinęła głową.

– Być może Bóg rzeczywiście kieruje sprawami po twojej myśli, moje dziecko – powiedziała miękko. – Mój mąż ma dla pani pewną propozycję.

Gdy po godzinie Helen wychodziła z domu pastora i ruszała w drogę powrotną do państwa Greenwoodów, nie wiedziała, czy powinna tańczyć z radości, czy kulić się ze strachu przed własną odwagą. Głęboko w środku aż w niej wrzało z podekscytowania, bo jedno było pewne: nie ma już odwrotu. Za niespełna osiem tygodni wypływa statkiem do Nowej Zelandii.

– Chodzi o te sieroty, które pani Greenwood i jej komitet koniecznie chcą wysłać za morze – Helen dokładnie pamiętała słowa pastora. – To jeszcze dzieci, najstarsza ma trzynaście lat, a najmłodsza ledwie skończyła jedenaście. One są przerażone na samą myśl, że miałyby iść na posadę gdzieś tu, w Londynie. A mają zostać odesłane do Nowej Zelandii, do zupełnie obcych ludzi! A chłopcy w sierocińcu nie mają oczywiście nic lepszego do roboty, jak dręczyć te biedne dziewczęta. Całymi dniami opowiadają o zatopionych statkach i piratach, którzy porywają dzieci. Najmłodsza jest przekonana, że skończy w żołądku okrutnego kanibala, a najstarsza ciągle myśli o tym, że zostanie sprzedana strasznemu sułtanowi.

Helen się roześmiała, państwo Thorne zachowali jednak powagę.

– Dla nas to też śmieszne, ale dziewczęta w to wszystko wierzą – z westchnieniem powiedziała żona pastora. – Pomijając już fakt, że rejs statkiem wcale nie jest bezpieczny. Na Nową Zelandię jak dawniej pływają wyłącznie żaglowce, bo dla parowców to zbyt wielka odległość. Przebieg podróży zależy więc od pomyślnych wiatrów, może zdarzyć się bunt, pożar, epidemia... Doskonale rozumiem, że te dzieciny się boją. A ich histeria rośnie tym bardziej, im bliższa jest data wypłynięcia statku. Najstarsza z nich poprosiła już o ostatnie namaszczenie przed rejsem. Damy z komitetu nie mają o tym oczywiście pojęcia. W ogóle nie wiedzą, co czynią tym dzieciom. Ja jednak wiem i to ciąży mi na sumieniu.

Pastor skinął głową.

– Mnie również. Dlatego przedstawiłem tym paniom ultimatum. Przytułek należy *de facto* do parafii, co znaczy, że teoretycznie to ja nim zarządzam. Damy z komitetu potrzebują więc mojej zgody, żeby wysłać te dzieci za morze. Uzależniłem swoją zgodę od tego, czy zostanie z nimi wysłana osoba, która będzie ich pilnować. I chodzi tu o panią, droga Helen. Zaproponowałem damom z komitetu, żeby na koszt gminy wysłać chętną do zamążpójścia pannę, która również wybiera się do Christchurch. W zamian za pokrycie kosztów podróży zaopiekuje się ona dziewczętami. Odpowiedni datek został już przekazany, a więc pieniądze na podróż już są.

Pani Thorne i pastor patrzyli na Helen pytająco. A ona myślała o panu Greenwoodzie, który już przed kilkoma tygodniami miał podobny pomysł, i zastanawiała się, od kogo pochodzi wspomniany datek. Ale w końcu to obojętne. Teraz zaprzątały ją pilniejsze sprawy!

– I to ja miałabym być tą opiekunką? – zapytała niepewnie. – Ale ja... Jak już mówiłam, nie otrzymałam jeszcze żadnych wiadomości od pana O'Keefe'a...

– W wypadku innych panien sytuacja jest taka sama, Helen – zauważyła pani Thorne. – Poza tym wszystkie są bardzo młodziutkie, niewiele starsze od naszych sierot, które miałyby być ich wychowankami. Doświadczenie z dziećmi ma tylko jedna z nich, która ponoć pracowała jako niania. Ale ja się zastanawiam, jaka porządna rodzina zatrudniłaby do opieki nad dziećmi dziewczynę niespełna dwudziestoletnią! W ogóle niektóre z tych dziewcząt... chyba nie mają najlepszej reputacji. Lady Brennan również nie jest przekonana, czy wszystkim kandydatkom da swoje błogosławieństwo. Pani zaś jest dojrzałą osobą. Nie mam żadnych wątpliwości, że można powierzyć pani dzieci. A ryzyko jest niewielkie. Nawet jeśli nie dojdzie do zawarcia małżeństwa, to młoda kobieta z pani kwalifikacjami natychmiast znajdzie nową posadę.

– Najpierw zamieszkałybyście u pastora w Christchurch – wyjaśnił wielebny Thorne. – Jestem pewien, że pomoże pani znaleźć posadę w porządnym domu, gdyby pan O'Keefe... Gdyby okazał się innym człowiekiem, niż się wydaje. Musi się pani tylko zdecydować, Helen. Czy rzeczywiście chce pani opuścić Anglię, czy też pomysł z emigracją był jedynie pani fantazją? Jeśli teraz powie pani tak, osiemnastego lipca odpłynie pani na statku „Dublin" w rejs z Londynu do Christchurch. Jeśli nie... Cóż, po prostu uznamy tę rozmowę za niebyłą.

Helen wzięła głęboki oddech.

– Tak – powiedziała.

4

Gwyneira zareagowała na niezwykłą propozycję matrymonialną ze strony Geralda Wardena z mniejszym oburzeniem, niż obawiał się tego jej ojciec. Po tym jak jej matka i siostra wpadły w histerię na samą wzmiankę o wyjeździe dziewczyny do Nowej Zelandii – przy czym nie mogły się zdecydować, co jest gorsze: mezalians z pochodzącym z kupieckiej rodziny Lucasem Wardenem, czy też zesłanie do odległej i dzikiej krainy – lord Silkham spodziewał się, że również Gwyneira zareaguje płaczem i lamentami. Ona jednak sprawiała wrażenie raczej rozbawionej, kiedy ojciec opowiadał jej o brzemiennej w skutki grze w karty.

– Ale oczywiście nie musisz tam jechać! – lord Terence Silkham od razu starał się załagodzić sprawę. – To byłoby wbrew wszelkim dobrym obyczajom. Obiecałem jednak panu Wardenowi, że przynajmniej rozważysz jego propozycję...

– Oj, tato! – zganiła go Gwyneira i ze śmiechem pogroziła mu palcem. – Długi karciane to przecież długi honorowe! Tak łatwo się nie wywiniesz. Musiałbyś mu zaproponować za mnie tyle złota, ile ważę, a przynajmniej spore stado owiec. Na owce z pewnością chętnie by się zgodził. Spróbuj!

– Gwyneiro, bądź poważna! – upomniał ją ojciec. – To oczywiste, że próbowałem już wyperswadować temu człowiekowi całą sprawę...

– Tak? – zapytała Gwyneira z ciekawością. – I ile mu zaproponowałeś?

Lord Terence Silkham zazgrzytał zębami. Wiedział, że to okropny nawyk, ale Gwyneira nieustannie doprowadzała go do frustracji.

– Oczywiście nic mu nie zaproponowałem. Zaapelowałem do wyrozumiałości i poczucia godności pana Wardena. Ale wygląda na to, że te cechy są mu raczej obce... – Silkham wyraźnie się zmieszał.

– Czyli bez żadnych skrupułów chcesz mnie wydać za syna jakiegoś kanciarza? – stwierdziła Gwyneira z rozbawieniem. – Ale powiedz tak szczerze, ojcze, co według ciebie powinnam zrobić? Odrzucić tę propozycję? Przyjąć ją z oporami? Powinnam zachowywać się z godnością czy też czuć upokorzona? Płakać czy krzyczeć? Może mogłabym uciec? To byłoby najuczciwsze rozwiązanie. Gdybym znikła pewnej mglistej nocy, miałbyś całą sprawę z głowy! – Oczy Gwyneiry aż rozbłysły na myśl o podobnej przygodzie. Chociaż zamiast samodzielnej ucieczki wolałaby porwanie...

Lord Silkham zacisnął pięści.

– Gwyneiro, ja sam nie wiem! Oczywiście będzie mi przykro, jeśli odmówisz. Ale będzie mi tak samo przykro, jeśli będziesz się czuła zobowiązana do zrobienia czegoś wbrew swojej woli. I nigdy bym sobie nie wybaczył, gdybyś tam, za morzem, była nieszczęśliwa. Dlatego proszę cię... Może mogłabyś tę propozycję... Jak by to powiedzieć? Na spokojnie rozważyć.

Gwyneira wzruszyła ramionami.

– Dobrze. Spróbuję. Ale do tego potrzeba mi mojego ewentualnego przyszłego teścia, prawda? I mama też chyba powinna tutaj być... Albo nie, tego nie wytrzymałyby jej nerwy. Mamę powiadomimy później. Gdzie więc jest pan Warden?

Gerald Warden czekał w pokoju obok. Uważał, że wydarzenia rozgrywające się tego dnia w domu Silkhamów stanowią doskonałą rozrywkę. Lady Sarah i lady Diana prosiły o sole trzeźwiące już sześć razy i na zmianę uskarżały się na skołatane nerwy i zasłabnięcia. Pokojówki biegały w popłochu to tu, to tam. Teraz lady Silkham odpoczywała w swoim salonie z woreczkiem lodu przyłożonym do czoła, z kolei w pokoju gościnnym lady Riddleworth błagała swojego męża, żeby zrobił coś, aby ratować Gwyneirę, nawet jeśli musiałby w tym celu wyzwać Wardena na pojedynek. Pułkownik ze zrozumiałych względów nieszczególnie się do tego palił, wyrażał się więc tylko o Nowozelandczyku z pogardą i zdawał się niczego nie pragnąć goręcej niż jak najszybszego opuszczenia domu swoich teściów.

Gwyneira z kolei wydawała się traktować sprawę ze spokojem. Silkham miał wątpliwości, czy powinien tak od razu dopuścić do rozmowy pana Wardena z córką, przejawy temperamentu energicznej dziewczyny tak czy inaczej było jednak słychać w sąsiednich pomieszczeniach. Gdy Wardena poproszono do gabinetu, zauważył, że Gwyneira nie dość, że nie płacze, to jej policzki aż płoną z emocji. Taką właśnie miał nadzieję. Że choć jego propozycja będzie dla niej niespodzianką, dziewczyna wcale nie okaże się jej niechętna. Z widocznym napięciem skierowała swoje fascynujące błękitne oczy na człowieka, który w tak niezwykły sposób starał się o jej rękę.

– Ma pan jakiś rysunek albo zdjęcie? – Gwyneira pominęła powitanie i od razu przeszła do rzeczy. Warden zauważył, że wygląda równie zachwycająco jak wczoraj. Jej prosta niebieska spódnica podkreślała szczupłą figurę, a bluzka z falbankami sprawiała, że wyglądała dojrzalej. Tym razem Gwyneira nawet nie starała się ujarzmić swojej rudej grzywy. Pokojówka za pomocą błękitnej aksamitnej wstążki związała jej jedynie z tyłu głowy dwa pasma, żeby włosy nie opadały jej na twarz. Cała reszta długich loków luźno opadała na plecy Gwyneiry.

– Rysunek? – zapytał zaskoczony Gerald Warden. – Ach tak... plan sytuacyjny... Mam chyba jakiś szkic, bo chciałem jeszcze omówić niektóre szczegóły dotyczące domu z pewnym angielskim architektem...

Gwyneira się roześmiała. Ani odrobinę nie wyglądała na wstrząśniętą czy przestraszoną.

– Nie chodzi mi o wizerunek pańskiego domu, panie Warden! Tylko pańskiego syna! Lucasa, tak? Nie ma pan jakiejś fotografii czy dagerotypu?

Gerald Warden pokręcił przecząco głową.

– Bardzo mi przykro, milady. Ale Lucas się pani spodoba. Moja nieżyjąca żona była prawdziwą pięknością, a wszyscy twierdzą, że Lucas to jej wierna kopia. I jest wysoki, wyższy ode mnie, za to szczuplejszy. Ma włosy w kolorze popielaty blond i szare oczy... I jest bardzo dobrze wychowany, panno Gwyneiro! Majątek wydałem na prywatnych nauczycieli z Anglii... Czasami myślę sobie, że trochę z tym... Cóż, nieco z tym przesadziliśmy. Lucas jest... hm, w każdym razie śmietanka towarzyska jest nim zachwycona. A Kiward Station też na pewno się pani spodoba. Dom zbudowano według angielskich projektów. To nie jest zwyczajna chata z drewna, to jest dom wielkopański, został wzniesiony z szarego piaskowca. Wszystkie materiały najwyższej klasy! A meble każę sprowadzać z Londynu, od najlepszych stolarzy. Dodatkowo zatrudniłem dekoratora i jemu powierzyłem dokonywanie wyborów, żeby nie popełnić żadnego błędu. Niczego nie będzie pani brakowało, milady! Oczywiście służba nie jest tak dobrze przyuczona, jak wasze pokojówki, ale Maorysi są chętni do pracy i szybko się uczą. Możemy nawet urządzić ogród różany, jeśli będzie pani miała ochotę...

Zamilkł, gdy zauważył, że Gwyneira lekko się skrzywiła. Wyglądało na to, że perspektywa ogrodu różanego raczej jej nie skusi.

– A będę mogła zabrać Cleo? – zapytała. Suczka leżała nieruchomo pod stołem, gdy jednak tylko usłyszała swoje imię, od razu uniosła głowę. Wpatrywała się w Gwyneirę znanym już Geraldowi pełnym uwielbienia spojrzeniem.

– A Igraine?

Gerald Warden zastanawiał się przez chwilę, zanim skojarzył, że dziewczyna mówi o swojej klaczy.

– Gwyneiro, chcesz zabrać konia? – wtrącił się poirytowany lord Silkham. – Zachowujesz się jak dziecko! Tutaj chodzi o twoją przyszłość, a ty myślisz tylko o swoich zabawkach!

– Uważasz, że moje zwierzęta to zabawki? – zarzuciła ojcu dziewczyna, wyraźnie rozeźlona jego uwagą. – Pies pasterski, który wygrywa wszystkie konkursy i najlepszy koń do polowania w całym hrabstwie Powys?

Gerald Warden dostrzegł w tym momencie swoją szansę.

– Milady, może pani zabrać wszystko, co będzie pani chciała! – udobruchał ją, biorąc jej stronę w sporze z ojcem. – Pani klacz stanie się ozdobą moich stajni. Powinniśmy zresztą pomyśleć od razu o pozyskaniu odpowiedniego ogiera. A jeśli chodzi o pani sukę... Cóż, wie pani przecież, że już wczoraj wyrażałem swoje zainteresowanie nią...

Gwyneira wciąż wyglądała na zagniewaną, zapanowała jednak nad sobą i zdobyła się nawet na żart.

– A więc o to chodzi – zauważyła z szelmowskim uśmiechem, choć spojrzenie jej oczu było chłodne. – W tych całych swatach chodzi tylko o to, żeby wyłudzić od mojego ojca psa, który zdobył tak dużo nagród. Teraz już rozumiem. Mimo wszystko rozważę pańską propozycję. Zdaje się, że jestem dla pana warta więcej niż dla niego. W każdym razie pan, panie Warden, potrafi odróżnić dobrego wierzchowca od zabawki. A teraz pozwoli pan, że się oddalę. I ciebie, ojcze, także proszę o wybaczenie. Muszę sobie to wszystko przemyśleć. Zobaczymy się później przy herbacie.

Gwyneira wyszła pośpiesznie z gabinetu. Wciąż była pełna bliżej nieokreślonej, lecz palącej wściekłości. Jej oczy wypełniły się teraz łzami, ale nie pozwoliłaby, żeby ktokolwiek to zauważył. Jak zawsze gdy była rozgniewana i planowała zemstę, odesłała pokojówkę, skuliła się w najprzytulniejszym zakątku swojego wielkiego łoża z baldachimem i zaciągnęła zasłony. Cleo upewniła się jeszcze, czy służąca na pewno wyszła. Potem prześlizgnęła się pod kotarą i przytuliła do swojej pani, pragnąc ją pocieszyć.

– Teraz w każdym razie wiemy, co myśli o nas mój ojciec – stwierdziła Gwyneira, głaszcząc miękką sierść Cleo. – Ty jesteś jedynie zabawką, a ja stawką w grze w oczko.

Wcześniej, gdy ojciec opowiadał jej o brzemiennej w skutki grze w karty, nie odczuwała takiej przykrości. Właściwie było to nawet zabawne, że ojciec okazał tak wielką lekkomyślność, a tego rodzaju swatów przecież nie można było traktować poważnie. Z drugiej strony lordowi Silkhamowi wcale nie byłoby na rękę, gdyby Gwyneira nie zgodziła się nawet na rozważenie propozycji Wardena! Pomijając już to, że ojciec tak czy inaczej przegrał jej przyszłość, bo w końcu Warden wygrał od niego owce i zabierze je sobie z nią lub bez niej! A zysk ze sprzedaży stada miał przecież stanowić jej posag. Gwyneirze wcale nie zależało na zamążpójściu. Wprost przeciwnie, w Silkham Manor bardzo jej się podobało, a najchętniej przejęłaby pewnego dnia prowadzenie całej farmy. Z pewnością robiłaby to lepiej niż jej brat, którego w życiu na wsi interesowały tak naprawdę tylko polowania i wyścigi jeździeckie. W dzieciństwie Gwyneira często w różowych barwach wyobrażała sobie taką przyszłość. Mieszkałaby na farmie z bratem i ona dbałaby o wszystko, a John Henry mógłby oddawać się swoim przyjemnościom. Wtedy oboje uważali to za dobry pomysł.

– Będę brał udział w wyścigach! – oświadczył mały John Henry. – I hodował konie!

– A ja będę się zajmować owcami i kucami – Gwyneira zdradziła swoje plany ojcu.

Dopóki byli małymi dziećmi, lord Silkham śmiał się z ich marzeń i nazywał córkę „swoim małym zarządcą". Ale w miarę jak stawali się coraz starsi, lord Silkham z rosnącą niechęcią patrzył na obecność córki w stajniach. Szczególnie że robotnicy z farmy odnosili się do niej z coraz większym szacunkiem, a Cleo coraz częściej pokonywała owczarka Johna Henry'ego w kolejnych zawodach.

A dzisiaj stwierdził, że całą jej pracę na farmie uważa za jakieś igraszki! Gwyneira z wściekłości mięła poduszkę. Ale po chwili zaczęła się zastanawiać. Czy ojciec naprawdę tak uważa? A może raczej dostrzega w niej konkurencję dla swojego syna i dziedzica? A przynajmniej jako utrapienie i przeszkodę we wdrożeniu go w obowiązki przyszłego właściciela ziemskiego? Jeśli tak właśnie jest, to z pewnością nie ma dla niej w Silkham Manor żadnej przyszłości! Z posagiem czy bez posagu, ojciec wyda ją za mąż, i to najpóźniej przed powrotem brata z college'u w przyszłym roku. Matka i tak już naciska, nie może się doczekać, kiedy wreszcie skaże swoją niesforną córkę na wieczne siedzenie przed kominkiem z robótką w ręku. A ze względu na swoją sytuację finansową Gwyneira nie może stawiać żadnych warunków. Z pewnością nie zechce jej żaden młody lord z taką posiadłością jak Silkham Manor! Powinna się cieszyć, gdyby trafił jej się ktoś taki jak pułkownik Riddleworth. A może trafi nawet do kamienicy w mieście, jeśli wyjdzie za mąż za drugiego czy trzeciego syna jakieś szlacheckiej rodziny, który zarabia na utrzymanie, pracując w Cardiff jako lekarz czy adwokat. Gwyneira pomyślała o codziennych herbatkach, o posiedzeniach komitetów dobroczynnych... I przeszedł ją dreszcz.

Ale jest jeszcze przecież propozycja Geralda Wardena!

Do tej pory uważała wyjazd do Nowej Zelandii za coś nierealnego. Całkiem kuszącego, ale zupełnie niemożliwego! Już sama myśl o poślubieniu mężczyzny na drugiej stronie kuli ziemskiej – mężczyzny, do którego opisania jego własny ojciec nie potrzebował więcej niż dwudziestu słów – wydawała jej się szalona. Ale teraz zaczęła poważnie myśleć o Kiward Station. To posiadłość, której byłaby panią, byłaby żoną pioniera, zupełnie jak w tanich powieściach! Warden z pewnością przesadzał z opisem domu i wspaniałości całej swojej posiadłości. W końcu chciał zrobić dobre wrażenie na jej rodzicach. Prawdopodobnie całe gospodarstwo znajdowało się dopiero w rozruchu. Na pewno tak jest, inaczej Warden nie musiałby kupować od nich owiec! Gwyneira pracowałaby ze swoim małżonkiem ramię w ramię. Mogłaby pomagać przy pędzeniu owiec i założyć ogród, w którym zamiast nudnych róż rosłyby odpowiednie warzywa. Już nawet widziała samą siebie, jak poci się za pługiem ciągniętym przez silnego ogiera rasy cob po dopiero co wykarczowanym polu.

A Lucas... Cóż, jest przynajmniej młody i podobno przystojny. Trudno byłoby żądać czegoś więcej. W końcu w Anglii miłość też nie odgrywa przy zawieraniu małżeństw żadnej roli.

– Co powiesz na Nową Zelandię? – zapytała swoją sukę i podrapała ją po brzuchu. Cleo wpatrywała się w swoją panią z zachwytem i obdarzyła ją typowym uśmiechem owczarka.

Gwyneira odwzajemniła psi uśmiech.

– A więc propozycję przyjęto jednomyślnie! – zachichotała. – To znaczy... Musimy jeszcze zapytać Igraine. Ale zakład, że się zgodzi, jak tylko powiem jej o ogierze?

Kompletowanie wyprawy Gwyneiry przerodziło się w długą i zaciętą walkę między dziewczyną a jej matką. Gdy lady Silkham doszła do siebie po licznych omdleniach wywołanych decyzją podjętą przez Gwyneirę, z typowym dla niej zapałem zabrała się za przygotowania do ślubu. Oczywiście bez końca i na rozmaite sposoby wyrażała żal, że wydarzenie to nie odbędzie się, jak zawsze, w Silkham Manor, tylko gdzieś „w dziczy". Jednakże barwne opisy posiadłości na równinie Canterbury Plains, którymi raczył je Gerald Warden, i tak znajdowały większe uznanie u niej niż u jej córki. Lady Silkham z ulgą przyjęła również to, że Gerald żywo interesował się wszelkimi kwestiami dotyczącymi wyprawy.

– Oczywiście, że pani córka potrzebuje wspaniałej sukni ślubnej! – zadeklarował na przykład, gdy Gwyneira odrzuciła koncepcję białych falbanek i długiego trenu, stwierdzając, że z pewnością będzie musiała do ślubu pojechać konno, a taki strój tylko by jej przeszkadzał.

– Zaślubiny odbędą się albo w kościele w Christchurch, albo, co mnie osobiście bardziej by odpowiadało, będzie to prywatna ceremonia w mojej posiadłości. W kościele ślub byłby oczywiście bardziej uroczysty, trudno jednak byłoby znaleźć odpowiednie pomieszczenia i wykwalifikowaną obsługę na przyjęcie weselne. Mam więc nadzieję, że przekonam wielebnego Baldwina, żeby złożył nam wizytę w Kiward Station. Będę mógł wtedy ugościć wszystkich przybyłych w bardziej eleganckim otoczeniu. Będą to oczywiście odpowiedni goście. Obecny będzie generał porucznik, najważniejsi reprezentanci Korony, najznamienitsi kupcy... Całe najlepsze towarzystwo z Canterbury. Na taką okazję Gwyneira musi mieć najdroższą suknię. Będziesz pięknie wyglądać, moje dziecko!

Gerald lekko poklepał Gwyneirę po ramieniu, po czym oddalił się, żeby omówić z lordem Silkhamem kwestię transportu koni i owiec. Obaj panowie z jednakowym zadowoleniem ustalili, że nie będą więcej wspominać o niesławnej grze w karty. Lord Silkham miał wysłać za morze stado owiec i owczarki jako posag Gwyneiry, a lady Silkham przedstawiała ślub córki z Lucasem Wardenem jako wspaniałe połączenie z jedną z najstarszych nowozelandzkich rodzin. I rzeczywiście tak było, gdyż rodzice matki Lucasa byli jednymi z pierwszych osadników na Wyspie Południowej. Jeśli na salonach i tak na ten temat szeptano, to plotki te nie docierały do uszu lady Silkham ani jej córki.

Gwyneirze zresztą byłoby to obojętne. Z niechęcią udawała się na liczne spotkania przy herbacie, podczas których rzekome „przyjaciółki" nieszczerze fetowały jej wyjazd, określając go jako coś „ekscytującego", żeby zaraz potem przejść do zachwytów nad swoimi przyszłymi mężami z Powys czy nawet z miasta. Jeśli w planach nie było żadnej wizyty, matka Gwyneiry upierała się, żeby córka uczestniczyła w wybieraniu próbek materiałów, a potem godzinami sterczała podczas przymiarek krawieckich. Lady Silkham kazała zdjąć miarę na suknie odświętne i popołudniowe, zadbała o elegancki strój podróżny i wciąż nie była w stanie uwierzyć, że przez pierwsze miesiące pobytu na Nowej Zelandii Gwyneira będzie potrzebować raczej lekkich letnich ubrań niż ciepłych na zimową pogodę. Po drugiej stronie kuli ziemskiej, o czym Gerald Warden niestrudzenie jej przypominał, porządek pór roku jest inny niż na Starym Kontynencie.

Poza tym wciąż musiał negocjować, gdy na nowo wybuchały kłótnie o „kolejną suknię popołudniową czy trzeci strój do jazdy konnej".

– Przecież w Nowej Zelandii – unosiła się Gwyneira – nie będę jeździć z herbatki na herbatkę, jak w Cardiff! Panie Warden, mówił pan, że to nowy kraj! Częściowo niezbadany. Naprawdę nie potrzebuję aż tylu jedwabnych sukni!

Gerald Warden uśmiechnął się do obu stron konfliktu.

– Panno Gwyneiro, proszę się nie martwić, w Kiward Station będzie pani utrzymywać takie same stosunki towarzyskie jak tutaj – zaczął, doskonale zdając sobie sprawę, że to raczej lady Silkham żywi tego rodzaju obawy. – Ale odległości są tam znacznie większe. Nasz najbliższy sąsiad, z którym utrzymujemy kontakty towarzyskie, mieszka sześćdziesiąt kilometrów od nas. Nie widujemy się więc na popołudniowych herbatkach. Poza tym budowa dróg nadal znajduje się w powijakach. Dlatego wolimy z wizytami do sąsiadów jeździć konno, a nie powozem. To jednak wcale nie oznacza, że nasze życie towarzyskie jest mniej cywilizowane. Trzeba się tylko raczej nastawić na wielodniowe wizyty, bo nie opłaca się jeździć na krótkie spotkania. Jak najbardziej potrzebuje więc pani odpowiedniej garderoby. Zarezerwowałem już dla nas miejsca na statku. Osiemnastego lipca „Dublin" wypływa z Londynu i płynie do Christchurch. Część ładowni zostanie przystosowana na potrzeby zwierząt. Panno Gwyneiro, czy przyłączy się pani do mnie dziś po południu, żeby zobaczyć ogiera? Mam wrażenie, że przez ostatnie dni niemal nie wychodziła pani z garderoby.

Madame Fabian, francuska guwernantka Gwyneiry, martwiła się przede wszystkim ubóstwem kulturalnym panującym w koloniach. We wszystkich znanych sobie językach wyrażała żal, że Gwyneira nie będzie mogła kontynuować edukacji muzycznej, chociaż gra na pianinie była jedyną uznawaną w towarzystwie umiejętnością, w której dziewczyna wykazywała choć odrobinę talentu. Ale i w tym wypadku Gerald Warden rozwiał wszelkie troski. W jego domu stoi oczywiście pianino, jego zmarła żona grała doskonale, a i syn brał lekcje gry. Ponoć jest świetnym pianistą.

Co zdumiewające, to właśnie *madame* Fabian udało się wyciągnąć z Nowozelandczyka trochę więcej informacji o przyszłym mężu Gwyneiry. Guwernantka, która interesowała się sztukami pięknymi, zadawała po prostu właściwe pytania. Imię Lucasa padało zawsze, gdy pytała o koncerty, książki, teatr i galerie. Wyglądało na to, że narzeczony Gwyneiry jest człowiekiem wykształconym i uzdolnionym artystycznie. Malował, grał na instrumentach i prowadził obfitą korespondencję z brytyjskimi naukowcami, szczególnie w zakresie dalszych badań nad niezwykłą fauną Nowej Zelandii. Gwyneira miała nadzieję podzielać choć tę pasję, gdyż reszta opisu zainteresowań jej przyszłego męża nieco ją przerażała. Nie spodziewała się, że dziedzic owczej farmy za morzem może być aż takim estetą. Kowboje z tanich powieści na pewno nie tknęliby pianina palcem. Ale może Gerald Warden przesadza i w tej sprawie. „Owczy baron" z pewnością stara się przedstawić swoją posiadłość i rodzinę w jak najlepszym świetle. A tak naprawdę wszystko będzie bardziej surowe i ekscytujące! W każdym razie Gwyneira zapomniała zabrać swoich nut, gdy w końcu nadeszła pora, żeby spakować jej wyprawę do kufrów i skrzyń.

Pani Greenwood zdumiewająco spokojnie zareagowała, gdy Helen złożyła swoje wypowiedzenie. Przecież po feriach George i tak wybiera się do college'u, nie będzie więc już potrzebował guwernantki, a William...

– A jeśli chodzi o Williama, rozejrzę się chyba za mniej wymagającym nauczycielem – zastanawiała się na głos pani Greenwood. – On jest jeszcze taki dziecinny, koniecznie trzeba mieć to na uwadze!

Helen zapanowała nad sobą i grzecznie przytakiwała chlebodawczyni, myśląc jednocześnie o swoich nowych podopiecznych, którymi będzie się opiekować na pokładzie statku „Dublin". Pani Greenwood wspaniałomyślnie zgodziła się przedłużyć jej niedzielne wyjście na mszę, żeby mogła w szkółce niedzielnej poznać dziewczynki. Jak można się było spodziewać, były wątłe, niedożywione i wystraszone. Wszystkie miały na sobie czyste, choć wielokrotnie łatane szare fartuszki, ale nawet u najstarszej z nich, Dorothy, nie zaznaczały się jeszcze pod nim kobiece kształty. Dziewczynka dopiero co skończyła trzynaście lat, z czego dziesięć spędziła wraz z matką w przytułku dla ubogich. Na samym początku matka Dorothy miała, zdaje się, jakąś posadę, ale Dorothy nie pamiętała już, kiedy to było. Wiedziała tylko, że pewnego razu matka zachorowała, a potem umarła. Od tamtej pory dziewczynka mieszkała w sierocińcu. Podróży do Nowej Zelandii bała się straszliwie, gotowa jednak była zrobić wszystko, co tylko możliwe, żeby zadowolić swoich przyszłych chlebodawców. Dorothy dopiero w sierocińcu nauczyła się czytać i pisać i ze wszystkich sił starała się nadrobić zaległości. Helen postanowiła w duchu, że na statku będzie ją dalej uczyć. Od razu poczuła sympatię do tej drobnej ciemnowłosej dziewczynki, która z pewnością wyrosłaby na piękność, gdyby zapewniono jej porządne wyżywienie i nie dawano powodów, żeby z przygarbionymi plecami kuliła się przed wszystkimi niczym zbity pies. Daphne, następna pod względem starszeństwa, była odważniejsza. Przez długi czas sama radziła sobie na ulicy i miała szczęście, że nie złapano jej na jakiejś kradzieży, lecz chorą i wyczerpaną znaleziono pod mostem. W sierocińcu traktowano ją surowo. Kierowniczka uważała, że jej płomiennorude włosy stanowią nieomylną oznakę radości życia, czy wręcz pożądliwości, karała ją więc nawet za spojrzenie z ukosa. Daphne była jedyną spośród sześciu dziewcząt, która dobrowolnie zgłosiła chęć wyjazdu do kolonii. Laurie i Mary, najwyżej dziesięcioletnie bliźniaczki z Chelsea, z pewnością nie zgłosiły się same. Obie nie były szczególnie bystre, choć były grzeczne i dość sprytne, gdy w końcu zrozumiały, czego się od nich oczekuje. Laurie i Mary wierzyły w każde słowo, które złośliwi chłopcy z sierocińca opowiadali o straszliwych niebezpieczeństwach morskiej podróży. Nie mogły więc uwierzyć, że Helen bez szczególnych obaw postanowiła wyruszyć w rejs. Z kolei Elizabeth, rozmarzona dwunastolatka o długich jasnych włosach, uważała, że to bardzo romantyczne, udać się w tak daleką drogę do nieznanego małżonka.

– Och, panno Helen, będzie jak w bajce! – wyszeptała. Elizabeth trochę sepleniła, przez co jej dokuczano, a ona rzadko mówiła głośno. – Książę, który na panią czeka! Z pewnością umiera z tęsknoty za panią i śni o pani każdej nocy!

Helen roześmiała się i spróbowała wyswobodzić z objęć swojej najmłodszej podopiecznej, Rosemary. Rosie miała rzekomo jedenaście lat, Helen jednak oceniała to całkowicie onieśmielone dziecko na najwyżej dziewięć. Zagadką było dla niej, jak komuś mogło przyjść do głowy, że ta zahukana istotka zarobi na swoje utrzymanie. Rosemary do tej pory trzymała się Dorothy. Ponieważ pojawił się jakiś miły dorosły, natychmiast uczepiła się Helen. Helen wzruszała się, czując w dłoni maleńką rączkę Rosie, wiedziała jednak, że nie powinna podsycać u dziewczynki uczucia przywiązania. Dziewczęta obiecano już chlebodawcom w Christchurch, nie powinna więc w żadnym wypadku wzniecać w Rosie nadziei, że po podróży będzie mogła zostać z nią.

Zwłaszcza że los samej Helen wciąż był niepewny. Nadal nie otrzymała żadnej wiadomości od Howarda O'Keefe'a.

Helen mimo wszystko przygotowała sobie skromną wyprawę. Zainwestowała część swoich skromnych oszczędności w dwie nowe suknie oraz bieliznę, kupiła także trochę bielizny pościelowej i obrusów do swojego nowego domu. Za skromną opłatą mogła zabrać w podróż ulubiony bujany fotel i kilka godzin spędziła na jego starannym zapakowaniu. Żeby jakoś opanować rosnące podenerwowanie, wcześnie rozpoczęła przygotowania do podróży i już na cztery tygodnie przed wyjściem statku w morze była niemal ze wszystkim gotowa. W nieskończoność odkładała tylko niemiły obowiązek powiadomienia swojej rodziny o wyjeździe. W końcu jednak nie można już było z tym dłużej zwlekać, a reakcja, która nastąpiła, była taka, jakiej się spodziewała. Siostra Helen wydawała się wstrząśnięta, z kolei bracia byli wściekli. Skoro Helen nie była skłonna dalej łożyć na ich utrzymanie, będą musieli z powrotem zamieszkać u wielebnego Thorne'a. Helen uznała, że wyjdzie im to tylko na dobre i nie omieszkała dać im tego wyraźnie do zrozumienia.

Jeśli chodzi o siostrę, to Helen ani przez chwilę nie traktowała jej słów poważnie. W swoim liście Susan rozwodziła się nad tym, jak bardzo będzie tęsknić za swoją siostrą, a na papierze widać było nawet ślady łez. Wywołała je jednak prędzej troska o opłaty za studia Johna i Simona, gdyż obowiązek ten miał teraz spoczywać na barkach Susan.

Gdy siostra wraz z małżonkiem dotarła w końcu do Londynu, żeby „jeszcze raz wszystko omówić", Helen wcale nie podzielała okazywanego przez nią bólu rozstania. Stwierdziła, że tak naprawdę jej wyjazd nic nie zmieni w ich wzajemnych relacjach.

– Przecież do tej pory nie pisywałyśmy do siebie częściej niż dwa razy do roku – stwierdziła z lekką ironią. – Jesteś zajęta swoją rodziną, a i ze mną wkrótce będzie podobnie.

Gdyby jeszcze tylko miała jakiś konkretny powód, żeby móc w to wierzyć!

Niestety Howard nadal zachowywał milczenie. Dopiero na tydzień przed wypłynięciem statku, gdy Helen już dawno przestała każdego ranka czatować na listonosza, George przyniósł jej kopertę oklejoną wieloma kolorowymi znaczkami.

– Proszę, panno Davenport! – powiedział podekscytowany. – Może pani od razu otworzyć. Obiecuję, że nic nikomu nie powiem i nie będę też pani zaglądać przez ramię. Pogram z Williamem, okay?

Helen była ze swoimi wychowankami w ogrodzie, lekcje już się skończyły. William grał sam ze sobą w krykieta, próbując trafić piłką do bramki.

– George, nie mów „okay"! – Helen zganiła go z przyzwyczajenia, a jednocześnie z pośpiechem sięgnęła po list. – Skąd w ogóle u ciebie to słowo? Z tych tanich powieści, które czytają kucharki? Pilnuj, żeby nie poniewierały się na wierzchu. Gdyby William...

– William nie umie czytać! – George wpadł jej w słowo. – Przecież oboje to wiemy, panno Davenport, bez względu na to co sądzi na ten temat mama. I obiecuję, że nigdy więcej nie powiem „okay". Przeczyta pani ten list teraz? – Szczupła twarz George'a miała niezwykle poważny wyraz. Helen spodziewała się raczej ujrzeć na niej charakterystyczny łobuzerski uśmieszek.

Ale co znowu! Gdyby zdradził swojej matce, że guwernantka w godzinach pracy czytała prywatne listy... Chociaż i tak za tydzień będzie już płynąć statkiem, chyba że...

Helen drżącymi rękoma rozdarła kopertę. Chyba że pan O'Keefe nie jest już nią zainteresowany...

Moja najszanowniejsza Panno Davenport!

Słowa nie potrafią wyrazić, jak bardzo poruszył mnie Pani list. Nie wypuszczam go z rąk od momentu, gdy otrzymałem go kilka dni temu. Towarzyszy mi wszędzie, przy pracy na farmie, podczas rzad-

kich wyjazdów do miasta – gdy tylko go dotykam, jestem pocieszony i odczuwam przeogromną radość, że gdzieś tam, daleko ode mnie, bije dla mnie czyjeś serce. I muszę przyznać, że w najczarniejszych godzinach mojej samotności przykładam go czasem ukradkiem do ust. Papier, który obdarzony był Pani dotykiem, muśnięty Pani oddechem, jest dla mnie tak święty, jak te nieliczne wspomnienia o mojej rodzinie, których do dziś strzegę niczym skarbu.

Co jednak dalej z nami będzie? Najszanowniejsza Panno Davenport, najchętniej już teraz zawołałbym do Pani: Przybądź! Porzućmy oboje naszą samotność! Porzućmy zwątpienie, wyjdźmy z ciemności! Zacznijmy razem wszystko od nowa!

Tutaj nie możemy się już doczekać pierwszych zapachów wiosny. Trawa zaczyna się zielenić, a na drzewach pojawiły się już pączki. Jakże chętnie pokazałbym Pani ten widok, jakże chętnie podzieliłbym się z Panią tym upajającym uczuciem budzącego się nowego życia! Do tego jednak niezbędne są bardziej przyziemne sprawy niż uniesienia rodzącej się sympatii. Szanowna panno Davenport – ach, co tam – najukochańsza Helen! Chciałbym przesłać Pani pieniądze na opłacenie rejsu, to jednak będzie musiało poczekać, aż moje owce się okocą i będzie można przewidzieć tegoroczny przychód z farmy. W żadnym razie nie mógłbym przecież rozpoczynać naszego wspólnego życia od obciążenia go długami.

Szanowna Panno Helen, czy zrozumie Pani te obawy? Czy poczeka Pani, czy zechce Pani poczekać, aż będę mógł wezwać Panią do siebie? Nie ma na tej ziemi niczego, czego mógłbym pragnąć goręcej.

Ze wszech miar Pani oddany
Howard O'Keefe

Serce Helen biło tak szybko, że pomyślała, że może po raz pierwszy w życiu potrzebować buteleczki z solami trzeźwiącymi! Howard chciał ją, kochał ją! A ona mogła zrobić mu najpiękniejszą niespodziankę! Zamiast pisać list, sama do niego pośpieszy! Była nieskończenie wdzięczna wielebnemu Thorne'owi! Była nieskończenie wdzięczna lady Brennan! Tak, nawet George'owi, który przecież przyniósł jej ten list...

– Czy... Czy skończyła pani czytać, panno Davenport?

W swoim zamyśleniu Helen nie zauważyła, że chłopiec wciąż stoi obok niej.

– Otrzymała pani dobre wiadomości?

George nie wyglądał na kogoś, kto cieszyłby się razem z nią. Wręcz przeciwnie, wyglądał na zaniepokojonego.

Helen popatrzyła na niego z troską, nie potrafiła jednak ukryć swojego szczęścia.

– Najlepsze, jakie można otrzymać! – powiedziała zachwycona.

George nie odwzajemnił jej uśmiechu.

– To znaczy... Że naprawdę wychodzi pani za mąż? On... On nie napisał, żeby została pani w domu? – zapytał bezbarwnym tonem.

– Ależ, George! Czemu miałby coś takiego napisać? – w swoim błogim nastroju Helen zupełnie zapomniała, że do tej pory wobec swoich wychowanków nieugięcie twierdziła, że nie odpowiedziała na ogłoszenie w gazetce parafialnej. – Doskonale do siebie pasujemy! To niezwykle kulturalny młody człowiek, który...

– Bardziej kulturalny ode mnie, panno Davenport? – wyrzucił z siebie chłopiec. – Jest pani pewna, że jest lepszy ode mnie? Mądrzejszy? Bardziej oczytany? Bo... Jeśli tutaj chodzi o miłość... To ja... On nie może kochać pani bardziej ode mnie...

George się odwrócił, przerażony własną śmiałością. Helen musiała chwycić go za ramię i odwrócić z powrotem, żeby móc spojrzeć mu w oczy. Zadrżał pod dotykiem jej ręki.

– Ależ, George, o czym ty mówisz? Cóż ty wiesz o miłości? Masz szesnaście lat! Jesteś moim uczniem! – powiedziała zdumiona Helen i natychmiast zdała sobie sprawę, że mówi głupstwa. Dlaczego szesnastolatek miałby nie być zdolny do głębokich uczuć?

– Posłuchaj, George, nigdy nie porównywałam ciebie i Howarda! – zaczęła od początku. – Nie przyszłoby mi do głowy uważać was za konkurentów. Przecież nie miałam pojęcia, że ty...

– Nie mogła pani wiedzieć! – W mądrych brązowych oczach George'a pojawił się jakby błysk nadziei. – Powinienem... Powinienem był powiedzieć pani wcześniej. Jeszcze przed całą tą sprawą z Nową Zelandią. Ale nie miałem odwagi...

Helen niemal się uśmiechnęła. Chłopiec wydawał się taki młody i bezbronny i był taki poważny w swoim dziecinnym zadurzeniu. Powinna była to już wcześniej zauważyć! Nagle przypomniała sobie wiele sytuacji, które wyraźnie wskazywały na stan jego uczuć.

– Zachowałeś się bardzo właściwie, George – powiedziała uspokajająco. – Sam rozumiałeś, że jesteś o wiele za młody na takie sprawy i w normalnej sytuacji nigdy byś o tym nie wspomniał. I teraz też o tym zapomnimy...

– Jestem młodszy od pani o dziesięć lat, panno Davenport – przerwał jej George. – I to prawda, że jestem pani uczniem, ale nie jestem już dzieckiem! Zaczynam teraz studia, a za kilka lat będę szanowanym kupcem. Nikt nie będzie mnie wtedy pytał ani o mój wiek, ani o wiek mojej żony.

– Ale dla mnie to ważne – odpowiedziała miękko Helen. – Chciałabym mieć męża w swoim wieku, żebyśmy do siebie pasowali. Przykro mi, George...

– A skąd pani wie, że autor tego listu odpowiada pani wyobrażeniom? – zapytał udręczony chłopiec. – Dlaczego go pani kocha? Przecież dopiero dostała pani od niego pierwszy list! Czy napisał, ile ma lat? Wie pani, czy będzie w stanie zapewnić pani odpowiednie wyżywienie i stroje? Czy w ogóle będziecie mieli o czym ze sobą rozmawiać? Ze mną i z moim ojcem zawsze dobrze się pani rozmawiało. Jeśli więc pani na mnie poczeka... To tylko kilka lat, panno Davenport, aż skończę studia! Proszę, panno Davenport! Błagam, niech da mi pani szansę!

George nie potrafił się opanować i chwycił jej dłoń.

Helen się wyrwała.

– Przykro mi, George. Nie jest tak, żebym cię nie lubiła, wprost przeciwnie. Ale jestem twoją guwernantką, a ty jesteś moim uczniem. Nic z tego nie będzie... A i ty za kilka lat będziesz myślał o tym zupełnie inaczej.

Helen zaczęła się zastanawiać, czy Richard Greenwood zauważył wcześniej zauroczenie swojego syna. Czyżby jego hojny datek na bilet na statek zawdzięczała również temu, że pragnął unaocznić synowi beznadziejność jego zadurzenia?

– Nigdy nie będę o tym myślał inaczej! – odparł z pasją w głosie George. – Jak tylko osiągnę pełnoletność, jak tylko będę w stanie utrzymać rodzinę, będę cały do pani dyspozycji! Niech tylko pani poczeka, panno Davenport!

Helen potrząsnęła głową. Musiała natychmiast zakończyć tę rozmowę.

– George, nawet gdybym cię kochała, nie mogłabym czekać. Jeśli chcę mieć własną rodzinę, muszę wykorzystać tę szansę już teraz. Moją szansą jest Howard. A ja będę dla niego dobrą i wierną żoną.

George spojrzał na nią z rozpaczą. Jego szczupła twarz wyrażała wszystkie cierpienia wzgardzonej namiętności, a Helen dostrzegła nagle w nieukształtowanych jeszcze rysach twarzy młodzieńca oblicze mężczyzny, którym kiedyś się stanie. Mężczyzny godnego miłości i znającego świat, mężczyzny, który nie podejmuje zobowiązań zbyt pośpiesznie i który dotrzymuje swoich obietnic. Helen najchętniej przytuliłaby George'a do siebie, ale to było oczywiście wykluczone.

Czekała w milczeniu, aż chłopiec się opanuje. Spodziewała się, że w jego oczach dostrzeże dziecięce łzy, jednak George odpowiedział jej spokojnym i mocnym spojrzeniem.

– Zawszę będę panią kochał! – oświadczył. – Zawsze. Bez względu na to gdzie pani będzie i co będzie pani robić. Bez względu na to gdzie ja będę i czym się będę zajmować. Kocham panią i tylko panią. Proszę nigdy o tym nie zapomnieć, panno Davenport.

5

„Dublin" był imponującym statkiem, nawet kiedy stał w porcie ze zwiniętymi żaglami. Helen i dziewczętom z sierocińca przypominał wielką kamienicę – i rzeczywiście przez najbliższe trzy miesiące miało się na nim pomieścić nawet więcej osób niż w robotniczej czynszówce. Helen miała nadzieję, że statek nie jest tak samo jak domy czynszowe narażony na pożar czy zawalenie się, ale wszystkie statki odpływające do Nowej Zelandii były przed wypłynięciem w rejs sprawdzane pod względem zdatności do podróży. Armatorzy musieli udowodnić królewskim inspektorom, że zapewniono odpowiednią wentylację kabin i że na pokładzie znajduje się wystarczająca ilość prowiantu. Część zapasów ładowano dopiero dzisiaj, Helen dostrzegła więc czekające na nabrzeżu beczki z peklowanym mięsem, worki z mąką i ziemniakami oraz paczki z sucharami. Słyszała wcześniej, że posiłki na pokładzie statku są niezwykle monotonne, przynajmniej te przeznaczone dla pasażerów na międzypokładzie. Pasażerów zamieszkujących kajuty pierwszej klasy żywiono zupełnie inaczej. Dla nich, jak wieść niosła, zabierano nawet w rejs kucharza.

Wsiadanie na pokład zwykłego pospólstwa nadzorował gburowaty oficer wraz z lekarzem pokładowym. Ten ostatni przyjrzał się krótko Helen i dziewczynkom, każdej przyłożył rękę do czoła, co prawdopodobnie miało zastąpić pomiar temperatury, i kazał pokazać sobie język. Ponieważ nie zauważył nic niepokojącego, skinął w stronę oficera, który odhaczył ich nazwiska na liście.

– Kajuta numer jeden na rufie – powiedział i machnięciem ręki popędził Helen z dziewczętami, żeby przeszły dalej. Po omacku przedzierały się wąskimi i ciemnymi korytarzami we wnętrzu statku, które niemal całkowicie zablokowali zdenerwowani pasażerowie i ich manatki. Helen nie miała dużego bagażu, ale nawet mała torba podróżna, którą niosła, ciążyła jej coraz bardziej. Dziewczynki miały jeszcze mniej bagażu – do swoich węzełków zapakowały tylko nocne koszulki i po jednej sukience na zmianę.

W końcu znalazły swoją kajutę i dziewczęta z ulgą wsypały się do środka. Helen nie podzielała ich zachwytu na widok maleńkiego pokoiku, w którym miały mieszkać przez kolejne trzy miesiące. Wyposażenie niezwykle niskiego i ciemnego pomieszczenia składało się z jednego stołu, jednego krzesła i sześciu koi – piętrowych, jak zauważyła z niezadowoleniem Helen, i to o jedną za mało. Na szczęście Mary i Laurie były przyzwyczajone do spania w jednym łóżku. Od razu też objęły w posiadanie jedną ze środkowych koi i mocno się do siebie przytuliły. Wciąż bały się morskiej podróży. Tłok i hałas na pokładzie pogłębiały ich strach.

Helen przeszkadzał jednak przede wszystkim wszechobecny zapach owiec, koni i innych zwierząt, który przedostawał się do ich kajuty z dolnego pokładu. Tuż obok i poniżej pomieszczenia, w którym miały mieszkać podczas rejsu, urządzono prowizoryczne zagrody dla owiec i świń, a także stanowiska dla krowy i dwóch koni. Helen uważała to za niedopuszczalne i postanowiła wyrazić swoje oburzenie. Nakazała dziewczętom, żeby czekały na nią w kajucie, i wyruszyła w drogę powrotną na pokład. Na szczęście istniała krótsza droga wiodąca na świeże powietrze, niż korytarze międzypokładu, którymi dotarły do swojej kajuty. Tuż obok kajuty Helen znajdowały się schody. Wzniesiono także prowizoryczne rampy służące do załadunku zwierząt. Na rufie statku nie było widać żadnego członka załogi, gdyż tego końca statku, w przeciwieństwie do trapu przy dziobie, nikt nie pilnował. Tutaj również roiło się od rodzin emigrantów, którzy ciągnęli swoje bagaże po pokładzie i głośno lamentując, żegnali się z bliskimi. Ścisk i harmider były nie do wytrzymania.

Tłum nagle się rozdzielił przy rampach, którymi wnoszono na pokład ładunki i wprowadzano zwierzęta. Stało się tak dlatego, że właśnie prowadzono dwa konie, z których jeden wyglądał na spłoszonego. Niski i żylasty mężczyzna, którego niebieskie tatuaże na obu ramionach wskazywały, że należy do załogi, robił, co mógł, żeby zapanować nad wystraszonym zwierzęciem. Helen pomyślała, że na wykonanie tego zadania, zupełnie obcego jego profesji, musiał zostać skazany w ramach jakiejś kary. Po tym jak niezręcznie traktował silnego karego ogiera, było widać, że nie miał dotąd żadnego doświadczenia z końmi.

– Chodź wreszcie, ty czarny diable, nie mogę tu sterczeć bez końca! – wrzeszczał na wystraszonego rumaka, który w ogóle nie reagował na jego głos. Wręcz przeciwnie, kary koń zdecydowanie szarpnął głową do tyłu, kładąc po sobie uszy. Wydawało się, że nic go nie przekona, żeby postawił choć jedno kopyto na niebezpiecznie chyboczącej się rampie.

Drugi koń, którego Helen ledwie mogła dostrzec za nimi, wyglądał na spokojniejszego. A przede wszystkim osoba, która go prowadziła, wykazywała więcej odwagi i opanowania. Helen z zaskoczeniem stwierdziła, że jest to drobna dziewczyna w eleganckim stroju podróżnym. Było widać, że niecierpliwi się, przytrzymując na uwięzi przysadzistą gniadą klacz. Ponieważ ogier wciąż nie wykazywał najmniejszej ochoty, żeby ruszyć do przodu, dziewczyna postanowiła działać.

– Tak nic z tego nie będzie, proszę mi go dać! – Helen ze zdumieniem patrzyła, jak młoda dama, nie namyślając się długo, przekazuje swoją klacz jednemu ze stojących obok emigrantów i przejmuje ogiera od marynarza. Helen się spodziewała, że koń wyrwie się z jej rąk, w końcu marynarz ledwie zdołał go utrzymać. Kary koń jednak natychmiast się uspokoił, gdy dziewczyna z wprawą skróciła uwięź i łagodnie do niego przemówiła.

– Dobrze, Madoc, to teraz pójdziemy krok za krokiem! Ja pójdę pierwsza, a ty za mną. I nie próbuj mi uciekać!

Helen wstrzymała oddech, ale ogier rzeczywiście ruszył za młodą damą. Był spięty, lecz bardzo grzeczny. Dziewczyna pochwaliła go i poklepała, gdy bezpiecznie stał już na pokładzie. A ogier otarł się o jej strój podróżny z ciemnoniebieskiego aksamitu, zostawiając na nim ślady swojej śliny. Młoda kobieta w ogóle nie zwróciła na to uwagi.

– A gdzie pan tam został z tą klaczą? – krzyknęła niezbyt elegancko do znajdującego się poniżej marynarza. – Igraine nic panu nie zrobi! Proszę po prostu z nią ruszyć!

Gniada klacz rzeczywiście wyglądała na spokojniejszą od młodego ogiera, choć również drobiła nogami. Marynarz trzymał sam koniec uwięzi. A minę miał przy tym taką, jakby trzymał laskę dynamitu. Mimo wszystko udało mu się wprowadzić klacz na pokład. Gdy wraz z młodą damą prowadzili konie pod pokładem tuż obok ich kabiny, Helen zwróciła się do marynarza.

– Prawdopodobnie nie pan jest za to odpowiedzialny, ale ktoś musi coś z tym zrobić. Nie możemy mieszkać tuż przy stajni. Smród jest nie do wytrzymania! A co będzie, jeśli zwierzęta się uwolnią? Nasze życie znajdzie się w niebezpieczeństwie!

Marynarz wzruszył ramionami.

– Nic nie mogę poradzić, proszę pani. To rozkaz kapitana. Zwierzęta muszą z nami płynąć. A kajuty zawsze są przydzielane według tych samych zasad. Samotnie podróżujący mężczyźni z przodu, rodziny w środku, a samotnie podróżujące kobiety z tyłu. Ponieważ jesteście jedynymi samotnymi kobietami, nie macie z kim się zamienić. Musicie jakoś wytrzymać. – Mężczyzna, ciężko sapiąc, ruszył za klaczą, której wyraźnie śpieszyło się, żeby dogonić ogiera i młodą damę. Do sąsiadujących ze sobą boksów elegancko ubrana dziewczyna najpierw wprowadziła karego ogiera, a potem gniadą klacz, i mocno je uwiązała. Gdy wyszła z boksów, jej niebieską spódnicę zdobiły źdźbła trawy i słomy.

– Co za niepraktyczny strój! – fuknęła, próbując strząsnąć ze spódnicy zabrudzenia. Zaraz się jednak poddała i zwróciła się do Helen.

– Bardzo mi przykro, jeśli zwierzęta pani przeszkadzają. Ale na pewno się nie uwolnią, a rampy zaraz zostaną zdemontowane... Co niestety, będzie niebezpieczne, bo gdyby statek zaczął tonąć, nie będę mogła wydostać stąd Igraine! Ale kapitan się upiera. Stajnie będą uprzątane przynajmniej raz dziennie. A zapach owiec nie będzie już tak silny, jak tylko wyschną. Poza tym człowiek się przyzwyczaja...

– Ja z pewnością nie przyzwyczaję się do spania w oborze! – stwierdziła Helen z godnością.

Młoda dama się roześmiała.

– Gdzie pani pionierski duch? Przecież udaje się pani na emigrację, prawda? Cóż, chętnie zamieniłabym się z panią na kajuty. Ale będę spać na samej górze. Pan Warden zarezerwował kajutę z salonikiem. Czy to wszystko są pani dzieci?

Rzuciła okiem na dziewczęta, które wcześniej zgodnie z zaleceniem Helen siedziały w kajucie, teraz jednak wyglądały z niej ostrożnie i z ciekawością, słysząc głos Helen. Zwłaszcza Daphne z zainteresowaniem przyglądała się zarówno koniom, jak i eleganckiej sukni młodej damy.

– Ależ nie – odpowiedziała Helen. – Opiekuję się nimi tylko podczas tego rejsu. To sieroty. A to wszystko są pani zwierzęta?

Dziewczyna się roześmiała.

– Nie, tylko konie... A dokładnie tylko jeden z nich. Ogier jest własnością pana Wardena. Tak samo jak owce. Do kogo należą pozostałe, nie mam pojęcia, ale może tę krowę będzie można doić! Byłoby świeże mleko dla dzieci. Wygląda na to, że potrzebują dobrego odżywiania.

Helen przytaknęła jej ze smutkiem.

– Tak, wszystkie są bardzo niedożywione. Miejmy nadzieję, że przetrwają tę długą podróż, tak wiele mówi się o epidemiach i wysokiej śmiertelności wśród dzieci. Ale przynajmniej mamy na pokładzie lekarza. Oby tylko znał się na swoim fachu. Poza tym... Nazywam się Helen Davenport.

– Gwyneira Silkham – odpowiedziała dziewczyna. – A to są Madoc i Igraine... – przedstawiła konie, jakby to było oczywiste i chodziło o przedstawienie sobie gości na popołudniowej herbatce. – Oraz Cleo... Gdzież ona się znowu podziała? A, jest tutaj. Jak zwykle zawiera nowe przyjaźnie.

Helen przesunęła wzrokiem za spojrzeniem Gwyneiry i dostrzegła małego psa o gęstej sierści, którego pysk przyjaźnie się uśmiechał. Przy okazji było widać jego imponująco duże zęby, przez co Helen poczuła się nieco nieswojo. Zlękła się, gdy spostrzegła Rosie tuż obok psa. Dziewczynka wtulała się w jego sierść z takim samym zaufaniem, jak wcześniej w fałdy spódnicy Helen.

– Rosemary! – zawołała przestraszona Helen. Dziewczynka wzdrygnęła się i puściła psa. A on zdumiony odwrócił się w jej stronę i prosząco uniósł łapkę.

Rozległ się śmiech Gwyneiry, któremu towarzyszył uspokajający gest dłoni.

– Niech pani pozwoli małej pobawić się z psem – powiedziała łagodnie do Helen. – Cleo uwielbia dzieci, nic jej nie zrobi. Oj, muszę już iść. Pan Warden będzie czekał. A mnie w ogóle nie powinno tutaj być, tylko powinnam spędzić jeszcze trochę czasu z rodziną. W końcu rodzice i rodzeństwo specjalnie przyjechali do Londynu, żeby się ze mną pożegnać. Mimo że to całkiem bez sensu. Przecież ze swoją rodziną widywałam się codziennie przez ostatnie siedemnaście lat. Wszystko zdążyliśmy już sobie powiedzieć. Ale moja matka cały czas płacze, a siostry beczą dla towarzystwa. Ojciec się zamartwia, że wysyła mnie do Nowej Zelandii, z kolei brat jest tak zazdrosny, że najchętniej skoczyłby mi do gardła. Nie mogę się doczekać, kiedy odbijemy od brzegu. A pani? Nikt nie przybył się z panią pożegnać? – Gwyneira rozejrzała się wokół. Wszędzie na międzypokładzie roiło się od zapłakanych i lamentujących ludzi. Wręczano pożegnalne podarunki, wymieniano ostatnie uściski. Odpłynięcie tego statku dla wielu rodzin oznaczało pożegnanie z bliskimi na zawsze.

Helen pokręciła głową. Przyjechała dorożką zupełnie sama z domu państwa Greenwoodów. Bujany fotel, jedyny większy bagaż, poleciła zabrać już poprzedniego dnia.

– Płynę do mojego męża do Christchurch – oświadczyła, jakby to wyjaśniało nieobecność bliskich przy pożegnaniu. W żadnym razie nie chciała, żeby ta bogata i uprzywilejowana młoda dama jej współczuła.

– Tak? To znaczy, że pani rodzina jest już w Nowej Zelandii? – zapytała podekscytowana Gwyneira. – Przy okazji musi mi pani o wszystkim opowiedzieć, ja jeszcze nigdy... Ale naprawdę muszę już biec! Do jutra, dziewczynki, mam nadzieję, że nie zachorujecie na chorobę morską! Chodź, Cleo!

Gwyneira już się odwróciła, żeby odejść, ale zatrzymała ją mała Dorothy. Nieśmiało chwyciła ją za spódnicę.

– Przepraszam, panienko, ale pani suknia jest bardzo ubrudzona. Pani mama na pewno będzie zła.

Gwyneira się roześmiała, później jednak z troską popatrzyła na swoje ubranie.

– Masz rację. Mama dostanie spazmów! Jestem okropna. Nawet przy pożegnaniu nie potrafię odpowiednio się zachować!

– Mogę to wyczyścić, panienko. Wiem, jak się obchodzić z aksamitem! – Dorothy popatrzyła na Gwyneirę i nieśmiało wskazała na stojące w kajucie krzesło.

Gwyneira usiadła.

– A gdzie się tego nauczyłaś, moja mała? – zapytała zaskoczona, gdy Dorothy wprawnymi ruchami czyściła jej żakiet szczotką do ubrań należącą do Helen. Dziewczynka najwyraźniej zauważyła wcześniej, jak Helen chowa swoje przybory toaletowe do maleńkiej szafki, która stała przy każdej koi.

Helen westchnęła. Kupując tę kosztowną szczotkę, nie zakładała, że będzie służyć do usuwania z ubrań gnoju.

– W sierocińcu często dostajemy w darze używane ubrania. Ale oczywiście nie zatrzymujemy ich, tylko je sprzedajemy. Ale najpierw muszą być wyczyszczone, a ja zawsze przy tym pomagam. Proszę spojrzeć, panienko, pani suknia znowu jest piękna! – Dorothy uśmiechnęła się nieśmiało.

Gwyneira poszukała w kieszeniach monety, żeby zapłacić dziewczynce, ale nic nie znalazła. Swój strój założyła przecież dopiero pierwszy raz.

– Przyniosę wam jutro coś dobrego w podziękowaniu, obiecuję! – pożegnała się z Dorothy przed odejściem. – A z ciebie będzie doskonała pani domu. Albo pokojówka u eleganckich państwa! Do zobaczenia! – Gwyneira pomachała do Helen i dziewczynek, przebiegając lekkim krokiem po rampie.

– Sama nawet w to nie wierzy! – stwierdziła Daphne i splunęła przez ramię. – Tacy ludzie zawsze dużo obiecują, a potem szukaj wiatru w polu. Zawsze musisz pilnować, żeby od razu coś dostać, Dot! Bo inaczej zostaniesz z niczym.

Helen przymknęła oczy. Jak to było z tymi „starannie wybranymi, grzecznymi i wychowanymi na skromne służące dziewczętami"? W każdym razie teraz musiała zapanować nad sytuacją.

– Daphne, natychmiast to posprzątasz! Panna Gwyneira nie jest wobec was do niczego zobowiązana. Dorothy sama zaoferowała jej pomoc. To była z jej strony uprzejmość, a nie usługa, za którą mogłaby spodziewać się zapłaty. A młode damy nie plują! – Helen rozejrzała się za jakimś wiadrem.

– Ale my nie jesteśmy żadnymi damami! – zachichotały Laurie i Mary.

Helen popatrzyła na nie surowym wzrokiem.

– Zanim dopłyniemy do Nowej Zelandii, już nimi będziecie – obiecała. – A przynajmniej tak się będziecie zachowywać!

I z całkowitą determinacją rozpoczęła naukę odpowiednich manier.

Gwyneira odetchnęła, kiedy w końcu wciągnięto ostatnie trapy prowadzące z nabrzeża na pokład „Dublina". Trwające godzinami pożegnanie było bardzo męczące. Jej matka przemoczyła łzami trzy chusteczki. A do tego doszły lamenty sióstr i opanowana, lecz pełna przygnębienia postawa ojca, bardziej pasująca na okoliczność egzekucji niż ślubu. A na dokładkę irytowała Gwyneirę nieskrywana zazdrość ze strony brata. Jakże chętnie zamieniłby swoje walijskie dziedzictwo na jej kolonijną przygodę! Gwyneira stłumiła histeryczny chichot. Jaka szkoda, że John Henry nie może wyjść za Lucasa Wardena!

Statek zaczął wreszcie odbijać do brzegu. Głośny szelest, przypominający towarzyszący burzy wiatr, zasygnalizował, że opuszczono żagle. Jeszcze tego samego wieczoru statek miał wypłynąć z kanału La Manche i pożeglować w kierunku Oceanu Atlantyckiego. Gwyneira chętnie byłaby teraz z końmi, ale oczywiście nie wypadało tak postąpić. Została więc grzecznie na pokładzie i swoim wielkim szalem machała do znajdującej się w dole rodziny, aż brzeg niemal zniknął jej z oczu. Gerald Warden zauważył, że nie uroniła ani jednej łzy.

Małe podopieczne Helen płakały natomiast gorzko, zwłaszcza że atmosfera na międzypokładzie była bez porównania bardziej napięta niż wśród bogatych pasażerów. Dla ubogich emigrantów odpłynięcie statku oznaczało często pożegnanie z bliskimi już na zawsze, a do tego czekała ich znacznie bardziej niepewna przyszłość niż Gwyneirę i innych gości górnego pokładu. Helen, pocieszając dziewczynki, dotknęła palcami listów schowanych w kieszeni. W końcu ktoś przecież na nią czeka...

Pierwszej nocy na pokładzie nie mogła jednak spać. Owce wciąż były mokre, a zapach mgły i mokrej wełny nieustannie drażnił jej wrażliwe powonienie. Dziewczynki bardzo długo nie umiały zasnąć, później zaś ciągle budziły się przy najmniejszym hałasie. Gdy Rosie po raz trzeci wślizgnęła się do łóżka Helen, młoda kobieta nie miała serca, a przede wszystkim siły, żeby ją odesłać. Laurie i Mary mocno się obejmowały. Helen znalazła następnego ranka Dorothy i Elizabeth wtulone w kącik koi Dorothy. Tylko Daphne spała mocno i głęboko, i jeśli miała sny, to musiały być piękne, gdyż dziewczynka uśmiechała się przez sen, kiedy Helen ją budziła.

Pierwszy poranek na morzu nieoczekiwanie okazał się całkiem przyjemny. Pan Greenwood uprzedził Helen, że przez pierwsze kilka tygodni rejsu pogoda może być sztormowa, ponieważ między kanałem La Manche a Zatoką Biskajską panują zwykle trudne warunki. Tego dnia jednak pogoda była dla emigrantów łaskawa. Po wczorajszym deszczowym dniu słońce świeciło raczej słabo, a stalowoszare morze połyskiwało w bladym świetle. „Dublin" spokojnie i statecznie płynął po gładkiej powierzchni wody.

– Nie widać już brzegu – wyszeptała przestraszona Dorothy. – Jeśli teraz statek zatonie, to nikt nas nie znajdzie! I wszyscy utoniemy!

– Ty to byś utonęła, nawet gdyby statek zaczął tonąć w porcie w Londynie – stwierdziła Daphne. – Przecież nie umiesz pływać, a zanim uratowaliby wszystkich pasażerów z górnego pokładu, już dawno byś się utopiła.

– Ty też nie umiesz pływać! – odgryzła się Dorothy. – Tak samo byś się utopiła!

Daphne się roześmiała.

– Wcale nie! Kiedyś, jak byłam mała, wpadłam do Tamizy, ale udało mi się wypłynąć. Gówno zawsze wypłynie na wierzch, tak mówił mój stary...

Helen postanowiła przerwać tę konwersację nie tylko ze względów wychowawczych.

– Tak mówił twój ojciec, Daphne! – poprawiła podopieczną. – Choć nie wyrażał się zbyt elegancko. I przestań straszyć inne dziewczęta, bo nikt nie będzie miał ochoty na śniadanie. A powinnyśmy je sobie już przynieść. To kto pójdzie do kambuza? Dorothy i Elizabeth? Bardzo dobrze. Laurie i Mary przyniosą wodę do mycia... Ależ tak, moje drogie damy, umyjemy się! Każda dama dba o higienę i porządek także w trakcie podróży!

Gdy Gwyneira godzinę później przebiegała przez międzypokład, żeby zajrzeć do koni, jej oczom ukazał się przedziwny widok. Przed kajutami nie było prawie nikogo, ponieważ większość pasażerów wciąż była zajęta spożywaniem śniadania lub pogrążona w tęsknocie za bliskimi. Z kolei Helen i jej podopieczne wystawiły przed kajutę stół i krzesło. Na krześle, dumna i wyprostowana niczym królowa, siedziała Helen, wyglądając jak najprawdziwsza dama. Na stole przed nią leżała zaimprowizowana zastawa, składająca się z blaszanego talerza, powyginanej łyżki, widelca i tępego noża. Dorothy właśnie nakładała Helen wyimaginowane potrawy z nieistniejących półmisków, a Elizabeth trzymała w rękach starą butelkę i zachowywała się tak, jakby była ona pełna szlachetnego wina, które elegancko serwowała.

– A co wy robicie? – zapytała skonfundowana Gwyneira.

Dorothy szybko dygnęła.

– Ćwiczymy, jak należy zachować się przy stole, panienko Gwyn... Gwyn...

– Gwyneiro, ale możecie mówić do mnie Gwyn. Jeszcze raz mi powiedz, co ćwiczycie? – Gwyneira z niepokojem przyglądała się Helen. Wczoraj młoda guwernantka wydała się jej zupełnie normalna, ale być może jest niespełna rozumu.

Helen zaczerwieniła się lekko pod wzrokiem Gwyneiry, ale zaraz się opanowała.

– Dziś rano z przykrością stwierdziłam, że zachowanie dziewcząt przy stole pozostawia wiele do życzenia – powiedziała. – W sierocińcu dzieci zachowują się niczym dzikie zwierzęta w klatce. Jedzą palcami i wypychają sobie policzki jedzeniem, jakby to był ich ostatni posiłek w życiu!

Dorothy i Elizabeth ze wstydu spuściły wzrok. Daphne natomiast niezbyt przejęła się naganą.

– Inaczej pewnie nic by dla nich nie zostało – stwierdziła Gwyneira. – Widać przecież, jakie są chude... Ale co to ma być? – Ponownie wskazała na stół. Helen poprawiła nieco położenie noża.

– Pokazuję dziewczętom, jak dama powinna zachowywać się przy stole, a przy okazji uczę ich najważniejszych umiejętności wymaganych od porządnej służby – powiedziała. – Nie przypuszczam, żeby zostały przyjęte do wielkopańskich domów, gdzie mogłyby wyspecjalizować się jako pokojówki czy kucharki. Podobno ze służbą w Nowej Zelandii jest bardzo źle. Dlatego chcę wyposażyć dziewczynki w jak najbardziej wszechstronne wykształcenie, żeby mogły być przydatne swoim państwu pod wieloma względami.

Helen skinęła przyjaźnie głową w stronę Elizabeth, która wprawnym ruchem napełniła wodą jej kubek. Serwetką wytarła ze stołu drobne kropelki.

Gwyneira wciąż była sceptycznie nastawiona.

– Przydatne? – zapytała. – Te dzieci? Już wczoraj chciałam zapytać, po co ktoś wysyła je za morze, ale teraz zaczynam rozumieć... Czy słusznie przypuszczam, że chciano pozbyć się ich z sierocińca, ale w Londynie nie ma zapotrzebowania na małe i na wpół zagłodzone służące?

Helen skinęła głową.

– W sierocińcu liczą każdy grosz. Trzymanie jednego dziecka kolejny rok w sierocińcu, wyżywienie go, ubranie i posłanie do szkoły kosztuje trzy funty. Miejsce w kajucie kosztuje co prawda cztery, ale dziecko ma się już raz na zawsze z głowy. W przeciwnym wypadku musieliby jeszcze co najmniej przez dwa lata utrzymywać przynajmniej Rosemary i bliźniaczki.

– Ale przecież ulgowe opłaty dotyczą tylko dzieci do lat dwunastu – wtrąciła Gwyneira, zaskakując Helen. Czy ta bogata panna rzeczywiście dowiedziała się o cenę biletów za koje na międzypokładzie? – A na służbę mogą być przyjęte dopiero wtedy, gdy skończą co najmniej trzynaście lat.

Helen porozumiewawczo przewróciła oczami.

– W praktyce są przyjmowane już dwunastolatki, ale jestem przekonana, że Rosemary ledwie skończyła osiem lat. Ale ma pani rację. Dorothy i Daphne powinny były zapłacić za cały bilet. Panie z komitetu sierocińca nieco je jednak przed podróżą odmłodziły...

– A ledwie dopłyniemy, jakimś cudem z powrotem zrobią się starsze i będzie można przekazać je w służbę jako trzynastolatki! – Gwyneira roześmiała się i zaczęła szukać czegoś w kieszeniach swojej obszernej podomki, na którą miała tylko lekką narzutkę. – Źle się dzieje na tym świecie. Proszę, dziewczęta, macie wreszcie coś porządnego na ząb. Pięknie jest bawić się w obsługiwanie przy stole, ale od tego nie utyjecie ani grama. Częstujcie się!

Młoda kobieta z zadowoleniem pokazała przyniesione pączki i drożdżówki. Dziewczynki natychmiast zapomniały o dopiero co wyuczonych manierach i rzuciły się na smakołyki.

Helen próbowała przywrócić trochę porządku i przynajmniej równo podzielić podarowane słodycze. Gwyneira promieniała.

– Miałam dobry pomysł, prawda? – zapytała Gwyneira Helen, gdy sześć dziewczynek, żując i przełykając, przykucnęło na burcie znajdującej się nieopodal łodzi ratunkowej. Zgodnie z zaleceniem odgryzały małe kawałki i nie wpychały sobie całych ciastek do buzi. – Na górnym pokładzie podają dania jak w Grand Hotelu, od razu więc pomyślałam o tych pani wychudzonych myszkach. I trochę uszczknęłam ze stołu ze śniadaniem. Pani to pochwala, prawda?

Helen przytaknęła.

– Na tutejszej diecie z pewnością nie nabiorą ciała. Porcje są nader skromne i do tego musimy same przynosić sobie jedzenie z kambuza. Starsze dziewczynki połowę zdążą więc podkraść po drodze, pomijając już to, że wśród rodzin emigrantów na międzypokładzie jest kilku bezczelnych łobuziaków. Wciąż są nieco onieśmieleni, ale wystarczy poczekać ze dwa, trzy dni, jak zaczną czaić się na dziewczęta i domagać się opłat w naturze ze przepuszczenie! Ale te kilka tygodni jakoś wytrzymamy. A ja będę starać się czegoś je nauczyć. Do tej pory nikt o to nie zadbał.

Gdy dziewczynki najpierw jadły, a później bawiły się z Cleo, młode kobiety przechadzały się po pokładzie i rozmawiały. Gwyneira była dociekliwa i pragnęła jak najwięcej dowiedzieć się o swojej nowej znajomej. W końcu Helen opowiedziała jej o swojej rodzinie oraz posadzie u państwa Greenwoodów.

– Czyli jeszcze nie była pani na Nowej Zelandii? – zapytała nieco rozczarowana Gwyneira. – Czy wczoraj nie powiedziała pani, że pani mąż tam na panią oczekuje?

Helen się zaczerwieniła.

– Cóż... Mój przyszły mąż. Ja... Pewnie uzna to pani za szaleństwo, ale płynę do tego odległego kraju, żeby wyjść za mąż. Za człowieka, którego znam tylko z listów... – Zawstydzona wpatrywała się w deski pokładu. Dopiero opowiadając o tym innym ludziom, w pełni uświadamiała sobie, na jak niebywałą przygodę się zdecydowała.

– Z panią jest więc tak jak ze mną – stwierdziła lekkim tonem Gwyneira. – Mój to nawet do mnie jeszcze ani razu nie napisał!

– Pani też? – zdziwiła się Helen. – Pani też przyjęła oświadczyny jakiegoś nieznajomego?

Gwyn wzruszyła ramionami.

– Cóż, tak zupełnie nieznajomy to on nie jest. Nazywa się Lucas Warden, a jego ojciec formalnie poprosił w jego imieniu o moją rękę... – Przygryzła wargę. – Właściwie zgodnie z formą – poprawiła się. – Wszystko jest więc w porządku. Ale jeśli chodzi o samego Lucasa... Mam nadzieję, że chce się ożenić. Jego ojciec nie powiedział mi, czy wcześniej go w ogóle o to pytał...

Helen się roześmiała, Gwyneira jednak mówiła poważnie. W ciągu ostatnich kilku tygodni przekonała się, że Gerald Warden nie jest człowiekiem, który zadajc wiele pytań. „Owczy baron" podejmował decyzje szybko i samodzielnie, a gdy ktoś inny próbował się wtrącić, potrafił dość opryskliwie reagować. W ten sposób udało mu się podczas kilku tygodni pobytu w Europie załatwić niewiarygodną liczbę spraw. Wszystkie kwestie, zakup owiec czy różne umowy z importerami wełny, ustalenia z architektami i specjalistami od budowy studni czy zdobycie narzeczonej dla swojego syna, załatwiał na chłodno i w zapierającym dech w piersiach tempie. Właściwie Gwyneirze podobało się takie zdecydowane zachowanie, czasami jednak rodziły się w niej pewne obawy. Mimo swojej ogłady Warden miał raczej wybuchowy charakter, a podczas negocjacji z kontrahentami okazywał niekiedy pewien rodzaj przebiegłości, który wyraźnie nie podobał się lordowi Silkhamowi. Według ojca Gwyneiry Nowozelandczyk po prostu zwyczajnie okantował właścicieli ogiera Madoca. Niewykluczone, że także podczas niesławnej gry w karty o rękę Gwyneiry nie wszystko było w porządku. Gwyneira zastanawiała się czasami, jak pod tym względem było z Lucasem. Czy był równie skuteczny jak jego ojciec? Czy farmą zarządzał równie efektywnie i bezkompromisowo? Czy też pośpiech w działaniach Geralda wynikał stąd, że chciał jak najszybciej wrócić z Europy, a tym samym skrócić samowładztwo Lucasa w Kiward Station?

Opowiedziała Helen nieco złagodzoną wersję relacji handlowych łączących Geralda i jej rodzinę, których wynikiem była propozycja matrymonialna.

– Wiem, że trafię na doskonale prosperującą farmę z czterystoma hektarami ziemi i stadem pięciu tysięcy owiec, które będzie się jeszcze rozwijać – dodała na koniec. – Wiem, że mój teść utrzymuje stosunki towarzyskie i biznesowe z najlepszymi rodzinami w Nowej Zelandii. Musi być bogaty, skoro może sobie pozwolić na takie podróże i to wszystko. Ale o swoim przyszłym małżonku nie wiem prawie nic!

Helen słuchała z uwagą, ale nie potrafiła współczuć Gwyneirze. Z bólem uświadomiła sobie, że jej nowa przyjaciółka wie o swoim przyszłym życiu znacznie więcej niż ona sama. Howard nie napisał ani słowa o wielkości swojej farmy, liczebności swoich stad czy utrzymywanych przez siebie stosunkach towarzyskich. O jego sytuacji finansowej wiedziała tylko tyle, że choć nie ma długów, to nie może pozwolić sobie na większe wydatki w rodzaju opłaty za rejs statkiem z Europy, choćby w koi na międzypokładzie. Ale za to jego listy są cudowne! Rumieniąc się ponownie, Helen wyciągnęła powygniatane listy i podała je Gwyneirze. Młode kobiety przysiadły na krawędzi łodzi ratunkowej. Gwyneira z ciekawością zaczęła czytać.

– Tak, pisać to on potrafi... – stwierdziła tylko na koniec, składając listy.

– Czy to coś złego? – zapytała z lękiem Helen. – Nie podobają się pani te listy?

Gwyneira wzruszyła ramionami.

– Mnie się nie muszą podobać. Jeśli mam być szczera, to wydają mi się nieco pompatyczne. Rzecz w tym, że...

– Że co? – przynagliła ją Helen.

– Cóż, wydaje mi się to dziwne... Nigdy bym nie przypuszczała, że zwykły farmer może pisać tak piękne listy – Gwyneira czuła się zakłopotana. Przeczytane listy wydały jej się bardzo podejrzane. Oczywiście Howard O'Keefe mógł być bardzo wykształconym człowiekiem. W końcu jej ojciec był jednocześnie dżentelmenem i farmerem, na angielskiej i walijskiej wsi nie było to nic nadzwyczajnego. Ale mimo doskonałego wykształcenia lord Silkham nigdy nie używał tak przesadnych sformułowań jak ten Howard. Poza tym wśród wyższych sfer panował zwyczaj, żeby podczas negocjacji matrymonialnych od razu wykładać karty na stół. Przyszli małżonkowie musieli wiedzieć, co ich czeka, a w listach Howarda nie było żadnej wzmianki o jego sytuacji ekonomicznej. Wydało jej się również dziwne, że nie dopytywał się o posag. Jeśli nie był nim zainteresowany, również powinien to wyraźnie zaznaczyć.

Oczywiście nie przypuszczał, że Helen wsiądzie na najbliższy statek, żeby do niego pośpieszyć. Być może te wszystkie pochlebstwa miały tylko ułatwić nawiązanie kontaktu. Ale i tak listy wydały jej się dziwne.

– On jest bardzo uczuciowy – Helen wzięła w obronę swojego przyszłego męża. – Pisze dokładnie takie słowa, jakie pragnę czytać – uśmiechnęła się z zadowoleniem i zatopiła w myślach.

Gwyneira odwzajemniła uśmiech.

– W takim razie wszystko w porządku – oświadczyła, w duchu obiecując sobie jednak, żeby przy najbliższej okazji podpytać przyszłego teścia o pana Howarda O'Keefe'a. W końcu on też hodował owce. Bardzo możliwe, że obaj panowie się znają.

Prędko jej się to jednak nie udało, choćby dlatego, że ze względu na silne fale ciągle odwoływano wspólne posiłki, podczas których mogłaby mimochodem wspomnieć nazwisko kandydata na męża Helen. Piękna po goda pierwszego dnia rejsu okazała się zwodnicza. Jak tylko wypłynęli na wody Oceanu Atlantyckiego, wiatr się zmienił i „Dublin" musiał przedzierać się przez sztorm i deszcz. Wielu pasażerów cierpiało na chorobę morską i albo rezygnowali z posiłków, albo spożywali je w swoich kajutach. Ani Gerald Warden, ani Gwyneira nie mieli co prawda wrażliwych żołądków, gdy jednak nie wyznaczano oficjalnej pory kolacji, często jadali o różnych godzinach. Gwyneira robiła tak celowo, ponieważ jej przyszły teść na pewno nie pozwoliłby, żeby zamawiała tak ogromne ilości jedzenia i przekazywała podopiecznym Helen. Gwyn natomiast najchętniej dostarczałaby żywność także pozostałym pasażerom z międzypokładu. Szczególnie dzieciom potrzebny był każdy okruch, który mogły zdobyć, choćby po to, żeby było im odrobinę cieplej. Był co prawda środek lata, a temperatura nada, mimo deszczu, była wysoka. Jednak przy wysokich falach woda dostawała się do kajut na międzypokładzie i wszystko było mokre. Nie można było znaleźć suchego kawałka miejsca, żeby usiąść. Helen i dziewczynki marzły w wilgotnych ubraniach, ale guwernantka uparcie trzymała się zasady, że lekcje odbywają się codziennie. Inne dzieci na pokładzie nie miały już zajęć. Lekarz pokładowy, na którym spoczywał obowiązek ich prowadzenia, sam cierpiał na chorobę morską i ratował się obfitymi dawkami ginu z podróżnej apteczki.

Warunki na międzypokładzie i poza tym były mało przyjemne. Ubikacje przy kabinach rodzin i samotnych mężczyzn przelewały się przy sztormowej pogodzie, a większość pasażerów myła się rzadko lub nie myła się wcale. Z powodu zimna nawet Helen nie miała większej ochoty na mycie, nadal się jednak upierała, żeby dziewczynki część codziennego przydziału wody przeznaczały na użytek higieny osobistej.

– Uprałabym też ubrania, ale nigdy by nie wyschły, to beznadziejne – poskarżyła się, a Gwyneira obiecała, że przynajmniej Helen pożyczy jakąś suknię na zmianę. Jej kabina była ogrzewana i dokładnie odizolowana. Woda nie dostawała się tam nawet przy największych falach. Mogłaby przecież zniszczyć miękkie dywany i eleganckie wyściełane meble. Gwyneira miała wyrzuty sumienia, ale nie mogła zaproponować Helen, żeby ta wraz z dziećmi przeniosła się do niej. Gerald nigdy by się na coś takiego nie zgodził. Tylko czasami zabierała więc do siebie Dorothy lub Daphne pod pretekstem wykonania przez nie drobnych poprawek krawieckich.

– A może będziesz prowadzić lekcje w stajni? – zapytała w końcu, gdy drżąca z zimna Helen przywitała ją na pokładzie, gdzie dziewczynki na zmianę czytały *Oliwera Twista*. Na pokładzie było zimno, ale za to sucho, a świeże powietrze przyjemniejsze niż zaduch wilgoci na międzypokładzie. – Marynarze przeklinają, ale muszą tam codziennie sprzątać. Pan Warden pilnuje, żeby owce i konie miały zapewnione odpowiednie warunki. A intendent prowiantu bardzo pilnuje zwierząt rzeźnych. Nie po to je ze sobą wlecze, żeby zdechły, a ich mięso zostało wyrzucone za burtę.

Okazało się, że świnie i drób stanowią żywe zapasy dla pasażerów pierwszej klasy, a krowa rzeczywiście jest codziennie dojona. Pasażerowie z międzypokładu nie mieli możliwości skorzystania z tych dobrodziejstw, dopóki Daphne nie przyłapała pewnego chłopca na potajemnym dojeniu krowy w nocy. Bez najmniejszych skrupułów doniosła na niego, wcześniej jednak uważnie przypatrzyła się, jak to robi i nauczyła naśladować jego ruchy. Od tej pory dziewczynki zawsze miały świeże mleko. A Helen udawała, że nic nie zauważa.

Daphne od razu gorąco poparła propozycję Gwyneiry. Dojąc i wykradając jajka, już dawno zauważyła, o ile cieplej jest w zaimprowizowanych zagrodach pod pokładem. Ciała koni i bydła wydzielały miłe ciepło, a słoma była miękka i często bardziej sucha niż materace na kojach w kajucie. Helen najpierw nie chciała się na to zgodzić, ale potem ustąpiła. Niemal przez trzy tygodnie prowadziła lekcje w stajni, dopóki nie przyłapał ich intendent prowiantu i nie wygonił stamtąd, podejrzewając o kradzież żywności. Tymczasem „Dublin" dotarł do Zatoki Biskajskiej. Morze się uspokoiło, a temperatura wzrosła. Pasażerowie z międzypokładu z ulgą wynieśli na zewnątrz swoje wilgotne ubrania i pościel, żeby wyschły na słońcu. Dziękowali Bogu za ciepło, ale załoga od razu ich ostrzegła, że wkrótce dotrą na Ocean Indyjski, a tam zaraz zaczną przeklinać nieustannie lejący się z nieba żar.

6

Życie towarzyskie na pokładzie „Dublina" ożywiło się, jak tylko zakończyła się pierwsza, uciążliwa część rejsu.

Lekarz pokładowy zaczął wreszcie spełniać swój nauczycielski obowiązek, dzieci emigrantów miały więc w końcu inne zajęcia niż irytowanie swoich rodziców i dokuczanie sobie nawzajem, a zwłaszcza dziewczynkom Helen. Jej podopieczne błyszczały podczas lekcji, a Helen była z nich dumna. Z początku miała nadzieję, że dzięki lekcjom prowadzonym przez lekarza pokładowego zyska trochę czasu dla siebie, później jednak uznała, że woli cały czas pilnować swoich wychowanek. Już po dwóch dniach nauki w szkole na pokładzie „Dublina" Mary i Laurie wróciły z klasy z niepokojącymi wieściami.

– Daphne pocałowała Jamiego O'Harę! – doniosła zachwycona Mary.

– A Tommy Sheridan chciał objąć Elizabeth, ale ona powiedziała, że czeka na swojego księcia, i wszyscy się z niej śmiali – dodała Laurie.

Helen wezwała do siebie najpierw Daphne, która nie okazywała najmniejszych wyrzutów sumienia.

– Jamie dał mi za to kawałek dobrej kiełbasy – odpowiedziała spokojnie na zarzuty. – Takiej jeszcze z domu. A poza tym szybko poszło, bo on w ogóle nie umie całować!

Helen oburzyła ewidentnie dogłębna wiedza Daphne na ten temat. Mocno ją zrugała, mając świadomość, że nie na wiele się to zda. Miała jednak nadzieję, że w dłuższej perspektywie uda jej się wyrobić w dziewczynie jakiś zmysł przyzwoitości. Ale na razie pomóc mogła tylko ścisła kontrola. W związku z tym Helen zaczęła przychodzić na lekcje dziewczynek, później zaś zaczęła przejmować coraz więcej obowiązków w szkole oraz podczas przygotowań do niedzielnej mszy. Lekarz pokładowy był jej za to wdzięczny, ponieważ nie czuł się dobrze ani w roli nauczyciela, ani kaznodziei.

Nocami na międzypokładzie niemal codziennie rozbrzmiewała muzyka. Pasażerowie pogodzili się jakoś z utratą dawnej ojczyzny, a przynajmniej znajdowali ukojenie, wyśpiewując staroangielskie, irlandzkie czy szkockie piosenki. Niektórzy zabrali w podróż instrumenty, można więc było usłyszeć dźwięki skrzypiec, fletów czy akordeonów. W piątki i soboty urządzano potańcówki, a Helen musiała wtedy bardzo pilnować Daphne. Chętnie pozwalała starszym dziewczynkom posłuchać muzyki czy przez godzinę poprzyglądać się tańcom. Ale potem musiały kłaść się do łóżek, z czym grzeczna Dorothy nie miała żadnego problemu. Natomiast Daphne szukała wymówek, a nawet próbowała wymknąć się później z kajuty, gdy sądziła, że Helen już śpi.

Na górnym pokładzie zażywano bardziej wyrafinowanych rozrywek. Urządzano koncerty i przedstawienia, a przede wszystkim celebrowano uroczyste kolacje w sali jadalnej. Gerald Warden i Gwyneira siedzieli przy stole z pewną parą małżeńską z Londynu, której syn stacjonował w garnizonie w Christchurch i nosił się z zamiarem osiedlenia się tam na stałe. Młody człowiek zamierzał się ożenić i zająć się handlem wełną. Poprosił w związku z tym ojca, żeby dał mu zaliczkę na poczet dziedziczonego majątku. Państwo Brewsterowie – energiczni i zdecydowani ludzie po pięćdziesiątce – niezwłocznie zarezerwowali więc kajutę na statku płynącym do Nowej Zelandii. Pan Brewster odgrażał się, że zanim wyasygnuje gotówkę, musi choć raz zobaczyć tamtejszą okolicę, a przede wszystkim poznać przyszłą synową.

– Peter pisał, że jest półkrwi Maoryską – powiedziała głosem pełnym wątpliwości pani Brewster. – I jest ponoć tak piękna, jak te dziewczęta o południowym typie urody, które widuje się na obrazach. Ale ja nie jestem przekonana. Dziewczyna z dzikiego plemienia...

– Jeśli chodzi o nabywanie ziemi, to może być bardzo korzystne – stwierdził Gerald. – Mojemu znajomemu zaoferowano kiedyś w podarunku córkę plemiennego wodza, a wraz z nią dziesięć hektarów najlepszych pastwisk. Mój przyjaciel zakochał się w niej od razu – dodał pan Warden, mrugając okiem.

Pan Brewster zaśmiał się z żartu gromko i szczerze, ale uśmiechy Gwyneiry i pani Brewster były raczej wymuszone.

– Możliwe nawet, że ta mała przyjaciółka państwa syna to właśnie córka mojego znajomego – Gerald ciągnął swoje rozważania. – Powinna mieć teraz około piętnastu lat, a to u tubylców bardzo dobry wiek na zamążpójście. Mieszańcy rzeczywiście mają niekiedy cudowną urodę. Z kolei Maorysi czystej krwi... Cóż, mnie się nie podobają. Są mali, krępi, a do tego te tatuaże... Ale to rzecz gustu, o gustach zaś się nie dyskutuje.

Z pytań państwa Brewsterów i odpowiedzi udzielanych przez Geralda Gwyneira mogła dowiedzieć się nieco więcej o swojej przyszłej ojczyźnie. Do tej pory „owczy baron" opowiadał głównie o możliwościach ekonomicznych, jakie zapewniają hodowla bydła i pastwiska Canterbury Plains, teraz Gwyn dowiedziała się po raz pierwszy, że Nowa Zelandia składa się z dwóch wysp, a Christchurch i Canterbury leżą na Wyspie Południowej. Dowiedziała się, że są tam góry i fiordy, a także przypominający dżunglę las deszczowy oraz osady wielorybników i poszukiwaczy złota. Przypomniała sobie, że Lucas zajmuje się ponoć badaniami nad nowozelandzką florą i fauną, zamieniła więc swoje marzenie o orce i sianiu u boku małżonka na jeszcze bardziej ekscytującą wizję wspólnych wypraw w nieodkryte dotąd rejony wyspy.

W końcu ciekawość państwa Brewsterów została zaspokojona, a i Gerald zmęczył się ciągłym odpowiadaniem na pytania. Warden znał co prawda swój kraj, ale zwierzęta i krajobrazy interesowały go wyłącznie z punktu widzenia przydatności gospodarczej. Podobnie było w wypadku państwa Brewsterów. Dla nich najważniejsze było, czy okolica jest bezpieczna i czy rozkręcenie tam interesu na pewno przyniesie zyski. Podczas rozważania tej kwestii padło wiele nazwisk rozmaitych kupców i farmerów, Gwyneira skorzystała więc z okazji, żeby zrealizować swój od dawna przygotowany plan i w sposób niezwracający uwagi zapytać o pana O'Keefe'a, dżentelmena i farmera.

– Może pan go zna. Ponoć mieszka gdzieś na Canterbury Plains.

Reakcja Geralda Wardena zaskoczyła Gwyneirę. Jej przyszły teść natychmiast spąsowiał, a oczy ze wściekłości niemal wyszły mu z orbit.

– O'Keefe? Dżentelmen i farmer? – Gerald wyrzucał z siebie słowa, sapiąc z oburzenia. – Znam jednego O'Keefe'a, ale to łajdak i odrzyskóra – pomstował. – Szumowina, którą powinno się natychmiast odesłać do Irlandii. A najlepiej do Australii, do kolonii karnej, tam właśnie jest jego miejsce! Dżentelmen i farmer! Żebym nie pękł ze śmiechu! Mów zaraz, Gwyneiro, skąd w ogóle znasz to nazwisko!

Gwyneira uniosła dłoń w uspokajającym geście, a pan Brewster pośpiesznie napełnił szklankę Geralda kolejną porcją whisky. Prawdopodobnie liczył na jej uspokajające działanie. Pani Brewster poważnie przestraszyła się wybuchu Geralda Wardena.

– Z pewnością chodzi o innego pana O'Keefe'a – powiedziała pośpiesznie Gwyneira. – Pewna młoda dama z międzypokładu, angielska guwernantka, jest z nim zaręczona. Twierdzi, że należy on do znamienitych obywateli Christchurch.

– Tak? – zapytał nieufnie Gerald. – Dziwne, że o nim nie słyszałem. Powinienem znać dżentelmena i farmera z okolicy Christchurch, który miałby nieszczęście nosić to samo nazwisko, co ten przeklęty skurczybyk... Och, proszę panie o wybaczenie...

– O'Keefe to popularne nazwisko – powiedziała uspokajającym tonem pani Brewster. – Całkiem możliwe, że w Christchurch jest dwóch panów O'Keefe.

– A ten O'Keefe Helen pisze bardzo piękne listy – dodała Gwyneira. – To musi być wykształcony człowiek.

Gerald głośno się roześmiał.

– W takim razie to na pewno ktoś inny. Stary Howard nawet nie umie się podpisać, nie robiąc błędu! Ale nie podoba mi się, Gwyneiro, że kręcisz się po międzypokładzie! Trzymaj się z daleka od ludzi stamtąd, również od tej rzekomej guwernantki. Ta sprawa wydaje mi się podejrzana, dlatego nigdy więcej z nią nie rozmawiaj!

Gwyneira zmarszczyła czoło. Przez resztę wieczoru milczała rozzłoszczona. Później w kajucie dała upust swojej wściekłości.

Co ten Warden sobie wyobraża? Szybko przeszedł od „milady" do „lady Gwyneiry", a teraz nazywa ją „Gwyneirą", bez skrępowania mówi per ty i wydaje rozkazy! Nie miała najmniejszego zamiaru zrywać znajomości z Helen! Ta młoda kobieta była jedyną osobą na całym statku, z którą mogła szczerze i bez obaw rozmawiać. Mimo różnic w pochodzeniu społecznym i w zainteresowaniach stały się bliskimi przyjaciółkami.

Poza tym Gwyn polubiła sześć małych podopiecznych Helen. Szczególnie spodobała jej się poważna Dorothy, ale też marzycielska Elizabeth, malutka Rosie i czasami niegrzeczna, ale bez wątpienia bystra i zaradna Daphne. Najchętniej zabrałaby wszystkie sześć ze sobą do Kiward Station i zamierzała nawet porozmawiać z Geraldem przynajmniej o jednej nowej służącej. Teraz byłoby to nie na miejscu, ale rejs miał trwać jeszcze długo, a Warden z pewnością zdąży się uspokoić. Najbardziej trapiło teraz Gwyneirę to, czego dowiedziała się o Howardzie O'Keefie. Owszem, nazwisko było dość popularne i mogło się zdarzyć dwóch mieszkańców w okolicy o tym samym nazwisku. Ale żeby mieli jeszcze to samo imię?

Co tak właściwie Gerald Warden miał przeciwko przyszłemu mężowi Helen?

Gwyn chętnie podzieliłaby się z Helen swoimi przemyśleniami, ale postanowiła, że tego nie zrobi. Po co miałaby zakłócać szczęście przyjaciółki i wzniecać jej obawy? W końcu nic konkretnego nie mogła jej przekazać.

Tymczasem na pokładzie „Dublina" zrobiło się ciepło, jeśli nie wręcz gorąco. Słońce często niemiłosiernie prażyło. Emigranci najpierw się z tego cieszyli, ale teraz, po ośmiu tygodniach spędzonych na pokładzie statku, zaczęli zmieniać zdanie. Podczas pierwszych tygodni, gdy panowało zimno i wilgoć, stali się apatyczni, ale obecny upał i duchota w kajutach działały na nich pobudzająco.

Na międzypokładzie kłócono się i irytowano o drobnostki. Dochodziło do pierwszych bójek wśród pasażerów, a także między nimi i członkami załogi, gdy ktoś poczuł się pokrzywdzony podczas wydzielania racji żywnościowych czy wody. Lekarz pokładowy zalecał dżin do oczyszczania ran oraz na uspokojenie nastrojów. Kłócono się w prawie każdej rodzinie, a wszystkich denerwowała przymusowa bezczynność. Tylko Helen udało się utrzymać w swojej kajucie spokój i porządek. Jej podopieczne nie nudziły się, bo cały czas wprowadzała je w zawiłe arkana sztuki prowadzenia i obsługiwania wielkopańskiego domu. Nawet Gwyneirę bolała od tego głowa.

– Och, Boże, ale mam szczęście, że mnie to ominęło! – z uśmiechem dziękowała losowi. – Nigdy bym się nie nadała na panią takiego domu. Nie byłabym w stanie spamiętać połowy tych zaleceń. I nie potrafiłabym zmuszać służących, żeby codziennie polerowały srebra! To przecież zupełnie zbyteczna praca! I dlaczego serwetki trzeba tak starannie składać? Przecież używa się ich codziennie...

– Bo tak jest pięknie i tak trzeba – surowym tonem poinformowała ją Helen. – Poza tym ty też będziesz musiała tego wszystkiego pilnować. Jeśli dobrze zrozumiałam, Kiward Station to prawdziwy dwór. Sama mówiłaś, że pan Warden wzorował jego architekturę na angielskich wiejskich dworkach, a wnętrza urządził londyński projektant. Myślisz, że zapomnieli o srebrnej zastawie, świecznikach, tacach i paterach? I przecież ty sama wieziesz w wyprawie mnóstwo obrusów!

Gwyneira westchnęła.

– Powinnam była wyjść za teksańczyka. Ale mówiąc poważnie, sądzę... Mam nadzieję, że pan Warden przesadza. Chce uchodzić za dżentelmena, ale za jego ze wszech miar eleganckim zachowaniem kryje się nieokrzesany gbur. Wczoraj ograł pana Brewstera w oczko. Co tam ograł – wypatroszył go niczym bożonarodzeniową gęś! A na koniec inni panowie zarzucili mu oszustwo. Lord Barrington chciał go nawet wyzwać na pojedynek! Mówię ci, zupełnie jak w portowej spelunce! W końcu sam kapitan musiał prosić o spokój. Kiward Station to w rzeczywistości na pewno chata z bierwion, a ja będę musiała własnoręcznie doić krowy.

– Co całkiem by ci odpowiadało! – roześmiała się Helen, która zdążyła dobrze poznać swoją przyjaciółkę. – Ale nic z tego. Jesteś i zawsze będziesz damą, bez względu na okoliczności i nawet w oborze. Ciebie to też dotyczy, Daphne! Siedź prosto i trzymaj nogi razem, nawet jak akurat nie patrzę. A najlepiej uczesz pannę Gwyneirę. Zaczyna być widać, że nie ma tutaj pokojówki. Naprawdę, Gwyn, włosy kręcą ci się tak, jakby je czesano karbówką. Czy ty je choć czasem rozczesujesz?

W karbach Helen i dzięki dodatkowym uwagom dotyczącym najnowszej mody ze strony Gwyneiry, zarówno Dorothy, jak i Daphne stały się całkiem zręcznymi pokojówkami. Obie umiały się grzecznie zachować i nauczyły się, jak pomaga się damie przy ubieraniu i jak upina się jej fryzury. Helen jednak zawsze miała wątpliwości, czy wysyłać Daphne samą do kajuty Gwyneiry, bo nie miała do niej zaufania. Uważała, że dziewczyna jest zdolna wykorzystać każdą okazję do kradzieży. Ale Gwyneira uspokoiła ją.

– Nie wiem, czy jest uczciwa, ale z pewnością nie jest głupia. Jeśli coś tu ukradnie, szybko wyjdzie to na jaw. Kto inny mógłby to zrobić i gdzie zresztą mogłaby schować później ukradzione rzeczy? Tak długo, jak długo przebywa na statku, będzie się dobrze zachowywać. Nie mam co do tego żadnych wątpliwości.

Trzecia ze starszych dziewcząt, Elizabeth, była chętna do pracy, bez wątpienia uczciwa i miła. Ale niezbyt zręczna. Wolała czytać i pisać, niż pracować fizycznie. Przez to Helen właśnie o nią martwiła się najbardziej.

– Powinna dalej się kształcić, a później być może zostać nauczycielką – powiedziała Gwyneirze. – Ta praca by jej odpowiadała. Lubi dzieci i jest bardzo cierpliwa. Ale kto by za to zapłacił? Czy w Nowej Zelandii jest w ogóle instytucja kształcąca nauczycielki? W każdym razie na służącą zupełnie się nie nadaje. Kiedy ma wyszorować podłogę, połowę zalewa wodą, a o reszcie zapomina.

– Może byłaby dobrą nianią – Gwyneira miała do sprawy bardziej praktyczne podejście. – Prawdopodobnie sama będę niedługo szukać opiekunki…

Helen, słysząc tę uwagę, natychmiast się zaczerwieniła. Bardzo niechętnie myślała o posiadaniu dzieci w związku ze swoim zamążpójściem, a przede wszystkim o powoływaniu ich na świat. Czym innym było podziwianie pięknego stylu listów Howarda i radowanie się jego sympatią. Ale myśl, żeby miał ją dotykać zupełnie obcy mężczyzna… Helen miała pewne bliżej nieokreślone wyobrażenia na temat tego, co dzieje się w nocy między mężem a żoną, ale spodziewała się raczej bólu niż przyjemności. A Gwyneira tak całkiem otwarcie mówi o posiadaniu dzieci! Czy zechce porozmawiać na ten temat? Czy wie o tym więcej niż ona? Helen zastanawiała się, jak zacząć taką rozmowę, nie naruszając granic przyzwoitości już w pierwszych niezręcznych słowach. Oczywiście dziewcząt nie mogło być w pobliżu. Z ulgą stwierdziła, że Rosie bawi się z Cleo tuż obok nich.

Gwyneira i tak nie potrafiłaby odpowiedzieć na te ważkie pytania. Choć otwarcie mówiła o dzieciach, na razie w ogóle nie myślała o nocach, które będzie spędzać z Lucasem. Nie miała pojęcia, czego powinna oczekiwać. Jej matka z zażenowaniem wspomniała tylko, że losem kobiety jest z pokorą wszystko znosić. A jeśli Bóg tak zechce, wynagrodzi ją właśnie dziećmi. Gwyn zastanawiała się jednak czasami, czy takie rozkrzyczane i czerwone niemowlę to rzeczywiście jest szczęście, ale nie miała żadnych złudzeń. Gerald Warden spodziewał się, że najszybciej jak to tylko będzie możliwe, urodzi mu wnuka. Nie miała zamiaru się sprzeciwiać, zwłaszcza że nie miała pojęcia, jak się to robi.

Rejs „Dublina" zdawał się ciągnąć w nieskończoność. Pasażerowie pierwszej klasy walczyli z nudą. Wymieniono już wszystkie grzeczności i opowiedziano wszelkie możliwie historie. Pasażerowie z międzypokładu walczyli natomiast z narastającymi przeciwnościami losu. Skąpe i monotonne wyżywienie prowadziło do wycieńczenia i chorób, ciasnota kajut i utrzymujące się stale wysokie temperatury sprzyjały pladze robactwa. Statkowi zaczęły towarzyszyć delfiny, często można też było spostrzec duże ryby, jak rekiny. Mężczyźni z międzypokładu chcieli łapać je na wędki i za pomocą harpunów, ale rzadko im się to udawało. Kobiety tęskniły choćby za minimum higieny i zbierały deszczową wodę, żeby umyć w niej dzieci i wyprać bieliznę. Ten sposób Helen uznała jednak za niezadowalający.

– W takiej brei ubrania ubrudzą się jeszcze bardziej! – stwierdziła, patrząc na deszczówkę, która zebrała się w jednej z łodzi ratunkowych.

Gwyneira wzruszyła ramionami.

– Dobrze, że nie musimy jej pić. Kapitan powiedział, że mamy szczęście z pogodą. Nie trafiliśmy jeszcze na ciszę morską, chociaż znajdujemy się już w okolicach, gdzie nierzadko się to zdarza. Tutaj wiatr często nie wieje tak, jak powinien, i na statkach zaczyna brakować wody pitnej.

Helen skinęła głową.

– Marynarze mówią, że płyniemy przez tak zwane końskie szerokości. Bo dawniej często szlachtowano przewożone na pokładzie konie, żeby nie umrzeć z głodu.

Gwyneira prychnęła.

– Prędzej zjem marynarzy, niż pozwolę zaszlachtować Igraine! – stwierdziła. – Ale wygląda na to, że rzeczywiście sprzyja nam szczęście.

Niestety, szczęście towarzyszące „Dublinowi" wkrótce się skończyło. Choć wiatr wiał nadal, życiu pasażerów zagroziła podstępna choroba. Najpierw jeden z marynarzy dostał gorączki, ale nikt się tym nie przejął. Lekarz pokładowy rozpoznał niebezpieczeństwo dopiero wtedy, gdy pokazano mu pierwsze dzieci z gorączką i wysypką. Wtedy jednak choroba rozprzestrzeniała się już na międzypokładzie niczym szalejący ogień.

Helen miała z początku nadzieję, że choroba oszczędzi jej dziewczynki, ponieważ poza codziennymi lekcjami nie miały właściwie kontaktu z innymi dziećmi. Dzięki dodatkowemu prowiantowi od Gwyneiry oraz łupieskim wyprawom Daphne po mleko i jaja jej podopieczne były w lepszym stanie ogólnym niż dzieci emigrantów. Elizabeth dostała jednak gorączki, a zaraz potem także Laurie i Rosemary. Daphne i Dorothy tylko gorzej się poczuły, a Mary prawdopodobnie w ogóle się nie zaraziła, choć przez cały czas dzieliła koję z siostrą bliźniaczką, mocno ją przytulając i niemal już ją opłakując. Tymczasem gorączka przebiegała u Laurie łagodnie, z kolei Elizabeth i Rosemary przez wiele dni walczyły ze śmiercią. Lekarz pokładowy leczył je tak, jak wszystkich innych zarażonych, za pomocą dżinu, a każdy pacjent mógł sam zdecydować, czy środek ten zastosuje od wewnątrz czy od zewnątrz. Helen wybrała obmywanie i okłady i osiągnęła przynajmniej tyle, że dziewczynkom było trochę chłodniej. W większości rodzin trunek trafiał jednak do gardeł ojców, a i tak już wzburzone nastroje stawały się wręcz wybuchowe.

Z powodu epidemii zmarło dwanaścioro dzieci, a na międzypokładzie znów rozbrzmiały skargi i lamenty. Kapitan urządził na głównym pokładzie wzruszającą mszę za zmarłych, w której uczestniczyli wszyscy pasażerowie bez wyjątku. Gwyneira ze łzami toczącymi się po policzkach grała na pianinie, choć dobre intencje wyraźnie przewyższały jej umiejętności. Bez nut była bezradna. W końcu zastąpiła ją Helen, niektórzy pasażerowie z międzypokładu przynieśli też swoje instrumenty. Śpiew i lamenty unosiły się daleko w morze, a pasażerowie pierwszej klasy i ubodzy emigranci po raz pierwszy utworzyli wspólnotę. Połączył ich wspólny żal i jeszcze wiele dni po nabożeństwie na statku utrzymywała się stonowana i pokojowa atmosfera. Kapitan, człowiek lubiący spokój i obdarzony życiową mądrością, urządzał od tej pory niedzielne nabożeństwa dla wszystkich na głównym pokładzie. A pogoda nie sprawiała już problemów. Nie było ani zbyt upalnie, ani zbyt zimno czy deszczowo. Tylko przy opływaniu Przylądka Dobrej Nadziei trafili na sztorm i wzburzone morze, lecz potem rejs znowu przebiegał spokojnie.

Helen tymczasem ćwiczyła z dziećmi pieśni kościelne. W pewien niedzielny poranek po szczególnie udanym występie chóru państwo Brewsterowie zaprosili Helen do rozmowy, którą prowadzili z Geraldem i Gwyneirą. Chcieli pogratulować młodej nauczycielce tak dobrych wyników, a Gwyneira skorzystała z okazji, żeby formalnie przedstawić swoją przyjaciółkę przyszłemu teściowi.

Obawiała się trochę, czy Warden znowu nie wpadnie we wściekłość. Ale tym razem nie stracił panowania nad sobą i zachowywał się szarmancko. Spokojnie wymienił z młodą kobietą zwyczajowe grzeczności i znalazł słowa pochwały dla umiejętności wokalnych jej uczniów.

– Pani również wybiera się za mąż… – mruknął, gdy wyczerpał już tematy grzecznościowej konwersacji.

Helen pośpiesznie przytaknęła.

– Tak, proszę pana, zgodnie z boską wolą. Ufam, że Bóg wskazuje mi drogę do szczęśliwego małżeństwa... A może zna pan mojego przyszłego małżonka? Nazywa się Howard O'Keefe, mieszka w Haldon na Canterbury Plains. Jest właścicielem farmy.

Gwyneira wstrzymała oddech. Może powinna była opowiedzieć Helen o gwałtownej reakcji Geralda, gdy niedawno wspomniała nazwisko jej narzeczonego! Jej obawy okazały się jednak bezpodstawne. Tego dnia Gerald doskonale nad sobą panował.

– Mam nadzieję, że zachowa pani wiarę – stwierdził tylko z krzywym uśmiechem. – Bóg robi czasem przedziwne psikusy swoim najbardziej niewinnym owieczkom. A jeśli chodzi o pani pytanie, to... Nie, nie znam żadnego dżentelmena o nazwisku Howard O'Keefe.

„Dublin" żeglował teraz przez Ocean Indyjski. Był to przedostatni, najdłuższy i najbardziej niebezpieczny etap podróży. Choć morze rzadko było wzburzone, to szlak rejsu wiódł z dala od brzegów lądu. Pasażerowie od wielu tygodni nie widzieli nawet skrawka lądu, a według Geralda Wardena najbliższy brzeg znajdował się w odległości setek kilometrów.

Życie na pokładzie jakoś się tymczasem ułożyło, a dzięki ciepłej pogodzie wszyscy pasażerowie więcej czasu spędzali na pokładzie niż w uciążliwej ciasnocie kajut. Przy okazji coraz wyraźniej zanikał ścisły podział na pasażerów pierwszej klasy oraz emigrantów z międzypokładu. Oprócz niedzielnych nabożeństw odbywały się teraz również wspólne koncerty i tańce. Mężczyźni z międzypokładu wciąż ćwiczyli się w umiejętności łowienia ryb i z czasem zaczęli osiągać sukcesy. Łowili na harpun rekiny i barakudy, łapali także albatrosy, rzucając do wody i ciągnąc za statkiem linki z rybami zatkniętymi na haczyki jako przynęta. Zapach smażonych ryb czy drobiu unosił się potem na całym pokładzie, aż wszystkim ciekła ślinka do ust. Z Helen często dzielono się połowami. Szanowano ją jako nauczycielkę, gdyż prawie wszystkie dzieci emigrantów potrafiły teraz pisać i czytać lepiej od swoich rodziców. Poza tym Daphne zawsze potrafiła wycyganić dla siebie porcję ryby czy mięsa. Jeśli Helen nie była dość czujna, już podczas łowienia kręciła się koło wędkarzy, podziwiała ich umiejętności i zwracała na siebie uwagę, robiąc słodkie minki. O jej względy zabiegali przede wszystkim młodzieńcy, często decydując się na ryzykowne popisy. Daphne biła im brawo z udawanym zachwytem, gdy zdejmowali koszule, buty i pończochy, by gromko pokrzykująca załoga mogła spuścić ich na linie do wody. Ani Helen, ani Gwyneira nie odnosiły przy tym wrażenia, żeby którykolwiek z chłopców rzeczywiście Daphne obchodził.

– Ona liczy na to, że zaatakuje go rekin – powiedziała Gwyneira, gdy pewien młody Szkot rzucił się w fale, a po chwili, trzymając się linki, dał się ciągnąć „Dublinowi" niczym przynęta na haczyku. – Założę się, że nie będzie miała potem żadnych skrupułów, żeby zjeść rekinie mięso.

– Ten rejs kiedyś się wreszcie skończy – westchnęła Helen. – Inaczej z nauczycielki stanę się strażnikiem więziennym. Choćby te zachody słońca... Owszem, to piękny i romantyczny widok, ale tak samo sądzą oczywiście chłopcy i dziewczęta. Elizabeth zachwyca się Jamiem O'Harą, którego Daphne porzuciła, gdy tylko zjedli całą kiełbasę. A przynajmniej trzech młodych mężczyzn błaga codziennie Dorothy, żeby w nocy podziwiała z nimi fosforyzujące morze.

Gwyneira roześmiała się, bawiąc się swoim letnim kapeluszem.

– Za to Daphne nie szuka swojego wymarzonego księcia na międzypokładzie. Wczoraj zapytała mnie, czy nie mogłaby podziwiać zachodu słońca z górnego pokładu, bo stamtąd jest o wiele lepszy widok. Jednocześnie patrzyła na wicehrabiego Barringtona niczym rekin na przynętę.

Helen przewróciła oczami.

– Powinno się ją jak najszybciej wydać za mąż! Och, Gwyn, ogarnia mnie przerażenie, gdy pomyślę, że za dwa czy trzy tygodnie będę musiała oddać dziewczynki zupełnie obcym ludziom i być może nigdy więcej już ich nie zobaczę!

– Przecież sama masz ich już dosyć! – zawołała Gwyneira ze śmiechem. – I przecież potrafią czytać i pisać. Będziecie mogły ze sobą korespondować. I my też! Szkoda, że nie wiem, jak daleko leżą od siebie Haldon i Kiward Station! Obie farmy znajdują się na Canterbury Plains, ale gdzie dokładnie? Nie chciałabym stracić z tobą kontaktu, Helen! Czy nie byłoby pięknie, gdybyśmy mogły się odwiedzać?

– Na pewno będziemy mogły! – stwierdziła z ufnością Helen. – Howard musi mieszkać niedaleko Christchurch, skoro należy do tamtejszej parafii. A pan Warden na pewno często bywa w mieście. Będziemy się widywać, Gwyn, z pewnością!

7

Rejs rzeczywiście zbliżał się do końca. „Dublin" pokonał Morze Tasmańskie, rozciągające się między Australią i Nową Zelandią, a pasażerowie międzypokładu zakładali się między sobą, jak blisko nowego kraju się znajdują. Niektórzy od samego świtu koczowali na pokładzie, żeby być pierwszymi, którzy dostrzegą nową ojczyznę.

Elizabeth była zachwycona, gdy Jamie O'Hara obudził ją pewnego dnia z taką propozycją, Helen jednak surowo nakazała jej pozostanie w łóżku. Od Gwyneiry dowiedziała się, że ląd będzie można dojrzeć dopiero za dwa lub trzy dni, a poza tym kapitan odpowiednio wcześnie wszystkich o tym uprzedzi.

W końcu pewnego słonecznego przedpołudnia wreszcie ukazał się brzeg lądu. Kapitan kazał włączyć syrenę i na głównym pokładzie w mgnieniu oka zgromadzili się wszyscy pasażerowie. Gwyneira i Gerald stali oczywiście w pierwszym rzędzie, ale nie dostrzegali niczego oprócz chmur. Widok lądu przesłaniały obłoki rozciągające się niczym warstwa białej waty. Gdyby załoga nie zapewniła emigrantów, że za tymi chmurami skrywa się Wyspa Południowa, nawet nie zwróciliby na nie uwagi.

Dopiero gdy zbliżyli się do brzegu, ukazały się zamglone wierzchołki, ostre kontury skał, za którymi znowu unosiły się chmury. Wyglądało to dziwnie, jakby góry unosiły się ponad błyszczącą bielą chmur.

– Zawsze jest tutaj tak mglisto? – zapytała nieszczególnie zachwycona Gwyneira. Choć widok był piękny, wiedziała, jak nieprzyjemne będzie przedzieranie się przez wilgotne i zimne wzgórza, które oddzielały Christchurch od nabrzeża, do którego przybijały statki dalekomorskie. Gerald powiedział jej, że port nazywa się Lyttelton. Ale dopiero trwa jego budowa i nawet do pierwszych domów prowadzi stroma droga. Do samego Christchurch trzeba iść piechotą lub pojechać konno. A droga jest miejscami tak stroma i trudna, że miejscowi muszą prowadzić wierzchowce za uzdy, i stąd nazwa Bridle Path*.

Gerald pokręcił głową.

– Nie, to raczej niezwykłe, że pasażerom ukazał się taki widok. I z pewnością to dobry znak... – Uśmiechnął się, wyraźnie zadowolony, że znowu widzi swój kraj. – Ponoć taki sam widok ukazał się podróżnikom w kanu, którym pierwsi ludzie przypłynęli z Polinezji na Nową Zelandię. Stąd też pochodzi maoryska nazwa Nowej Zelandii – *Aotearoa*, Kraina Długich Białych Obłoków.

Helen i jej dziewczynki zafascynowane wpatrywały się we wspaniały pokaz przyrody.

Daphne jednak wydawała się zaniepokojona.

– Tutaj nie ma żadnych domów – stwierdziła z zaskoczeniem. – Gdzie są doki i porty? I kościelne wieże? Widać tylko chmury i góry! Tu jest zupełnie inaczej niż w Londynie.

Helen spróbowała roześmiać się z otuchą, lecz w głębi ducha podzielała obawy Daphne. Ona też całe swoje życie spędziła w mieście i ten nadmiar nieujarzmionej przyrody wydawał jej się niepokojący. A widziała przecież rozmaite krajobrazy Anglii, dziewczynki jednak znały jedynie ulice wielkiego miasta.

– Oczywiście, że to nie jest Londyn, Daphne – stwierdziła. – Tutejsze miasta są znacznie mniejsze. Ale w Christchurch jest wieża kościelna, powstanie tam nawet katedra wielka jak Westminster Abbey! Domów dlatego jeszcze nie widać, że nie przybijemy do brzegu tuż przy mieście. Będziemy musiały... Cóż, będziemy musiały przejść kawałek, zanim...

– Przejść kawałek? – Gerald Warden usłyszał słowa Helen i gromko się roześmiał. – Mam nadzieję, panno Davenport, że pani wspaniały narzeczony wysłał po panią muła. W przeciwnym razie jeszcze dzisiaj zedrze pani do cna podeszwy swoich pantofelków. Bridle Path to górska ścieżka, śliska i mokra od mgły. A gdy mgła się podnosi, robi się cholernie gorąco. Ale spójrz, Gwyneiro, oto port Lyttelton!

Pasażerowie „Dublina" podzielili podekscytowanie Geralda, gdy wśród mgły ukazała się spokojna zatoka w kształcie gruszki. Według słów Geral-

---

* Bridle – ang. uzda (przyp. tłum.).

da była to naturalna przystań pochodzenia wulkanicznego. Wokół zatoki wznosiły się góry, można też było dostrzec kilka domów oraz ramp załadunkowych.

– Proszę się nie martwić – powiedział wesoło do Helen lekarz pokładowy. – Zorganizowano już komunikację wahadłową między Lyttelton a Christchurch. Muły wyruszają raz dziennie i można je sobie wypożyczyć. Wcale nie będzie pani musiała wspinać się tą drogą piechotą, jak pierwsi osadnicy.

Helen się zawahała. Ona może mogłaby wynająć sobie muła, ale co z dziewczynkami?

– Jak daleko... Jak daleko trzeba iść? – zapytała niezdecydowana, podczas gdy „Dublin" szybko zbliżał się do brzegu. – Czy trzeba nieść cały swój bagaż?

– Jak kto woli – stwierdził Gerald. – Można go wysłać łodzią w górę rzeki Avon. Ale to oczywiście kosztuje. Większość nowych osadników targa swoje rzeczy na własnych plecach. Trzeba przejść dwadzieścia cztery kilometry.

Helen szybko postanowiła, że wyśle łodzią tylko swój bujany fotel. Resztę bagażu poniesie tak jak wszyscy inni emigranci. Da radę przejść dwadzieścia cztery kilometry, z całą pewnością da radę! Chociaż nigdy dotąd nie musiała pokonać takiej odległości...

Tymczasem główny pokład statku opustoszał, gdyż pasażerowie pośpieszyli do kajut, aby spakować swoje rzeczy. Teraz, gdy dotarli już do celu, chcieli jak najszybciej opuścić statek. Na międzypokładzie panował niemal taki ścisk i tłok jak w dniu odjazdu.

W pierwszej klasie panował spokój. Tutejsi pasażerowie nie zajmowali się bagażem, ponieważ korzystali z usług przedsiębiorstw transportowych, które na mułach przewoziły ludzi i towary do wnętrza lądu. Pani Brewster i lady Barrington mimo to drżały z lęku przed podróżą przez przełęcz. Obie nie były przyzwyczajone do jazdy konno czy na mule, a poza tym słyszały straszne opowieści o niebezpieczeństwach Bridle Path. Gwyneira z kolei nie mogła się doczekać, kiedy dosiądzie Igraine. Właśnie w związku z tą sprawą między nią a Geraldem wywiązała się poważna sprzeczka.

– Mamy zostać tutaj jeszcze jedną noc? – zapytała zdziwiona, gdy stwierdził, że przenocują w skromnym, ale niedawno wybudowanym pensjonacie w Lyttelton. – Czemu?

– Bo najwcześniej późnym popołudniem skończymy rozładunek zwierząt – wyjaśnił Gerald. – I muszę nająć tragarzy, żeby przenieśli owce przez przełęcz.

Gwyneira z niedowierzaniem pokręciła głową.

– Czy do tego potrzebna jest pomoc? Sama mogę popędzić owce. I mamy przecież dwa konie. Nie musimy czekać na muły.

Gerald głośno się roześmiał, a do rozmowy wtrącił się lord Barrington.

– Chce pani popędzić owce przez przełęcz, młoda damo? Na koniu, jak amerykański kowboj? – Lord najwidoczniej uznał, że to najlepszy żart, jaki od dawna słyszał.

Gwyneira przewróciła oczami.

– Sama oczywiście nie dam rady – stwierdziła. – Pędzeniem owiec zajmie się Cleo i pozostałe psy, które pan Warden kupił od mojego ojca. To jeszcze szczeniaki i nie są wyszkolone, ale przecież to w końcu tylko trzydzieści owiec. Jak będzie trzeba, Cleo da sobie radę sama.

Mała suka usłyszała swoje imię i od razu wyszła ze swojego kąta. Merdając ogonem i wpatrując się w swoją panią błyszczącymi oczami pełnymi zachwytu i oddania, stanęła przed nią w wyczekującej pozie. Gwyn pogłaskała ją i poinformowała, że jeszcze dziś skończy się to nudne życie na statku.

– Gwyneiro! – powiedział zirytowany Gerald – Nie po to kupowałem te owce i psy i nie po to wiozłem je przez pół świata, żeby teraz pospadały w przepaść! – Warden nie znosił, gdy któryś z członków jego rodziny się ośmieszał. A jeszcze bardziej złościło go, gdy ktoś podważał jego decyzje, czy wręcz je ignorował! – Nie znasz Bridle Path. To ścieżka zdradziecka i niebezpieczna! Żaden pies nie popędzi tamtędy owiec w pojedynkę, a ty też nie dasz rady pojechać konno. Kazałem zbudować na dzisiejszą noc prowizoryczną zagrodę dla owiec. Jutro zlecę przeprowadzenie koni, a ty pojedziesz tamtędy na mule.

Gwyneira dumnie odrzuciła głowę. Nie cierpiała, gdy ktoś nie doceniał umiejętności jej własnych oraz jej zwierząt.

– Igraine da sobie radę na każdej drodze i ma pewniejszy krok od każdego muła – zapewniła zdecydowanym tonem. – A Cleo jeszcze nigdy nie straciła ani jednej owcy, i teraz też się to nie zdarzy. Przekona się pan, że jeszcze dziś wieczorem będziemy w Christchurch!

Panowie znowu się roześmieli, ale Gwyneira była zdecydowana. Po co miała najlepszego owczarka w Powys, jeśli nie w całej Walii? Po co od stuleci hodowano kuce cob, kładąc nacisk na ich zręczność i pewny chód? Gwyneira nie mogła się doczekać, kiedy pokaże wszystkim tym dżentelmenom, co potrafi. To jest przecież nowy świat! Nie pozwoli się tutaj ograniczyć do roli dobrze wychowanej panienki, która bez żadnego sprzeciwu wykonuje męskie rozkazy!

Helen kręciło się trochę w głowie, gdy w końcu, około trzeciej po południu, postawiła swoje stopy na ziemi Nowej Zelandii. Chwiejący się trap wydawał jej się równie niepewny co deski pokładu „Dublina", przeszła jednak po nim odważnie, łapiąc równowagę, i wreszcie stanęła na stałym lądzie! Odczuła taką ulgę, że najchętniej uklękłaby i pocałowała ziemię, co bez zażenowania uczyniła pani O'Hara i kilkoro innych osadników. Dziewczęta Helen i inne dzieci z międzypokładu rozbiegły się w podskokach i z trudem udało się je zebrać z powrotem, żeby wraz z pozostałymi ocalałymi pasażerami odmówiły dziękczynną modlitwę. Daphne wciąż wyglądała na rozczarowaną. Te kilka domów okalających zatokę Lyttelton zupełnie nie odpowiadało jej wyobrażeniom o mieście.

Helen już na statku zleciła transport swojego bujanego fotela. Teraz szła szeroką drogą dojazdową prowadzącą w górę do pierwszych domów, trzymając w jednym ręku torbę podróżną, a w drugim chroniącą przed słońcem parasolkę. Za nią grzecznie szły dziewczynki ze swoim węzełkami. Na razie marsz był męczący, ale ani niebezpieczny, ani zbyt forsowny. Jeśli dalej będzie tak samo, dadzą radę dojść pieszo do Christchurch. W tej chwili dotarły właśnie do centrum osady Lyttelton. Był tam pub, sklep i niewzbudzający szczególnego zaufania hotel. Ale on i tak był przeznaczony dla bogaczy. Ci z pasażerów międzypokładu, którzy nie wybierali się od razu w drogę do Christchurch, mogli przenocować w prymitywnych barakach i namiotach. Wielu nowych osiedleńców skorzystało z tej możliwości. Niektórzy emigranci mieli krewnych w Christchurch i uzgodnili z nimi, że gdy tylko dotrze tam wieść o przypłynięciu „Dublina", zostaną po nich wysłane juczne zwierzęta.

W Helen również zakiełkowała taka nadzieja, gdy zobaczyła, że muły przedsiębiorstwa transportowego czekają przed pubem. Choć Howard nie mógł wiedzieć o jej przybyciu, to wielebny Baldwin, pastor Christchurch, został na pewno powiadomiony, że na „Dublinie" przypłynęło sześć obiecanych sierot. Być może poczynił jakieś przygotowania do ich dalszej podróży. Helen zapytała o to poganiaczy mułów, ci jednak nic na ten temat nie wiedzieli. Mieli co prawda wziąć jakieś rzeczy dla wielebnego Baldwina, a także zająć się państwem Brewsterami, ale o sierotach pastor nic nie wspominał.

– W takim razie, dziewczynki, nie pozostaje nam nic innego, jak pójść pieszo – Helen pogodziła się w końcu z losem. – I to najlepiej od razu, żebyśmy miały to jak najszybciej za sobą.

Stanowiące jedyną alternatywę namioty i baraki nie podobały się Helen. Oczywiście również tutaj kobiety i mężczyźni spali oddzielnie, nie było jednak żadnych drzwi, które można by zamknąć, a w Lyttelton z pewnością odczuwano taki sam deficyt kobiet jak w Christchurch. Kto wie, co może przyjść mężczyznom do głów, gdy poda im się siedem samotnych dziewcząt niczym na srebrnej tacy?

Helen wyruszyła więc razem z nielicznymi rodzinami osadników, które również chciały od razu podążyć do Christchurch. Była wśród nich rodzina O'Hara, a Jamie po rycersku zaoferował, że oprócz swojego bagażu poniesie węzełek Elizabeth. Matka jednak surowo mu tego zabroniła, ponieważ musieli przenieść przez góry całe wyposażenie rodzinnego domu, i każdy członek jego rodziny miał już aż nadto bagażu. Roztropna niewiasta uznała, że w takiej sytuacji grzeczność stanowi zbędny luksus.

Po pierwszych kilku kilometrach w słońcu Jamie prawdopodobnie był już skłonny zgodzić się z matką. Mgła się rozrzedziła, tak jak zapowiedział to Gerald, i ścieżka Bridle Path została wystawiona na ciepłe wiosenne słońce. Osiedleńcom trudno było to zrozumieć. W rodzinnej Anglii rozpoczynał się teraz sezon jesiennych burz, ale tutaj, w Nowej Zelandii, właśnie zaczynała kiełkować trawa, a słońce wznosiło się coraz wyżej. Właściwie temperatury były bardzo przyjemne, wspinający się górską przełęczą w ciepłych podróżnych ubraniach emigranci mocno się jednak pocili, szczególnie że często mieli na sobie wiele sztuk ubrań, żeby mieć mniej do dźwigania. Nawet mężczyznom brakowało oddechu. Trzy miesiące bezczynności na morzu pozbawiło kondycji i najsilniejszych robotników. A droga tymczasem stawała się nie tylko coraz bardziej stroma, ale także coraz bardziej niebezpieczna. Dziewczęta płakały ze strachu, gdy musiały wspinać się wzdłuż krawędzi krateru. Mary i Laurie tak mocno do siebie wtedy przywarły, że omal przez to nie spadły. Rosemary trzymała się skraju spódnicy Helen i chowała głowę w fałdy jej podróżnego stroju, gdy tylko przechodziły niebezpiecznie blisko przepaści. Helen już dawno złożyła swoją parasolkę. Przydawała się jej jako laska, a ona i tak nie miała już siły, żeby elegancko trzymać ją na ramieniu. Tego dnia nie zamierzała martwić się o swoją cerę.

Po godzinie marszu wędrowcy byli zmęczeni i spragnieni, ale przeszli już ponad cztery kilometry.

– Tam, na szczycie, można kupić coś orzeźwiającego – Jamie pocieszał dziewczynki. – Tak nam przynajmniej powiedziano w Lyttelton. A z drugiej strony, jak będziemy już schodzić w dół, są zajazdy, w których można odsapnąć. Musimy tylko dotrzeć na samą górę, wtedy najgorsze będzie za nami. – W tym momencie odważnie ruszył przez trudniejszy fragment drogi, a dziewczynki podążyły za nim kamienistym szlakiem.

Podczas wspinaczki Helen nie miała czasu, żeby przyglądać się krajobrazowi, ale to co spostrzegała, wyglądało zniechęcająco. Góry wydawały jej się nagie, szare i skąpo pokryte roślinnością.

– Skała wulkaniczna – skomentował pan O'Hara, który kiedyś pracował w górnictwie. A Helen przypomniała sobie „piekielne góry" z pewnej ballady, którą niegdyś śpiewała jej siostra. Właśnie tak wyobrażała sobie tło wiecznego potępienia – pustka, bezbarwność i nieskończoność.

Gerald Warden rzeczywiście mógł wyładować swoje zwierzęta dopiero wtedy, gdy pokład opuścili już wszyscy pasażerowie. Pracownicy przedsiębiorstwa transportowego dopiero wtedy zaczęli przygotowywać muły do drogi.

– Zdążymy przed zapadnięciem ciemności! – zapewniali przestraszone damy, którym pomogli wsiąść na muły. – To około czterech godzin drogi. O ósmej wieczorem dotrzemy do Christchurch. Akurat zdążą państwo na kolację w hotelu.

– Słyszy pan! – powiedziała Gwyneira do Geralda. – Możemy do nich dołączyć. Choć sami bylibyśmy oczywiście szybsi. Igraine nie spodoba się człapanie z tyłu za mułami.

Ku irytacji Geralda Gwyneira osiodłała już konie, podczas gdy on nadzorował wyładowywanie owiec ze statku. Musiał się opanować, żeby jej ostro nie skarcić. I tak był w złym humorze. Nie było tutaj nikogo, kto znałby się na owcach, nie przygotowano zagród, a stado już rozproszyło się malowniczo na wzgórzach wokół Lyttelton. Owce cieszyły się z wolności odzyskanej po długim przebywaniu we wnętrzu statku i podskakiwały swawolnie, niczym młode jagnięta, na rzadkiej trawie porastającej okolice osady. Gerald pomstował na dwóch marynarzy, którzy pomagali mu przy wyładunku, i którym nakazał, żeby spędzili zwierzęta w jedno miejsce i pilnowali ich tak długo, aż jemu uda się zorganizować budowę prowizorycznej zagrody. Oni jednak uważali swoją pracę za wykonaną. Bezczelnie stwierdziwszy, że są ludźmi morza, a nie pastuchami, podążyli w kierunku dopiero co otwartego pubu. Byli bardzo spragnieni po długim okresie abstynencji na pokładzie. Owce Geralda w ogóle ich nie obchodziły.

Na dodatek rozległ się gwizd, którego przenikliwy dźwięk sprawił, że wzdrygnęły się nie tylko lady Barrington i pani Brewster, ale również Gerald i poganiacze mułów. Sprawcą zamieszania nie był co prawda ulicznik, lecz pochodząca z arystokracji młoda dama, która do tej pory zachowywała się tak, jak na dobrze wychowaną pannę przystało. Teraz jednak Gwyneira ukazała swoje odmienne oblicze. Zauważyła, że Gerald ma kłopot z owcami, od razu więc postanowiła mu pomóc. Zagwizdała głośno na psa, a Cleo natychmiast zaczęła działać. Niczym mała czarna błyskawica śmigała po wzgórzach w górę i w dół, okrążając owce, które bardzo szybko zaczęły się gromadzić w jednym miejscu. Sterowane niczym niewidzialną ręką po kolei zwracały się w stronę Gwyneiry, która ze spokojem obserwowała rozwój sytuacji, w przeciwieństwie do szczeniaków Geralda. Miały one zostać przetransportowane w skrzyni łodzią do Christchurch. Gdy tylko poczuły zapach owiec, zaczęły tak się wiercić, że z łatwością wyłamały drewniane listwy lekkiej skrzyni. Sześć psiaków wypadło na zewnątrz i natychmiast ruszyło w stronę stada. Zanim jednak owce zdążyły się ich przestraszyć, owczarki jak na komendę przywarły do ziemi. Leżały tam, ziając z podekscytowania i z napięciem wpatrując się swoimi mądrymi pyskami w stado, w każdej chwili gotowe do działania, gdyby którejś z owiec zachciało się wystąpić z szeregu.

– I proszę! – stwierdziła ze spokojem Gwyneira. – Psy świetnie sobie radzą. Ten duży doskonale nada się do hodowli, będzie można sprzedawać szczeniaki do Anglii. Ruszamy, panie Geraldzie?

Nie czekając na odpowiedź, wsiadła na swoją klacz. Zaniepokojona Igraine drobiła łapami. Ona też nie mogła się doczekać, kiedy ruszą. Marynarz, którzy trzymał młodego ogiera, z ulgą przekazał zdenerwowane zwierzę Geraldowi.

W Geraldzie wściekłość mieszała się z zachwytem. Postawa Gwyneiry była imponująca, ale przecież nie powinna ignorować jego poleceń! Teraz jednak nie mógł już jej powstrzymać, nie robiąc sobie wstydu przed Brewsterami i Barringtonami.

Niechętnie ujął wodze małego ogiera. Niejednokrotnie wędrował Bridle Path i doskonale znał niebezpieczeństwa związane z pokonywaniem przełęczy. Wybieranie się w drogę późnym popołudniem zawsze było ryzykowne. I to nawet wtedy gdy wyruszało się bez stada owiec i na posłusznym mule, a nie ledwie co ujeżdżonym młodym ogierze.

Ale z drugiej strony nie miał pojęcia, co zrobić z owcami w Lyttelton. Jego nieudolny syn po raz kolejny nie zdołał przygotować dla nich odpowiedniego miejsca przy porcie, a teraz niemożliwością było znalezienie kogoś, kto przez zmrokiem zdążyłby zbudować zagrodę! Gerald ze złością zaciskał palce na wodzach. Kiedy w końcu Lucas zacznie myśleć o czymś więcej niż tylko o nauce!

Wściekły włożył stopę w strzemię. W trakcie swojego burzliwego życia nauczył się oczywiście w miarę dobrze panować nad końmi, nie był to jednak jego ulubiony środek transportu. Wyprawa Bridle Path na młodym ogierze stanowiła dla niego próbę dzielności i niemal nienawidził Gwyneiry za to, że go do niej zmusiła! Buntowniczy charakter dziewczyny, który tak się Geraldowi podobał, dopóki kierował się przeciw jej ojcu, stanowczo stawał się utrapieniem.

Gwyneira, która rozluźniona i zadowolona siedziała na swojej klaczy, nie zdawała sobie sprawy z tego, o czym myśli Gerald. Cieszyła się raczej, że jej teść nie powiedział ani słowa na temat męskiego siodła, które założyła Igraine. Jej ojciec urządziłby dziką awanturę, gdyby w towarzystwie ośmieliła się usiąść na konia okrakiem. Gerald zdawał się w ogóle nie zauważać, jak nieelegancko to wygląda, gdy spódnica podróżnego kostiumu podciąga się do góry i odsłania kostki. Gwyneira próbowała obciągać spódnicę w dół, ale szybko zrezygnowała. Musiała skupić się na Igraine, która najchętniej wyprzedziłaby muły i galopem pokonała przełęcz. Psy natomiast nie potrzebowały żadnego nadzoru. Cleo wiedziała, o co chodzi, i po mistrzowsku pędziła stado ścieżką, nawet gdy ta zaczęła się zwężać. Młode owczarki postępowały za nią niczym cienie, skłaniając panią Brewster do zażartowania, że wyglądają, jak panna Davenport i jej sierotki.

Helen była już u kresu sił, gdy po dwóch godzinach od wyruszenia w drogę usłyszała za sobą stukot kopyt. Ścieżka wciąż prowadziła pod górę, a wokół nadal rozciągał się jedynie górski krajobraz, pusty i nieprzyjazny. Pocieszył ich jeden z emigrantów, który wiele lat pływał po morzach i w 1836 roku znalazł się w tej okolicy wraz z jedną z pierwszych ekspedycji. Idąc w grupie dowodzonej przez kapitana Rhodesa, jednego z pierwszych osadników, wspiął się na Port Hills i tak zachwycił go roztaczający się stamtąd widok na Canterbury Plains, że teraz wrócił tutaj z żoną i dzieckiem, żeby osiedlić się na stałe. I właśnie zapowiedział swojej wyczerpanej rodzinie, że wspinaczka niedługo się skończy. Jeszcze kilka zakrętów i dotrą na wierzchołek.

Wiodąca tam ścieżka wciąż była jednak wąska i stroma, w związku z czym poganiacze mułów nie mogli wyprzedzić pieszych wędrowców. Sarkając, podążali więc za nimi. Helen zastanawiała się, czy wśród jeźdźców jest Gwyneira. Wiedziała o różnicy zdań między nią a Geraldem Wardenem i zastanawiała się, kto w końcu przekonał drugą stronę. Intuicja podpowiadała jej od razu, że z pewnością była to Gwyneira. Wyraźnie było czuć zapach owiec, a ponieważ szli pod górę coraz wolniej, zaczęło do nich z tyłu docierać wyrażające protest beczenie.

Nagle znaleźli się na najwyższym punkcie przełęczy. Wierzchołek stanowił rodzaj platformy, na której na wędrowców czekali handlarze, którzy rozstawili stoiska z napojami i jedzeniem. Tradycyjnie tutaj właśnie odpoczywano – choćby po to, żeby spokojnie rozkoszować się widokiem nowej ojczyzny. Helen jednak nie miała na to na razie ochoty. Dowlokła się tylko do jednego ze stoisk i poprosiła o duży kufel piwa imbirowego. Dopiero gdy się napiła, udała się do punktu widokowego, gdzie zebrało się już wielu przejętych emigrantów.

– Ależ tutaj pięknie! – wyszeptała zachwycona Gwyneira. Wciąż siedziała na koniu, miała więc lepszy widok niż pozostali. Helen natomiast, stojąc w trzecim rzędzie, widziała niewiele. To jednak, co dostrzegała, zdecydowanie nie wzbudziło jej zachwytu. W dali pod nimi rozciągała się pagórkowata przestrzeń pastwisk porośniętych jasnozieloną trawą, wśród których wiła się niewielka rzeka. Na jej przeciwległym brzegu znajdowała się osada Christchurch, która z pewnością nie była rozkwitającym miastem, jak oczekiwała Helen. Choć rzeczywiście było widać niewysoką wieżę kościoła, to czy nie wspominano o katedrze? Przecież ta osada miała być ponoć niedługo siedzibą biskupstwa. Helen spodziewała się przynajmniej wielkiego placu budowy, ale nic takiego nie było widać. Christchurch było tak naprawdę zbieraniną kolorowych domów, które w większości zbudowano z drewna, a tylko nieliczne z piaskowca, o którym wspominał pan Warden. Miasteczko bardzo przypominało Lyttelton, małą portową osadę, którą opuścili przed kilkoma godzinami. I najprawdopodobniej oferowało podobne warunki życia i podobne rozrywki.

Gwyneira ledwie musnęła wzrokiem osadę nad rzeką. Owszem, była niewielka, ale ona była przyzwyczajona do małych walijskich wsi. Fascynowało ją za to otoczenie, niemal bezkresne pastwiska w promieniach popołudniowego słońca. Za równiną wznosiły się majestatyczne góry ze szczytami pokrytymi śniegiem. Z pewnością były oddalone o wiele, wiele kilometrów, lecz powietrze było tak czyste, że człowiekowi zdawało się, że mógłby ich dotknąć. Kilkoro dzieci wyciągnęło nawet w ich kierunku ręce.

Widok przypominał krajobraz Walii lub jakiejś innej części Wysp Brytyjskich, gdzie pastwiska graniczą ze wzgórzami. Dlatego Gwyneirze i wielu innym osadnikom okolica wydawała się dziwnie znajoma. Wszystko jednak było wyraźniejsze, większe i bardziej przestronne. Krajobrazu nie ograniczały żadne zagrody i żadne murki, a domostw prawie nie było. Gwyneira poczuła się wolna. Tutaj będzie można galopować bez końca, a owce będą mogły rozproszyć się na ogromnym terenie. Tu nigdy nie będzie trzeba się zastanawiać, czy wystarczy trawy albo czy nie trzeba zmniejszyć liczebności stad. Ziemi jest tutaj aż nadto!

Złość Geralda, jaką odczuwał wobec Gwyneiry, wyparowała, gdy tylko ujrzał jej rozpromienione oblicze. Wyraz jej twarzy odzwierciedlał szczęście, które on sam odczuwał za każdym razem na widok swojego kraju. Gwyneira z pewnością będzie się tu czuła jak w domu. Być może nie pokocha Lucasa, ale na pewno pokocha tę ziemię!

Helen doszła do wniosku, że będzie musiała pogodzić się z tym, że Nowa Zelandia wygląda inaczej, niż to sobie wyobrażała. W końcu wszyscy ją zapewniali, że Christchurch to gmina ze wspaniałymi perspektywami. Miasto będzie się rozwijać. Kiedyś będą w nim szkoły i biblioteki. Może sama osobiście będzie mogła się do tego przyczynić. Howard wydaje się człowiekiem zainteresowanym kulturą, z pewnością będzie ją wspierać. A poza tym nie musi kochać tego kraju, wystarczy, że będzie kochała swojego męża. Przełknęła więc rozczarowanie i zdecydowanym tonem zwróciła się do dziewcząt.

– Wstajemy, dzieci. Odpoczęłyście, a teraz ruszamy dalej. Droga w dół będzie łatwiejsza. A poza tym widać już kres naszej wędrówki. Chodźcie, zrobimy zakłady! Kto pierwszy dotrze do najbliższego zajazdu, dostanie dodatkową lemoniadę!

Najbliższy zajazd nie leżał daleko. Pierwsze domy znajdowały się już u podnóża gór. Droga się rozszerzyła, jeźdźcy mogli więc wreszcie wyminąć pieszych. Cleo po mistrzowsku popędziła stado obok wędrowców, a za nimi przejechała Gwyn na wciąż poirytowanej Igraine. Wcześniej, na rzeczywiście niebezpiecznych odcinkach drogi przez przełęcz, kuce zachowywały się wzorowo. Mały Madoc tak zręcznie wspinał się kamienistą ścieżką, że Gerald poczuł się pewniej. Tymczasem postanowił zapomnieć o nieprzyjemnej różnicy zdań z Gwyneirą. Dobrze, postawiła na swoim, ale w przyszłości nie pozwoli jej się sprzeciwiać. Trzeba nałożyć cugle tej dzikiej walijskiej księżniczce. Gerald był jednak o to spokojny. Lucas będzie wymagać od swojej żony nienagannego zachowania, a Gwyneira została wychowana na żonę dżentelmena. Być może konne polowania i szkolenie psów bardziej ją interesują, w końcu jednak podda się swojemu losowi.

Wędrowcy dotarli do rzeki Avon w świetle gasnącego dnia i jeźdźcy od razu zaczęli się przeprawiać. Wystarczyło nawet czasu, żeby na promy załadować owce, zanim do przeprawy dotarli piesi. Towarzysze Helen nie musieli więc narzekać na opóźnienia, a jedynie na owcze bobki zalegające na promie.

Dziewczynki z Londynu oczarowane wpatrywały się w krystalicznie czystą wodę rzeki, gdyż do tej pory znały jedynie brudną i cuchnącą Tamizę. Helen natomiast było już wszystko jedno, marzyła tylko o łóżku. Liczyła na to, że wielebny odpowiednio je ugości. Na pewno przygotował się na przybycie dziewczynek, niemożliwe, żeby już dziś miał zamiar porozsyłać je do domów ich nowych państwa.

Wyczerpana Helen rozpytała się przed hotelem i stajniami o drogę na plebanię. Przy okazji dostrzegła Gwyneirę i pana Wardena, którzy wychodzili ze stajni. Zatroszczyli się o nocleg dla zwierząt i teraz wybierali się na uroczystą kolację. Helen pozazdrościła przyjaciółce. Jakże chętnie odświeżyłaby się w czystym pokoju hotelowym, a potem usiadła do nakrytego stołu! Ale ona musiała przejść jeszcze kawałek ulicami Christchurch, a potem porozmawiać z pastorem. Dziewczęta narzekały, najmłodsze zaś płakały ze zmęczenia.

Na szczęście do kościoła nie było daleko. W ogóle w Christchurch nigdzie nie było daleko. Helen minęła ze swoimi podopiecznymi tylko trzy przecznice i już stały przed plebanią. W porównaniu z domem ojca Helen czy domem wielebnego Thorne'a pomalowany na żółto drewniany budynek wyglądał bardzo skromnie, a stojący obok kościół wcale nie prezentował się lepiej. Na drzwiach plebanii pyszniła się jednak mosiężna kołatka w kształcie głowy lwa. Daphne mocno nią zastukała.

Przez chwilę nic się nie działo. Potem w drzwiach ukazała się ponura dziewczyna o szerokiej twarzy.

– Czego chcecie? – zapytała nieprzyjaznym tonem.

Wszystkie dziewczynki poza Daphne cofnęły się przestraszone. Helen wysunęła się do przodu.

– Najpierw powiemy panience dobry wieczór! – stwierdziła rezolutnie. – A potem chętnie porozmawiam z wielebnym Baldwinem. Nazywam się Helen Davenport. Lady Brennan na pewno wspomniała o mnie w swoich listach. A to są dziewczęta, które przypłynęły z Londynu na prośbę wielebnego i mają tutaj otrzymać posady.

Młoda kobieta skinęła głową i przybrała nieco przyjemniejszy wyraz twarzy. Nie zdobyła się jednak na odwzajemnienie pozdrowienia, tylko wciąż podejrzliwie przyglądała się sierotom.

– Moja matka spodziewała się pani dopiero jutro. Zaraz ją powiadomię.

Dziewczyna odwróciła się, żeby odejść, jednak Helen zawołała ją z powrotem.

– Panno Baldwin, dziewczynki i ja przebyłyśmy trzydzieści sześć tysięcy kilometrów. Nie uważa pani, że grzeczność nakazuje, żeby najpierw zaprosić nas do środka i pozwolić nam usiąść?

Córka pastora się skrzywiła.

– Pani może wejść – stwierdziła. – Ale te bachory nie. Kto wie, jakim cholerstwem mogły się zarazić na międzypokładzie. Mama na pewno by sobie tego nie życzyła.

W Helen aż zawrzało ze wściekłości, ale zdołała się opanować.

– W takim razie ja też poczekam na zewnątrz. Spałyśmy w tej samej kajucie. Jeśli one się czymś zaraziły, to ja również.

– Jak pani chce – stwierdziła obojętnie dziewczyna i poczłapała do wnętrza domu, zamykając za sobą drzwi.

– Prawdziwa dama! – powiedziała Daphne z grymasem. – Chyba źle zrozumiałam pani lekcje, panno Davenport.

Helen powinna ją była zganić, ale nie miała na to siły. A jeśli matka tej dziewczyny wykaże równie chrześcijańską postawę, to będzie potrzebować jeszcze wiele energii.

Pani Baldwin pokazała się jednak bardzo szybko i starała się zachowywać uprzejmie. Była niższa i nie tak korpulentna jak córka. A przede wszystkim jej twarz nie była płaska jak naleśnik. Wyglądała raczej jak drapieżny ptak, z małymi i osadzonymi blisko siebie oczami i ustami, które musiała zmuszać do uśmiechu.

– A to dopiero niespodzianka, panno Davenport! Ale pani Brennan rzeczywiście o pani wspominała, i to bardzo pochlebnie, jeśli wolno mi się tak wyrazić. Zapraszam do środka, Belinda szykuje już dla pani pokój gościnny. Tak, dziewczynki też będziemy musieli dzisiaj jakoś przenocować. Chociaż... – Zastanowiła się przez chwilę, jakby przebiegając myślami listę nazwisk. – Państwo Lavender i pani Godewind mieszkają w pobliżu. Zaraz do nich kogoś poślę. Być może już dziś będą chcieli odebrać swoje służące. A reszta będzie mogła spać w stajni. Ale panią zapraszam już do środka, panno Davenport. Robi się coraz zimniej!

Helen westchnęła. Chętnie skorzystałaby z zaproszenia, ale to nie wchodziło w grę.

– Pani Baldwin, dziewczętom również jest zimno. Przeszły piechotą dwadzieścia cztery kilometry i potrzebują łóżka i ciepłego posiłku. A dopóki nie zostaną przekazane swoim chlebodawcom, to ja ponoszę za nie odpowiedzialność. Tak uzgodniłam z kierownictwem sierocińca i za to dostałam wynagrodzenie. Proszę więc najpierw pokazać mi miejsce do spania dla dziewcząt, a potem chętnie sama również skorzystam z pani gościnności.

Pani Baldwin skrzywiła się, ale nic nie odpowiedziała. Wyciągnęła tylko klucz z kieszeni swojego luźnego fartucha, który nałożyła na elegancką podomkę, i poprowadziła Helen z dziewczynkami za róg domu. Stała tam stajnia na jednego konia i jedną krowę. Pachniało w niej sianem, którego stos został przykryty kilkoma kocami. Helen poddała się losowi.

– Słyszałyście, dziewczynki. Dzisiaj śpicie tutaj – zwróciła się do swoich podopiecznych. – Rozłóżcie swoje prześcieradła, ale porządnie, bo inaczej całe ubranie będziecie miały w źdźbłach siana. W kuchni na pewno jest woda do mycia. Zadbam o to, żebyście wy też mogły z niej skorzystać. A później przyjdę sprawdzić, czy przygotowałyście się do spania, jak przystało na porządne młode chrześcijanki! Najpierw mycie, później modlitwa!

– Helen chciała, żeby jej głos brzmiał surowo, tego dnia jednak nie do końca jej się to udało. Sama nie miałaby ochoty rozebrać się do połowy w tej stajni i umyć zimną wodą. Z tego względu dzisiejsza kontrola nie mogła być zbyt skrupulatna. Dziewczynki także nie wydawały się zbyt poważnie traktować jej zaleceń. Zamiast grzecznie odpowiedzieć: „Tak jest, panno Helen!", zasypały swoją nauczycielkę mnóstwem pytań.

– Nie dostaniemy nic do jedzenia, panno Helen?

– Nie mogę spać na słomie, panno Helen, brzydzę się!

– Tutaj na pewno są pchły!

– Nie możemy pójść z panią, panno Helen? A co z tymi ludźmi, co może po nas dzisiaj przyjadą? Czy oni nas zabiorą, panno Helen?

Helen westchnęła. Przez całą podróż starała się przygotować dziewczynki na rozstanie, które miało nastąpić zaraz po przybyciu na miejsce. Nie uważała jednak za rozsądne, żeby rozdzielać grupę już tego wieczoru. Z drugiej strony nie chciała jeszcze bardziej zniechęcać pastorowej do siebie i dziewcząt. Odpowiedziała więc wymijająco.

– Najpierw się wyszykujcie, a potem odpocznijcie, dziewczynki. Wszystko się ułoży, nie martwcie się. – Pogłaskała jasnowłose główki Laurie i Mary. Dzieci wyraźnie były u kresu sił. Dorothy szykowała już posłanie dla Rosemary, która prawie zasnęła. Helen z uznaniem skinęła głową.

– Później jeszcze do was zajrzę – oświadczyła. – Obiecuję!

8

– Te dziewczęta wydają się naprawdę rozpuszczone – zauważyła pani Baldwin z zaciętą miną. – Mam nadzieję, że okażą się użyteczne dla swoich przyszłych chlebodawców.

– To jeszcze dzieci! – westchnęła Helen. Identyczną rozmowę odbyła już przecież z panią Greenwood, członkinią komitetu dobroczynnego londyńskiego sierocińca. – Tak naprawdę tylko dwie z nich są na tyle duże, żeby móc pójść na służbę. Ale wszystkie są grzeczne i zręczne. Myślę, że nikt nie będzie narzekać.

Pani Baldwin zdawała się zadowolona z takiej odpowiedzi. Zaprowadziła Helen do pokoju gościnnego i po raz pierwszy tego dnia młodą kobietę spotkała miła niespodzianka. Pokój był jasny i czysty, przytulnie urządzony w stylu wiejskiej posiadłości, z tapetami w kwiaty i firankami w oknach, a łóżko było szerokie i wyglądało na wygodne. Helen odetchnęła z ulgą. Znalazła się co prawda na wsi, ale wcale nie tak daleko od cywilizacji. Do pokoju weszła tęga córka gospodarzy, niosąc wielki dzban z ciepłą wodą, którą wlała do czekającej na Helen miski do mycia.

– Proszę się najpierw trochę odświeżyć, panno Davenport – powiedziała pani Baldwin. – A potem czekamy na panią na kolacji. Nie podam nic szczególnego, nie spodziewaliśmy się gości. Ale jeśli lubi pani kurę i kartofle…

Helen się uśmiechnęła.

– Jestem taka głodna, że mogłabym zjeść kurę i ziemniaki na surowo. A dziewczynki…

Pani Baldwin zdawała się tracić cierpliwość.

– Zadbamy o nie! – zbyła Helen. – Do zobaczenia wkrótce, panno Davenport.

Helen poświęciła sporo czasu, żeby porządnie się umyć, rozpuścić włosy i ponownie je upiąć. Zastanawiała się, czy warto się przebierać. Miała niewiele sukien, z których dwie były już brudne. Swoją najlepszą garderobę najchętniej oszczędziłaby na spotkanie z Howardem. Z drugiej jednak strony nie mogła pokazać się na kolacji u Baldwinów w wymiętym i przepoconym ubraniu. W końcu zdecydowała, że założy ciemnoniebieską jedwabną suknię. Na pierwszy wieczór w nowej ojczyźnie wypadało ubrać się odświętnie.

Gdy Helen weszła do jadalni państwa Baldwinów, kolację już podano. Również to pomieszczenie przerosło jej oczekiwania. Kredens, stół i krzesła wykonano z ciężkiego i kunsztownie rzeźbionego drewna tekowego. Albo państwo Baldwinowie sprowadzili te meble z Anglii, albo Christchurch dysponowało doskonałymi cieślami. Ta ostatnia myśl pocieszyła Helen. W ostateczności przyzwyczai się do mieszkania w drewnianej chacie, jeśli tylko jej wnętrze będzie tak komfortowo urządzone.

Spóźnienie Helen wywołało pewne zamieszanie, ale poza wyraźnie źle wychowaną córką gospodarzy wszyscy od razu wstali, żeby ją przywitać. Poza panią Baldwin i Belindą przy stole siedzieli pastor i młody wikary. Wielebny Baldwin był wysokim i chudym mężczyzną o niezwykle surowym wyglądzie. Miał na sobie bardzo formalny ubiór, a trzyczęściowy ciemnobrązowy strój zdawał się zbyt elegancki jak na kolację w domu. Pastor nie uśmiechnął się, gdy Helen podała mu rękę. Zdawał się oceniać ją badawczym spojrzeniem.

– Jest więc pani córką mojego kolegi po fachu? – zapytał donośnym głosem, który z pewnością potrafił wypełnić wnętrze kościoła.

Helen skinęła głową i opowiedziała o Liverpoolu.

– Zdaję sobie sprawę z tego, że okoliczności mojej wizyty w państwa domu są dość niezwykłe – przyznała, czerwieniąc się. – Ale wszyscy podążamy drogą wytyczoną przez Pana, a on nie zawsze kieruje nas wydeptanymi ścieżkami.

Wielebny Baldwin pokiwał głową.

– To prawda, panno Davenport – oświadczył z powagą. – Sami wiemy o tym najlepiej. Ja także nie spodziewałem się, że mój kościół wyśle mnie na sam koniec świata. Ale to bardzo obiecujące miejsce. Z Bożą pomocą stworzymy z niego tętniące życiem chrześcijańskie miasto. Zapewne wiadomo już pani, że Christchurch ma zostać siedzibą biskupstwa…

Helen pośpiesznie przytaknęła. Domyślała się już, dlaczego wielebny Baldwin nie sprzeciwił się wysłaniu na Nową Zelandię, choć sprawiał wrażenie, że niezbyt chętnie opuszczał Anglię. Wyglądał na człowieka z ambicjami, lecz pozbawionego stosunków, bez których otrzymanie biskupstwa w Anglii bez wątpienia było niemożliwe. Tutaj natomiast... Baldwin z całą pewnością robił sobie nadzieje. Lecz czy był równie dobrym duszpasterzem co strategiem wewnątrzkościelnej polityki?

Młody wikary siedzący obok pastora wydał się Helen znacznie sympatyczniejszy. William Chester, jak przedstawił go wielebny, uśmiechał się do niej, a uścisk jego dłoni zdawał się ciepły i przyjazny. Pan Chester był drobny, szczupły i blady. Miał przeciętną, raczej kościstą twarz, zdecydowanie za długi nos i zbyt szerokie usta. Wszystkie niedostatki urody rekompensowało jednak żywe spojrzenie mądrych brązowych oczu.

– Pan O'Keefe opowiada o pani tyle dobrego! – powiedział, jak tylko zajął miejsce obok Helen i obficie nałożył jej na talerz kurę i ziemniaki. – Tak bardzo cieszył się z pani listu... Założę się, że przyjedzie tutaj za kilka dni, jak tylko dowie się o przypłynięciu „Dublina". Czeka przecież na kolejny list od pani. Ależ będzie zaskoczony, że pani już tu jest! – Wikary Chester był tym tak zachwycony, jakby to on sam zapoznał ze sobą narzeczonych.

– Za kilka dni? – zapytała zdumiona Helen. Spodziewała się poznać Howarda już na drugi dzień. Wysłanie posłańca do jego domu nie stanowiło chyba problemu.

– Cóż, wieści nie docierają do Haldon zbyt szybko – stwierdził wikary Chester. – Będzie pani musiała poczekać przynajmniej tydzień. Ale może uda się szybciej! Czy na „Dublinie" nie przypłynął dziś też Gerald Warden? Jego syn wspominał, że jest już w drodze. Jak tylko wróci, wieść o tym szybko się rozniesie. Proszę się nie martwić!

– A zanim pani narzeczony przybędzie, z chęcią służymy gościną! – zapewniła pani Baldwin, choć jej twarz zdawała się wyrażać coś przeciwnego.

Helen mimo wszystko czuła się niepewnie. Czy Haldon nie znajdowało się tuż obok Christchurch? Jak długo jeszcze potrwa jej podróż?

Już miała o to zapytać, lecz drzwi nagle się otworzyły. Do środka wpadły Daphne i Rosemary, nie prosząc o pozwolenie i nikogo nie pozdrawiając. Obie rozpuściły już włosy przed snem, a wśród ciemnych loków Rosie można było dostrzec źdźbła siana. Niesforne rude kosmyki okalały twarz Daphne niczym płomienie ognia. W jej oczach także pojawiły się iskry, gdy jednym spojrzeniem objęła bogato zastawiony stół wielebnego Baldwina. Helen natychmiast poczuła wyrzuty sumienia. Sądząc po wyrazie twarzy Daphne, dziewczynki nie dostały do tej pory żadnego jedzenia.

W tej chwili jednak obie zdawały się martwić zupełnie czym innym. Rosemary podbiegła do Helen i zaczęła ciągnąć ją za spódnicę.

– Panno Helen, panno Helen, oni chcą zabrać Laurie! Proszę, niech pani coś zrobi! Mary płacze i krzyczy, i Laurie też!

– I chcą też zabrać Elizabeth – lamentowała Daphne. – Proszę, panno Helen, niech pani coś zrobi!

Helen natychmiast wstała. Jeśli zwykle opanowana Daphne była tak bardzo wzburzona, musiało dziać się coś strasznego.

Nieufnie popatrzyła na towarzystwo przy stole.

– Co się tam dzieje? – zapytała.

Pani Baldwin przewróciła oczami.

– Nic, panno Davenport. Przecież mówiłam pani, że dwóch przyszłych chlebodawców tych sierot powiadomimy jeszcze dzisiaj. Przyjechali więc, żeby je odebrać. – Wyciągnęła z kieszeni kartkę. – Proszę: Laurie Alliston miała trafić do państwa Lavenderów, a Elizabeth Beans do pani Godewind. Wszystko się zgadza. Zupełnie nie rozumiem, o co tyle hałasu – stwierdziła, rzucając karcące spojrzenie Daphne i Rosemary. Młodsza z dziewczynek zapłakała. Daphne odpowiedziała błyskiem w oczach.

– Laurie i Mary są bliźniaczkami – wyjaśniła Helen. Była wściekła, zmusiła się jednak do zachowania spokoju. – Nigdy dotąd się nie rozstawały. Nie rozumiem, jak można było przypisać je do różnych rodzin! Ktoś musiał się pomylić. A Elizabeth na pewno nie chciała odejść bez pożegnania. Bardzo proszę, pastorze, pójść tam ze mną i to wyjaśnić! – Helen postanowiła, że nie będzie dłużej zadawać się z pozbawioną serca panią Baldwin. Za dziewczynki odpowiadał teraz wielebny i to on powinien o nie zadbać.

Pastor z ociąganiem podniósł się z krzesła.

– Nikt nie wspomniał nam o bliźniaczkach – powiedział, krocząc powoli obok Helen w drodze do stajni. – Oczywiście domyślaliśmy się, że są rodzeństwem, ale to niemożliwe, żeby umieszczono je w jednym domu. Angielskie służące to tutaj prawdziwa rzadkość. Mamy listę oczekujących na te dziewczynki. Nie możemy jednej rodzinie przydzielić dwóch sierot.

– Ale jedna nikomu na nic się nie przyda, one są nierozłączne! – Helen wyraziła swoje wątpliwości.

– Będą się musiały rozdzielić – odparł krótko wielebny Baldwin.

Przed stajnią stały dwa wozy. Furmanka, do której zaprzężono dwa znudzone pociągowe gniadosze oraz elegancki jednokonny powóz. Do niego był zaprzężony energiczny kuc, który nie potrafił spokojnie ustać. Wysoki chudy mężczyzna trzymał go lekko za wodze i mruczał uspokajające słowa, choć sam wyglądał na wzburzonego. Kręcąc głową, raz po raz spoglądał na stajnię, skąd nieustannie dochodziły dziewczęce lamenty i skargi. Helen dostrzegła w jego oczach litość.

Na wyściełanej ławce półkrytego powozu siedziała drobna starsza dama. Była ubrana w czerń, z którą ciekawie kontrastowały jej białe niczym śnieg włosy, porządnie zaczesane pod czepkiem. Jej cera również była bardzo jasna, niemal przezroczysta jak porcelana i pokryta drobnymi zmarszczkami, przypominając stary jedwab. Elizabeth stanęła przed nią i ładnie się ukłoniła, po czym starsza pani nawiązała z nią przyjazną rozmowę. Obie tylko od czasu do czasu z zaniepokojeniem i smutkiem spoglądały na stajnie.

– Jones – powiedziała w końcu starsza pani do swojego woźnicy, gdy Helen i pastor przechodzili tuż obok. – Czy mógłby pan tam pójść i uciszyć to biadolenie? Bardzo nam przeszkadza. Przecież te dzieci wypłaczą sobie oczy! Proszę sprawdzić, o co chodzi, i znaleźć jakieś rozwiązanie.

Starsza pani zauważyła tymczasem pastora i przyjaźnie go powitała.

– Dobry wieczór, pastorze! Miło pana widzieć. Ale nie będę pana zatrzymywać, pańska obecność najwyraźniej bardziej potrzebna jest tam w środku. – Wskazała na stajnię, a woźnica z ulgą zajął z powrotem swoje miejsce. Skoro sam pastor zajmie się tą sprawą, on nie będzie już potrzebny.

Baldwin zastanawiał się przez chwilę, czy przed wejściem do stajni nie powinien najpierw uczynić zadość formalnościom i przedstawić Helen starszej damie. Zrezygnował z tego jednak i wkroczył w sam środek zamieszania.

Mary i Laurie siedziały na środku legowiska na sianie i szlochały, mocno się przytulając, a jakaś krzepka kobieta próbowała je od siebie oderwać. Mężczyzna o szerokich barach, lecz wyraźnie pokojowym usposobieniu, stał obok, bezradnie się temu przyglądając. Dorothy również wydawała się niezdecydowana, czy należy przejść do rękoczynów, czy też powinna dalej tylko prosić i błagać.

– Dlaczego nie weźmie pani ich obu? – pytała zrozpaczona. – Proszę, przecież pani widzi, że tak się nie da.

Mężczyzna zdawał się podzielać jej zdanie. Proszącym tonem zwrócił się do swojej żony:

– Tak, Anno, powinniśmy przynajmniej poprosić wielebnego, żeby dał nam obie dziewczynki. Ona jest taka mała i delikatna. Nie poradzi sobie z żadną cięższą pracą. Ale gdyby były we dwie…

– Jeśli zostaną razem, będą tylko paplać, a nie pracować! – stwierdziła bezlitosna kobieta. Helen ujrzała jej zimne niebieskie oczy i wyraz samozadowolenia na pozbawionej koloru twarzy. – Zgłosiliśmy, że potrzebujemy jednej i tylko jedną ze sobą zabierzemy.

– Niech więc pani weźmie mnie! – zaoferowała się Dorothy. – Jestem większa i silniejsza i…

Anna Lavender wydawała się zainteresowana takim rozwiązaniem. Z zadowoleniem przyglądała się wyraźnie postawniejszej figurze Dorothy.

Helen jednak pokręciła głową.

– To bardzo po chrześcijańsku, Dorothy – oświadczyła, rzucając spojrzenie na państwa Lavender i pastora. – Ale to nie rozwiązuje sprawy, tylko odsuwa ją o jeden dzień. Przecież jutro przyjadą twoi nowi państwo, Dorothy, i Laurie będzie musiała z nimi pojechać. Nie, pastorze, panie Lavender, musimy znaleźć jakąś możliwość, żeby bliźniaczki były razem. Czy nie ma dwóch rodzin, które mieszkają po sąsiedzku i potrzebują służących? Wtedy mogłyby się przynajmniej widywać w wolnym czasie.

– I całymi dniami ciągle za sobą beczeć! – wtrąciła pani Lavender. – Nie ma mowy. Zabieram albo tę dziewczynkę albo inną. Ale tylko jedną.

Helen spojrzała na pastora, oczekując pomocy. On jednak wcale nie zamierzał jej poprzeć.

– W zasadzie muszę przyznać rację pani Lavender – powiedział. – Im wcześniej dziewczynki zostaną rozdzielone, tym lepiej. Posłuchajcie więc, Laurie i Mary. Bóg sprowadził was do tego kraju razem, co jest z jego strony wielką łaską, bo przecież mógł wybrać tylko jedną z was, a drugą zostawić w Anglii. Ale teraz wyznaczył każdej z was odrębną ścieżkę. To nie znaczy, że zostaniecie rozdzielone na zawsze, z pewnością będziecie się widywać na niedzielnych mszach, a przynajmniej w największe święta kościelne. Bóg jest dla nas dobry i wie, co czyni. A my mamy obowiązek przestrzegać jego nakazów. Ty, Laurie, będziesz dobrą służącą u państwa Lavenderów. A Mary pojedzie jutro z państwem Willardami. To dwie porządne, chrześcijańskie rodziny. Będą was odpowiednio żywić, ubierać i uczyć chrześcijańskiego życia. Nie masz się czego obawiać, Laurie, jeśli teraz grzecznie pójdziesz z państwem Lavenderami. Ale jeśli nie będzie innego wyjścia, pan Lavender będzie musiał srogo cię ukarać.

Pan Lavener zdecydowanie nie wyglądał na kogoś, kto wychłostałby małą dziewczynkę. Wprost przeciwnie, patrzył na Mary i Laurie z wyraźnym współczuciem.

– Posłuchaj, mała, mieszkamy tutaj, w Christchurch – zwrócił się uspokajającym tonem do wciąż szlochającego dziecka. – A wszystkie rodziny z okręgu przyjeżdżają tu od czasu do czasu, żeby zrobić zakupy czy wysłuchać mszy. Nie znam państwa Willardów, ale na pewno możemy nawiązać z nimi stosunki. I jak będą przyjeżdżać do miasta, damy ci wolne i będziesz mogła cały dzień spędzić ze swoją siostrą. Będziesz chciała?

Laurie pokiwała głową, ale Helen miała wątpliwości, czy ona w ogóle rozumie, co się dzieje. Nie wiadomo, gdzie mieszkają ci Willardowie, a to niedobry znak, skoro pan Lavender nigdy o nich nie słyszał. Poza tym czy wykażą taką samą wyrozumiałość dla swojej małej służącej? Czy w ogóle będą zabierać Mary do miasta, przyjeżdżając tu tylko okazjonalnie na zakupy?

Laurie zdawała się jednak przytłoczona wrażeniami i wyczerpana płaczem. Bez sprzeciwu pozwoliła oderwać się od siostry. Dorothy podała panu Lavenderowi jej węzełek, a Helen pocałowała ją na pożegnanie w czoło.

– Wszystkie będziemy do ciebie pisać! – obiecała.

Laurie skinęła obojętnie głową, podczas gdy Mary wciąż szlochała.

Helen czuła, że serce jej pęka, gdy państwo Lavenderowie wyprowadzali dziewczynkę. A na dodatek usłyszała, jak Daphne mówi coś po cichu do Dorothy.

– Mówiłam ci, że panna Helen nic nie może zrobić! – szeptała. – Jest miła, ale z nią jest tak samo jak z nami. Jutro przyjedzie ten jej narzeczony i zabierze ją i będzie musiała pojechać z tym panem Howardem, tak jak Laurie musi teraz jechać z Lavenderami…

W Helen zawrzała złość, szybko jednak ustąpiła palącemu uczuciu niepokoju. Daphne miała rację. Co pocznie, jeśli Howard nie będzie chciał się z nią ożenić? Co będzie, jeśli on się jej nie spodoba? Powrót do Anglii był niemożliwy. A czy tutaj w ogóle są posady dla guwernantek czy nauczycielek?

Helen wolała się nad tym nie zastanawiać. Najchętniej wpełzłaby do jakiegoś kącika i tam w spokoju popłakała tak, jak robiła to jako mała dziewczynka. Ale te czasy minęły, gdy zmarła jej matka. Od tamtej pory musiała być silna. A teraz powinna grzecznie pozwolić przedstawić się starszej damie, która najwyraźniej przyjechała po Elizabeth.

Pastor przybrał już odpowiednią postawę. Nie zanosiło się na kolejne dramaty. Elizabeth wydawała się wręcz ożywiona i wesoła.

– Panno Helen, to pani Godewind – powiedziała, zanim wielebny zdążył otworzyć usta. – Pochodzi ze Szwecji! To bardzo daleko na północ, jeszcze dalej stąd niż Anglia. Przez całą zimę leży tam śnieg, cały czas! Mąż pani Godewind był kapitanem wielkiego statku i czasami zabierał ją w rejs. Pani była w Indiach! I w Ameryce! I w Australii!

Zachwyt Elizabeth rozśmieszył panią Godewind. Miała dobrotliwą twarz, która nie zdradzała jej wieku.

Przyjaźnie wyciągnęła rękę do Helen.

– Hilda Godewind. A więc to pani jest nauczycielką Elizabeth. Ciągle o pani mówi, wie pani o tym? I o chłopcu, który nazywa się Jamie O'Hara – mrugnęła okiem.

Helen odwzajemniła uśmiech i mrugnięcie okiem, a potem przedstawiła się imieniem i nazwiskiem.

– Czy dobrze rozumiem, że chce pani wziąć Elizabeth na służbę? – zapytała.

Pani Godewind skinęła głową.

– Jeśli Elizabeth będzie chciała. W żadnym razie nie mam zamiaru zabierać jej stąd siłą, jak tamci ludzie zrobili z tą małą dziewczynką. To wstrętne! A w ogóle to myślałam, że dziewczynki będą trochę starsze...

Helen pokiwała głową. Najchętniej otworzyłaby swoje serce przed tą sympatyczną drobniutką starszą panią. Była bliska łez. Pani Godewind uważnie się jej przypatrzyła.

– Widzę, że pani też się to wszystko nie podoba – stwierdziła. – I jest pani tak samo przemęczona jak dziewczynki. Czy wy przeszłyście Bridle Path piechotą? To niewiarygodne! Powinni byli wysłać po was muły. A ja powinnam była przyjechać dopiero jutro. Dziewczynki na pewno wolałyby spędzić jeszcze tę noc razem. Ale jak się dowiedziałam, że mają spać w stajni...

– Ja chętnie z panią pojadę, pani Godewind! – powiedziała rozpromieniona Elizabeth. – I jutro od razu zacznę czytać pani *Oliwera Twista*. Niech sobie pani wyobrazi, panno Helen, że pani Godewind nie zna *Oliwera Twista*! Opowiadałam jej, że na statku czytałyśmy właśnie tę książkę.

Pani Godewind przyjaźnie skinęła głową.

– Zabieraj więc swoje rzeczy, moje dziecko, i pożegnaj się z przyjaciółkami. Panu też się podoba ta dziewczyna, prawda, panie Jones? – z tym pytaniem zwróciła się do swojego woźnicy, który oczywiście gorliwie przytaknął.

Wkrótce po tym jak Elizabeth wygodnie usadowiła się obok pani Godewind z węzełkiem na kolanach i obie ponownie pogrążyły się w ożywionej rozmowie, pan Jones poprosił Helen na stronę.

– Panno Helen, ta dziewczynka robi dobre wrażenie, ale czy na pewno można jej zaufać? Serce by mi pękło, gdyby panią Godewind spotkało rozczarowanie. Tak bardzo cieszyła się na spotkanie z małą Angielką.

Helen zapewniła go, że nie ma mądrzejszej i milszej dziewczynki od Elizabeth.

– Czy pani Godewind potrzebuje jej w charakterze damy do towarzystwa? Chodzi mi o to, że... Że w takich wypadkach zatrudnia się starsze i lepiej wykształcone młode kobiety – zapytała potem.

Służący skinął głową.

– Tak, ale najpierw trzeba taką znaleźć. A poza tym pani Godewind nie może zapewnić wysokiego wynagrodzenia, ma tylko niewielką emeryturę. Ja wraz z żoną prowadzę jej gospodarstwo, ale moja żona jest Maoryską, rozumie więc pani... Może uczesać panią, ugotować dla niej jedzenie i zadbać o nią, ale nie potrafi ani ładnie czytać, ani opowiadać. Dlatego pomyśleliśmy o dziewczynce z Anglii. Będzie mieszkać u nas i trochę pomagać w prowadzeniu domu, ale przede wszystkim ma dotrzymywać towarzystwa pani Godewind. Może być pani pewna, że niczego jej nie zabraknie!

Pocieszona Helen pokiwała głową. Przynajmniej o Elizabeth ktoś się zatroszczy. Miła wiadomość na koniec okropnego dnia.

– Proszę przyjechać do nas na herbatę pojutrze – pani Godewind zaprosiła jeszcze Helen, zanim jednokonka ruszyła.

Elizabeth wesoło pomachała.

Helen natomiast nie znalazła w sobie dość sił, żeby pójść z powrotem do stajni i pocieszyć Mary. Nie była również w stanie kontynuować konwersacji przy stole pastora Baldwina. Choć wciąż była głodna, pocieszyła się myślą, że przy odrobinie szczęścia niezjedzone resztki kolacji trafią do dziewczynek. Przeprosiła grzecznie, wróciła do swojego pokoju i padła na łóżko. Kolejny dzień nie mógł być gorszy od tego.

Następnego ranka promienie słońca rozświetliły Christchurch, nadając miastu ciepły i przyjazny koloryt. Z pokoju Helen roztaczał się zapierający dech w piersiach widok na łańcuch gór wznoszących się nad Canterbury Plains, a oświetlone przez słońce uliczki miasta wydawały się czyste i przytulne. Z pokoju śniadaniowego państwa Baldwinów dochodził zapach świeżego pieczywa i herbaty. Helen pociekła ślinka do ust. Miała nadzieję, że ten miły początek dnia można uznać za dobry znak. Wczoraj pewnie tylko jej się wydawało, że pani Baldwin jest nieprzyjemna i pozbawiona serca, jej córka złośliwa i źle wychowana, a sam pastor bigoteryjny i zupełnie niedbający o dobro swoich owieczek. W świetle nowego poranka na pewno łagodniej oceni rodzinę gospodarzy. Najpierw jednak musi zajrzeć do swoich podopiecznych.

W stajni spotkała wikarego Chestera, który pocieszającym tonem zagadywał wciąż lamentującą Mary, co jednak nie dawało żadnego rezultatu. Dziewczynka płakała i szlochając, dopytywała się o siostrę. Nie wzięła nawet ciasteczka, które przyniósł dla niej wikary, jakby odrobina słodyczy mogła złagodzić jej cierpienie. Mary wyglądała na wycieńczoną, było widać, że całą noc nie zmrużyła oka. Helen nie mogła sobie wyobrazić, że ma za chwilę przekazać ją jakimś kolejnym zupełnie obym ludziom.

– Jeśli Laurie tak samo beczy i nie chce jeść, to państwo Lavenderowie na pewno ją odeślą – powiedziała z nadzieją w głosie Dorothy.

Daphne przewróciła oczami.

– Chyba sama w to nie wierzysz. Stara prędzej ją stłucze albo zamknie w szafie na miotły. A jak nie będzie jadła, to się ucieszy, że zaoszczędzi na żarciu. Ona ma serce z kamienia, ta wredna jędza... Och, dzień dobry, panno Helen. Mam nadzieję, że przynajmniej pani dobrze spała! – Daphne z lekceważeniem zwróciła się do nauczycielki, nie zamierzając nawet przeprosić za swoje słowa.

– Jak sama wczoraj zauważyłaś – odparła lodowatym tonem Helen – nie miałam żadnej możliwości, żeby pomóc Laurie. Ale jeszcze dziś postaram się nawiązać kontakt z tamtą rodziną. Poza tym spałam bardzo dobrze, a ty z pewnością także. Bo byłby to pierwszy raz, kiedy uczucia innych ludzi miałyby na ciebie jakikolwiek wpływ.

Daphne pochyliła głowę.

– Przepraszam, panno Helen.

Helen się zdziwiła. Czyżby udało jej się jednak osiągnąć jakiś efekt wychowawczy?

Późnym przedpołudniem zjawili się przyszli chlebodawcy małej Rosemary. Helen bardzo obawiała się tego spotkania, ale tym razem przeżyła miłe zaskoczenie. Państwo McLarenowie, niski, okrągły mężczyzna o łagodnej, pyzatej twarzy oraz jego równie dobrze odżywiona żona, która z czerwonymi jak jabłuszka policzkami i okrągłymi niebieskimi oczami wyglądała jak lalka, przybyli około jedenastej. Przyszli piechotą, ponieważ jak się okazało, byli tu, w Christchurch, właścicielami piekarni. Świeże bułeczki i ciasteczka, których zapach obudził Helen tego ranka, były właśnie ich wyrobu. Ponieważ pan McLaren zaczynał pracę przed świtem i odpowiednio wcześnie kładł się spać, pani Baldwin nie chciała niepokoić ich wczoraj wieczorem i dopiero dziś rano powiadomiła o przybyciu dziewcząt. Państwo McLarenowie zamknęli więc teraz swój sklep, żeby móc odebrać Rosemary.

– Mój Boże, przecież to jeszcze dziecko! – zdziwiła się pani McLaren, gdy przestraszona Rosemary ukłoniła się przed nią. – Najpierw będziemy musieli trochę cię odkarmić, chudzinko. Jak masz na imię?

Pani McLaren zwróciła się najpierw z niemym wyrzutem w stronę pani Baldwin, która przyjęła go bez komentarza. Zwracając się do Rosemary, kucnęła przed nią i uśmiechnęła się przyjaźnie.

– Rosie... – wyszeptała dziewczynka.

Pani McLaren pogładziła ją po głowie.

– To bardzo ładne imię. Rosie, pomyśleliśmy sobie, że może chciałabyś u nas zamieszkać i pomagać mi trochę w prowadzeniu domu i gotowaniu. I w piekarni oczywiście też. Lubisz piec ciasta, Rosemary?

Rosie pomyślała przez chwilę.

– Lubię je jeść, proszę pani – odpowiedziała.

Państwo McLarenowie roześmiali się, przy czym jego śmiech przypominał bulgotanie, a jej wesołe gdakanie.

– A to jest najważniejsze! – wyjaśnił pan McLaren poważnym tonem. – Tylko ten, kto chętnie je, może nauczyć się dobrze gotować. No i jak, Rosie, pójdziesz z nami?

Helen odetchnęła, gdy Rosemary z powagą skinęła głową. Państwo McLarenowie nie wydawali się szczególnie zdziwieni tym, że zamiast silnej służącej dostają dziecko wymagające opieki.

– Poznałem kiedyś w Londynie chłopca z sierocińca – pan McLaren wyjaśnił wkrótce tę zagadkę. Rozmawiał z Helen, podczas gdy jego żona pomagała Rosie spakować jej rzeczy. – Mój majster poprosił o czternastolatka, który mógłby od razu zacząć pomagać. A przysłali mu jakiegoś pędraka, który miał najwyżej dziesięć lat. Ale to był bardzo sprytny malec. Majstrowa dobrze go odżywiała i dzisiaj jest świetnym piekarzem. Jeśli Rosie też tak dobrze pójdzie, nie będziemy mogli narzekać na koszty wychowania! – roześmiał się do Helen i wcisnął Dorothy do ręki torebkę z wypiekami, które przynieśli dla reszty dzieci.

– Tylko proszę się równo podzielić, dziewczynki! – pouczył je. – Wiedziałem, że będzie tutaj więcej dzieci, a nasza pastorowa nie należy do hojnych osób.

Daphne od razu pożądliwie wyciągnęła rękę po przysmaki. Albo wcale nie jadła jeszcze śniadania, albo było ono nader skromne. Mary natomiast wciąż była niepocieszona i zaczęła jeszcze głośniej płakać, gdy również Rosemary odeszła do nowej rodziny.

Helen postanowiła spróbować odwrócić jej uwagę i oświadczyła dziewczynkom, że będą miały dzisiaj lekcje tak, jak to było na statku. Skoro jeszcze nie trafiły do swoich nowych domów, lepiej żeby się czegoś nauczyły, zamiast bezczynnie siedzieć. Uwzględniwszy to, że znajdują się w domu pastora, Helen tym razem jako lekturę wybrała Pismo Święte.

Daphne zaczęła znudzonym głosem czytać opowieść o weselu w Kanie Galilejskiej i szybko zamknęła książkę, gdy po chwili pojawiła się pani Baldwin. Towarzyszył jej duży i krępy mężczyzna.

– To godne pochwały, panno Davenport, że tak poświęca się pani pokrzepianiu ducha dziewczynek! – stwierdziła pastorowa. – Ale tymczasem mogłaby pani w końcu uciszyć tę małą.

Rzuciła pochmurne spojrzenie na kwilącą Mary.

– Ale teraz to już wszystko jedno. Oto pan Willard. Zabiera Mary Alliston na swoją farmę.

– Mary ma mieszkać sama z gospodarzem? – uniosła się Helen.

Pani Baldwin uniosła wzrok do nieba.

– Na miłość boską, skądże! To nie przystoi! Nie, nie, pan Willard ma żonę i siedmioro dzieci.

Pan Willard z dumą skinął głową. Wydawał się całkiem sympatyczny. Na jego pooranej zmarszczkami twarzy widniały ślady ciężkiej pracy na świeżym powietrzu, którą trzeba było wykonać bez względu na warunki pogodowe. Jego dłonie były wielkie i stwardniałe, a silne mięśnie było widać nawet pod ubraniem.

– Starsi chłopcy pomagają już w polu! – oświadczył farmer. – Ale moja żona potrzebuje pomocy do opieki nad młodszymi. W domu i w obejściu oczywiście też. A Maorysek nie lubi. Mówi, że jej dzieci może wychowywać tylko przyzwoita chrześcijanka. To która to jest nasza dziewczynka? Powinna być silna, bo czeka ją ciężka praca!

Pan Willard wyglądał na równie przerażonego co Helen, gdy pani Baldwin przedstawiła mu Mary.

– Ta mała? To chyba jakiś żart, pani pastorowo! To tak, jakbyśmy wzięli sobie do domu ósme dziecko.

Pani Baldwin popatrzyła na niego surowo.

– Jeśli nie będzie jej pan rozpieszczał, będzie bardzo ciężko pracować. W Londynie zapewniono nas, że każda z dziewczynek ukończyła trzynasty rok życia i nadaje się do każdej pracy. Bierze ją pan czy nie?

Pan Willard zdawał się wahać.

– Moja żona pilnie potrzebuje pomocy – rzucił w stronę Helen niemal przepraszającym tonem. – W Boże Narodzenie przyjdzie na świat kolejne nasze dziecko i naprawdę musi mieć jakąś wyrękę. To chodź, mała, jakoś sobie poradzimy. Dalej, na co czekasz? I czemu płaczesz? Dobry Panie, naprawdę nie uśmiechają mi się kolejne kłopoty! – Nie patrząc nawet na Mary, pan Willard wyszedł ze stajni. Pani Baldwin wcisnęła dziewczynce jej węzełek.

– Idź z nim. I bądź posłuszną służącą! – nakazała dziecku. Mary bez sprzeciwu ruszyła za panem Willardem. Ale wciąż płakała i płakała. Nie mogła przestać.

– Miejmy nadzieję, że jego żona okaże trochę współczucia – westchnął wikary Chester. Przyglądał się całej scenie równie bezradnie jak Helen.

Daphne prychnęła.

– Proszę spróbować okazać współczucie z ośmioma bachorami uczepionymi spódnicy! – ofuknęła wikarego. – A chłop co roku robi jej nowe! Tylko pieniędzy nie ma, bo on wszystko przepija. Wtedy litość może stanąć człowiekowi w gardle. Jej samej przecież nikomu nie żal!

Wikary Chester z przerażeniem patrzył na dziewczynkę. Prawdopodobnie zastanawiał się, jakim cudem będzie z niej pokorna służąca w domu szanowanej rodziny okręgu Christchurch. Helen natomiast nie zaskakiwały już kolejne wybuchy Daphne i przyłapywała się wręcz na tym, że żywi wobec nich coraz więcej zrozumienia.

– Ależ, Daphne, pan Willard wcale nie wygląda na osobę, która przepija wszystkie pieniądze – starała się pohamować gniew dziewczynki. Ale nie mogła jej skarcić, bo Daphne bez wątpienia miała rację. Pani Willard nie będzie oszczędzać Mary. Miała dosyć własnych dzieci, o które musiała się troszczyć. Mała służąca nie będzie dla niej niczym więcej jak tanią siłą roboczą. Wikary też musiał to wiedzieć. W każdym razie nie skomentował bezczelności Daphne, tylko wykonał w kierunku dziewczynek krótki gest błogosławieństwa i wyszedł ze stajni. Bez wątpienia już na tyle długo zaniedbywał swoje obowiązki, że zasłużył na naganę ze strony pastora.

Helen chciała ponownie otworzyć Pismo Święte, ale teraz ani ona, ani jej uczennice zupełnie nie miały ochoty na budujące teksty.

– Ciekawa jestem, co nam się jeszcze przydarzy – Daphne po chwili podsumowała myśli wszystkich pozostałych dziewczynek. – Ci ludzie muszą mieszkać bardzo daleko, skoro jeszcze się nie pojawili, żeby odebrać swoje niewolnice. Lepiej naucz się doić krowę, Dorothy! – pokazała na krowę pastora, którą wczorajszego wieczora z pewnością pozbawiła kilku litrów mleka. Pani Baldwin oczywiście nie poczęstowała dziewczynek resztkami z kolacji, tylko przysłała im do stajni cienką zupę i odrobinę starego chleba. Wcale nie zamierzały więc tęsknić za gościnnością domu pastora.

9

– Jak długo jedzie się konno z Kiward Station do Christchurch? – zapytała Gwyneira. Siedziała wraz z Geraldem Wardenem i państwem Brewsterami przy suto zastawionym stole w White Hart Hotel. Nie był to elegancki hotel, ale w miarę porządny, a po wczorajszym męczącym dniu Gwyn spała w wygodnym hotelowym łóżku jak zabita.

– Cóż, to zależy od jeźdźca i od konia – odparł wesoło Gerald. – Odległość wynosi około stu kilometrów, a jej pokonanie wraz z owcami zajmie nam dwa dni. Ale posłaniec, któremu się śpieszy i który kilkakrotnie zmienia konie, może ją pokonać w kilka godzin. Droga nie jest utwardzona, choć w miarę równa. Dobry jeździec może cały czas galopować.

Gwyneira zaczęła się zastanawiać, czy Lucas Warden jest dobrym jeźdźcem i dlaczego, do diabła, nie wsiadł już wczoraj na konia, żeby spotkać się ze swoją narzeczoną w Christchurch! Oczywiście było możliwe, że nic jeszcze nie wie o przypłynięciu „Dublina". Ale przecież ojciec powiadomił go o dacie wypłynięcia, a ogólnie wiadomo, że rejs trwa od siedemdziesięciu pięciu do stu dwudziestu dni. „Dublinowi" zajął sto cztery dni. Dlaczego Lucas na nią tutaj nie czekał? Czy jego obecność w Kiward Station jest aż tak niezbędna? Czy też wcale mu się nie śpieszy, żeby poznać swoją przyszłą żonę? Gwyneira wolałaby wyruszyć już dzisiaj, a nie dopiero jutro, żeby zobaczyć swój nowy dom i spotkać wreszcie człowieka, którego w ciemno wybrano jej na męża. Przecież Lucas musi czuć to samo!

Gerald roześmiał się, gdy głośno wyraziła swoje przemyślenia.

– Mój syn jest bardzo cierpliwy – stwierdził. – Ma doskonałe wyczucie stylu i wie, jak odpowiednio się zaprezentować. Prawdopodobnie nawet nie pomyślał o tym, żeby wystąpić na pierwszym waszym spotkaniu w przepoconym stroju do jazdy konnej. Jest prawdziwym dżentelmenem....

– Ale mnie by to nie przeszkadzało! – wtrąciła Gwyneira. – I przecież on też zatrzymałby się w hotelu i mógłby się przebrać, skoro sądzi, że tak bardzo zależy mi na zachowaniu odpowiednich form!

– Myślę, że to nie jest dla niego hotel właściwej klasy – burknął Gerald. – Poczekaj jeszcze trochę Gwyneiro, a zapewniam cię, że Lucas ci się spodoba.

Lady Barrington uśmiechnęła się i teatralnym gestem odłożyła sztućce.

– To przecież bardzo piękne, gdy młody mężczyzna wykazuje pewną powściągliwość – zauważyła. – W końcu nie mieszkamy wśród dzikusów. W Anglii też nie poznałaby pani swojego przyszłego męża w hotelu, tylko raczej na herbatce w swoim domu lub jego.

Choć Gwyneira musiała przyznać jej rację, to nie była w stanie zrezygnować ze wszystkich swoich marzeń o przedsiębiorczym pionierze, przywiązanym do ziemi farmerze czy dżentelmenie z żyłką odkrywcy. Lucas musiał być inny od anemicznych wicehrabiów i baronetów ze starego kraju!

Potem znowu poczuła nadzieję. Być może ta nieśmiałość wcale nie jest cechą charakteru Lucasa, tylko wynika z nadmiernie surowego wychowania! Na pewno uważa, że jego przyszła żona jest równie sztywna i uciążliwa co jego niegdysiejsze guwernantki i prywatni nauczyciele. A do tego jeszcze pochodzi z arystokracji. Lucas z pewnością obawia się popełnienia najdrobniejszego *faux pas* w jej obecności. Może nawet trochę się jej boi.

Gwyneira starała się pocieszyć tą myślą, ale nie do końca jej się to udało. W jej wypadku wszelkie obawy szybko ustąpiłyby ciekawości. Być może Lucas rzeczywiście jest nieśmiały i potrzebuje więcej czasu. Gwyneira przypomniała sobie swoje doświadczenia z psami i końmi. Najbardziej nieśmiałe i zdystansowane zwierzęta często okazywały się tymi najlepszymi, jeśli tylko udało się znaleźć sposób, żeby do nich dotrzeć. Dlaczego z mężczyznami miałoby być inaczej? Jak tylko pozna Lucasa, zaraz go jakoś rozrusza.

Na razie cierpliwość Gwyneiry została jednak wystawiona na kolejną próbę. Gerald Warden również następnego dnia nie miał najmniejszego zamiaru wyruszać do Kiward Station, na co ona po cichu liczyła. Musiał załatwić jeszcze kilka spraw w Christchurch, a także zorganizować transport sporej liczby sprowadzonych z Europy mebli i artykułów gospodarstwa domowego. Wyjaśnił rozczarowanej Gwyneirze, że potrzebuje na to około dwóch dni. Ona powinna w tym czasie odpoczywać, długa podróż z pewnością ją zmęczyła.

Podróż raczej Gwyneirę znudziła, niż zmęczyła. Nie miała najmniejszej ochoty na dalszą bezczynność. Postanowiła więc tego przedpołudnia urządzić sobie małą wycieczkę na Igraine, przez co ponownie popadła w konflikt z Geraldem. A zaczęło się całkiem dobrze. Warden ani słowem nie skomentował jej oświadczenia, że kazała osiodłać Igraine. „Owczy baron" wykonał woltę dopiero wtedy, gdy pani Brewster z oburzeniem stwierdziła, że to przecież niedopuszczalne, żeby dama sama jeździła konno. Nie mógł pozwolić, aby jego przyszła synowa zrobiła coś, co w eleganckim towarzystwie uchodzi za niewłaściwe. Niestety, na miejscu nie było ani stajennych, ani tym bardziej pokojówek, które mogłyby towarzyszyć pannie na przejażdżce. Już sam taki pomysł wydał się właścicielowi hotelu dziwaczny. W Christchurch, jak wyraźnie dał do zrozumienia pani Brewster, nie jeździ się konno dla przyjemności, tylko po to, żeby dokądś dotrzeć. Właściciel hotelu ze zrozumieniem przyjął uzasadnienie Gwyneiry, że jej koń po długim okresie stania na statku potrzebuje ruchu, nie miał jednak ani ochoty ani możliwości, żeby zapewnić jej jakieś towarzystwo. W końcu lady Barrington zaproponowała swojego syna, a ten chętnie zgodził się wsiąść na Madoca. Czternastoletni wicehrabia nie był co prawda idealną przyzwoitką, ale Gerald w ogóle nie zwrócił na to uwagi, a pani Brewster powstrzymała się od komentarzy, żeby nie urazić lady Barrington. Podczas rejsu Gwyneira doszła do wniosku, że młody Charles jest nudnym chłopcem, tymczasem okazał się on dziarskim jeźdźcem, a do tego bardzo dyskretnym młodzieńcem. Nie zdradził więc swojej oburzonej matce, że damskie siodło już dawno zostało dostarczone, tylko potwierdził słowa Gwyneiry, że na razie może skorzystać tylko z męskiego siodła. A potem jeszcze udał, że nie potrafi zapanować nad Madokiem i pozwolił mu pocwałować z dziedzińca hotelu, dając tym samym Gwyneirze możliwość uniknięcia dalszych dysput nad nakazami przyzwoitości. Oboje wesoło śmiali się, gdy szybkim kłusem opuszczali Christchurch.

– Kto pierwszy dotrze do tego domu tam z przodu! – zawołał Charles i ruszył galopem. Nie zwracał najmniejszej uwagi na podwiniętą spódnicę Gwyneiry. Ściganie się na koniach po bezkresnych łąkach wciąż upajało go bardziej niż kobiece kształty.

Wrócili do hotelu około południa w doskonałych humorach. Konie parskały zadowolone, Cleo znowu zdawała się uśmiechać całym pyskiem, a Gwyn zdążyła nawet uporządkować swój wygląd, zanim przemierzyli miasto.

– Na dłuższą metę muszę coś wymyślić – mruczała, drapując prawą stronę spódnicy, tak żeby przyzwoicie zakrywała jej kostkę. Oczywiście suknia po lewej stronie od razu uniosła się wyżej. – Może powinnam zrobić z tyłu rozcięcie!

– Ale tak będzie dobrze tylko do chwili, gdy zawieje wiatr – stwierdził jej młody towarzysz. – Albo dopóki pani nie zagalopuje. Wtedy suknia uniesie się do góry i będzie widać pani… Hm… Cóż, to coś, co pani nosi pod suknią. A moja matka na pewno by wtedy zemdlała!

Gwyneira zachichotała.

– To prawda. Och, tak bardzo chciałabym móc założyć spodnie. Wy, mężczyźni, nawet nie wiecie, jak wam dobrze!

Po południu, dokładnie w porze podawania herbaty, Gwyneira wybrała się na poszukiwanie Helen. Oczywiście ryzykowała, że może przy okazji natknąć się na Howarda O'Keefe'a, co z pewnością nie spodobałoby się Geraldowi. Ale po pierwsze, płonęła z ciekawości, a po drugie, Gerald nie mógł nic zarzucić jej chęci złożenia wizyty pastorowi Christchurch. W końcu to on miał udzielić jej ślubu, odwiedzenie go więc stanowiło wręcz nakaz grzeczności.

Gwyn od razu znalazła dom pastora, gdzie została przyjęta z honorami. Pani Baldwin nadskakiwała jej wręcz, jakby pochodziła przynajmniej z królewskiego rodu. Helen nie przypuszczała jednak, żeby chodziło tutaj o arystokratyczne pochodzenie Gwyn. Baldwinowie nie starali się o względy rodziny Silkhamów, to Gerald Warden był dla nich ważną personą! Wyglądało zresztą na to, że dobrze znają także Lucasa. I o ile byli dotąd raczej powściągliwi w wyrażaniu opinii o Howardzie O'Keefie, przyszłego męża Gwyneiry nie mogli się wręcz nachwalić.

– Niezwykle kulturalny młody człowiek! – pochwaliła go pani Baldwin.

– Doskonale wychowany i wykształcony! Bardzo dojrzały i poważny! – dodał pastor.

– Niezwykle zainteresowany sztuką! – wyjawił wikary Chester z błyskiem w oku. – Oczytany, inteligentny! Gdy był tu ostatnim razem, całą noc spędziliśmy na tak ożywionej dyskusji, że niemal spóźniłem się na poranną mszę!

Opisy te coraz bardziej niepokoiły Gwyneirę. Gdzie podział się jej farmer, jej kowboj? Jej bohater rodem z tanich powieści? Rzeczywiście nie było tutaj żadnych kobiet, które trzeba by ratować ze szponów czerwonoskórych? Ale czy jej śmiały rewolwerowiec miał zamiast tego spędzać noce na pogawędkach z wikarym?

Helen również milczała. Zastanawiała się, dlaczego Chester nie chwalił tak samo jej narzeczonego. Poza tym wciąż miała przed oczami zapłakane Laurie i Mary. I martwiła się o pozostałe dziewczynki, które nadal czekały w stajni na swoich chlebodawców. Nawet to, że widziała już ponownie Rosemary, nic nie pomagało. Dziewczynka pojawiła się po południu w domu pastora z koszem pełnym wypieków i dygnęła w poczuciu ważnej misji. Ta dostawa była jej pierwszym zleceniem ze strony pani McLaren i Rosemary była niezwykle dumna, że potrafi zrealizować je ku zadowoleniu wszystkich stron.

– Rosie wygląda na szczęśliwą – ucieszyła się Gwyneira, która była świadkiem wizyty dziewczynki.

– Żeby pozostałe też tak dobrze trafiły...

Pod pretekstem zapotrzebowania na świeże powietrze Helen zaraz po herbacie wyprowadziła przyjaciółkę na zewnątrz. Młode kobiety spacerowały po stosunkowo szerokich ulicach miasteczka, prowadząc szczerą rozmowę. Przy okazji Helen niemal straciła panowanie nad sobą. Z wilgotnymi oczami opowiedziała Gwyneirze o Mary i Laurie.

– I wcale nie jestem przekonana, że one pogodzą się z rozstaniem – zakończyła. – Choć czas leczy wszystkie rany, to jednak w tym wypadku... Myślę, że to je zabije, Gwyn! One są jeszcze takie małe. I nie mogę już patrzeć na tego bigoteryjnego pastora i jego żonę! On naprawdę mógł dla nich coś zrobić. Mają całą listę rodzin, które potrzebują służącej! Z pewnością można było znaleźć dwie sąsiadujące ze sobą rodziny. Ale oni woleli wysłać Mary do państwa Willardów. To ją zupełnie przerasta. Siedmioro dzieci, Gwyneiro! I ósme w drodze. Mary pewnie będzie jeszcze do tego musiała odebrać poród.

Gwyneira westchnęła.

– Szkoda, że mnie tutaj wtedy nie było! Może pan Gerald mógłby coś zrobić. W Kiward Station na pewno potrzebna jest służba. A ja muszę mieć pokojówkę! Popatrz na moje włosy, tak wyglądają, jak sama je upinam.

Gwyneira rzeczywiście była nieco rozczochrana.

Helen uśmiechnęła się przez łzy i poprowadziła przyjaciółkę z powrotem do domu państwa Baldwinów.

– Chodź – zaprosiła Gwyn. – Daphne poprawi ci fryzurę. A jeśli nikt się dzisiaj po nią i po Dorothy nie zgłosi, może rzeczywiście powinnaś porozmawiać z panem Wardenem. Założę się, że Baldwinowie położą uszy po sobie, jeśli tylko poprosi ich o którąś z nich na służącą!

Gwyneira przytaknęła.

– A ty mogłabyś wziąć drugą! – zaproponowała. – W porządnym domu musi być służąca, Howard powinien to zrozumieć. Musimy tylko ustalić, kto dostanie Dorothy, a kto będzie musiał męczyć się z niewyparzonym językiem Daphne…

Zanim zdążyła zaproponować partyjkę w oczko w celu rozwiązania spornej kwestii, dotarły do domu pastora, przed którym stała furmanka. Helen natychmiast pojęła, że nie urzeczywistnią swojego pięknego planu. Pani Baldwin rozmawiała na dziedzińcu z jakimś starszym małżeństwem, a Daphne stała grzecznie obok. Dziewczynka wyglądała jak uosobienie wszelkich cnót. Jej sukienka była nieskazitelnie czysta, a włosy upięte tak gładko i porządnie, jak Helen jeszcze nigdy widziała. Daphne musiała specjalnie wyszykować się na spotkanie ze swoim państwem i widocznie wcześniej wypytała się, co to za ludzie. Jej wygląd zrobił szczególne wrażenie na przybyłej kobiecie, która również była ubrana skromnie i schludnie. Spod małego, dyskretnie ozdobionego malutką woalką kapelusza wyzierała jasna twarz ze spokojnymi, brązowymi oczami. Jej uśmiech sprawiał wrażenie szczerego i przyjaznego. Wciąż rozwodziła się nad tym, jak idealnym zrządzeniem losu spotkali się ze swoją nową służącą.

– Przyjechaliśmy z Haldon dopiero przedwczoraj, a wczoraj mieliśmy już wracać. Ale moja krawcowa chciała dokonać jeszcze kilku poprawek przy moim zamówieniu, powiedziałam więc Richardowi: Zostańmy jeszcze i pójdźmy na kolację w hotelu! Richardowi bardzo się ten pomysł spodobał, bo słyszał o wszystkich tych interesujących ludziach, którzy przypłynęli na „Dublinie", i wieczór rzeczywiście był bardzo ekscytujący! I jak dobrze, że Richardowi przyszło do głowy, żebyśmy od razu zapytali u państwa o naszą służącą! – Opowiadająca kobieta robiła wiele min i mocno gestykulowała, podkreślając swoją wypowiedź. Helen wydała się niezwykle sympatyczna, a Richard, jej mąż, sprawiał wrażenie człowieka poważniejszego, lecz równie przyjaznego i dobrodusznego.

– Panna Davenport, panna Silkham, państwo Candlerowie – pani Baldwin przedstawiła ich sobie, przerywając potok słów pani Candler, który najwyraźniej ją męczył. – Panna Davenport towarzyszyła dziewczynkom podczas podróży. Będzie potrafiła powiedzieć o Daphne więcej niż ja. Przekazuję więc państwa jej opiece, a sama pójdę poszukać niezbędnych dokumentów. Później będą państwo mogli zabrać dziewczynkę.

Pani Candler zwróciła się do Helen z równą otwartością, co wcześniej do żony pastora. Helen nie miała żadnych trudności z uzyskaniem od państwa Candlerów informacji na temat przyszłego miejsca pracy Daphne. Oboje przedstawili jej wręcz zarys całego swojego dotychczasowego życia w Nowej Zelandii. Pani Candler wesoło opowiadała o pierwszych latach w Lyttelton, które wówczas nazywano jeszcze Port Cooper. Gwyneira, Helen i dziewczynki zafascynowane słuchały opowieści o łowieniu wielorybów i polowaniach na foki. Pan Candler jednak nie odważył się osobiście wyprawić w morze.

– Nie, nie, na to decydowali się tylko szaleńcy, którzy nie mieli nic do stracenia! A ja miałem już wtedy Olivię i chłopców, nie mogłem więc ryzykować szarpaniny z rozszalałym wielorybem! Zresztą szkoda mi było tych zwierząt. Szczególnie fok, one wyglądają tak niewinnie…

Pan Candler prowadził więc kramik, który przynosił taki zysk, że potem, gdy pierwsi osiedleńcy zaczęli budować się na Canterbury Plains, mogli kupić sobie spory kawałek ziemi na farmę.

– Ale szybko się zorientowałem, że nie po drodze mi z owcami – przyznał otwarcie. – Hodowla zwierząt zupełnie mnie nie pociąga, a moja Olivia też tego nie lubi – z miłością popatrzył na żonę. – Znowu więc wszystko sprzedaliśmy i otworzyliśmy w Haldon sklep. I takie życie nam się podoba, można zarobić, a miasto coraz szybciej się rozwija. Nasi chłopcy mają bardzo dobre perspektywy.

Chłopcy, czyli trzej synowie państwa Candlerów, mieli od szesnastu do dwudziestu trzech lat. Helen zauważyła błysk w oczach Daphne, gdy pan Candler o nich wspomniał. Jeśli będzie się mądrze zachowywać i wykorzysta swoje wdzięki, jeden z nich z pewnością ulegnie jej urokowi. I choć Helen jakoś nie mogła wyobrazić sobie swojej samowolnej wychowanki jako służącej, to Daphne jako szanowana kupcowa, wielbiona przez klientów płci męskiej, byłaby jej zdaniem jak najbardziej na swoim miejscu.

Helen już chciała z całego serca radować się szczęściem Daphne, gdy na dziedzińcu przed stajnią ponownie pojawiła się pani Baldwin. Tym razem towarzyszył jej wysoki mężczyzna o szerokich ramionach. Miał kanciastą twarz, jasnoniebieskie oczy i badawcze spojrzenie. Wzrokiem drapieżnika obrzucił cały dziedziniec, musnął spojrzeniem państwa Candlerów, przy czym zdecydowanie dłużej obejmował nim panią Candler niż jej męża, a potem przeniósł go na Gwyneirę, Helen i dziewczynki. Helen wyraźnie nie przyciągnęła jego uwagi. Natomiast Gwyn, Daphne i Dorothy uznał za jak najbardziej interesujące. Mimo to jego przelotne spojrzenie sprawiło Helen niewymowną przykrość. Wynikało to prawdopodobnie stąd, że nie patrzył jej w twarz jak dżentelmen, tylko sprawiał wrażenie, jakby oceniał jej figurę. Ale mogło jej się tylko tak wydawać... Helen z nieufnością przyglądała się mężczyźnie, ale nie mogła mu nic zarzucić. Jego uśmiech był wręcz ujmujący, choć nieco sztuczny.

Helen nie była zresztą jedyną osobą, którą obecność nieznajomego wprawiła w zakłopotanie. Kątem oka zauważyła, jak Gwyneira instynktownie cofa się przed tym mężczyzną, a impulsywna pani Candler miała odrazę wręcz wypisaną na twarzy. Jej mąż delikatnie objął ją ramieniem, wyrażając tym samym przysługujące mu prawo własności. Przybyły mężczyzna uśmiechnął się dwuznacznie, spostrzegłszy jego ruch.

Gdy Helen odwróciła się w stronę dziewczynek, zobaczyła, że Daphne jest wyraźnie zaniepokojona, a Dorothy spogląda z przestrachem. Tylko pani Baldwin zdawała się nie zauważać podejrzanej aury roztaczającej się wokół jej nowego gościa.

– A oto mamy i pana Morrisona – przedstawiła nieznajomego swobodnym tonem. – Przyszłego chlebodawcę Dorothy Carter. Powiedz dzień dobry, Dorothy. Pan Morrison zaraz cię do siebie zabierze.

Dorothy nawet nie drgnęła. Zdawała się sparaliżowana strachem. Jej twarz pobladła, a źrenice się rozszerzyły.

– Ja... – spróbowała powiedzieć coś stłumionym głosem, ale przerwał jej wybuch gromkiego śmiechu pana Morrisona.

– Nie tak prędko, pani Baldwin, najpierw muszę sobie tego kociaka obejrzeć! Przecież nie przywiozę żonie do domu pierwszej lepszej służącej. A więc to ty jesteś Dorothy...

Mężczyzna podszedł do dziewczynki, która nadal nieruchomo tkwiła w miejscu. Nie drgnęła nawet wtedy, gdy odsunął jej kosmyk włosów z twarzy i niby przypadkiem musnął delikatną skórę jej szyi.

– Piękna dziewczyna. Moja żona będzie zachwycona. A masz zręczne ręce, Dorothy? – pytanie wydawało się naturalne, ale nawet dla zupełnie niedoświadczonej w sprawach płci Helen było jasne, że chodzi o coś więcej niż sprawność dłoni Dorothy. Gwyneira, która już kiedyś natrafiła w książce na słowo „pożądliwość", dostrzegła lubieżny wzrok pana Morrisona.

– Pokaż mi swoje dłonie, Dorothy…

Mężczyzna rozłączył sczepione ze strachu palce dziewczynki i delikatnie dotknął jej prawej ręki. Przypominało to raczej głaskanie niż ocenę zgrubień na jej dłoni. Wyraźnie za długo trzymał jej rękę w swojej, przekraczając wszelkie normy przyzwoitości. To ocuciło Dorothy z osłupienia. Gwałtownie wyrwała rękę i cofnęła się o krok do tyłu.

– Nie! – powiedziała. – Nie, ja… Ja nie pójdę z panem… Nie podoba mi się pan! – przerażona swoją własną śmiałością, spuściła wzrok.

– Ależ, Dorothy! Przecież wcale mnie nie znasz! – Pan Morrison zbliżył się do dziewczynki, która skuliła się pod jego wzrokiem, a potem jeszcze bardziej przygarbiła się po karcącej uwadze pani Baldwin.

– A cóż to za zachowanie, Dorothy! Natychmiast przeproś!

Dorothy mocno potrząsnęła głową. Wolała umrzeć, niż pójść z tym mężczyzną. Nie potrafiła wyrazić słowami obrazów, które pojawiły się w jej głowie na widok jego pożądliwych oczu. Obraz przytułku dla ubogich, obraz jej matki w ramionach mężczyzny, którego miała nazywać wujkiem. Jak przez mgłę przypomniała sobie jego żylaste, twarde dłonie, którymi pewnego dnia sięgnął po nią i które wsunął pod jej sukienkę… Dorothy płakała i próbowała się bronić. Ale on nie przestawał, wciąż ją głaskał i dotykał w miejscach, o których się nie mówi i których nie odsłania się nawet w kąpieli. Dorothy myślała, że umrze ze wstydu, ale wtedy nadeszła matka, tuż zanim ból i strach stały się nie do zniesienia. Wyrzuciła tego mężczyznę i obroniła swoją córkę. Później przytuliła ją do siebie, kołysała, pocieszała i ostrzegała.

– Nigdy na to nie pozwalaj, Dorothy! Nie pozwól się dotykać bez względu na to, co będą ci obiecywać! Nie pozwól, żeby w ten sposób na ciebie patrzyli! To była zresztą moja wina. Powinnam się była zorientować, po tym jak się na ciebie gapił. Nigdy nie zostawaj tutaj sam na sam z mężczyzną, Dottie! Nigdy! Obiecasz mi to?

Dorothy złożyła obietnicę i dotrzymała jej aż do chwili, gdy matka umarła. Potem zabrano ją do sierocińca, gdzie była bezpieczna. Ale teraz gapił się na nią ten mężczyzna. Z jeszcze większą pożądliwością niż wtedy tamten wujek. A ona nie mogła się sprzeciwić. Nie mogła, bo należała do niego, pastor osobiście ją wychłoszcze, jeśli będzie się opierać. Zaraz będzie musiała odjechać z tym panem Morrisonem. Jego wozem do jego domu…

Dorothy zaszlochała.

– Nie! Nie, nie pojadę. Panno Helen! Proszę, panno Helen, niech mi pani pomoże! Niech mnie pani z nim nie odsyła. Pani Baldwin, proszę... proszę!

Dziewczynka przylgnęła do Helen, szukając ochrony, i uciekła dalej, do pani Baldwin, gdy pan Morrison podszedł bliżej, śmiejąc się.

– A cóż jej jest? – zapytał wyraźnie zdumiony, gdy żona pastora szorstko odepchnęła Dorothy. – Może jest chora? Trzeba zaraz położyć ją do łóżka...

Dorothy z niemal oszalałym wzrokiem przebiegła po obecnych.

– To diabeł! Czy nikt tego nie widzi? Panno Gwyn, proszę, panno Gwyn! Niech pani mnie weźmie! Przecież potrzebuje pani pokojówki. Proszę, będę robić wszystko! I nie chcę pieniędzy, ja tylko...

Zrozpaczona dziewczynka upadła przed Gwyneirą na kolana.

– Dorothy, uspokój się! – powiedziała niepewnie Gwyn. – Chętnie zapytam pana Wardena...

Pan Morrison wydawał się poirytowany.

– Możemy już to skończyć? – zapytał ostro, zupełnie ignorując przy tym Helen i Gwyneirę i zwracając się wyłącznie do pani Baldwin. – Ta dziewczynka zupełnie postradała zmysły! Ale moja żona potrzebuje pomocy, dlatego mimo wszystko ją wezmę. Proszę nie robić mi teraz trudności. Przejechałem na koniu szmat drogi specjalnie po to, żeby...

– Przyjechał pan konno? – zapytała Helen. – To jak pan chce zabrać dziewczynkę?

– Będzie siedzieć za mną na koniu. Spodoba jej się. Tylko musisz się mocno trzymać, moja mała...

– Ja... Ja tego nie zrobię – wyjąkała Dorothy. – Proszę, błagam, niech pani tego ode mnie nie wymaga! – Klęczała teraz przed panią Baldwin, a Helen i Gwyn przyglądały się temu przerażone. Pan i pani Candlerów wyglądali na równie oburzonych.

– To straszne! – powiedział w końcu pan Candler. – Niech pani coś wreszcie powie, pani Baldwin! Skoro dziewczynka tak bardzo nie chce, musi jej pani znaleźć inną posadę. Może pójść z nami. W Haldon z pewnością znajdzie się kilka rodzin, które potrzebują pomocy.

COŚ NA KSZTAŁT MIŁOŚCI...

Canterbury Plains 1852-1854

1

Gerald Warden i jego orszak posuwali się powoli, choć Cleo wraz z młodymi psami pilnowała, żeby owce przemieszczały się w miarę szybko. Gerald musiał wynająć aż trzy wozy, żeby przewieźć do Kiward Station wszystkie kupione przez siebie meble i artykuły wyposażenia wnętrz, a także bogatą wyprawę Gwyneiry, obejmującą drobne meble, srebra oraz zapasy obrusów i pościeli. Pod tym względem lady Silkham niczego córce nie poskąpiła i sięgnęła nawet do zasobów z własnej wyprawy. Gwyneira dopiero przy rozładunku zauważyła, jak wiele zupełnie nieprzydatnych, a jednocześnie kosztownych rzeczy jej matka zapakowała do kufrów i skrzyń. Niektóre z nich przez trzydzieści lat nie przydały się nawet w Silkham Manor. Co Gwyneira miała z nimi zrobić tutaj, niemal na końcu świata, pozostawało dla niej zagadką, Gerald jednak wydawał się traktować te skarby z szacunkiem i chciał wszystko koniecznie od razu zabrać do Kiward Station. Tak więc trzy zaprzęgi złożone z koni i mułów wlekły się po błotnistej drodze przez Canterbury Plains, co znacznie wydłużało podróż. Energicznym koniom pod jeźdźcami wyraźnie to nie odpowiadało, a Igraine trzeba było od samego rana nieustannie powstrzymywać od galopu. Natomiast Gwyneira ku własnemu zaskoczeniu nie nudziła się ani trochę. Była oczarowana bezkresnym krajobrazem, który mijali, aksamitnym kobiercem z trawy, na którym owce z chęcią by się popasły, i widokiem majestatycznych Alp w tle. Ponieważ ostatnio znowu padało, dzień był równie przejrzysty jak wtedy, gdy przypłynął statek, i góry ponownie zdawały się tak bliskie, że miało się ochotę dotknąć ich ręką. Krajobraz tutaj, niedaleko od Christchurch, wciąż był płaski, w miarę jednak oddalania się od miasteczka stawał się coraz bardziej pagórkowaty. Ziemię porastała przede wszystkim trawa, urozmaicona gdzieniegdzie rzędem krzewów czy odłamkami skał, które nagle wyrastały z zieleni, jakby rozrzuciło je tam dla zabawy dziecko jakiegoś olbrzyma. Od czasu do czasu trzeba było przejść przez strumień czy rzekę, ale nie były one na tyle rwące, żeby nie można ich było bezpiecznie pokonać w bród. Tu i tam musieli okrążyć jakieś wzgórze, ale tuż za nim czekał na nich widok małego, krystalicznie czystego jeziora, w którego wodach odbijało się niebo lub skalne formacje. Jak wyjaśnił Gerald Warden, były to zwykle jeziora pochodzenia wulkanicznego, choć obecnie w okolicy nie było już ani jednego czynnego wulkanu.

W pobliżu jezior i rzek od czasu do czasu pojawiały się skromne domy farmerów, których owce pasły się na okolicznych łąkach. Gdy osadnicy dostrzegali jeźdźców, wychodzili z domów i obór w nadziei na pogawędkę. Gerald jednak rozmawiał z nimi bardzo krótko i nie przyjmował zaproszeń, żeby odpocząć czy się posilić.

– Jak zaczniemy przyjmować zaproszenia, to nawet pojutrze nie dotrzemy do Kiward Station – powiedział, gdy Gwyneira wytknęła mu nadmierną oschłość. Chętnie zajrzałaby do jednej z tych niskich drewnianych chat, ponieważ zakładała, że jej przyszły dom wygląda podobnie. Gerald jednak pozwalał tylko na krótkie postoje na brzegach rzek lub przy kępach krzewów i zaraz nalegał, żeby jak najszybciej ruszać w dalszą drogę. Dopiero pod wieczór pierwszego dnia wędrówki zatrzymali się na jednej z farm. Stojący na niej dom był zdecydowanie większy i bardziej zadbany niż domy osadników mijane wzdłuż szlaku.

– Beasleyowie są zamożni. Przez pewien czas Lucas i ich najstarszy syn mieli tego samego nauczyciela, a i my od czasu do czasu zapraszamy ich do siebie – wyjaśnił Gerald Gwyneirze. – Beasley bardzo długo pływał po morzu jako starszy mat. To wspaniały marynarz. Tylko nie ma ręki do owiec, bo inaczej zaszliby znacznie dalej. Ale jego żona koniecznie chciała mieć farmę. Pochodzi z rolniczej części Anglii. Beasley męczy się więc z tą swoją farmą. Dżentelmen farmer… – W ustach Geralda zabrzmiało to nieco pogardliwie. Ale po chwili się uśmiechnął. – Z naciskiem na dżentelmen. Skoro jednak mogą sobie na to pozwolić, to co komu do tego? Przy okazji troszczą się o kulturę i życie towarzyskie w okolicy. W zeszłym roku urządzili nawet polowanie na lisa.

Gwyneira zmarszczyła czoło.

– Czy nie mówił pan, że tutaj nie ma lisów?

Twarz Geralda się rozpromieniła.

– Dlatego też polowanie nie do końca się udało. Ale synowie Beasleya świetnie biegają. To oni kładli sztuczny trop.

Gwyneira musiała się roześmiać. Pan Beasley wyglądał jej na prawdziwego oryginała, a poza tym najwyraźniej miał oko do koni. Rumaki pełnej krwi, które pasły się na padoku przed jego domem, z pewnością zostały sprowadzone z Anglii. Również sposób urządzenia ogrodu na podjeździe nawiązywał do stylu staroangielskiego. Pan Beasley okazał się serdecznym mężczyzną o zaczerwienionej twarzy, który przypominał nieco Gwyneirze jej ojca. On również raczej rezydował na swojej ziemi, niż uprawiał rolę własnymi rękoma. Panu Beasleyowi brakowało jednak wyrobionej od pokoleń i charakterystycznej dla ziemiaństwa umiejętności skutecznego zarządzania farmą z salonu. Choć podjazd domu był elegancki, to płotom wokół pastwisk dla koni przydałaby się świeża warstwa farby. Gwyneira zauważyła także, że trawa na pastwiskach jest wyjedzona, a kadzie z wodą brudne.

Pan Beasley zdawał się szczerze cieszyć z wizyty Geralda. Od razu otworzył butelkę najlepszej whisky i zasypywał ich komplementami, a to rozwodząc się nad urodą Gwyneiry, a to nad zręcznością jej psów, a to nad wełną owiec rasy welsh mountain. Również jego żona, zadbana dama w średnim wieku, z serdecznością powitała Gwyneirę.

– Musi mi pani opowiedzieć o najnowszej modzie w Anglii! Ale najpierw pokażę pani mój ogród. Mam zamiar wyhodować najpiękniejsze róże na Canterbury Plains. Ale nie będę miała za złe, jeśli mnie pani pokona, milady! Z pewnością przywiozła pani ze sobą najpiękniejsze krzewy z ogrodu matki i całą podróż zajmowała się pani ich pielęgnacją!

Gwyneira przełknęła ślinę. Nawet lady Silkham nie przyszłoby do głowy, żeby wyposażyć córkę w różane krzewy. Teraz jednak pilnie podziwiała kwiaty, które niczym nie ustępowały różom jej matki i siostry. Pani Beasley omal nie zemdlała, gdy Gwyneira nieopatrznie o nich wspomniała, wymieniając nazwisko siostry, Diany Riddleworth. Dla pani Beasley porównanie ze słynną siostrą Gwyneiry stanowiło najwyraźniej ukoronowanie jej kariery jako hodowczyni róż. Gwyneira ucieszyła się, że sprawiła jej radość. Sama z pewnością nie zamierzała starać się o pokonanie pani Beasley na pokazach hodowców. Znacznie bardziej niż róże interesowały ją miejscowe rośliny, które dostrzegła w zadbanym ogrodzie.

– Ach, to kordylina – wyjaśniła z wyraźnym lekceważeniem pani Beasley, gdy Gwyneira wskazała na przypominające palmy rośliny. – Wygląda jak palma, ale należy do rodziny liliowatych. Rozprzestrzenia się jak chwast. Proszę uważać na nie w swoim ogrodzie, moje dziecko. I na tę roślinę również…

Wskazała na kwitnący krzew, który Gwyneirze spodobał się bardziej niż róże pani Beasley. Jego wspaniale rozwinięte po ostatnich deszczach kwiaty były ognistoczerwone i mocno kontrastowały z soczystą zielenią liści.

– To żelazownik – wyjaśniła pani Beasley. – Rośnie dziko na całej wyspie. Nie do wytępienia. Zawsze muszę pilnować, żeby nie wyrastały wśród róż. A z mojego ogrodnika kiepski pomocnik. Nie rozumie, dlaczego o niektóre rośliny się dba, a inne wyrywa.

Okazało się, że służba u państwa Beasleyów składa się z samych Maorysów. Tylko do owiec najęto kilku białych poszukiwaczy przygód, którzy twierdzili, że znają się na ich hodowli. Gwyneira po raz pierwszy zobaczyła prawdziwego tubylca, którego wygląd z początku nieco ją przeraził. Ogrodnik pani Beasley był niskimi i krępym mężczyzną. Miał ciemne kręcone włosy i jasnobrązową skórę, a całą jego twarz szpeciły tatuaże – tak przynajmniej uważała Gwyneira. Ogrodnikowi widocznie podobały się spirale i ząbki, które mimo bólu pozwolił sobie wyryć na twarzy. Gdy Gwyneira przyzwyczaiła się do jego wyglądu, uznała, że ma sympatyczny uśmiech. Umiał też się grzecznie zachować, powitał ją głębokim ukłonem, a potem otworzył paniom bramę ogrodu. Jego ubiór niczym nie różnił się od stroju białej służby, Gwyneira pomyślała jednak, że pewnie tak kazali mu się ubierać państwo Beasley. Przed pojawieniem się białych Maorysi na pewno ubierali się zupełnie inaczej.

– Dziękuję, George! – pani Beasley pożegnała go łaskawie, gdy zamykał za sobą bramę.

Gwyneira się zdziwiła.

– Ma na imię George? – zapytała zdumiona. – Myślałam, że… Ale pani służący są pewnie ochrzczeni i dlatego mają angielskie imiona, prawda?

Pani Beasley wzruszyła ramionami.

– Szczerze mówiąc, nie mam pojęcia – przyznała. – Nie jeździmy do kościoła regularnie co niedziela. Od Christchurch dzieli nas cały dzień drogi. Dlatego w każdą niedzielę zbieramy się wraz ze służbą na wspólnej modlitwie. Ale czy oni przychodzą tam dlatego, że są chrześcijanami, czy dlatego, że tego od nich wymagam… Cóż, tego nie wiem.

– Ale skoro on ma na imię George… – upierała się Gwyneira.

– Och, moje dziecko, sama nadałam mu to imię. Nigdy nie nauczę się tego ich języka. Już same imiona są nie do wymówienia. A jemu to nie sprawia różnicy, prawda, George?

Mężczyzna skinął głową i się uśmiechnął.

– Prawdziwe imię Tonganui! – powiedział i wskazał na siebie, ponieważ Gwyneira wciąż wyglądała na zdumioną. – To znaczy Syn Bogini Morza.

Imię ogrodnika nie brzmiało może zbyt chrześcijańsko, ale Gwyneira uznała, że wcale nie jest takie trudne do wymówienia. Postanowiła, że swojej służbie imion zmieniać nie będzie.

– A skąd właściwie Maorysi znają angielski? – zapytała Geralda następnego dnia w trakcie dalszej podróży. Państwo Beasleyowie niechętnie rozstawali się ze swoimi gośćmi, rozumieli jednak, że po długiej podróży Gerald chce jak najszybciej dotrzeć do Kiward Station. O Lucasie nie potrafili powiedzieć niczego nowego poza doskonale znanymi już Gwyneirze pochwałami. Wyglądało na to, że w okresie nieobecności Geralda jego syn nie opuszczał farmy. A przynajmniej nie zaszczycił swoją wizytą państwa Beasleyów.

Gerald zdawał się nie w humorze tego ranka. Obaj panowie nie żałowali sobie wczoraj whisky, z kolei Gwyneira wcześnie opuściła towarzystwo, wymawiając się zmęczeniem i czekającą ją dalszą jazdą. Monolog pani Beasley na temat róż znudził ją, a o tym, że Lucas jest kulturalnym człowiekiem i utalentowanym kompozytorem, który na dodatek zna najnowsze powieści pana Bulwera-Lyttona i innych równie genialnych pisarzy, zdążyła się dowiedzieć już w Christchurch.

– Ach, Maorysi... – Gerald niechętnie odpowiadał na jej pytanie. – Nigdy nie wiadomo, czy nas rozumieją czy nie. Zawsze coś podchwycą od swoich państwa, a potem ich kobiety uczą tego dzieci. Chcą być tacy jak my. To całkiem użyteczne.

– Ale do szkół nie chodzą? – zapytała Gwyneira.

Gerald się roześmiał.

– A kto miałby uczyć Maorysów? Większość żon osadników cieszy się, jeśli uda im się choć trochę ucywilizować własne potomstwo! Poza tym działa tu kilka misji, a i Biblia została już przetłumaczona na maoryski. Ale jeśli masz ochotę pouczyć czarne bachory angielskiego z oksfordzkim akcentem – proszę bardzo, nie będę się sprzeciwiał!

Gwyneira wcale nie miała takiej ochoty, ale pomyślała, że być może jest to jakaś perspektywa dla Helen. Uśmiechnęła się, przypominając sobie przyjaciółkę, która nadal tkwiła u państwa Baldwinów w Christchurch. Howard O'Keefe nie raczył jeszcze przybyć, ale wikary Chester codziennie zapewniał ją, że to nic podejrzanego. Nie był pewien, czy wiadomość o przybyciu Helen w ogóle już do niego dotarła, a poza tym musiał być wolny od obowiązków, żeby móc przyjechać.

– Co to znaczy „wolny od obowiązków"? – zapytała Helen. – Czy on na tej swojej farmie nie ma żadnej służby?

Wikary nie odpowiedział. Gwyneira miała nadzieję, że jej przyjaciółki nie czeka jakaś niemiła niespodzianka.

Gwyneirze nowa ojczyzna jak dotąd bardzo się podobała. Teraz, gdy zbliżyli się do Alp, krajobraz stał się bardziej pagórkowaty i urozmaicony, wciąż jednak były to śliczne okolice, idealnie nadające się do hodowli owiec. Około południa Gerald, promieniejąc z radości, oświadczył, że właśnie przekroczyli granicę Kiward Station i jadą już po własnej ziemi. Dla Gwyneiry był to prawdziwy raj: trawy aż w nadmiarze, smaczna i czysta woda pitna dla zwierząt, od czasu do czasu kilka drzew, a nawet dający trochę cienia lasek.

– Jak mówiłem, jeszcze nie wszystko zostało wykarczowane – wyjaśnił Gerald, błądząc wzrokiem po okolicy. – Ale część lasu można zostawić. Rosną tam szlachetne gatunki drzew, szkoda byłoby je wypalić. Mogą się okazać sporo warte. Być może będzie można spławiać drewno rzeką. Ale na razie pozwolimy drzewom rosnąć. Spójrz, widać już pierwsze owce! Ciekawe przede wszystkim, kto zajmuje się tymi zwierzętami. Już dawno powinny były zostać popędzone na wyżynę...

Gerald zmarszczył czoło. Gwyneira poznała go już na tyle dobrze, żeby wiedzieć, że zastanawia się właśnie nad tym, jak przykładnie ukarać winnych. Zwykle nie miał też żadnych oporów, by szczegółami tego rodzaju przemyśleń dzielić się ze swoimi słuchaczami, tego dnia jednak się powstrzymał. Czy to dlatego, że osobą odpowiedzialną za zaniedbanie był Lucas? Czy Gerald nie chciał ukazywać swojego syna w złym świetle przed jego narzeczoną, i to tuż przed ich pierwszym spotkaniem?

Gwyneira bardzo się niecierpliwiła. Chciała jak najszybciej zobaczyć dom, a przede wszystkim swojego przyszłego męża. Pokonując ostatnie kilometry, wyobrażała sobie, jak z uśmiechem na twarzy wychodzi do niej z okazałego domu przypominającego ten na farmie państwa Beasleyów. Tymczasem dotarli już do pierwszych zabudowań Kiward Station. Gerald na całej swojej ziemi kazał poustawiać szopy dla owiec, a także zadaszenia do strzyżenia. Gwyneira uważała, że to bardzo roztropnie, zdziwiły ją jednak rozmiary tych budowli. Stado jej ojca w Walii obejmowało około czterystu zwierząt, tutaj liczyło się je w tysiącach!

– Cóż, Gwyneiro, jestem bardzo ciekaw, co teraz powiesz!

Było późne popołudnie, a Gerald, który prowadził swojego konia tuż obok Igraine, cały promieniał. Kopyta klaczy nie człapały już po błotnistym trakcie, lecz stukały po utwardzonej drodze dojazdowej, która prowadząc od małego jeziora, ciągnęła się wokół wzgórza. Po kilku krokach ukazał się widok na główny dom na farmie Kiward Station.

– Oto jesteśmy, lady Gwyneiro! – powiedział z dumą Gerald Warden. – Witamy na Kiward Station!

Gwyneira powinna być na to przygotowana, ale z wrażenia niemal nie osunęła się z konia. Przed nią, w słońcu, pośrodku niekończących się pastwisk i na tle wysokich Alp, stał prawdziwy angielski dwór! Był mniejszy niż Silkham Manor i miał mniej wieżyczek i dobudówek, ale dorównywał mu pod każdym innym względem. Dwór Kiward Station był nawet ładniejszy, dlatego że został idealnie zaplanowany przez architekta, a nie wciąż od nowa przebudowywany i rozbudowywany, jak większość angielskich posiadłości. Dom był zbudowany z szarego piaskowca, tak jak opisywał to Gerald. Miał wykusze i wielkie okna, z których część była wyposażona w małe balkony. Przed domem rozciągał się przestronny podjazd z klombami, na których nie posadzono jeszcze żadnych roślin. Gwyneira postanowiła ozdobić je krzewami żelazownika. Rozjaśnią fasadę, a przede wszystkim są łatwe w uprawie.

Gwyneirze zdawało się, że śni. Z pewnością zaraz się obudzi i stwierdzi, że nigdy nie doszło do tamtej niezwykłej gry w oczko. Zamiast tego ojciec dzięki posagowi ze sprzedaży owiec wydał ją za jakiegoś walijskiego dżentelmena, a ona właśnie obejmuje w posiadanie jeden z dworków pod Cardiff.

Tylko służba, która zgodnie z angielskim obyczajem ustawiła się w szeregu przed domem, żeby powitać państwa, nie pasowała do całości obrazu. Służący mieli co prawda na sobie liberie, a pokojówki fartuszki i czepki, ale ich skóra była ciemna, a twarze pokryte tatuażami.

– Witamy, panie Geraldzie! – Niski i przysadzisty mężczyzna powitał swojego pana z szerokim uśmiechem na płaskiej twarzy, która stanowiła idealne tło dla charakterystycznych maoryskich tatuaży. Szerokim gestem objął wciąż błękitne niebo i oświetloną promieniami słońca ziemię. – I witamy panią, panienko! Niech pani popatrzy, *Rangi*, czyli niebo, radośnie promienieje na pani przybycie i obdarza uśmiechem *Papa*, ziemię, po której pani wędruje!

Gwyneirę wzruszyło tak serdeczne powitanie. Spontanicznie wyciągnęła dłoń do niskiego mężczyzny.

– To Witi, nasz służący – przedstawił go Gerald. – A to jest nasz ogrodnik, Hoturapa, oraz pokojówka i kucharka, Moana i Kiri.

– Panno... Gwa-ne... – Moana chciała dygnąć i ładnie przywitać Gwyneirę, ale jej celtyckie imię okazało się zbyt trudne do wymówienia.

– Panno Gwyn – podpowiedziała Gwyneira. – Proszę mówić do mnie po prostu panno Gwyn.

Jej samej zapamiętanie maoryskich imion nie sprawiło żadnej trudności i obiecała sobie, że przy najbliższej okazji nauczy się kilku zwrotów w ich języku.

„A więc to była służba. A gdzie Lucas? Dlaczego nie było go tutaj, żeby poznać ją i powitać?".

– A gdzie jest...? – Gwyneira już miała zapytać o swojego przyszłego męża, Gerald jednak ją uprzedził. Wydawał się przy tym z jego nieobecności równie niezadowolony co ona.

– Gdzież znowu podział się mój syn, Witi? Mógłby chyba łaskawie ruszyć tyłek i przyjść tutaj, żeby poznać swoją przyszłą żonę... Oj, chciałem powiedzieć, że... Panna Gwyn na pewno z niecierpliwością czeka na powitanie...

Służący się uśmiechnął.

– Pan Lucas wyjechać na inspekcję pastwisk. Pan James mówić, ktoś z domu pozwolić na zakup materiału na ogrodzenie padoku. Teraz jest takie, że konie wychodzić. Pan James bardzo zdenerwowany. Dlatego pan Lucas pojechać.

– Zamiast powitać ojca i narzeczoną! Nieźle się zaczyna! – pomstował Gerald.

Gwyneira uznała jednak przewinienie narzeczonego za wybaczalne. Sama nie wytrzymałaby ani minuty, gdyby Igraine była trzymana na okólniku, który nie był bezpieczny. A konna inspekcja pastwisk bardziej pasowała do wizerunku jej wymarzonego męża niż lektura książek i gra na fortepianie.

– Tak, Gwyneiro, nie pozostaje nam nic innego, jak uzbroić się w cierpliwość – Gerald Warden w końcu się uspokoił. – Ale może to wcale nie jest tak źle, bo przecież w Anglii też nie spotkałabyś się po raz pierwszy ze swoim przyszłym mężem w stroju podróżnym i z rozwianymi włosami...

Choć sam uważał, że Gwyneira wygląda czarująco z rozpuszczonymi do połowy lokami i lekko zaczerwienioną od jazdy w słońcu twarzą, to Lucas mógł mieć na ten temat zupełnie odmienne zdanie...

– Kiri pokaże ci teraz twoje pokoje i pomoże ci się odświeżyć i uczesać. Za godzinę wszyscy spotkamy się na herbacie. Mój syn powinien wrócić przed piątą, nie ma zwyczaju przedłużać swoich przejażdżek. A wtedy wasze pierwsze spotkanie odbędzie się w tak eleganckim stylu, jak tylko można to sobie wymarzyć.

W marzeniach Gwyneiry wyglądało ono co prawda całkiem inaczej, ale nie miała wyboru.

– Czy ktoś weźmie moje kufry? – zapytała, patrząc na służbę. – Och, nie, to dla ciebie za ciężkie, Moana. Dziękuje, Hotaropa... Hoturapa? Przepraszam, teraz już będę pamiętać. Kiri, jak się mówi „dziękuję" po maorysku?

Helen wbrew sobie musiała się jakoś urządzić u państwa Baldwinów. Bez względu na to jak nie cierpiała tej rodziny, do przybycia Howarda nie miała innego wyboru. Starała się więc zachowywać przyjaźnie. Zaproponowała pastorowi, że będzie przepisywać teksty do kościelnej gazetki, a później odnosić je do drukarni. Załatwiała sprawunki dla pani Baldwin i starała się pomagać w domu, wykonując drobne prace krawieckie czy nadzorując odrabianie prac domowych przez Belindę. To ostatnie zajęcie sprawiło, że w krótkim czasie stała się najbardziej znienawidzoną osobą w całym domu. Córce pastora zupełnie nie odpowiadało to, że ktoś ją kontroluje, i przy każdej okazji skarżyła się matce. A Helen przy okazji dowiedziała się, jak kiepsko radzi sobie grono pedagogiczne szkoły, którą dopiero co otworzono w Christchurch. Zastanawiała się, czy nie powinna zgłosić się tam do pracy, gdyby z Howardem coś nie wyszło. Wikary Chester wciąż ją jednak pocieszał, że trzeba czasu, żeby pan O'Keefe dowiedział się o jej przybyciu.

– Przecież państwo Candlerowie nie wyślą do niego na farmę posłańca. Raczej zaczekają, aż przyjedzie na zakupy do Haldon, a to może potrwać kilka dni. Ale jak tylko się dowie, że pani tu jest, przyjedzie z pewnością, jestem o tym przekonany.

Dla Helen była to kolejna niepokojąca informacja. Zdążyła się już pogodzić z faktem, że Howard nie mieszka w bezpośrednim sąsiedztwie Christchurch. Haldon widocznie nie było przedmieściem, tylko niezależnym, choć niewielkim miasteczkiem. Z tym również była skłonna się pogodzić. Ale teraz dowiedziała się od wikarego, że farma Howarda znajduje się zupełnie poza Haldon. Gdzie więc w końcu ma zamieszkać? Chętnie porozmawiałaby o tym z Gwyneirą – może mogłaby przy okazji zapytać o to swojego przyszłego teścia, Geralda. Ale Gwyneira wyjechała wczoraj do Kiward Station. Helen nie miała pojęcia, kiedy zobaczy ponownie swoją przyjaciółkę i czy w ogóle do tego dojdzie.

Ale przynajmniej tego popołudnia czekało ją coś przyjemnego. Pani Godewind formalnie powtórzyła swoje zaproszenie i punktualnie w porze herbaty zjawiła się po Helen jej jednokonka z woźnicą Jonesem na koźle. Jones rozpromienił się na widok młodej kobiety i z zachowaniem wszelkich nakazów grzeczności pomógł jej wsiąść do powozu. Powiedział jeszcze, że Helen ładnie wygląda w swojej nowej liliowej sukni, a potem przez całą drogę tylko wychwalał Elizabeth.

– Nasza pani jest innym człowiekiem, panno Davenport. Nie uwierzy pani. Każdego dnia wygląda młodziej, śmieje się i żartuje z dziewczynką. A Elizabeth jest takim uroczym dzieckiem, zawsze stara się pomóc w czymś mojej pani i nigdy nie ma złego humoru. A jak potrafi czytać! Mój Boże, gdy tylko mogę, znajduję sobie jakieś zajęcie w domu, kiedy mała czyta naszej pani. Ma taki piękny głos i czyta tak, że człowiek się czuje, jakby był częścią czytanej opowieści.

Elizabeth nie zapomniała także nauk Helen o odpowiedniej obsłudze oraz zachowaniu się przy stole. Zręcznie i z uwagą nalewała herbatę i rozdawała ciasteczka, a w swojej nowej niebieskiej sukience i białym czepku wyglądała prześlicznie.

Rozpłakała się jednak, gdy dowiedziała się o Laurie i Mary, i bardziej, niż zakładała Helen, przejęła się jej złagodzoną wersją historii Daphne i Dorothy. Elizabeth była co prawda marzycielką, ale ona również trafiła do sierocińca z londyńskiej ulicy. Płakała teraz gorącymi łzami nad Daphne i wykazała wielkie zaufanie do swojej nowej pani, od razu zwracając się do niej po pomoc.

– Czy nie mogłybyśmy wysłać tam pana Jonesa, żeby zabrał Daphne? I bliźniaczki? Proszę, pani Godewind, na pewno znajdziemy tutaj dla nich pracę. Na pewno można coś zrobić!

Pani Godewind potrząsnęła głową.

– Niestety nie, moje dziecko. Ci ludzie zawarli z sierocińcem umowy dotyczące waszej pracy, tak samo jak ja. Dziewczynki nie mogą tak po prostu uciec. A my wpadlibyśmy w poważne tarapaty, gdybyśmy im w tym pomogli! Przykro mi, kochanie, ale dziewczynki same muszą o siebie zadbać. Ale po tym co mi pani powiedziała – pani Godewind zwróciła się do Helen – już tak bardzo się o Daphne nie martwię. Już ona sobie poradzi. Jeśli zaś chodzi o bliźniaczki... Och, to takie smutne. Nalej nam jeszcze herbaty, Elizabeth. Później odmówimy za nie modlitwę, może choć Bóg się nimi zaopiekuje.

A Bóg tymczasem tasował karty dla Helen, która w przytulnym salonie pani Godewind popijała herbatę i częstowała się wypiekami państwa MacLarenów. Wikary Chester oczekiwał na nią niecierpliwie przed domem państwa Baldwinów, kiedy Jones otwierał dla niej drzwi powozu.

– Gdzie pani była, panno Davenport? Już niemal straciłem nadzieję, że dziś was sobie przedstawię. Przepięknie pani wygląda, zupełnie tak, jakby się pani tego spodziewała! Chodźmy szybko! W salonie czeka pan O'Keefe.

Przez portal Kiward Station wchodziło się najpierw do przestronnego holu, w którym goście się rozbierali z wierzchnich okryć, a panie mogły szybko poprawić fryzurę. Gwyneira z rozbawieniem zauważyła szafę z lustrami i obowiązkową srebrną tacę na karty wizytowe. Tylko czy tutaj składało się aż tak formalne wizyty? Ktoś widocznie uważał, że znajomi nie będą przyjeżdżać bez zapowiedzi i że nigdy nie pojawi się nagle ktoś zupełnie obcy. Ale gdyby rzeczywiście zbłądził w te okolice ktoś nieznajomy, to czy Lucas i jego ojciec naprawdę czekaliby, aż pokojówka zgłosi to Witiemu, a ten dopiero powiadomi gospodarzy? Gwyneira przypomniała sobie rodziny farmerów, które wybiegały z domów, żeby zobaczyć mijających ich jeźdźców, oraz widoczne zaskoczenie państwa Beasleyów, kiedy się u nich zatrzymali. Maorysom obyczaj wymieniania kart wizytowych zapewne również był obcy. Gwyneira zastanawiała się, jak Gerald objaśnił go Witiemu.

Z holu przechodziło się do skromnie umeblowanego pokoju przyjęć, który bez wątpienia miał przypominać tego rodzaju pomieszczenia w brytyjskich pałacach. Goście mogli tutaj w przyjemnej atmosferze poczekać, aż gospodarz znajdzie dla nich chwilę. W pokoju znajdował się kominek i kredens z zastawą do herbaty, fotele i sofy przywieziono jednak dopiero teraz. Razem będzie to pięknie wyglądać, ale czemu miałoby to wszystko służyć? Tego Gwyneira nie była w stanie odgadnąć.

Młoda Maoryska Kiri prowadziła ją pospiesznie do salonu, który był już całkowicie urządzony ciężkimi, staroangielskimi meblami. Gdyby nie oszklone drzwi na taras, pomieszczenie to wydawałoby się wręcz ponure. W każdym razie nie zostało urządzone zgodnie z najnowszą modą, gdyż meble i dywany wyglądały niemal jak antyki. Być może stanowiły część posagu matki Lucasa? Jeśli tak, to jej rodzina musiała być naprawdę zamożna. Co zresztą było bardzo prawdopodobne. Gerald mógł być świetnym hodowcą owiec, a wcześniej doskonałym marynarzem i jednocześnie najsprytniejszym karciarzem, jakiego kiedykolwiek wydały osady wielorybników. Ale żeby taki pałac jak Kiward Station postawić na zupełnym pustkowiu, na to było trzeba znacznie więcej pieniędzy, niż można zarobić na wielorybach czy owcach. Z pewnością miało w tym udział bogactwo rodziny pani Warden.

– Idzie pani, panienko Gwyn? – zapytała Kiri przyjaźnie, ale z lekkim niepokojem. – Mam panience pomóc, ale muszę także przygotować i podać herbatę. Moana nie radzić sobie z herbatą, lepiej, żeby my były gotowe, zanim ona upuścić filiżanki.

Gwyneira się roześmiała. Mogła sobie wyobrazić, jak zręcznie Moana obchodzi się z porcelaną.

– Tym razem ja będę nalewać herbatę – oświadczyła zdumionej pokojówce. – To stary angielski zwyczaj. Latami to ćwiczyłam. To jedna z umiejętności niezbędnych dla panien wychodzących za mąż.

Kiri przyglądała się jej ze zmarszczonym czołem.

– Gotowa iść za mąż, jak umie robić herbatę? U nas ważne jest pierwsze krwawienie...

Gwyneira natychmiast się zaczerwieniła. Jak Kiri mogła tak otwarcie mówić o czymś tak wstydliwym! Z drugiej strony Gwyneira z wdzięcznością przyjmowała każdą informację na te tematy. Miesięczne krwawienie jako warunek gotowości do małżeństwa – to samo obowiązywało w jej kulturze. Doskonale pamiętała, jak jej matka westchnęła, gdy po raz pierwszy zdarzyło się to Gwyn. – Och, moje dziecko – powiedziała wtedy – teraz i ciebie dotknęło to przekleństwo. Będziemy musieli poszukać ci męża.

Co jedno z drugim miało wspólnego, nikt Gwyneirze nie wyjaśnił. Poskromiła swoją ochotę na parsknięcie histerycznym śmiechem na wspomnienie miny matki, gdy pytano ją o te kwestie. Gdy pewnego razu Gwyn zaczęła zastanawiać się nad ewentualnymi paralelami z cieczką u psów, lady Silkham zażądała jedynie swoich soli trzeźwiących i na całą resztę dnia zamknęła się w swoim pokoju.

Gwyneira rozejrzała się za Cleo, która oczywiście szła tuż za nią. Kiri była tym nieco zdziwiona, ale nic nie powiedziała.

Z salonu szerokie kręcone schody prowadziły do sypialni członków rodziny. Gwyneira była zaskoczona, że jej pokoje są już w pełni umeblowane.

– To miały być pokoje żony pana Geralda – wyjaśniła Kiri. – Ale potem ona umrzeć. Pokoje zawsze stać puste. Ale teraz pan Lucas przygotować je dla pani!

– Pan Lucas urządził dla mnie pokoje? – zapytała zdumiona Gwyneira.

Kiri pokiwała głową.

– Tak. On kazał poprzynosić meble i zamówić... Jak to się nazywa? Taki materiał w oknach?

– Zasłony, Kiri – podpowiedziała Gwyneira, która wciąż nie mogła wyjść ze zdumienia. Meble zmarłej pani Warden były z jasnego drewna, a dywany w kolorach starego różu, beżu i błękitu. Do tego Lucas, czy też ktoś inny, dobrał skromne różowe zasłony z jedwabiu z beżowo-błękitną bordiurą i udrapował je przy oknach i wokół łóżka. Pościel była ze śnieżnobiałego płótna, a przykrywała ją niebieska narzuta. Obok sypialni znajdowała się garderoba i gustownie urządzony salon z małymi fotelami, stolikiem do herbaty i szafką na przybory do szycia. Na gzymsie kominka ustawiono srebrne ramki, świeczniki i tace. W jednej z ramek znajdował się dagerotyp przedstawiający szczupłą jasnowłosą kobietę. Gwyneira wzięła ramkę do ręki i bliżej przyjrzała się portretowi. Gerald nie przesadził. Jego zmarła żona była prawdziwą pięknością.

– Przebierze się pani teraz, panno Gwyn? – nalegała Kiri.

Gwyneira skinęła głową i razem z pokojówką zabrała się za rozpakowywanie kufrów. Kiri z szacunkiem wyjmowała uszyte ze szlachetnych materiałów suknie wieczorowe i popołudniowe Gwyneiry.

– Ale piękne, panno Gwyn! Takie gładkie i miękkie! Ale pani chuda, panno Gwyn. To niedobrze, bo trudniej mieć dzieci.

Kiri naprawdę potrafiła mówić o tych sprawach bez ogródek. Gwyneira wyjaśniła jej ze śmiechem, że tak naprawdę wcale nie jest taka szczupła, tylko wygląda tak dzięki gorsetowi. A do tej jedwabnej sukni, w którą ma się teraz przebrać, trzeba go ścisnąć jeszcze mocniej. Kiri bardzo się starała, gdy Gwyneira pokazała jej uchwyty, za które należy ciągnąć, ale wyraźnie miała opory przed zadawaniem bólu swojej nowej pani.

– To nie szkodzi, Kiri, jestem przyzwyczajona – wystękała Gwyn. – Moja matka zwykła była mówić: kto chce być piękny, musi cierpieć.

Kiri wreszcie zrozumiała. Zmieszana roześmiała się, wskazując na swoją pokrytą tatuażami twarz. – Ach tak! To jak *moku*, prawda? Tylko codziennie od nowa!

Gwyneira skinęła głową. Kiri ogólnie miała rację. Jej talia osy była równie nienaturalna i powodująca ból, co trwała ozdoba na twarzy Maoryski. Tutaj jednak, w Nowej Zelandii, Gwyneira miała zamiar nieco poluzować obyczaje. Kiedy pokaże jednej z dziewcząt, jak nieco popuścić boki swoich sukni, to potem przy zasznurowywaniu gorsetu nie będzie musiała aż tak się katować. A kiedy już będzie w ciąży...

Kiri sprawnie pomogła jej założyć błękitną jedwabną suknię, ale z uczesaniem Gwyneiry miała spore trudności. Już samo rozczesanie jej loków nie było łatwe, a co dopiero ich porządne upięcie. Było widać, że Kiri robi coś takiego pierwszy raz w życiu. W końcu Gwyn zaczęła jej pomagać i choć rezultat z pewnością nie spełniał surowych wymagań sztuki fryzjerskiej, a Helen bez wątpienia byłaby przerażona, to Gwyn uznała, że wygląda zupełnie znośnie. Zdołały upiąć większość jej rudozłotych loków, a kilka kosmyków, które się wysmyknęły i okalały teraz twarz Gwyneiry, nadawało jej rysom miękkości i dziewczęcości. Cera Gwyneiry promieniała po przejażdżce na słońcu, jej oczy zaś błyszczały niecierpliwością.

– Czy pan Lucas już przyjechał? – zapytała pokojówkę.

Kiri wzruszyła ramionami. Skąd miała wiedzieć? Przecież cały czas była z Gwyneirą w tym pokoju.

– A jaki właściwie jest pan Lucas, Kiri? – Gwyn zdawała sobie sprawę, że matka ostro zganiłaby ją za takie pytanie. Nie należy zachęcać służby do plotkowania o członkach rodziny. Ale Gwyneira nie mogła się powstrzymać.

Kiri jednocześnie uniosła w górę ramiona i brwi, co wyglądało bardzo zabawnie.

– Pan Lucas? Nie wiem. To *pakeha.* Dla mnie wszyscy są tacy sami. – Maoryska widocznie nigdy dotąd nie zastanawiała się nad szczególnymi cechami swoich chlebodawców. Ale potem przemyślała sprawę ponownie, gdy ujrzała wyraz rozczarowania na twarzy Gwyneiry. – Pan Lucas… Jest miły. Nie krzyczeć, nie złościć się. Miły. Tylko trochę chudy.

2

Helen nie wiedziała, jak wygląda, ale teraz w żaden sposób nie mogła już opóźnić swojego spotkania z Howardem O'Keefe'em. Zdenerwowana wygładziła suknię i przeciągnęła dłonią po włosach. Czy powinna od razu zdjąć czepek czy na razie go zostawić? W salonie państwa Baldwinów znajdowało się lustro, w którym Helen pobieżnie się przejrzała, zanim spojrzała na mężczyznę siedzącego na sofie. I tak był odwrócony do niej tyłem, ponieważ pani Baldwin ustawiła swoje meble przodem do kominka. Helen miała więc okazję rzucić ukradkowe spojrzenie na postać nieznajomego, zanim ją zauważył. Howard O'Keefe był masywny i spięty. Wyraźnie stremowany, bawił się filiżanką z serwisu do herbaty pastorowej swoimi dużymi i spracowanymi dłońmi.

Helen już miała zakasłać, żeby zwrócić na siebie uwagę żony pastora i jej gościa. Ale pani Baldwin sama ją zauważyła. Uśmiechnęła się z obojętnym wyrazem twarzy, ale zdawała się serdeczna.

– Och, oto i ona, panie O'Keefe! Widzi pan, mówiłam, że długo tam nie zabawi. Zapraszam do nas, panno Davenport! Chciałabym kogoś pani przedstawić! – Głos pani Baldwin brzmiał niemal figlarnie.

Helen podeszła bliżej. Mężczyzna tak gwałtownie wstał z sofy, że omal nie zrzucił ze stołu całej zastawy.

– Panno... Och, Helen?

Helen musiała popatrzeć do góry, żeby spojrzeć w twarz swojemu przyszłemu mężowi. Howard O'Keefe był wysoki i ciężki, ale nie gruby, tylko mocno zbudowany. Jego twarz również była grubo ciosana, ale całkiem sympatyczna. Ogorzała od słońca i twarda skóra twarzy dowodziła wielu lat ciężkiej pracy na świeżym powietrzu. Pokrywały ją głębokie zmarszczki, świadczące o żywej mimice, choć w tym momencie z twarzy pana O'Keefe'a można było wyczytać jedynie zdumienie i podziw. W jego stalowoniebieskich oczach odbijało się uznanie – wyglądało na to, że Helen mu się spodobała. Jej podobały się przede wszystkim jego włosy, ciemne, gęste i bardzo porządnie przystrzyżone. Prawdopodobnie zdążył pójść do fryzjera tuż przed pierwszym spotkaniem z narzeczoną. Jego włosy siwiały już jednak na skroniach. Howard był zdecydowanie starszy, niż zakładała Helen.

– Panie... Panie O'Keefe – powiedziała bezdźwięcznym głosem i najchętniej sama sobie wymierzyłaby za to policzek. W końcu zwrócił się do niej „panno Helen", powinna więc była odpowiedzieć „panie Howardzie".

– Ja... Hm... I oto pani jest! – stwierdził nieco gwałtownie Howard. – To... Hm... To trochę niespodziewane.

Helen zastanawiała się, czy miał jej to za złe. Zaczerwieniła się.

– Tak. Cóż... Takie okoliczności... Ale... Cieszę się, że mogłam pana poznać.

Wyciągnęła do niego rękę. On ujął ją i mocno uścisnął.

– Ja również się cieszę. Przykro mi, że musiała pani czekać.

Ach, o to mu więc chodziło. Helen uśmiechnęła się z ulgą.

– Nie szkodzi, panie Howardzie. Powiedziano mi, że może trochę potrwać, zanim dowie się pan o moim przybyciu. Ale teraz już pan jest.

– Tak, już jestem.

Howard również się uśmiechnął, przez co rysy jego twarzy zmiękły i stały się bardziej ujmujące. Sądząc po stylu jego listów, Helen spodziewała się jednak bardziej płynnej konwersacji. Ale w porządku, widocznie był nieśmiały. Helen przejęła prowadzenie rozmowy.

– Skąd dokładnie pan przyjechał, panie Howard? Myślałam, że Haldon znajduje się bliżej Christchurch. Ale to, zdaje się, odrębne miasto. Czy pańska farma znajduje się jeszcze dalej...?

– Haldon leży nad jeziorem Benmore – wyjaśnił Howard, jakby ta nazwa cokolwiek Helen mówiła. – Nie jestem pewien, czy można je nazwać miastem. Ale jest kilka sklepów. Można tam dostać potrzebne rzeczy. Te najniezbędniejsze.

– A jak to daleko? – zapytała Helen i zaraz pomyślała, że pyta o głupstwa. Rozmawia z mężczyzną, który prawdopodobnie zostanie jej mężem, i rozprawia o wiejskich sklepach i odległościach.

– Niecałe dwa dni zaprzęgiem – odpowiedział Howard po chwili zastanowienia. Helen wolałaby odpowiedź w kilometrach, ale nie chciała go dalej przyciskać. Zamilkła więc, przez co zapadła niezręczna cisza. Po chwili Howard odchrząknął.

– A… Pani miała dobrą podróż?

Helen odetchnęła. Wreszcie jakieś pytanie, na które może udzielić dłuższej odpowiedzi. Opisała mu rejs statkiem z dziewczynkami.

Howard pokiwał głową.

– Hm… Daleka podróż….

Helen miała nadzieję, że opowie teraz coś o swojej emigracji, ale pan O'Keefe zamilkł.

Na szczęście do towarzystwa dołączył wikary Chester. Gdy witał się z Howardem, Helen znalazła chwilę, żeby złapać oddech i trochę dokładniej przyjrzeć się swojemu przyszłemu mężowi. Jego ubiór był prosty, ale schludny. Miał na sobie skórzane bryczesy, które z pewnością służyły mu już od wielu lat, a pod kurtką z woskowanego płótna białą koszulę. Jedynym kosztownym elementem jego stroju była wspaniale zdobiona mosiężna sprzączka do pasa. Na szyi nosił srebrny łańcuszek z zielonym kamieniem. Do tej pory sprawiał wrażenie sztywnego i niezręcznego, ale teraz rozluźnił się, wyprostował i nabrał pewności. Jego ruchy stały się bardziej sprężyste, niemal wdzięczne.

– Niech pan opowie pannie Helen trochę więcej o swojej farmie! – zachęcił go wikary. – Może o zwierzętach, o domu…

O'Keefe wzruszył ramionami.

– To ładny dom, panienko. Bardzo solidny, sam go zbudowałem. A zwierzęta… Cóż, mamy muła, konia, krowę i kilka kur. I oczywiście owce. Będzie ich z tysiąc.

– Ale to… To bardzo dużo – zauważyła Helen, bardzo teraz żałując, że nie wsłuchiwała się uważniej w niekończące się opowieści Gwyneiry o hodowli owiec. Ileż to owiec hodował według Gwyneiry pan Gerald?

– To wcale nie jest dużo, panienko, ale będzie ich więcej. A ziemi jest dosyć, na pewno wystarczy. To jak… To jak robimy?

Helen zmarszczyła czoło.

– Co „jak robimy", panie Howardzie? – zapytała, szukając dłonią kosmyka włosów, który wysmyknął się z mocno upiętego koka.

– No to… – Zakłopotany Howard bawił się drugą filiżanką herbaty. – Z naszym ślubem…

Za pozwoleniem Gwyneiry Kiri udała się w końcu do kuchni, żeby pomóc Moanie. Gwyn spędziła ostatnie chwile przed herbatą na gruntownej inspekcji swoich pokoi. Były one urządzone po prostu idealnie, nawet z uwzględnieniem takich detali, jak przybory toaletowe w garderobie. Gwyneira podziwiała grzebienie z kości słoniowej i szczotki do kompletu. Mydło pachniało różami i tymiankiem – z pewnością nie był to wyrób maoryskich tubylców, musiało być sprowadzone z Christchurch czy wręcz z samej Anglii. Przyjemny zapach rozchodził się także z tacki z wysuszonymi płatkami kwiatów, którą ustawiono w saloniku. Bez wątpienia żadna idealna pani domu, jak jej matka czy siostra Diana, nie urządziłaby tych pokoi bardziej przytulnie, niż uczynił to… Lucas Warden? Gwyneira po prostu nie była w stanie wyobrazić sobie, że o te wszystkie wspaniałości zadbał młody mężczyzna!

Gwyneira bardzo się już niecierpliwiła. Pomyślała, że nie musi czekać aż do herbaty. Być może Lucas i Gerald siedzą już w salonie. Ruszyła wyłożonym kosztownymi dywanami korytarzem w kierunku schodów, gdy nagle usłyszała podniesione głosy, które było słychać chyba w całym domu.

– Możesz mi powiedzieć, dlaczego akurat dzisiaj musiałeś pojechać na inspekcję pastwisk? – pomstował Gerald. – Nie mogłeś tego odłożyć na jutro? Ta mała jeszcze pomyśli, że zupełnie ją lekceważysz.

– Przepraszam, ojcze – zabrzmiał spokojny i kulturalny głos. – Ale pan McKenzie się upierał. I sprawa rzeczywiście była pilna. Konie rozbiegły się już trzeci raz…

– Co takiego?! – krzyknął Gerald. – Rozbiegły się trzy razy? To znaczy, że przez trzy dni płaciłem tym ludziom tylko za to, żeby z powrotem łapali chabety? Dlaczego nie zrobiłeś czegoś wcześniej? McKenzie na pewno chciał od razu naprawić ogrodzenie, nie tak? A skoro jesteśmy już przy temacie ogrodzeń, to dlaczego w Lyttelton nic nie przygotowano dla owiec? Bez pomocy twojej przyszłej żony i jej psów przez całą noc musiałbym ich osobiście pilnować!

– Miałem dużo zajęć, ojcze. Trzeba przecież skończyć portret mamy do salonu. I musiałem się też zatroszczyć o urządzenie pokoi dla lady Gwyneiry.

– Lucasie, kiedy ty się w końcu nauczysz, że obrazy olejne w przeciwieństwie do koni nie uciekają! A jeśli chodzi o pokoje Gwyneiry… To ty je urządziłeś? – Dla Geralda było to równie niepojęte jak dla Gwyneiry.

– A kto miał to zrobić? Jedna z tych maoryskich dziewcząt? To natrafiłaby tam na maty z liści palmowych i palenisko! – Lucas zdawał się nieco rozdrażniony. Oczywiście jedynie w takim stopniu, jaki przystoi dżentelmenowi w towarzystwie.

Gerald westchnął.

– Już dobrze, miejmy nadzieję, że to doceni. Teraz już się nie kłóćmy, lada moment zejdzie na dół...

Gwyneira uznała, że potraktuje te słowa jak zaproszenie. Równym krokiem, z wyprostowanymi ramionami i trzymając głowę wysoko, zeszła po schodach. Przed balem debiutantek ćwiczyła tę umiejętność całymi dniami. Wreszcie mogła wykorzystać ją w praktyce.

Jak można się było spodziewać, panom w salonie odjęło mowę. Na tle ciemnych schodów ukazała się drobna, otulona jasnobłękitnym jedwabiem postać Gwyneiry. Młoda kobieta wyglądała tak, jakby zeszła wprost z olejnego obrazu. Jej twarz promieniała, a okalające ją kosmyki włosów wyglądały w świetle rozjaśniających salon świec niczym splątane nici ze złota i miedzi. Na ustach Gwyneiry błąkał się nieśmiały uśmiech. Spuściła oczy, ale nie na tyle, żeby nie móc zerkać zza swoich długich rudych rzęs. Musiała spojrzeć na Lucasa, jeszcze zanim zostaną sobie oficjalnie przedstawieni.

To co ujrzała, sprawiło, że z trudem utrzymała odpowiednią postawę. Miała ochotę rozdziawić usta i szeroko otwartymi oczami wpatrywać się w ten idealny egzemplarz rodzaju męskiego.

Gerald nie przesadził, opisując swojego syna. Lucas był doskonałym przykładem dżentelmena, i to obdarzonego wszelkimi atrybutami męskiej urody. Ten młody człowiek był wysoki, zdecydowanie wyższy do Geralda, o szczupłej, ale muskularnej budowie. Nie miał w sobie nic z dryblasa, jakim był młody Barrington, ani anemicznej delikatności wikarego Chestera. Lucas Warden bez wątpienia dbał o tężyznę fizyczną, ale nie na tyle, żeby jego ciało stało się zbyt atletyczne. Jego szczupła twarz sprawiała wrażenie uduchowionej, ale przede wszystkim miał regularne i szlachetne rysy. Gwyneirze przypomniały się posągi greckich bogów, które okalały ścieżkę wiodącą do różanego ogrodu Diany. Usta Lucasa były pięknie wykrojone, nie były ani zbyt szerokie i zmysłowe, ani zbyt wąskie i zaciśnięte. Miał jasne szare oczy o tak intensywnej barwie, jakiej Gwyneira nigdy dotąd nie widziała. Zwykle w szarych oczach mieni się błękit, ale kolor oczu Lucasa sprawiał wrażenie, jakby stanowił czyste połączenie samej czerni i bieli. Jasne i lekko kręcone włosy miał krótko obcięte, zgodnie z modą panującą na londyńskich salonach. Jego strój był formalny, na pierwsze spotkanie z narzeczoną wybrał szary surdut z kamizelką z najlepszego sukna. Do tego założył błyszczące czarne półbuty.

Gdy Gwyneira do niego podeszła, uśmiechnął się. Jego twarz stała się jeszcze bardziej ujmująca. Oczy jednak pozostały bez wyrazu.

Potem pochylił się i ujął dłoń Gwyneiry długimi szczupłymi palcami, żeby złożyć na niej delikatny i pełen szacunku pocałunek.

– Milady... Jestem oczarowany.

Howard O'Keefe patrzył zdumiony na Helen. Nie rozumiał, dlaczego jego pytanie wprawiło ją w zakłopotanie.

– Jak... Jak to „ze ślubem"? – wyjąkała w końcu. – Myślałam... Myślałam, że... – Helen wciąż skubała kosmyk włosów.

– A ja myślałem, że przybyła pani tutaj, żeby za mnie wyjść – stwierdził Howard, który zaczął wyglądać na nieco zirytowanego. – Czyżby doszło do jakiegoś nieporozumienia?

Helen pokręciła głową.

– Nie, oczywiście, że nie. Ale to dzieje się tak szybko. My... My przecież nic o sobie nie wiemy. Zwykle jest tak, że... Że mężczyzna najpierw stara się o swoją przyszłą żonę, a dopiero potem...

– Panno Helen, moją farmę dzielą od tego miejsca dwa dni drogi! – powiedział Howard surowym tonem. – Chyba nie oczekuje pani, że będę tę podróż wielokrotnie powtarzał tylko po to, żeby przywozić pani kwiaty! Ja potrzebuję żony. Zobaczyłem już panią i bardzo mi się pani podoba...

– Dziękuję – wymamrotała Helen, czerwieniąc się.

Howard w ogóle na to nie zareagował.

– Z mojej strony wszystko jest więc jasne. Pani Baldwin powiedziała mi, że jest pani troskliwa i dba o dom, i to mi się podoba. Więcej wiedzieć nie muszę. Jeśli ma pani do mnie jeszcze jakieś pytania, to proszę bardzo, chętnie odpowiem. Ale potem powinniśmy porozmawiać o... O formalnościach. Pastor Baldwin udzieli nam ślubu, tak? – ostatnie pytanie skierowane było do wikarego Chestera, który gorąco przytaknął.

Helen zaczęła gorączkowo zastanawiać się nad pytaniami. Co powinno się wiedzieć o mężczyźnie, z którym bierze się ślub? Ostatecznie postanowiła zacząć od pytań o rodzinę.

– Pan pochodzi z Irlandii, prawda?

Pan O'Keefe skinął głową.

– Tak, panno Helen. Z Connemary.

– A pańska rodzina to...?

– Richard i Bridie O'Keefe, moi rodzice, i pięcioro rodzeństwa. A być może i więcej... Wcześnie odszedłem z domu.

– Dlatego, że... Ziemia nie mogła wyżywić tylu dzieci? – zapytała Helen ostrożnie.

– Można tak powiedzieć. Mnie w każdym razie o zdanie nie pytano.

– Och, tak mi przykro, panie Howardzie! – Helen miała ochotę położyć mu dłoń na ramieniu, ale się powstrzymała. Oczywiście, to był ten „ciężki los", o którym wspomniał w swoich listach.

– A potem przybył pan do Nowej Zelandii?

– Nie, ja... Przenosiłem się z miejsca na miejsce.

– Rozumiem – odparła Helen, choć nie miała najmniejszego pojęcia, gdzie mógł się udać oderwany od rodziny niedorostek. – I przez cały ten czas... Przez cały ten czas nie myślał pan o małżeństwie? – zaczerwieniła się.

O'Keefe wzruszył ramionami.

– Tam, gdzie przebywałem, niewiele było kobiet, panno Helen. To były osady wielorybników albo myśliwych polujących na foki. Ale kiedyś... – Jego rysy nagle złagodniały.

– Tak panie Howardzie? Przepraszam, jeśli wydaję się natrętna, ale... – Helen pragnęła usłyszeć o jakimś porywie uczuć, który być może pomógłby jej wyrobić sobie zdanie o rozmówcy.

Farmer szeroko się uśmiechnął.

– W porządku, panno Helen. Po prostu chce mnie pani poznać. Ale nie mam zbyt wiele do powiedzenia. Wyszła za kogoś innego... I być może to jest powód, dla którego pragnę teraz wszystko szybko załatwić. To znaczy z nami... Rozumie pani...

Helen była wzruszona. A więc nie był to brak uczuć, tylko zrozumiała obawa, że ucieknie mu, jak tamta dziewczyna, którą kiedyś kochał. Choć nadal nie rozumiała, jak ten oszczędny w słowach człowiek, sprawiający dość srogie wrażenie, mógł pisać tak piękne listy, to teraz wydawało jej się, że lepiej go rozumie. „Cicha woda brzegi rwie" – pomyślała.

Ale czy powinna tak bez zastanowienia poddać się losowi? Helen gorączkowo myślała o innych możliwościach. U Baldwinów nie mogła już dłużej mieszkać. Nie zrozumieliby, po co w takim razie czyniła złudne nadzieje Howardowi. A on sam jej wahanie odebrałby jako odrzucenie i mógłby całkiem się wycofać. A wtedy? Posada w miejscowej szkole, która wcale nie była pewna? Uczenie takich dzieci jak Belinda Baldwin i powolne stawanie się starą panną? Nie mogła tak ryzykować. Howard był inny, niż sobie wyobrażała, ale wydawał się szczery i uczciwy, oferował jej dom i ojczyznę, chciał mieć rodzinę i ciężko pracował, dbając o rozwój swojej farmy. Niczego więcej nie mogła żądać.

– Dobrze, panie Howardzie. Ale musi mi pan dać dzień lub dwa dni na przygotowania. Zawarcie małżeństwa wymaga...

– Urządzimy oczywiście małe przyjęcie! – oświadczyła słodkim głosem pani Baldwin. – Z pewnością Elizabeth i inne dziewczęta, które zostały w Christchurch, będą chciały być obecne. Ale pani przyjaciółka, panna Silkham, zdaje się, już wyjechała...

Howard zmarszczył czoło.

– Silkham? Ta arystokratka? Gwenevere Silkham, która ma wyjść za syna starego Wardena?

– Gwyneira – poprawiła go Helen. – Ta sama. Zaprzyjaźniłyśmy się podczas rejsu.

Pan O'Keefe zwrócił się do niej, a jego przyjazną dotąd twarz wykrzywił grymas wściekłości.

– Żeby było jasne, Helen, nigdy nie przyjmiesz u nas w domu nikogo z Wardenów! Po moim trupie! Trzymaj się z dala od całej tej rodziny! Stary to oszust, a chłopak to niedołęga! A ta dziewczyna musi być nie lepsza, skoro dała się kupić! Należałoby wytępić całą tę hołotę! Nie waż się więc zapraszać jej na moją farmę! Nie mam tylu pieniędzy, co stary Warden, ale moja strzelba strzela równie dobrze!

Gwyneira konwersowała już od blisko dwóch godzin, co zmęczyło ją bardziej, niż gdyby tyle samo czasu spędziła w siodle czy szkoląc psy. Lucas Warden poruszał po kolei wszelkie tematy, których omawiania uczono jej w salonie matki, stawiając jednak rozmówcy znacznie wyższe wymagania niż lady Silkham.

A zaczęło się całkiem dobrze. Gwyneira nalała herbatę z gracją i w zgodzie z wszelkimi regułami, choć ręce wciąż jej drżały. Pierwsze spotkanie z narzeczonym zrobiło na niej ogromne wrażenie. Po chwili jednak serce przestało jej tak szybko bić. W końcu młody dżentelmen nie dawał jej żadnego powodu do zdenerwowania. Nie spoglądał na nią pożądliwie, nie próbował mimochodem musnąć jej palców, gdy zupełnie przypadkowo jednocześnie sięgnęli po cukiernicę, ani o sekundę za długo nie patrzył jej w oczy. Wzrok Lucasa zgodnie z nakazami grzeczności przez całą rozmowę spoczywał na płatku jej lewego ucha, a w jego oczach blask pojawiał się tylko wtedy, gdy zadawał jakieś ważkie pytania.

– Lady Gwyneiro, słyszałem, że gra pani na pianinie. Co pani ostatnio ćwiczyła?

– Och, moja gra jest bardzo daleka od doskonałości. Grywam tylko dla przyjemności, panie Lucasie. Obawiam się... Obawiam się, że mam w tym kierunku niewielki talent... – Pełne zakłopotania spojrzenie z dołu do góry, lekkie zmarszczenie czoła. W tym momencie większość mężczyzn zakończyłaby temat jakimś zręcznym komplementem. Ale nie Lucas Warden.

– Trudno mi to sobie wyobrazić, milady. To niemożliwe, skoro gra sprawia pani przyjemność. Wszystko, co czynimy z radością, musi nam dobrze wychodzić. Jestem o tym przekonany. Czy zna pani *Zeszyt muzyczny* Bacha? Menuety i tańce – coś w sam raz dla pani! – Lucas się uśmiechnął.

Gwyneira próbowała sobie przypomnieć, kto skomponował etiudy, którymi dręczyła ją *madame* Fabian. W każdym razie nazwisko Bach gdzieś już kiedyś słyszała. Czy on nie komponował muzyki kościelnej?

– A więc mój widok przywodzi panu na myśl chorały? – zapytała Gwyneira figlarnie. Może uda jej się sprowadzić rozmowę na poziom swobodnej wymiany komplementów i łagodnych docinków. To odpowiadałoby jej o wiele bardziej niż dyskusje o sztuce i kulturze. Lucas nie dał się jednak złapać.

– Czemu nie, milady? Chorały mają przecież wyrażać radość anielskich chórów chwalących Pana. A kto nie chciałby chwalić Boga za tak cudowne stworzenie jak pani? Mnie jednak fascynuje w muzyce Bacha niemal matematyczna czystość kompozycji w połączeniu z bez wątpienia głęboką pobożnością. Oczywiście muzyka ta nabiera prawdziwego wyrazu dopiero w odpowiednim otoczeniu. Czegóż bym nie dał, żeby móc choć raz wysłuchać koncertu organowego w jednej z wielkich europejskich katedr! To byłoby prawdziwe...

– Oświecenie – wtrąciła Gwyneira.

Lucas z entuzjazmem przytaknął.

Od muzyki przeszedł do zachwytów nad współczesną literaturą, przede wszystkim dziełami pana Bulwera-Lyttona.

– To taka budująca literatura – skomentowała Gwyneira.

Następnie zaczął rozwijać swój ulubiony temat, czyli malarstwo. Zachwycał się przy tym zarówno motywami mitologicznymi u renesansowych twórców, które Gwyneira określiła mianem wzniosłych, jak i światłocieniem w dziełach Velázqueza i Goi.

– Niezwykle odświeżające – zaimprowizowała Gwyneira, która nigdy dotąd nie spotkała się z takim określeniem.

Po dwóch godzinach Lucas zdawał się zachwycony swoją rozmówczynią, Gerald wyraźnie walczył z nudą, a Gwyneira najchętniej by stamtąd uciekła. W końcu dotknęła dłonią skroni i spojrzała na panów przepraszającym wzrokiem.

– Obawiam się, że dostałam migreny po tej długiej jeździe i od żaru z kominka. Chyba powinnam wyjść na świeże powietrze...

Gdy tylko zaczęła się podnosić, Lucas natychmiast wstał.

– Oczywiście, z pewnością chce pani odpocząć przed kolacją. To moja wina! Za bardzo przeciągnęliśmy herbatę, a wszystko przez tę niezwykle zajmującą rozmowę.

– Właściwie to miałam ochotę na mały spacer – stwierdziła Gwyneira. – Niedaleko, do stajni, żeby zajrzeć do mojej klaczy.

Cleo już z zapałem kręciła się koło swojej pani. Suka Gwyneiry też się nudziła. Jej pełne zadowolenia szczekanie przywróciło Geraldowi energię.

– Także powinieneś pójść, Lucasie – nakazał synowi. – Pokaż pannie Gwyneirze stajnie i uważaj, żeby poganiacze głupkowato się nie uśmiechali.

Lucas wyglądał na oburzonego.

– Ależ, ojcze... Takie wyrażenia w obecności damy...

Gwyneira starała się udać zażenowanie, ale tak naprawdę to szukała wymówki, żeby uniknąć towarzystwa Lucasa.

Na szczęście on też miał wątpliwości.

– Nie wiem, ojcze, czy takie wspólne wyjście nie naruszyłoby granic przyzwoitości – zauważył. – To niedopuszczalne, żebym przebywał w stajni sam z lady Gwyneirą...

Gerald parsknął.

– W stajniach jest teraz pewnie tłok jak w pubie! Przy takiej pogodzie poganiacze siedzą przecież w cieple i grają w karty! – Późnym popołudniem znowu zaczęło padać.

– Właśnie dlatego, ojcze. Jutro wszyscy strzępiliby języki, że państwo w nieprzyzwoitych celach udali się do stajni – Lucas wydawał się niemile dotknięty na samą myśl, że mógłby być przedmiotem tego rodzaju pogłosek.

– Och, dam sobie radę sama! – powiedziała szybko Gwyneira. Nie obawiała się poganiaczy, przecież udało jej się wcześniej zdobyć szacunek u pasterzy na farmie ojca. A w tej chwili grubiański język pastuchów wydawał jej się znacznie przyjemniejszy niż dalszy ciąg budującej konwersacji z dżentelmenem. W drodze do stajni pewnie przeegzaminowałby ją z tematu architektury. – I drogę do stajni też znajdę.

Chętnie wzięłaby jeszcze płaszcz, ale wolała szybko się pożegnać, zanim Geralda najdą jakieś wątpliwości.

– Rozmowa z panem, panie Lucasie, była... Była bardzo pokrzepiająca. – Z uśmiechem pożegnała się ze swoim przyszłym mężem. – Czyli widzimy się na kolacji?

Lucas skinął głową i podniósł się, żeby oddać głęboki ukłon.

– Oczywiście, milady. Kolacja zostanie podana w jadalni za dobrą godzinę.

Gwyneira niemal biegła z powodu deszczu. Nawet nie chciała myśleć o szkodach, jakie woda wyrządza jej jedwabnej sukni. A przecież wcześniej była piękna pogoda! Ale to prawda, że bez deszczu trawa nie rośnie. Wilgotny klimat jej nowej ojczyzny był idealny do hodowli owiec, pochodząca z Walii Gwyneira była zresztą przyzwyczajona do takiej pogody. Tylko że tam nie biegała w eleganckich sukniach po błocie, tam do budynków gospodarczych prowadziły wybrukowane dróżki. W Kiward Station widocznie o tym zapomniano i utwardzono tylko podjazd. Gdyby Gwyneira miała wybierać, wolałaby utwardzić plac przed stajnią niż wspaniały, ale za to rzadko używany podjazd przed głównym wejściem do domu. Ale Gerald miał widać inne priorytety, a Lucas tym bardziej. Z pewnością planował już ogród różany... Gwyneira ucieszyła się, dostrzegając, że ze stajni rozchodzi się blask światła. Nie miała pojęcia, skąd miałaby wziąć latarnię. Ze środka stajni dochodziły głosy. Najwidoczniej rzeczywiście zgromadzili się tam pasterze.

– Oczko, James! – ryknął ktoś ze śmiechem. – Niedługo pójdziesz z torbami, przyjacielu! Dzisiaj zabieram twoją wypłatę.

„Dobrze, że grają tylko o to" – pomyślała Gwyneira, głęboko wciągnęła powietrze i otworzyła drzwi do stajni. Z przedsionka, który się jej ukazał, w prawo przechodziło się do końskich boksów, z kolei z lewej strony otwierał się on na rodzaj świetlicy, w której mężczyźni skupili się wokół ogniska. Gwyneira doliczyła się pięciu, samych prostych chłopców, którzy nie wyglądali na osoby często zażywające kąpieli. Niektórzy nosili brody, a inni nie golili się przynajmniej od trzech dni. Wokół wysokiego i szczupłego mężczyzny o spalonej słońcem i nieco kanciastej, ale przyjaznej twarzy siedziały trzy młode owczarki.

Inny mężczyzna właśnie podawał mu butelkę whisky.

– Masz, to na pocieszenie!

„A więc to był ten James, który właśnie przegrał w karty".

Jasnowłosy olbrzym, który wciąż tasował karty, rozejrzał się mimochodem i spostrzegł Gwyneirę.

– Ha, chłopaki, chyba mamy tutaj duchy! Takie piękne damy widuję zwykle dopiero po drugiej flaszce whisky.

Mężczyźni się roześmieli.

– Cóż za blask w naszych skromnych progach! – powiedział niezbyt pewnym głosem mężczyzna z butelką w dłoni. – Toż... Toż to anioł!

Znowu rozbrzmiały śmiechy.

Gwyneira nie wiedziała, co odpowiedzieć.

– Bądźcie już cicho, wprawiacie ją w coraz większe zakłopotanie! – tym razem głos zabrał najstarszy z mężczyzn. Był najwyraźniej trzeźwy i właśnie nabijał swoją fajkę. – To ani anioł, ani zjawa, tyko nasza młoda pani! Ta, którą przywiózł pan Gerald, żeby pan Lucas... No wiecie przecież!

Niezręczny chichot.

Gwyneira postanowiła przejąć inicjatywę.

– Gwyneira Silkham – przedstawiła się. Chętnie podałaby im rękę, ale na razie nikt nie zamierzał nawet wstać. – Chciałam zajrzeć do mojego konia.

Tymczasem Cleo rozejrzała się po stajni, przywitała z młodymi owczarkami i biegała, machając ogonem, od jednego mężczyzny do drugiego, po czym zatrzymała się przy Jamesie, który od razu zaczął ją głaskać.

– A jak nazywa się ta młoda dama? Piękne zwierzę! Już o niej słyszałem, tak samo o wspaniałych osiągnięciach jej właścicielki w zapędzaniu owiec. Za pozwoleniem, jestem James McKenzie! – Młody mężczyzna wstał i wyciągnął dłoń w stronę Gwyneiry. Otwarcie przyglądał się jej swoimi brązowymi oczami. Jego włosy też były brązowe, gęste i trochę rozczochrane, jakby potargał je nerwowo w trakcie gry.

– Hej, James! Nie przymilaj się tak – przekomarzał się jeden z pozostałych mężczyzn. – Ona należy do szefa, nie słyszałeś?

McKenzie przewrócił oczami.

– Proszę nie słuchać tych łachudrów, zupełnie brak im obycia. Ale zostali ochrzczeni. To Andy McAran, Dave O'Toole, Hardy Kennon i Poker Livingston, który osiąga także spore sukcesy w grze w oczko...

Poker był wielkim blondynem, Dave mężczyzną z butelką, a Andy ciemnowłosym, starszym olbrzymem. Hardy wyglądał na najmłodszego, a tego dnia wypił już widocznie tyle whisky, że nie miał siły dać nawet najmniejszego znaku życia.

– Przepraszam, że wszyscy jesteśmy trochę wstawieni – powiedział otwarcie McKenzie. – Ale pan Gerald podesłał nam butelkę, żebyśmy mogli świętować jego szczęśliwy powrót do domu...

Gwyneira się uśmiechnęła.

– Nie szkodzi. Ale później porządnie ugaście ogień. Żebyście nie spalili mi stajni.

Cleo wskoczyła łapami na McKenziego, który zaraz zaczął ją drapać za uszami. Gwyn przypomniała sobie, że pytał, jak się nazywa.

– To Cleopatra Silkham. A te małe to Daisy, Dorit, Dinah, Daffy, Daimon i Dancer. Też Silkham.

– Ho, ho. Sama arystokracja! – Poker udał przestrach. – Czy przed każdym powinniśmy dygać? – Przyjaźnie, ale stanowczo odsunął przy tym Dancera, który próbował poczęstować się jego kartami.

– Powinniście się byli ukłonić, już wprowadzając moją klacz – odparła Gwyneira swobodnym tonem. – Ma dłuższy rodowód od nas wszystkich.

James McKenzie roześmiał się, a w jego oczach pojawił się blask.

– Ale nie musimy zwracać się do zwierząt ich pełnymi imionami?

Również w oczach Gwyneiry pojawiły się figlarne iskierki.

– Z Igraine musicie to sami ustalić – oświadczyła. – Ale suka nie jest zarozumiała. Reaguje na imię Cleo.

– A jak mamy zwracać się do pani? – zapytał McKenzie, jednocześnie z przyjemnością, ale bez pożądliwości przesunął wzrokiem po figurze Gwyneiry. Dziewczyna drżała. Trzęsła się po spacerze w deszczu. McKenzie od razu to zauważył. – Proszę poczekać, najpierw dam pani pelerynę. Niby mamy lato, ale na zewnątrz jest naprawdę nieprzyjemnie. – Sięgnął po płaszcz z woskowanego płótna.

– Proszę, panno…

– Gwyn – powiedziała Gwyneira. – Bardzo dziękuję. To gdzie stoi mój koń?

Igraine i Madoc stały zadbane w czystym boksie, ale klacz i tak niecierpliwie grzebała nogami, widząc Gwyneirę. Powolna jazda tego ranka wcale jej nie zmęczyła, potrzebowała nowego zajęcia.

– Panie McKenzie – powiedziała Gwyneira. – Chętnie wybiorę się jutro na przejażdżkę, ale pan Gerald uważa, że nie wypada, żebym pojechała sama. Nie chciałabym sprawić kłopotu, ale może mogłabym potowarzyszyć panu i pańskim ludziom podczas jakichś prac? Na przykład przy inspekcji pastwisk? Chętnie też pokażę panu, jak szkoli się młode psy. Mają wrodzony instynkt do pracy z owcami, ale dzięki kilku sztuczkom można znacznie poprawić ich umiejętności.

McKenzie z żalem pokręcił głową.

– Z przyjemnością przyjęlibyśmy pani propozycję, panno Gwyn. Ale przykazano nam, żeby na jutro rano osiodłać dwa konie. Pan Lucas ma pani towarzyszyć i pokazać pani farmę. – McKenzie się uśmiechnął. – Na pewno będzie pani wolała to, niż inspekcję pastwisk z bandą niedomytych pastuchów, prawda?

Gwyn nie wiedziała, co odpowiedzieć. Co gorsza, nie wiedziała, co o tym sądzi. W końcu otrząsnęła się z zamyślenia.

– Wspaniale – stwierdziła.

3

Lucas Warden był dobrym jeźdźcem, mimo że jazda konna nie sprawiała mu szczególnej przyjemności. Młody dżentelmen siedział w siodle rozluźniony, utrzymując właściwą postawę, dzierżył wodze pewną ręką i potrafił zapanować nad koniem tak, żeby spokojnie szedł obok jego towarzyszki, umożliwiając im prowadzenie rozmowy. Ku zdumieniu Gwyneiry nie miał jednak własnego konia i nie wykazywał też najmniejszej ochoty, żeby wypróbować nowego ogiera. Gwyn z kolei nie mogła doczekać się tej możliwości od momentu, w którym Gerald Warden go kupił. Wciąż jednak odmawiano jej tej przyjemności, argumentując, że ogier to nie jest koń dla dam. A przecież mały Madoc miał zdecydowanie spokojniejszy temperament niż uparta klacz Gwyneiry, choć rzeczywiście nie był przyzwyczajony do damskiego siodła. Ale w tej kwestii Gwyn była dobrej myśli. Poganiacze, którzy wobec braku stajennych pełnili również ich funkcje, nie mieli pojęcia o zasadach przyzwoitości. Lucas musiał dzisiaj nakazać zdziwionemu McKenziemu, żeby nałożył klaczy Gwyneiry damskie siodło. Dla siebie zażądał jednego z koni z farmy, które były dużo wyższe, ale za to lżejsze niż kuce cob. Większość tych koni była też dość nerwowa, Lucas jednak wybrał sobie tego najspokojniejszego.

– Na nim będę mógł zadziałać, gdyby milady popadła w tarapaty, i nie będę wtedy musiał walczyć z własnym koniem – wyjaśnił zdumionemu jego wyborem McKenziemu.

Gwyneira przewróciła oczami. Gdyby rzeczywiście popadła w tarapaty, Igraine zniknęłaby za horyzontem, zanim spokojny siwek Lucasa zdążyłby choćby zakłusować. W każdym razie znała ten argument z poradnika savoir-vivre'u, udała więc, że docenia troskę Lucasa. Przejażdżka po Kiward Station okazała się całkiem przyjemna. Lucas rozmawiał z Gwyneirą o polowaniach na lisa i wyraził swoje zdumienie jej uczestnictwem w próbach psów myśliwskich.

– Wydaje mi się, że to dość… Cóż, dość niekonwencjonalne zajęcie dla młodej damy – zganił ją łagodnie.

Gwyneira zagryzła lekko wargi. Czy Lucas już teraz próbuje trzymać ją na pasku? To lepiej będzie, jeśli od razu ostudzi jego zapał.

– Będzie się pan musiał przyzwyczaić – stwierdziła chłodno. – Podróż do Nowej Zelandii w celu zamążpójścia też jest dość niekonwencjonalnym zachowaniem. Zwłaszcza gdy w ogóle nie zna się przyszłego małżonka.

– *Touché!* – uśmiechnął się Lucas, ale zaraz potem spoważniał. – Muszę przyznać, że ja również początkowo nie pochwalałem postępowania ojca. Ale tutaj naprawdę bardzo trudno znaleźć odpowiednią partię. Proszę mnie dobrze zrozumieć. W Nowej Zelandii nie osiedlają się złodzieje i oszuści, jak w Australii, ale absolutnie godni szacunku obywatele. Tyle że większość emigrantów… Cóż, po prostu brakuje im klasy, wykształcenia, kultury. I z tego względu uważam się za szczęściarza, że zgodziłem się na te niekonwencjonalne swaty, które zapewniły mi tak zachwycająco niekonwencjonalną narzeczoną! Gwyneiro, czy wolno mi mieć nadzieję, że ja również odpowiadam pani wymaganiom?

Gwyn skinęła głową, choć jej uśmiech był raczej wymuszony.

– Jestem mile zaskoczona, że spotkałam tutaj takiego idealnego dżentelmena jak pan – powiedziała. – Nawet w Anglii nie znalazłabym tak kulturalnego i wykształconego małżonka.

Bez wątpienia była to prawda. W kręgach walijskiego ziemiaństwa, w których bywała Gwyneira, obowiązywał pewien poziom wykształcenia, na salonach częściej jednak dyskutowano na temat konnych wyścigów niż kantat Bacha.

– Oczywiście powinniśmy się lepiej poznać, zanim wyznaczymy termin ślubu – zauważył Lucas. – Inne postępowanie byłoby niestosowne, już to ojcu tłumaczyłem. On najchętniej urządziłby nam wesele już pojutrze.

Choć Gwyneira była zdania, że i tak wszystko już długo trwa, przytaknęła oczywiście, po czym wyraziła swój zachwyt, gdy Lucas zaprosił ją tego popołudnia do swojego atelier.

– Jestem oczywiście niewiele znaczącym malarzem, ale mam nadzieję, że rozwinę swój talent – wyjaśniał jej, gdy stępa pokonywali wręcz zapraszający do galopu odcinek drogi. – W tej chwili pracuję nad portretem mojej matki. Zawiśnie potem w salonie. Niestety, opieram się na dagerotypach, ponieważ prawie jej nie pamiętam. Zmarła, gdy byłem małym dzieckiem. Ale podczas malowania nachodzi mnie coraz więcej wspomnień i czuję, jakbym się do niej zbliżał. To niezwykle interesujące doświadczenie. Panią również chętnie kiedyś sportretuję, Gwyneiro!

Gwyneira zgodziła się bez entuzjazmu. Przed wyjazdem ojciec zamówił jej portret, a ona zanudziła się niemal na śmierć podczas wielogodzinnego pozowania.

– A przede wszystkim nie mogę się doczekać, kiedy usłyszę pani zdanie o mojej twórczości. Z pewnością odwiedziła pani w Anglii wiele galerii i zna się pani na nowych tendencjach w malarstwie znacznie lepiej niż my tutaj, na końcu świata!

Gwyneira miała nadzieję, że zostało jej w zapasie kilka trafnych określeń. Miała wrażenie, że wczoraj wyczerpała już cały swój repertuar, ale liczyła na to, że obrazy nasuną jej jakieś nowe pomysły. Tak naprawdę nigdy nie widziała żadnej galerii od środka, a najnowsze trendy sztuki były jej zupełnie obojętne. Jej przodkowie – a także przodkowie jej sąsiadów i przyjaciół – zgromadzili z pokolenia na pokolenie wystarczającą liczbę obrazów, żeby ozdobić nimi ściany swoich domów. Obrazy te przedstawiały zwykle szacownych przodków lub konie, a ich jakość oceniano wyłącznie według kryterium podobieństwa do oryginału. Określenia takie jak „światłocień" czy „perspektywa", o których Lucas potrafił perorować bez końca, były Gwyneirze zupełnie nieznane.

Oczarował ją za to krajobraz, który mijali. Rankiem wszystko zasnuwała mgła, teraz jednak słońce przedzierało się przez nią, a wśród oparów ukazywało się Kiward Station, co wyglądało tak, jakby natura dawała je Gwyneirze w prezencie. Lucas nie poprowadził jej oczywiście zbyt daleko w stronę podnóży gór, tam, gdzie owce pasły się wolno, ale już sama okolica w bezpośrednim sąsiedztwie farmy wyglądała cudownie. W tafli jeziora odbijały się kształty chmur, a skały na łąkach sprawiały wrażenie, jakby dywan z trawy przebiły jakieś gigantyczne zęby albo jakby stała tam armia olbrzymów, która może ożyć w każdej chwili.

– Czy nie ma takiej opowieści, w której bohater sieje kamienie, z których powstają wojownicy jego armii? – zapytała Gwyneira.

Lucas wyraził zachwyt jej wykształceniem.

– Choć nie były to kamienie, tylko zęby smoka, które w greckim micie Jazon rzucił na ziemię – poprawił ją. – A powstała z nich armia z żelaza zwróciła się przeciwko niemu. Och, to cudowne móc rozmawiać z osobą o wykształceniu klasycznym na podobnym poziomie, nie uważa pani?

Gwyneira myślała raczej o kamiennych kręgach, które widywała w swojej ojczyźnie i o których jej piastunka opowiadała wspaniałe historie. Jeśli dobrze pamięta, kapłanki przywiązywały do nich rzymskich legionistów, czy coś takiego. Ale takie opowieści Lucas z pewnością uznałby za nie dość klasyczne.

Między skałami pasły się pierwsze owce ze stad Geralda – maciorki matki, które niedawno się okociły. Gwyneira była zachwycona ślicznymi jagniętami. Ale Gerald miał rację, że połączenie z rasą welsh mountain poprawi jakość ich wełny.

Lucas zmarszczył czoło, gdy Gwyneira stwierdziła, że owce od razu powinny zostać pokryte walijskim trykiem.

– Czy w Anglii to uchodzi, żeby młoda dama tak... Tak bez ogródek wyrażała się o... O sprawach płci? – zapytał ostrożnie.

– Jak inaczej mogłam się wyrazić? – Gwyneira nigdy dotąd nie pomyślała, że hodowla owiec może mieć coś wspólnego z zasadami przyzwoitości. Choć nie miała pojęcia, skąd biorą się dzieci, to krycie owiec widziała wielokrotnie i nikt się temu nie dziwił.

Lucas lekko się zaczerwienił.

– Ale chyba wszystkie takie sprawy nie są dobrym tematem konwersacji dla dam?

Gwyneira wzruszyła ramionami.

– Moja siostra Larissa hoduje teriery, moja druga siostra hoduje róże. Całymi dniami o tym rozprawiają. Czy owce czymś się różnią?

– Gwyneiro! – Lucas zrobił się czerwony jak burak. – Och, nie mówmy już o tym. W naszej sytuacji to szczególnie niestosowne! Popatrzmy lepiej jeszcze chwilę na jagnięta. Czyż nie są urocze?

Gwyneira oceniała je raczej pod względem produkcji wełny, ale nowo narodzone jagnięta bez wątpienia były śliczne. Zgodziła się więc z Lucasem i nie robiła mu żadnych wyrzutów, gdy zaraz potem stwierdził, że powoli powinni kończyć przejażdżkę.

– Myślę, że zobaczyła pani już dosyć, żeby móc samodzielnie poruszać się po Kiward Station – stwierdził przed stajnią, pomagając Gwyneirze zsiąść z konia. Uwaga ta sprawiła, że Gwyn od razu wybaczyła mu wszystkie dziwactwa. Najwidoczniej nie miał nic przeciwko temu, żeby jego narzeczona sama wybierała się na przejażdżki! Przynajmniej ani słowem nie wspomniał o przyzwoitce. Nie wiadomo, czy przeoczył ten rozdział w podręczniku savoir-vivre'u czy też nie przyszłoby mu do głowy, że panna może mieć życzenie, żeby samodzielnie jeździć konno.

Gwyneira od razu wykorzystała okazję. Gdy tylko Lucas się odwrócił, zwróciła się do starszego poganiacza, który odbierał od niej konia.

– Panie McAran, jutro rano chciałabym pojeździć sama. Proszę przygotować mi na dziesiątą tego nowego ogiera. I założyć mu siodło pana Geralda!

Ślub Helen z Howardem O'Keefe'em wcale nie był taki skromny, jak się tego z początku obawiała. Żeby uroczystość nie odbyła się przy pustych ławach kościelnych, pastor Baldwin połączył ją z niedzielnym nabożeństwem i w rezultacie ustawiła się całkiem spora kolejka chętnych do złożenia gratulacji młodej parze. Państwo McLarenowie postarali się o uroczystą oprawę mszy, a pani Godewind dostarczyła wspaniałe kompozycje kwiatowe do ozdobienia świątyni, które przygotowała wraz z Elizabeth. Państwo McLarenowie ubrali Rosemary w różową odświętną sukienkę i dziewczynka rozsypywała płatki kwiatów, sama wyglądając niczym pączek róży. Pan McLaren przyprowadził pannę młodą do ołtarza, a Elizabeth i Belinda Baldwin szły za Helen jako druhny. Helen miała nadzieję, że na niedzielnej mszy pojawią się także inne dziewczęta, na nabożeństwo nie przybyła jednak żadna z mieszkających dalej rodzin. Nie pojawili się także opiekunowie Laurie. Helen zaniepokoiło to, ale nie chciała popsuć sobie tego wielkiego dnia. Pogodziła się już z tym, że tak pospiesznie wychodzi za mąż, i postanowiła, że przeżyje to jak najlepiej. Przez ostatnie dwa dni mogła przyjrzeć się Howardowi, ponieważ został w mieście i właściwie gościł u Baldwinów na każdym posiłku. Jego wzburzenie, gdy wspomniała o Wardenach, zdziwiło Helen, a nawet przestraszyło, ale jeśli nie rozmawiano na ten temat, Howard wydawał się bardzo zrównoważonym człowiekiem. Wykorzystał swój pobyt w mieście, żeby zrobić spore zakupy dla farmy, jego sytuacja finansowa nie mogła być więc bardzo zła. W odświętnym surducie z szarego tweedu, który założył do ślubu, wyglądał bardzo porządnie, choć ubranie to nie pasowało na tę porę roku i pan młody mocno się w nim pocił.

Helen miała na sobie jasnozieloną suknię z jedwabiu, którą sprawiła sobie już w Londynie z myślą o ślubie. Oczywiście biała koronkowa suknia byłaby piękniejsza, ale oznaczałaby zupełnie niepotrzebny wydatek. Takiego białego cuda nie można by już potem nigdy założyć. Tego dnia błyszczące włosy Helen opadały jej na plecy. Pani Baldwin podejrzliwie spoglądała na taką fryzurę, ale pani McLaren i pani Godewind uznały, że jest dopuszczalna. Gęste włosy Helen związały tylko wstążką, żeby nie zasłaniały jej twarzy, i ozdobiły kwiatami. Helen sama stwierdziła, że nigdy nie wyglądała równie pięknie, a tak oszczędny w słowach Howard zdobył się nawet na dodatkowy komplement: „Toż to... Och, bardzo pięknie, Helen".

Helen bawiła się listami od niego, które wciąż przy sobie nosiła. Kiedy jej mąż na tyle się rozrusza, żeby powtórzyć jej swoje piękne słowa twarzą w twarz?

Ceremonia była bardzo uroczysta. Pastor Baldwin okazał się doskonałym mówcą, który świetnie potrafił skupić uwagę swoich parafian. Gdy mówił o miłości „na dobre i na złe", szlochały wszystkie kobiety obecne w kościele, a i mężczyźni musieli użyć chusteczek. Kroplą goryczy była jednak dla Helen osoba świadka. Chciała, żeby była to pani Godewind, ale pani Baldwin bardzo na tym zależało i odmowa nie wchodziła w grę. Z kolei drugi świadek, sympatyczny wikary Chester, odpowiadał jej jak najbardziej.

Howard zaskoczył Helen, kiedy swobodnie i pewnym głosem wypowiedział przysięgę małżeńską, jednocześnie niemal z miłością wpatrując się w narzeczoną. Helen nie poszło tak dobrze, ponieważ nie mogła powstrzymać łez.

Potem jednak zagrały organy i rozbrzmiały śpiewy, a Helen czuła się przeszczęśliwa, gdy wychodziła z kościoła, trzymając pod ramię swojego męża. Na zewnątrz czekali już chętni do składania gratulacji.

Helen ucałowała Elizabeth i pozwoliła objąć się szlochającej pani McLaren. Ku jej zaskoczeniu pojawiła się także pani O'Hara i cała jej rodzina, mimo że nie należeli do Kościoła anglikańskiego. Helen ściskała dłonie, śmiejąc się i płacząc jednocześnie, aż w końcu została już tylko jedna młoda kobieta, której Helen nie znała. Rozejrzała się za Howardem, zakładając, że ta kobieta może być jego znajomą, ale on jej nie zauważył i rozmawiał już z pastorem.

Helen uśmiechnęła się do nieznajomej.

– Bardzo przepraszam, ale czy mogę zapytać, skąd się znamy? Ostatnio w moim życiu dzieje się tak wiele, że...

Kobieta skinęła przyjaźnie głową. Była niska i drobna, miała raczej pospolitą twarz o dziecięcych rysach i rzadkie jasne włosy gładko upięte pod czepkiem. Była ubrana jak skromna pani domu na niedzielną mszę.

– Nie ma pani za co przepraszać, nie znamy się – powiedziała. – Ja chciałam się właśnie przedstawić, ponieważ… Mamy jednak ze sobą coś wspólnego. Nazywam się Christine Lorimer. Ja byłam pierwsza.

Helen spojrzała na nią ze zdumieniem.

– Pierwsza? W jakim sensie? Proszę, przejdźmy do cienia. Pani Baldwin przygotowała poczęstunek i napoje.

– Nie chciałabym się narzucać – odpowiedziała pospiesznie pani Lorimer. – Ale jestem w pewnym sensie pani poprzedniczką. Pierwszą kobietą, która przybyła tu z Anglii, żeby wyjść za mąż.

– To bardzo interesujące – zdziwiła się Helen. – Myślałam, że to ja jestem pierwsza. Podobno inne panie nie dostały jeszcze żadnej odpowiedzi, a ja wyruszyłam w podróż bez wcześniejszych uzgodnień.

Młoda kobieta skinęła głową.

– Mniej więcej tak samo było w moim wypadku. Z tym że ja nie odpowiedziałam na ogłoszenie. Ale miałam dwadzieścia pięć lat i żadnych widoków na zamążpójście. Jakżeby inaczej, bez posagu? Mieszkałam z rodziną brata, którą on ledwie był w stanie wykarmić. Próbowałam zarobić trochę jako szwaczka, ale się nie nadawałam. Mam słabe oczy i w fabryce mnie nie chcieli. A potem mój brat i jego żona wpadli na pomysł, żeby wyemigrować. Ale co ze mną? Uzgodniliśmy, że napiszemy list do tutejszego pastora. Czy w rejonie Canterbury nie znalazłby się jakiś porządny chrześcijanin, który potrzebuje żony. Odpowiedź nadesłała niejaka pani Brennan. Bardzo bezpośrednia. Chciała się o mnie wszystkiego dowiedzieć. Ale widać, spodobałam jej się. W każdym razie otrzymałam list od pana Thomasa Lorimera. I muszę przyznać, że od razu się w nim zakochałam!

– Naprawdę? – zapytała Helen, która w żadnym wypadku nie zamierzała się przyznać, że z nią było tak samo. – Po jednym liście?

Pani Lorimer zachichotała.

– Och, tak! On pisał tak cudownie! Do dziś pamiętam słowa jego listu: „Pragnę kobiety, która zechciałaby połączyć swój los z moim. Modlę się do Boga o kochającą niewiastę, której serce potrafiłyby zmiękczyć moje słowa".

Helen szeroko otworzyła oczy.

– Ale… Ale przecież to z mojego listu! – uniosła się. – Dokładnie takie słowa napisał do mnie Howard! Nie wierzę w to, co pani mówi, pani Lorimer! Czy to jakiś okrutny żart?

Drobna kobieta wyglądała na dotkniętą.

– Och nie, pani O'Keefe! I na pewno nie chciałam pani zranić! Nie przypuszczałam, że oni znowu to zrobili!

– Co zrobili? – zapytała Helen, która powoli zaczynała rozumieć.

– No... To z listami – wyjaśniła Christine Lorimer. – Mój Thomas to człowiek o złotym sercu. Naprawdę nie mogłabym wymarzyć sobie lepszego męża. Ale jest prostym cieślą i nie używa wielkich słów ani nie pisze romantycznych listów. Powiedział, że wciąż od nowa próbował napisać list do mnie, ale żaden nie podobał mu się na tyle, żeby go wysłać. Chciał przecież poruszyć moje serce, rozumie pani. I w końcu zwrócił się do wikarego Chestera...

– Wikary Chester napisał te listy? – zapytała Helen, która nie wiedziała, czy ma się śmiać czy płakać. Ale przynajmniej co nieco jej się wyjaśniło, choćby wyjątkowo piękny charakter pisma, charakterystyczny dla duchownych. Wyszukane słownictwo oraz brak informacji praktycznych, na co uwagę zwróciła Gwyneira. I oczywiście rzucające się w oczy zainteresowanie wikarego powodzeniem tych zabiegów matrymonialnych.

– Nie przypuszczałam, że odważą się zrobić to jeszcze raz! – stwierdziła pani Lorimer. – Przecież obu porządnie zmyłam głowę, gdy o wszystkim się dowiedziałam. Och, tak mi przykro, pani O'Keefe! Przecież pan Howard na pewno miał okazję, żeby osobiście to pani wyjaśnić. Ale już ja wezmę w obroty wikarego Chestera! Teraz to mu się dostanie!

Christine Lorimer odeszła zdecydowanym krokiem, pozostawiając pogrążoną w myślach Helen. Kim jest ten mężczyzna, którego właśnie poślubiła? Czy Chester rzeczywiście tylko pomógł Howardowi ubrać w słowa jego uczucia, czy też Howardowi było właściwie wszystko jedno, co skusi jego przyszłą żonę do wyruszenia na koniec świata?

Wkrótce się tego dowie. Ale wcale nie była przekonana, czy tego pragnie.

Furmanka od ośmiu godzin trzęsła się na błotnistej drodze. Helen miała wrażenie, że ta podróż nigdy się nie skończy. Na dokładkę przygnębiał ją bezkres mijanego krajobrazu. Samotny niewielki dom widzieli ponad godzinę temu. Poza tym furmanka, którą Howard O'Keefe wiózł swoją świeżo poślubioną żonę, jej bagaże oraz własne zakupy z Christchurch w kierunku Haldon, była chyba najbardziej niewygodnym środkiem transportu, z jakiego Helen kiedykolwiek korzystała. Plecy bolały ją od twardego oparcia, a ciągle padająca mżawka wywołała migrenę. Howard zaś wcale nie starał się uczynić tej podróży znośniejszą dzięki jakiejś rozmowie. Od co najmniej pół godziny nie powiedział do Helen ani jednego słowa, tylko najwyżej mamrotał jakieś polecenie do gniadego konia lub siwego muła, które ciągnęły furmankę.

Helen miała więc aż nadto czasu, żeby oddać się rozważaniom, które nie były jednak zbyt przyjemne. Przy tym sprawa z listami stanowiła najmniejszy problem. Howard i wikary przeprosili wczoraj za swoje małe oszustwo, uważali je jednak za niewielkie przewinienie. W końcu dzięki temu cała sprawa szczęśliwie się zakończyła. Howard miał żonę, a Helen męża. Gorsza okazała się wiadomość, którą dopiero wczoraj wieczorem Elizabeth przekazała Helen. Pani Baldwin nic jej nie powiedziała, być może się wstydziła, a może nie chciała niepokoić młodej mężatki. Ale Belinda Baldwin nie potrafiła utrzymać języka za zębami i wygadała Elizabeth, że mała Laurie już drugiego dnia po raz pierwszy uciekła od państwa Lavenderów. Oczywiście bardzo szybko ją odnaleziono i mocno zrugano, ale już kolejnego wieczoru Laurie znowu próbowała uciec. Za drugim razem dostała lanie. A teraz, po trzeciej próbie ucieczki, zamknięto ją w szafie na miotły.

– O chlebie i wodzie! – stwierdziła Belinda dramatycznym tonem.

Helen z samego rana przed wyjazdem zapytała o to pastora. Oczywiście obiecał, że zaraz pojedzie zajrzeć do Laurie. Ale czy dotrzyma słowa, gdy nie będzie tam już Helen, która przypominałaby mu o jego obowiązkach?

A do tego ta wspólna podróż z Howardem. Wczorajszą noc Helen spędziła jeszcze w swoim łóżku u państwa Baldwinów. Przyjęcie męża w domu pastora było wykluczone, a Howard nie chciał lub nie mógł pozwolić sobie na nocleg w hotelu.

– Całe życie będziemy ze sobą – wyjaśnił Helen, niewprawnie całując ją w policzek. – Jedna noc nie czyni żadnej różnicy.

Helen odczuła ulgę, ale jednocześnie pewne rozczarowanie. Zdecydowanie wolałaby porządek hotelowego pokoju od sterty koców na krytym wozie, co pewnie czekało ją w podróży. Swoją najlepszą koszulę nocną ułożyła na samym wierzchu torby podróżnej, ale zagadką pozostawało dla niej, gdzie miałaby się w takich warunkach przebrać. Poza tym bez przerwy mżyło, a jej ubrania, zapewne więc także koce, były mokre i zimne. Bez względu na to co czekało ją tej nocy, takie okoliczności nie wydawały się sprzyjające!

Los oszczędził Helen posłania zaimprowizowanego na furmance. Tuż przed zmrokiem, gdy była już zupełnie wycieńczona i pragnęła tylko, żeby wóz w końcu przestał się trząść, Howard zatrzymał się przed jakąś skromną chałupą.

– Możemy przenocować u tych ludzi – powiedział do Helen i pomógł jej zsiąść z kozła. – Z Wilburem znamy się z Port Cooper. Też się ożenił i osiadł tu na stałe.

W domu rozszczekał się pies, a Wilbur i jego żona wyszli na zewnątrz, z ciekawością przyglądając się przybyłym.

Gdy mały i żylasty mężczyzna rozpoznał Howarda, krzyknął i gwałtownie go uściskał. Obaj poklepywali się po plecach, przypominali sobie przeżyte wspólnie dawno temu przygody i najchętniej, jeszcze stojąc w deszczu, odkorkowaliby pierwszą butelkę.

Helen, szukając pomocy, spojrzała na panią domu. Ta na szczęście szczerze się do niej uśmiechała.

– To pani musi być nową panią O'Keefe! Trudno nam było uwierzyć, gdy usłyszeliśmy, że Howard chce się żenić! Ale zapraszam do środka, na pewno jest pani przemarznięta. I wytrzęsła się pani pewnie na tej furmance. Pani pochodzi z Londynu, prawda? To pewnie jest pani przyzwyczajona do wygodnych dorożek! – Kobieta uśmiechnęła się, jakby dawała do zrozumienia, że swojej ostatniej uwagi nie traktuje poważnie. – Jestem Margaret.

– Helen – przedstawiła się Helen. Widać tutaj nie zwracano uwagi na formalności. Margaret była trochę wyższa od męża i wyglądała na nieco wychudzoną. Miała na sobie wielokrotnie cerowaną skromną szarą suknię. Wyposażenie domu, do którego wprowadziła Helen, było bardzo skromne. Znajdowały się tam stoły i krzesła z grubo ciosanego drewna oraz otwarty kominek, służący również do gotowania. Za to jedzenie, które właśnie gotowało się w dużym kociołku, pachniało niezwykle apetycznie.

– Macie szczęście, właśnie zabiłam kurę – zdradziła gospodyni. – Nie była najmłodsza, ale zupa wyszła całkiem porządna. Niech pani usiądzie przy ogniu, Helen, i osuszy się. Tu jest kawa, a ja zaraz znajdę jeszcze kropelkę whisky.

Helen spojrzała na nią ze zdumieniem. Jeszcze nigdy w życiu nie piła whisky, ale Margaret nie uważała widocznie picia alkoholu za nic zdrożnego. Podała Helen emaliowany kubek pełen gorzkiej jak piołun kawy, która nie wiadomo od jak dawna stała w cieple przy palenisku. Helen nie śmiała poprosić o cukier czy choćby mleko, ale po chwili Margaret wszystko to postawiła przed nią na stole.

– Proszę wziąć dużo cukru, dodaje chęci do życia. I odrobinę whisky!

Rzeczywiście whisky poprawiła smak kawy. Z dodatkiem cukru i mleka smakowała całkiem dobrze. Poza tym alkohol przepędza ponoć smutki i rozluźnia napięte mięśnie. Biorąc to pod uwagę, Helen mogła potraktować go jak lekarstwo. Nie protestowała, gdy Margaret nalała jej drugą porcję.

Gdy rosół z kury był już gotowy, Helen wszystko widziała jakby przez mgłę. Ale w końcu znowu było jej ciepło, a oświetlona ogniem na kominku izba sprawiała przytulne wrażenie. Jeśli tutaj miałaby przeżyć ten niewyobrażalny pierwszy raz, to czemu nie?

Zupa jeszcze bardziej poprawiła jej nastrój. Była pyszna, ale po jedzeniu Helen poczuła zmęczenie. Najchętniej od razu położyłaby się do łóżka, mimo że Margaret wyraźnie cieszyła się ze wspólnej rozmowy.

Ale Howard także miał ochotę wcześniej zakończyć ten wieczór. Sporo już z Wilburem wypili, a kiedy ten zaproponował grę w karty, Howard gromko się roześmiał.

– Nie, stary przyjacielu, dziś już nie. Dzisiaj mam jeszcze w planach coś innego, coś, co wiąże się z tą cudowną kobietą, która przyfrunęła do mnie prosto ze starego kraju!

Ukłonił się z galanterią przed Helen, która natychmiast się zaczerwieniła.

– To gdzie możemy pójść? To będzie przecież nasza pierwsza prawdziwa noc poślubna!

– Och, to powinniśmy jeszcze obrzucić was ryżem! – pisnęła Margaret. – Nie wiedziałam, że pobraliście się tak niedawno! Niestety nie mogę wam zaoferować prawdziwego łóżka. Ale w stajni jest dużo świeżego siana, będzie wam tam ciepło i miękko. Poczekajcie, dam wam jeszcze koce i prześcieradła, wasze na pewno są mokre od deszczu. I jeszcze latarnię, żebyście mogli coś widzieć... Chociaż przy pierwszym razie to chyba wolicie po ciemku.

Zachichotała.

Helen była przerażona. Miała spędzić swoją noc poślubną w stajni?

Krowa zamuczała przyjaźnie, gdy Helen i Howard weszli do szopy, ona z naręczem koców, a on z latarnią w ręku. Było tam stosunkowo ciepło. Oprócz konia i krowy gospodarzy w stajni stały jeszcze koń i muł z zaprzęgu Howarda. Ciepłe ciała zwierząt ogrzewały pomieszczenie, ale jednocześnie wypełniały je intensywnymi zapachami. Helen rozłożyła koce na sianie. Czy naprawdę minęły dopiero trzy miesiące, od kiedy na statku nie była w stanie znieść samego sąsiedztwa zagrody dla owiec? Gwyneira pewnie uznałaby, że to zabawne. Natomiast Helen... Gdyby miała być szczera, to czuła tylko strach.

– Gdzie... Gdzie mogę się tutaj przebrać? – zapytała nieśmiało. Przecież nie mogła rozebrać się na oczach Howarda pośrodku stajni.

Howard zmarszczył czoło.

– Zgłupiałaś, kobieto? Postaram się, żeby cię rozgrzać, ale to nie jest miejsce na koszule z koronki! W nocy się ochłodzi, a poza tym w sianie na pewno są pchły. Lepiej nie zdejmuj sukni.

– Ale... Ale skoro my... – Policzki Helen płonęły ze wstydu.

Howard roześmiał się zadowolony.

– Już ty się o to nie martw! – Bez żenady odpiął pasek od spodni. – I wskakuj pod koc, żebyś nie zmarzła. Pomóc ci rozluźnić gorset?

Howard widać robił to wszystko nie pierwszy raz. I wcale nie wydawał się zmieszany, wręcz przeciwnie, na jego twarzy zagościł jakby przedsmak radości. Ale zawstydzona Helen nie przyjęła jego pomocy. Sama poradzi sobie z poluźnieniem sznurówek. Żeby to jednak zrobić, musi przecież rozpiąć suknię, co nie było proste, bo guziki znajdowały się na plecach. Wzdrygnęła się, gdy poczuła dotyk palców Howarda, który zręcznie odpinał guzik po guziku.

– Teraz lepiej? – zapytał z lekkim uśmiechem.

Helen skinęła głową. Pragnęła tylko tego, żeby ta noc jak najszybciej minęła. Z pełnym rezygnacji zdecydowaniem położyła się na legowisku na sianie. Chciała mieć już za sobą to, co ją czekało. Położyła się na plecach i zamknęła oczy. Naciągnęła na siebie koc, a potem zacisnęła dłonie na prześcieradle. Howard wślizgnął się pod koc obok niej, wyciągając jednocześnie pasek ze swoich spodni. Pocałował ją w policzek, później w usta. W porządku, na to pozwalała mu już wcześniej. Ale potem spróbował wepchnąć jej między wargi swój język. Helen natychmiast zesztywniała i poczuła ulgę, kiedy Howard zauważył jej reakcję i od razu przestał. Zamiast tego całował ją po szyi, odsłonił suknię i gorset i zaczął niezręcznie pieścić jej piersi.

Helen bała się głośniej odetchnąć, z kolei oddech Howarda stawał się coraz szybszy, aż przeszedł w sapanie. Helen zaczęła się zastanawiać, czy to normalne, ale w tym momencie przeraziło ją coś innego. Howard sięgnął pod jej spódnicę.

Może gdyby leżeli na czymś wygodniejszym, nie bolałoby tak bardzo. Z drugiej strony bardziej domowe otoczenie mogłoby jeszcze pogorszyć sprawę. Dzięki temu cała ta sytuacja wydawała się nie do końca rzeczywista. Było ciemno choć oko wykol, a koce i podciągnięte aż do bioder obszerne spódnice Helen zasłaniały jej przynajmniej widok na to, co Howard z nią wyprawiał. Zupełnie wystarczyło jej to, co czuła! Jej mąż wsunął jej coś między nogi – coś twardego, pulsującego, żywego. To było przerażające, obrzydliwe i bolało. Helen krzyknęła, gdy poczuła, jakby coś się w niej przerwało. Poczuła też, że krwawi, ale to wcale nie powstrzymało Howarda i dalej zadawał jej ból. Wyglądał jak opętany, stękał i poruszał się rytmicznie na niej i w niej i zdawało się, że niemal sprawia mu to przyjemność. Helen musiała zacisnąć zęby, żeby nie zacząć krzyczeć z bólu. W końcu poczuła w sobie ciepłą wilgoć, a ułamek sekundy potem Howard jakby złamał się w pół. Już po wszystkim. Mąż zsunął się z Helen. Wciąż miał przyśpieszony oddech, ale zaraz potem się uspokoił. Helen szlochała po cichu, poprawiając na sobie ubranie.

– Następnym razem nie będzie już tak bolało – pocieszył ją Howard i nieporadnie pocałował w policzek. Wyglądało na to, że jest z niej zadowolony. Helen z trudem powstrzymała się, żeby się od niego nie odsunąć. Howard miał prawo robić z nią to, co zrobił. Był jej mężem.

4

Drugiego dnia podróż była jeszcze bardziej uciążliwa niż pierwszego. Dolna część ciała Helen była tak obolała, że kobieta ledwie mogła siedzieć. Poza tym bardzo się wstydziła i nie potrafiła spojrzeć Howardowi w oczy. Śniadanie w domu gospodarzy było dla niej prawdziwą torturą. Margaret i Wilbur nie szczędzili im docinków, a Howard wesoło na nie odpowiadał. Dopiero pod koniec posiłku Margaret zauważyła bladość i brak apetytu u Helen.

– Będzie lepiej, dziecino! – zwróciła się do niej poufale, gdy mężczyźni wyszli, żeby zaprząc konie. – Mąż musi cię najpierw jakby otworzyć. To boli i pojawia się nawet trochę krwi. Ale potem już łatwo wchodzi i nie boli. Z czasem zacznie nawet sprawiać przyjemność, możesz mi wierzyć!

Helen była przekonana, że to nigdy nie będzie sprawiać jej przyjemności. Ale skoro mężczyznom się podoba, trzeba im na to pozwalać, żeby nie tracili dobrego humoru.

– A poza tym tylko w taki sposób można mieć dzieci – dodała Margaret.

Helen trudno było sobie wyobrazić, że dzieci biorą się z tak nieprzyzwoitego zachowania, z bólu i strachu. Ale przypomniała sobie niektóre antyczne mity. Tam również hańbiono kobiety, które potem rodziły dzieci. Może to więc zupełnie normalne. I nieprzyzwoite też przecież nie jest, bo w końcu są małżeństwem.

Helen zmuszała się, żeby rozmawiać z Howardem spokojnym tonem i zadawać mu pytania o jego ziemię i zwierzęta. Co prawda nie przysłuchiwała się udzielanym przez niego odpowiedziom, ale w żadnym razie nie chciała, żeby pomyślał, że jest na niego zła. On jednak zdawał się wcale nie żywić takich podejrzeń. Wyglądało na to, że zupełnie nie wstydzi się wczorajszej nocy.

Późnym popołudniem wjechali w końcu na ziemię należącą do Howarda. Granicę jego farmy tworzył strumień, który teraz był bardzo zamulony. Wóz zaraz utknął w błocie, Helen i Howard musieli więc zsiąść i go pchać. Gdy w końcu z powrotem usiedli na koźle, byli przemoczeni, a brzeg sukni Helen był ciężki od błota. Potem jednak w polu widzenia pojawił się dom i Helen od razu przestała martwić się o suknię, zapomniała o bólu, a nawet o strachu przed nadchodzącą nocą.

– To jesteśmy – powiedział Howard i zatrzymał zaprzęg przed drewnianą chałupą. Ktoś życzliwy mógłby ją nazwać chatą z bierwion, gdyż jej ściany zbudowano z nieociosanych pni drzew. – Wejdź już do środka, a ja pójdę do stajni.

Helen zmartwiała. To miał być jej dom? Nawet stajnie w Christchurch były bardziej komfortowe, o Londynie nie wspominając.

– Dalej, wchodź wreszcie. Nie jest zamknięte. Tutaj nie ma złodziei.

W chacie Howarda i tak nie byłoby co ukraść. Gdy wciąż oniemiała Helen otworzyła drzwi, ujrzała pomieszczenie, w porównaniu z którym kuchnia Margaret wydała jej się całkiem przytulna. Cały dom składał się z dwóch pomieszczeń. Pierwszym z nich było połączenie kuchni i salonu, którego skromne wyposażenie stanowił stół, cztery krzesła oraz skrzynia. Kuchnia była lepiej urządzona, przynajmniej był tutaj prawdziwy piec kuchenny. Helen nie będzie musiała gotować na otwartym ogniu, jak Margaret.

Zdenerwowana Helen otworzyła drzwi do drugiego pomieszczenia, które prawdopodobnie było sypialnią Howarda. „Nie, jej własną sypialnią" – poprawiła się w myślach. Którą z pewnością będzie musiała urządzić nieco przytulniej!

Na razie stało tam tylko grubo ciosane łóżko, niewprawnie zbite i przykryte prostą pościelą. Helen była wdzięczna Bogu, że zrobiła w Londynie zakupy. Z nowymi poszwami sypialnia od razu zacznie lepiej wyglądać. Jak tylko Howard wniesie jej torby, zmieni pościel.

Howard wszedł z koszem pełnym drewna na opał. Na polanach leżało kilka jajek.

– Co za hołota, te maoryskie bachory! – zaklął. – Do wczoraj doili krowę, ale dzisiaj już nie. To biedne bydlę stoi tam ze sterczącymi wymionami i chyba zaryczy się na śmierć. Możesz ją wydoić? To i tak będzie teraz należeć do twoich obowiązków, możesz więc od razu się wdrożyć.

Helen spojrzała na niego zmieszana.

– Ja mam… Wydoić krowę? Teraz?

– Do jutra zdechnie – stwierdził Howard. – Ale najpierw możesz przebrać się w suche ubranie, zaraz przyniosę twoje rzeczy. Inaczej zamarzniesz w tej zimnej izbie. Proszę, tu jest drewno.

Ostatnie zdanie zabrzmiało jak polecenie. Ale Helen postanowiła najpierw poradzić sobie z kwestią krowy.

– Howardzie, ja nie umiem doić krów – wyznała. – Nigdy tego nie robiłam.

Howard zmarszczył czoło.

– Jak to? Nigdy nie doiłaś krowy? – zapytał. – Czy w Anglii nie ma krów? Pisałaś przecież, że przez wiele lat prowadziłaś dom swojego ojca!

– Ale my mieszkaliśmy w Liverpoolu! W centrum miasta, niedaleko kościoła. Nie trzymaliśmy żadnych zwierząt!

Howard popatrzył na nią gniewnym wzrokiem.

– Musisz się więc nauczyć! Dzisiaj ja ją jeszcze wydoję. A ty pozmywaj podłogę. Wiatr ciągle wnosi kurz do środka. A potem zajmij się piecem. Drewno już przyniosłem, musisz tylko rozpalić. Tylko dobrze je ułóż, żeby nie zadymiło nam całej chałupy. To chyba umiesz zrobić? Czy w Liverpoolu pieców też nie ma?

Ironiczna uwaga Howarda powstrzymała Helen przed wyrażeniem swoich wątpliwości. Jeszcze bardziej by się zirytował, gdyby mu powiedziała, że w Liverpoolu mieli służącą, która wykonywała najcięższe prace domowe. Rola Helen ograniczała się do wychowywania młodszego rodzeństwa, pomagania w biurze parafii oraz prowadzenia kółka biblijnego. A jak zareagowałby, gdyby opisała mu, jak funkcjonuje londyński dom wyższych sfer? Państwo Greenwoodowie mieli kucharkę, służącego, który rozpalał w piecach, i pokojówki, które migiem odgadywały wszelkie życzenia swoich państwa. I nikt nie oczekiwał od Helen, żeby choć palcem tknęła polana, mimo że jako guwernantka nie należała do rodziny.

Helen nie miała pojęcia, jak sobie z tym wszystkim poradzi. Ale nie widziała żadnej innej możliwości.

Gerald Warden wydawał się niezwykle uradowany tym, że Lucas i Gwyneira tak szybko doszli do porozumienia. Ustalił termin wesela na drugi weekend adwentu. To będzie środek lata, gości będzie więc można przyjąć także w ogrodzie. Ale ten trzeba najpierw urządzić. Hoturapa i dwaj inni

Maorysi, którzy zostali w tym celu dodatkowo zatrudnieni, ciężko pracowali, siejąc i sadząc sprowadzone przez Geralda z Anglii nasiona i sadzonki. W ogrodzie, którego urządzanie troskliwie nadzorował Lucas, znalazło się także miejsce dla kilku tutejszych roślin. Ponieważ trwałoby zbyt długo, zanim klony czy kasztany osiągnęłyby odpowiednią wysokość, konieczne okazało się wykorzystanie bukanów, palm nikau oraz kordylin, jeśli chciano, żeby w niedalekiej przyszłości goście Geralda mogli przechadzać się w cieniu. Gwyneirze to nie przeszkadzało. Uważała, że lokalna flora i fauna są bardzo interesujące. Wreszcie jakiś temat, który interesował i ją, i jej przyszłego małżonka. Badania Lucasa ograniczały się jednak głównie do paproci i owadów, przy czym te pierwsze rosły przede wszystkim w deszczowych regionach na zachodzie Wyspy Południowej. Gwyneira mogła podziwiać ich różnorodność oraz delikatne wzory wyłącznie na rysunkach, całkiem udanie nakreślonych przez samego Lucasa lub w posiadanych przez niego książkach. Kiedy jednak po raz pierwszy na własne oczy zobaczyła egzemplarz jednego z miejscowych gatunków owadów, z trudem powstrzymała okrzyk przestrachu, choć nie należała do osób bojaźliwych. Lucas, jako uważny dżentelmen, natychmiast ku niej pośpieszył. Ale widok, który mu się ukazał, wywołał u niego raczej radość niż obrzydzenie.

– To weta! – Zdumiał się i pchnął kijkiem sześcionogie stworzenie, które Hoturapa właśnie wykopał w ogrodzie. – To ponoć największe owady świata. Nierzadko mają osiem centymetrów długości, a nawet więcej.

Gwyneira nie podzielała radości swojego narzeczonego. Gdyby ten insekt wyglądał jak motyl albo chociaż jak pszczoła czy szerszeń... Ale weta najbardziej przypominała grubą i połyskliwą szarańczę.

– Należą do rzędu straszyków – Lucas kontynuował wykład. – Dokładniej rzecz biorąc, do podrzędu długoczułkowych. Poza wetami jaskiniowymi, które zalicza się do podrzędu *Rhaphidophoridae*...

Lucas znał łacińskie nazwy wszystkich podgrup wet. Gwyneira stwierdziła, że maoryska nazwa tych owadów opisuje je znacznie lepiej. Kiri i jej współplemieńcy nazywali je *wetapunga,* czyli bogami rzeczy obrzydliwych.

– Czy one żądlą? – zapytała Gwyneira. Insekt nie wyglądał na zbyt żywotnego, po szturchnięciu przez Lucasa zaczął się jedynie ociężale posuwać do przodu. Ale z tyłu miał imponujące żądło. Gwyneira wolała więc zachować odpowiedni dystans.

– Nie, nie, zwykle są zupełnie niegroźne. Czasem najwyżej ugryzą. Ich ugryzienie przypomina ukłucie osy – wyjaśnił Lucas. – To żądło... Ono służy do... Ono oznacza, że to jest samica i ona... – Lucas zmieszał się, jak zwykle gdy mówił o czymś związanym z płcią.

– Ono służyć do składania jaj – wytłumaczył jej Hoturapa. – Ta tutaj być gruba i tłusta, niedługo złożyć jaja. Dużo jaj, sto, dwieście... Lepiej nie brać jej do domu, panie Lucas. Żeby nie złożyć jaj w domu...

– Na miłość boską! – Gwyneirze ciarki przeszły po plecach na samą myśl o dzieleniu domu z dwiema setkami potomstwa tego mało sympatycznego insekta. – Zostaw ją tutaj. Gdyby uciekła...

– One nie biegać szybko, panno Gwyn. One skakać. Hops i już ma pani *wetapunga* na kolanach – wyjaśnił Hoturapa.

Gwyneira przezornie cofnęła się o kolejny krok.

– To lepiej będzie, jak naszkicuję ją tutaj, na miejscu – Lucas ustąpił z lekkim żalem w głosie. – Chętnie zabrałbym ją do mojej pracowni i porównał bezpośrednio z wizerunkami we wzorniku. Ale będzie mi musiał wystarczyć szkic. Gwyneiro, pewnie chciałaby pani wiedzieć, czy jest to weta naziemna czy drzewna...

Gwyneirze nic na świecie nie było równie obojętne.

– Dlaczego on nie interesuje się owcami, tak jak jego ojciec? – wkrótce potem skierowała pytanie do swojej cierpliwej publiczności składającej się z Cleo i Igraine. Kiedy Lucas szkicował wetę, Gwyneira schroniła się w stajni i zabrała za czyszczenie klaczy zgrzebłem. Rano Igraine spociła się podczas jazdy, a dziewczyna nie mogła odmówić sobie przyjemności rozczesania jej wyschniętej już sierści. – Albo ptakami? Ale one chyba zbyt krótko pozostają nieruchome, żeby można było zdążyć je narysować.

Miejscowy świat ptaków wydawał się Gwyneirze zdecydowanie bardziej interesujący niż pełzający ulubieńcy Lucasa. Pracownicy farmy pokazali jej tymczasem niektóre gatunki i co nieco o nich opowiedzieli. Większość z nich doskonale poznała swoją nową ojczyznę, a ponieważ podczas pędzenia owiec często nocowali pod gołym niebem, znali nawet obyczaje prowadzących nocny tryb życia nielotów. James McKenzie przedstawił na przykład Gwyneirze ptaka, którego nazwą określano europejskich przybyszów na Nową Zelandię. Ptak kiwi był mały i krępy, a Gwyn stwierdziła, że wygląda bardzo egzotycznie z tym swoim brązowym upierzeniem, które wyglądało prawie jak włosy, i z o wiele za długim w porównaniu z resztą ciała dziobem, którego często używał w charakterze piątej kończyny.

– Ale ma przynajmniej coś wspólnego z pani psem – wyjaśnił wesoło McKenzie. – Umie węszyć. To rzadkość wśród ptaków!

McKenzie ostatnio często towarzyszył Gwyneirze podczas jej przejażdżek po farmie. Jak można się było spodziewać, Gwyn szybko zyskała sobie szacunek pasterzy. Pracowników farmy zachwycił już pierwszy pokaz umiejętności Cleo przy zapędzaniu owiec.

– Mój Boże, ten pies robi tyle, ile dwóch poganiaczy! – zdziwił się Poker i zdobył się nawet na to, żeby z uznaniem pogłaskać Cleo po głowie. – Czy jej małe też będą takie?

Gerald Warden każdemu ze swoich ludzi powierzył wyszkolenie jednego z nowych owczarków. Na pewno lepiej było, gdy pies od razu uczył się z tym człowiekiem, który potem miał go prowadzić. W praktyce jedynie McKenzie ćwiczył ze szczeniakami, tylko czasem pomagali mu McAran i młody Hardy. Dla pozostałych powtarzanie w kółko tych samych poleceń było zbyt nudne, poza tym nie mieli ochoty sprowadzać owiec tylko po to, żeby owczarki mogły poćwiczyć.

McKenzie interesował się jednak psami i miał doskonałe podejście do zwierząt. Z jego pomocą młody Daimon szybko zaczął dorównywać osiągnięciom Cleo. Gwyneira nadzorowała ćwiczenia, mimo że Lucas tego nie pochwalał. Z kolei Gerald nie miał nic przeciwko temu. Wiedział, że dzięki temu z dnia na dzień zwiększa się wartość i użyteczność psów dla farmy.

– Może mógłby pan z okazji wesela zrobić mały pokaz, panie McKenzie – powiedział zadowolony Gerald, gdy po raz kolejny ujrzał Cleo i Daimona w akcji. – Sądzę, że większość gości byłaby zainteresowana... A niech to, innych farmerów po prostu skręci z zazdrości, jak zobaczą coś takiego!

– Ale w sukni ślubnej trudno będzie dobrze poprowadzić psa! – powiedziała ze śmiechem Gwyneira. Cieszyła się z pochwały, ponieważ w domu bez przerwy czuła, że do niczego się nie nadaje. Wciąż traktowano ją jak gościa, ale już wkrótce zaczną od niej, jako nowej pani w Kiward Station, wymagać tego, czego nie cierpiała już w Silkham Manor: prowadzenia ogromnego wielkopańskiego domu ze służbą i wszystkim, co się z tym wiąże. A na dodatek nikt ze służby nie został choćby w połowie przeszkolony. W Anglii mogłaby zamaskować swój brak talentów organizacyjnych, zatrudniając sprawnych kamerdynerów i pokojówki, nie oszczędzając na ich pensjach i przyjmując na służbę tylko ludzi o pierwszorzędnych referencjach. Wówczas dom prowadziłby się w zasadzie sam. Tutaj natomiast oczekiwano, że Gwyneira przyuczy maoryskich służących, a jej brakowało do tego zarówno chęci, jak i daru przekonywania.

– Po co czyścić srebra codziennie? – Moana zadała na przykład kiedyś takie pytanie, a Gwyn uznała jej wątpliwość za jak najbardziej słuszną.

– Bo tak trzeba – odpowiedziała. Potrafiła się zdobyć tylko na tyle.

– Ale po co używać żelazo, które ono się odbarwiać? – Moana z nieszczęśliwą miną obracała w ręku srebrne cacko. – Drewno lepsze! Wtedy to proste, opłukać i czyste! – dziewczyna spoglądała na Gwyneirę, oczekując potwierdzenia.

– Drewno... Wpływa na smak potraw – Gwyn przypomniała sobie odpowiedź matki. – A po parokrotnym użyciu nie wygląda najlepiej.

Moana wzruszyła ramionami.

– To wtedy wyrzeźbić nowe naczynia. To łatwe, mogę panience pokazać!

Rzeźbienie w drewnie było sztuką, którą pierwotni mieszkańcy Nowej Zelandii opanowali do perfekcji. Gwyneira odkryła niedawno maoryską wioskę, która znajdowała się na obszarze Kiward Station. Nie leżała daleko, ale była ukryta po drugiej stronie jeziora, za skałami i małym laskiem. Gwyneira pewnie nigdy by się na nią nie natknęła, gdyby jej uwagi nie przyciągnęły piorące w jeziorze kobiety i zgraja nagich kąpiących się dzieci. Na jej widok rozpierzchły się ze strachu, ale podczas kolejnej przejażdżki rozdała golaskom słodycze, zdobywając w ten sposób ich zaufanie. Potem kobiety zaprosiły ją gestami do wioski, a Gwyn podziwiała ich domy służące do spania i do gotowania, a przede wszystkim zdobiony bogatymi rzeźbieniami dom spotkań.

Powoli zaczynała trochę rozumieć maoryski.

Kia ora to dzień dobry. *Tane* to mężczyzna, a *wahine* kobieta. Dowiedziała się też, że Maorysi nie mówią „dziękuję", tylko odwdzięczają się czynami, a także, że na powitanie nie podają sobie dłoni, tylko pocierają się nosami. Ten ceremoniał, zwany *hongi,* Gwyn ćwiczyła z chichotającymi dziećmi. Lucas był oburzony, gdy o tym opowiedziała, a Gerald natychmiast ją upomniał:

– W żadnym razie nie powinniśmy się z nimi bratać. To prymitywni ludzie, muszą znać swoje miejsce.

– A ja uważam, że to zawsze dobrze, gdy ludzie lepiej się rozumieją – Gwyn wyraziła swój sprzeciw. – Dlaczego to ludy prymitywne mają się uczyć języka cywilizowanych? Przecież odwrotnie byłoby o wiele łatwiej!

Helen kucała obok krowy i próbowała przemawiać do niej miłym głosem. Zwierzę wydawało się przyjaźnie nastawione, co wcale nie było oczywiste, jeśli dobrze zrozumiała to, co Daphne mówiła na statku. Ponoć przy niektórych krowach trzeba uważać, żeby przy dojeniu nie kopnęły. Ale nawet najbardziej chętna krowa nie była w stanie sama się wydoić. Helen musiała to zrobić, ale nie potrafiła. Choćby nie wiem jak ciągnęła i ściskała wymiona, skapywały z nich najwyżej dwie krople mleka. A wydawało się to takie proste, gdy robił to Howard. Z tym że pokazał jej dojenie tylko raz i wciąż był poirytowany po wczorajszej katastrofie. Gdy wrócił z dojenia, w izbie było pełno dymu. Helen cała we łzach kucała przed piecem i nie zdążyła oczywiście pozamiatać. Howard z zaciętą miną rozpalił w piecu i w kominku, rozbił kilka jajek na patelni i postawił jedzenie na stole przed Helen.

– Od jutra ty gotujesz! – wyjaśnił tonem nieznoszącym sprzeciwu. Helen zaczęła się zastanawiać, co może ugotować. Przecież jutro w domu nie będzie niczego poza mlekiem i jajami. – I musisz też upiec chleb. Mąka jest w szafie. Poza tym fasola, sól... Sama zobaczysz. Helen, ja rozumiem, że dzisiaj jesteś zmęczona, ale w ten sposób to na nic mi się nie przydasz!

Noc wyglądała tak jak poprzednia. Tym razem Helen nałożyła swoją najładniejszą koszulę i leżała w świeżej pościeli, ale wcale nie było przyjemniej. Była obolała i okropnie się wstydziła. Przerażała ją twarz Howarda, w której odbijało się czyste pożądanie. Ale tym razem wiedziała przynajmniej, że to szybko się kończy. A potem Howard od razu zasnął.

Następnego ranka wyruszył, żeby sprawdzić stada owiec. Poinformował Helen, że nie wróci przed wieczorem. I że spodziewa się, że wtedy w wysprzątanym domu będzie na niego czekać rozpalony ogień i smaczna kolacja.

Helen nie powiodło się już przy dojeniu krowy. Gdy zrozpaczona znowu pociągała za wymiona biednego zwierzęcia, nagle usłyszała od strony drzwi do stajni stłumiony chichot. I jakieś szepty. Helen przestraszyłaby się, gdyby głosy nie brzmiały tak pogodnie i dziecinnie. Wyprostowała się tylko i powiedziała:

– Wychodźcie, widzę was!

Odpowiedział jej kolejny chichot.

Helen podeszła do drzwi, ale zobaczyła tylko dwie małe i ciemne postaci, które niczym błyskawica wymknęły się przez niedomknięte drzwi.

„Cóż, zbyt daleko nie odbiegną, ciekawość im nie pozwoli".

– Nic wam nie zrobię! – zawołała. – Co chcieliście, ukraść trochę jajek?

– My nie kraść, panienko! – odpowiedział jej oburzony głosik. Widocznie Helen uraziła czyjś honor. Z rogu stajni wychynęła drobna kasztanowobrązowa postać, odziana jedynie w spódniczkę. – My doić, kiedy pan Howard daleko.

Aha! Czyli to im Helen zawdzięczała wczorajszą awanturę.

– Ale wczoraj jej nie wydoiliście! – powiedziała surowym tonem. – Pan Howard był bardzo zły.

– Wczoraj *waiata-a-ringa*...

– Taniec – wyjaśniło drugie dziecko, tym razem chłopiec, odziany jedynie w przepaskę na biodra. – Całe plemię tańczyć. Nie mieć czasu dla krowy!

Helen powstrzymała się przed zwróceniem im uwagi, że krowa musi być dojona codziennie, bez względu na uroczystości. W końcu jeszcze wczoraj sama o tym nie wiedziała.

– Ale dzisiaj możecie mi pomóc – powiedziała tylko. – Możecie mi pokazać, jak to się robi.

– Jak co się robi? – zapytała dziewczynka.

– Doi. Krowę – Helen westchnęła.

– Ty nie wiedzieć, jak doić? – ponownie rozległ się chichot.

– To co ty tutaj robić? – zapytał z uśmiechem chłopiec. – Kraść jajka?

Helen nie mogła powstrzymać uśmiechu. Z tego małego jest niezłe ziółko. Ale nie potrafiła się rozgniewać. Dzieci wydały jej się urocze.

– Jestem nową panią O'Keefe – przedstawiła się. – Wzięliśmy z panem Howardem ślub w Christchurch.

– Pan Howard ożenić się z *wahine*, która nie umieć doić krowa?

– Cóż, mam inne zalety – odpowiedziała Helen ze śmiechem. – Na przykład umiem zrobić cukierki. – Rzeczywiście to potrafiła, był to najlepszy sposób, gdy chciała do czegoś przekonać swoich braci. A Howard miał w domu syrop. Jeśli chodzi o inne składniki, musiałaby improwizować, ale przede wszystkim chciała zachęcić te dzieci, żeby weszły do stajni. – Ale tylko dla grzecznych dzieci!

Określenie „grzeczny" prawdopodobnie niewiele znaczyło dla małych Maorysów, z pewnością jednak znały słowo „cukierki". Szybko dobili targu. Helen dowiedziała się jeszcze, że dziewczynka nazywa się Rongo Rongo, chłopiec zaś Reti, i oboje pochodzą z wioski położonej w dole rzeki. Dzieci w mgnieniu oka wydoiły krowę, znalazły jajka w miejscach, w których Helen w ogóle ich nie szukała, a później z chęcią poszły za nią do domu. Ponieważ gotowanie syropu na cukierki trwałoby godzinami, Helen postanowiła zaserwować maluchom naleśniki z syropem. Oboje z fascynacją przyglądali się, jak miesza ciasto i nalewa je na patelnię.

– To jak *takakau*, nasze placki! – stwierdziła Rongo.

Helen dostrzegła swoją szansę.

– A umiesz je robić, Rongo Rongo? Takie placki? Pokażesz mi, jak się je robi?

W zasadzie było to łatwe. Była tylko potrzebna mąka i woda. Helen miała nadzieję, że placki spełnią oczekiwania Howarda. W każdym razie było to coś do jedzenia. Ku swojemu zaskoczeniu odkryła, że jadalne rzeczy znajdują się także w zaniedbanym ogrodzie z tyłu domu. Podczas swojej pierwszej wyprawy do ogrodu nie znalazła niczego, co w jej mniemaniu przypominałoby warzywo, Rongo Rongo i Reti przez chwilę grzebali w ziemi, a potem z dumą pokazali jej kilka niepozornych korzeni. Helen ugotowała z nich gęstą zupę, która okazała się zaskakująco smaczna.

Po południu wysprzątała izbę, podczas gdy Rongo Rongo i Reti dokonywali inspekcji jej wiana. Ich szczególną uwagę przyciągnęły książki.

– To magiczna rzecz! – stwierdził z powagą Reti. – Nie dotykaj, Rongo Rongo, bo cię pożre!

Helen się roześmiała.

– Reti, skąd ci to przyszło do głowy? To tylko książki, są w nich różne opowieści. Nie są niebezpieczne. Jak skończę sprzątać, mogę wam coś przeczytać.

– Ale opowieści być przecież w głowie *kuia* – powiedziała Rongo Rongo. – Opowiadaczki.

– Jak ktoś potrafi pisać, to opowieści płyną mu z głowy przez ramię i dłoń aż do książki – wyjaśniła Helen. – A potem każdy może je przeczytać, nie tylko ten, komu *kuia* opowiada historie.

– To czary! – wywnioskował Reti.

Helen pokręciła głową.

– Ależ skąd. Spójrz, tak się pisze twoje imię.

Wzięła kartkę swojego papieru listowego i napisała na niej najpierw imię „Reti", później zaś „Rongo Rongo". Dzieci przyglądały się temu z rozdziawionymi buziami.

– Widzicie, teraz możecie przeczytać swoje imiona. W ten sposób wszystko można zapisać. Wszystko, co da się powiedzieć.

– Ale wtedy ma się władzę! – stwierdził z powagą Reti. – Opowiadaczka ma przecież władzę!

Helen się roześmiała.

– Tak. Wiecie co? Nauczę was pisać. A wy za to pokażecie mi, jak się doi krowę i co rośnie w ogrodzie. Zapytam pana Howarda, czy są książki w waszym języku. Nauczę się maoryskiego, a wy poprawicie swój angielski.

5

Gerald miał rację. Wesele Gwyneiry było najświetniejszym wydarzeniem towarzyskim, jakie kiedykolwiek odbyło się na Canterbury Plains. Już na kilka dni przed ślubem zaczęli przybywać goście z dalej położonych farm, a nawet z okolic Dunedin. Obecna była niemal połowa mieszkańców Christchurch. Pokoje gościnne w Kiward Station od razu się zapełniły, ale Gerald kazał porozstawiać wokół domu namioty, tak żeby każdemu zapewnić wygodne miejsce do spania. Z hotelu w Christchurch sprowadził kucharza, aby móc zaproponować gościom kuchnię dobrze im znaną, a jednocześnie wykwintną. Gwyneira miała do tej pory wyszkolić już maoryskie służące w perfekcyjnej obsłudze gości, zadanie to jednak ją przerosło. Ale przypomniała sobie, że w okolicy można znaleźć dobrze wyszkolony personel – Dorothy, Elizabeth i Daphne. Pani Godewind z przyjemnością użyczyła Elizabeth, a państwo Candlerowie, opiekunowie Dorothy, i tak byli zaproszeni na wesele, mogli więc przywieźć ją ze sobą. Nie udało się natomiast znaleźć Daphne. Gerald nie miał pojęcia, gdzie znajdowała się farma Morrisonów, nie było więc nadziei na bezpośrednie nawiązanie kontaktu z dziewczyną. Pani Baldwin twierdziła co prawda, że próbowała skontaktować się z Morrisonami, ale nie otrzymała żadnej odpowiedzi. Gwyneira ponownie pomyślała z żalem o Helen. Może ona wiedziała coś o swojej zaginionej wychowance. Ale wciąż nie miała żadnych wiadomości od swojej przyjaciółki i nie miała też ani czasu, ani okazji, żeby ją odszukać.

Dorothy i Elizabeth wyglądały natomiast na szczęśliwe. W specjalnie na tę okazję uszytych niebieskich sukienkach, białych fartuszkach i czepkach wyglądały uroczo i schludnie. Pamiętały też wszystko to, czego uczyła ich Helen. Elizabeth co prawda rozbiła ze zdenerwowania dwa talerze z cennej porcelanowej zastawy, ale Gerald nic nie zauważył, dla maoryskich służących nie miało to znaczenia, a Gwyneira przymknęła oko. Martwiła się raczej o Cleo, która niechętnie słuchała poleceń Jamesa McKenziego. Gwyneira miała nadzieję, że pokaz owczarków się uda.

Pogoda była znakomita, ceremonia zaślubin odbyła się więc pod baldachimem rozstawionym w ogrodzie, w którym wszystko zieleniło się i kwitło. Większość roślin Gwyneira znała z Anglii. Ziemia była tutaj żyzna i najwidoczniej gotowa, żeby przyjąć wszystkie nowe rośliny i zwierzęta, które sprowadzali ze sobą przybysze.

Angielska suknia ślubna Gwyneiry przyciągała uwagę i spojrzenia pełne podziwu. Największe wrażenie zrobiła jednak na Elizabeth.

– Właśnie taką suknię chciałabym mieć, kiedy sama będę wychodzić za mąż! – westchnęła z zazdrością. Ostatnio nie zachwycała się już Jamiem O'Harą, tylko wikarym Chesterem.

– Będziesz mogła ją wtedy ode mnie pożyczyć! – stwierdziła wspaniałomyślnie Gwyn.

– I ty, Dorothy, oczywiście też.

Dorothy układała jej właśnie włosy, co potrafiła o wiele lepiej niż Kiri i Moana, choć nie szło jej to tak sprawnie jak Daphne. Dorothy nie odpowiedziała na wspaniałomyślną propozycję Gwyneiry, ale Gwyn zauważyła, że z zainteresowaniem przygląda się najmłodszemu synowi państwa Candlerów. Byli w podobnym wieku, być może za kilka lat coś z tego wyniknie.

Gwyneira była przepiękną panną młodą, a Lucas w swoim ślubnym stroju dorównywał jej urodą. Miał na sobie jasnoszary frak, doskonale dobrany pod kolor oczu i – jak można się było spodziewać – zachowywał się idealnie. Gwyn dwukrotnie się zająknęła, ale on wypowiedział ślubną formułę spokojnym i pewnym głosem, zręcznie wsunął kosztowny pierścionek na palec swojej żony i nieśmiało pocałował ją w usta, gdy zachęcił go do tego wielebny Baldwin. Gwyneira poczuła dziwne rozczarowanie, ale natychmiast przywołała się do porządku. Czego się spodziewała? Że Lucas chwyci ją w ramiona i zacznie namiętnie całować, jak kowboj z taniej powieści szczęśliwie ocaloną bohaterkę?

Gerald pękał z dumy, patrząc na młodą parę. Szampan i whisky lały się strumieniami. Składające się z rozmaitych dań menu było pyszne, a goście oczarowani. Gerald promieniał ze szczęścia, Lucas zaś wydawał się dziwnie obojętny, co wprawiało Gwyneirę w lekką irytację. Mógłby przynajmniej udawać, że jest w niej zakochany! Ale tego nie można było przecież oczekiwać. Gwyn starała się stłumić odczuwany żal jako romantyczne i niemożliwe do spełnienia marzenie, ale mimo wszystko denerwował ją spokój i brak zaangażowania Lucasa. Z drugiej strony była chyba jedyną osobą, która zwróciła uwagę na dziwne zachowanie swojego małżonka. Goście prześcigali się w pochwałach dla młodej pary i zachwycali się tym, jak dobrze są dobrani. Może po prostu oczekiwała zbyt dużo.

W końcu Gerald zapowiedział pokaz owczarków, a goście ruszyli za nim w stronę stajni stojących za domem.

Gwyneira rzuciła tęskne spojrzenie Igraine, która razem z Madokiem stała na padoku. Od wielu dni nie udało jej się wsiąść na konia, a i widoki na najbliższą przyszłość nie przedstawiały się najlepiej. Jak było to w tutejszym zwyczaju, niektórzy goście zostaną u nich na wiele dni i cały czas trzeba będzie się nimi zajmować.

Poganiacze sprowadzili już stado owiec do pokazu, a James McKenzie szykował się właśnie do wypuszczenia psów. Cleo i Daimon powinny najpierw znaleźć się z tyłu stada owiec, które swobodnie pasły się na płaskim terenie koło domu. Najlepiej by było, gdyby zajęły pozycję wyjściową dokładnie naprzeciwko pasterza. Cleo doskonale opanowała tę umiejętność, Gwyneira zauważyła jednak, że tym razem usiadła za bardzo na prawo od McKenziego. Gwyn szybko oceniła odległość i jednocześnie uchwyciła spojrzenie suki. Cleo wpatrywała się w nią i nie miała najmniejszego zamiaru słuchać McKenziego. Oczekiwała poleceń od swojej pani.

Na szczęście dało się temu zaradzić. Gwyneira stała w pierwszym rzędzie widzów i w związku z tym niezbyt daleko od McKenziego. Mężczyzna wydał psom polecenie, żeby przejęły stado. Był to decydujący moment pokazu. Cleo sprawnie sformowała swoją grupę, a Daimon dzielnie jej towarzyszył. McKenzie spojrzał na Gwyn, oczekując pochwały, ona zaś odpowiedziała uśmiechem. Brygadzista Geralda świetnie poradził sobie ze szkoleniem Daimona. Sama Gwyn nie zrobiłaby tego lepiej.

Cleo wręcz podręcznikowo zaganiała stado w stronę pasterza. Na razie to, że kierowała się w stronę Gwyneiry, a nie Jamesa, nie stanowiło problemu. Musiała po drodze przejść przez bramkę, popędzając przed sobą owce. Cleo poruszała się w równym tempie, a Daimon pilnował, żeby żadna owca nie oddzieliła się od grupy. Wszystko przebiegało idealnie aż do momentu, gdy owce przeszły przez bramkę i stado powinno zostać przyprowadzone z tyłu pasterza. Cleo kierowała się na Gwyneirę, była więc zdezorientowana. Czy naprawdę ma zapędzić owce w ten tłum ludzi, który kłębi się za jej panią? Gwyneira dostrzegła zmieszanie Cleo i zrozumiała, że musi działać natychmiast. Zamaszystym ruchem podciągnęła spódnice i porzucając gości weselnych, podeszła do Jamesa.

– Tutaj, Cleo!

Suka szybko zapędziła stado do znajdującej się obok Jamesa bramki. Teraz powinna oddzielić wskazaną owcę od reszty stada.

– Teraz pan! – szepnęła Gwyn do Jamesa.

McKenzie wyglądał na równie zdezorientowanego co Cleo, ale uśmiechnął się, gdy Gwyneira do niego podeszła. Teraz zagwizdał na Daimona i wskazał mu jedną z owiec. Cleo grzecznie leżała na ziemi, podczas gdy młody pies oddzielał owcę od stada. Udało mu się to, ale dopiero za trzecim podejściem.

– A teraz ja! – zawołała Gwyn z wyzwaniem w głosie. – Rozdziel je, Cleo!

Cleo podskoczyła i za pierwszym podejściem oddzieliła owcę.

Rozległy się oklaski publiczności.

– Wygrałam! – zawołała Gwyn ze śmiechem.

James McKenzie spojrzał w jej rozpromienioną twarz. Miała zaróżowione policzki, oczy błyszczące triumfem i zachwycający uśmiech. Wcześniej przed ołtarzem nawet w połowie nie była tak szczęśliwa.

Gwyn także zauważyła blask w oczach McKenziego i poczuła zmieszanie. Co to było? Duma? Podziw? Czy też to coś, czego przez cały dzień nadaremnie szukała w oczach męża?

Teraz jednak psy powinny wykonać swoje ostatnie zadanie. Na gwizd Jamesa zapędziły owce do okólnika. McKenzie miał zamknąć za nimi bramkę, żeby pokaz można było uznać za ukończony.

– Pójdę już – powiedziała Gwyn z żalem, gdy ruszył w stronę bramki.

McKenzie pokręcił głową.

– Nie, to powinien zrobić zwycięzca.

Przepuścił Gwyneirę, która nie zważała już na to, że tren jej sukni ciągnie się po błocie. Z dumą zamknęła bramkę. Cleo, która aż do ukończenia zadania grzecznie czekała, pilnie obserwując owce, skoczyła na nią, domagając się pochwały. Gwyneira pochwaliła ją i z poczuciem winy spostrzegła, że jej biała suknia ślubna jest już cała pobrudzona.

– To było trochę niekonwencjonalne – zauważył Lucas z kwaśną miną, gdy Gwyneira znalazła się z powrotem u jego boku. Goście wyraźnie doskonale się bawili i obsypywali ją komplementami, mąż Gwyn nie wyglądał jednak na zadowolonego. – Dobrze by było, gdybyś zaczęła zachowywać się jak przystało na damę!

Tymczasem zrobiło się za chłodno, żeby nadal przebywać w ogrodzie, a i tak nadeszła pora na tańce. W salonie grał kwartet smyczkowy, Lucas zaś od razu wytknął artystom częste błędy w interpretacji. Gwyn nie zwróciła na to uwagi. Dorothy i Kiri tylko naprędce oczyściły jej suknię i mąż zaraz poprowadził ją do walca. Jak można się było spodziewać, młody Warden okazał się doskonałym tancerzem. Gerald także zwinnie poruszał się po parkiecie. Gwyn zatańczyła najpierw ze swoim teściem, a potem z lordem Barringtonem i panem Brewsterem. Państwo Brewsterowie przyjechali w towarzystwie swojego syna i jego młodej małżonki, a drobna Maoryska rzeczywiście była tak urocza, jak ją opisywał.

Gwyneira raz po raz tańczyła z Lucasem, aż w końcu zaczęły boleć ją stopy. Wreszcie poprosiła, aby odprowadził ją na werandę, żeby mogła zaczerpnąć świeżego powietrza. Łyknęła odrobinę szampana z kieliszka i pomyślała o nocy, która ją czeka. Nie można już było tego odsunąć. To właśnie dziś „stanie się kobietą", jak określała to jej matka.

Ze stajni również dochodziły dźwięki muzyki. Pracownicy farmy też świętowali, z tym że zamiast kwartetu skrzypcowego i walców było słychać skrzypki, akordeon i piszczałkę, które wygrywały skoczne melodie. Gwyneira zastanawiała się, czy na jednym z instrumentów nie gra McKenzie. I czy dobrze traktuje Cleo, która tej nocy miała zostać w stajni. Lucasowi nie podobało się, że mała suka na krok nie odstępuje swojej pani. Być może pozwoliłby Gwyn trzymać przy sobie jakiegoś pieska pokojowego, ale miejsce owczarka było jego zdaniem, w stajni. Tego wieczoru Gwyn postanowiła mu ustąpić, ale jutro karty miały być rozdane na nowo. A James na pewno zatroszczy się o Cleo... Gwyn pomyślała o jego silnych opalonych dłoniach głaszczących sierść jej suki. Zwierzęta go uwielbiały... Ale ona miała teraz co innego na głowie.

Wesele trwało jeszcze w najlepsze, gdy Lucas Warden zaproponował swojej żonie, żeby udali się na spoczynek.

– Później panowie będą już całkiem pijani i mogą chcieć odprowadzić parę młodą do sypialni – powiedział. – A ja chciałbym i sobie, i tobie oszczędzić wszystkich tych sprośnych żartów.

Gwyneirze to odpowiadało. Miała już dość tańców i wolała mieć to za sobą. Bała się tego, ale z drugiej strony pożerała ją ciekawość. Z dyskretnych uwag matki wywnioskowała, że będzie bolało. Ale w tanich powieściach bohaterki chętnie padały kowbojom w ramiona. Gwyneira była ciekawa, jak ona to przeżyje.

Goście weselni pożegnali młodą parę wielką wrzawą, ale bez złośliwych docinków, a Kiri czekała już w sypialni, żeby pomóc Gwyneirze rozebrać się z sukni ślubnej. Lucas ostrożnie pocałował ją w policzek przed jej pokojem.

– Nie śpiesz się z przygotowaniami, moja droga. Później do ciebie przyjdę.

Kiri i Dorothy zdjęły z Gwyneiry suknię i rozpuściły jej włosy. Przez cały czas Kiri żartowała i chichotała, a Dorothy szlochała. Maoryska zdawała się szczerze cieszyć szczęściem Gwyn i Lucasa. Dziwiła się tylko nieco, że młodzi małżonkowie tak wcześnie wyszli z przyjęcia. U Maorysów symbolem małżeństwa było dzielenie łoża na oczach całej zgromadzonej rodziny. Gdy Dorothy to usłyszała, rozpłakała się jeszcze bardziej.

– Czemu się tak smucisz, Dot? – zapytała rozdrażniona Gwyneira. – Przecież to nie pogrzeb.

– Nie wiem, panienko, ale moja mama zawsze płakała na weselach. Może to przynosi szczęście.

– Płakać nie przynosić szczęście, śmiać się przynosić szczęście! – Kiri była odmiennego zdania. – Już pani gotowa, panienko! Bardzo piękna panienka! Bardzo piękna. My teraz iść i zapukać do drzwi pana Lucasa. Piękny mężczyzna, pan Lucas! Bardzo miły! Tylko trochę chudy! – Wciąż chichotała, gdy Dorothy wyciągała ją za drzwi.

Gwyneira spojrzała na siebie. Jej koszulę nocną uszyto z najdelikatniejszej koronki. Wiedziała, że dobrze w niej wygląda. Ale co powinna teraz robić? Chyba nie powinna przyjmować Lucasa przy toaletce? O ile dobrze zrozumiała swoją matkę, to powinno odbyć się w łóżku...

Gwyn położyła się i przykryła jedwabną pościelą. Szkoda, bo nie było już widać koronkowej koszuli. Ale może Lucas ją odkryje...?

Wstrzymała oddech, gdy usłyszała, że klamka się porusza. Wszedł Lucas, trzymając w ręku lampę. Wydawał się zakłopotany, bo Gwyn nie zgasiła jeszcze światła.

– Najdroższa, myślę, że... Chyba byłoby bardziej stosowne, gdybyśmy przygasili światło.

Gwyneira skinęła głową. Lucas zdecydowanie nie wyglądał najlepiej w swojej długiej nocnej koszuli. Zawsze wyobrażała sobie, że męskie koszule nocne są... Hm... Po prostu bardziej męskie.

Lucas wsunął się obok niej pod kołdrę.

– Postaram się, żeby nie sprawić ci bólu – wyszeptał i delikatnie ją pocałował. Gwyneira leżała nieruchomo, gdy pokrywał pocałunkami i głaskał jej ramiona, szyję i piersi. Potem wysoko podciągnął jej koszulę. Zaczął szybciej oddychać, a Gwyneira również poczuła podniecenie, gdy palce Lucasa dotarły do najintymniejszy regionów jej ciała, których sama nigdy dotąd nie dotykała. Jej matka zawsze kazała jej nosić koszulę, nawet podczas kąpieli, a ona nigdy nie miała odwagi, żeby przyjrzeć się dolnej części swojego ciała, temu miejscu, gdzie rosły poskręcane włosy, jeszcze bardziej kręcone niż te na głowie. Dotyk Lucasa był delikatny, a Gwyneira odczuwała go jako przyjemne i podniecające łaskotanie. W końcu zabrał rękę i położył się na niej, a Gwyneira poczuła między swoimi udami jego członka, który urósł, stwardniał i wpychał się głębiej w te obszary jej ciała, które dotąd pozostały niezbadane nawet dla niej samej. Nagle jakby napotkał jakąś przeszkodę i zwiotczał.

– Przepraszam, kochanie, ale to był bardzo męczący dzień – wyjaśnił.

– Ale to było bardzo miłe... – powiedziała ostrożnie Gwyneira, całując go w policzek.

– Może spróbujemy jeszcze raz jutro...

– Jeśli tak sobie życzysz – odpowiedziała Gwyn z zakłopotaniem, ale jednocześnie lekkim poczuciem ulgi. Jej matka zdecydowanie przesadzała, strasząc ją przykrymi obowiązkami małżeńskimi. To co przeżyła, to nie był żaden powód do użalania się.

– Pożegnam się więc teraz – powiedział sztywnym tonem Lucas. – Myślę, że lepiej będzie ci się spało samej.

– Jeśli tak sobie życzysz – odparła Gwyneira. – Ale czy nie jest w zwyczaju, żeby mąż i żona spędzili noc poślubną razem?

Lucas skinął głową.

– Masz rację. Zostanę tutaj. Łóżko jest przecież wystarczająco szerokie.

– Tak – Gwyn zrobiła mu miejsce i skuliła się po lewej stronie łóżka. Lucas leżał sztywno i nieruchomo po jego prawej stronie.

– To życzę ci dobrej nocy, najdroższa!

– Dobrej nocy, Lucasie.

Gdy Gwyneira obudziła się rankiem, Lucas już nie spał. Witi przygotował dla niego w garderobie Gwyn jasny garnitur. Lucas był już całkiem gotowy, żeby zejść na dół na śniadanie.

– Chętnie poczekam na ciebie, kochanie – powiedział, spoglądając na Gwyneirę, która usiadła na łóżku w koronkowej koszulce. – Ale może lepiej by było, gdybym najpierw sam wziął na siebie wszystkie uszczypliwe uwagi gości.

Gwyneira wcale nie obawiała się spotkania z samego rana najbardziej wytrwałych hulaków z wczorajszego wieczoru, ale skinęła przyzwalająco.

– Przyślij, proszę, do mnie Kiri, a jak się uda, to również Dorothy, żeby pomogły mi się ubrać i uczesać. Dzisiaj chyba też powinniśmy się odświętnie ubrać, ktoś więc musi zasznurować mi gorset – powiedziała przyjaznym tonem.

Lucas zdawał się niemile dotknięty poruszonym przez nią tematem. Ale Kiri czekała już pod drzwiami. Trzeba było tylko sprowadzić Dorothy.

– I jak, proszę pani? Być pięknie?

– Proszę, mów do mnie dalej „panienko". I ty, i wszyscy inni – poprosiła Gwyn. – Tak mi się bardziej podoba.

– Oczywiście, panienko Gwyn. Ale teraz opowiadać! Jak być? Pierwszy raz nie zawsze piękny. Ale będzie lepiej, panienko! – powiedziała Kiri z entuzjazmem i zaczęła szykować suknię dla Gwyn.

– Hm... pięknie... – wymruczała Gwyn. I pod tym względem przesadzano. To co robił z nią tej nocy Lucas, nie było ani piękne, ani straszne. Z całą pewnością jest wygodniej, jeśli mężczyzna niewiele waży. Zachichotała na myśl o Kiri, która preferowała masywnych panów.

Kiri pomogła już Gwyn założyć białą letnią suknię ozdobioną drobnymi kolorowymi kwiatuszkami, gdy pojawiła się Dorothy. Zaczęła czesać Gwyneirę, a Kiri zajęła się zmianą pościeli. Gwyn uznała, że to przesada, przecież spała w niej dopiero jeden raz. Ale nie zareagowała, zakładając, że to może być jakiś maoryski zwyczaj. Dorothy nie płakała już, ale była cicha i unikała wzroku Gwyneiry.

– Dobrze się pani czuje, panienko? – zapytała tylko zatroskanym głosem.

Gwyn skinęła głową.

– Oczywiście, dlaczego miałabym się źle czuć? Bardzo ładnie to wygląda z tą klamrą, Dorothy. Kiri! Przyjrzyj się, jak Dorothy to zrobiła.

Ale Kiri zdawała się zajęta czymś innym. Z zatroskaną miną przyglądała się pościeli. Gwyn zauważyła to dopiero, gdy odesłała Dorothy z pokoju z poleceniem dotyczącym śniadania.

– O co chodzi, Kiri? Szukasz czegoś w pościeli? Czy pan Lucas coś zgubił? – Gwyn pomyślała, że zgubił jakąś ozdobę albo nawet obrączkę ślubną. Była trochę za luźna na jego szczupły palec.

Kiri pokręciła głową.

– Nie, nie, panienko. Tylko, że... Tylko, że na prześcieradle nie być krew... – Zawstydzona i bezradna popatrzyła na Gwyn.

– A czemu miałaby być krew? – zapytała Gwyneira.

– Po pierwszej nocy zawsze krew. Trochę boleć, potem krew, i dopiero potem pięknie.

Gwyn domyśliła się, że coś przeoczyła.

– Pan Lucas jest... On jest bardzo delikatny – wyjaśniła z niewyraźną miną.

Kiri skinęła głową.

– I na pewno bardzo zmęczony po przyjęciu. Proszę się nie martwić, jutro krew być!

Gwyneira postanowiła, że zajmie się tą sprawą, gdy nadejdzie odpowiednia chwila. Teraz zeszła na śniadanie, gdzie Lucas z wprawą zabawiał gości. Żartował z damami, z humorem znosił docinki panów i jak zwykle uprzejmie zwrócił się do żony, która właśnie do niego dołączyła. Kilka następnych godzin poświęcili przyjemnej konwersacji, podczas której nikt nie nawiązywał do wczorajszej nocy. Poza ckliwą panią Brewster, która stwierdziła:

– Jesteś taka dzielna, dziecino! Taka wesoła! Ale pan Warden to przecież taki taktowny mężczyzna!

W południe, gdy większość gości odpoczywała, Gwyn znalazła wreszcie chwilę, żeby pójść do stajni i zajrzeć do koni, a przede wszystkim odebrać swoją sukę.

Poganiacze powitali ją gromkimi okrzykami.

– Ach, pani Warden! Gratulacje! Dobrze się pani wyspała? – zapytał Poker Livingston.

– Chyba lepiej niż pan, panie Livingston – odparła Gwyneira. Mężczyźni wyglądali na porządnie skacowanych. – Ale cieszy mnie, że tak dużo wypiliście za moje zdrowie.

James McKenzie zmierzył ją spojrzeniem, które było bardziej badawcze niż wesołe. W jego wzroku jakby odbijał się żal. Gwyneirze trudno było zrozumieć głębokie spojrzenie jego brązowych oczu, ponieważ wciąż dostrzegała w nich coś innego. Teraz śmiały się, bo patrzył, jak Cleo wita się ze swoją panią.

– I jak, pogniewali się na panią? – zapytał McKenzie.

Gwyn pokręciła głową.

– Czemu? Z powodu pokazu? Ależ skąd. W dniu ślubu panna może jeszcze trochę poszaleć! – mrugnęła do niego okiem. – Ale od jutra mąż weźmie mnie na kantar. Już teraz goście trzymają mnie na krótkiej smyczy. Ciągle ktoś coś ode mnie chce. Dzisiaj znowu nie będę mogła pojeździć.

McKenzie wydawał się zdziwiony, że ma ochotę na przejażdżkę, ale nic nie powiedział. Badawcze spojrzenie w jego oczach znów zamieniło się w figlarny błysk.

– To musi pani znaleźć jakiś sposób, żeby się wyrwać! Może jutro rano osiodłam pani konia na tę godzinę? Większość dam ucina sobie wtedy drzemkę.

Gwyn z zachwytem pokiwała głową.

– Dobry pomysł. Ale nie o tej porze, bo muszę teraz być w kuchni, żeby przypilnować sprzątania po lunchu i przygotowań do herbaty. Kucharka upiera się, żebym przy tym była, Bóg jeden wie dlaczego. Ale wcześnie rano dałabym radę. Gdyby przygotował mi pan Igraine na szóstą rano, mogłabym wyjechać, zanim wstaną pierwsi goście.

James wyglądał na zmieszanego.

– Ale co powie pan Lucas, kiedy pani... Przepraszam, to oczywiście nie powinno mnie obchodzić...

– I pana Lucasa też nie – stwierdziła Gwyn beztrosko. – O ile nie zaniedbuję przez to obowiązków gospodyni, mogę sobie jeździć, kiedy tylko chcę.

„Tu nie chodzi tyle o obowiązki gospodyni, ile...” – przyszło do głowy Jamesowi, ale powstrzymał się przed rzuceniem takiej uwagi. Nie chciał naciskać na Gwyneirę. Ale wyglądało na to, że noc poślubna państwa Wardenów nie była zbyt namiętna.

Wieczorem Lucas ponownie przyszedł do Gwyneiry. Tym razem, wiedząc już, co ją czeka, z przyjemnością poddała się jego delikatnym dotknięciom. Zadrżała, gdy całował jej piersi, a głaskanie delikatnej skóry pod włosami łonowymi podniecało ją bardziej niż za pierwszym razem. Rzuciła okiem na jego członka, który był wielki i twardy, ale potem znów szybko zwiotczał, tak jak poprzedniej nocy. Gwyneirę ogarnęło dziwne poczucie niespełnienia, którego nie potrafiła sobie wytłumaczyć. Ale może to jest normalne. Jeszcze się wszystkiego nauczy.

Następnego ranka Gwyn ukłuła się igłą w palec, wycisnęła odrobinę krwi i roztarła ją na prześcieradle. Kiri nie powinna dojść do wniosku, że ona i Lucas robią coś nie tak.

6

Helen do pewnego stopnia przyzwyczaiła się do życia z Howardem. To, co działo się w nocy w ich małżeńskim łóżku, wciąż sprawiało jej ból, ale nauczyła się traktować to jako coś odrębnego od codziennego życia i w ciągu dnia zachowywała się wobec męża zupełnie normalnie.

Ale nie zawsze było to łatwe. Howard miał pewne oczekiwania wobec swojej żony i szybko się irytował, gdy Helen nie potrafiła ich spełnić. Wpadał wręcz w złość, gdy prosiła o dodatkowe meble czy lepsze naczynia, ponieważ jego garnki i patelnie były już stare i tak zabrudzone resztkami jedzenia, że nie można było ich oczyścić.

– Jak następnym razem pojedziemy do Haldon – zbywał ją ciągle. Widocznie Haldon leżało zbyt daleko, żeby jechać tam z powodu kilku garnków, paru przypraw i cukru. Helen rozpaczliwie tęskniła za kontaktem z cywilizacją. Wciąż bała się życia w dziczy, choćby nie wiem jak często Howard zapewniał ją, że na Canterbury Plains nie ma żadnych niebezpiecznych zwierząt. Poza tym brakowało jej rozrywek i kulturalnych konwersacji. Z Howardem można było rozmawiać w zasadzie tylko o tym, co dotyczyło pracy na farmie. Nie miał też już ochoty opowiadać o swoim wcześniejszym życiu w Irlandii czy w obozach wielorybników. Ten temat uważał za zamknięty. Helen wiedziała już to, co powinna wiedzieć, i Howard nie zamierzał wałkować tego tematu.

Jedynym promyczkiem rozświetlającym jej ponurą egzystencję były maoryskie dzieci. Reti i Rongo Rongo przychodzili prawie codziennie, a kiedy Reti pochwalił się w wiosce świeżo nabytą umiejętnością czytania – oboje szybko się uczyli, znali już cały alfabet i potrafili nawet przeczytać i napisać swoje imiona – dołączyły do nich kolejne dzieci.

– My też uczyć się czary! – stwierdził z powagą jeden z chłopców, Helen więc zapisywała kolejne kartki dziwnie brzmiącymi imionami, jak

Ngapini czy Wiramu. Czasem trochę jej było żal kosztownego papieru listowego, ale z drugiej strony i tak by go nie zużyła. Co prawda od razu napisała listy do Anglii, do rodziny i pastora Thorne'a, jak i do dziewczynek tutaj, w Nowej Zelandii. Ale dopóki nie pojadą do Haldon, nie miała jak ich nadać. W Haldon chciała przy okazji zamówić Biblię wydaną w języku Maorysów. Howard powiedział jej, że Pismo Święte zostało już przetłumaczone na maoryski, a Helen chętnie by je postudiowała. Gdyby nauczyła się trochę maoryskiego, mogłaby porozumieć się z matkami dzieci. Rongo Rongo zabrała ją już raz do wioski i wszyscy byli tam dla niej bardzo mili. Ale tylko mężczyźni, którzy często pomagali Howardowi albo najmowali się do pędzenia owiec u innych farmerów, znali kilka słów po angielsku. Dzieci nauczyły się ich od ojców, a kiedyś do wioski zawitała nawet para misjonarzy z gościnnym występem.

– Ale oni nie być mili – wyjaśnił Reti. – Ciągle machać palcem i mówić: „Oj, oj, grzech, grzech!". Co to grzech, panno Helen?

Helen rozszerzyła więc zakres nauczania i zaczęła czytać im Biblię najpierw po angielsku. Napotykała przy tym niespodziewane trudności. Już sama opowieść o stworzeniu świata wprawiła dzieci w głębokie zdumienie.

– Nie, nie, to inaczej! – stwierdziła Rongo Rongo, której babcia była szanowaną opowiadaczką. – Najpierw byli *Papatuanuku*, ziemia, i *Ranginui*, niebo. I kochali się tak bardzo, że nie chcieli się rozdzielić. Rozumieć? – Rongo Rongo uczyniła przy tym gest, którego wulgarność zmroziła Helen krew w żyłach. Ale dziewczynka była przecież zupełnie niewinna. – Ale ich dzieci chciały, żeby był świat z ptakami i rybami, i chmurami, i księżycem. I tak dalej. Dlatego oderwali się od siebie. I *Papa* płakać, i płakać i z tego zrobić się rzeka i jezioro, i morze. Ale w końcu przestać. *Rangi* wciąż płakać, prawie codziennie...

Łzy *Rangi*, jak Rongo Rongo już kiedyś wcześniej wyjaśniła, spadają z nieba w formie deszczu.

– To bardzo piękna opowieść – bąknęła Helen. – Ale przecież wiecie, że *pakeha* przybywają z wielkich dalekich krajów, gdzie wszystko zostało już zbadane i oni wszystko wiedzą. A moja opowieść jest w Biblii, Bóg Izraela opowiedział ją prorokom i to ona jest prawdziwa.

– Naprawdę bóg to opowiedzieć, panno Helen? Do nas żaden bóg nigdy nie mówić.

– Właśnie – potwierdziła Helen z nieczystym sumieniem. W końcu nie wszystkie jej modlitwy były wysłuchiwane.

Na przykład wciąż nie wybrali się do Haldon.

Goście weselni wreszcie wyjechali, a życie w Kiward Station powróciło na stare tory. Gwyn miała nadzieję, że odzyska względną wolność, którą cieszyła się na początku swojego pobytu na farmie. W pewnym stopniu jej się to udało, a Lucas niczego jej nie nakazywał. Nie skomentował nawet tego, że Cleo znowu przebywała w pokojach Gwyneiry, i to nawet wtedy gdy odwiedzał żonę w jej sypialni. A suczka przez pierwsze noce była naprawdę uciążliwa, ponieważ uznała, że Gwyn znajduje się w niebezpieczeństwie, protestowała więc głośnym szczekaniem. Trzeba było ją skarcić i odesłać na kocyk. Lucas zrobił to bez sarkania. Gwyn zastanawiała się dlaczego i nie mogła pozbyć się wrażenia, że Lucas w jakiś sposób czuje się wobec niej winny. Tak jak i wcześniej, ich wspólne pożycie nie powodowało ani bólu, ani krwawienia. Wręcz przeciwnie, z czasem zaczęła cieszyć się na mężowskie czułości i przyłapywała się na tym, że po wyjściu Lucasa sama zaczyna się głaskać. Pocieranie i łaskotanie intymnych części ciała, które od tego wilgotniały, sprawiało jej przyjemność. Ale nie było żadnej krwi. Z biegiem czasu stała się odważniejsza i coraz głębiej sięgała palcami, a przyjemność stawała się coraz intensywniejsza. Pewnie byłoby równie przyjemnie, gdyby Lucasowi udało się tam wprowadzić swojego członka. To chyba próbował zrobić, ale zawsze za wcześnie mu wiotczał. Gwyn się zastanawiała, czy on też nie mógłby posłużyć się ręką.

Na początku Lucas odwiedzał ją każdego wieczoru po położeniu się do łóżek, ale z czasem zdarzało się to coraz rzadziej. Zawsze najpierw grzecznie pytał ją: „To jak, mój skarbie, spróbujemy dziś wieczorem jeszcze raz?", i nigdy nie protestował, gdy Gwyneira była zmuszona odmówić. Jak dotąd ich pożycie małżeńskie wydawało się Gwyn całkiem udane.

Za to Gerald bardzo uprzykrzał jej życie. Upierał się, żeby przejęła obowiązki pani domu, a Kiward Station miało być prowadzone tak jak wielkopański dom w Europie. Witi miał się zamienić w dyskretnego kamerdynera, Moana w doskonałą kucharkę, a Kiri w ideał pokojówki. Maoryscy służący byli przy tym jak najbardziej chętni i posłuszni, szczerze kochali swoją nową panią i starali się odgadnąć każde jej życzenie. Ale Gwyn uważała, że wszystko powinno zostać tak, jak było, nawet jeśli do niektórych rzeczy trzeba się będzie przyzwyczaić. Na przykład dziewczęta nie chciały nosić w domu butów. Czuły się w nich skrępowane. Kiri pokazała Gwyn modzele i pęcherze, które powstały na jej nieprzywykłych stopach po długim dniu pracy w skórzanych pantoflach. Także swoje stroje uważały za niepraktyczne, a Gwyn trudno było się z tym nie zgodzić. Latem było w nich za gorąco, nawet Gwyn pociła się w kilku warstwach spódnic. Ale była przyzwyczajona do tego, że konwenanse narzucają pewne przykre ograniczenia. Maoryski jednak tego nie rozumiały. Najgorzej było, gdy Gerald wyrażał konkretne życzenia, które zwykle dotyczyły menu. Gwyneira musiała przyznać, że rzeczywiście wybór potraw podawanych w Kiward Station był bardzo skromny. Kuchnia maoryska nie była zbyt urozmaicona. Moana gotowała słodkie kartofle i inne warzywa na piecu i piekła mięso lub rybę z egzotycznymi przyprawami. Wszystko to miało co prawda dość szczególny smak, ale jak najbardziej nadawało się do jedzenia. Gwyneira, która nie potrafiła gotować, zjadała wszystko bez narzekania. Gerald natomiast wyraźnie życzył sobie urozmaicenia menu.

– Gwyneiro, chciałbym żebyś w przyszłości bardziej zadbała o kuchnię – powiedział pewnego ranka przy śniadaniu. – Mam już dosyć tych maoryskich potraw i najchętniej zjadłbym zwykły irlandzki gulasz. Czy mogłabyś poprosić o to kucharkę?

Gwyn skinęła głową, choć myślami była już przy pędzeniu owiec z młodymi psami, które zaplanowała na dzisiaj z McKenziem. Trochę młodych owiec zeszło z położonych wysoko łąk i wałęsało się po leżących przy dworze pastwiskach. Młode tryki niepokoiły stada. Gerald polecił więc poganiaczom, żeby pozbierali je i zapędzili z powrotem na łąki. Do tej pory było to zadanie trudne i uciążliwe. Ale z nowymi owczarkami powinni poradzić sobie w jeden dzień, a Gwyneira chciała przyjrzeć się pierwszym próbom. Krótka rozmowa z Moaną na temat lunchu nie powinna jej w tym przeszkodzić.

– Do irlandzkiego gulaszu potrzebna jest kapusta i baranina, prawda? – zapytała.

– A cóż innego? – burknął Gerald.

Gwyn przypomniała sobie niewyraźnie, że obie te rzeczy układa się chyba warstwami i gotuje.

– Baraninę jeszcze mamy, a kapusta... Mamy w ogrodzie kapustę, prawda, Lucasie? – zapytała niepewnym głosem.

– A jak myślisz, czym są te wielkie zielone liście, które układają się w kształt głowy? – ofuknął ją Gerald.

– Ja... Oj... – Gwyn już dawno stwierdziła, że praca w ogrodzie nie leży jej nawet wtedy, gdy jej rezultaty są jadalne. Nie miała dosyć cierpliwości, żeby czekać, aż z nasion powstaną główki kapusty czy ogórki, a tymczasem niekończące się godziny spędzać na wyrywaniu chwastów. Dlatego rzadko zaszczycała ogród warzywny swoją uwagą, wszystkim zajmował się Hoturapa.

Moana wydawała się zdziwiona, gdy Gwyn poleciła jej ugotować razem kapustę i baraninę.

– Jeszcze nigdy tego nie robić – wyjaśniła. Sama kapusta była dla niej całkowitą nowością. – Jak to ma smakować?

– Jak? Tak jak irlandzki gulasz. Po prostu ugotuj i sama się przekonasz – odpowiedziała Gwyn. Z radością pośpieszyła do stajni, gdzie czekał osiodłany przez Jamesa Madoc. Gwyneira jeździła teraz na kucach na zmianę.

Młode psy spisały się znakomicie i nawet Gerald był zadowolony, gdy połowa poganiaczy wraz z Gwyneirą powróciła do domu już w południe. Udało się zebrać wszystkie owce, a Livingston i Kennon pojechali zapędzić je z powrotem w góry przy pomocy trzech owczarków. Zadowolona Cleo skakała wokół swojej pani, a Daimon wokół McKenziego. Jeźdźcy od czasu do czasu uśmiechali się do siebie. Dobrze im się współpracowało i czasem Gwyneira miała wrażenie, że z tym ciemnowłosym poganiaczem potrafi się porozumieć równie szybko i bez słów jak z Cleo. James zawsze wiedział, którą dokładnie owcę chce oddzielić od stada czy do niego z powrotem zapędzić. Domyślał się, co chce zrobić, i często gwizdał na Daimona w tym samym momencie, w którym ona chciała poprosić o pomoc.

Przed stajnią odebrał od niej ogiera.

– Proszę już iść, panno Gwyn, bo inaczej nie zdąży się pani przebrać do lunchu. A pan Gerald przecież tak się na niego cieszy... Podobno zamówił jakąś potrawę ze starej ojczyzny?

Gwyneira przytaknęła, choć nieco się zirytowała. Czy Gerald naprawdę tak się zawziął na ten irlandzki gulasz, że opowiada o nim nawet poganiaczom? Miejmy nadzieję, że mu posmakuje.

Gwyneira powinna to była sama najpierw sprawdzić, ale rzeczywiście była spóźniona i zanim rodzina zgromadziła się przy stole, zdążyła już tylko zmienić suknię do jazdy konnej na domową. Uważała zresztą te wszystkie przebieranki za niepotrzebne. Gerald zawsze przychodził na lunch w tym samym stroju, w którym nadzorował prace w obejściu czy na pastwiskach. Z kolei Lucas życzył sobie stylowej atmosfery podczas posiłków, a Gwyneira nie chciała się z nim sprzeczać. Teraz miała na sobie piękną jasnobłękitną suknię z żółtą bordiurą na spódnicy i rękawach. Włosy zebrała do połowy i upięła za pomocą grzebyka.

– Jak zwykle wyglądasz dziś czarująco, moja droga – zauważył Lucas. Gwyn uśmiechnęła się do niego.

Gerald przyglądał się im z zadowoleniem.

– Prawdziwe turkaweczki! – stwierdził radośnie. – To chyba wkrótce doczekamy się potomstwa, prawda, Gwyneiro?

Gwyn nie wiedziała, co powinna odpowiedzieć. Ona i Lucas z pewnością dokładali starań. Jeśli od tego, co robili nocą w jej sypialni, zachodzi się w ciążę, to pewnie tak będzie.

Lucas się zaczerwienił.

– Jesteśmy małżeństwem dopiero od miesiąca, ojcze!

– Ale przecież wystarczy jeden strzał, prawda? – Gerald roześmiał się głośno, Lucas wyglądał na urażonego, a Gwyneira znowu nic nie rozumiała. Co strzelanie miało wspólnego z robieniem dzieci?

W tym momencie pojawiła się niosąca wazę Kiri, co przerwało tę nieprzyjemną rozmowę. Tak jak nauczyła ją Gwyneira, pokojówka ustawiła się po prawej stronie pana Geralda i to jemu, jako głowie domu, nałożyła pierwszą porcję. Potem obsłużyła Lucasa i Gwyneirę. Zachowywała się bardzo stosownie, Gwyneira nie mogła jej nic zarzucić i uśmiechnęła się do niej z zadowoleniem, kiedy Kiri stanęła przy stole w oczekiwaniu na kolejne polecenia.

Gerald rzucił zdumione spojrzenie na żółtawo-brunatną cienką zupę, w której pływały kawałki kapusty i mięsa, po czym wybuchnął:

– Do diabła, Gwyneiro! To była pierwszorzędna kapusta i najlepsza baranina na całej półkuli! To chyba nie było takie trudne, ugotować z nich przyzwoity gulasz! Ale nie, ty wszystko zostawiasz tej maoryskiej kozie, a ona zrobiła z tego to samo co zwykle! Może byś łaskawie pokazała jej, jak się gotuje gulasz!

Było widać, że Kiri zrobiło się przykro, a i Gwyn poczuła się urażona. Jej zdaniem potrawa smakowała całkiem dobrze, choć trzeba przyznać, że dość egzotycznie. Gwyneira nie miała pojęcia, jakich przypraw dodała

Moana, żeby uzyskać taki smak. Tak samo jak nie miała pojęcia, jak gotuje się irlandzki gulasz z kapusty i baraniny, na którym Geraldowi tak bardzo zależało.

Lucas wzruszył ramionami.

– Powinieneś był postarać się o irlandzką kucharkę, ojcze, a nie o walijską księżniczkę – stwierdził z ironią. – Gwyneira raczej nie spędziła dzieciństwa w kuchni.

Młody Warden ze spokojem zjadł kolejną łyżkę gulaszu. Wyglądało na to, że jemu również nie przeszkadza oryginalny smak potrawy. Lucas zwykle nie przejmował się jedzeniem. Z góry cieszył się, że tuż po posiłku będzie mógł pójść do gabinetu poczytać lub malować w swoim atelier.

Gwyn ponownie spróbowała potrawy, starając się przypomnieć sobie smak irlandzkiego gulaszu. Kucharka w jej rodzinnym domu bardzo rzadko go przygotowywała.

– Wydaje mi się, że do gulaszu nie dodaje się słodkich ziemniaków – powiedziała do Kiri.

Maoryska zmarszczyła brwi. Najwyraźniej nie była w stanie wyobrazić sobie, że można podać na stół jakąkolwiek potrawę bez słodkich ziemniaków.

Zirytowany Gerald krzyknął:

– Z całą pewnością do gulaszu nie dodaje się słodkich ziemniaków! Ani nie zakopuje się go w ziemi, ani nie zawija w liście, czy co tam jeszcze wyprawiają te dzikuski, żeby zatruć swoich państwa! Wyjaśnij jej to, z łaski swojej, Gwyn! Gdzieś tu musi być książka kucharska. Może ktoś to przetłumaczy. Biblię przetłumaczyli przecież raz-dwa!

Gwyn westchnęła. Słyszała, że maoryskie kobiety z Wyspy Północnej wykorzystują gorące podziemne źródła czy aktywność wulkanów do gotowania posiłków. Ale w okolicy Kiward Station nie było takich możliwości i nigdy też nie widziała, żeby Moana czy inne Maoryski wykopywały w ziemi doły do pieczenia. Ale pomysł z książką kucharską wydawał się całkiem rozsądny.

Gwyn spędziła popołudnie w kuchni na studiowaniu maoryskiej Biblii, angielskiego Pisma Świętego i książki kucharskiej zmarłej żony Geralda. Jednak rezultaty prowadzonych przez nią studiów porównawczych były bardzo skromne. W końcu poddała się i uciekła do stajni.

– Teraz wiem już, jak po maorysku nazywa się grzech czy boska sprawiedliwość – powiedziała poganiaczom, wertując Biblię. Kennon i Livingston właśnie wrócili z górskich łąk i rozsiodływali konie, a McKenzie i McAran czyścili uprzęże. – Ale tymianku nie znalazłam.

– Może z mirrą i kadzidłem też by dobrze smakowało – rzucił McKenzie. Poganiacze się roześmieli.

– Niech pani powie po prostu panu Geraldowi, że obżarstwo to grzech – poradził McAran. – Najlepiej niech to pani powie po maorysku. Bo jak zrozumie, to urwie pani głowę.

Gwyneira westchnęła, siodłając swoją klacz. Potrzebowała świeżego powietrza. Szkoda takiej pięknej pogody na wertowanie książek.

– Żadna z was pomoc! – zganiła wciąż śmiejących się ironicznie mężczyzn, prowadząc Igraine na zewnątrz. – Gdyby teść o mnie pytał, powiedzcie mu, że pojechałam szukać ziół. Do jego gulaszu.

Gwyneira ruszyła stępa. Widok wielkiej przestrzeni pastwisk na tle zapierających dech w piersiach Alp jak zwykle podziałał na nią kojąco. Góry znów wydawały się tak bliskie, jakby były oddalone o niecałą godzinę jazdy, a Gwyneira sprawiła sobie przyjemność, obrawszy za cel jeden ze szczytów i pędząc konia w jego stronę. Dopiero gdy po dwóch godzinach jazdy dzieląca ją od gór odległość nie zmniejszyła się ani o jotę, zawróciła. Podobało jej się takie życie. Tylko co zrobić z tą maoryską kucharką? Gwyneira koniecznie potrzebowała kobiecego wsparcia. Ale najbliższa biała sąsiadka mieszkała w odległości czterdziestu kilometrów.

I czy na pewno wypadało, żeby złożyć wizytę pani Beasley już w miesiąc po weselu? Ale może wystarczyłoby wybrać się do Haldon? Do tej pory Gwyneira nie odwiedziła jeszcze tego miasteczka, ale chyba nadeszła odpowiednia pora. Powinna wysłać listy na poczcie, chciała kupić kilka drobiazgów, a przede wszystkim popatrzeć na twarze innych ludzi niż członkowie jej rodziny, maoryscy służący i poganiacze. Ostatnio miała ich już wszystkich dosyć, poza Jamesem McKenziem. A on przecież mógłby towarzyszyć jej w wyprawie do Haldon. Czy nie wspomniał wczoraj, że musi odebrać zamówione towary od państwa Candlerów? Myśl o wycieczce wprawiła Gwyn w dobry humor. Pani Candler z pewnością będzie wiedziała, jak przygotować irlandzki gulasz.

Igraine chętnie galopowała w stronę domu. Po długiej jeździe kusiła ją perspektywa pełnego żłobu. Gwyneira również poczuła głód, gdy z powrotem wprowadzała klacz do stajni. Z kwater poganiaczy dochodził aromatyczny zapach mięsa i przypraw. Gwyn nie mogła się powstrzymać. Z nadzieją zastukała w drzwi.

Było widać, że jest oczekiwana. Mężczyźni siedzieli wokół otwartego paleniska, a wśród nich krążyła butelka z alkoholem. W garnku nad ogniem bulgotała aromatycznie pachnąca potrawa. Czy to nie jest…?

Wszyscy poganiacze cieszyli się, jakby to było Boże Narodzenie, a O'Toole, Irlandczyk, z uśmiechem na ustach podał jej menażkę z gulaszem.

– Proszę, panno Gwyn. Proszę dać to tej Maorysce. Oni szybko się uczą. Może uda jej się ugotować coś podobnego.

Gwyneira podziękowała z radością. Bez zwątpienia takiej właśnie potrawy oczekiwał Gerald. Pachniało tak dobrze, że Gwyn najchętniej poprosiłaby o łyżkę i sama opróżniła naczynie. Ale się powstrzymała. Nie tknie cennego gulaszu, dopóki nie da go do spróbowania Kiri i Moanie.

Postawiła więc menażkę ostrożnie na beli słomy, rozsiodłała Igraine, a potem ostrożnie wyniosła naczynie na zewnątrz. Przy okazji niemal wpadła na McKenziego, który czekał na nią przy drzwiach do stajni z kępką ziół w dłoni. Wręczył ją Gwyn tak uroczyście, jakby był to bukiet kwiatów.

– *Tàima* – powiedział z lekkim uśmiechem i mrugnął okiem. – Zamiast mirry i kadzidła.

Gwyneira z uśmiechem przyjęła bukiet tymianku. Nie rozumiała tylko, czemu serce bije jej aż tak mocno.

Helen się ucieszyła, gdy Howard zapowiedział jej wreszcie, że w piątek pojadą do Haldon. Trzeba było podkuć konia. Ta konieczność była widocznie powodem odbywania wizyt w mieście. Helen obliczyła sobie, że Howard dowiedział się o jej przybyciu podczas poprzedniej wizyty u kowala.

– To jak często trzeba podkuwać konia? – zapytała ostrożnie.

Howard wzruszył ramionami.

– To zależy, zwykle co sześć, dziesięć tygodni. Ale gniadoszowi kopyta rosną wolno, wystarcza więc podkuwać go co dwanaście tygodni – z zadowoleniem poklepał konia.

Helen wolałaby konia, któremu kopyta rosłyby szybciej, i nie potrafiła powstrzymać się przed rzuceniem odpowiedniej uwagi:

– Chciałabym częściej bywać wśród ludzi.

– Możesz brać muła – stwierdził wspaniałomyślnie Howard. – Od Haldon dzieli nas dziesięć kilometrów, dojedziesz tam w dwie godziny. Jeśli wyruszysz zaraz po dojeniu, wrócisz wczesnym wieczorem i zdążysz jeszcze przygotować jedzenie.

Howard w żadnym wypadku nie zrezygnowałby z ciepłej kolacji, Helen doskonale już o tym wiedziała. Ale nie był wybredny, pochłaniał wszystko, placki, naleśniki, jajecznicę czy zupę. Wyglądało na to, że nie przeszkadza mu to, że Helen nic innego nie potrafi ugotować, ale ona zamierzała poprosić panią Candler w Haldon o kilka przepisów. Jej samej domowe menu wydawało się już zbyt monotonne.

– Możesz zarżnąć kurę – zaproponował Howard, gdy Helen mu o tym wspomniała. Była przerażona, podobnie jak teraz na myśl o samodzielnej wyprawie do Haldon, i to na grzbiecie muła.

– Teraz zobaczysz, jak się tam jedzie – powiedział Howard swobodnym tonem. – A muła potrafisz chyba sama osiodłać...

Ani Gerald, ani Lucas nie mieli nic przeciwko temu, żeby McKenzie towarzyszył Gwyneirze podczas wyprawy do Haldon. Ale Lucas nie rozumiał, czemu jego żona tak bardzo chce tam jechać.

– Czeka cię rozczarowanie, moja droga. To małe, brudne miasteczko, tam jest tylko jeden sklep i jeden pub. Zero kultury, nawet kościoła nie mają...

– A co z lekarzem? – zapytała Gwyneira. – Na wypadek, gdybym kiedyś...

Lucas się zaczerwienił, a Gerald natychmiast z zachwytem podchwycił wątek.

– Czy to już, Gwyneiro? Masz już pierwsze objawy? Jeśli tak, to sprowadzimy lekarza z Christchurch. Na pewno nie będziemy ryzykować z tą akuszerką z Haldon.

– Ojcze, zanim dotarłby tutaj lekarz z Christchurch, dziecko już dawno by się urodziło – zauważył z ironią Lucas.

Gerald skarcił go spojrzeniem.

– Lekarza sprowadzę z wyprzedzeniem. Będzie tutaj mieszkał aż do rozwiązania, bez względu na koszty.

– A jego pozostali pacjenci? – wyraził wątpliwość Lucas. – Myślisz, że tak po prostu ich porzuci?

Gerald wciągnął powietrze.

– To tylko kwestia odpowiedniej kwoty, mój synu. A dziedzic Wardenów jest wart każdych pieniędzy!

Gwyneira się nie odzywała. Nie potrafiłaby rozpoznać objawów ciąży. Skąd miała wiedzieć, jak kobieta się wtedy czuje? A zresztą teraz przede wszystkim cieszyła się z wyprawy do Haldon.

James McKenzie podjechał po nią tuż po śniadaniu. Zaprzągł dwa konie do długiego i ciężkiego wozu.

– W siodle dotarłaby tam pani szybciej – zaproponował, ale Gwyneirze nie przeszkadzało, że będzie siedzieć obok niego na koźle i podziwiać widoki. Gdy będzie już znała drogę, będzie mogła częściej jeździć sama do Haldon. Dzisiaj cieszył ją sam fakt, że w ogóle tam jedzie. Poza tym McKenzie okazał się interesującym partnerem rozmowy. Podawał jej nazwy szczytów na horyzoncie oraz rzek i strumieni, które przekraczali. Często znał zarówno ich angielskie, jak i maoryskie nazwy.

– Pan dobrze zna maoryski, prawda? – stwierdziła Gwyn z podziwem.

McKenzie pokręcił głową.

– Myślę, że nikt tak naprawdę dobrze go nie zna. Tubylcy za bardzo nam wszystko ułatwiają. Cieszą się z każdego nowego angielskiego słowa, jakie poznają. Komu chciałoby się męczyć z takimi wyrazami, jak taumatawhatatangihangakoauauotamateaturipukakapikimaungahoroukupokaiwhenuakitanaahu?

– Co to takiego? – roześmiała się Gwyneira.

– To pewna góra na Wyspie Północnej. Nawet Maorysi łamią sobie na tej nazwie języki. Ale z każdym kolejnym kubkiem whisky jest łatwiej, zapewniam panią! – James mrugnął do niej okiem i znowu szelmowsko się uśmiechnął.

– Nauczył się pan maoryskiego przy obozowych ogniskach? – zapytała Gwyn.

James przytaknął.

– Sporo się nawędrowałem, najmując się do pracy na owczych farmach. Po drodze często mieszkałem w wioskach Maorysów, oni są bardzo gościnni.

– A czemu nie najął się pan na statek wielorybniczy? – chciała wiedzieć Gwyneira. – Podobno można wtedy zarobić o wiele więcej. Pan Gerald...

James się skrzywił.

– Pan Gerald umie jeszcze dobrze grać w karty – dodał po chwili milczenia.

Gwyneira oblała się rumieńcem. Czy to możliwe, że nawet tutaj znają historię tej gry rozegranej przez jej ojca i Geralda Wardena?

– Zwykle przy połowie wielorybów nie zdobywa się majątku – kontynuował McKenzie. – Ale to i tak nie było dla mnie. Proszę mnie dobrze zrozumieć, nie jestem przewrażliwiony, ale to brodzenie we krwi i tłuszczu... Nie. Ale za to jestem dobrym pasterzem, nauczyłem się tego w Australii.

– To w Australii mieszkają nie tylko skazańcy? – zapytała Gwyn.

– Nie tylko. Także potomkowie skazańców i zwyczajni emigranci. I nie wszyscy skazańcy popełnili ciężkie przestępstwa. Niejeden trafił tam, bo złapali go, jak kradł chleb dla dzieci. Albo ci wszyscy Irlandczycy, którzy zbuntowali się przeciwko Koronie. To często bardzo przyzwoici ludzie. Oszuści są wszędzie, a w Australii na pewno nie spotkałem ich więcej niż gdziekolwiek indziej na świecie.

– A gdzie jeszcze pan był? – zapytała z ciekawością Gwyneira, której McKenzie wydawał się coraz bardziej intrygujący.

Uśmiechnął się.

– W Szkocji. Stamtąd pochodzę. Prawdziwy ze mnie szkocki góral. Ale nie z lordów, mój klan to zwykłe szaraki. Znają się na owcach, nie zaś na walce na miecze.

Gwyneira poczuła lekkie rozczarowanie. Szkocki wojownik mógłby być prawie tak interesujący jak amerykański kowboj.

– A pani, panno Gwyn? Naprawdę dorastała pani na zamku, jak się mówi? – James znowu patrzył na nią z ukosa. Ale nie sprawiał wrażenia osoby, którą interesują plotki. Gwyneira czuła, że ciekawi go jej osoba.

– Dorastałam we dworze – poinformowała go. – Mój ojciec jest lordem, ale nie z tych, którzy zasiadają w królewskiej radzie – uśmiechnęła się. – W pewnym sensie mamy podobne pochodzenie. Silkhamowie też zajmowali się raczej owcami niż wojaczką.

– Ale czy to nie jest dla pani... Proszę wybaczyć, że o to pytam, ale zawsze myślałem, że... Czy córka lorda nie powinna wyjść za innego lorda?

To było bardzo niedyskretne pytanie ze strony McKenziego, Gwyneira jednak postanowiła nie brać mu go za złe.

– Lady powinna wyjść za dżentelmena – odpowiedziała wymijająco, potem jednak doszedł do głosu jej temperament. – Oczywiście w Anglii huczało od plotek, że mój mąż to tylko syn „owczego barona" bez prawdziwego tytułu szlacheckiego. Ale jak to się mówi, „Miło jest móc nazwać rasowego konia swoim". Tylko że na papierze nie da się jeździć.

James tak się roześmiał, że niemal spadł z kozła.

– Proszę nigdy nie cytować tego przysłowia w towarzystwie, panienko Gwyn! Skompromitowałaby się pani na zawsze! Ale pomału zaczynam rozumieć, że w Anglii trudno było znaleźć dla pani odpowiedniego dżentelmena.

– Miałam wielu konkurentów! – skłamała urażona Gwyneira. – A pan Lucas jak dotąd się nie skarżył.

– Chyba musiałby być ślepym głupcem! – wyrwało się Jamesowi, ale zanim mógł rozwinąć swoją myśl, Gwyn dostrzegła osadę na równinie pod górskim grzbietem, którym teraz jechali.

– Czy to Haldon? – zapytała.

James skinął głową.

Haldon dokładnie odpowiadało opisowi zamieszkanych przez pionierów miasteczek, które Gwyn znała z tanich powieści. Sklepik, balwierz, kowal, hotelik i knajpa, która nazywała się pub zamiast saloon. Wszystko to mieściło się w parterowych lub jednopiętrowych drewnianych domach pomalowanych na różne kolory.

James zatrzymał wóz przed sklepem państwa Candlerów.

– Proszę spokojnie zrobić swoje sprawunki – powiedział. – Ja załaduję teraz drewno, potem pójdę do golibrody, a później na piwo do pubu. Nie ma więc pośpiechu. Jeśli będzie pani miała ochotę, może wypić pani herbatkę z panią Candler.

Gwyneira uśmiechnęła się i rzuciła mu spojrzenie spiskowca.

– Może zdradzi mi kilka przepisów. Pan Gerald domagał się ostatnio puddingu z Yorkshire. Wie pan, jak się go robi?

James pokręcił głową.

– Obawiam się, że nawet O'Toole nie będzie wiedział. To do zobaczenia, panienko Gwyn!

Podał jej dłoń, żeby pomóc jej zsiąść z kozła, a Gwyn zastanawiała się, dlaczego to dotknięcie wywołuje w niej takie same odczucia, które ogarniają ją wtedy, kiedy sama siebie potajemnie pieści…

7

Gwyneira przeszła przez pokrytą kurzem drogę, która podczas deszczu z pewnością zamieniała się w wielką błotnistą kałużę, i weszła do sklepu z towarami mieszanymi prowadzonego przez państwa Candlerów. Pani Candler wsypywała właśnie kolorowe cukierki do wysokich szklanych słojów, wyglądała jednak na zadowoloną, że musi przerwać pracę. Z radością powitała Gwyneirę.

– Pani Warden, co za niespodzianka! I jaki traf! Ma pani czas na filiżankę herbaty? Dorothy właśnie ją przygotowuje. Jest na tyłach sklepu z panią O'Keefe.

– Z kim? – zapytała Gwyneira, a serce aż w niej podskoczyło. – Chyba nie z Helen O'Keefe? – Nie mogła w to uwierzyć.

Pani Candler z zadowoleniem skinęła głową.

– Ach, oczywiście, pani znała ją przecież jeszcze jako pannę Davenport. W każdym razie mój mąż i ja powiadomiliśmy wtedy jej narzeczonego o jej przybyciu. I z tego co słyszałam, jak błyskawica pognał do Christchurch i zaraz ją tutaj przywiózł. Proszę przejść tam, do tyłu, pani Warden. Zaraz do was dołączę, jak tylko wróci Richard.

Z tyłu znajdowało się mieszkanie państwa Candlerów, które bezpośrednio graniczyło z przestronnym sklepem. Wcale nie było prowizorycznie urządzone, lecz wyposażone w dobrane ze smakiem kosztowne meble wykonane z miejscowych gatunków drewna. Wielkie okna wpuszczały dużo światła i pozwalały obserwować znajdujący się za budynkiem skład drewna, gdzie James właśnie odbierał zamówienie. Pan Candler pomagał mu przy załadunku.

A w salonie naprawdę znajdowała się Helen! Siedziała na obitym zielonym aksamitem szezlongu i rozmawiała z Dorothy. Gdy spostrzegła

Gwyn, zerwała się z miejsca. Na jej twarzy radość mieszała się z niedowierzaniem.

– Gwyn! Chyba nie jesteś zjawą? Spotykam dzisiaj więcej znajomych niż przez poprzednie dwanaście tygodni. Pomału zaczynam wierzyć, że widzę duchy!

– Możemy się wzajemnie uszczypnąć! – odpowiedziała Gwyn ze śmiechem.

Przyjaciółki padły sobie w ramiona.

– Odkąd tutaj mieszkasz? – zapytała Gwyn, gdy oderwała się od Helen. – Przyjechałabym wcześniej, gdybym wiedziała, że cię tu spotkam.

– Wyszłam za mąż niecałe trzy miesiące temu – odpowiedziała sztywno Helen. – Ale w Haldon jestem dziś po raz pierwszy. Mieszkamy... Daleko za miastem...

Helen nie wyglądała na zadowoloną. Ale Gwyn musiała najpierw przywitać się z Dorothy. Dziewczyna właśnie weszła z czajniczkiem herbaty i zaraz postawiła dodatkowe nakrycie dla Gwyneiry. Gwyn miała więc okazję, żeby bliżej przyjrzeć się przyjaciółce. Helen naprawdę nie wyglądała na szczęśliwą. Wydawała się szczuplejsza, a jej tak troskliwie chronioną na statku jasną cerę pokrywała zakazana brązowa opalenizna. Ręce miała zniszczone, a paznokcie dużo krótsze niż kiedyś. Nawet jej ubranie wyglądało gorzej. Suknia była wyczyszczona i odprasowana, ale jej brzeg był ubłocony.

– To przez nasz strumień – powiedziała Helen przepraszającym tonem, zauważając spojrzenie Gwyneiry. – Howard chciał pojechać ciężkim wozem, bo musi odebrać drewno na płot. A konie dają wtedy radę przejechać przez strumień, tylko jeśli zsiądziemy z wozu i go pchamy.

– To czemu nie wybudujecie mostu? – zapytała Gwyneira. W Kiward Station widziała wiele nowych mostków.

Helen wzruszyła ramionami.

– Howard pewnie nie ma pieniędzy. Ani ludzi. W pojedynkę mostu się przecież nie zbuduje. – Sięgnęła po filiżankę z herbatą. Ręce lekko jej drżały.

– Nie macie żadnych ludzi? – zapytała zdumiona Gwyneira. – Nawet Maorysów? To jak dajecie sobie radę z farmą? Kto zajmuje się ogrodem, kto doi krowy?

Helen popatrzyła na nią. W jej pięknych zielonych oczach odbijała się jednocześnie rozpacz i duma.

– No, jak myślisz, kto?

– Ty? – Gwyn była przerażona. – Chyba nie mówisz poważnie. Przecież miałaś wyjść za farmera dżentelmena?

– Słowo dżentelmen możesz opuścić... Co wcale nie znaczy, że Howard nie jest człowiekiem honoru. Dobrze mnie traktuje i ciężko pracuje. Ale jest po prostu farmerem, niczym mniej i niczym więcej. Pod tym względem pan Gerald miał rację. A Howard nienawidzi go równie mocno jak on jego. Między nimi musiało coś zajść... – Helen chętnie zmieniłaby temat rozmowy, nie było jej przyjemnie krytykować własnego męża. Ale z drugiej strony, jeśli nie będzie o tym wspominać, nigdy tej sprawy nie wyjaśni.

Ale Gwyn nie podchwyciła wątku. Waśń między O'Keefe'em i Wardenem była jej zupełnie obojętna. Obchodziła ją tylko Helen.

– Masz chociaż sąsiadów, których mogłabyś poprosić o pomoc czy o radę? Przecież ty tego wszystkiego nie umiesz – Gwyn nawiązała do pracy na farmie.

– Szybko się uczę – bąknęła Helen. – A jeśli chodzi o sąsiadów... Cóż, jest kilku Maorysów. Ich dzieci codziennie przychodzą do szkoły i są bardzo kochane. Ale... Ale wy jesteście pierwszymi białymi, których spotkałam... Których w ogóle widzę od przyjazdu na farmę... – Helen starała się opanować, walcząc ze łzami.

Dorothy przysunęła się do niej, żeby ją pocieszyć. Gwyneira natomiast obmyślała plan, jak pomóc swojej przyjaciółce.

– Jak daleko jest stąd do twojej farmy? Czy mogłabym cię tam odwiedzić?

– Dziesięć kilometrów – odpowiedziała Helen. – Ale nie mam pojęcia, w którą stronę trzeba jechać...

– A tego musi się pani nauczyć, pani O'Keefe! Jeśli nie będzie pani potrafiła odróżniać stron świata, będzie tutaj pani zgubiona! – Do salonu weszła pani Candler, niosąc ze sklepu ciasteczka do herbaty. Piekła je jedna z mieszkanek Haldon i sprzedawała w sklepie państwa Candlerów. – Pani farma jest na wschód stąd, pani posiadłość również, pani Warden. Ale nie leżą na tej samej linii. Od głównej drogi odchodzi odnoga. Mogę to paniom objaśnić, ale pani mąż też na pewno zna drogę.

Gwyn już miała zwrócić uwagę, że chyba lepiej nie wypytywać nikogo z Wardenów o drogę do O'Keefe'a, ale Helen skorzystała z okazji, żeby zmienić temat.

– A jaki on jest, ten twój Lucas? Naprawdę jest takim wspaniałym dżentelmenem, jak mówią?

Rozkojarzona Gwyneira patrzyła przez okno. James właśnie skończył ładowanie drewna i wyprowadzał wóz z podwórza. Helen zauważyła blask w oczach Gwyn, gdy ta obserwowała mężczyznę na koźle.

– To on? Ten ładny chłopak na wozie? – zapytała Helen z uśmiechem.

Gwyn nie mogła oderwać od niego wzroku, ale po chwili opamiętała się.

– Co? Przepraszam, przyglądałam się, jak ładują nasze drewno. Ten mężczyzna na koźle to pan McKenzie, brygadzista poganiaczy. Lucas to... Lucas nigdy... Cóż, już sam pomysł, żeby miał przyjechać tutaj wozem i samemu ładować drewno...

Helen popatrzyła na nią urażona. Howard na pewno sam będzie ładować swoje drewno na płot.

Gwyn od razu się poprawiła, gdy zauważyła wyraz twarzy przyjaciółki.

– Och, Helen, to oczywiście nic niestosownego... Jestem pewna, że pan Gerald też sam by to zrobił. Ale Lucas to pięknoduch, rozumiesz? Pisze, maluje, gra na fortepianie. Ale na farmie w ogóle się nie udziela.

Helen zmarszczyła czoło.

– A jak ją odziedziczy?

Gwyneira była zdumiona. Takie pytanie nawet nie przyszłoby do głowy tej Helen, którą znała sprzed dwóch miesięcy.

– Pan Gerald chyba ma nadzieję na innego dziedzica – westchnęła.

Pani Candler badawczo przyjrzała się Gwyn.

– Na razie się nie zapowiada – stwierdziła ze śmiechem. – Ale przecież jesteście małżeństwem dopiero od kilku tygodni. Musi dać wam trochę więcej czasu. Ależ z nich była piękna para młoda!

Tymi słowami pani Candler rozpoczęła dłuższą opowieść o weselu Gwyneiry. Helen przysłuchiwała się jej w milczeniu, a Gwyn chętnie wypytałaby ją o jej wesele. W ogóle było mnóstwo spraw, które pilnie chciała omówić z przyjaciółką. Ale najlepiej w cztery oczy. Pani Candler była bardzo miła, bez wątpienia jednak była też największą plotkarką w miasteczku.

W każdym razie z przyjemnością gotowa była służyć obu młodym żonom przepisami i innymi poradami dotyczącymi prowadzenia domu.

– Bez zaczynu nie upiecze pani chleba! – powiedziała do Helen. – Zaraz pani trochę dam. I mam też środek, którym będzie można wyczyścić pani suknię. Rąbek trzeba zmiękczyć, inaczej nic już z tej sukni nie będzie. A pani, pani Warden, potrzebuje foremek na ciasteczka, w przeciwnym razie nie będą miały nic wspólnego z wymarzonymi przez pana Geralda angielskimi babeczkami do herbaty…

Helen dostała nawet Biblię po maorysku. Pani Candler miała w zapasie kilka egzemplarzy, ponieważ misjonarze sporo ich zamówili, ale zainteresowanie ze strony Maorysów okazało się niewielkie.

– Przecież większość z nich nie potrafi czytać – stwierdziła pani Candler. – A poza tym mają własnych bogów.

Podczas gdy Howard ładował drewno na płot, Gwyn i Helen udało się przez chwilę porozmawiać na osobności.

– Ten twój pan O'Keefe robi dobre wrażenie – zauważyła Gwyn. Obserwowała go ze sklepu, gdy rozmawiał z Helen. Ten mężczyzna zdecydowanie bardziej odpowiadał wizerunkowi dziarskiego pioniera niż wytworny Lucas. – Podoba ci się w małżeństwie?

Helen się zarumieniła.

– Chyba nie musi się podobać. Ale jest… Znośnie. Och, Gwyn, teraz znowu miesiącami nie będziemy się widywać. Kto wie, czy następnym razem też przyjedziesz do Haldon akurat tego dnia co ja i…

– A nie możesz sama przyjechać? – zapytała Gwyn. – Bez Howarda? Dla mnie to nie będzie trudne. Na Igraine dojadę tutaj w mniej niż dwie godziny.

Helen westchnęła i opowiedziała o mule.

– Gdybym tyko potrafiła na nim jeździć…

Gwyneira się rozpromieniła.

– Oczywiście, że potrafisz! Tylko muszę cię nauczyć! Helen, odwiedzę cię, jak tylko będę mogła. Dowiem się, jak trafić na twoją farmę.

Helen już miała jej powiedzieć, że Howard nie życzy sobie żadnych Wardenów w swoim domu, ale się powstrzymała. Jeśli Howard i Gwyn się spotkają, będzie musiała coś wymyślić. Ale on przecież prawie cały dzień zajmuje się owcami i często jeździ daleko w góry, żeby szukać zabłąkanych owiec albo naprawiać ogrodzenia. Zwykle nie wraca do domu przed zapadnięciem zmroku.

– Będę na ciebie czekać! – powiedziała z nadzieją.

Przyjaciółki pocałowały się w oba policzki i Helen wybiegła na zewnątrz.

– Cóż, żony drobnych farmerów nie mają łatwego życia – stwierdziła z żalem pani Candler. – Ciężka praca i dużo dzieci. Pani O'Keefe ma szczęście, że jej mąż nie jest już najmłodszy. Nie zmajstruje jej już ośmiu czy dziewięciu latorośli. Ona też nie jest już taka młoda. Mam tylko nadzieję, że wszystko pójdzie dobrze. Akuszerka nie dociera przecież na takie odludne farmy...

Zaraz potem pojawił się James McKenzie, żeby zabrać Gwyneirę. Zadowolony załadował jej sprawunki na wóz i pomógł usiąść na koźle.

– Czy miała pani udany dzień, panno Gwyn? Pani Candler powiedziała, że spotkała pani swoją przyjaciółkę?

Ku radości Gwyn okazało się, że McKenzie zna drogę na farmę Helen. Ale zagwizdał przez zęby, gdy o nią zapytała.

– Wybiera się pani do O'Keefe'a? Do jaskini lwa? Proszę tylko nie wspominać o tym panu Geraldowi. Zastrzeli mnie, jak się dowie, że zdradziłem pani, jak się tam jedzie!

– Mogłam się tego dowiedzieć od kogoś innego – odpowiedziała spokojnie Gwyn. – Ale co jest między nimi? Pan Gerald uważa pana Howarda za diabła wcielonego i wygląda na to, że z wzajemnością.

James się roześmiał.

– Nie wiadomo dokładnie. Podobno kiedyś byli wspólnikami. Ale potem się poróżnili. Niektórzy twierdzą, że poszło o pieniądze, inni, że o kobietę. W każdym razie ich farmy sąsiadują ze sobą, ale to Warden ma najlepszą ziemię. Ta O'Keefe'a jest bardzo górzysta. I nie pochodzi z rodziny pasterzy, choć ponoć jest z Australii. To wszystko jest bardzo niejasne. Prawdę znają tylko oni dwaj, ale nikomu nic nie mówią. O, to jest to odgałęzienie...

James zatrzymał wóz przy drodze, która prowadziła w lewo w stronę gór.

– Trzeba pojechać tą odnogą. Może się pani zorientować po tych skałach. A potem już prosto drogą, nie ma żadnych rozgałęzień. Ale czasem ledwie ją widać, zwłaszcza latem, gdy zarastają ślady kół. Trzeba też przejechać kilka strumieni, jeden z nich jest prawie jak rzeka. Jak się pani już tutaj zorientuje, na pewno znajdzie pani jakąś krótszą drogę między farmami. Ale na razie powinna pani jeździć tą, żeby przypadkiem pani nie zabłądziła!

Gwyneira zwykle nie błądziła. Poza tym Cleo i Igraine z pewnością potrafiłyby z powrotem trafić do Kiward Station. Gwyn była więc dobrej myśli, gdy trzy dni później wyruszała odwiedzić swoją przyjaciółkę. Lucas nie miał nic przeciwko wyprawie żony do Haldon. Miał na głowie inne zmartwienia.

Gerald Warden zdecydował nie tylko o tym, że Gwyn powinna poważniej zacząć traktować swoje obowiązki pani domu. Uważał także, że Lucas powinien brać zdecydowanie większy udział w pracach na farmie. Każdego dnia przydzielał więc synowi zadanie, które ten miał wykonać wraz z pracownikami. Często jednak były to prace, które wywoływały rumieniec na twarzy pięknoducha, a czasem nawet i gorsze reakcje. Na przykład po kastrowaniu młodych tryków pan Lucas przez resztę dnia czuł się tak źle, że nie nadawał się do żadnej pracy, o czym Hardy Kennon, parskając śmiechem, opowiedział innym poganiaczom przy ognisku. Gwyneira usłyszała to przypadkiem i nie potrafiła się nie roześmiać. Ale tak naprawdę wcale nie była pewna, czy z nią nie byłoby tak samo. Były pewne prace, do których młodej i ciekawskiej lady nie dopuszczano nawet w Silkham Manor.

Tego dnia Lucas wyjechał wraz z McKenziem, żeby zapędzić barany na górskie łąki. Tam miały spędzić letnie miesiące, a potem zostać zarżnięte. Lucasa już teraz ogarniało przerażenie na myśl, że być może to też będzie musiał nadzorować.

Gwyneira chętnie pojechałaby z nimi, ale coś ją powstrzymało. Lucas nie musiał widzieć, jak świetnie współpracuje jej się z poganiaczami. Za wszelką cenę należało uniknąć rywalizacji. Poza tym nie miała ochoty spędzić całego dnia w damskim siodle. Odzwyczaiła się od jeżdżenia bokiem, a po kilku godzinach z pewnością wszystko zaczęłoby ją boleć.

Igraine szła żywo do przodu i po dobrej godzinie Gwyneira dotarła do odnogi prowadzącej do farmy Helen. Pozostały do pokonania już tylko cztery kilometry, ale droga okazała się trudna. Szlak był w opłakanym stanie. Gwyneira bałaby się jechać tędy zaprzęgiem, a co dopiero ciężkim wozem, jak Howard. Nic dziwnego, że biedna Helen wyglądała na wyczerpaną.

Igraine oczywiście stan drogi zupełnie nie przeszkadzał. Ta silna klacz była przyzwyczajona do kamienistego podłoża, a konieczność częstego przeprawiania się przez strumienie przyjęła z radością jako okazję do odświeżenia się. Jak na nowozelandzkie warunki był to gorący letni dzień i koń mocno się pocił. Cleo natomiast usilnie starała się przechodzić przez strumienie suchą łapą. Gwyneira za każdym razem śmiała się, gdy jej się to nie udawało i suka po nieudanym skoku lądowała z pluskiem w zimnej wodzie, rzucając swojej pani urażone spojrzenie.

W końcu Gwyn dostrzegła dom. Na początku trudno jej było uwierzyć, że ta drewniana chałupa to naprawdę farma O'Keefe'ów. Ale tak musiało być, na padoku obok pasł się muł. Ujrzawszy Igraine, wydał z siebie przedziwny dźwięk, rodzaj rżenia, które przeszło w głośny ryk. Gwyneira pokręciła głową. Przedziwne stworzenia. Zupełnie nie rozumiała, dlaczego niektórzy wolą je od koni.

Przywiązała swoją klacz do płotu i wyruszyła na poszukiwanie Helen. W stajni stała tylko krowa. W tym momencie usłyszała jednak przerażony krzyk kobiety dobiegający z domu. To musiała być Helen, w jej krzyku było tyle strachu, że Gwyn aż ścięło krew w żyłach. Przerażona rozejrzała się za jakąś bronią, z którą mogłaby ruszyć przyjaciółce na pomoc, ale w końcu zdecydowała, że wystarczy jej bacik i od razu pośpieszyła do chaty.

Nie zauważyła tam żadnego napastnika. Wyglądało na to, że Helen spokojnie zamiatała izbę, gdy coś nagle ogromnie ją przeraziło.

– Helen! – zawołała Gwyn. – Co się dzieje?

Helen się nie poruszyła. Nie powitała przyjaciółki, nawet nie spojrzała w jej stronę. Cały czas z przerażeniem wpatrywała się w coś w rogu izby.

– To... To... To coś! Co to jest, na miłość boską? Ratunku, to skacze! – Helen rzuciła się w panice do tyłu i omal nie przewróciła się o krzesło. Gwyneira chwyciła ją i jednocześnie cofnęła się przed tłustym błyszczącym potworem, który wciąż przed nimi podrygiwał. To był wspaniały okaz, miał co najmniej dziesięć centymetrów długości.

– To weta – wyjaśniła spokojnym głosem Gwyn. – Prawdopodobnie naziemna, ale może nadrzewna, która zabłądziła. W każdym razie nie jest to weta olbrzymia, bo te nie potrafią skakać...

Helen patrzyła na nią jak na wariatkę.

– To samiec. Jakbyś ewentualnie chciała go jakoś nazwać... – Gwyneira zachichotała. – Nie rób takiej miny, Helen. Są obrzydliwe, ale nieszkodliwe. Po prostu go wyrzuć i...

– Nie można tego... zabić? – zapytała wciąż drżąca Helen.

Gwyn pokręciła głową.

– Prawie niemożliwe. Są strasznie żywotne. Podobno nie umierają, nawet jak się je gotuje... Sama nie miałam oczywiście okazji się przekonać. Lucas potrafi rozprawiać o nich godzinami. Te owady to jego ulubieńcy. Masz szklankę albo coś takiego? – Gwyneira widziała już kiedyś, jak Lucas łapie wety, teraz więc zręcznie przykryła olbrzymiego owada słoikiem po dżemie. – Złapany! – ucieszyła się. – Gdybyśmy zamknęły słoik, miałabym prezent dla Lucasa!

– Nie żartuj sobie, Gwyn! Myślałam, że to dżentelmen! – Helen dochodziła już do siebie, wciąż jednak z odrazą i fascynacją przyglądała się uwięzionemu insektowi.

– To wcale nie wyklucza jego zainteresowania pełzającymi olbrzymimi owadami – stwierdziła Gwyn. – Mężczyźni mają przedziwne upodobania...

– Mnie to mówisz – Helen pomyślała o nocnych przyjemnościach Howarda. Prawie codziennie do niej przychodził, chyba że miała okres. Ale ostatnio krwawienie się nie pojawiało. Przynajmniej taką korzyść odniosła z małżeńskiego pożycia.

– Przygotować herbatę? – zapytała Helen. – Howard woli kawę, ale kupiłam herbatę dla siebie. Darjeeling, z Londynu... – W jej głosie zabrzmiała tęsknota.

Gwyneira rozejrzała się po skromnie urządzonej izbie. Dwa chwiejące się krzesła, wyszorowany do czysta, ale zniszczony stół, na którym leżała maoryska Biblia. Kipiący garnek na byle jakim piecu. To nie było najlepsze miejsce na pogawędkę przy herbatce. Gwyn przypomniała sobie przytulny salon pani Candler. A potem zdecydowanie pokręciła głową.

– Herbatę zrobimy później. Teraz pierwszy raz wsiądziesz na muła... Odbędziemy... Powiedzmy trzy lekcje jazdy. A potem spotkamy się w Haldon.

Muł okazał się niezbyt chętny do współpracy. Gdy Helen chciała go złapać, uciekał od niej i próbował ugryźć. Odetchnęła z ulgą, gdy pojawili się Reti, Rongo Rongo i dwójka innych dzieci. Zaczerwieniona twarz Helen, jej przekleństwa i beznadziejność prowadzonych przez nią działań dały małym Maorysom kolejną okazję do śmiechu, Reti jednak w kilka sekund nałożył mułowi uzdę. Pomógł też Helen przy siodłaniu, podczas gdy Rongo Rongo karmiła muła słodkimi ziemniakami. Ale potem nikt już nie mógł pomóc Helen. Sama musiała wsiąść na muła.

Gwyneira usiadła na płocie okalającym padok, podczas gdy Helen próbowała zmusić muła, żeby się ruszył. Dzieci poszturchiwały się i chichotały, widząc, że muł nie ma najmniejszego zamiaru choćby podnieść kopyto. Dopiero gdy Helen mocno kopnęła go w bok, wydał z siebie coś w rodzaju jęku i ruszył do przodu. Ale Gwyneira nie była zadowolona.

– Tak się nie robi! Jeśli będziesz go kopać, to wcale nie ruszy, tylko się zezłości! – Gwyneira przykucnęła na drewnianym płocie niczym mały łobuziak, podkreślając swoje słowa zdecydowanymi ruchami bacika. Jej jedynym ustępstwem wobec przyzwoitości było podciągnięcie wysoko stóp i sprytne schowanie ich pod spódnicą, co jednak utrudniało jej utrzymanie się na płocie. A cała ta walka o równowagę była zupełnie niepotrzebna, bo chichoczące dzieci nawet nie rzuciłyby okiem na nogi Gwyneiry, tak były zajęte obserwowaniem wydarzeń na padoku. Poza tym ich matki wszędzie chodziły boso, w krótkich spódnicach albo w ogóle półnago.

Helen nie miała teraz jednak czasu na dalsze rozmyślania. Musiała się bardzo mocno skoncentrować na prowadzeniu krnąbrnego muła po padoku. Utrzymanie się na jego grzbiecie okazało się zaskakująco łatwe, a stare siodło Howarda było całkiem wygodne. Niestety, jej rumak zatrzymywał się przy każdej kępce trawy.

– Jeśli go nie kopię, to w ogóle nie idzie! – poskarżyła się i ponownie ukłuła muła w żebra. – Może... Może jakbyś dała mi bacik. Mogłabym mu przyłożyć!

Gwyneira przewróciła oczami.

– I ty jesteś nauczycielką? Bić, kopać... Przecież swoich uczniów tak nie traktujesz! – Spojrzała na chichoczących małych Maorysów, których wyraźnie bawiły zmagania Helen z mułem. – Musisz go polubić, Helen! Spraw, żeby chciał dla ciebie pracować. No już, powiedz mu coś miłego!

Helen westchnęła, zastanowiła się, a potem z niechęcią pochyliła się do przodu.

– Ale masz piękne, miękkie uszka! – zagruchała, próbując pogłaskać długie ucho muła. Ten na próbę zbliżenia zareagował wściekłym kłapnięciem zębami w kierunku jej nóg. Helen mało nie spadła z muła ze strachu, a Gwyneira z płotu – ze śmiechu.

– Polubić go! – warknęła Helen. – Przecież on mnie nienawidzi!

Jedno ze starszych maoryskich dzieci rzuciło jakąś uwagę, która wywołała kolejną falę śmiechu oraz rumieniec na twarzy Helen.

– Co on powiedział? – zapytała Gwyn.

Helen przygryzła wargę.

– To tylko cytat z Biblii – wymruczała.

Gwyn pokiwała głową z podziwem.

– Skoro potrafisz tych smarkaczy skłonić, żeby z własnej woli cytowali Pismo Święte, to chyba dasz radę ruszyć osła! Ten muł to twój bilet do Haldon. Jak on się zresztą nazywa? – Gwyneira wywijała bacikiem, ale najwyraźniej nie miała zamiaru użyczyć go przyjaciółce do poganiania muła.

Helen zrozumiała, że będzie musiała jakoś ochrzcić to uparte zwierzę.

Po godzinnej lekcji jazdy konnej udało im się jeszcze wypić herbatę i Helen opowiedziała przyjaciółce o swoich małych uczniach.

– Reti, najstarszy z chłopców, jest bardzo bystry, ale dość bezczelny. A Rongo Rongo jest urocza. W ogóle to są bardzo miłe dzieci. Wszyscy Maorysi są bardzo przyjacielscy.

– A ty znasz już ich język całkiem dobrze, prawda? – stwierdziła Gwyn z podziwem. – Mnie, niestety, udało się opanować tylko kilka słów. Ale nigdy nie mam czasu, żeby zająć się nauką. Ciągle mam coś do zrobienia.

Helen wzruszyła ramionami, ale ucieszyła się z pochwały.

– Wcześniej uczyłam się już języków obcych, było mi więc łatwiej. Poza tym nie ma tutaj nikogo innego, z kim mogłabym rozmawiać. Musiałam nauczyć się maoryskiego, żeby zupełnie nie zdziwieć.

– Ale chyba rozmawiasz z Howardem? – zapytała Gwyn.

Helen skinęła głową.

– Tak, ale... Ale my... Tak naprawdę niewiele nas łączy.

Gwyn ogarnęło nagle poczucie winy. Jej przyjaciółce tak wiele przyjemności sprawiłyby długie rozmowy z Lucasem o sztuce i kulturze, a co dopiero jego gra na fortepianie i jego obrazy. Powinna być wdzięczna losowi, że dał jej tak kulturalnego męża. Ale ona zwykle się przy nim nudziła.

– Kobiety w wiosce też są bardzo przyjazne – opowiadała dalej Helen. – Zastanawiam się, czy nie ma wśród nich akuszerki...

– Akuszerki? – krzyknęła Gwyn. – Helen! Nie mów, że jesteś... Nie wierzę! Jesteś w ciąży, Helen?

Helen spojrzała na nią udręczonym wzrokiem.

– Nie wiem na pewno. Ale pani Candler tak mi się wczoraj przyglądała i robiła takie uwagi. Poza tym czasami czuję się... Jakoś dziwnie. – Zaczerwieniła się.

Gwyn chciała poznać szczegóły.

– Czy Howard robi tak, że... Chodzi mi o to, czy jego...

– A jak myślisz? – wyszeptała Helen. – Robi to co noc. Nie wiem, czy kiedykolwiek się do tego przyzwyczaję.

Gwyn zagryzła wargi.

– Czemu nie? Przecież... Czy to boli?

Helen popatrzyła na nią, jakby postradała rozum.

– Oczywiście, że boli, Gwyn. Twoja matka cię nie uprzedzała? Ale kobiety muszą to znosić. Dlaczego w ogóle pytasz? Ciebie nie boli?

Gwyneira milczała zakłopotana, aż zawstydzona przyjaciółka zmieniła temat. Reakcja Helen potwierdziła jej przypuszczenia. Coś między nią a Lucasem przebiegało nie tak, jak należy. Po raz pierwszy zaczęła się zastanawiać, czy to z nią jest coś nie tak...

Helen nazwała muła Nepomukiem i rozpieszczała go marchewką i słodkimi ziemniakami. Już po kilku dniach w ramach codziennego pozdrowienia wydawał z siebie ogłuszający ryk, gdy tylko wyszła za drzwi, a na padoku od razu podchodził, żeby założyła mu uzdę. W końcu wiązało się to z otrzymaniem smakołyków. Podczas trzeciej godziny nauki jazdy konnej Gwyneira była bardzo zadowolona i pewnego dnia Helen zebrała się na odwagę, osiodłała Nepomuka i skierowała się w stronę Haldon. Gdy wreszcie wjechała na uliczki miasteczka, miała wrażenie, jakby co najmniej przepłynęła ocean. Muł poprowadził ją prosto do kowala, bo tam zwykle dostawał owies i siano. Kowal uprzejmie ją przywitał i obiecał, że zajmie się zwierzęciem, podczas gdy ona będzie składać wizytę pani Candler. Pani Candler i Dorothy nie mogły się nachwalić, jaka Helen jest dzielna, a ona cieszyła się nowo zdobytą wolnością.

Wieczorem wynagrodziła Nepomuka dodatkową porcją owsa i kukurydzy. On zabulgotał przyjaźnie i Helen stwierdziła, że wcale nie tak trudno widzieć w nim miłe zwierzę.

8

Lato zbliżało się do końca, a w Kiward Station gratulowano sobie udanego sezonu hodowlanego. Wszystkie owce maciorki były kotne, nowy ogier pokrył trzy klacze, a młody Daimon – wszystkie dojrzałe do rozrodu suki na farmie i jeszcze kilka u innych gospodarzy. Nawet Cleo zaokrąglił się brzuszek. Gwyneira cieszyła się, że będą szczeniaki. Jeśli chodzi o jej własne starania o zajście w ciążę, to na razie nic się nie zmieniło. Tyle tylko że teraz Lucas próbował z nią sypiać raz na tydzień. I za każdym razem było tak samo. Lucas był uprzejmy i uważny, i przepraszał zawsze wtedy, gdy zdawało mu się, że przekracza jakąś granicę, ale jej nadal nic nie bolało i nie było żadnego krwawienia, a ciągłe aluzje Geralda zaczęły ją już irytować. Teść uważał, że po kilku miesiącach małżeństwa można oczekiwać, że młoda i zdrowa kobieta zajdzie w ciążę. Gwyn była coraz bardziej przekonana, że coś z nią musi być nie tak. W końcu zwierzyła się ze swych rozterek Helen.

– Mnie to wszystko jedno, ale pan Gerald jest okropny. Teraz już nawet przy służbie o tym mówi, nawet przy poganiaczach. Mówi, że powinnam mniej się kręcić po stajni, a bardziej wokół swojego męża. Wtedy w końcu pojawiłoby się dziecko. Ale ja przecież nie zajdę w ciążę od patrzenia, jak Lucas maluje swoje obrazy!

– Ale on... Chyba przychodzi do ciebie regularnie? – zapytała ostrożnie Helen. Sama miała już pewność, że jest w odmiennym stanie, choć nikt jeszcze oficjalnie nie potwierdził jej ciąży.

Gwyneira skinęła głową i zaczęła skubać płatek swojego ucha.

– Tak, Lucas się stara. To ze mną coś musi być nie tak. Gdybym tylko wiedziała, kogo poprosić o radę...

Helen przyszła do głowy pewna myśl. W najbliższej przyszłości powinna wybrać się do wioski Maorysów i tam właśnie... Nie wiedziała dlaczego, ale mniej wstydziła się rozmawiać o swojej ewentualnej ciąży z maoryskimi kobietami niż z panią Candler czy jakąkolwiek inną kobietą z Haldon. Może przy okazji powinna wspomnieć o kłopotach Gwyn?

– Wiesz co? Zapytam znachorkę Maorysów, czy kim ona tam jest – stwierdziła zdecydowanym tonem. – To babka małej Rongo Rongo. Jest bardzo miła. Gdy byłam u niej ostatnim razem, dała mi kawałek jadeitu w podziękowaniu za to, że uczę ich dzieci. Wśród Maorysów uchodzi za *tohunga*, czyli mądrą kobietę. Chyba zna się trochę na kobiecych problemach. W najgorszym razie mnie po prostu odeśle.

Gwyneira była sceptycznie nastawiona do jej pomysłu.

– Nie wierzę w czary – powiedziała. – Ale spróbować przecież nie zaszkodzi.

Matahorua, maoryska *tohunga*, przyjęła Helen przed *wharenui*, zdobionym bogatymi rzeźbieniami domem spotkań. Była to przestronna budowla, której konstrukcja naśladowała żywą istotę, jak objaśniła Helen Rongo Rongo. Kalenica tworzyła kręgosłup, a łaty dachowe żebra. Przed domem znajdowało się zadaszone miejsce, *kauta*, gdzie przygotowywano na ogniu posiłki dla wszystkich mieszkańców wioski, ponieważ Maorysi żyli w ścisłej wspólnocie. Spali razem w wielkich domach do spania, których nie dzielili na mniejsze sypialnie, i w zasadzie nie używali żadnych mebli.

Matahorua poprosiła Helen gestem, żeby usiadła na jednym z kamieni, które wynurzały się z trawy obok domu spotkań.

– Jak może pomóc? – zapytała bez większych wstępów.

Helen sięgnęła do swojego słownika maoryskich wyrazów, który w dużej części opierał się na Biblii i papieskich dogmatach.

– Co robić, gdy nie być poczęcie? – zapytała, mając nadzieję, że na pewno opuściła słowo „niepokalane".

Stara kobieta się roześmiała i zasypała Helen niezrozumiałym potokiem słów.

Helen pokazała jej gestem, że nic nie rozumie.

– Jak to nie dziecko? – Matahorua spróbowała po angielsku. – Ty mieć dziecko! Zima, jak bardzo zimno. Ja przyjść pomóc, jeśli ty chcieć. Piękny dziecko, zdrowy dziecko!

Helen nie mogła uwierzyć. A więc to prawda, będzie miała dziecko!

– Ja przyjść pomóc, jeśli chcieć – Matahorua ponowiła swoją propozycję.

– Ja... Dziękuję, bardzo... Ja proszę, żeby ty przyjść – Helen z trudem sformułowała swoją wypowiedź.

Znachorka się uśmiechnęła.

Ale Helen musiała jakoś powtórzyć swoje pytanie. Po raz drugi spróbowała po maorysku.

– Ja poczęcie – wyjaśniła, pokazując na swój brzuch i lekko się przy tym czerwieniąc. – Ale przyjaciółka nie poczęcie. Co robić?

Stara kobieta wzruszyła ramionami i ponownie udzieliła obszernej wypowiedzi w swoim języku. W końcu przywołała gestem Rongo Rongo, która bawiła się w pobliżu z innymi dziećmi.

Dziewczynka podeszła do nich bez obaw i chętnie podjęła się tłumaczenia. Helen spłonęła wstydem, że dziecko będzie pośredniczyć w rozmowie na takie tematy, ale Matahorua najwyraźniej nie miała nic przeciwko temu.

– Ona nie móc od razu powiedzieć – wyjaśniła Rongo Rongo, gdy *tohunga* powtórzyła swoje słowa. – Może być wiele powodów. U mężczyzny, u kobiety, u obojga... Musi zobaczyć kobieta, a najlepiej i mężczyzna, i kobieta. Tak móc tylko zgadywać. A zgadywać niewiele warte.

Mimo wszystko Matahorua wręczyła Helen kawałek jadeitu dla jej przyjaciółki.

– Przyjaciele panny Helen zawsze mile widziani! – powiedziała Rongo Rongo.

Helen w podziękowaniu wyciągnęła ze swojej torby kilka słodkich kartofli. Howard byłby bardzo niezadowolony, że rozdaje cenne sadzonki, ale stara Maoryska wyraźnie się ucieszyła. W kilku słowach poleciła Rongo Rongo, by przyniosła zioła i wręczyła je Helen.

– Proszę, to na czuć niedobrze rano. Zrobić z woda i pić zanim wstać.

Wieczorem Helen poinformowała swojego męża, że zostanie ojcem. Howard wymruczał coś z zadowoleniem. Było widać, że się ucieszył, ale Helen wolałaby, żeby wyraźniej to okazał. W każdym razie ciąża miała jeden plus. Howard od tej pory zostawiał swoją żonę w spokoju. Nie dotykał jej już, tylko spał obok, niemal jak brat, co sprawiło Helen ogromną ulgę. Wzruszyła się do łez, gdy następnego ranka Howard przyniósł jej do łóżka kubek zaparzonych ziół.

– Proszę. Powinnaś to pić, tak powiedziała ta czarownica. A maoryskie kobiety znają się na takich sprawach. Rodzą dzieci niczym kotki.

*

Gwyn cieszyła się radością przyjaciółki, ale nie miała ochoty wybrać się do Matahoruy.

– To na nic się nie zda, skoro nie będzie przy tym Lucasa. Może ona robi jakieś czary dla małżeństw. Na razie wezmę ten kamień, może zawieszę go sobie w woreczku na szyi. Tobie to przecież przyniosło szczęście.

Gwyneira wiele mówiącym gestem wskazała na brzuch Helen i wyglądała przy tym na tak pełną nadziei, że Helen wolała nie wyjaśniać jej, że Maorysi też nie wierzą w czary i talizmany. Jadeit był dla nich raczej symbolem wdzięczności, wyrazem uznania i dowodem przyjaźni.

I czary nie zadziałały zwłaszcza że Gwyn bała się otwarcie pokazywać kamień czy włożyć go do swojego łóżka. Nie chciała, żeby Lucas drwił z jej przesądów i żeby się irytował. Ostatnio wciąż na nowo próbował doprowadzić swoje miłosne starania do finału. Niemal bez żadnych czułości próbował od razu wejść w Gwyn. Czasem rzeczywiście bolało, ale Gwyn czuła, że wciąż nie robią tego tak, jak trzeba.

Nastała wiosna, a nowi przybysze musieli przyzwyczaić się do tego, że na południowej półkuli marzec zapowiada nadejście zimy. Lucas jeździł z Jamesem McKenziem i jego ludźmi w góry, żeby spędzić stamtąd owce. Robił to z wielką niechęcią, ale Gerald obstawał przy swoim. Dla Gwyn była to nieoczekiwana okazja, żeby również uczestniczyć w spędzaniu owiec. Wraz z Witi i Kiri zajmowała się wozem z zaopatrzeniem.

– Dzisiaj irlandzki gulasz! – z zadowoleniem obwieściła mężczyznom, gdy pierwszego wieczoru wrócili do obozu. Maorysi doskonale poznali już przepis, a i Gwyneira chyba potrafiłaby sama ugotować gulasz. Tego dnia jednak nie spędziła na obieraniu kartofli i gotowaniu kapusty, tylko wraz z Igraine i Cleo wyruszyła ku podnóża gór na poszukiwanie kilku zagubionych owiec. James McKenzie poprosił ją przy tym o zachowanie tajemnicy.

– Wiem, że pan Warden nie byłby zachwycony, i sam mógłbym to zrobić albo wysłać jednego z chłopców. Ale przy stadach potrzebny nam każdy mężczyzna, mamy okropne braki w ludziach. W poprzednich latach mieliśmy przynajmniej maoryskich pomocników. Ale ponieważ tym razem jest z nami pan Lucas…

Gwyn wiedziała, co ma na myśli i zrozumiała aluzję. Gerald oszczędził na wydatkach na dodatkowych poganiaczy i bardzo się z tego cieszył. Tyle przynajmniej usłyszała podczas jednej z kolacji. Ale Lucas nie był w stanie zastąpić doświadczonego maoryskiego pomocnika. Nie znał się na pracy na farmie i sprawiała mu ona trudności. Już przy rozbijaniu obozu żalił się Gwyneirze, że bolą go wszystkie kości, a przecież spędzanie owiec nawet się jeszcze nie zaczęło. Poganiacze niezbyt często skarżyli się na niezdatność swojego młodszego szefa, Gwyn jednak zdarzało się słyszeć takie uwagi, jak: „Skończylibyśmy o wiele wcześniej, gdyby owce nie rozbiegły nam się trzy razy". Domyślała się, czyja niezdarność była przyczyną niepowodzeń. Gdyby Lucas zapatrzył się na jakąś chmurę o ciekawym kształcie albo na interesującego owada, na pewno nie oderwałby od nich wzroku tylko z tego powodu, że od stada odbiegło kilka owiec.

McKenzie ustawiał go więc zawsze razem z jakimś innym poganiaczem. W ten sposób jednak ciągle brakowało co najmniej jednego poganiacza. Gwyneirze oczywiście sprawiło przyjemność, że może pomóc. Gdy mężczyźni wrócili do obozu, Cleo zapędziła już do stada piętnaście owiec, które Gwyn znalazła na górskich łąkach. Gwyn nie przejmowała się tym, jak Lucas na to zareaguje, ale on nawet nie zauważył. Zjadł w milczeniu gulasz, a zaraz potem udał się do swojego namiotu.

– Pomogę posprzątać – stwierdziła Gwyn z taką powagą, jakby trzeba było pozmywać co najmniej po pięciodaniowym obiedzie. Kilkoma naczyniami zajęli się tak naprawdę Maorysi, a ona dołączyła do poganiaczy, którzy opowiadali o swoich przygodach. Oczywiście znów krążyła wśród nich butelka, a opowiadane historie stawały się coraz bardziej niebezpieczne i dramatyczne.

– Na Boga, gdyby mnie tam nie było, ten tryk po prostu wziąłby go na rogi! – chichotał młody Dave. – W każdym razie biegł prosto na niego, ja krzyknąłem: „Panie Lucas!", ale on wciąż go nie widział. Zagwizdałem więc na psa, a ten śmignął między nich i odpędził tryka... Myślicie, że był mi wdzięczny? Gdzie tam, jeszcze mi nawymyślał! Obserwował ptaka kea, powiedział, a pies go wystraszył. A ten tryk prawie go dorwał, mówię wam! Miałby potem w spodniach jeszcze mniej niż teraz!

Reszta towarzystwa zaryczała śmiechem. Tylko James McKenzie wyglądał nieswojo. Gwyn zrozumiała, że powinna się teraz wycofać, jeśli nie chce słyszeć kolejnych opowieści o tym, jak jej mąż się kompromituje. James dołączył do niej, gdy wstała.

– Przykro mi, panno Gwyn – powiedział, gdy znaleźli się w cieniu po drugiej stronie ogniska. Noc nie była ciemna, oprócz gwiazd świecił księżyc w pełni. Na jutro też zapowiadał się pogodny dzień, prawdziwy dar dla poganiaczy, którzy w przeciwnym razie musieliby radzić sobie z owcami we mgle i w deszczu.

Gwyneira wzruszyła ramionami.

– Nie powinno być panu przykro. Chyba że pan też niemal pozwolił wziąć się trykowi na rogi?

James się roześmiał.

– Chciałbym, żeby byli trochę bardziej dyskretni...

Gwyneira się uśmiechnęła.

– To najpierw musiałby im pan wyjaśnić, co to dyskrecja. Nie, nie, panie McKenzie. Mogę sobie wyobrazić, co się tam wydarzyło, i rozumiem, że ludzie są wściekli. Pan Lucas... Cóż, on nie jest do tego stworzony. Doskonale gra na fortepianie i przepięknie maluje, ale jazda konna i pędzenie owiec...

– Czy pani go w ogóle kocha? – James miał ochotę samemu sobie przyłożyć za takie pytanie. Nie powinien o to pytać. Nigdy, to nie była jego sprawa. Ale on też dzisiaj wypił, też miał za sobą długi i ciężki dzień, i też niejeden raz przeklinał dzisiaj Lucasa Wardena!

Gwyneira potrafiła zachować się odpowiednio do swojego stanu i nazwiska.

– Szanuję i poważam mojego męża – grzecznie udzieliła odpowiedzi. – Wyszłam za niego z własnej woli, a on dobrze mnie traktuje. – Powinna jeszcze zwrócić uwagę, że to wszystko w ogóle nie powinno interesować McKenziego, ale nie potrafiła. Coś podpowiadało jej, że on ma prawo ją o to pytać.

– Czy odpowiedziałam na pana pytanie, panie McKenzie? – zapytała cicho.

James McKenzie skinął głową.

– Przykro mi, panno Gwyn. Dobrej nocy!

Nie wiedział, po co wyciągnął do niej dłoń. Nie wypadało żegnać się w tak formalny sposób po kilku godzinach spędzonych razem przy obozowym ognisku. Zobaczą się przecież już z samego rana przy śniadaniu. Ale Gwyn ze zrozumieniem podała mu swoją dłoń. Jej drobna, szczupła, ale stwardniała od jazdy konnej i pracy przy zwierzętach dłoń z lekkością spoczęła w jego dłoni. James z trudem powstrzymał się, żeby nie unieść jej do swoich ust.

Gwyneira nie podnosiła wzroku. Dobrze się czuła, gdy jego dłoń obejmowała jej rękę. Czuła się spełniona i bezpieczna. Po całym jej ciele rozeszło się ciepło. Dotarło również do miejsc, o których nie wypada wspomnieć. Powoli podniosła wzrok i w ciemnych, patrzących badawczo oczach McKenziego zobaczyła odbicie swojego szczęścia. Nagle oboje się uśmiechnęli.

– Dobranoc, James – powiedziała miękko Gwyn.

Spęd owiec zajął im trzy dni, uwinęli się tak szybko jak nigdy dotąd. Farma Kiward Station straciła tego lata tylko kilka zwierząt, reszta była w doskonałym stanie, a baranina osiągnęła wysokie ceny. Kilka dni po powrocie na farmę Cleo się oszczeniła. Gwyn z zachwytem przyglądała się czterem malutkim owczarkom w jej koszyku.

Gerald wydawał się natomiast poirytowany.

– Widać wszyscy to potrafią, tylko nie wy! – burknął i rzucił synowi krzywe spojrzenie. Lucas wyszedł bez słowa. Między ojcem a synem wrzało już od tygodni. Gerald nie potrafił wybaczyć Lucasowi jego nieporadności podczas prac na farmie, z kolei Lucas był zły na ojca, że ten zmusza go, by jeździł wraz z poganiaczami. Gwyneira często czuła się jak między młotem a kowadłem. I była coraz mocniej przekonana, że Gerald jest na nią wściekły.

Zimą było mniej pracy na pastwiskach, przy której Gwyn mogłaby pomagać, a Cleo i tak przez kilka następnych tygodni nie mogłaby w nich uczestniczyć. Tym częściej Gwyn kierowała swoją klacz na farmę O'Keefe'ów. Podczas spędu owiec znalazła znacznie krótszą drogę na przełaj i odwiedzała Helen kilka razy w tygodniu. Helen była szczęśliwa z tego powodu. Coraz bardziej zaawansowana ciąża utrudniała jej wykonywanie prac na farmie, a tym bardziej jazdę na mule. Już prawie nie bywała w Haldon na herbatkach u pani Candler. Najchętniej spędzałaby dnie na czytaniu maoryskiej Biblii i szyciu ubranek dla dziecka.

Oczywiście cały czas uczyła maoryskie dzieci, które wykonywały za nią wiele prac. Ale przez większą część dnia była sama. Również dlatego, że Howard wieczorem chętnie wybierał się na piwo do Haldon i często wracał dopiero późno w nocy. Gwyneira martwiła się tym.

– Jak zamierzasz powiadomić Matahorę, że poród się zaczął? – zapytała. – Przecież sama po nią wtedy nie pójdziesz!

– Pani Candler przyśle mi Dorothy. Ale to wcale mi się nie podoba... Dom jest przecież taki mały, musiałaby spać w stajni. A poza tym, o ile wiem, to dzieci zwykle rodzą się w nocy. Howard będzie więc w domu.

– Jesteś pewna? – zapytała Gwyneira ze zdziwieniem. – Moja siostra urodziła dziecko koło południa.

– Ale bóle na pewno zaczęły się w nocy – odpowiedziała z przekonaniem Helen. Tymczasem dowiedziała się już tego, co najważniejsze o ciąży i porodzie. Po tym jak Rongo Rongo łamaną angielszczyzną opowiedziała jej przeróżne dramatyczne historie, Helen zebrała się na odwagę i poprosiła panią Candler o wyjaśnienia. A pani Candler wszystko jej rzeczowo wyjaśniła. W końcu urodziła trzech synów, i to w nie całkiem cywilizowanych warunkach. Helen wiedziała już, jak rozpoznać, że zaczął się poród, i jak powinna się do niego przygotować.

– Skoro tak uważasz – Gwyneira wciąż nie była przekonana. – Ale jeśli chodzi o Dorothy, to powinnaś to sobie jeszcze raz przemyśleć. Nic jej się nie stanie, jak prześpi kilka nocy w stajni. Przecież jakbyś miała rodzić zupełnie sama, to mogłabyś nawet umrzeć.

Im bliższy był termin porodu, tym bardziej Helen była skłonna przyjąć propozycję pani Candler. Również dlatego, że Howard coraz rzadziej bywał w domu. Zachowywał się tak, jakby jej stan był mu przykry i najwyraźniej nie miał już ochoty dzielić z nią łoża. Gdy wracał tak późno z Haldon, cuchnął piwem i whisky, a kładąc się spać, tak hałasował, że Helen szczerze wątpiła, czy potrafiłby znaleźć drogę do wioski Maorysów. Na początku sierpnia Dorothy przeniosła się do niej. Pani Candler nie życzyła sobie jednak, żeby spała w stajni.

– Droga panno Helen, tak naprawdę nie może być. Widzę przecież, w jakim stanie pan Howard odjeżdża stąd nocami. A pani... On przecież nie... Na pewno brakuje mu tego, że nie dzieli łoża z kobietą, rozumie mnie pani? Jak wejdzie do stajni i znajdzie tam młodziutką dziewczynę...

– Howard jest człowiekiem honoru! – Helen próbowała bronić swojego męża.

– Ale jest też mężczyzną – odparła sucho pani Candler. – A pijany mężczyzna jest jeszcze bardziej niebezpieczny. Dorothy musi spać w domu. Porozmawiam z panem Howardem.

Helen martwiła się, jak to się skończy, lecz jej obawy okazały się bezpodstawne. Gdy Howard przywiózł Dorothy, od razu przeniósł swoją pościel do stajni i tam przygotował sobie posłanie.

– Dla mnie to żaden kłopot – stwierdził wspaniałomyślnie. – Sypiałem już w gorszych warunkach. A musimy dbać o dobre imię tej małej, pani Candler ma całkowitą rację. Nie możemy zepsuć jej opinii!

Helen podziwiała zmysł dyplomacji, jakim wykazała się pani Candler. Najwyraźniej przekonała Howarda, że Dorothy musiałaby mieć przyzwoitkę i że gdyby Howard spał w domu, to nawet po porodzie nie mogłaby w nocy dbać o Helen i dziecko.

Ostatnie dni przed porodem Helen dzieliła więc swoje łóżko z Dorothy i od rana do nocy musiała ją uspokajać. Dorothy była przerażona nadchodzącym rozwiązaniem, tak bardzo, że Helen zaczęła podejrzewać, że matka Dorothy wcale nie umarła na jakąś tajemniczą chorobę, tylko przy nieudanym porodzie młodszego brata czy siostry Dorothy.

Gwyneira z kolei podchodziła do sprawy z optymizmem. Również tego mglistego dnia pod koniec sierpnia, gdy Helen czuła się wyjątkowo źle. Howard już rankiem pojechał do Haldon, chciał zbudować nową szopę, a potrzebne do tego drewno ponoć już dostarczono. Ale z pewnością nie załaduje drewna na wóz i nie wróci, tylko zajrzy do pubu na piwo i partyjkę gry w karty. Dorothy doiła właśnie krowę, a Gwyneira dotrzymywała towarzystwa Helen. Jej strój do jazdy konnej był mokry od mgły, ona sama zaś była przemarznięta. Tym bardziej cieszyła się ogniem na kominku i gorącą herbatą u Helen.

– Matahorua sobie poradzi – powiedziała, gdy Helen opowiedziała jej o obawach Dorothy. – Och, chciałabym być na twoim miejscu! Wiem, że czujesz się teraz okropnie, ale żebyś ty wiedziała, jak jest u mnie. Pan Gerald codziennie robi mi wymówki, zresztą nie tylko on. Wszystkie panie w Haldon przyglądają mi się tak badawczo, jakbym była klaczą na pokazie hodowców. I Lucas też jest na mnie zły. Gdybym tylko wiedziała, co robię nie tak! – Gwyneira bawiła się swoją filiżanką. W jej oczach zebrały się łzy.

Helen zmarszczyła brwi.

– Gwyn, kobieta nie może czegoś robić nie tak! Chyba mu nie odmawiasz, prawda? Pozwalasz mu to robić, tak?

Gwyn przewróciła oczami.

– A co sobie myślisz! Wiem, że muszę spokojnie leżeć. Na plecach. Jestem miła i obejmuję go i wszystko... Co jeszcze powinnam robić?

– Robisz więcej, niż ja robiłam – zauważyła Helen. – Może potrzebujesz po prostu więcej czasu. Jesteś przecież sporo ode mnie młodsza.

– Dlatego powinno być łatwiej – westchnęła Gwyn. – Tak przynajmniej twierdziła moja matka. A może to Lucas robi coś źle? Co to właściwie znaczy „oklapły kutas"?

– Gwyn, jak możesz! – Helen była oburzona, słysząc takie słowa z ust przyjaciółki. – Nie wolno tak mówić!

– Tak mówią poganiacze, jak rozmawiają o Lucasie. Oczywiście tylko wtedy, gdy on nie słyszy. Gdybym wiedziała, co to znaczy...

– Gwyneiro! – Helen wstała i chciała sięgnąć po stojący na piecu czajniczek z herbatą. Ale nagle krzyknęła i chwyciła się za brzuch. – Och, nie!

U jej stóp pojawiła się kałuża.

– Pani Candler mówiła, że tak się właśnie zaczyna! – wystękała. – Ale jest dopiero jedenasta. To takie okropne... Czy mogłabyś to posprzątać, Gwyn? – zatoczyła się na jedno z krzeseł.

– To wody płodowe – stwierdziła Gwyn. – Nie przejmuj się, Helen, to nic takiego. Położymy cię do łóżka, a potem poślę Dorothy po Matahoruę.

Helen się skuliła.

– To boli, Gwyn. To tak strasznie boli!

– Zaraz przestanie – powiedziała Gwyn, energicznie ujęła Helen pod ramię i poprowadziła ją do sypialni. Tam rozebrała ją, pomogła jej założyć nocną koszulę, ponownie ją uspokoiła i pobiegła do stajni, żeby wysłać Dorothy do wioski Maorysów. Dziewczyna wybuchła płaczem i jak oszalała wybiegła ze stajni. Gwyneira miała nadzieję, że biegnie we właściwym kierunku! Pomyślała, że może sama powinna pojechać na koniu po znachorkę, ale przypomniała sobie, że poród jej siostry trwał wiele godzin. Z Helen pewnie będzie podobnie. A Gwyn zdecydowanie była lepszym towarzystwem dla rodzącej niż przerażona i lamentująca Dorothy.

Gwyn wytarła podłogę w kuchni, zaparzyła świeżą herbatę i zaniosła ją Helen do łóżka. Helen miała już regularne skurcze. Co kilka minut krzyczała i zwijała się wpół. Gwyneira wzięła ją za rękę i pocieszała. W ten sposób upłynęła godzina. Gdzie są Dorothy i Matahorua?

Helen zdawała się nie zauważać upływu czasu, ale Gwyn coraz bardziej się denerwowała. A jeśli Dorothy rzeczywiście zabłądziła? Dopiero po ponad dwóch godzinach usłyszała kogoś za drzwiami. Zdenerwowana Gwyn przestraszyła się. Ale to była tylko Dorothy. Wciąż jeszcze płakała. I nie było przy niej Matahoruy, tylko Rongo Rongo.

– Ona nie może przyjść! – zaszlochała Dorothy. – Jeszcze nie teraz. Ona...

– Rodzić się jeszcze jedno dziecko – wyjaśniła spokojnie Rongo. – I być ciężko. Za wcześnie, a matka chora. Musieć tam być. Powiedzieć, że panna Helen silna, że dziecko zdrowe. Ja pomóc.

– Ty? – zapytała Gwyn. Rongo Rongo miała najwyżej jedenaście lat.

– Tak. Ja widzieć i pomagać *kuia*. U moja rodzina dużo dzieci! – stwierdziła Rongo Rongo z dumą.

Gwyneirze nie wydawała się najlepszą kandydatką na akuszerkę, ale najwyraźniej miała więcej doświadczenia z porodami niż reszta towarzystwa.

– Dobrze. To co teraz robimy, Rongo Rongo? – zapytała Gwyn.

– Nic – odpowiedziała mała. – Czekać. Trwać godzinami. Matahorua mówić, że jak gotowe, to ona przyjść.

– Co to za pomoc – westchnęła Gwyneira. – Ale dobrze, poczekamy. – Nic innego i tak nie przychodziło jej do głowy.

Rongo Rongo miała rację. To rzeczywiście trwało godzinami. Czasami nie było dobrze i Helen krzyczała przy każdym skurczu. Ale potem znowu była spokojna, wydawało się, że nawet ucina sobie kilkuminutowe drzemki. Pod wieczór jednak bóle stały się silniejsze, a odstępy między nimi coraz krótsze.

– To normalne – stwierdziła Rongo. – Mogę zrobić naleśniki z syropem?

Dorothy była oburzona, że dziewczynka myśli tylko o jedzeniu, ale Gwyn uznała, że to całkiem dobry pomysł. Sama była głodna, a może i Helen da się namówić odrobinę jedzenia.

– Idź jej pomóc, Dorothy! – powiedziała.

Helen patrzyła na nią z rozpaczą w oczach.

– Co będzie z dzieckiem, jeśli ja umrę? – wyszeptała.

Gwyneira otarła jej pot z czoła.

– Nie umrzesz. A dziecko musisz najpierw urodzić, żebyśmy mogły się o nie martwić. Gdzież ten twój Howard? Czy nie powinien już wracać? Mógłby pojechać do Kiward Station i powiedzieć im, że wrócę później. Będą się o mnie martwić!

Pomimo bólu Helen niemal się roześmiała.

– Howard? On miałby pojechać do Kiward Station? Chyba na święty nigdy. Może Reti... Albo jakiś inny dzieciak...

– Im nie pozwolę wsiąść na Igraine. A ani ten twój osioł, ani dzieciaki z wioski nie znają drogi.

– To muł... – poprawiła ją Helen i jęknęła. – Nie nazywaj go osłem, nie lubi tego...

– Wiedziałam, że go polubisz. Posłuchaj, Helen, uniosę teraz twoją koszulę i zajrzę tam. Może maleństwo już wygląda na świat...

Helen pokręciła głową.

– Poczułabym to. Ale... Ale teraz...

Helen skuliła się pod nową falą bólu. Przypomniała sobie, że pani Candler mówiła coś o parciu, spróbowała więc przeć, skręcając się z bólu.

– Możliwe, że teraz... – Następny skurcz przyszedł, zanim zdążyła cokolwiek powiedzieć. Helen podkurczyła nogi.

– Być lepiej, panno Helen, jeśli pani klęczeć – stwierdziła Rongo, mówiąc z pełną buzią. Właśnie weszła z talerzem naleśników. – I chodzić w kółko też pomagać. Bo dziecko musieć w dół, rozumieć?

Gwyneira pomogła wstać jęczącej i protestującej Helen. Ale udało jej się zrobić tylko kilka kroków, zanim osunęła się podczas kolejnego skurczu. Gwyn uklękła, uniosła jej koszulę i zobaczyła coś ciemnego między nogami przyjaciółki.

– Wychodzi, Helen, wychodzi! Co mam teraz robić, Rongo Rongo? Jak teraz wyjdzie, to przecież upadnie prosto na podłogę!

– Nie wypadać tak szybko – zauważyła Rongo Rongo, wpychając sobie do ust kolejny kawałek naleśnika. – Mm... pyszne. Panna Helen zjeść zaraz, jak dziecko już być.

– Chcę z powrotem do łóżka – jęknęła Helen.

Gwyneira pomogła jej, choć nie uważała tego za rozsądne. Wyraźnie szybciej szło, gdy Helen stała lub klęczała.

Ale potem nie było już czasu na myślenie. Helen wydała z siebie przerażający krzyk, a mały, ciemny przedmiot, który Gwyn widziała, stał się główką dziecka, które chciało się wydostać. Gwyneira przypomniała sobie wszystkie kocące się owce, które potajemnie obserwowała i którym pomagał pasterz. To na pewno nie zaszkodzi. Odważnie sięgnęła po główkę i pociągnęła, gdy Helen krzyczała i dyszała podczas kolejnego skurczu. Wypychała główkę, Gwyneira ją ciągnęła, nagle pokazały się ramionka, i już, dziecko się urodziło, a Gwyn patrzyła w jego wymiętą twarzyczkę.

– Teraz odciąć – powiedziała spokojnie Rongo. – Ten sznur odciąć. Piękne dziecko, panno Helen. Chłopiec!

– Chłopczyk? – jęknęła Helen, próbując się podnieść. – Naprawdę?

– Na to wygląda... – powiedziała Gwyn.

Rongo Rongo sięgnęła po nóż, który wcześniej sobie przygotowała, i przecięła pępowinę. – Teraz musieć oddychać!

Noworodek nie tylko oddychał, od razu zaczął krzyczeć.

Gwyneira się rozpromieniła.

– Wygląda na zdrowego!

– Na pewno zdrowy... Ja mówić, zdrowy... – dobiegł jakiś głos od drzwi. Do pokoju weszła Matahorua, maoryska *tohunga*. Żeby osłonić się przed zimnem i wilgocią, owinęła swoje ciało w koc, który spięła paskiem. Jej liczne tatuaże były bardziej widoczne niż zwykle, ponieważ staruszka aż zbladła z zimna i prawdopodobnie ze zmęczenia.

– Przepraszam, ale inne dziecko...

– Czy ono też jest zdrowe? – zapytała Helen słabym głosem.

– Nie. Ono umrzeć. Ale matka żyć. Ty mieć piękny syn!

Matahorua przejęła dowodzenie na izbie położniczej. Wytarła noworodka i poleciła Dorothy, żeby nastawiła gorącej wody na kąpiel. Ale najpierw ułożyła dziecko w ramionach Helen.

– Mój mały synek... – wyszeptała Helen. – Jaki jest maleńki... Będzie miał na imię Ruben, po moim ojcu.

– Czy Howard nie ma w tej sprawie nic do powiedzenia? – zapytała Gwyneira. W jej kręgach do zwyczaju należało, że to ojciec nadaje imiona dzieciom, a zwłaszcza chłopcom.

– A gdzie jest Howard? – zapytała Helen z pogardą. – Wiedział, że dziecko urodzi się w tych dniach. Ale zamiast być przy mnie, siedzi w knajpie i przepija pieniądze, które zarobił na baranach. Nie ma prawa nadawać imienia mojemu dziecku!

Matahorua pokiwała głową.

– Słusznie. To twój syn.

Gwyneira, Rongo Rongo i Dorothy wykąpały noworodka. Dorothy przestała w końcu płakać i nie mogła napatrzeć się na małego Rubena.

– Jest taki słodki, panno Gwyn! Niech pani spojrzy, już się uśmiecha!

Gwyneirę bardziej niż grymasy małego zajmowały rozmyślania na temat przebiegu jego porodu. Pominąwszy to, że trwał dłużej, niczym nie różnił się od narodzin źrebiąt czy owiec. I potem też musiało wyjść łożysko. Matahorua poradziła Helen, żeby zakopała je w jakimś pięknym miejscu i posadziła tam drzewo.

– *Whenua* do *whenua*. Ziemia – powiedziała.

Helen obiecała, że uczyni zadość tradycji, podczas gdy Gwyneira wciąż zatopiona była w rozmyślaniach.

Skoro narodziny małego człowieka przebiegają identycznie jak porody u zwierząt, to prawdopodobnie tak samo jest z poczęciem. Gwyneira aż się zarumieniła, przypominając sobie, jak to wygląda, ale teraz wiedziała już dokładnie, co Lucas robi nie tak...

Szczęśliwa Helen leżała w świeżo pościelonym łóżku ze śpiącym maleństwem w ramionach. Bardzo ładnie possał, Matahorua nalegała, żeby Helen przystawiła go do piersi, choć nie było to przyjemne. Wolałaby karmić dziecko krowim mlekiem.

– To dobre dla dziecko. Mleko krowy dobre dla cielę – stwierdziła kategorycznie Matahorua.

I znowu tak samo jak u zwierząt. Gwyn wiele się tej nocy nauczyła.

Helen była już w stanie pomyśleć o innych. Gwyn była wspaniała tej nocy. Jak poradziłaby sobie bez jej wsparcia? Teraz miała okazję, żeby choć trochę jej się odwdzięczyć.

– Matahorua – zwróciła się do *tohungi*. – To jest moja przyjaciółka, o której niedawno rozmawiałyśmy. Ta, która... Ona...

– Co myśleć, że nie mieć dziecko? – zapytała Matahorua i rzuciła badawcze spojrzenie na Gwyneirę, jej piersi i biodra. Wydawała się zadowolona z tego, co widzi. – Ależ tak, ależ tak – oświadczyła w końcu. – Piękna kobieta. Całkiem zdrowa. Móc mieć dużo dzieci, dobre dzieci...

– Ale ona próbuje już od tak dawna... – powiedziała Helen z powątpiewaniem.

Matahorua wzruszyła ramionami.

– To spróbować z inny mężczyzna – poradziła spokojnym głosem.

Gwyneira zastanawiała się, czy powinna teraz jechać do domu. Była mgła, było już ciemno i zimno. Ale jeśli nie wróci, Lucas i inni będą przerażeni. A jak zareaguje Howard O'Keefe, jeśli wróci pijany do domu i znajdzie w nim kogoś z Wardenów?

Odpowiedź na to pytanie właśnie miała nadejść. Ktoś kręcił się po stajni. Howard jednak raczej nie pukałby do własnego domu. Ten gość natomiast grzecznie zasygnalizował swoją obecność.

– Dorothy, otwórz! – poleciła zdumiona Helen.

Ale Gwyn już była przy drzwiach. Czyżby to Lucas wyruszył na jej poszukiwanie? Opowiadała mu o Helen, a on był bardzo uprzejmy i powiedział nawet, że chciałby poznać przyjaciółkę swojej żony. Zaszłości między Wardenami i O'Keefe'ami nie miały dla niego żadnego znaczenia.

Ale za drzwiami stał nie Lucas, lecz James McKenzie.

Jego oczy rozbłysły, gdy spostrzegł Gwyn. A przecież już w stajni musiał się zorientować, że ją tu znajdzie. Przecież była tam Igraine.

– Panno Gwyn! Bogu niech będą dzięki, że panią znalazłem!

Gwyn poczuła, że się rumieni.

– Pan James... Proszę wejść. Jak miło, że pan po mnie przyjechał.

– Jak miło, że po panią przyjechałem? – zapytał zdenerwowany. – Czy ja odbieram panią po jakiejś herbatce? Co pani sobie myślała, żeby tak wyjechać na cały dzień? Pan Gerald szaleje ze zmartwienia i wszystkich nas dokładnie przesłuchał. Wspomniałem coś o pani przyjaciółce w Haldon, którą mogła pani pojechać odwiedzić. A potem przyjechałem tutaj, zanim wyśle kogoś do pani Candler i dowie się, że...

– Jest pan aniołem, Jamesie – Gwyneira rozpromieniła się, nie zwracając uwagi na jego karcący ton. – Trudno sobie wyobrazić, co by było, gdyby wiedział, że właśnie pomogłam przyjść na świat synowi jego największego wroga! Proszę za mną! Pozna pan Rubena O'Keefe'a!

Helen poczuła się dotknięta, gdy Gwyn wprowadziła do jej sypialni obcego mężczyznę, ale McKenzie zachował się bardzo stosownie, grzecznie ją powitał i wydawał się oczarowany małym Rubenem. Gwyneira często widywała podobną radość na jego twarzy. McKenzie zawsze był szczęśliwy, gdy pomógł urodzić się źrebakowi czy jagnięciu.

– Sama to pani zrobiła? – zapytał z uznaniem.

– Helen odrobinę mi pomogła – odpowiedziała Gwyn ze śmiechem.

– W każdym razie poszło wspaniale! – James się rozpromienił. – Obu paniom. Ale chciałbym już odprowadzić panią do domu, panno Gwyn. Tak byłoby też chyba lepiej dla pani, *madame*... – zwrócił się do Helen. – Pani mąż...

– Nie byłby zachwycony, że ktoś z Wardenów odbierał poród jego syna – Helen skinęła głową. – Dziękuję ci bardzo, Gwyn!

– Och, to była przyjemność. Może kiedyś będziesz mi się mogła odwdzięczyć – Gwyneira mrugnęła okiem do przyjaciółki. Nie wiedziała dlaczego, ale teraz była bardziej optymistycznie nastawiona do własnej ciąży. Uskrzydliły ją te wszystkie nowe odkrycia. Skoro wiedziała już, w czym tkwi problem, na pewno znajdzie jakieś rozwiązanie.

– Osiodłałem już pani konia, panno Gwyn – naciskał James. – Naprawdę powinniśmy już…

Gwyneira się uśmiechnęła.

– Powinniśmy się pośpieszyć, żeby uspokoić mojego teścia! – powiedziała zadowolona i dotarło do niej, że James ani słowem nie wspomniał o Lucasie. Czy jej mąż w ogóle się o nią nie martwił?

Matahorua przyglądała się Gwyn, gdy ta wychodziła za Jamesem na zewnątrz.

– Z ta mężczyzna dobra dziecko – zapewniła.

9

– To wspaniały pomysł, że pan Warden chce wydać przyjęcie w ogrodzie, prawda? – zapytała pani Candler. Gwyneira zaprosiła ją na tegorocznego sylwestra. Ponieważ Nowy Rok przypada w Nowej Zelandii na środek lata, przyjęcie miało odbyć się w ogrodzie. Punkt kulminacyjny zabawy miały stanowić odpalone o północy fajerwerki.

Helen wzruszyła ramionami. Ona i jej mąż nie otrzymali oczywiście żadnego zaproszenia, ale Gerald prawdopodobnie nie zaszczycił nim żadnego z drobnych farmerów. Gwyneira sprawiała wrażenie, jakby wcale nie była zachwycona pomysłem teścia. Nadal czuła się przytłoczona obowiązkami domowymi w Kiward Station, a przyjęcie stanowiło kolejne poważne wyzwanie organizacyjne. Ale teraz Gwyn przede wszystkim była zajęta rozśmieszaniem małego Rubena, co starała się osiągnąć, robiąc miny i łaskocząc go. Od czasu do czasu Helen zabierała małego do miasta na Nepomuku. Przez jakiś czas po porodzie bała się wyruszyć w drogę, znowu więc czuła się osamotniona, ale przy dziecku odosobnienie na farmie nie było już tak trudne do zniesienia. Na początku mały Ruben bez przerwy wymagał jej uwagi, ale ona była nim oczarowana. Nie był trudnym dzieckiem. Już mając cztery miesiące, przesypiał prawie całą noc, jeśli tylko znajdował się w łóżku matki. Howardowi zupełnie się to nie podobało, chętnie na nowo oddawałby się swoim nocnym „przyjemnościom" z Helen. Ale gdy tylko się zbliżał, Ruben zaczynał głośno i przeciągle płakać. Helen serce pękało z żalu, jako posłuszna żona leżała jednak spokojnie i czekała, aż Howard skończy. Dopiero potem zajmowała się dzieckiem. Ale Howardowi nie odpowiadał ani czyniony przez malca hałas, ani zdenerwowanie i niecierpliwość Helen. Zwykle wycofywał się, gdy Ruben zaczynał płakać, a gdy wracał do domu późnym wieczorem, widząc niemowlę w ramionach Helen, od razu szedł spać do stajni. Helen miała z tego powodu wyrzuty sumienia, lecz mimo wszystko była Rubenowi wdzięczna.

W ciągu dnia chłopiec prawie nie płakał, tylko grzecznie leżał w swoim koszyku, podczas gdy Helen uczyła maoryskie dzieci. Jeśli nie spał, przyglądał się matce tak uważnie i z taką powagą, jakby już rozumiał, o czym mówi.

– Zostanie kiedyś profesorem – powiedziała ze śmiechem Gwyneira. – Naprawdę się w ciebie wrodził, Helen!

Podobieństwo dotyczyło również wyglądu fizycznego. Początkowo niebieskie oczy Rubena z czasem nabrały szarej barwy, jak oczy Helen, a jego włosy robiły się ciemne, jak włosy Howarda, ale były proste, a nie kręcone.

– On wrodził się w mojego ojca! – stwierdziła Helen. – I po nim ma też imię. Ale Howard jest pewien, że zostanie farmerem, a na pewno nie pastorem.

Gwyneira zachichotała.

– Już niejeden ojciec się pomylił. Pomyśl o panu Geraldzie i moim Lucasie.

Gwyn przypomniała sobie tę rozmowę, gdy roznosiła zaproszenia po Haldon. Ściślej rzecz biorąc, noworoczne przyjęcie to nie był pomysł Geralda, tylko Lucasa. W każdym razie miało ono służyć zajęciu czymś Geralda i sprawieniu mu przyjemności. Kiward Station nie było domostwem pełnym szczęścia, a z każdym kolejnym miesiącem, w którym Gwyn nie zachodziła w ciążę, robiło się coraz gorzej. Gerald coraz agresywniej reagował na brak wnuków, choć nie wiedział, kogo z dwojga małżonków powinien za to obwiniać. Gwyneira starała się trzymać dystans, tymczasem zaś opanowała już w miarę wykonywanie swoich domowych obowiązków, nie dawała więc Geraldowi zbyt wielu powodów do ataków. Na dodatek doskonale wyczuwała jego nastrój. Jeśli już rankiem krytykował świeżo upieczone ciasteczka, a przy tym popijał je whisky zamiast herbatą, co ostatnio zdarzało się coraz częściej, od razu wycofywała się do stajni i wolała cały dzień spędzić z psami i owcami, niż pozwalać, żeby Gerald wyładowywał na niej swoje humory. Lucasa natomiast atak gniewu ojca zawsze zaskakiwał. Wciąż żył we własnym świecie, ale Gerald z coraz większą bezwzględnością wyrywał go z tego świata i zmuszał do wykonywania użytecznych prac na farmie. Zdarzyło się nawet tak, że porwał na strzępy książkę, którą Lucas zaczytywał się w swoim pokoju, zamiast nadzorować strzyżę owiec, jak mu nakazano.

– Wystarczy, żebyś umiał liczyć, do diaska! – grzmiał Gerald. – Postrzygacze się ciągle mylą! W trzeciej szopie pobiło się już dwóch chłopaków, bo obaj zgłosili się po wypłatę za ostrzyżenie stu owiec i nikt nie potrafił załagodzić sporu, bo nikt nie był w stanie porównać wyników! A to ty, Lucasie, byłeś odpowiedzialny za szopę numer trzy! Zajmij się więc tym teraz, zobaczymy, jak sobie poradzisz!

Gwyneira chętnie zajęłaby się nadzorem nad strzyżą, lecz jej obowiązkiem, jako pani domu, było zaopatrzenie, a nie pilnowanie wędrownych pracowników, których najęto do strzyżenia owiec. Mieli doskonałą opiekę, ponieważ Gwyn co trochę przychodziła z poczęstunkiem, gdyż uwielbiała obserwować pracę postrzygaczy. W jej domu w Silkham Manor strzyża owiec przebiegała dość spokojnie, tamtejsze kilkaset owiec sami poganiacze byli w stanie ostrzyc w ciągu kilku dni. Tutaj trzeba było ich ostrzyc tysiące, a najpierw trzeba je było spędzić z wielkich pastwisk i upchnąć po zagrodach. Samo strzyżenie to była praca na akord, którą wykonywali specjaliści. Najlepsze drużyny strzygły po osiemset zwierząt dziennie. Na wielkich farmach, jak Kiward Station, zawsze panowała wtedy rywalizacja, a James McKenzie był w tym roku na najlepszej drodze, żeby ją wygrać! Dzięki świetnemu postrzygaczowi jego szopa numer jeden prowadziła, mimo że James musiał jednocześnie nadzorować postrzygaczy w szopie numer dwa. Przechodząca obok Gwyneira zdjęła z niego ten obowiązek, mógł więc zająć się strzyżeniem. Jej obecność jakby dodawała mu skrzydeł, nożyce poruszały się po ciele strzyżonych zwierząt tak szybko i gładko, że owce często nie zdążały nawet zabeczeć w proteście przeciwko tak brutalnemu postępowaniu.

Lucas uważał, że to barbarzyńskie traktowanie zwierząt. Współczuł owcom, gdy je łapano, rzucano na grzbiet i strzyżono w mgnieniu oka, często przy tym nacinając im skórę, jeśli postrzygacz był niedoświadczony albo owca za bardzo wierzgała. Lucas nie mógł też znieść panującego w szopach do strzyżenia intensywnego zapachu lanoliny i wciąż pozwalał owcom uciec, zamiast przypilnować, żeby po strzyżeniu zostały obmyte. A kąpiel służyła oczyszczeniu ran i usunięciu pasożytów.

– Psy nie chcą mnie słuchać – bronił się przed kolejnym atakiem wściekłości ojca. – McKenziego słuchają, ale jak ja je wołam…

– Owczarków się nie woła, Lucasie, na nie się gwiżdże! – wybuchł Gerald. – Na trzy czy cztery sposoby. Już dawno powinieneś to umieć. Przecież taki jesteś dumny ze swoich uzdolnień muzycznych!

Lucas poczuł się urażony.

– Ojcze, przecież dżentelmen...

– Nie mów mi, że dżentelmen nie gwiżdże! Przecież te owce tutaj finansują twoje malowanie, twój fortepian i te twoje tak zwane studia...

Gwyneira, która przypadkiem usłyszała tę rozmowę, uciekła do najbliższej szopy. Nienawidziła, gdy Gerald w jej obecności karcił jej męża, a jeszcze gorzej się czuła, gdy świadkiem takich zajść był James McKenzie czy inny pracownik farmy. Takie sytuacje były dla niej bardzo nieprzyjemne, a na dodatek miały negatywny wpływ na Lucasa i jego nocne „starania", które i tak stawały się coraz rzadsze. Tymczasem Gwyneira zaczęła traktować te próby jako coś służącego wyłącznie rozmnażaniu, ponieważ ostatnio ich pożycie małżeńskie coraz bardziej przypominało krycie klaczy. Nie miała już złudzeń, na pewno coś z nią było nie tak. Powoli zaczynała rozważać alternatywne rozwiązania i wciąż przychodził jej na myśl stary tryk ojca, którego się pozbyto, ponieważ nie mógł już kryć.

„Spróbować z inny mężczyzna" – tak powiedziała Matahorua. Ale gdy tylko Gwyn przypominała sobie te słowa, od razu czuła wyrzuty sumienia. Dla kobiety z rodu Silkhamów zdrada małżeńska była czymś nie do pomyślenia.

Zbliżał się dzień noworocznego przyjęcia. Przygotowania do niego pochłonęły Lucasa całkowicie. Już samo zaplanowanie fajerwerków zajęło mu kilka dni, które spędził, przeglądając odpowiednie katalogi, żeby następnie złożyć w Christchurch zamówienie. Wziął także na siebie wystrój ogrodu oraz troskę o stoły i miejsca do siedzenia. Tym razem zrezygnowano z kolacji przy stole i zaplanowano pieczenie jagniąt i baranów na ogniu, jak również przygotowanie warzyw, drobiu i małży sposobem maoryskim na gorących kamieniach. Sałatki i inne dodatki ustawiono na długich stołach i nakładano gościom według życzenia. Kiri i Moana wykonywały to zadanie w miarę sprawnie i znowu miały na sobie te ładne mundurki, które uszyto dla nich z okazji ślubu. Gwyneira nakazała im także założenie butów.

Poza tym nie angażowała się w przygotowania. Coraz trudniej było lawirować między ojcem i synem. Lucasa cieszyło planowanie przyjęcia i spodziewał się uznania ze strony ojca. Gerald z kolei oceniał jego starania jako „niemęskie" i uważał, że wszystkim powinna zająć się Gwyneira. Również pracownicy farmy nie szanowali jego pracy, co oczywiście nie umknęło uwadze Gwyneiry czy Geralda.

– Obwisły kutas zawija serwetki – stwierdził Poker, którego McKenzie zapytał, gdzie jest pan Lucas.

Gwyneira udawała, że nie zrozumiała tej uwagi. Miała już dość dokładne wyobrażenie o tym, co znaczy „obwisły kutas", choć nadal nie mogła zrozumieć, skąd mężczyźni ze stajni wiedzą o łóżkowych niepowodzeniach Lucasa.

W sylwestra ogród w Kiward Station lśnił pełnym blaskiem. Lucas sprowadził lampiony, a Maorysi porozstawiali pochodnie. Gdy goście przybywali, wciąż jeszcze było na tyle jasno, żeby mogli podziwiać rabatki z różami, gazony, świeżo przystrzyżone żywopłoty i dróżki tajemniczo wijące się zgodnie z zasadami klasycznej angielskiej sztuki urządzania ogrodów. Gerald zaplanował przeprowadzenie kolejnej próby psów, tym razem nie tylko po to, żeby pokazać legendarne umiejętności swoich zwierząt, ale również jako rodzaj rywalizacji. Pierwsze szczeniaki po Daimonie i Dancerze były już na sprzedaż, a hodowcy owiec z okolicy byli gotowi wydać majątek na czystej krwi owczarka border collie. Pożądano nawet mieszańców po starych owczarkach Geralda. Ludzie Geralda nie potrzebowali już teraz pomocy ze strony Gwyneiry i Cleo, żeby zaprezentować idealny pokaz. Młode psy bezbłędnie reagowały na gwizdy McKenziego i pędziły owce tam gdzie trzeba. Gwyneira nie pobrudziła więc swojego eleganckiego stroju, odświętnej sukni z jasnobłękitnego jedwabiu z ażurowym haftem obszytym złotą nicią. Cleo też tylko obserwowała cały pokaz z brzegu placu, cicho popiskując z urazy. Odstawiono już od niej szczenięta, suka więc aż rwała się do pracy. Dziś jednak odesłano ją z powrotem do stajni. Lucas nie życzył sobie na swoim przyjęciu żadnych szczekających psów, a Gwyneira była pochłonięta zabawianiem gości. Lawirowanie między tłumem gości i prowadzenie przyjaznych rozmów z paniami z Christchurch coraz bardziej przypominało torturę. Czuła, że jest obserwowana i że goście spoglądają na jej wciąż szczupłą talię z mieszaniną ciekawości i współczucia. Na początku trafiały się tylko okazyjne uwagi, ale później panowie, a przede wszystkim Gerald, raczyli się coraz większymi ilościami whisky, co rozwiązywało ich języki.

– No, lady Gwyneiro, już od roku jesteście małżeństwem! – rozbrzmiał głos lorda Barringtona. – Będzie jakieś potomstwo?

Gwyneira nie wiedziała, co ma odpowiedzieć. Zaczerwieniła się równie mocno jak młody wicehrabia, któremu nie podobało się zachowanie własnego ojca. Od razu spróbował zmienić temat i zapytał Gwyneirę o Igraine i Madoca, bo zawsze miło je wspominał. Jak dotąd nie znalazł w nowej ojczyźnie konia, który mógłby się z nimi równać. Gwyn od razu odżyła. Rozmnażanie koni udało się znakomicie i chętnie sprzedałaby źrebię młodemu Barringtonowi. Udało jej się zręcznie zakończyć rozmowę z lordem Barringtonem, zabierając jego syna na pastwisko. Igraine urodziła przed miesiącem przepięknego karego ogierka, a Gerald kazał oczywiście trzymać konie blisko domu, żeby goście mogli je podziwiać.

Obok ogrodzonego pastwiska, na którym pasły się klacze i źrebaki, McKenzie przygotowywał właśnie przyjęcie dla pracowników farmy. Służba wciąż miała co robić, ale gdy goście skończą jeść i rozpoczną się tańce, również oni będą mogli się zabawić. Gerald ofiarował im na tę okazję mnóstwo piwa i whisky oraz dwie owce, więc i tutaj rozpalano ogień, by upiec mięso.

McKenzie pozdrowił Gwyneirę i wicehrabiego, a Gwyn skorzystała z okazji, żeby pogratulować mu udanego pokazu.

– Pan Gerald sprzedał już chyba pięć psów – stwierdziła z uznaniem.

McKenzie odwzajemnił uśmiech.

– Ale to nic w porównaniu z tym, co pokazała kiedyś pani Cleo, panno Gwyn. A mnie jako prowadzącemu brakuje tak wielkiego uroku…

Gwyn odwróciła wzrok. Znów miał w oczach ten blask, który niepokoił ją, jednocześnie sprawiając przyjemność. I dlaczego mówi jej komplementy przy wicehrabim? Zaczęła się obawiać, że to niezbyt stosowne zachowanie.

– Niech pan następnym razem spróbuje wystąpić w sukni ślubnej – Gwyn starała się obrócić jego komplement w żart.

Wicehrabia niemal udławił się ze śmiechu.

– On jest w pani zakochany! – zachichotał z bezczelnością piętnastolatka. – Musi pani uważać, żeby pani mąż nie wyzwał go na pojedynek!

Gwyneira rzuciła chłopcu karcące spojrzenie.

– Proszę nie opowiadać takich głupstw, wicehrabio! Przecież wie pan, jak szybko plotki się tu rozchodzą! Jeśli ktoś pomyśli…

– Proszę się nie obawiać, potrafię dochować tajemnicy! – młody nicpoń się roześmiał. – A tak nawiasem mówiąc, rozcięła już sobie pani tył sukni do jazdy konnej?

Gwyneira ucieszyła się, gdy tańce wreszcie się zaczęły, bo zwolniło ją to z obowiązku prowadzenia konwersacji z gośćmi. Jak zwykle doskonale prowadzona przez męża frunęła nad podestem, specjalnie do tego celu zbudowanym w ogrodzie. Tym razem muzyków zaangażował Lucas i grali lepiej niż ci na ich weselu. Grali jednak bardzo konwencjonalne tańce. Gwyn poczuła lekką zawiść, gdy do jej uszu dotarły wesołe melodie, przy których bawili się pracownicy farmy. Ktoś grał tam na skrzypkach. Nie zawsze czysto, ale przynajmniej z werwą.

Gwyneira tańczyła po kolei ze wszystkimi najważniejszymi gośćmi, ale nie z własnym teściem, ponieważ był już zbyt pijany, żeby móc zatańczyć walca. Przyjęcie było niezwykle udane, ale Gwyn nie mogła się doczekać, kiedy się skończy. To był długi dzień, a jutro od samego rana przynajmniej do południa będzie musiała znowu zabawiać gości. Większość zostanie nawet na kolejny wieczór. Zanim Gwyn mogła udać się do swoich pokoi, musiała jeszcze zobaczyć pokaz sztucznych ogni. Lucas odszedł od gości już prawie przed godziną, żeby po raz kolejny sprawdzić instalacje. Miał mu w tym pomagać młody Hardy Kennon, o ile nie był już zbyt pijany. Gwyneira postanowiła sprawdzić zapasy szampana. Witi wyjmował właśnie butelki z lodu, w którym je wcześniej ułożono.

– Mieć nadzieja, że nikogo nie zastrzelić – powiedział z troską. Zawsze się denerwował, gdy strzelały korki przy otwieraniu szampana.

– Naprawdę nie ma żadnego niebezpieczeństwa, Witi! – uspokoiła go Gwyn. – Gdybyś robił to częściej…

– O tak, gdy…. Gdyby by… była jakaś o… o… okazja! – powiedział Gerald, który chwiejąc się, podszedł do baru, żeby napocząć kolejną butelkę whisky. – Ale ty… ty nie dajesz nam żad… żadnego powodu, żeby świętować, moja wa… walijska księżniczko! Nie myślałem, że jesteś tak pruderyjna, wy… wyglądasz na ognistą dziewczynę, miałem nadzieję, że ten o… ogień rozpali nawet Lu… Lucasa, tego obwisłego ku… tą bryłę lodu! – Gerald zdołał się poprawić, wpatrując się w butelkę szampana. – Ale przecież… to już rok, Gwyn… Gwyneiro, a ja wciąż nie mam wnuka…

Gwyn odetchnęła z ulgą, gdy Geraldowi przeszkodził fajerwerk, który z sykiem wzbijał się w niebo. Był to próbny wystrzał przed mającym nastąpić widowiskiem. Witi wciąż otwierał butelki, przymykając oczy ze strachu. Gwyneira przypomniała sobie nagle o koniach. Igraine i inne klacze nigdy nie widziały fajerwerków, a pastwisko, na którym przebywały, było stosunkowo niewielkie. Co będzie, jeśli się spłoszą?

Gwyneira rzuciła okiem na wielki zegar, który celowo wyniesiono do ogrodu i ustawiono na wyeksponowanym miejscu. Może zdąży jeszcze szybko zaprowadzić konie do stajni. Nie mogła sobie darować, że już wcześniej nie kazała McKenziemu tego zrobić. Bąkając „przepraszam", przedarła się przez tłum gości i pobiegła w stronę stajni. Ale na padoku była już tylko jedna klacz, którą McKenzie właśnie wyprowadzał. Serce Gwyneiry zabiło szybciej. Czy on naprawdę potrafił czytać w jej myślach?

– Konie wydawały mi się niespokojne, pomyślałem więc, że je wprowadzę – powiedział James, gdy Gwyn otwierała jemu i klaczy drzwi do stajni. Cleo od razu zaczęła skakać z radości wokół swojej pani.

Gwyn się uśmiechnęła.

– Śmieszne, bo ja pomyślałam dokładnie o tym samym.

McKenzie rzucił jej jedno ze swoich bezczelnych spojrzeń, trochę przekorne, a trochę figlarne.

– Powinniśmy się zastanowić, czemu tak się dzieje – stwierdził. – Może łączy nas pokrewieństwo dusz? W Indiach ludzie wierzą w wędrówkę dusz. Kto wie, być może w poprzednim życiu byliśmy... – Udawał, jakby głęboko się namyślał.

– Jako dobrzy chrześcijanie w ogóle nie powinniśmy o tym rozmawiać – Gwyn ostro weszła mu w słowo, ale James tylko się roześmiał.

Zgodnie wrzucili koniom siano na drabinki, a Gwyn nie mogła się powstrzymać, by nie włożyć Igraine do żłobu kilku marchewek. W rezultacie jej suknia nie wyglądała już tak elegancko. Gwyn popatrzyła na nią z żalem. Cóż, w świetle lampionów chyba nikt nie zauważy.

– Skończył pan już tutaj? Może powinnam złożyć pracownikom noworoczne życzenia, skoro już tu jestem.

James się uśmiechnął.

– A może znajdzie pani jeszcze chwilkę na taniec? Kiedy odpalą wielkie ognie?

Gwyn wzruszyła ramionami.

– Jak będzie dwunasta i zacznie się wrzawa. – Uśmiechnęła się. – Powinnam raczej powiedzieć, jak wszyscy zaczną życzyć innym wszystkiego najlepszego, nawet jeśli nie będą tego mówić szczerze.

– No, no, panno Gwyn. Taki cynizm dzisiaj? To przecież wspaniałe święto! – James przyglądał się jej badawczo. To spojrzenie też już dobrze znała, a przenikało ją do szpiku kości.

– Z dodatkiem odrobiny radości z cudzego nieszczęścia! – westchnęła. – Przez kilka kolejnych dni wszyscy znowu będą plotkować, a pan Gerald wszystko jeszcze pogarsza w rozmowach, które prowadzi.

– Gdzie tu nieszczęście? – zapytał James. – Przecież Kiward Station powodzi się doskonale. Dzięki zyskom z wełny pan Gerald będzie mógł co miesiąc wydawać takie przyjęcie! Dlaczego wciąż jest taki niezadowolony?

– Och, nie mówmy o tym... – bąknęła Gwyn. – Zacznijmy nowy rok od czegoś przyjemniejszego. Wspomniał pan coś o tańcach. Jeśli tylko nie byłby to walc...

McAran z werwą grał irlandzką melodię. Dwóch Maorysów waliło przy tym w bębny, których dźwięk nie bardzo pasował, ale i tak wszystkim się podobało. Poker i Dave tańczyli z Maoryskami. Moana i Kiri pozwalały im prowadzić się w tych zupełnie dla nich obcych tańcach. Pozostałych tańczących Gwyneira raczej nie znała. Byli to służący najznamienitszych gości. Angielska pokojówka lady Barrington z dezaprobatą patrzyła, jak pracownicy Kiward Station z radością witają swoją panią. James podał Gwyn rękę, żeby poprowadzić ją do tańca. Gwyn położyła na niej swoją i znów poczuła ten lekki wstrząs, który sprawiał, że przez jej ciało przepłynęła fala podniecenia. Działo się tak za każdym razem, gdy James ją dotykał. Uśmiechał się do niej i podtrzymał ją, gdy lekko się potknęła. A potem ukłonił się przed nią i na tym skończyły się podobieństwa tego tańca z walcem, którego miała już serdecznie dosyć.

– *She is handsome, she is pretty, she is the Queen of Belfast City!* – Poker i kilku innych mężczyzn z radością śpiewało piosenkę, podczas gdy James szybko okręcał Gwyn, aż zaczęło jej się kręcić w głowie. I za każdym razem gdy przyciągał ją do siebie po pełnym rozmachu obrocie, dostrzegała w jego oczach ten blask, ten podziw i... Czyżby to było pożądanie?

W połowie tańca ku niebu wystrzeliła rakieta, która ogłaszała nadejście nowego roku, a potem rozpoczął się wspaniały pokaz fajerwerków. McAran i reszta przestali grać, a Poker zaintonował *As old long syne.* Dołączyli do niego pozostali emigranci i nawet Maorysi nucili melodię, rekompensując nieznajomość słów swoim zapałem. Tylko James i Gwyneira ani nie słyszeli śpiewów, ani nie widzieli fajerwerków. Muzyka umilkła, gdy trzymali się za ręce, a oni zamarli w tanecznej pozycji. Żadne z nich nie chciało jej zmienić. Jakby byli na jakiejś wyspie, odizolowani od śmiechów i wrzawy. Byli tylko oni. Ona i on.

Gwyn w końcu oderwała się od Jamesa. Nie chciała utracić tej cudownej chwili, ale wiedziała, że tutaj nie osiągną spełnienia.

– Powinniśmy... Sprawdzić, co u koni – powiedziała prawie bezgłośnie.

W drodze do stajni James trzymał ją za rękę.
Tuż przed wejściem zatrzymał ją.
– Proszę popatrzeć! – wyszeptał. – Jeszcze nigdy czegoś takiego nie widziałem. To jak deszcz z gwiazd!
Przygotowany przez Lucasa pokaz ogni sztucznych był rzeczywiście spektakularny. Ale Gwyn dostrzegała tylko blask w oczach Jamesa. To co czyniła, było głupie, zakazane i zupełnie niezgodne z zasadami przyzwoitości. Ale mimo wszystko oparła się na jego ramieniu.
James delikatnie odsunął jej z twarzy kosmyk włosów, który wysunął się podczas szalonego tańca. Lekko niczym piórko dotknął palcem jej policzka i przesunął nim po jej wargach...
Gwyneira powzięła decyzję. To nowy rok. Wszyscy się całują. Ostrożnie uniosła się na palcach i pocałowała Jamesa w policzek.
– Szczęśliwego nowego roku, panie Jamesie – powiedziała cichym głosem.
McKenzie przyciągnął ją do siebie, powoli i delikatnie, tak że Gwyn w każdej chwili mogła wyrwać się z jego objęć. Ale nie zrobiła tego. Nie odsunęła się też, gdy jego usta dotknęły jej ust. Gwyneira oddała pocałunek z namiętnością, jakby to było coś naturalnego. Czuła się tak, jakby wróciła do domu, do domu, w którym czekał na nią cały świat cudów i niespodzianek.
Czuła się oszołomiona, gdy w końcu ją puścił.
– Szczęśliwego nowego roku, Gwyneiro – powiedział James.

Zachowanie gości podczas sylwestrowego przyjęcia, a szczególnie ciągłe zaczepki Geralda, umocniły Gwyneirę w postanowieniu, żeby zajść w ciążę nawet bez pomocy Lucasa. Oczywiście jej decyzja nie miała nic wspólnego z Jamesem i pocałunkiem o północy. To było jakieś zupełne szaleństwo i Gwyn już następnego dnia zastanawiała się, co ją wtedy napadło. Na szczęście McKenzie zachowywał się tak, jakby nic się nie stało.
Sprawę zajścia w ciążę Gwyn postanowiła traktować bez emocji. Jak hodowlę zwierząt. Na tę myśl wybuchła głupim histerycznym śmiechem. Ale głupota była nie na miejscu. Trzeba było poważnie się zastanowić, kto nadawałby się na ojca dziecka. Z jednej strony ważna była dyskrecja, a z drugiej dziedziczone cechy. Wardenowie, a przede wszystkim Gerald, nie powinni mieć żadnych wątpliwości, że dziecko Gwyneiry to dziedzic

ich krwi. Z Lucasem będzie trudniej, ale jeśli jest rozsądny, zachowa milczenie. Gwyn nie martwiła się o to. Poznała już swojego męża na tyle, żeby wiedzieć, że jest przesadnie ostrożny, dba o pozory i nie lubi ciężkiej pracy. Ale nigdy nie podejrzewała go o brak rozsądku. Poza tym w jego własnym interesie leżało, by wszyscy przestali w końcu zasypywać i ją, i jego wiecznymi aluzjami i docinkami.

Gwyneira zaczęła się zastanawiać, jak wyglądałoby dziecko jej i Lucasa. Jej matka i wszystkie siostry miały rude włosy, dziecko więc prawdopodobnie odziedziczyłoby tę cechę. Lucas ma jasne włosy, ale James jest szatynem... Podobnie jak i Gerald. I obaj mają brązowe oczy. Gdyby dziecko wdało się w Jamesa, można będzie mówić, że przypomina swojego dziadka.

Możliwy kolor oczu: niebieski, szary... I brązowy, biorąc pod uwagę Geralda. Postura... Wszystko pasuje. James i Lucas są mniej więcej tego samego wzrostu, a Gerald jest zdecydowanie niższy i bardziej przysadzisty. Ona też jest o wiele niższa. Ale to na pewno będzie chłopiec i z pewnością wda się w ojca. Teraz tylko trzeba przekonać do tego Jamesa... Ale czemu właśnie jego? Gwyneira postanowiła, że jeszcze się nad tym wszystkim zastanowi. Może jutro serce nie będzie jej tak mocno biło za każdym razem, gdy pomyśli o Jamesie McKenziem.

Następnego dnia stwierdziła, że właściwie poza Jamesem nie ma żadnego innego mężczyzny, który nadawałby się na ojca jej dziecka. Chyba żeby jakiś obcy? Pomyślała o samotnych kowbojach z tanich powieści. Taki kowboj przyjeżdżał i odjeżdżał i nigdy nie dowiedziałby się o dziecku, gdyby oddała mu się gdzieś na sianie... Może jeden z postrzygaczy? Nie, nie dałaby rady. Poza tym oni wracają co roku. Nie do pomyślenia, gdyby się wygadał albo nawet przechwalał, że przespał się z panią na Kiward Station. Nie, to nie wchodzi w rachubę. Potrzebuje kogoś, kogo zna, mężczyzny wyrozumiałego i dyskretnego, takiego, po którym dziecko odziedziczy najlepsze cechy.

Gwyneira ponownie zrobiła przegląd wszystkich potencjalnych kandydatów, wmawiając sobie, że uczucia nie mają żadnego wpływu na jej wybór.

I wybrała Jamesa.

10

– A więc tak. Po pierwsze... Nie kocham pana!

Gwyneira nie była pewna, czy dobrze zaczęła, ale tak jej się po prostu wyrwało, gdy w końcu znalazła okazję, żeby sam na sam porozmawiać z Jamesem McKenziem. Od przyjęcia upłynął mniej więcej tydzień. Ostatni goście odjechali wczoraj, dopiero więc dziś Gwyneira mogła w końcu wskoczyć w siodło. Lucas rozpoczął malowanie nowego obrazu. Kolorowo oświetlony ogród zainspirował go, dlatego jego tematem miało być ogrodowe przyjęcie. Gerald przez ostatnie dni nic, tylko pił, a teraz odsypiał kaca. McKenzie wybierał się w góry, żeby odprowadzić tam owce, które przypędzono na pokazy. W ciągu ostatniego tygodnia psy jeszcze wielokrotnie musiały udowadniać swoje umiejętności i łącznie pięciu gości nabyło ośmioro szczeniąt. Ale nie było wśród nich dzieci Cleo. Zostały na Kiward Station jako sztuki rozpłodowe i teraz towarzyszyły matce w każdym pędzeniu owiec. Co prawda jeszcze potykały się o własne nogi, ale ich wybitnych uzdolnień nie można było nie zauważyć.

James się ucieszył, gdy Gwyneira dołączyła do niego podczas pędzenia owiec. Spoważniał jednak, gdy zauważył, że jadąca obok niego kobieta wciąż milczy. Nagle głęboko zaczerpnęła powietrza, żeby zacząć rozmowę. To co mu powiedziała, wyraźnie go rozbawiło.

– Oczywiście że mnie pani nie kocha, panno Gwyn. Jak mógłbym sobie coś takiego w ogóle pomyśleć – powiedział, powstrzymując uśmiech.

– Niech się pan ze mnie nie podśmiewa, panie Jamesie! Muszę omówić z panem coś ważnego...

McKenzie wyglądał na dotkniętego.

– Uraziłem panią? Nie miałem takiego zamiaru. Myślałem, że pani też się podobało... Chodzi mi o nasz pocałunek. Ale jeśli życzy sobie pani, żebym odszedł...

– Proszę zapomnieć o tamtym pocałunku – odparła Gwyneira. – Chodzi o coś zupełnie innego. Panie Jamesie... Jamesie... Chciałam poprosić pana o pomoc.

McKenzie zatrzymał konia.

– Co tylko sobie pani życzy, panno Gwyn. Nie potrafiłbym pani odmówić.

Patrzył jej prosto w oczy, a jej trudno były przez to mówić dalej.

– Ale to jest... Raczej... To niezbyt stosowna prośba.

James się uśmiechnął.

– Nie zależy mi na stosowności. Nie jestem dżentelmenem, panno Gwyn. Chyba już rozmawialiśmy na ten temat.

– A szkoda, panie Jamesie, ponieważ ja właśnie... To, o co chcę pana poprosić... To wymaga dyskrecji prawdziwego dżentelmena.

Gwyneira zaczerwieniła się już teraz. Jak poradzi sobie z bardziej szczegółowym wyjaśnieniem swojej prośby?

– Może wystarczy człowiek honoru – zaproponował James. – Ktoś, kto dotrzymuje swoich obietnic.

Gwyneira zastanowiła się. A potem skinęła głową.

– W takim razie musi mi pan obiecać, że nigdy nikomu o tym nie powie, bez względu na to, czy pan... Czy my... Czy to zrobimy czy nie.

– Pani życzenie jest dla mnie rozkazem. Zrobię wszystko, czego pani zażąda. – W oczach Jamesa znów pojawił się ten błysk, ale tym razem nie był figlarny czy przekorny, lecz jakby wyrażał błaganie.

– To bardzo nieostrożne – zganiła go Gwyneira. – Przecież nie ma pan pojęcia, czego chcę. Proszę sobie wyobrazić, że poprosiłabym, żeby pan kogoś zabił.

James nie mógł powstrzymać śmiechu.

– Gwyn, niech pani to wreszcie powie! Jakie jest pani życzenie? Czy chce pani, żebym zabił jej męża? Nad tym mógłbym się zastanowić. Wtedy miałbym panią tylko dla siebie.

Gwyn rzuciła mu przerażone spojrzenie.

– Proszę tak nie mówić! To przecież okropne!

– Okropna jest dla pani myśl o zabiciu męża, czy o tym, że mogłaby pani należeć do mnie?

– Nie... I to, i to... Och, zupełnie zbił mnie pan z tropu! – Gwyncira była bliska rezygnacji.

James zagwizdał na psy, zatrzymał konia i zsiadł z niego. Potem pomógł Gwyneirze zsiąść z siodła. Pozwoliła mu na to. Dotyk jego ramion sprawiał, że czuła się podniecona, ale jednocześnie bezpieczna.

– A więc tak, Gwyn. Usiądziemy sobie teraz tutaj i pani spokojnie opowie mi, co leży pani na sercu. A potem ja powiem albo „tak", albo „nie". I nie będę się śmiał, obiecuję!

McKenzie odpiął koc ze swojego siodła, rozłożył go na ziemi i poprosił Gwyn, żeby usiadła.

– Dobrze – powiedziała cicho. – Muszę mieć dziecko.

James się uśmiechnął.

– Do tego nikt nie może pani zmusić.

– Chcę mieć dziecko – poprawiła się Gwyneira. – I potrzebuję dla niego ojca.

James zmarszczył czoło.

– Nie rozumiem... Przecież ma pani męża.

Gwyneira czuła jego bliskość i ciepło ziemi, na której siedziała. Pięknie było siedzieć tak tutaj w słońcu i cieszyła się, że może to w końcu powiedzieć. Ale nie udało jej się przy tym nie rozpłakać.

– Lucas... Jemu się to nie udaje. Przecież nazywacie go... Nie, nie powiem tego. W każdym razie... Nigdy nie było żadnej krwi i nic mnie nie bolało.

McKenzie uśmiechnął się i delikatnie objął ją ramieniem. Ostrożnie pocałował ją w skroń.

– Gwyn, nie mogę obiecać, że to będzie bolało. Wolałbym, żeby sprawiło ci przyjemność.

– Najważniejsze, żebyś zrobił to jak należy, tak, żebym zaszła w ciążę – wyszeptała Gwyneira.

James pocałował ją jeszcze raz.

– Możesz mi zaufać.

– Robiłeś więc to już kiedyś? – zapytała Gwyn poważnym tonem.

James stłumił w sobie śmiech.

– Dość często, Gwyn. Jak już mówiłem, żaden ze mnie dżentelmen.

– Dobrze. Trzeba to zrobić szybko. Ryzyko jest ogromne, że ktoś nas nakryje. Kiedy to zrobimy i gdzie?

James pogłaskał ją po włosach, pocałował w czoło, a potem połaskotał językiem w górną wargę.

– Nie musimy robić tego szybko, Gwyneiro. I nie ma pewności, że uda się za pierwszym razem. Nawet jeśli wszystko zrobimy, jak trzeba.

Gwyn bąknęła z irytacją:

– Czemu nie?

James westchnął.

– Posłuchaj, Gwyn. Przecież znasz się na hodowli zwierząt… Jak to jest z klaczą i ogierem?

Pokiwała głową.

– Jak jest odpowiedni czas, to wystarczy jedno krycie…

– Jak jest odpowiedni czas. O to właśnie chodzi.

– Ale ogier wie, kiedy jest odpowiedni czas… To znaczy, że ty nie wiesz?

James nie wiedział, czy powinien się roześmiać czy poczuć urażony.

– Nie, Gwyneiro. U ludzi jest inaczej. Miłość zawsze sprawia nam przyjemność, nie tylko w te dni, gdy kobieta może zajść w ciążę. Może więc być tak, że będziemy musieli zrobić to więcej razy.

James rozejrzał się wokół. Dobrze wybrał miejsce na obozowisko, byli już dość daleko w górach. Nikt nie będzie tędy przejeżdżał. Owce zajęły się trawą, a psy ich pilnowaniem. Konie przywiązał do drzewa, w którego cieniu sami mogli się skryć.

James wstał i podał Gwyneirze rękę. Gdy wstała zdziwiona, rozłożył koc w cieniu drzewa. Objął ją, podniósł i ułożył na kocu. Ostrożnie rozpiął jej bluzkę i zaczął całować. Jego pocałunki rozpalały ją, a dotyk najintymniejszych rejonów ciała wywoływał w niej odczucia, jakich dotąd nie znała. Dała im się porwać w krainę szczęśliwości. Gdy w końcu w nią wszedł, poczuła lekki ból, który niemal natychmiast zastąpiło zmysłowe upojenie. To było tak, jakby szukali się od zawsze i wreszcie odnaleźli. To było jak pogłębienie „pokrewieństwa dusz", z którego tak niedawno żartował. Teraz leżeli obok siebie, na wpół nadzy i wyczerpani, ale przepełnieni nieskończonym szczęściem.

– Będziesz miała coś przeciwko temu, jeśli będziemy musieli to zrobić jeszcze wiele razy? – zapytał James.

Gwyneira się rozpromieniła.

– Powiedziałabym – stwierdziła, starając się o odpowiednią powagę – że po prostu zrobimy to tyle razy, ile będzie trzeba.

Robili to zawsze, gdy mieli po temu okazję. Szczególnie Gwyneira obawiała się odkrycia i często rezygnowała, jeśli miałoby to oznaczać nawet najmniejsze ryzyko. Rzadko znajdowali dobre wymówki, żeby we dwójkę gdzieś zniknąć, minęło więc kilka tygodni, zanim Gwyneira zaszła w ciążę. To były najszczęśliwsze tygodnie jej życia.

Gdy padało, James kochał się z nią w szopach do strzyżenia, które po strzyży stały zupełnie opuszczone. Trzymali się w ramionach i słuchali kropel deszczu uderzających w dach, przytulali się do siebie i opowiadali sobie historie. James śmiał się z legendy Maorysów o *Rangi* i *Papa*, a potem zaproponował, żeby kochali się jeszcze raz, żeby pocieszyć maoryskich bogów.

Gdy świeciło słońce, kochali się w żółtozłotej jedwabistej trawie na wzgórzach, a towarzyszył im wtedy jedynie równomierny odgłos skubiących trawę koni, które pasły się w pobliżu. Całowali się w cieniu olbrzymich głazów na równinach, a Gwyneira opowiadała mu o zaczarowanych wojownikach. James twierdził jednak, że kamienne kręgi w Walii były elementem magii miłości.

– Znasz sagę o Tristanie i Izoldzie? Kochali się, ale jej mąż nie mógł się o tym dowiedzieć, elfy więc sprawiały, żeby na polu wokół ich obozowiska wyrastały kamienie, za którymi mogli ukryć się przed światem.

Kochali się na brzegach przejrzystych niczym szkło górskich jezior o wodzie zimnej jak lód, a pewnego razu Jamesowi udało się nawet namówić Gwyneirę, żeby całkiem się rozebrała i weszła razem z nim do wody. Gwyn rumieniła się raz po raz. Nie pamiętała, żeby od dzieciństwa kiedykolwiek była naga. Ale James powiedział jej, że jest tak piękna, że *Rangi* będzie zazdrosna, jeśli dalej będzie stać tak na twardym ciele *Papa*, i pociągnął ją do wody, a ona natychmiast uczepiła się go, krzycząc.

– Nie umiesz pływać? – zapytał z niedowierzaniem.

Gwyneira wypluła wodę.

– A gdzie miałam się tego nauczyć? W wannie w Silkham Manor?

– Przepłynęłaś na statku pół świata, a nie umiesz pływać? – James wciąż potrząsał głową z niedowierzaniem, ale mocno ją trzymał. – Nie bałaś się?

– Bardziej bym się bała, gdybym musiała pływać! I przestań już gadać, tylko mnie naucz. To przecież nie może być takie trudne. Nawet Cleo umie pływać.

Gwyneira bardzo szybko nauczyła się utrzymywać na wodzie, a potem leżała zziębnięta i zmęczona na brzegu jeziora, podczas gdy James łowił ryby i od razu piekł je nad ogniskiem. Gwyneira zawsze była zachwycona, gdy znajdował w buszu coś do jedzenia i od razu jej to serwował. Nazywała to zabawą w przetrwanie w dziczy, James zaś rzeczywiście doskonale się na tym znał. Jakby busz był jego prywatną spiżarnią. Polował na ptaki i króliki, łowił ryby i zbierał bulwy i dziwne owoce. Pod tym względem odpowiadał wizerunkowi pioniera, o jakim marzyła Gwyneira. Czasami zastanawiała się, jakby to było być jego żoną i żyć na jakiejś małej farmie, jak Helen i Howard. James nie zostawiałby jej samej całymi dniami, dzieliliby się wszystkimi pracami. Znowu marzyła o orce koniem, o wspólnej pracy w ogrodzie i o tym, jak James uczy łowić ryby małego chłopczyka o rudych włosach.

W związku z tym wszystkim zaczęła zaniedbywać Helen, ale przyjaciółka nie komentowała, gdy Gwyn zjawiała się u niej z zadowoloną miną i pobrudzoną trawą suknią. James jechał wtedy dalej w góry.

– Muszę pojechać do Haldon, ale proszę, pomóż mi najpierw wyczyścić suknię. Jakoś tak mi się zabrudziła...

Gwyn jeździła rzekomo do Haldon do trzech, czterech razy w tygodniu. Twierdziła, że przyłączyła się do koła gospodyń. Gerald ucieszył się, bo coraz częściej wracała ze spotkań z nowymi przepisami, które tak naprawdę w pośpiechu uzyskiwała od pani Candler. Lucasowi wydawało się to dość dziwne, ale nic nie mógł żonie zarzucić. Zresztą najbardziej szczęśliwy był wtedy, gdy zostawiano go w spokoju.

Wymówką Gwyneiry było koło gospodyń, a wymówką Jamesa zagubione owce. Wymyślali nazwy dla swoich ulubionych miejsc spotkań w buszu i czekali tam na siebie i kochali się w słoneczne dni na tle potężnych Alp albo w prowizorycznym namiocie z płaszcza przeciwdeszczowego Jamesa, gdy była mgła. Gwyn udawała, że wstydzi się ciekawskich spojrzeń pary papug kea, które częstowały się resztkami ich pikniku, a pewnego razu półnagi James przegonił dwa ptaki kiwi, którym spodobała się błyszcząca sprzączka jego paska.

– Złodziejki jak sroki! – zawołał ze śmiechem. – To już wiadomo, dlaczego tak samo nazywa się imigrantów...

Gwyn popatrzyła na niego ze zdumieniem.

– Większość przybyszów, których znam, to bardzo porządni ludzie – wtrąciła.

James się skrzywił.

– W przeciwieństwie do wielu innych. Ale popatrz, jak zachowują się wobec Maorysów. Myślisz, że Maorysi dostali uczciwą cenę za ziemię na Kiward Station?

– Czy zgodnie z traktatem z Waitangi cała ziemia nie należy do Korony? – zapytała Gwyneira. – Królowa chyba nie dałaby się oszukać.

James się roześmiał.

– Mało prawdopodobne. Z tego co wszyscy mówią, doskonale zna się na interesach. Ale ten kraj wciąż należy do Maorysów. Korona ma tylko prawo pierwokupu. To oczywiście gwarantuje ludziom jakąś minimalną cenę. Ale po pierwsze, to jest przecież koniec świata, a po drugie, nie wszystkie plemiona przystąpiły do traktatu. O ile wiem, Kai Tahu nie...

– Kai Tahu to nasi ludzie? – zapytała Gwyn.

– Sama widzisz – zauważył James. – To nie są żadni „nasi ludzie". Przez nieuwagę sprzedali panu Geraldowi ziemię, na której znajduje się ich wioska, bo dali się oszukać. Już samo to pokazuje, że Maorysów nie traktuje się sprawiedliwie.

– Ale oni wyglądają na zadowolonych – odparła Gwyn. – I zawsze są dla mnie mili. A często w ogóle ich tu nie ma. – Jak się okazało, całe maoryskie plemiona wyruszały na długie wędrówki na nowe obszary łowieckie czy rybackie.

– Jeszcze nie zrozumieli, jak bardzo zostali oszukani – stwierdził James. – Ale to prawdziwa beczka z prochem. Jeśli kiedyś Maorysi będą mieli wodza, który będzie potrafił pisać i czytać, wybuchnie gniew. Ale na razie o tym zapomnij, moja słodka. Spróbujemy jeszcze raz?

Gwyn się roześmiała, słysząc to sformułowanie. To samo mówił Lucas, gdy przystępowali do podobnych prób w małżeńskim łożu. A przecież James i Lucas tak bardzo się od siebie różnili!

Im częściej Gwyneira spotykała się z Jamesem, tym lepiej potrafiła cieszyć się fizyczną bliskością. Na początku był miły i delikatny, ale kiedy widział, że Gwyn chętnie poddaje się pożądaniu, drażnił się z tygrysicą, którą w niej obudził. Gwyneira zawsze lubiła dzikie zabawy, uwielbiała więc teraz, gdy James poruszał się w niej szybko i gwałtownie i pozwalała, żeby ich wspólny intymny taniec przeradzał się w crescendo namiętności. Z każdym kolejnym spotkaniem coraz mniej myślała o zasadach przyzwoitości.

– A można odwrotnie, żebym to ja na tobie leżała? – zapytała pewnego razu. – Wiesz, trochę jesteś ciężki...

– Ty się chyba naprawdę urodziłaś w siodle – odparł ze śmiechem James. – Zawsze to podejrzewałem. Spróbuj usiąść na mnie, będziesz miała więcej możliwości ruchu.

– Skąd ty to wszystko wiesz? – zapytała potem podejrzliwie Gwyn, która oszołomiona i szczęśliwa położyła głowę na jego ramieniu, a fale rozkoszy w jej wnętrzu stopniowo cichły.

– Tak naprawdę to wcale nie chcesz wiedzieć – zbył ją.

– Właśnie, że chcę. Kochałeś już jakąś dziewczynę? To znaczy tak naprawdę, z całego serca... Tak bardzo, że mógłbyś dla niej oddać życie... Wiesz, tak jak opisują to w książkach? – Gwyneira westchnęła.

– Nie, do tej pory jeszcze nie. Ale człowiek raczej nie uczy się takich rzeczy od miłości swojego życia. To jest raczej nauka, za którą się płaci.

– Mężczyźni mogą się czegoś takiego uczyć? – zdziwiła się Gwyn. Takie lekcje były w takim razie jedynymi, których jej mąż nigdy nie brał. – A dziewczyny po prostu wrzuca się na głęboką wodę? Mówię poważnie, Jamesie, nikt nie uprzedza nas, co nas czeka.

James się roześmiał.

– Och, Gwyn, jesteś taka niewinna. Ale trafiłaś w sedno. Mogę sobie wyobrazić, ilu chętnych byłoby na posadę takiego nauczyciela. – Przez następny kwadrans wyjaśniał jej, na czym polega płatna miłość.

– Te dziewczęta w każdym razie mogą zarobić własne pieniądze – powiedziała w końcu. – Ale wszyscy ich klienci powinni mieć obowiązek, żeby najpierw się umyć.

Gdy po trzech miesiącach u Gwyn nie wystąpiło krwawienie, aż trudno było jej w to uwierzyć. Oczywiście już wcześniej zauważyła pewne objawy, miała nabrzmiałe piersi i przytrafiały się jej ataki głodu, zwłaszcza jeśli na stole nie stał garnek kapusty. Dopiero teraz miała jednak pewność i w pierwszej chwili opanowała ją radość. Ale potem przyszło gorzkie uczucie nadchodzącej straty. Była w ciąży, nie było już więc powodu, żeby dalej oszukiwać męża. Nawet jeśli myśl o tym, że nie dotknie już Jamesa, że nie będzie leżeć naga obok niego, że nie będzie go całować, że nie będzie go czuć w sobie ani krzyczeć z rozkoszy w szczytowym momencie, nawet jeśli ta myśl była niczym nóż wbity prosto w jej serce.

Gwyneira nie potrafiła od razu podzielić się z Jamesem tą wiadomością. Trzymała ją dla siebie przez dwa kolejne dni i starała się niczym skarb zachować w pamięci jego ukradkowe i czułe spojrzenia. Teraz nie będzie już do niej tajemniczo mrugał. Nie będzie już znaczącego „Dzień dobry, panno Gwyn" czy „Oczywiście, panno Gwyn", gdy spotkają się w czyimś towarzystwie.

Nie będzie jej już niespodziewanie skradał pocałunków, kiedy akurat nikt nie patrzy, a ona nie będzie się już na niego gniewać, że naraża ją na takie ryzyko.

Chciała jak najdalej odsunąć od siebie chwilę prawdy.

Ale nie można było jej uniknąć. Gwyneira właśnie wróciła z przejażdżki, gdy James skinął na nią i z uśmiechem zaciągnął do pustego końskiego boksu. Chciał ją pocałować, ale ona wyrwała mu się z objęć.

– Nie tutaj, Jamesie...

– Dobrze, jutro w kręgu kamiennych wojowników. Będę wypędzał maciorki. Jeśli chcesz, możesz ze mną pojechać. Wspomniałem już panu Geraldowi, że przydałaby mi się Cleo. – Mrugnął do niej znacząco. – To nawet nie było kłamstwo. Zostawimy owce jej i Daimonowi, a sami pobawimy się trochę w „przetrwanie w dziczy".

– Przykro mi, Jamesie – Gwyn nie wiedziała, od czego zacząć. – Ale nic z tego nie będzie...

James zmarszczył brwi.

– Jak to? Nie możesz jutro? Będą jacyś goście? Pan Gerald nic nie mówił...

Wyglądało na to, że w ostatnich miesiącach Gerald Warden czuł się coraz bardziej samotny. W każdym razie coraz częściej zapraszał gości do Kiward Station, byli to albo kupcy zajmujący się handlem wełną, albo jacyś szacowni nowi przybysze. Całymi dniami oprowadzał ich po swojej wzorcowej farmie, a wieczorami urządzał bankiety.

Gwyneira potrząsnęła głową.

– Nie, Jamesie, tyko że... Jestem w ciąży. – W końcu to powiedziała.

– Jesteś w ciąży? To cudownie! – Z radości chwycił ją w ramiona i okręcił wokół siebie. – Och, rzeczywiście, nawet już przytyłaś – zażartował. – Niedługo nie będę w stanie podnieść was obojga.

Gdy spostrzegł, że Gwyn się nie uśmiecha, natychmiast spoważniał.

– O co chodzi, Gwyn? Czy ty się w ogóle nie cieszysz?

– Oczywiście, że się cieszę – odpowiedziała, ale potem się zaczerwieniła. – Tylko, że jest mi też trochę przykro, bo... Bo dobrze mi było z tobą.

James się roześmiał.

– Ale na razie nie ma żadnego powodu, żebyśmy tego nie robili. – Chciał ją pocałować, ale nie pozwoliła na to.

– Tu nie chodzi o przyjemność! – powiedziała zdecydowanym tonem. – Ale o moralność. Nie możemy już tego robić – popatrzyła na niego. W jego oczach zobaczyła smutek, ale także stanowczość.

– Gwyn, czy ja dobrze rozumiem? – zapytał urażony. – Chcesz to skończyć, chcesz odrzucić wszystko, co nas łączy? Myślałem, że mnie kochasz!

– Tu nie chodzi o miłość – odpowiedziała Gwyneira cichym głosem. – Jestem mężatką, Jamesie. Nie wolno mi kochać innego mężczyzny. I przecież na początku uzgodniliśmy, że chcesz mi tylko pomóc, żeby... Żeby moje małżeństwo zostało pobłogosławione potomstwem. – Nie podobał jej się patos własnych słów, ale nie wiedziała, jak inaczej mogłaby się wyrazić. I w żadnym wypadku nie chciała się rozpłakać.

– Gwyneiro, kocham cię od pierwszej chwili, w której cię zobaczyłem. Tak się po prostu stało... To tak jak z pogodą, z deszczem czy słońcem. Nic nie można na to poradzić.

– Przed deszczem można się schronić – odparła cicho Gwyneira. – A w słoneczny dzień schować w cieniu. Nie potrafimy powstrzymać deszczu czy upału, ale nie musimy moknąć ani poparzyć skóry...

James przyciągnął ją do siebie.

– Gwyneiro, przecież ty też mnie kochasz. Pojedź ze mną. Wyjedziemy daleko stąd i zaczniemy wszystko na nowo...

– Ależ, Jamesie, dokąd mielibyśmy pojechać? – zapytała z drwiną w głosie, żeby ukryć rozpacz. – Na jaką owczą farmę cię przyjmą, jeśli rozniesie się wieść, że porwałeś żonę Lucasa Wardena? Wardenów znają wszyscy na Wyspie Południowej. Myślisz, że Gerald tak po prostu pozwoli ci odejść?

– Jesteś żoną Lucasa czy Geralda? A zresztą wszystko jedno który. Żaden z nich nie ma ze mną żadnych szans! – James zacisnął pięści.

– Tak? A w jakiej dyscyplinie chcesz się z nimi zmierzyć? W walce na pięści czy w strzelaniu z pistoletu? A potem uciekniemy do buszu i będziemy żywić się jagodami i korzonkami? – Gwyneira nie chciała się z nim sprzeczać. Chciała zakończyć wszystko przyjaznym i stanowiącym wyraz pogodzenia się z wyrokami losu pocałunkiem, słodko-gorzkim jak z powieści pana Bulwera-Lyttona.

– Przecież podoba ci się takie życie. Chyba że kłamałaś? Wolisz jednak luksus życia w Kiward Station? Zależy ci na byciu żoną „owczego barona", wydawaniu wielkich przyjęć, na byciu bogatą? – James starał się mówić ze złością, ale w jego słowach brzmiało zgorzknienie.

Gwyneira nagle poczuła się zmęczona.

– Nie kłóćmy się, Jamesie. Wiesz, że to wszystko nic dla mnie nie znaczy. Ale dałam swoje słowo. Jestem żoną „owczego barona". Ale postąpiłabym tak samo, gdybym była żoną żebraka.

– Złamałaś swoją przysięgę, kiedy wpuściłaś mnie do swojego łóżka! – rzucił w gniewie James. – Przecież już oszukałaś swojego męża!

Gwyneira cofnęła się o krok.

– Nigdy nie wpuściłam cię do swojego łóżka, Jamesie McKenzie – powiedziała. – Doskonale o tym wiesz. Nigdy nie robiliśmy tego w domu, to... To byłoby... W każdym razie było zupełnie inaczej.

– Jak to „inaczej"? Proszę cię, Gwyneiro! Nie mów mi, że tylko wykorzystałaś mnie jako samca rozpłodowego.

Gwyn chciała już tylko zakończyć tę rozmowę. Nie mogła znieść jego błagalnego spojrzenia.

– Poprosiłam cię o to, Jamesie – powiedziała ostrożnie. – Zgodziłeś się. Na wszystkie warunki. Tu nie chodzi tylko o to, czego chcę. Chodzi o to, co muszę. Pochodzę z Silkhamów, Jamesie, i nie mogłabym uciec od swoich zobowiązań. Bez względu na to czy to rozumiesz czy nie, tak po prostu jest. Od tej pory...

– Gwyneiro? Co się stało? Od kwadransa czekam na ciebie w atelier...

Gwyn i James szybko odsunęli się od siebie, gdy do stajni wszedł Lucas. Rzadko się w niej z własnej woli pojawiał, ale wczoraj Gwyn obiecała mu, że od dziś zacznie wreszcie pozować do portretu, który miał namalować techniką olejną. Zgodziła się na to tak naprawdę tylko dlatego, że szkoda jej było Lucasa, którego Gerald znowu za coś zrugał, a ona miała świadomość, że mogła ukrócić te męczarnie jednym słowem. Ale nie potrafiła nikomu powiedzieć o swojej ciąży, zanim nie powiadomi o niej Jamesa. Wymyśliła więc coś innego, żeby pocieszyć Lucasa. Zwłaszcza że w najbliższych miesiącach i tak będzie skazana na spokojne siedzenie na miejscu...

– Już idę, Lucasie. Miałam tylko... Pewien drobny kłopot, ale pan McKenzie mi pomógł. Bardzo ci dziękuję, Jamesie – Gwyneira miała nadzieję, że Lucas nie zauważy, jak bardzo jest zdenerwowana. Udało jej się zachować spokojny ton, a jednocześnie szczerze uśmiechnąć się do Jamesa. Gdyby on także potrafił tak dobrze kontrolować swoje emocje! Widok jego zrozpaczonej twarzy ranił jej serce.

Lucas na szczęście nic nie zauważył. Widział przed sobą tylko portret Gwyneiry, który chciał namalować.

Wieczorem Gwyn powiedziała Lucasowi i Geraldowi o swojej ciąży.

Gerald Warden był szczęśliwy. Lucas zachował się tak, jak przystało na dżentelmena, i zapewnił Gwyneirę, że bardzo się cieszy, a potem pocałował ją w policzek. Kilka dni później z Christchurch przysłano kosztowny naszyjnik z pereł. Lucas wręczył go Gwyneirze jako wyraz swojego uznania. Gerald pojechał do Haldon świętować, że w końcu zostanie dziadkiem, i całą noc stawiał wszystkim kolejkę. Wszystkim z wyjątkiem Howarda O'Keefe'a, który był na szczęście na tyle trzeźwy, żeby jak najszybciej stamtąd odjechać. To od niego Helen dowiedziała się o ciąży Gwyneiry, uznając taki sposób przekazywania dobrej nowiny za haniebny.

– Myślisz, że mnie nie jest przykro? – zapytała Gwyn, kiedy dwa dni później przyjechała do Helen i okazało się, że przyjaciółka wie już o jej ciąży. – Ale on już taki jest! Zupełne przeciwieństwo Lucasa! Aż trudno uwierzyć, że są spokrewnieni – ugryzła się w język, jak tylko dotarł do niej sens własnych słów.

Na twarzy Helen pojawił się wieloznaczny uśmiech.

– Ważne, żeby oni w to wierzyli... – stwierdziła.

Gwyn odwzajemniła uśmiech.

– W każdym razie się udało. A ty musisz mi teraz dokładnie opowiedzieć, jak będę się czuła przez kolejne miesiące, żebym wszystko robiła jak trzeba. I powinnam zrobić na szydełku ubranka dla dziecka. Przez dziewięć miesięcy chyba zdążę się nauczyć?

11

Ciąża Gwyn przebiegała bez większych trudności. Nawet słynne mdłości w pierwszych trzech miesiącach były u niej bardzo łagodne. Nie traktowała więc poważnie przestróg matki, która jeszcze przed zamążpójściem zaklinała ją na wszystkie świętości, żeby przestała jeździć konno. Gwyneira niemal każdy pogodny dzień wykorzystywała na to, by złożyć wizytę Helen lub pani Candler, a tym samym uniknąć spotkania z Jamesem McKenziem. Na początku czuła ból za każdym razem, gdy na niego spojrzała, mimo że oboje starali się schodzić sobie z drogi. Ale kiedy przypadkiem na siebie trafiali, oboje z zakłopotaniem odwracali wzrok, aby nie widzieć bólu i smutku w oczach tego drugiego.

Gwyn spędzała więc wiele czasu z Helen i jej małym synkiem. Nauczyła się przewijać Rubena i śpiewać mu kołysanki, podczas gdy Helen robiła dla niej na szydełku kaftaniki.

– Tylko nie różowy! – stwierdziła Gwyn z oburzeniem, gdy Helen sięgnęła po kolorowy motek, żeby wykorzystać resztkę włóczki. – Przecież to będzie chłopiec!

– A skąd ty to możesz wiedzieć? – odparła Helen. – Dziewczynka to też wielkie szczęście.

Gwyneira bała się, co będzie, jeśli nie urodzi upragnionego męskiego dziedzica. Sama tak właściwie nie myślała jeszcze o swoim dziecku. Dopiero teraz, gdy opiekowała się Rubenem i niemal codziennie się przekonywała, że ten maluch ma już dość dokładne wyobrażenie o tym, czego chce, a czego nie, zrozumiała, że wcale nie nosi pod sercem dziedzica Kiward Station. Rozwijające się w jej brzuchu dziecko to mała istotka o indywidualnej osobowości, całkiem możliwe, że kobiecej. A ona już teraz skazała tę istotę na życie w kłamstwie. Gdy Gwyneira za dużo myślała, zaczynała czuć wyrzuty sumienia wobec dziecka, które nigdy nie pozna swojego prawdziwego ojca. Postanowiła więc, że lepiej się tym nie zamartwiać, a zamiast tego pomóc Helen w niekończących się obowiązkach domowych – Gwyn umiała wydoić krowę – a także w szkole dla maoryskich dzieci, która liczyła coraz więcej uczniów. Helen nauczała teraz dwie klasy, Gwyn zaś rozpoznała wśród jej uczniów troje golasków, które zwykle pluskały się w jeziorze należącym do Kiward Station.

– To synowie wodza i jego brata – wyjaśniła Helen. – Ich ojcowie chcą, żeby się czegoś nauczyli, wysłali więc chłopców do krewnych w tutejszej wiosce. To spore poświęcenie. I dzieciom nie jest łatwo. Jak tęsknią do domu, to muszą tam iść piechotą! A ten mały ciągle tęskni za domem.

Wskazała ślicznego chłopca z czarnymi kręconymi włosami.

Gwyneira przypomniała sobie, co James mówił o Maorysach, że zbyt mądre dzieci mogą się okazać niebezpieczne dla białych.

Helen wzruszyła ramionami, gdy Gwyn jej o tym powiedziała.

– Jeśli ja ich nie będę uczyć, zrobi to ktoś inny. Nawet gdyby miało to dotyczyć dopiero kolejnego pokolenia. Poza tym nie godzi się przecież odmawiać ludziom dostępu do wiedzy!

– Nie denerwuj się tak – Gwyneira uniosła dłoń w uspokajającym geście. – Jestem ostatnią osobą, która miałaby zamiar cię powstrzymywać. Ale gdyby miała być wojna, to chyba nie byłoby dobrze, prawda?

– Och, Maorysi są bardzo pokojowo nastawieni – stwierdziła stanowczo Helen. – Chcą się od nas uczyć. Myślę, że rozumieją, że cywilizacja ułatwia życie. W każdym razie sytuacja tutaj jest zupełnie odmienna niż w innych koloniach. Maorysi nie są tak naprawdę tubylcami. Oni też są przybyszami.

– Poważnie? – Gwyneira była zdumiona. Nigdy o tym nie słyszała.

– Tak, choć oczywiście są tutaj znacznie dłużej od nas – wyjaśniła Helen. – Ale wcale nie od pradawnych czasów. Podobno przybyli tutaj około czternastego wieku. Siedmioma kanu, to wiedzą dokładnie. Każda rodzina może prześledzić swój rodowód aż do członka załogi jednego z tych kanu...

Helen tymczasem dość dobrze opanowała już maoryski i coraz więcej rozumiała, przysłuchując się opowieściom Matahoruy.

– A więc ta ziemia do nich wcale nie należy? – zapytała Gwyneira z nadzieją.

Helen przewróciła oczami.

– Z całą pewnością obie strony będą się powoływać na prawo odkrywcy. Miejmy nadzieję, że jakoś się dogadają. A teraz pouczę ich trochę rachunków, bez względu na to co myśli o tym mój mąż i twój pan Gerald.

Poza chłodnymi stosunkami między Gwyneirą a Jamesem atmosfera w Kiward Station była wspaniała. Perspektywa zostania dziadkiem uskrzydlała Geralda. Znowu zaczął zajmować się farmą, sprzedał więcej tryków do hodowli i zarobił dzięki temu sporo pieniędzy. James korzystał z okazji, że trzeba zapędzić zwierzęta do ich nowych właścicieli, żeby na całe dnie znikać z Kiward Station. Prowadził też dalej karczowanie, by uzyskać więcej pastwisk. W kalkulacje, które z rzek nadadzą się do spławiania drewna i z których drzew można otrzymać wartościowe drewno, zaangażował się nawet Lucas. Narzekał co prawda na niszczenie lasów, ale niezbyt energicznie. Cieszył się, że Gerald przestał z niego drwić. Nigdy nie zapytał, w jaki sposób Gwyneira zaszła w ciążę. Może liczył na jakiś przypadek, może po prostu nie chciał wiedzieć. Trudno zresztą byłoby im nawet o tym porozmawiać, bo rzadko bywali sami. Jak tylko Gwyneira poinformowała o swoim odmiennym stanie, Lucas przestał przychodzić do niej w nocy. Widocznie jego nocne wizyty i starania nie sprawiały mu szczególnej przyjemności. Ze swoją piękną żoną wolał przebywać, malując jej olejny portret. Gwyneira cierpliwie mu pozowała i nawet Gerald nie krytykował tego przedsięwzięcia. Portretowi Gwyneiry, jako matki przyszłych pokoleń, należało się honorowe miejsce obok portretu jego żony Barbary. Gdy Lucas ukończył obraz, wszyscy uznali go za bardzo udany. Ale on sam nie był do końca zadowolony. Uznał, że nie udało mu się idealnie oddać „tajemniczości" Gwyneiry, a i światło na portrecie nie padało tak, jak trzeba. Ale wszyscy goście rozpływali się w zachwytach. Lord Brannigan poprosił nawet Lucasa, żeby namalował portret jego żony. Gwyneira dowiedziała się, że w Anglii można by na czymś takim sporo zarobić. Zażądanie jednak choćby grosza od sąsiada i przyjaciela stanowiłoby oczywiście dla honorowego Lucasa niewyobrażalną ujmę na honorze.

Gwyneira nie rozumiała, na czym polega różnica między sprzedażą obrazów a sprzedażą owiec czy koni, ale nie sprzeczała się i z ulgą zauważyła, że Gerald nie skrytykował braku smykałki do interesów u swojego syna. Wręcz przeciwnie, wydawało się niemal, że po raz pierwszy w życiu jest z niego dumny. W Kiward Station panowała radość i harmonia.

Gdy termin porodu zaczął się zbliżać, Gerald daremnie starał się o lekarza dla Gwyneiry. Jego nieobecność w Christchurch oznaczałaby przecież, że mieszkańcy miasta byliby pozbawieni opieki medycznej całymi tygodniami. Gwyn wcale się tym nie przejęła. Ponieważ widziała już Matahorę przy porodzie, nie obawiała się zaufać maoryskiej akuszerce. Gerald jednak uznał, że byłoby to nie do pomyślenia, a Lucas był w tej sprawie jeszcze bardziej stanowczy.

– Nie może być tak, żeby miała się tobą opiekować jakaś dzikuska! Jesteś damą i należy ci się odpowiednie traktowanie. W ogóle to jest ogromne ryzyko. Powinnaś urodzić dziecko w Christchurch.

Na to jednak nie zgadzał się Gerald, twierdząc, że dziedzic Kiward Station może przyjść na świat tylko na farmie i nigdzie indziej.

Gwyneira zwierzyła się z kłopotu pani Candler, choć obawiała się, że ta zaproponuje jej pomoc Dorothy. Pani Candler tak też najpierw uczyniła, ale po chwili przyszedł jej do głowy jeszcze lepszy pomysł.

– Nasza akuszerka tutaj, w Haldon, ma córkę, która często jej pomaga. Jeśli dobrze pamiętam, to odbierała już porody samodzielnie. Proszę zapytać, może mogłaby na kilka tygodni przenieść się do Kiward Station.

Francine Hayward, córka akuszerki, okazała się bystrą i pełną optymizmu dwudziestolatką. Miała gęste jasne włosy i okrągłą wesołą twarz z perkatym noskiem i jasnozielonymi oczami. Od razu się z Gwyneirą polubiły. Były przecież w podobnym wieku. Już po dwóch filiżankach herbaty Francine zdradziła Gwyneirze, że potajemnie kocha się w najstarszym synu państwa Candlerów, a pani Warden opowiedziała jej, że jako dziewczynka marzyła o kowbojach i Indianach.

– W jednej z powieści bohaterka rodzi dziecko w domu otoczonym przez czerwonoskórych! A jest tam sama, tylko z mężem i córką...

– Dla mnie to mało romantyczne – stwierdziła Francine. – To przypomina raczej jakiś koszmar. Wyobraź sobie, że twój mąż biega ze strzelbą do okna i z powrotem do ciebie, wołając na zmianę „Przyj, kochanie!" i „Załatwię cię, ty przeklęty Indianinie!".

Gwyneira zachichotała.

– Mój mąż nigdy nie powiedziałby czegoś takiego przy damie. Powiedziałby raczej: „Przepraszam cię na chwilkę, moja droga, muszę szybko pozbyć się jeszcze jednego z tych dzikusów".

Francine parsknęła śmiechem.

Ponieważ jej matka nie sprzeciwiła się wyjazdowi, jeszcze tego wieczoru pojechała z tyłu za Gwyneirą do Kiward Station. Siedziała na Igraine spokojna i rozluźniona, a potem wcale nie przejęła się naganą z ust Lucasa: „Jak można tak ryzykować i jechać we dwie na jednym koniu! Przecież mogliśmy tę młodą damę przywieźć powozem!". Francine wprowadziła się do jednego z pokoi gościnnych, którego wyglądem była zachwycona. Przez kolejne dni rozkoszowała się luksusem nicnierobienia, poza czekaniem na towarzyszenie Gwyneirze w rodzeniu „arcyksięcia". Tymczasem chętnie zdobiła gotowe już ubranka, zrobione na drutach lub szydełku, haftując na nich małe złote korony.

– W końcu pochodzisz z arystokracji – stwierdziła, gdy Gwyneira wyraziła swoje zdziwienie. – Dziecko na pewno jest na którymś miejscu w kolejce do brytyjskiego tronu!

Gwyneira miała nadzieję, że Gerald tego nie usłyszał. Byłaby wówczas skłonna podejrzewać dumnego dziadka o zamiar przeprowadzenia zamachu na królową i jej dzieci. Na razie jednak Gerald ograniczył się do uwzględnienia małej korony w znakach wypalanych bydłu z Kiward Station. Niedawno kupił trochę krów i musiał zarejestrować swój znak. Lucas zgodnie ze wskazówkami Geralda narysował herb, w którym połączył małą koronę Gwyneiry z tarczą, która miała nawiązywać do nazwiska Warden, pochodzącego według Geralda od słowa „strażnik".

Francine była dowcipna i zawsze tryskała humorem. Jej towarzystwo dobrze robiło Gwyneirze, a młoda akuszerka nie pozwalała jej martwić się nadchodzącym porodem. Zamiast strachu Gwyn czuła zazdrość, ponieważ Francine niemal natychmiast zapomniała o młodym Candlerze i w kółko zachwycała się Jamesem McKenziem.

– On z pewnością jest mną zainteresowany! – powiedziała z podekscytowaniem w głosie. – Za każdym razem gdy mnie widzi, zadaje mi pytania. O moją pracę i o twoje samopoczucie. Jest taki słodki! I widać, że stara się wybierać takie tematy rozmowy, które mnie interesują! Bo po cóż innego miałby wypytywać o to, kiedy urodzisz?

Gwyneirze przyszło do głowy kilka powodów, ale uznała, że okazywanie przez Jamesa tak dużego zainteresowania nią i dzieckiem jest bardzo ryzykowne. Ale przede wszystkim tęskniła za nim i jego niosącą pocieszenie bliskością. Tak bardzo chciałaby poczuć dotyk jego ręki na swoim brzuchu i razem z nim odczuwać zapierającą dech w piersiach radość z ruchów maleństwa. Zawsze gdy malec kopał, przypominała sobie wyraz szczęścia na jego twarzy na widok nowo narodzonego Rubena. Myślała też wtedy o ich rozmowie w stajni, gdy Igraine była jeszcze źrebna.

– Czuje pani źrebaka, panno Gwyn? – zapytał cały rozpromieniony. – Rusza się. Panno Gwyn, musi z nim pani porozmawiać! Jak przyjdzie na świat, od razu będzie rozpoznawać pani głos.

A teraz rozmawiała ze swoim dzieckiem, dla którego przygotowano już idealny kącik. Koło jej łóżka stała kołyska z pościelą z błękitnego i beżowo-złotego jedwabiu, którą Kiri uszyła zgodnie z projektem Lucasa. Nawet imię zostało już wybrane: Paul Gerald Terence Warden. Paul po ojcu Geralda.

– Kolejnego syna nazwiemy po twoim dziadku, Gwyneiro – stwierdził wspaniałomyślnie Gerald. – Chciałbym ustanowić pewnego rodzaju tradycję...

Gwyneirze imię dziecka było w zasadzie obojętne. Każdego dnia czuła się coraz cięższa, nadszedł czas, żeby maleństwo przyszło na świat. Przyłapywała się na tym, że odlicza miesiące, przypominając sobie chwile spędzone z Jamesem w zeszłym roku. – Jeśli urodzi się dzisiaj, to znaczy, że zostało poczęte nad jeziorem... Mały wojownik spłodzony w kamiennym kręgu... – Gwyneira pamiętała każdy przejaw czułości ze strony Jamesa, a to sprawiało, że płakała z tęsknoty tak długo, aż zasypiała z wyczerpania.

Bóle zaczęły się pewnego dnia pod koniec listopada. Pogoda była taka, jak w Anglii w czerwcu. Mimo że przez ostatnie kilka tygodni często padało, tego dnia świeciło mocne słońce, na różanych krzewach w ogrodzie pojawiły się pąki, a kolorowe wiosenne kwiaty, które Gwyneirze podobały się znacznie bardziej, w pełni rozkwitły.

– Jak pięknie! – zachwycała się Francine, która nakrywała do śniadania stojący stolik w oknie wykuszowym sypialni jej podopiecznej. – Muszę namówić mamę, żeby koniecznie zasadziła trochę kwiatów, bo w naszym ogrodzie rosną same warzywa. Mamy tylko jeden krzew żelazownika.

Gwyneira już miała odpowiedzieć, że to właśnie w tym krzewie, obficie pokrytym purpurowymi kwiatami, zakochała się zaraz po przybyciu na Nową Zelandię, kiedy poczuła ból. Zaraz potem pękł pęcherz płodowy.

Poród Gwyneiry nie należał do łatwych. Była zdrowa i silna, ale tak samo silne były mięśnie jej dolnej części ciała. Częsta jazda konna wcale nie doprowadziła do poronienia, jak obawiała się matka Gwyneiry, tylko utrudniała dziecku przejście przez miednicę. Francine wciąż zapewniała Gwyn, że wszystko jest w porządku i że dziecko jest ułożone idealnie, ale Gwyn i tak krzyczała, a nawet przeklinała. Lucas przecież nie mógł jej usłyszeć. Na szczęście nikt wokół niej nie płakał, Gwyn przypuszczała, że nie zniosłaby ciągłych lamentów Dorothy. Kiri, która przyszła pomóc Francine, okazywała spokój.

– Dziecko zdrowa. Matahorua mówić. Zawsze racja.

Przed pokojem rodzącej działy się natomiast dantejskie sceny. Gerald najpierw był podenerwowany, potem zmartwiony, a pod koniec dnia wrzeszczał na każdego, kto tylko się do niego zbliżył, i upił się niemal do nieprzytomności. Ostatnie godziny porodu przespał w swoim fotelu w salonie. Lucas zamartwiał się i pił jak zwykle z umiarem. W końcu i on zapadł w drzemkę, ale był to bardzo lekki sen. Gdy tylko słyszał kroki dochodzące zza drzwi pokoju Gwyneiry, podnosił głowę, a Kiri wielokrotnie w drugiej połowie nocy informowała go o bieżącym stanie rzeczy.

– Pan Lucas taki troskliwy! – pochwaliła przed Gwyneirą jej męża.

James McKenzie nie spał tej nocy. Cały dzień był niezwykle spięty, a w nocy zakradł się do ogrodu pod okna Gwyneiry. Tylko on słyszał jej krzyki. I czekał tam bezradny, z zaciśniętymi pięściami i oczami wypełnionymi łzami. Nikt mu nie mówił, że wszystko jest w porządku, każdy krzyk sprawiał, że bał się o jej życie.

Nagle przysunęło się do niego coś małego i włochatego. Ktoś równie zapomniany jak on. Francine bez litości wyrzuciła Cleo z pokoju Gwyneiry, a ani Lucas, ani Gerald nie zatroszczyli się o nią. Suczka popiskiwała teraz, słysząc krzyki swojej pani.

– Przepraszam, Gwyn, tak mi przykro... – szeptał James w delikatną niczym jedwab sierść Cleo.

Tulił do siebie psa, gdy w końcu rozległ się jakiś inny, cichy, ale mocny i pełen oburzenia głos. Dziecko powitało pierwszy promień słońca nowego dnia. A wtórował mu ostatni pełen bólu krzyk Gwyneiry.

James z ulgą zapłakał, wtulając się w miękką sierść owczarka.

Lucas obudził się natychmiast, gdy Kiri stanęła na schodach z dzieckiem na ręku. Stała tam niczym gwiazda jakiegoś *variétés*, z pełną świadomością powagi chwili. Lucas zaczął się zastanawiać, dlaczego to nie Francine pokazuje mu dziecko, ale twarz Kiri promieniała radością, wywnioskował więc, że z matką i noworodkiem wszystko jest w porządku.

– Czy... Czy wszystko w porządku? – zapytał mimo wszystko dla pewności i wstał, żeby podejść do służącej.

Ze snu obudził się również Gerald.

– I co? Jest już? – zapytał. – Wszyscy zdrowi?

– Tak, panie Geraldzie! – powiedziała ucieszona Kiri. – Śliczne dziecko. Śliczne! Mieć rude włoski, jak mama!

– Mały łobuziak! – odparł Gerald ze śmiechem. – Pierwszy rudy Warden.

– Ruda – poprawiła go Kiri. – To dziewczynka, panie Geraldzie. Śliczna dziewczynka!

Francine zaproponowała, żeby nazwać dziewczynkę Paulette, ale Gerald się sprzeciwił. Imię Paul miało być zarezerwowane dla męskiego dziedzica. Lucas, jak przystało na dżentelmena, pojawił się przy łóżku Gwyneiry godzinę po porodzie z czerwoną różą z ogrodu. Dostojnym głosem zapewnił ją, że jest zachwycony potomkiem. W odpowiedzi Gwyneira tylko skinęła głową. Czy można było nie zachwycić się tą idealną pod każdym względem istotką, którą z dumą trzymała teraz w ramionach? Nie mogła napatrzeć się na maleńkie paluszki, drobny nosek i długie rude rzęsy okalające ciemnoniebieskie oczy. Malutka miała nawet sporo włosów. Będzie miała rudą czupryne jak jej matka. Gwyneira pogłaskała noworodka, a dziewczynka chwyciła jej palec. Od razu z taką siłą. Będzie pewnie trzymać wodze... Gwyn już niedługo zacznie uczyć ją jeździć konno.

Lucas zaproponował imię Rose i kazał przynieść ogromny bukiet białych i czerwonych róż, który natychmiast wypełnił pokój Gwyneiry cudownym zapachem.

– Rzadko kiedy widziałem tak pięknie kwitnące róże, jak dzisiejszego dnia, moja droga. Jakby ogród specjalnie sam się ozdobił, żeby powitać naszą córkę. – Francine podała mu dziecko, a on trzymał je w ramionach z pewną niezręcznością, jakby nie wiedział, co ma z nim zrobić. W każdym razie zupełnie naturalnym tonem powiedział „naszą córkę". Widocznie nie żywił żadnych podejrzeń.

Gwyneira, której od razu przypomniał się różany ogród Diany, odparła:

– Lucasie, ona jest o wiele piękniejsza niż jakakolwiek róża! Jest najpiękniejsza na świecie!

Wzięła od niego dziecko. To było głupie, ale czuła się o nie zazdrosna.

– W takim razie sama będziesz musiała znaleźć dla niej jakieś imię, moja droga – stwierdził Lucas łagodnym tonem. – Jestem pewien, że wybierzesz odpowiednie. Ale teraz muszę was niestety opuścić, żeby zająć się ojcem. Wciąż nie może się pogodzić z tym, że to nie chłopiec.

Gerald dopiero po kilku godzinach zdobył się na to, żeby złożyć wizytę Gwyneirze i jej córce. Chłodno pogratulował matce i przyjrzał się dziecku. Uśmiechnąć udało mu się dopiero wtedy, gdy władcza rączka chwyciła go za palec, a maluch mrugnął okiem.

– Cóż, przynajmniej wszystko ma na miejscu – mruknął z niechęcią. – Następny na pewno będzie chłopak. Teraz wiecie już, jak to się robi...

Gdy pan Warden zamykał za sobą drzwi, do środka wślizgnęła się Cleo. Zadowolona, że wreszcie jej się to udało, podreptała do łóżka Gwyneiry, wspięła się łapkami na kołdrę i uśmiechnęła po swojemu do pani.

– Gdzie ty się podziewałaś? – zapytała ucieszona Gwyn i pogłaskała sukę. – Spójrz tutaj, chciałabym ci kogoś przedstawić!

Ku przerażeniu Francine Gwyneira pozwoliła psu powąchać dziecko. Przy okazji wpadł jej w ręce mały bukiecik wiosennych kwiatów, które ktoś przyczepił do obroży Cleo.

– Jak oryginalnie! – zauważyła Francine, gdy Gwyneira ostrożnie odwiązywała bukiecik. – Kto to mógł zrobić? Któryś z pracowników?

Gwyneira wiedziała kto. Nic nie powiedziała, ale jej serce wypełniła radość. On wiedział o jej córce i przekazał jej dzikie kwiaty zamiast ogrodowej róży.

Dziecko kichnęło, gdy kwiaty połaskotały je po nosku.

– Nazwę ją Fleurette.

COŚ NA KSZTAŁT NIENAWIŚCI...

Canterbury Plains – Zachodnie Wybrzeże
1858-1860

1

Po wspinaczce na Bridle Path George Greenwood był nieco zdyszany. Powoli sączył piwo imbirowe, które sprzedawano na najwyższym punkcie szlaku z Lyttelton do Christchurch, i napawał oczy widokiem miasta i Canterbury Plains.

„A więc to w tym kraju mieszka Helen. To dla tego miejsca porzuciła Anglię...". George musiał przyznać, że jest tutaj pięknie. Christchurch, czyli miasto, w pobliżu którego musiała znajdować się jej farma, uchodziło za szybko rozwijający się ośrodek. Jako pierwsza osada w Nowej Zelandii otrzymało w zeszłym roku prawa miejskie, a ostatnio zostało nawet siedzibą biskupstwa.

George przypomniał sobie ostatni list od Helen, w którym z zadowoleniem donosiła, że nadzieje niesympatycznego pastora Baldwina się nie spełniły. Arcybiskup Canterbury na urząd biskupa powołał duchownego o nazwisku Henry Chitty Harper, który w celu objęcia tego urzędu przybył do Nowej Zelandii ze starej ojczyzny. Miał rodzinę i był ponoć lubiany w swojej poprzedniej parafii. Ku zdziwieniu George'a Helen nie napisała nic bliższego o jego charakterze. A przecież na pewno już dawno go poznała, biorąc pod uwagę całą działalność religijną, o której wciąż pisała. Helen Davenport-O'Keefe zaangażowała się działalności w biblijnego koła pań i w pracę z dziećmi tubylców. George miał nadzieję, że nie stała się tak świętoszkowata i przekonana o własnej nieomylności, jak jego matka. Nie bardzo potrafił wyobrazić sobie Helen zasiadającą w jedwabnej sukni na zebraniu komitetu dobroczynnego. Jej listy świadczyły o tym, że ma osobisty kontakt z dziećmi i ich matkami.

Czy w ogóle pamiętał jeszcze, jak Helen wygląda? Minęło tyle lat, lat pełnych wrażeń. Najpierw college, następnie podróże po Europie, do Indii i Australii – właściwie powinno to wystarczyć, żeby zatrzeć w jego pamięci obraz dużo starszej kobiety o lśniących brązowych włosach i szarych oczach o jasnym spojrzeniu. Ale George widział ją tak wyraźnie, jakby odeszła dopiero wczoraj. Jej szczupłą twarz, ciasno upięte włosy i wyprostowaną postawę nawet wtedy, gdy wiedział, że jest zmęczona. George dobrze pamiętał jej skrywaną irytację i z trudem powstrzymywaną niecierpliwość w kontaktach z jego matką i bratem Williamem, ale także skryty uśmiech, gdy czasem udało mu się jakąś bezczelnością przebić przez jej pancerz samokontroli. Wtedy potrafił zauważyć najdrobniejszą zmianę w jej oczach, mimo że jej twarz miała zawsze ten sam spokojny, obojętny i przeznaczony dla otoczenia wyraz. A za tym spokojem krył się ogień, który zapłonął właśnie wtedy, gdy czytała to szalone ogłoszenie z drugiego końca świata! Czy ona naprawdę kochała Howarda O'Keefe'a? W listach pisała o wielkim szacunku dla swojego męża, który ze wszystkich sił starał się uprzyjemniać jej życie i z zyskiem gospodarować na farmie. Ale George zdołał między wierszami wyczytać, że to nie zawsze mu się udawało. George Greenwood dostatecznie długo pracował już w firmie swojego ojca, żeby wiedzieć, że prawie wszyscy pierwsi osadnicy w Nowej Zelandii dorobili się już sporych majątków. Interes kwitł bez względu na to, czy zajmowali się rybołówstwem, handlem czy hodowlą bydła. Kto dobrze zaczął, miał spore zyski, jak choćby Gerald Warden w Kiward Station. Wizyta u niego była jednym z priorytetów na liście spraw, które ściągnęły syna Roberta Greenwooda do Christchurch. Greenwoodowie rozważali otworzenie tutaj filii swojego międzynarodowego domu kupieckiego. Handel wełną z Nowej Zelandii stawał się coraz bardziej atrakcyjny, zwłaszcza że wkrótce między wyspą a Anglią miały zacząć kursować parowce. Nawet teraz George podróżował na statku, który oprócz tradycyjnych żagli miał także napęd parowy. Dzięki maszynom parowym statek był niezależny od kaprysów pogody i braku wiatru w pasach ciszy, a rejs trwał tylko osiem tygodni.

Bridle Path również nie było już takie trudne do pokonania, jak opisywała to Helen w swoim pierwszym liście. Szlak został tak rozbudowany, że można go było przemierzyć wozem i George bez kłopotu mógł oszczędzić sobie trudu żmudnej wspinaczki. Ale po długiej podróży statkiem potrzebował trochę ruchu, a poza tym chciał przeżyć to samo, co Helen po przybyciu do nowej ojczyzny. George od czasu studiów był niemal opętany Nową Zelandią. Gdy przez dłuższy czas nie otrzymywał od Helen żadnego listu, połykał wszelkie dostępne informacje na temat tego kraju, żeby czuć się bliżej niej.

Teraz, nieco wypoczęty, zaczął schodzić w dół. Może już jutro ją zobaczy! Jeśli uda mu się pożyczyć konia, a jej farma rzeczywiście leży tak blisko miasta, jak wynika to z listów Helen, wizyta grzecznościowa będzie jak najbardziej na miejscu. W każdym razie i tak wkrótce będzie musiał wyruszyć do Kiward Station, czyli w bezpośrednie sąsiedztwo farmy Helen. W końcu jest zaprzyjaźniona z panią Kiward Station, Gwyneirą Warden. Posiadłości te dzieli zapewne niewielka odległość, którą można szybko pokonać bryczką.

George przepłynął promem przez rzekę Avon, pokonał ostatnie kilometry dzielące go od Christchurch i wynajął pokój w tutejszym hotelu. Skromnym, ale czystym, a właściciel znał państwa Wardenów.

– Ależ oczywiście. Pan Gerald i pan Lucas zatrzymują się u nas, gdy mają coś do załatwienia w Christchurch. Bardzo kulturalni państwo, szczególnie pan Lucas i jego czarująca małżonka! Pani Warden szyje swoje suknie w Christchurch, dlatego widujemy ją tutaj dwa, trzy razy w roku.

Hotelarz nie słyszał jednak o Howardzie ani Helen O'Keefe'ach. Ani się u niego nie zatrzymywali, ani nie znał ich jako członków parafii.

– I nic dziwnego, skoro są sąsiadami Wardenów – wyjaśnił. – Bo w takim razie należą do parafii w Haldon, a tam od niedawna mają już własny kościół. To za daleko, żeby przyjeżdżać tutaj co niedziela.

George ze zdumieniem przyjął te informacje do wiadomości i zapytał o możliwość wynajęcia konia. Następny dzień miał jednak zamiar zacząć od wizyty w filii Union Bank of Australia, pierwszym banku w Christchurch.

Dyrektor banku był niezwykle uprzejmy i bardzo ucieszyły go plany Greenwoodów dotyczące Christchurch.

– Powinien pan porozmawiać z Peterem Brewsterem – doradził. – To on zajmuje się tutaj handlem wełną. Ale słyszałem, że ciągnie go do Queenstown. Gorączka złota, wie pan. Ale oczywiście pan Brewster nie będzie go sam poszukiwać, interesuje go raczej handel złotem.

George zmarszczył czoło.

– Uważa pan, że jest bardziej opłacalny niż handel wełną?

Bankier wzruszył ramionami.

– Według mnie jest tak. Wełna odrasta co roku. A ile złota kryje ziemia tam w Otago, tego nie wie nikt. Ale pan Brewster jest młody i pełen zapału. Poza tym ma także inne powody, rodzinne. Rodzina jego żony stamtąd pochodzi, są Maorysami. I ona odziedziczyła ponoć sporo ziemi. W każdym razie nie będzie miał nic przeciwko temu, żeby przejął pan jego klientów. A to bardzo ułatwiłoby panu rozruch interesu.

George mógł tylko przytaknąć i podziękował za poradę. Wykorzystał też okazję, żeby wypytać o Wardenów i O'Keefe'ów. O Wardenach dyrektor banku wyraził się oczywiście w samych superlatywach.

– Stary Warden to niezły rębajło, ale zna się na hodowli owiec! A młody to raczej pięknoduch, farma mu nie leży. Dlatego stary liczy na to, że wnuk bardziej mu się uda, ale na razie bez rezultatów. A młoda pani jest prześliczna. Szkoda, że tak słabo radzi sobie z rodzeniem dzieci. Po prawie sześciu latach małżeństwa mają tylko jedną córeczkę… Ale są młodzi, jest jeszcze nadzieja. Tak, a jeśli chodzi o państwa O'Keefe'ów… – dyrektor banku szukał odpowiednich słów. – Cóż mogę powiedzieć? Tajemnica bankowa, rozumie pan…

George zrozumiał. Howard O'Keefe nie był cenionym klientem. Prawdopodobnie miał długi. A obie farmy leżą o dwa dni drogi od Christchurch, Helen kłamała więc w swoich listach, opisując miejskie życie, a przynajmniej mocno przesadzała. Haldon, najbliższa osada w pobliżu Kiward Station, to niemal wieś. Co jeszcze przemilczała i dlaczego? Czy prawdziwy obraz jej życia był dla niej zbyt przykry? Czy w ogóle ucieszy się z wizyty gościa zza morza? Ale on musi się z nią spotkać! Do diabła, przebył trzydzieści sześć tysięcy kilometrów, żeby ją zobaczyć!

Peter Brewster okazał się miłym w obejściu człowiekiem, który od razu zaprosił George'a na lunch następnego dnia. George musiał przez to ponownie przesunąć swoje plany, ale nie żałował. Spotkanie było bardzo udane. Śliczna żona pana Brewstera podała posiłek przygotowany zgodnie z maoryską tradycją ze świeżych ryb z rzeki Avon oraz doskonale przyprawionych słodkich kartofli. Dzieci gospodarza zasypywały gościa pytaniami o starą dobrą Anglię, a on sam znał zarówno państwa Wardenów, jak i państwa O'Keefe'ów.

– Niech pan w żadnym wypadku nie wspomina przy jednym z nich o drugim! – ostrzegł George'a ze śmiechem. – Nie znoszą się jak pies z kotem, a przecież kiedyś byli wspólnikami. Kiward Station było ich wspólną własnością, nawet nazwa tej farmy pochodzi od połączenia ich nazwisk: „Kee" i „Ward". Ale obaj lubili też grać i Howard przegrał swoją część. Nie wiadomo dokładnie, jak to się stało, ale obaj do dziś żywią do siebie urazę.

– Mogę zrozumieć pretensje O'Keefe'a – zauważył George. – Ale zwycięzca nie powinien mieć przecież żalu!

– Jak mówiłem, nie znam szczegółów. I w końcu Howardowi wystarczyło na inną farmę. Tyle że brakuje mu wiedzy. W tym roku stracił właściwie wszystkie jagnięta, bo za wcześnie je wypędził, jeszcze przed ostatnimi burzami. Zawsze kilka zamarza w górach, jeśli mamy powrót zimy. Ale żeby wypędzić je już na początku października... To jakby rzucić wyzwanie naturze!

George przypomniał sobie, że tutejszy październik to odpowiednik marca na półkuli północnej. A wtedy nawet w walijskich górach jest jeszcze bardzo zimno.

– To czemu tak zrobił? – zapytał, nie rozumiejąc. Ale tak naprawdę męczyło go raczej pytanie, dlaczego Helen pozwoliła swojemu mężowi na tak nierozważne posunięcie. Nigdy co prawda nie interesowała się rolnictwem, ale skoro od tego zależało przetrwanie ich farmy, powinna ingerować.

– Och, to prawdziwe błędne koło – westchnął Brewster, oferując gościowi cygaro. – Farma jest za mała albo ziemia zbyt nędzna, żeby wykarmić duże stado. Ale jak stado jest małe, to zarobek nie wystarcza na życie, powiększa się je więc, licząc na szczęście. Jak rok jest dobry, trawy wystarczy, ale jak jest zły, to zimowa pasza szybko się kończy. Trzeba jej dokupić, a wtedy znowu zabraknie pieniędzy. Wypędza się zatem owce w góry, licząc na to, że śnieg nie będzie już padać. Ale porozmawiajmy o czymś przyjemniejszym. Wyraził pan zainteresowanie przejęciem moich klientów. To się świetnie składa, chętnie wszystkich panu przedstawię. Z pewnością dogadamy się co do wysokości odstępnego. Czy byłby pan zainteresowany przejęciem również naszego kantoru? Naszych biur i magazynów w Christchurch i Lyttelton? Mógłbym wydzierżawić panu te nieruchomości i zagwarantować prawo pierwokupu... Albo zostaniemy partnerami, a ja zachowam udział w interesie jako cichy wspólnik. W ten sposób byłbym zabezpieczony na wypadek, gdyby gorączka złota szybko minęła.

Panowie całe popołudnie spędzili na oglądaniu nieruchomości należących do firmy, a przedsiębiorstwo Brewsterów zrobiło na George'u bardzo dobre wrażenie. Ostatecznie uzgodnili, że szczegółowe warunki przejęcia firmy ustalą po powrocie George'a z Canterbury Plains. George rozstał się ze swoim nowym partnerem w interesach w dobrym nastroju i od razu napisał do ojca list. Greenwood Enterprises jeszcze nigdy w żadnym kraju nie założyło swojej filii tak szybko i bez żadnych trudności. Teraz był już tylko potrzebny sprawny zarządca. Pan Brewster byłby idealnym kandydatem, ale on niestety wyjeżdżał...

George postanowił na razie się tym nie przejmować. Następnego dnia mógł wreszcie wyruszyć do Haldon. I spotkać się z Helen.

– Znowu goście? – zapytała Gwyneira z niechęcią. Zamierzała wykorzystać przepiękną wiosenną pogodę i pojechać tego dnia z wizytą do Helen. Fleurette od wielu dni marudziła, że chce pobawić się z Rubenem, a poza tym matce i córce brakowało już książek do wspólnego czytania. Fleurette uwielbiała różne opowieści. Uważnie słuchała, gdy Helen czytała na głos, i sama próbowała nawet kreślić pierwsze literki, kiedy uczestniczyła w lekcjach prowadzonych przez przyjaciółkę matki.

– Wykapany tata! – mówiono w Haldon, kiedy Gwyneira po raz kolejny zamawiała książki do czytania dla córeczki. Pani Candler dostrzegała również coraz większe podobieństwo fizyczne między Fleurette a Lucasem, z czym Gwyn zupełnie się nie zgadzała. Jej zdaniem Fleurette różniła się od Lucasa niemal pod każdym względem. Była gibka i rudowłosa, jak matka, ale błękitne oczy po paru miesiącach zmieniły kolor na jasny brąz z bursztynowymi plamkami. Ale oczy Fleur i tak były równie fascynujące jak oczy Gwyneiry. Bursztynowe plamki błyszczały, gdy się denerwowała, i wręcz płonęły, kiedy była wściekła. A dziewczynka szybko wpadała w złość, co przyznawała nawet zakochana w niej matka. Fleurette nie była spokojnym dzieckiem, które łatwo zadowolić, jak Ruben. Była ruchliwa, wymagająca i wpadała we wściekłość, jeśli coś nie od razu jej się udawało. Klęła wtedy jak szewc, robiła się czerwona, a w ekstremalnych sytuacjach nawet pluła. Prawie czteroletnia Fleurette Warden z całą pewnością nie była małą damą.

Mimo wszystko miała dobre relacje ze swoim ojcem. Lucas był oczarowany jej temperamentem i często ulegał jej humorom. Nie wykazywał żadnych zapędów wychowawczych, traktował raczej Fleur w kategoriach „wysoce interesującego obiektu badań". Skutek był taki, że w Kiward Station mieszkały teraz już dwie osoby, które z pasją kolekcjonowały wety, szkicowały je i obserwowały. Choć Fleur była zainteresowana raczej tym, jak daleko te owady potrafią skoczyć albo czy można je pomalować na różne kolory. Gwyneira nabrała ogromnej wprawy w łapaniu olbrzymich insektów z powrotem do słojów.

Teraz jednak się zastanawiała, jak wytłumaczy dziecku, że obiecana na dzisiaj wycieczka się nie odbędzie.

– Tak, znowu goście! – burknął Gerald. – Jeśli milady łaskawie się zgodzi. Kupiec z Londynu. Nocował u Beasleyów i dotrze do nas pod wieczór. Reginald Beasley był tak uprzejmy, że przysłał do nas posłańca. Możemy więc tego pana odpowiednio przyjąć. Oczywiście jeśli milady raczy zająć się przygotowaniami.

Gerald podniósł się i zachwiał. Nie było jeszcze południa, wyglądało więc na to, że nie wytrzeźwiał od wczorajszego wieczoru. A im więcej pił, tym bardziej złośliwe stawały się uwagi, które kierował pod adresem Gwyneiry. W ostatnich miesiącach stała się ulubionym przedmiotem jego kpin, na co bez wątpienia wpływała zimowa pora roku. Zimą Gerald częściej pozwalał synowi, by przebywał w swoim gabinecie, zamiast zajmować się farmą, i częściej natykał się na Gwyneirę, którą deszczowa pogoda zatrzymywała w domu. Latem, podczas strzyży, kocenia się owiec i innych pilnych prac na farmie Gerald ponownie koncentrował swoją uwagę na Lucasie, z kolei Gwyneira często wyjeżdżała po różne sprawunki, choć tak naprawdę uciekała do Helen. Gwyneira i Lucas znali już ten coroczny cykl, ale przez to wcale nie było im łatwiej. Właściwie istniała tylko jedna możliwość, żeby przerwać ten zaklęty krąg. Gwyneira powinna w końcu dać Geraldowi upragnionego wnuka. Niestety, zapał Lucasa w tej sprawie słabł z każdym upływającym rokiem. Gwyneira po prostu go nie podniecała, poczęcie kolejnego dziecka było więc niemożliwe. A całkowity brak zbliżeń między małżonkami wykluczał przeprowadzenie takiego samego oszustwa jak przy poczęciu Fleur. Gwyneira nie miała też złudzeń pod innym względem. James McKenzie nie zgodziłby się ponownie zawrzeć tego rodzaju umowy. A ona sama drugi raz nie potrafiłaby już się z nim rozstać. Po urodzeniu Fleurette Gwyneira przez wiele miesięcy czuła ból, rozpacz i tęsknotę za każdym razem, gdy dotykała Jamesa czy go po prostu widziała. A tego nie dało się uniknąć. Dziwnie by to wyglądało, gdyby James nagle przestał pomagać jej przy wsiadaniu na wóz czy gdyby nie odbierał od niej siodła, kiedy wprowadzała Igraine do stajni. Gdy ich palce się stykały, czuła wybuch namiętności i uwielbienia, które gasiła rozsadzającymi jej głowę słowami: „Już nigdy, już nigdy". Ale dzięki Bogu, z czasem było jej łatwiej. Gwyn nauczyła się kontrolować samą siebie, a i wspomnienia zacierały się w jej pamięci. Natomiast powtórzenie tego wszystkiego było nie do pomyślenia. A z jakimś innym mężczyzną? Nie, nie potrafiłaby się do tego zmusić. Przed Jamesem byłoby jej wszystko jedno, każdy mężczyzna wydawał jej się mniej więcej taki sam. Ale teraz...? Nie było żadnej nadziei. O ile nie nastąpi jakiś cud, Geraldowi będzie musiała wystarczyć jedna jedyna wnuczka, Fleurette.

Dla Gwyneiry nie było to istotne. Kochała Fleurette i rozpoznawała w niej zarówno samą siebie, jak i wszystko to, co ukochała w Jamesie McKenziem. Fleur była żądna przygód i sprytna, uparta i dowcipna. Miała wielu kolegów do zabawy wśród maoryskich dzieci, ponieważ płynnie posługiwała się ich językiem. Ale najbardziej lubiła Rubena, syna Helen. Starszy o ponad rok chłopiec był dla niej prawdziwym wzorem. W jego obecności udawało jej się nawet siedzieć cicho i nie rozmawiać podczas lekcji prowadzonych przez Helen.

Ale dzisiaj nic z tego nie będzie. Gwyn westchnęła i zawołała Kiri, żeby posprzątała po śniadaniu. Kiri sama prawdopodobnie zapomniałaby o tym obowiązku. Niedawno wyszła za mąż i wszystkie jej myśli krążyły wokół małżonka. Gwyn czekała już tylko na to, że Kiri powie, że jest w ciąży, a Gerald na nowo wybuchnie złością.

Potem będzie musiała nakłonić Kiri do wypolerowania sreber, a z Moaną omówić menu na kolację. Powinny przygotować coś z jagnięciny. I może pudding z Yorkshire. Ale w pierwszej kolejności rozmowa z Fleur...

Fleurette była bardzo zajęta, kiedy rodzice jedli śniadanie. W końcu chciała wyruszyć jak najszybciej, co oznaczało konieczność wyczyszczenia i osiodłania konia. Gwyneira najczęściej sadzała córkę przed sobą na Igraine, choć Lucas wolał, żeby „jego damy" jeździły powozem. Specjalnie z tego powodu sprowadził dla Gwyn dwukołowy powóz, którym ona umiała doskonale powozić. Lekka dwukółka znakomicie sprawdzała się w terenie, a Igraine ciągnęła ją bez wysiłku nawet po najtrudniejszych drogach. Ale powozem nie dało się jechać buszem ani skakać przez przeszkody. I wtedy nie mogły korzystać z drogi na skróty. Nic dziwnego, że wolały jeździć konno, i taką właśnie decyzję podjęła Fleurette również tego ranka.

– Panie Jamesie, czy mógłby pan osiodłać Igraine? – zapytała McKenziego.

– Założyć jej damskie siodło czy inne, panno Fleur? – zapytał James poważnym tonem. – Pamięta pani, co mówił pani ojciec?

Lucas rozważał sprowadzenie dla Fleurette kucyka z Anglii, żeby nauczyła się poprawnie jeździć w damskim siodle. Ale Gwyneira stwierdziła, że mała wyrośnie z kucyka, zanim on zdąży do nich przypłynąć. Na razie uczyła więc Fleurette jeździć w męskim siodle na Madocu. Ogier był bardzo łagodny, jedyny problem tkwił więc w utrzymaniu wszystkiego w tajemnicy.

– Poproszę o prawdziwe siodło! – wyjaśniła Fleur.

James się roześmiał.

– Prawdziwe siodło, oczywiście, milady! Chce pani dzisiaj jeździć sama?

– Nie, mama zaraz przyjdzie. Ale najpierw musi posłużyć dziadkowi jako tarcza strzelnicza. Tak powiedziała tacie. Panie Jamesie, czy dziadek naprawdę będzie strzelał do mamy?

„Ja z pewnością bym na to nie pozwolił" – pomyślał z wściekłością James. Wszyscy na farmie widzieli, jak Gerald dręczy swoją synową. I współczuli jej, w przeciwieństwie do Lucasa, który wzbudzał ich irytację. I czasami żarty chłopaków na temat ich państwa były niebezpiecznie bliskie prawdy. „Gdyby tylko panna Gwyn miała przyzwoitego męża – brzmiała standardowa uwaga – wtedy stary miałby już z dziesięcioro wnucząt!".

Poganiacze często oferowali w żartach swoje usługi jako „byki do krycia" i licytowali się, który z nich lepiej potrafiłby zadowolić jednocześnie i piękną panią, i jej teścia.

James starał się ukrócać tego typu żarty, ale nie zawsze było to łatwe. Gdyby Lucas choć trochę starał się przydać do czegoś na farmie! Ale on niczego nie potrafił się nauczyć i z każdym rokiem z coraz większą niechęcią i w coraz gorszym nastroju zjawiał się w owczarni czy na pastwisku do wykonania pracy, do której zmusił go ojciec.

James czyścił Igraine, a jednocześnie gawędził z Fleur. Dobrze to ukrywał, ale kochał swoją córkę i nie potrafił traktować Fleur jak kogoś z Wardenów. Ten rudowłosy i pełen energii brzdąc był jego dzieckiem, a jemu nie robiło najmniejszej różnicy, że jest „tylko dziewczynką". Cierpliwie czekał, aż wespnie się na skrzynkę, z której będzie mogła wyczyścić klaczy ogon.

Gwyneira weszła do stajni, gdy James właśnie podpinał Igraine popręg, i jak zwykle jej ciało zareagowało na jego obecność. Błysk w oku, lekki rumieniec na twarzy… Ale już po chwili żelazne opanowanie.

– Och, Jamesie, już pan osiodłał? – zapytała Gwyneira z żalem w głosie. – Niestety nie mogę pojechać z Fleur, spodziewamy się gościa.

James skinął głową.

– Ach tak, tego angielskiego kupca. Powinienem był się domyślić, że nie będzie pani mogła – powiedział i zabrał się za rozsiodływanie konia.

– Nie jedziemy do szkoły? – zapytała obrażona Fleur. – Ale wtedy dalej będę głupia, mamo!

To był najnowszy argument, żeby jak najczęściej, a najlepiej codziennie, jeździć do Helen. Helen często używała go wobec tych maoryskich dzieci, które lubiły wagarować, a Fleur szybko przyswoiła sobie tę koncepcję.

James i Gwyn nie mogli powstrzymać uśmiechu.

– Cóż, tego z pewnością nie możemy zaryzykować – stwierdził James z udawaną powagą. – Panno Gwyn, jeśli pani pozwoli, chętnie zawiozę Fleur do szkoły.

Gwyn popatrzyła na niego ze zdziwieniem.

– Ma pan na to czas? – zapytała. – Myślałam, że chce pan sprawdzić zagrody dla maciorek.

– To przecież po drodze – wyjaśnił James i mrugnął do niej okiem. Tak naprawdę zagrody wcale nie znajdowały się przy utwardzonej drodze prowadzącej do Haldon, tylko przy tajemnym skrócie przez busz, z którego korzystała Gwyneira. – Ale musimy pojechać wierzchem. Gdybym miał zaprzęgać, rzeczywiście straciłbym dużo czasu.

– Proszę, mamo! – błagała Fleur. A jednocześnie szykowała się do ataku złości, gdyby Gwyn odważyła się jej odmówić.

Na szczęście jej matki nie trzeba było długo przekonywać. Bez rozczarowanego i marudzącego dziecka u boku nielubiana praca będzie dużo łatwiejsza do wykonania.

– Dobrze – powiedziała. – Miłej zabawy. Szkoda, że ja nie mogę pojechać.

Gwyneira z zazdrością patrzyła, jak James sadza Fleur na siodle i wyprowadza swojego wałacha. Dziewczynka siedziała pięknie wyprostowana, a jej rude loki huśtały się w rytm kroków konia. James zręcznie usiadł za nią w siodle. Gwyn poczuła cień strachu, gdy patrzyła, jak oboje odjeżdżali z farmy.

Czy naprawdę nikt poza nią nie dostrzegał podobieństw między jej córką a tym mężczyzną?

Lucas Warden, malarz i wyrobiony obserwator, który przyglądał się odjeżdżającym ze swojego pokoju, zauważył samotną postać Gwyneiry na podwórzu i zdawał się czytać jej w myślach.

Był szczęśliwy we własnym świecie, ale czasami… Czasami żałował, że nie potrafi kochać tej kobiety.

2

George Greenwood był witany na Canterbury Plains z wielką uprzejmością. Nazwisko Petera Brewstera z miejsca otwierało mu drzwi wszystkich farm, ale bez polecenia prawdopodobnie goszczono by go równie serdecznie. Podobnej gościnności doświadczył już w Australii i Afryce. Osadnicy, którzy żyją w izolacji od innych, cieszą się z wizyty każdego gościa z zewnątrz. Z tego powodu cierpliwie słuchał skarg pani Beasley na służbę, zachwycał się jej różami i objeżdżał z jej mężem pastwiska, żeby podziwiać jego owce. Państwo Beasleyowie uczynili wszystko, by zamienić swoją farmę w kawałek prawdziwej Anglii. George nie potrafił powstrzymać uśmiechu, gdy pani Beasley opowiadała mu o trudnościach z wprowadzeniem zakazu na słodkie ziemniaki w swojej kuchni.

W Kiward Station, jak od razu zauważył, było zupełnie inaczej. I dwór, i ogród stanowiły przedziwną mieszankę. Z jednej strony było widać, że ktoś stara się w jak największym stopniu naśladować życie angielskiego ziemiaństwa, ale jednocześnie wyraźne zaznaczały się tam wpływy kultury Maorysów. Na przykład w ogrodzie kwitły zgodnie i krzewy róż, i żelazowniki, pod kordylinami stały ławki z typowymi maoryskimi rzeźbieniami, a dach szopy na narzędzia pokrywały zgodnie z tradycją Maorysów liście palmy nikau. Pokojówka, która otworzyła George'owi drzwi, miała na sobie schludny strój służącej, ale nie nosiła butów, kamerdyner zaś pozdrowił go przyjaźnie słowami *haere mai*, czyli maoryskim powitaniem.

George przypomniał sobie, czego dowiedział się o Wardenach. Młoda pani pochodziła z angielskiej arystokratycznej rodziny i sądząc po tym, jak urządzono przedpokój, była obdarzona wyczuciem stylu. Wyglądało na to, że stara się naśladować angielskie zwyczaje z jeszcze większą zawziętością niż pani Beasley. W końcu jak często goście kładli swoje karty wizytowe na srebrnej tacy ustawionej na tamtym malutkim stoliczku? George zadał sobie ten trud, zasługując w ten sposób na promienny uśmiech młodej rudowłosej kobiety, która właśnie weszła. Miała na sobie elegancką beżową suknię ozdobioną haftami w intensywnym kolorze indygo pasującym do jej oczu. Jej cera nie była jednak blada, jak u modnych londyńskich dam. Twarz miała lekko opaloną, a ona widocznie nie próbowała nawet wybielać pokrywających ją drobnych piegów. Również jej kunsztowna fryzura nie odpowiadała podręcznikowym zaleceniom, ponieważ już teraz wysunęło się z niej kilka loków.

– Zostawimy ją tam na wieczną pamiątkę – powiedziała, patrząc na jego wizytówkę. – Mój teść będzie bardzo zadowolony. Dzień dobry i witam w Kiward Station. Jestem Gwyneira Warden. Zapraszam do środka, proszę się rozgościć. Mój teść powinien zaraz wrócić. A może wolałby się pan najpierw odświeżyć i przebrać do kolacji? To będzie dość wystawna kolacja...

Gwyneira zdawała sobie sprawę, że tą uwagą przekracza granice odpowiedniego zachowania. Ale ten młody człowiek raczej nie spodziewa się, że na położonej w głębi buszu farmie podają wielodaniową kolację, podczas której gospodarze prezentują stroje wieczorowe. Gdyby pojawił się na niej w spodniach do jazdy konnej i skórzanej kurtce, które miał teraz na sobie, Lucas byłby skonsternowany, a Gerald mógł nawet poczuć się urażony.

– George Greenwood – przedstawił się gość z uśmiechem na twarzy. Na szczęście nie wyglądał na zirytowanego. – Bardzo dziękuję za podpowiedź, z chęcią się odświeżę. Pani dom jest wspaniały, pani Warden – wszedł za Gwyneirą do salonu i z podziwem popatrzył na meble i olbrzymi kominek.

Gwyn skinęła głową.

– Dla mnie jest odrobinę za duży, ale zaprojektował go dla mojego teścia jakiś bardzo słynny architekt. Wszystkie meble sprowadzono z Anglii. Cleo, zejdź z tego jedwabnego dywaniku! I żeby ci do głowy nie przyszło, żeby się na nim oszczenić!

Gwyn zwróciła się do zaokrąglonej suki rasy border collie, która leżała na wykwintnym orientalnym dywaniku przed kominkiem. Suka wstała, rzucając urażone spojrzenie, i potruchtała na inny, z pewnością równie cenny dywanik.

– Czuje się taka ważna, kiedy jest szczenna – zauważyła Gwyn i pogłaskała psa. – Ale ma prawo. Rodzi najlepsze psy pasterskie w całej okolicy. Na Canterbury Plains aż roi się już od małych Cleo. Zwykle są to jej wnuki, bo nie pozwalam jej często kryć. Nie powinna za bardzo przytyć!

George się zdziwił. Sądząc z opisów dyrektora banku i Petera Brewstera, wyobrażał sobie niemal bezdzietną panią Kiward Station jako pruderyjną i niezwykle wytworną damę. A Gwyneira zupełnie swobodnie opowiadała o hodowli psów i nie dość, że wpuszczała owczarka do domu, to jeszcze pozwalała mu wylegiwać się na jedwabnych dywanikach! Pomijając już to, że zupełnie nie zwracała uwagi na bose stopy swojej pokojówki.

Prowadząc przyjazną pogawędkę, młoda dama zaprowadziła gościa do pokoju gościnnego i poleciła kamerdynerowi przynieść jego bagaże.

– I proszę, powiedz Kiri, żeby założyła buty! Lucas dostaje apopleksji, jak ona podaje kolację na bosaka!

– Mamusiu, dlaczego muszę założyć buty? Przecież Kiri jest boso!

George natknął się na Gwyneirę i jej córkę na korytarzu przed swoim pokojem, gdy właśnie miał zejść na dół na kolację. Zrobił co mógł w sprawie swojego stroju. Jasnobrunatny garnitur był trochę wygnieciony, ale uszyty na miarę i znacznie bardziej gustowny niż wygodne spodnie do jazdy konnej i nieprzemakalna kurtka, którą kupił w Australii.

Elegancko ubrane były również Gwyneira oraz urocza rudowłosa dziewczynka, która tak głośno się z nią spierała.

Gwyneira miała na sobie turkusową wieczorową suknię, która nie miała może najmodniejszego fasonu, ale była skrojona w tak wyrafinowany sposób, że wzbudziłaby podziw nawet na londyńskich salonach. Zwłaszcza gdy zdobiła tak piękną kobietę jak Gwyneira. Dziewczynkę ubrano w jasnozieloną luźną sukienkę, którą i tak niemal całą zakrywała kaskada rudozłotych loków. Gdy Fleur miała rozpuszczone włosy, po bokach troszkę odstawały i kręciły się jak u amorka. Do pięknej sukienki pasowały jasnozielone pantofelki, które dziewczynka wolała widocznie nosić w ręku niż na stopach.

– Ale one mnie uciskają! – żaliła się.

– Fleur, wcale cię nie uciskają! – odparła matka. – Kupiłyśmy je cztery tygodnie temu, a wtedy były nawet trochę za duże. Tak szybko to nawet ty nie rośniesz! A nawet gdyby uciskały, to prawdziwa dama znosi niewielki ból bez słowa skargi!

– Jak Indianie? Ruben mówi, że w Ameryce mają takie specjalne pale i dla zabawy zadają sobie ból, żeby sprawdzić, który z nich jest najodważniejszy. Tak mu opowiadał tata. Ale Ruben uważa, że to głupie. I ja też tak myślę.

– Tyle było na temat bycia damą! – stwierdziła Gwyneira, zwracając się z niemą prośbą o pomoc do George'a. – Podejdź, Fleurette. Nasz gość to dżentelmen. Pochodzi z Anglii, tak jak ja i mama Rubena. Jeśli będziesz się elegancko zachowywać, to może pocałuje cię na powitanie w rączkę i będzie mówił do ciebie milady. Ale tylko pod warunkiem że założysz buty!

– Pan James zawsze mówi do mnie milady, nawet jak biegam na bosaka!

– Ale on pewnie nie pochodzi z Anglii – George przyłączył się do zabawy. – I na pewno nie został przedstawiony królowej… – Rodzina Greenwoodów dostąpiła tego zaszczytu w zeszłym roku, a matka George'a będzie się tym chwalić do końca życia. Na Gwyneirze informacja ta nie zrobiła większego wrażenia, w przeciwieństwie do jej córki. – Naprawdę? Królowej? A widziałeś księżniczkę?

– Widziałem wszystkie księżniczki – powiedział George. – I wszystkie miały założone buty.

Fleurette westchnęła.

– Dobrze – powiedziała i wsunęła stopy w pantofelki.

– Bardzo dziękuję – Gwyneira mrugnęła okiem do George'a. – Naprawdę mi pan pomógł. Fleurette nie może się ostatnio zdecydować, czy chce zostać królową Indian na Dzikim Zachodzie, czy raczej wyjść za księcia i hodować kucyki na jakimś zamku. Poza tym jest zafascynowana Robin Hoodem i rozważa prowadzenie życia banity. Szczerze się obawiam, że wybierze to ostatnie. Uwielbia jeść palcami i nawet ćwiczy już strzelanie z łuku – Ruben zrobił niedawno łuk dla siebie i swojej małej przyjaciółki.

George wzruszył ramionami.

– Ale przecież lady Marian na pewno jadła nożem i widelcem. A w lesie Sherwood nie można zbyt daleko zajść bez butów.

– To świetny argument! – roześmiała się Gwyn. – Ale pójdźmy już, bo mój teść na pewno na nas czeka.

We trójkę zaczęli schodzić po schodach.

James McKenzie wszedł z Geraldem Wardenem do salonu. To się rzadko zdarzało, ale dzisiaj trzeba było podpisać kilka rachunków, które McKenzie przywiózł z Haldon. Warden chciał to załatwić jak najszybciej, Candlerowie czekali na pieniądze, McKenzie miał więc następnego dnia wyruszyć skoro świt i przywieźć następne zamówienie. Kiward Station wciąż się rozbudowywało i właśnie stawiano oborę. Hodowla bydła kwitła, odkąd w Otago wybuchła gorączka złota. Wszyscy poszukiwacze złota chcieli być dobrze zaopatrzeni, a przede wszystkim cenili sobie porządny stek. Farmerzy z Canterbury Plains co kilka miesięcy pędzili całe stada bydła do Queenstown. Gerald Warden siedział właśnie przed kominkiem i przeglądał rachunki. McKenzie rozejrzał się po kosztownie urządzonym pomieszczeniu, zupełnie bez sensu się zastanawiając, jak by to było mieszkać w takim miejscu. Pośród tych wszystkich błyszczących mebli, miękkich dywanów i kominka, który napełniał pokój ciepłem i którego nie trzeba było rozpalać, gdy tylko się przyjechało. W końcu od czego jest służba? Jamesowi wszystko to wydawało się kuszące, choć raczej obce. Nie potrzebował tego ani nie pragnął. Ale Gwyneira chyba tak. Cóż, gdyby mógł ją w ten sposób zdobyć, zbudowałby taki dom i wciskał się we fraki jak Lucas i Gerald Warden.

Od strony schodów dobiegły ich jakieś głosy. James z napięciem popatrzył w górę. Widok Gwyneiry w wieczorowej sukni oczarował go i sprawił, że jego serce zaczęło mocniej bić. Podobnie jak widok jego córki, którą rzadko widywał w odświętnych strojach. Najpierw wydawało mu się, że w mężczyźnie, który im towarzyszył, rozpoznaje Lucasa. Wyprostowana postawa, elegancki wieczorowy frak... Ale nagle spostrzegł, że po schodach schodzi jakiś nieznajomy człowiek. Właściwie powinien był to od razu zauważyć, bo w towarzystwie Lucasa Gwyneira nigdy tak się nie śmiała i nie żartowała tak swobodnie. Ale ten mężczyzna widocznie potrafił ją rozbawić. Gwyneira przekomarzała się z nim i jednocześnie ze swoją córką, a on z przyjemnością jej odpowiadał. James poczuł zazdrość. „Kim, do diabła, jest ten człowiek? Jakim prawem wygłupia się tak z jego Gwyneirą?".

W każdym razie nieznajomy wyglądał bardzo dobrze. Miał szczupłą twarz o ładnych rysach i mądre ciemne oczy o nieco ironicznym spojrzeniu. Wydawał się trochę niezgrabny, ale był wysoki i silny, i miał sprężysty krok. Cała jego postać wyrażała odwagę i zdecydowanie.

A Gwyn? James zauważył znajomy blask w jej oczach, gdy spostrzegła jego obecność w salonie. Ale czy to ta sama iskra, która przy każdym ich spotkaniu rozbłyskała z popiołów dawnej miłości, czy tym razem w jej oczach odbijało się wyłącznie zaskoczenie? Jamesa dręczyły podejrzenia. Gwyneira nie dała po sobie poznać, czy widzi jego ponurą minę.

– Pan Greenwood! – Gerald też już zauważył trzy postaci schodzące ze schodów. – Proszę wybaczyć, że nie mogłem pana od razu powitać. Ale widzę, że Gwyneira oprowadziła już pana po domu! – Gerald wyciągnął do gościa rękę na powitanie.

„Racja, to musi być ten kupiec z Anglii, którego przybycie zrujnowało Gwyneirze dzisiejszy plan dnia. Wygląda na to, że wcale nie jest na niego o to zła". Uprzejmie wskazała gościowi miejsce, żeby usiadł.

Jamesowi natomiast pozwolono stać dalej… Jego zazdrość zaczęła przeradzać się w gniew.

– Rachunki, panie Geraldzie – rzucił.

– Tak, racja, rachunki. Są w porządku, McKenzie, zaraz je podpiszę. Napije się pan whisky, panie Greenwood? Musi nam pan opowiedzieć o starej dobrej Anglii!

Gerald złożył zamaszysty podpis na dokumentach i już całą swoją uwagę mógł skupić na przybyszu… oraz butelce whisky. Mała piersiówka, którą zawsze przy sobie nosił, musiała być pusta już od wczesnego popołudnia, humor Geralda nie był więc najlepszy. McAran doniósł Jamesowi o nieprzyjemnym zajściu między Geraldem a Lucasem, do którego doszło w zabudowaniach gospodarczych. Chodziło o cielącą się krowę i komplikacje przy porodzie. Lucas nie był w stanie sobie poradzić, nie znosił widoku krwi. To nie był najlepszy pomysł ze strony starego Wardena, żeby właśnie jemu przydzielić hodowlę bydła jako główne zadanie. Zdaniem McKenziego uprawa pól szłaby Lucasowi znacznie lepiej. Lucas umiał pracować głową, a nie rękoma, i potrafiłby sprawnie obliczyć spodziewane zyski, planowane zużycie nawozu czy opłacalność zakupu maszyn rolniczych.

Natomiast z równowagi wyprowadzało go samo beczenie maciorek matek, a tego popołudnia sytuacja musiała się wyjątkowo zaostrzyć. W każdym razie było to korzystne dla Gwyn, bo Gerald wyładował już swoją złość na Lucasie. Poza tym ona świetnie radziła sobie ze swoim obowiązkami. W każdym razie jej gość zdawał się bawić wyśmienicie.

– Jeszcze coś, McKenzie? – zapytał Gerald, nalewając whisky.

James pośpiesznie się pożegnał. Fleur odprowadziła go, gdy wychodził.

– Widziałeś? – zapytała. – Mam pantofelki jak księżniczka.

Ułagodzony James się roześmiał.

– Są śliczne, milady. Ale panienka zawsze wygląda zachwycająco, nawet bez butów.

Fleurette zmarszczyła czoło.

– Mówisz tak, bo nie jesteś dżentelmenem – stwierdziła. – Dżentelmen szanuje damę tylko wtedy, gdy ona ma na sobie buty. Pan Greenwood tak mówi.

W innej sytuacji taka uwaga rozśmieszyłaby Jamesa, ale teraz znowu poczuł wściekłość. Jakim prawem ten obcy człowiek nastawia przeciwko niemu jego córkę? James z trudem się pohamował.

– Cóż, milady, niech pani lepiej uważa i otacza się prawdziwymi mężczyznami, a nie odzianymi we fraki mydłkami o wielkich nazwiskach! Bo jeśli ich respekt zależy od obuwia, to szybko się zużyje! – skierował swoje słowa do przestraszonego dziecka, ale dotarły one do Gwyneiry, która poszła za córką.

Popatrzyła na niego zdumiona, ale James rzucił jej tylko ponure spojrzenie i poszedł do stajni. On też dzisiaj nie pożałuje sobie whisky. Niech ona sobie tam pije wino z tym swoim bogatym gogusiem!

Jako główne danie podczas kolacji podano jagnięcinę i suflet ze słodkich ziemniaków, co potwierdziło wcześniejsze spostrzeżenia George'a. Dbałość o tradycję nie leżała gospodyni tak naprawdę na sercu, nawet jeśli pokojówka miała już na nogach buty i dość sprawnie obsługiwała stół. Przy okazji okazywała tak wielki respekt wobec pana domu, Geralda Wardena, że można go było odbierać jako strach. Starszy pan był dość popędliwy i najwyraźniej miał bardzo gwałtowny temperament. Gawędził podniecony i już trochę pijany o wszystkim, co możliwe, a na każdy temat miał wyrobione zdanie. Młody pan, Lucas Warden, wydawał się natomiast bardzo cichy, jakby był cierpiący. Za każdym razem gdy jego ojciec zdradzał jakieś swoje radykalne poglądy, Lucas zdawał się odczuwać fizyczny ból. Poza tym małżonek Gwyneiry wydawał się całkiem sympatyczny. Był doskonale wychowanym, wręcz idealnym dżentelmenem. Uprzejmie, ale zdecydowanie korygował maniery córki przy stole. George odniósł wrażenie, że mają ze sobą dobry kontakt. Fleur nie sprzeczała się z nim tak jak z matką, tylko grzecznie rozłożyła serwetkę na kolanach i jadła jagnięcinę widelcem, zamiast wpychać ją do buzi niczym rabusie z lasu Sherwood. Być może wynikało to również z obecności Geralda. Właściwie w tej rodzinie w jego obecności chyba nikt nie odważyłby się podnieść głosu.

Mimo otaczającego Geralda milczenia George doskonale bawił się tego wieczoru. Gospodarz z humorem opowiadał o życiu farmera. Potwierdziły się opowieści, które George usłyszał od mieszkańców Christchurch. Stary Warden znał się na owcach i pozyskiwaniu wełny, miał dobrego nosa, żeby rozpocząć hodowlę bydła i trzymał swoją farmę w ryzach. George wolałby pogawędzić raczej z Gwyneirą, a i Lucas nie wydawał mu się nawet w połowie tak nudny, jak opisywali to Peter Brewster i Reginald Beasley. Gwyneira już wcześniej zdradziła mu, że to jej mąż namalował wiszące w salonie portrety. Stwierdziła ten fakt niepewnym głosem i z odrobiną ironii, ale George przyglądał się obrazom z najwyższym podziwem. Nie uważał się za znawcę sztuki, ale w Londynie często zapraszano go na wernisaże czy licytacje. Taki malarz jak Lucas Warden z pewnością znalazłby tam grono wielbicieli i przy odrobinie szczęścia mógłby zdobyć sławę i majątek. George zastanawiał się, czy nie warto by zabrać kilku jego prac do Londynu. Na pewno udałoby się je tam sprzedać. Tylko że w ten sposób mógłby narazić się Geraldowi Wardenowi. Znany artysta w rodzinie był z pewnością ostatnią rzeczą, jakiej życzyłby sobie stary Warden.

Tego wieczoru rozmowa i tak jednak nie zeszła na temat sztuki. Gerald cały czas rozmawiał bezpośrednio z gościem, a że wypił przy tym całą butelkę whisky, nawet nie zauważył, że Lucas bardzo wcześnie opuścił towarzystwo. Gwyneira pożegnała się tuż po jedzeniu, żeby położyć córkę spać. George zdziwił się, że nie zatrudniają piastunki. Było przecież widać, że syn pana domu został wychowany na angielską modłę. Dlaczego Gerald zaniedbuje edukację swojej wnuczki? Nie jest zadowolony z wyników? A może przyczyna tkwi w tym, że Fleurette jest „tylko" dziewczynką?

Kolejnego ranka George z tym większą przyjemnością odbył intensywną konwersację z młodymi małżonkami. Gerald nie zszedł na śniadanie, przynajmniej nie o zwykłej porze. Wczorajsza libacja wymagała ofiar. Gwyneira i Lucas od razu stali się swobodniejsi. Lucas wypytywał gościa o życie kulturalne Londynu i wyraźnie się ucieszył, że George ma na ten temat więcej do powiedzenia niż wyświechtane formułki typu „budujące" czy „wzniosłe". Rozpromienił się, usłyszawszy pochwałę dla swoich portretów, i od razu zaprosił gościa do swojego atelier.

– Może pan przyjść, kiedy będzie pan miał ochotę! Dziś rano pewnie będzie pan oglądał farmę, ale po południu…

George przytaknął niepewnie. Gerald obiecał mu przejażdżkę po farmie i George bardzo się na nią cieszył. W końcu Kiward Station było wzorem dla wszystkich farm na całej Wyspie Południowej. Ale Gerald wcale nie nadchodził...

– Och, ja mogę z panem pojechać! – zaproponowała Gwyneira, jak tylko George ostrożnie coś na ten temat napomknął. – I Lucas oczywiście też... Ale ja wczoraj przez cały dzień nie wychodziłam z domu. Gdyby więc odpowiadało panu moje towarzystwo...

– Komu mogłoby nie odpowiadać pani towarzystwo? – zapytał uprzejmie George, choć nie obiecywał sobie zbyt wiele po przejażdżce w towarzystwie damy. Właściwie to liczył na fachowe porady i wskazówki w zakresie hodowli oraz utrzymania pastwisk. Tym bardziej się zdziwił, gdy po chwili spotkał w stajni Gwyneirę.

– Panie Jamesie, proszę osiodłać dla mnie Morgaine – poleciła brygadziście. – Trzeba ją jak najszybciej przyuczyć, ale jak jestem z Fleur, nie chcę jej brać, bo jest zbyt porywcza...

– Sądzi pani, że młody pan z Londynu poradzi sobie z jej porywczością? – zapytał poganiacz z ironią.

– Mam taką nadzieję – odpowiedziała. – Inaczej będzie musiał jechać za mną. Raczej nie spadnie. Mogę zostawić z panem Cleo? Nie spodoba jej się to, ale to będzie długa przejażdżka, a ona jest już dość ociężała. – Mała suka, która jak zwykle towarzyszyła Gwyneirze, zdawała się rozumieć jej słowa i z żalem opuściła ogon.

– To będą już ostatnie szczeniaki, Cleo, obiecuję! – pocieszyła ją Gwyneira. – Pojadę z panem George'em aż do kamiennych wojowników. Może uda nam się zobaczyć parę młodych tryków. Może mogłabym coś po drodze załatwić?

Jej słowa sprawiły, że na twarzy młodego człowieka pojawił się grymas bólu. A może ironii? Czy w ten sposób reagował na jej propozycję, że wykona jakąś farmerską pracę?

W każdym razie nic nie odpowiedział. Wyręczył go inny poganiacz.

– Och tak, panno Gwyn. Jeden z młodych tryków, ten najładniejszy, ten którego pan Gerald obiecał panu Beasleyowi, zrobił się strasznie samodzielny. Kręci się koło maciorek matek i denerwuje całe stado. Mogłaby go pani zapędzić z powrotem? Albo od razu przyprowadzić te dwa dla pana Beasleya, to wtedy na górze będzie spokój. Tak będzie dobrze, Jamesie?

Brygadzista skinął głową.

– W przyszłym tygodniu i tak je zabieramy. Weźmie pani Daimona, panno Gwyn?

Gdy padło imię Daimon, podniósł się duży, czarno-biały pies.

Gwyneira pokręciła głową.

– Nie, wezmę Cassandrę i Catrionę. Zobaczymy, jak sobie poradzą. W końcu już tak długo z nimi ćwiczymy.

Obie suki wyglądały jak Cleo. Gwyneira przedstawiła je George'owi jako jej córki. Również jej pełna energii klacz była potomkinią dwóch koni, które Gwyn zabrała ze sobą z Anglii. Brygadzista podprowadził klacz, na którą założono męskie siodło. George znowu zauważył wymianę dziwnych spojrzeń między nim a panią Warden.

– Wolałabym pojechać w damskim siodle – stwierdziła Gwyneira. Wobec gościa z Londynu chciała zachować odpowiednie maniery.

George nie zrozumiał, co odpowiedział na to poganiacz, ale spostrzegł, że Gwyneira aż zaczerwieniła się z gniewu.

– Chodźmy już, na tej farmie zbyt wielu ludzi wypiło wczoraj zdecydowanie za dużo! – ruszyła ze złością do przodu, zmuszając konia do kłusa. Zdezorientowany George podążył za nią.

McKenzie został w stajni. Miał ochotę się spoliczkować. Jak mógł się tak zachować? W głowie wciąż brzmiały mu jego własne bezczelne słowa: „Proszę wybaczyć. Pani córka mówiła, że woli pani »prawdziwe« siodło. Ale skoro milady ma dziś ochotę udawać kobieciątko".

To było niewybaczalne! A jeśli Gwyneira nie zauważyła jeszcze, do czego mógłby się nadać ten angielski fircyk, to on sam jej to właśnie uświadomił.

George był zaskoczony znajomością rzeczy, z jaką Gwyneira oprowadzała go po farmie, kiedy już się uspokoiła i opanowała swoją klacz na tyle, żeby jego wynajęty koń mógł dotrzymywać jej kroku. Gwyneira najwyraźniej doskonale i w najdrobniejszych detalach znała plany hodowlane Kiward Station, udzielała szczegółowych informacji na temat pochodzenia każdego ze zwierząt i fachowo komentowała błędy i sukcesy hodowli.

– Cały czas hodujemy owce czystej rasy welsh mountain, ale krzyżujemy je też z cheviotami. To doskonała mieszanka, bo to zbliżone typy. Od owiec welsh mountain można uzyskać od trzydziestu sześciu do czterdziestu ośmiu taśm z funta surowej wełny, od cheviotów zaś od czterdziestu ośmiu do pięćdziesięciu sześciu. A nawet więcej. Jakość wełny jest porównywalna, co u merynosów bardzo trudno osiągnąć. Ciągle mówimy to ludziom, którzy chcą hodować owce welsh mountain czystej krwi, ale większość z nich uważa, że wiedzą lepiej. Merynosy dają doskonałą wełnę, od sześćdziesięciu do siedemdziesiściu taśm z jednego funta. Bardzo pięknie, tylko że te czystej krwi są za delikatne, żeby można je było tutaj hodować. A w połączeniu z innymi rasami nie można osiągnąć równomiernego efektu.

George był pod wrażeniem, mimo że nie rozumiał nawet połowy z tego, co mówiła Gwyneira. Najbardziej spodobało mu się, gdy szczęśliwie dotarli do podnóży gór, gdzie swobodnie pasły się młode tryki. Młode owczarki Gwyneiry najpierw spędziły stado razem, a potem oddzieliły dwa sprzedane już tryki, które Gwyn od razu rozpoznała, i spokojnie zaczęły sprowadzać je w dół. Gwyn przytrzymała swoją klacz i jechała w tempie owiec. George wykorzystał okazję, żeby zmienić wreszcie temat rozmowy i zadać palące go pytanie.

– W Christchurch powiedziano mi, że zna pani Helen O'Keefe... – zaczął ostrożnie. Zaraz potem był już umówiony z panią Kiward Station. Gość powie Geraldowi, że następnego dnia chciałby pojechać do Haldon, a Gwyn odprowadzi go kawałek, odwożąc Fleur do szkoły. W rzeczywistości wszyscy pojadą razem na farmę O'Keefe'ów.

George'owi serce aż tłukło się w piersiach. Zobaczy ją już jutro!

3

Gdyby Helen miała jednym słowem opisać swoje funkcjonowanie przez ostatnie lata, ale tak szczerze, bez upiększeń, którymi pocieszała samą siebie i którymi robiła wrażenie na adresatach swoich listów w dalekiej Anglii, wybrałaby słowo „przeżycie".

Gdy przybyła na farmę Howarda, wciąż wydawała się ona obiecującym przedsięwzięciem. Od narodzin Rubena było jednak coraz gorzej. Liczba owiec hodowanych przez Howarda co prawda rosła, ale jakość wełny stawała się coraz gorsza, a straty na wiosnę coraz większe. Na dodatek od pewnego czasu Howard próbował zająć się hodowlą bydła, zainspirowany sukcesami, jakie na tym polu odnosił Gerald.

– To zupełne szaleństwo! – skomentowała Gwyneira. – Krowy potrzebują znacznie więcej trawy i paszy w zimie niż owce – wyjaśniła. – W Kiward Station to żaden problem. Sama ilość wykarczowanej ziemi, jaką dysponujemy, wystarczyłaby, żeby wyżywić dwa razy tyle owiec, ile mamy. Ale wasza ziemia jest licha, w końcu jest położona znacznie wyżej. Niewiele na niej rośnie, przecież ledwie wystarcza dla waszych owiec. A co dopiero dla bydła! To jest beznadziejny pomysł. Można by ewentualnie spróbować z kozami. Ale najlepiej byłoby w ogóle pozbyć się tych marnych owiec, które macie, i zacząć od nowa od kilku naprawdę dobrych owiec. Liczy się jakość, a nie ilość!

Helen, której do tej pory wydawało się, że wszystkie owce są takie same, musiała wysłuchać wykładu na temat różnych ras i krzyżówek. Choć na początku ją to nudziło, to potem z coraz większą uwagą przysłuchiwała się wywodom Gwyneiry. Zdaniem jej przyjaciółki Howard kupił swoje owce od jakiegoś podejrzanego handlarza albo po prostu pożałował na nie pieniędzy. W każdym razie jego stado składało się z przypadkowych krzyżówek i nie było szans, żeby osiągnąć równomierną jakość wełny. I to bez względu na dobór paszy czy dbałość o pastwiska.

– To widać już po kolorach, Helen! – wyjaśniła Gwyneira. – Każda z nich wygląda inaczej. A naszych nie sposób od siebie odróżnić. I tak powinno być, wtedy można uzyskać dużo wełny dobrej jakości i sprzedać ją po dobrej cenie.

Helen zrozumiała i od razu spróbowała delikatnie wpłynąć na Howarda. Ale on okazał się niechętny jej propozycjom. Wręcz ganił ją szorstko, gdy tylko poruszała ten temat. W ogóle nie potrafił znieść jakiejkolwiek krytyki, co też nie przysparzało mu popularności wśród handlarzy owiec czy nabywców wełny. Ostatnio poróżnił się już niemal ze wszystkimi, poza cierpliwym Peterem Brewsterem, który choć za jego trzeciorzędną wełnę nie płacił najwyższej ceny, to wciąż ją jednak od niego kupował. Helen bała się pomyśleć o tym, co będzie, gdy Brewsterowie rzeczywiście przeniosą się do Otago. Wtedy będą uzależnieni od następcy Petera, a trudno było liczyć na dyplomatyczne zachowanie ze strony Howarda. Czy ten nowy kupiec okaże zrozumienie, czy po prostu zacznie omijać ich farmę?

Już teraz ich rodzina ledwie wiązała koniec z końcem, a bez pomocy Maorysów, którzy wciąż przysyłali swoje dzieci do szkoły z upolowaną zwierzyną, rybami lub warzywami jako zapłatą za naukę, Helen nie byłaby w stanie sobie poradzić. Nie było mowy o wynajęciu pomocy do pracy na farmie czy w domu. Wręcz przeciwnie, Howard coraz częściej angażował Helen do pracy na farmie, ponieważ nie mógł sobie pozwolić już nawet na jednego maoryskiego pomocnika. A ona nie bardzo sobie radziła i Howard rugał ją, gdy przy koceniu się owiec cała się czerwieniła, zamiast pomagać, albo wybuchała płaczem, gdy zwierzę trzeba było zaszlachtować.

– Uspokój się! – prychał i zmuszał ją, żeby patrzyła i pomagała. Helen starała się przemóc strach i obrzydzenie, i robiła to, czego od niej żądał. Ale nie mogła znieść, gdy w ten sam sposób traktował syna, a to zdarzało się coraz częściej. Howard nie mógł się doczekać, kiedy chłopiec podrośnie i zacznie być „przydatny", choć już teraz było widać, że Ruben wcale nie nadaje się do pracy na farmie. Zewnętrznie przypominał nieco Howarda, bo był wysoki, miał gęste ciemne loki i zapowiadał się na silnego mężczyznę. Ale rozmarzone szare oczy odziedziczył po matce, a jego charakter nie pasował do trudów prowadzenia farmy. Helen była dumna ze swojego syna, był uprzejmy, grzeczny i miły w obejściu, do tego jeszcze niezwykle inteligentny. Miał dopiero pięć lat, a umiał już dobrze czytać i pochłaniał grube tomiska, jak *Robin Hood* czy *Ivanhoe*. Zaskakiwał ją w szkole, gdy rozwiązywał zadania rachunkowe dla dwunasto- i trzynastolatków i oczywiście płynnie opanował już maoryski. Ale prace ręczne mu nie szły, nawet małej Fleur lepiej udawały się strzały do wystruganych do zabawy w Robin Hooda łuków. Lepiej też z nich strzelała.

Mimo wszystko był chętny do pracy. Gdy Helen go o coś poprosiła, ze wszystkich sił starał się wykonać zadanie. Z kolei surowy ton Howarda budził w nim strach, a krwawe opowieści, którymi ojciec pragnął go zahartować, wywoływały przerażenie. W związku z tym relacje Rubena z ojcem pogarszały się z roku na rok, Helen zaś przewidywała, że dojdzie do takiej samej katastrofy jak między Geraldem a Lucasem w Kiward Station. Tyle że bez zaplecza majątkowego, które dawało Lucasowi możliwość zatrudnienia sprawnego zarządcy.

Kiedy Helen o tym wszystkim myślała, żałowała czasami, że ich małżeństwo nie zostało pobłogosławione kolejnymi dziećmi. Choć jakiś czas po urodzeniu Rubena Howard ponowił swoje odwiedziny u niej, nie doszło do kolejnego zapłodnienia. Być może przyczyną był wiek Helen, a może to, że Howard nie sypiał już z nią tak regularnie jak w pierwszym roku małżeństwa. Wyraźna niechęć Helen, obecność dziecka w sypialni i coraz większe pijaństwo Howarda nie sprzyjały bliskości. Howard coraz częściej zamiast w małżeńskim łożu szukał przyjemności przy karcianym stoliku w pubie w Haldon. Helen nawet nie chciała wiedzieć, czy były tam również kobiety i czy część wygranych przez jej męża pieniędzy nie wędrowała do kieszeni dziwek.

Ale dziś był dobry dzień. Wczoraj wieczorem Howard się nie upił i już skoro świt wyruszył w góry, żeby sprawdzić maciorki matki. Helen wydoiła krowę, Ruben pozbierał jajka, zaraz też do szkoły mieli przyjść mali Maorysi. Helen miała również nadzieję, że tego dnia odwiedzi ją Gwyneira. Fleurette marudziłaby, gdyby znowu miała opuścić szkołę. W zasadzie była jeszcze za mała, ale aż się paliła, żeby nauczyć się czytać i uniezależnić w ten sposób od matki, która zupełnie nie miała cierpliwości do głośnego czytania. Jej ojciec miał co prawda więcej cierpliwości, ale jego książki nie podobały się Fleur. Nie chciała słuchać historii o grzecznych małych dziewczynkach, które popadały w tarapaty, żeby wyjść z nich tylko dzięki szczęściu czy przypadkowi. Ona sama prędzej podpaliłaby dom takiej złej macosze czy czarownicy, zamiast rozpalać jej w kominku! Wolała czytać o Robin Hoodzie i jego towarzyszach albo podróżować z Guliwerem. Helen uśmiechnęła się na myśl o tym małym urwisie. Aż trudno było uwierzyć, że jej ojcem jest Lucas Warden.

George Greenwood dostał kolki od szybkiego kłusa. Tym razem Gwyneira poszła na ustępstwo wobec nakazów przyzwoitości i kazała zaprząc konie do powozu. Elegancka Igraine z werwą ciągnęła dwuosobowy powóz. Mogłaby wygrać każde zawody w powożeniu. Wynajęty przez George'a koń musiał momentami doganiać ją galopem, ale przede wszystkim starał się szybko kłusować, a George'a porządnie przy tym trzęsło. Na dodatek Gwyneira była w nastroju do rozmowy i dużo opowiadała o Howardzie i Helen O'Keefe'ach, co George'a bardzo interesowało. Dlatego starał się trzymać blisko powozu, mimo że był już cały obolały.

Tuż przed dotarciem na farmę Gwyn powściągnęła jednak konia. Nie chciała przecież przejechać jakiegoś maoryskiego dziecka, które przyszło się uczyć. Ani małego rabusia, który czatował na nich tuż za rzeką. Gwyneira najwyraźniej spodziewała się tego spotkania, ale George poważnie się wystraszył, gdy z leśnego poszycia wyskoczył mały ciemnowłosy chłopiec z pomalowaną zieloną farbą twarzą, z łukiem i strzałami w rękach.

– Stać! Co robicie w moim lesie? Ujawnijcie swoje imiona i swoje zamiary!

Gwyneira się roześmiała.

– Panie Robinie, przecież pan mnie zna – wyjaśniła. – Proszę mi się przyjrzeć! Czyż nie jestem damą do towarzystwa lady Fleurette, pani waszego serca?

– Wcale nieprawda! Jestem Mały John! – krzyknęła Fleur. – A to jest królewski posłaniec! – wskazała na George'a. – Przyjechał z Londynu!

– Przysyła was nasz dobry król Lwie Serce? Czy też Jan, ten zdrajca? – zapytał podejrzliwie Ruben. – A może królowa Eleonora wysłała skarb, żeby uwolnić króla?

– Tak właśnie jest – rzekł George z powagą. Pucołowaty malec był przezabawny z tym swoim strojem rabusia i starannym doborem słów. – A ja dziś jeszcze muszę ruszać dalej do Ziemi Świętej. Czy przepuścisz nas, sir?

– Ruben! – przedstawił się chłopiec. – Ruben Hood, do usług waszmości!

Fleur zeskoczyła z wozu.

– Ale on nie ma żadnego skarbu! – poskarżyła się. – On jedzie tylko z wizytą do twojej mamy. Ale rzeczywiście jest z Londynu!

Gwyneira ruszyła dalej. Dzieci z pewnością same trafią na farmę.

– To był Ruben – wyjaśniła George'owi. – Syn Helen. Bystry dzieciak, prawda?

George przytaknął. „Jeśli o to chodzi, Helen postąpiła słusznie" – pomyślał. Wciąż miał przed oczami niekończące się i nudne popołudnie z jego bratem Williamem, kiedy to Helen podjęła swoją decyzję. Ale zanim zdążył cokolwiek powiedzieć, ich oczom ukazała się farma O'Keefe'ów. Jej widok przeraził George'a równie mocno, jak Helen przed sześciu laty. Na dodatek chata nie była już nowa, tak jak wtedy, tylko nosiła znamiona zużycia.

– Nie tak to sobie wyobrażała – powiedział cicho.

Gwyneira zatrzymała dwukółkę przed domem i wyprzęgła klacz. George miał więc czas, żeby się rozejrzeć. Zobaczył niewielkie zabudowania gospodarcze, chude krowy i muła, który swoje najlepsze lata miał już dawno za sobą. Widząc studnię na podwórzu, domyślił się, że Helen musiała przynosić sobie wodę w wiadrach. Zobaczył też pniak do rąbania drewna. Czy pan tego domu dbał przynajmniej o zapewnienie drewna na opał? Czy też Helen sama musiała chwytać za siekierę, jeśli chciała mieć w domu ciepło?

– Proszę ze mną, szkoła jest po drugiej stronie – Gwyneira wyrwała George'a z zamyślenia i ruszyła, żeby obejść chałupę. – Musimy przejść kawałek buszem. Maorysi postawili kilka szop w lasku między swoją wsią a domem Helen. Ale stąd ich nie widać, bo Howard nie chciał, żeby te dzieciaki kręciły się zbyt blisko. W ogóle nie podoba mu się ta cała szkoła, wolałby, żeby Helen więcej pomagała mu na farmie. Ale ostatnio jest lepiej. Gdy Howard pilnie potrzebuje pomocy, Helen wysyła do niego jednego ze starszych chłopców. Oni znacznie lepiej nadają się do takiej roboty.

George doskonale to rozumiał. W ostateczności mógł sobie wyobrazić Helen przy pracach domowych. Ale Helen przy kastrowaniu jagniąt czy asystującą krowie przy porodzie? Nigdy w życiu.

Było widać, że ścieżka prowadząca do lasku jest często uczęszczana, ale nawet tutaj George dostrzegał przejawy trudnej sytuacji na farmie. W okólnikach stało co prawda kilka tryków i maciorek, ale wszystkie były w kiepskim stanie. Owce były chude, a ich sierść brudna i posklejana. Ogrodzenia były zaniedbane, drut nie naciągnięty, a bramki krzywo zwisały na zawiasach. Bez porównania z farmą Beasleyów, a co dopiero z Kiward Station. Wszystko tutaj wyglądało raczej beznadziejnie.

Ale z lasku dobiegał dziecięcy śmiech. Tam najwidoczniej panował dobry nastrój.

– Na początku – czytał jasny głosik o śmiesznym akcencie – Bóg stworzył niebo i ziemię, *Rangi* i *Papa*.

Gwyneira uśmiechnęła się do George'a.

– Helen znowu zmaga się z maoryską wersją historii o stworzeniu świata – stwierdziła. – Jest dość oryginalna, ale teraz przynajmniej dzieci formułują ją w taki sposób, że Helen nie musi się czerwienić.

Podczas gdy zadowolony głosik dalej ze swadą opowiadał o żądnych miłości maoryskich bogach, George zerknął przez zarośla na pozbawione ścian chaty o dachach z liści palmowych. Dzieci siedziały na ziemi i słuchały małej dziewczynki, która czytała opowieść o pierwszych dniach stworzenia. Potem przyszła kolej na następne dziecko. Ale wtedy George zobaczył Helen. Siedziała przy zaimprowizowanym pulpicie na brzegu sceny, szczupła i wyprostowana, dokładnie taka, jak ją zapamiętał. Miała znoszone ubranie, ale czyste i dokładnie pozapinane. Pod tym względem nadal przypominała tę idealnie opanowaną guwernantkę, którą pamiętał. Serce zabiło mu szybciej, gdy usłyszał, jak wywołuje kolejnego ucznia i jednocześnie odwraca się w jego stronę. Helen... Dla George'a wciąż była piękna, ale dla niego Helen Davenport-O'Keefe zawsze byłaby piękna, bez względu na to czy się zmieniła i czy wygląda o wiele starzej. Mimo wszystko przeraził się, gdy spostrzegł, jak bardzo się postarzała. Nie służyło jej słońce, od którego zbrązowiała, kiedyś tak zadbana, jasna cera. Jej szczupła twarz jeszcze bardziej się wydłużyła, Helen wyglądała niemal na wychudzoną. Ale kasztanowobrązowe włosy wciąż błyszczały. Uczesała je w długi gruby warkocz, który opadał jej na plecy. Kilka kosmyków się wysunęło, a Helen nieświadomie odgarniała je z twarzy, żartując sobie z uczniami. Czyniła to częściej niż kiedyś z nim i jego bratem, co George zauważył z ukłuciem zazdrości. Ogólnie Helen wydawała się łagodniejsza niż kiedyś, praca z maoryskimi dzieciakami zdawała się sprawiać jej przyjemność. Podobnie jak przebywanie z własnym synem. Ruben i Fleurette właśnie podkradli się do klasy. Spóźnili się na lekcje, ale mieli nadzieję, że Helen tego nie zauważy. Oczywiście byli w błędzie. Helen przerwała lekcję po opisie trzeciego dnia stworzenia.

– Fleurette Warden. Miło cię widzieć. Ale czy nie uważasz, że dama powinna przywitać się z towarzystwem, do którego dołącza? A ty, Rubenie O'Keefe, czy tobie jest niedobrze? Dlaczego jesteś zielony na twarzy? Biegnij prędko do studni i umyj się, żebyś wyglądał jak dżentelmen. A gdzie twoja matka, Fleur? Czy dzisiaj też przyjechałaś z panem McKenziem?

Fleur próbowała jednocześnie pokręcić przecząco głową i z powagą przytaknąć.

– Mama jest już tu, na farmie, z panem... Jakimś tam „wood" – powiedziała. – Ale ja szybko przybiegłam, bo myślałam, że będziecie dalej czytać historię stworzenia świata. To znaczy naszą historię, nie te głupie stare brednie o *Rangi* i *Papa*.

Helen przewróciła oczami.

– Fleur, opowieści o stworzeniu świata nie można mieć dosyć! A mamy tu kilkoro dzieciaków, które w ogóle jej nie znają, przynajmniej wersji chrześcijańskiej. Usiądź teraz i słuchaj. A potem zobaczymy... – Helen już miała wywołać kolejne dziecko, gdy Fleur spostrzegła swoją matkę.

– Jest już mama i pan...

Helen popatrzyła w zarośla. I zamarła, gdy rozpoznała w nadchodzącym mężczyźnie George'a Greenwooda. Najpierw zbladła, ale zaraz potem jej twarz pokryła się rumieńcem. Czy to radość? Obawa? Wstyd? George miał nadzieję, że przede wszystkim radość. Uśmiechnął się.

Helen gwałtownie zatrzasnęła swoje książki.

– Rongo... – prześlizgnęła się wzrokiem po chmarze zgromadzonych dzieci i zatrzymała go na jednej ze starszych dziewcząt, która do tej pory niezbyt uważnie uczestniczyła w zajęciach. Prawdopodobnie należała do tych uczniów, którzy znali już historię o stworzeniu świata. Dziewczynka wolałaby zagłębić się w lekturze nowej książki, która kusiła również Fleur. – Rongo Rongo, muszę zostawić was na chwilę samych, mam gościa. Mogłabyś poprowadzić lekcję dalej? Pilnuj, żeby dzieci czytały dokładnie to, co jest napisane, żeby niczego nie opuszczały i niczego od siebie nie dodawały.

Rongo Rongo skinęła głową i wstała. Z poczuciem ważności swojej roli jako asystentki nauczycielki usiadła przy pulpicie i wywołała do czytania następną dziewczynkę.

Gdy mała uczennica, jąkając się, czytała opowieść o czwartym dniu stworzenia, Helen podeszła do Gwyn i George'a. George jak zwykle podziwiał jej postawę. Każda inna kobieta próbowałaby jeszcze w pośpiechu poprawić włosy, przygładzić suknię czy zrobić cokolwiek, żeby doprowadzić się do porządku. Ale Helen nic takiego nie robiła. Spokojna i wyprostowana podeszła do gościa i wyciągnęła ku niemu dłoń.

– George Greenwood! Tak bardzo się cieszę, że pana widzę!

George cały się rozpromienił i nagle jakby znowu przeistoczył się w pełnego nadziei i zapału szesnastolatka.

– Poznała mnie pani, panno Helen! – powiedział uradowany. – Nie zapomniała pani.

Helen lekko się zarumieniła. Nie uszło jej uwadze, że nie powiedział: „Nie zapomniała pani o mnie". Miał na myśli swoją przysięgę, swoje młodzieńcze zauroczenie i rozpaczliwą próbę powstrzymania jej przed wyruszeniem w świat w poszukiwaniu lepszego życia.

– Jak mogłabym pana zapomnieć, George? – powiedziała przyjaznym tonem. – Był pan jednym z moich najbardziej obiecujących uczniów. I proszę, realizuje pan swoje marzenie o podróżach po całym świecie.

– Wcale nie po całym, panno Helen... Czy raczej powinienem powiedzieć: pani O'Keefe – George z dawną bezczelnością patrzył jej prosto w oczy.

Helen wzruszyła ramionami.

– Wszyscy tutaj mówią do mnie panno Helen.

– Pan Greenwood przypłynął tutaj, żeby w Christchurch założyć filię swojego przedsiębiorstwa – wyjaśniła Gwyneira. – Chce przejąć handel wełną po Peterze Brewsterze, skoro Brewsterowie przenoszą się do Otago...

Helen uśmiechnęła się niepewnie. Nie była pewna, czy taka zmiana okaże się dla Howarda korzystna czy nie.

– To... pięknie – powiedziała z wahaniem. – A teraz przyjechał pan w nasze okolice, żeby poznać swoich klientów? Howard wróci, niestety, dopiero wieczorem...

George uśmiechnął się do niej.

– Jestem tutaj przede wszystkim po to, żeby zobaczyć się z panią, panno Helen. Pan Howard może poczekać. Mówiłem to pani już wtedy, ale nie chciała mnie pani słuchać.

– George, nie powinieneś... naprawdę! – Tak dobrze mu znany ton guwernantki. George czekał, aż usłyszy zarzut impertynencji, ale Helen się powstrzymała. Raczej przestraszyła się tego, że automatycznie zwróciła się do niego po imieniu. George zastanawiał się, czy ma to związek z sugestiami Gwyneiry. Czy Helen obawia się nowego handlarza wełną? Z tego co mówią, ma ku temu powody...

– A jak się miewa pańska rodzina, George? – Helen postanowiła kontynuować rozmowę. – Chętnie porozmawiałabym z panem dłużej, ale dzieci przeszły sześć kilometrów, żeby wziąć udział w lekcji, nie powinnam więc ich zawieść. Czy może pan poczekać?

George z uśmiechem skinął głową.

– Przecież pani wie, że mogę poczekać, panno Helen. – Następna aluzja. – A zawsze podobały mi się pani lekcje. Czy mógłbym się przyłączyć?

Helen jakby się rozluźniła.

– Nauka nikomu jeszcze nie zaszkodziła – powiedziała. – Proszę usiąść z nami.

Zdumione maoryskie dzieci pośpiesznie zrobiły miejsce, gdy George siadał między nimi na podłodze. Helen po angielsku i po maorysku wyjaśniła, że jest jej dawnym uczniem z Anglii i że w związku z tym do szkoły miał najdalej z nich wszystkich. Dzieci się roześmiały, a George znów zauważył, jak bardzo zmienił się sposób prowadzenia zajęć przez Helen. Kiedyś żartowała znacznie rzadziej.

Dzieci przywitały nowego ucznia w swoim języku, a George nauczył się kilku pierwszych słów po maorysku. Po godzinie był nawet w stanie przeczytać pierwszy akapit opowieści o stworzeniu świata, choć dzieci co rusz poprawiały go wśród wybuchów śmiechu. Później wszyscy starsi uczniowie mogli zadawać mu pytania, a George opowiadał o swojej edukacji, najpierw pod okiem Helen w domu w Londynie, a potem w oksfordzkim college'u.

– I co się panu bardziej podobało? – To wścibskie pytanie zadał jeden z najstarszych chłopców. Helen zwracała się do niego Reti, a on bardzo dobrze mówił po angielsku.

George się roześmiał.

– Oczywiście lekcje panny Helen. Przy pięknej pogodzie siedzieliśmy na zewnątrz, tak jak wy teraz. A moja matka nalegała, żeby panna Helen grała z nami w krykieta, ale ona nie umiała i zawsze przegrywała – mrugnął okiem do Helen.

Reti nie wyglądał na zdziwionego.

– Jak tutaj przybyła, to krowy też nie umiała wydoić – wygadał. – Panie George, a co to jest krykiet? Czy trzeba umieć w to grać, żeby dostać pracę w Christchurch? Chciałbym pracować u Anglików i zostać bogaczem.

George z uwagą wysłuchał tego zwierzenia. Będzie musiał porozmawiać z Helen o tym obiecującym młodzieńcu. Maorys doskonale władający angielszczyzną byłby bardzo przydatny dla Greenwood Enterprises.

– Jeśli chcesz uchodzić za dżentelmena i poznać jakąś damę, to musisz przynajmniej tak dobrze grać w krykieta, żeby umieć przyzwoicie przegrać – powiedział.

Helen przewróciła oczami. Gwyneira zauważyła, jak przyjaciółka nagle odmłodniała.

– Może nas pan tego nauczyć? – zapytała Rongo Rongo. – Damy na pewno też muszą umieć w to grać.

– Koniecznie! – odpowiedział George z powagą. – Ale chyba nie mam tyle czasu. Ja...

– Ja nauczę was grać w krykieta! – wtrąciła Gwyneira. Nauka gry stanowiła niespodziewaną okazję, żeby wcześniej zwolnić Helen z lekcji. – Może wystarczy na dzisiaj czytania i rachowania i zajmiemy się robieniem kijków i bramek? Pokażę wam, jak się w to gra, a panna Helen będzie miała czas, żeby zająć się swoim gościem. Na pewno chciałaby pokazać mu farmę.

Helen i George rzucili jej pełne wdzięczności spojrzenie. Helen raczej wątpiła, żeby Gwyn w dzieciństwie fascynowała się tą dość nudną grą, ale pewnie umiała w nią grać lepiej niż Helen i George razem wzięci.

– A więc tak... Potrzebujemy piłki... Nie, nie takiej wielkiej, Ruben, małej... O tak, może być ten kamień. I jeszcze małe bramki... Dobry pomysł, Tani, możemy je upleść.

Dzieci z zapałem zabrały się do przygotowań, a Helen i George mogli się oddalić. Helen poprowadziła go w stronę domu tą samą drogą, którą przyszedł tu z Gwyn.

Było widać, że opłakany stan farmy sprawia jej przykrość.

– Mój mąż nie miał jeszcze czasu, żeby naprawić ogrodzenia po zimie – wyjaśniła, gdy przechodzili obok okólników. – Wypasamy zwierzęta wysoko w górach, są rozproszone po łąkach, a teraz na wiosnę owce wciąż się kocą...

George nic nie powiedział, choć wiedział, jak łagodne są zimy w Nowej Zelandii. To nie pogoda przeszkodziła Howardowi w naprawieniu ogrodzeń.

Helen także zdawała sobie z tego sprawę. Zamilkła, ale potem zwróciła się do gościa.

– Och, George, tak mi wstyd! Co pan sobie teraz o mnie pomyśli, gdy zobaczył pan to wszystko tutaj i porównał z moimi listami...

Wyraz jej twarzy był dla niego niczym cios prosto w serce.

– Nie rozumiem, co ma pani na myśli, panno Helen – powiedział miękkim głosem. – Zobaczyłem dom na farmie... Nie jest duży, nie jest luksusowy, ale porządnie zbudowany i przytulnie urządzony. A zwierzęta nie wyglądają co prawda na szczególnie wartościowe, ale są dobrze odżywione, a krowy są dojone – mrugnął okiem. – A ten muł po prostu za panią przepada!

Nepomuk wydał z siebie zwyczajowy ogłuszający ryk, gdy zobaczył, jak Helen przechodzi obok padoku.

– Z pewnością poznam też pani męża jako dżentelmena, który ze wszystkich sił stara się dbać o swoją rodzinę i wzorowo prowadzić farmę. Proszę się nie martwić, panno Helen.

Helen patrzyła na niego z niedowierzaniem. A potem uśmiechnęła się.

– Patrzy pan na wszystko przez różowe okulary, George!

Wzruszył ramionami.

– To pani czyni mnie szczęśliwym. Gdziekolwiek pani jest, tam dostrzegam tylko piękno i dobro.

Helen spłonęła rumieńcem.

– George, proszę. To przecież już przeszłość...

George uśmiechnął się do niej. Przeszłość? W pewnym sensie tak, nie mógł zaprzeczyć. Jego serce zabiło szybciej, gdy ją zobaczył, cieszył się, że może na nią patrzeć, że może jej słuchać, że może obserwować, jak nieustannie stara się godzić stosowność ze swoją oryginalnością. Ale nie musiał już walczyć z ciągłą potrzebą wyobrażania sobie, jak ją całuje i jak się z nią kocha. To już minęło. Wobec kobiety, która teraz przed nim stała, wciąż jednak odczuwał jakąś czułość. Czy tak samo byłoby, gdyby go wtedy nie odrzuciła? Czy jego namiętność też wówczas ustąpiłaby przyjaźni i poczuciu odpowiedzialności? I to jeszcze zanim skończyłby studia i mógł zawrzeć z nią związek małżeński? I czy rzeczywiście ożeniłby się z nią wtedy, czy też raczej liczyłby na to, że gorącą miłość obudzi w nim jakaś inna kobieta?

George na żadne z tych pytań nie potrafił jednoznacznie odpowiedzieć. Nawet na to ostatnie.

– Jak na zawsze, to na zawsze. Ale nie będę się już pani naprzykrzał. Bo przecież nie uciekłaby pani ze mną, prawda? – obdarzył ją swoim dawnym szelmowskim uśmiechem.

Helen pokręciła głową i podała Nepomukowi marchewkę.

– Nigdy nie mogłabym porzucić tego muła – zażartowała ze łzami w oczach. George był taki słodki i wciąż taki niewinny. Jakże szczęśliwą uczyni dziewczynę, która poważnie potraktuje jego obietnice!

– Proszę, niech pan wejdzie i opowie mi, co słychać u pana bliskich.

Wnętrze chaty wyglądało tak, jak George się tego spodziewał. Było bardzo skromnie umeblowane, ale przytulne, było widać rękę niezmordowanej, zręcznej i dbającej o porządek gospodyni. Na stole leżał kolorowy obrus, na którym stał dzbanek z kwiatami, a na krzesłach ułożono własnoręcznie uszyte wygodne poduszki. Przed kominkiem stał kołowrotek i stary fotel bujany Helen, a na półkach równo poustawiane książki. Wśród nich kilka nowych. Prezenty od Howarda czy pożyczone od Gwyneiry? W Kiward Station była obszerna biblioteka, choć George'owi wydawało się mało prawdopodobne, żeby Gerald Warden dużo czytał.

George opowiadał o Londynie, a Helen przygotowywała herbatę. Robiła to odwrócona do niego tyłem, bo pewnie nie chciała, żeby patrzył na jej dłonie. To były zniszczone i spracowane ręce, a nie delikatne i wypielęgnowane dłonie jego dawnej guwernantki.

– Matka wciąż angażuje się w pracę komitetów dobroczynnych. Zrezygnowała tylko z komitetu sierocińca po tamtym skandalu. Zresztą do dziś ma do pani o to żal, Helen. Damy z komitetu są święcie przekonane, że to pani zepsuła te dziewczynki podczas rejsu.

– Co zrobiłam? – zapytała zbita z tropu Helen.

– Uznały, że przez ten pani, cytuję, „emancypacyjny sposób wychowania" dziewczynki zostały pozbawione pokory i oddania wobec swoich pracodawców. I tylko dlatego w ogóle mogło dojść do tego skandalu. Nie wspominając już o tym, że opowiedziała pani o sprawie pastorowi Thorne'owi. Pani Baldwin o wszystkim doniosła.

– George, to były małe, zahukane dziewczynki! Jedną z nich oddali jakiemuś maniakowi seksualnemu, a drugą sprzedali jako niewolnicę do pracy. George, to była rodzina z ośmiorgiem dzieci, w której dziesięciolatka miała prowadzić dom! I jeszcze robić za akuszerkę. Nic dziwnego, że uciekła! A ci państwo od Laurie wcale nie byli lepsi. Wciąż jeszcze słyszę słowa pani Lavender: „Nie, jak weźmiemy obie, cały dzień będą tylko ze sobą paplać, zamiast pracować". A ta mała omal sobie oczu nie wypłakała…

– A miała pani potem jakieś wieści od tych dziewczynek? – zapytał George. – Nic pani na ten temat nie pisała.

Zabrzmiało to tak, jakby ten młody człowiek znał wszystkie listy Helen na pamięć.

Helen pokręciła głową.

– Wiadomo tylko, że Mary i Laurie zniknęły tego samego dnia. Dokładnie tydzień po tym, jak je rozdzielono. Przypuszcza się, że się umówiły. Ale ja w to nie wierzę. Mary i Laurie nie musiały się umawiać. Zawsze jedna wiedziała, co myśli ta druga, to było aż niewiarygodne. Od tamtej pory nie było o nich żadnych wieści. Obawiam się, że nie żyją. Dwie małe dziewczynki same w dziczy... Przecież to nie było tak, że mieszkały cztery kilometry od siebie i z łatwością mogły się spotkać. Ci... ci... chrześcijanie... – W głosie Helen było słychać pogardę. – Ci ludzie wysłali Mary na farmę położoną jeszcze za Haldon, a Laurie została w Christchurch. Dzieliło je blisko sto kilometrów buszu. Nawet nie chcę myśleć, co mogło im się przydarzyć.

Helen nalała herbaty i usiadła przy stole obok George'a.

– A ta trzecia dziewczynka? – zapytał. – Co się z nią stało?

– Daphne? Och, to dopiero był skandal, o wszystkim dowiedzieliśmy się dopiero po wielu tygodniach. Ona uciekła. Ale najpierw wylała na tego swojego pana, Morrisona, wrzątek. Prosto w twarz. Najpierw sądzono, że tego nie przeżyje. Ale udało mu się, tylko oślepł, a całą twarz ma pokrytą bliznami. Dorothy stwierdziła, że teraz Morrison wygląda na potwora, jakim zawsze był. Widziała go kiedyś, bo Morrisonowie przyjeżdżają do Haldon po sprawunki. A jego żona rozkwitła po tym... wypadku. Daphne jest poszukiwana, ale o ile nie trafi przypadkiem na posterunek żandarmerii w Christchurch, to raczej jej nic znajdą. Moim zdaniem miała dobre powody, żeby uciec i zrobić to, co zrobiła. Nie wiem tylko, jaka czeka ją teraz przyszłość....

George wzruszył ramionami.

– Prawdopodobnie taka sama, jaka czekała na nią w Londynie. Biedne dziecko. Ale komitet sierocińca dostał za swoje, wielebny Thorne już o to zadbał. A ten Baldwin...

Helen uśmiechnęła się niemal tryumfująco.

– Dostał prztyczka w nos zamiast biskupstwa Canterbury. A ja odczuwam w związku z tym zupełnie niechrześcijańską radość z cudzej szkody! Ale proszę opowiadać dalej. Pański ojciec...

– Wciąż rządzi Greenwood Enterprises. Firma się rozrasta i dobrze prosperuje. Królowa wspiera handel zagraniczny, a w koloniach zarabia się krocie, często kosztem tubylców. Widziałem straszne rzeczy… Wasi Maorysi powinni uważać się za szczęśliwców, że zarówno biali przybysze, jak i oni sami są pokojowo nastawieni. Ale mój ojciec i ja nie możemy tego zmienić, sami zresztą korzystamy na wyzysku tych krajów. A w Anglii kwitnie industrializacja, choć ma ona pewne konsekwencje, które nie podobają mi się tak samo jak to, co dzieje się w zamorskich koloniach. W niektórych fabrykach panują przerażające warunki. Mam wrażenie, że nigdzie nie podobało mi się tak bardzo jak tutaj, w Nowej Zelandii. Ale odbiegam od tematu…

Kontynuując rozmowę, George zrozumiał nagle, że wcale nie powiedział tak tylko po to, żeby sprawić Helen przyjemność. Naprawdę podobało mu się w tym kraju. Prości, spokojni ludzie, daleki krajobraz z majestatycznymi górami, wielkie farmy z dobrze odżywionymi owcami i bydłem na obficie porośniętych trawą łąkach. I Christchurch, które miało stać się typowo angielskim miastem, siedzibą biskupstwa i uniwersytetu, tyle że na drugim końcu świata.

– Co porabia William? – zapytała Helen.

George westchnął i popatrzył na Helen znacząco.

– William nie uczył się w college'u, ale chyba nie liczyła pani na to?

Helen pokręciła głową.

– Miał ciągle nowych guwernerów, których najpierw zwalniała moja matka, bo rzekomo byli dla Williama zbyt surowi, a potem zwalniał ich mój ojciec, bo niczego go nie uczyli. Od roku pracuje w firmie, o ile można to nazwać pracą. W zasadzie zabija tylko czas, a towarzystwa mu nie brakuje, zarówno męskiego, jak i damskiego. Najpierw szalał po pubach, a teraz szaleje z dziewczętami. Niestety, głównie tymi z rynsztoka. Ale jemu to nie robi różnicy. Wręcz przeciwnie, boi się prawdziwych dam, za to panienki lekkich obyczajów są wpatrzone w niego jak w obrazek. Mój ojciec nie może tego przeboleć, ale matka jeszcze się nie zorientowała. Nie wiem, co będzie, kiedy…

Zamilkł, ale Helen wiedziała, co myślał. Gdy pewnego dnia umrze jego ojciec, obaj bracia odziedziczą firmę. George będzie wtedy musiał albo wykupić udziały brata, co w wypadku takiej firmy jak Greenwood Enterprises skończyłoby się bankructwem, albo dalej znosić jego obecność. Helen wydawało się mało prawdopodobne, żeby na długo starczyło mu cierpliwości.

Gdy oboje w milczeniu i zadumie pili herbatę, otworzyły się drzwi i do środka wpadli Fleur i Ruben.

– Wygraliśmy! – promieniejąca szczęściem Fleurette wymachiwała prowizorycznym kijem do krykieta. – Ja i Ruben jesteśmy zwycięzcami!

– Szachrowaliście – zganiła ich Gwyneira, która pojawiła się za dziećmi. Też była lekko zgrzana i ubrudzona, ale wyglądało na to, że świetnie się bawiła. – Wyraźnie widziałam, jak ukradkiem przepchnęłaś piłkę Rubena przez ostatnią bramkę!

Helen zmarszczyła brwi.

– Czy to prawda, Rubenie? I nic nie powiedziałeś?

– Tymi śmiesznymi kijami nie da się uderzać pre... pre... Jak to się mówi, Ruben? – Fleur broniła swojego przyjaciela.

– Precyzyjnie – dokończył za nią Ruben. – Ale kierunek był dobry!

George się uśmiechnął.

– Jak znowu będę w Anglii, to przyślę wam prawdziwe kije do krykieta – obiecał. – Ale już więcej żadnych szachrajstw!

– Obiecuje pan? – zapytała Fleur.

Rubena zaprzątało coś innego. Swoimi mądrymi brązowymi oczami przyglądał się Helen i jej wyraźnie dobrze znajomemu gościowi. A potem zwrócił się do George'a.

– Pan jest z Anglii. Czy jest pan moim prawdziwym ojcem?

Gwyn głośno wciągnęła powietrze, a Helen spłonęła rumieńcem.

– Ruben! Nie mów takich głupstw. Dobrze wiesz, że masz jednego ojca! – zmieszana zwróciła się do George'a. – Mam nadzieję, że nie pomyślał pan nic złego! Chodzi o to, że Ruben... Nie ma najlepszych relacji z ojcem, a ostatnio ubzdurał sobie, że Howard... Że może ma gdzieś w Anglii jakiegoś innego ojca. Wydaje mi się, że to dlatego, że tak dużo opowiadam mu o jego dziadku. Bo Ruben tak bardzo go przypomina. I przez to chyba ten idiotyczny pomysł. Ruben, proszę natychmiast przeprosić!

George się uśmiechnął.

– Nie musi przepraszać. Wręcz przeciwnie, pochlebiło mi to. Kto nie chciałby być spokrewniony z Rubenem Hoodem, dzielnym kmieciem i świetnym graczem w krykieta! Jak myślisz, Ruben, może mógłbym być twoim wujem? Wujów można mieć kilku.

Ruben zastanowił się nad propozycją.

– Ruben! On przyśle nam kije do krykieta! Dobrze mieć takiego wujka. Panie Greenwood, moim wujkiem na pewno może pan być. – Fleur miała doskonale rozwinięty zmysł praktyczny.

Gwyneira przewróciła oczami.

– Jeśli ona w przyszłości nadal będzie miała tak niskie wymagania finansowe, to nie będziemy mieli żadnego problemu z wydaniem jej za mąż.

– Ja wyjdę za Rubena – wyjaśniła Fleur. – A Ruben ożeni się ze mną, prawda? – zapytała, wywijając kijem do krykieta. Ruben raczej nie powinien mieć wątpliwości, jak odpowiedzieć.

Helen i Gwyneira popatrzyły na siebie bezradnie. A potem się roześmiały. George poszedł w ich ślady.

– Kiedy mógłbym porozmawiać z ojcem pana młodego? – zapytał w końcu, spoglądając na położenie słońca. – Obiecałem panu Wardenowi, że wrócę na kolację, i chciałbym tej obietnicy dotrzymać. Wygląda więc na to, że moja rozmowa z panem O'Keefe'em będzie musiała poczekać do jutra. Panno Helen, czy jest taka możliwość, żeby pani mąż przyjął mnie przed południem?

Helen przygryzła wargę.

– Z przyjemnością przekażę mu wiadomość i wiem, że spotkanie z panem powinno stanowić dla niego priorytet. Ale Howard jest czasem... Bardzo uparty. Jak sobie ubzdura, że chce mu pan narzucić termin spotkania... – Było widać, że mówienie o uporze i fałszywej dumie Howarda sprawia jej trudność, zwłaszcza że nie mogła wyjawić, jak często na postawę męża i podejmowane przez niego decyzje wpływają jego humory i whisky.

Mówiła jak zawsze spokojnym i opanowanym tonem, ale George wszystko wyczytał w jej oczach. Tak samo było dawniej, podczas kolacji w domu Greenwoodów. Widział w nich bunt i wściekłość, rozpacz i pogardę. Wówczas uczucia te wzbudzała jego bardzo powierzchowna matka, teraz wzbudzał je mężczyzna, którego Helen miała kiedyś nadzieję pokochać.

– Proszę się nie martwić, panno Helen. Nie musi pani mu wspominać, że przyjadę z Kiward Station. Proszę po prostu powiedzieć, że zajrzę tutaj w drodze do Haldon i że chętnie obejrzałbym farmę i złożył kilka handlowych propozycji.

Helen skinęła głową.

– Spróbuję...

Gwyneira wyszła już z dziećmi na zewnątrz, żeby zaprząc konia. Helen słyszała ich głosy, jak kłócą się o szczotki i zgrzebła. George się nie śpieszył. Rozejrzał się jeszcze po chacie, zanim zaczął zbierać się do wyjścia. Helen toczyła wewnętrzną walkę. Czy powinna z nim porozmawiać? Czy jej prośba nie zostanie opacznie zrozumiana? W końcu zdecydowała, że jeszcze raz poruszy temat Howarda. Jeśli George przejmie tutejszy handel wełną, to od niego będzie zależeć los całej ich rodziny. A przecież tak łatwo sobie wyobrazić, że Howard uczyni jakiś afront wobec gościa z Anglii.

– George... – zaczęła z wahaniem. – Gdy będzie pan jutro rozmawiał z Howardem, to bardzo proszę, niech pan będzie wyrozumiały. On jest bardzo dumny i szybko się obraża o byle co. Życie go naprawdę nie oszczędzało i teraz trudno mu się opanować. On... On nie jest...

„On nie jest dżentelmenem". To właśnie chciała powiedzieć, ale nie potrafiła.

George pokręcił głową i uśmiechnął się. Jego spojrzenie nie wyrażało typowej dla niego ironii, lecz łagodność i czułość. W jego oczach odbijało się echo dawnej miłości.

– Proszę nie kończyć, panno Helen! Jestem przekonany, że dojdę z pani mężem do zadowalającego obie strony porozumienia. W końcu dyplomacji uczyłem się od najlepszych... – Mrugnął do niej okiem.

Helen uśmiechnęła się nieśmiało.

– To do jutra, George!

– Do jutra, Helen! – George zamierzał wyciągnąć do niej rękę, ale zmienił zdanie. Ten jeden, jedyny raz pocałuje ją. Delikatnie objął ją ramieniem i musnął ustami jej policzek. Helen pozwoliła mu na to, a potem uległa własnej słabości i na ułamek sekundy oparła się na jego ramieniu. Może teraz ktoś inny niż ona również będzie silny. Może teraz ktoś inny niż ona będzie dotrzymywać złożonej obietnicy.

4

– Widzi pan, panie O'Keefe, odwiedziłem już wiele farm w tym regionie – powiedział George. Siedział z Howardem O'Keefe'em na ganku domu Helen, a gospodarz właśnie nalał im whisky. Helen to uspokoiło, wiedziała, że jej mąż pije tylko z ludźmi, którzy mu się podobają. Widocznie wspólne z gościem oglądanie farmy przebiegło harmonijnie. – I muszę przyznać – George kontynuował wyważonym tonem – że jestem nieco zaniepokojony...

– Zaniepokojony? – burknął Howard. – W jakim sensie? Przecież mamy tutaj mnóstwo wełny do sprzedania. Nie musi się pan martwić. A jeśli moja wełna się panu nie podoba... W porządku, nic mi pan nie musi udowadniać. Poszukam sobie po prostu innego odbiorcy. – Jednym łykiem opróżnił szklankę i na nowo ją napełnił.

George ze zdumieniem uniósł brwi.

– Dlaczego pańska wełna miałaby mi się nie podobać, panie O'Keefe? Wręcz przeciwnie, jestem bardzo zainteresowany współpracą. I stąd moje zaniepokojenie. Widzi pan, odwiedziłem już wiele farm i odniosłem wrażenie, że niektórzy tutejsi hodowcy pragną osiągnąć pozycję monopolisty, przede wszystkim niejaki Gerald Warden z Kiward Station.

– Trafił pan w sedno! – O'Keefe zdenerwował się i pociągnął kolejny łyk alkoholu. – Ta hołota chce mieć cały rynek tylko dla siebie... Najlepsze ceny za najlepszą wełnę... I jak oni samych siebie nazywają: „owczy baronowie"! Cóż za zarozumialcy!

Howard znów sięgnął po szklankę.

George pokiwał głową i upił mały łyk whisky.

– Wyraziłbym to trochę łagodniej, ale ogólnie ma pan rację. I bardzo słusznie zwrócił pan uwagę na ceny. Warden i pozostali najlepsi producenci windują je w górę. Oczywiście jednocześnie zwiększają wymagania w stosunku do jakości, ale jeśli o mnie chodzi... Cóż, moja pozycja negocjacyjna byłaby lepsza, gdyby panowała większa różnorodność.

– Czyli będzie pan więcej kupował od drobnych hodowców? – zapytał Howard z ciekawością. W jego oczach odbijało się zainteresowanie, ale także nieufność. Jaki kupiec świadomie nabywa towary gorszej jakości?

– Chętnie bym tak robił, panie O'Keefe. Ale oczywiście wełna musi mieć odpowiednią jakość. Moim zdaniem trzeba przerwać to błędne koło, w którym tkwią drobni farmerzy. Sam pan zresztą wie. Ma pan za mało ziemi i za dużo małowartościowych zwierząt, których wydajność jest znośna pod względem ilości, ale bardzo skromna w zakresie jakości. W rezultacie zyski są zawsze za małe, żeby mógł pan kupić lepsze zwierzęta i w dłuższej perspektywie poprawić jakość swojego produktu.

O'Keefe przytaknął mu z zapałem.

– Ma pan całkowitą rację. To właśnie od lat próbuję wytłumaczyć tym ludziom z banku w Christchurch! Potrzebuję pożyczki...

George pokręcił głową.

– Potrzebuje pan pierwszorzędnego materiału hodowlanego. I nie tylko pan, ale również inni drobni farmerzy. Zastrzyk gotówki mógłby pomóc, ale niekoniecznie. Proszę sobie wyobrazić, że kupuje pan cennego tryka, a on zdycha panu kolejnej zimy...

George obawiał się raczej, że Howard prędzej przegrałby pożyczone pieniądze w pubie w Haldon, niż zainwestował je w dobrego tryka, ale dobrze przygotował się do dzisiejszej rozmowy.

– Ale takie jest ry-ryzyko – powiedział Howard, któremu pomału zaczynał się plątać język.

– Ryzyko, na które nie może pan sobie pozwolić, O'Keefe. Pan ma rodzinę! Nie może pan ryzykować, że straci dom i gospodarstwo. Nie, mam dla pana inną propozycję. Umyśliłem sobie, że moja firma, Greenwood Enterprises, nabędzie stado pierwszorzędnych owiec, a potem będzie je wydzierżawiać hodowcom. Jeśli chodzi o zapłatę, to już się jakoś dogadamy. Ogólnie będzie chodziło o to, żeby dbał pan o zwierzęta, a po roku całe i zdrowe przekazywał kolejnemu hodowcy. A przez ten rok tryk zdąży pokryć wszystkie pana maciorki albo maciorka czystej rasy da panu dwa jagnięta, które pozwolą stworzyć nowe stado. Byłby pan zainteresowany tego rodzaju współpracą?

Howard się uśmiechnął.

– A za jakiś czas stary Warden nieźle się zdziwi, że nagle wszyscy farmerzy wokół niego też mają rasowe owce! – Uniósł szklankę, jakby chciał wznieść toast.

George z poważną miną skinął głową.

– Pan Warden na pewno przez to nie zbiednieje. A i pan, i ja będziemy mieli lepsze perspektywy. Umowa stoi? – Wyciągnął dłoń do męża Helen.

Helen widziała przez okno, jak jej mąż dobija targu. Nie słyszała, o co chodzi, ale Howard rzadko kiedy bywał równie zadowolony. A na twarzy George'a pojawiła się jego dawna cwana mina i właśnie mrugał okiem w jej kierunku. Wczoraj czyniła sobie wyrzuty z tego powodu, ale dzisiaj cieszyła się, że go pocałowała.

George był z siebie bardzo zadowolony, gdy następnego dnia opuścił Kiward Station i ruszył w drogę powrotną do Christchurch. Dobrego nastroju nie popsuła mu nawet wykrzywiona twarz tego impertynenta, stajennego McKenziego. Ten człowiek celowo zaniedbał przygotowanie mu konia, po tym jak wczoraj niemal doszło do skandalu, gdy wraz z Gwyneirą wyruszał na farmę Helen. McKenzie założył klaczy Gwyneiry damskie siodło, mimo że Gwyn poprosiła go, żeby przygotował jej konia na dłuższą jazdę z gościem. Pani Warden zwróciła mu na to uwagę, a on ostro coś odpowiedział. George usłyszał tylko wyrażenie „jak dama". Gwyneira z wściekłością zabrała małą Fleur, którą McKenzie chciał posadzić za nią z tyłu na Igraine, i posadziła ją na siodle przed George'em.

– Weźmie pan ze sobą Fleurette? – zapytała słodkim głosem, rzucając poganiaczowi niemal tryumfujące spojrzenie. – W damskim siodle nie dałabym sobie z nią rady.

McKenzie wpatrywał się w George'a niemal morderczym wzrokiem, gdy ten obejmował dziewczynkę ramieniem, żeby mieć pewność, że nie spadnie. Coś musiało być między nim a panią na Kiward Station... Ale Gwyneira z pewnością potrafiłaby się obronić, gdyby czuła się nękana. George postanowił, że nie będzie się wtrącać, a przede wszystkim, że o niczym nie wspomni w towarzystwie Lucasa czy Geralda. To nie była jego sprawa, poza tym chciał utrzymać Geralda w jak najlepszym nastroju. Po obfitej kolacji pożegnalnej i wypiciu trzeciej whisky zaproponował mu kupno stada owiec czystej rasy welsh-mountain. Godzinę później George zubożał o niezłą sumkę, ale na farmie Helen wkrótce pojawią się najlepsze na Nowej Zelandii zwierzęta hodowlane. George musiał jeszcze tylko znaleźć kilku innych drobnych farmerów, którzy potrzebowali pomocy, żeby Howard nie nabrał żadnych podejrzeń. Ale to nie powinno być trudne. Peter Brewster na pewno poda mu kilka nazwisk.

Ten nowy segment działań firmy – bo tak George będzie musiał przedstawić ojcu swoje nagłe zaangażowanie w hodowlę owiec – oznaczał w każdym razie, że będzie musiał przedłużyć swój pobyt na Wyspie Południowej. Owce trzeba podzielić, następnie zaś nadzorować uczestniczących w projekcie hodowców. Choć może nie będzie to konieczne. Brewster prawdopodobnie zaproponuje mu takich partnerów, którzy znają się na swojej robocie i mają kłopoty tylko ze względu na jakieś niesprzyjające okoliczności. Ale jeśli chciał pomóc Helen na dłużej, to Howard O'Keefe potrzebował stałego prowadzenia i nadzoru, oczywiście oferowanych mu dyplomatycznie w formie porad i wsparcia w jego walce z Wardenem. Zwykłe wskazówki O'Keefe najprawdopodobniej zupełnie by zlekceważył. Nawet gdyby udzielał ich zarządca firmy Greenwoodów. George musiał więc zostać. Ta myśl wydawała mu się tym atrakcyjniejsza, im dłużej jechał w krystalicznie czystym powietrzu Canterbury Plains. Siedząc przez wiele godzin w siodle, miał mnóstwo czasu na przemyślenia, również te dotyczące jego sytuacji w Anglii. Już pierwszy rok wspólnego kierowania firmą z Williamem doprowadził go do rozpaczy. Ojciec przymykał na wszystko oko, ale George'owi wystarczały rzadkie wizyty w Londynie, żeby zauważyć błędy brata i horrendalne straty, z jakimi w rezultacie musiała radzić sobie rodzinna firma. Zamiłowanie do podróży George'a wynikało również z tego, że nie potrafił na to spokojnie patrzeć i za każdym razem jak tylko lądował w Anglii, denerwował się, wysłuchując naczelników biur czy zarządców, którzy zwracali się do młodszego szefa z uwagami w rodzaju: „Pan musi coś z tym zrobić, panie George!", „Nie chciałbym, żeby zarzucono mi nielojalność, panie George, ale jeśli dalej tak będzie, to nie będę miał wyjścia!", „Panie George, dałem panu Williamowi rachunki, ale mam wrażenie, że on ich nie rozumie", „Panie George, niech pan porozmawia ze swoim ojcem!".

George oczywiście próbował porozmawiać z ojcem, ale nadaremnie. Pan Greenwood wciąż starał się znaleźć dla Williama jakieś pożyteczne zajęcie w ramach firmy. Zamiast ograniczać jego wpływy, próbował narzucać mu większą odpowiedzialność i w ten sposób skierować na dobrą drogę. Ale

George miał już tego dosyć, a poza tym obawiał się, że cała firma posypie się w gruzy, gdy tylko jego ojciec wycofa się z interesów.

W każdym razie filia w Nowej Zelandii stanowiła jakąś alternatywę. Gdyby zdołał jeszcze przekonać ojca, żeby w całości powierzył mu prowadzenie interesów w Christchurch, powiedzmy w ramach zaliczki na spadek! Wówczas mógłby zbudować tutaj coś, czemu nie groziłyby wybryki Williama. Oczywiście na początku musiałby żyć trochę skromniej niż w Anglii, ale w końcu wielkopańskie dwory, jak Kiward Station, wydawały się w tym dopiero od niedawna zagospodarowywanym kraju zupełnie nie na miejscu. Poza tym George nie musiał żyć w luksusie. Wygodny dom w mieście, dobry koń do podróży po kraju i miły pub, w którym wieczorami znajdowałby odprężenie i przyjemną rozrywkę – to wszystko Christchurch było mu w stanie zapewnić. Ale jeszcze lepsza byłaby rodzina. George nigdy dotąd nie myślał o założeniu rodziny, przynajmniej od czasu, gdy Helen dała mu kosza. Ale teraz, gdy zobaczył się już ze swoją pierwszą miłością i pożegnał z młodzieńczym oczarowaniem, wciąż o tym myślał. Ślub w Nowej Zelandii... Taka „historia miłosna" mogłaby poruszyć serce jego matki i sprawić, żeby poparła jego zamysł... Ale przede wszystkim byłby to doskonały pretekst do pozostania w tym kraju. George postanowił, że w najbliższym czasie rozejrzy się trochę po Christchurch, a może poprosi o radę państwa Brewsterów czy dyrektora banku. Może znają jakąś odpowiednią pannę. Ale najpierw musiał mieć gdzie mieszkać. White Hart było przyjemnym hotelem, ale zupełnie nieodpowiednim miejscem na tak długi pobyt w nowej ojczyźnie...

George już następnego dnia zabrał się za rozwiązywanie problemu, czy kupić dom, czy też lepiej go wynająć. Noc w hotelu była bardzo niespokojna. Najpierw w sali na dole do tańca przygrywał zespół muzyczny, a potem goście pobili się o dziewczęta. Okoliczność ta wywarła na George'u wrażenie, że zaloty w Nowej Zelandii to wcale nie taka prosta sprawa. Nagle w zupełnie innym świetle ujrzał ogłoszenie, na które odpowiedziała Helen. Poszukiwanie lokum również okazało się niełatwe. Kto tutaj przybywał, raczej nie kupował domu, tylko sam go sobie stawiał. Gotowe domy bardzo rzadko trafiały na sprzedaż i były w związku z tym niezwykle poszukiwane. Nawet Brewsterowie wynajęli swój dom w Christchurch na długo przed przybyciem George'a. Sprzedać go nie chcieli, ponieważ nie byli pewni, jak powiedzie im się w Otago.

George udał się więc pod nieliczne adresy, które udało mu się zdobyć w banku, w hotelu i w pubach, ale najczęściej były to raczej obskurne kwatery. Zwykle rodziny lub starsze samotne panie szukały lokatorów. Z pewnością była to przyzwoita i atrakcyjna alternatywa, z której emigranci stawiający pierwsze kroki w nowej ojczyźnie chętnie korzystali. Ale to nie były odpowiednie warunki dla George'a, który był przyzwyczajony do życia na wysokim poziomie.

Sfrustrowany wałęsał się po nowym parku nad brzegiem rzeki Avon. To tutaj latem odbywały się zawody wioślarskie, wyznaczono też punkty widokowe i miejsca na pikniki. Ale teraz była wiosna i jeszcze nikt z nich nie korzystał. Wciąż zmienna pogoda pozwalała najwyżej na krótki odpoczynek na brzegu rzeki. Na razie spacerowicze korzystali przede wszystkim z głównych alejek. Ale i tak człowiek czuł się tutaj, jakby był w Oksfordzie lub w Cambridge w Anglii. Nianie prowadziły swoich podopiecznych na spacer, dzieci grały w piłkę na łączkach, a kilka zakochanych par starało się skryć w cieniu drzew. Choć widoki te działały na George'a uspokajająco, nie potrafił całkiem zapomnieć o swoich kłopotach. Właśnie obejrzał ostatnią ofertę wynajmu – była to szopa, którą tylko ktoś obdarzony wybujałą fantazją mógł nazwać domem. Jej remont kosztowałby tyle samo czasu i pieniędzy, ile budowa nowego domostwa. A na dodatek lokal ten był położony bardzo niekorzystnie. O ile nie nastąpi jakiś cud, George będzie się musiał jutro rozejrzeć za działką i zastanowić nad budową nowego domu. Nie miał pojęcia, jak miałby przekonać rodziców do takiego pomysłu.

Zmęczony i nie w humorze wędrował po parku, patrzył na kaczki i łabędzie na rzece i przypadkiem zwrócił uwagę na młodą kobietę, która opiekowała się dwójką dzieci. Dziewczynka miała siedem lub osiem lat, była pulchna i miała gęste i bardzo ciemne loki. Z zadowoleniem rozmawiała ze swoją nianią, jednocześnie rzucając z kamiennej kładki czerstwy chleb dla kaczek. Chłopiec, jasnowłosy cherubinek, sprawiał natomiast wrażenie kłopotliwego wychowanka. Zszedł z mostka i zaczął grzebać w błocie przy brzegu.

Niania się zaniepokoiła.

– Robercie, nie podchodź tak blisko rzeki! Jak często mam ci to powtarzać? Nancy, uważaj na swojego brata!

Młoda kobieta – George ocenił, że ma najwyżej osiemnaście lat – bezradnie stała na skraju błotnistego fragmentu brzegu. Miała na sobie wypastowane na błysk czarne sznurowane buty oraz ciemnoniebieską suknię. Gdyby weszła za malcem w błoto, zniszczyłaby i buty, i suknię. Podobnie było w wypadku dziewczynki. Była ubrana w schludne i czyste ubranko i z pewnością nakazano jej, żeby się nie pobrudziła.

– On mnie nie słucha, panienko! – odpowiedziała grzecznie dziewczynka.

A chłopiec już zdążył wysmarować błotem całe swoje marynarskie ubranko.

– Przyjdę, jeśli zrobisz mi łódkę! – krzyknął rozkazującym tonem do niani. – Wtedy pójdziemy nad jezioro i puścimy ją na wodę.

Wspomniane przez niego jezioro było jedynie wielką kałużą, która została po tym, jak zimą rzeka wystąpiła z brzegów. Woda w niej nie wyglądała na czystą, ale tam z całą pewnością nie było żadnych niebezpiecznych prądów.

Młoda kobieta wyglądała na niezdecydowaną. Na pewno zdawała sobie sprawę z tego, że nie powinna z malcem w ogóle negocjować, ale wyraźnie nie miała ochoty brodzić po błocie i siłą wyciągać z niego chłopca. W końcu zdecydowała się na kontrpropozycję.

– Ale najpierw zrobimy ćwiczenia! Nie chcę, żeby wieczorem znowu było tak, że twój tato cię odpytuje, a ty nic nie wiesz.

George pokręcił głową. Helen nigdy nie ustępowała w podobnych sytuacjach z Williamem. Ale ta guwernantka była znacznie młodsza i widocznie również mniej doświadczona niż Helen za czasu swojego pobytu w domu Greenwoodów. Wyglądała na bliską płaczu, było widać, że nie radzi sobie z chłopcem. Mimo smutnej miny była piękna. George zauważył delikatną twarz w kształcie serca, bardzo jasną cerę, jasnoniebieskie oczy i bladoróżowe usta. Gęste jasne włosy zostały związane na karku w luźny kok, ale fryzura nie chciała się trzymać. Albo jej włosy były za miękkie, żeby dać się ułożyć, albo dziewczyna nie najlepiej radziła sobie z układaniem fryzur. Na czubku głowy miała schludny czepek, który pasował do sukienki. Jej strój był skromny, ale nie był to mundurek służącej. George zrewidował swoje pierwotne przypuszczenia. Ta dziewczyna była guwernantką, nie piastunką.

– Zrobię jedno ćwiczenie, a później dostanę łódkę! – zawołał Robert pewnym głosem. Odkrył właśnie stary i grożący zawaleniem pomost, który prowadził w głąb rzeki, i doskonale się bawił, łapiąc na nim równowagę. George się zaniepokoił. Do tej pory chłopiec tylko się droczył, teraz jednak znajdował się w prawdziwym niebezpieczeństwie. Prąd rzeki był bardzo silny.

Guwernantka również to dostrzegła, ale nie chciała poddać się bez walki.

– Zrobisz trzy ćwiczenia – zaproponowała, ale głos zaczął jej się łamać.

– Dwa! – chłopiec, który miał około sześciu lat, zachwiał się na luźnej desce.

George miał już dosyć. Miał na sobie ciężkie buty do jazdy konnej, w których bez przeszkód mógł przejść po błocie. Zrobił trzy kroki, chwycił wrzeszczącego szkraba i szybko wyszedł na brzeg rzeki obok jego nauczycielki.

– Proszę, chyba pani uciekł! – powiedział z uśmiechem.

Młoda kobieta najpierw się zawahała, nie wiedząc, jak powinna zachować się w takiej sytuacji. Zwyciężyło jednak poczucie ulgi i ona również się uśmiechnęła. W końcu śmiesznie to wyglądało, gdy niesiony pod ramieniem nieznajomego Robert wierzgał niczym niesforny szczeniak. Jego siostra chichotała z radości.

– Trzy zadania, młody człowieku, to cię puszczę – rzucił George.

Robert jękiem wyraził zgodę, a George postawił go na ziemi. Guwernantka od razu chwyciła go za kołnierz i posadziła na najbliższej parkowej ławeczce.

– Bardzo dziękuję – powiedziała ze skromnie spuszczonym wzrokiem. – Przestraszyłam się. On często jest taki niegrzeczny…

George ukłonił się i już miał ruszyć dalej, ale coś go powstrzymało. Poszukał sobie ławeczki niedaleko guwernantki, która wciąż uspokajała swojego podopiecznego. Przytrzymując go na ławce, jednocześnie starała się naprowadzić na właściwą odpowiedź na zadane pytanie.

– Dwa i trzy – ile to jest, Robercie? Układaliśmy w ten sposób klocki, pamiętasz?

– Nie wiem. Zrobimy łódkę? – zapytał wiercący się maluch.

– Po rachunkach. Popatrz, Robercie, tu są trzy listki. A tu jeszcze dwa. Ile to razem?

Chłopiec musiał tylko policzyć listki. Ale był krnąbrny i nie chciał słuchać. George jakby widział swojego brata.

Młoda guwernantka nie traciła cierpliwości.

– Robercie, po prostu policz.

Chłopiec niechętnie zaczął liczyć.

– Jeden, dwa, trzy, cztery… Cztery, panienko.

Nauczycielka westchnęła, podobnie jak mała Nancy.

– Policz jeszcze raz, Robercie.

Dziecko było leniwe i tępe. Współczucie George'a dla guwernantki rosło z każdym kolejnym zadaniem, którego rozwiązanie z trudem na nim wymuszała. Na pewno łatwo było w takiej sytuacji stracić cierpliwość, ale ta młoda kobieta uśmiechała się ze stoickim spokojem, gdy Robert raz po raz wołał: „Chcę łódkę! Chcę łódkę!". Skończyła dopiero wtedy, gdy chłopiec w końcu rozwiązał trzecie najłatwiejsze zadanie. Ale do składania łódek z papieru brakowało jej i cierpliwości, i umiejętności. Pierwszy model, który spełniał wymagania Roberta, okazał się niezdolny do morskich podróży. Chłopiec już po chwili był z powrotem i przeszkadzał Nancy w nauce rachunków, co dziewczynkę zirytowało. Siostra chłopca dobrze sobie z nimi radziła, a poza tym w przeciwieństwie do guwernantki zauważyła, że nieznajomy im się przysłuchuje. Za każdym razem gdy w ekspresowym tempie podawała poprawne rozwiązanie zadania, rzucała George'owi tryumfujące spojrzenie. Ale on całą swoją uwagę skupił na młodej guwernantce. Zadawała kolejne pytania cichym i miłym głosem, trochę sztucznie wymawiając głoskę „s". Albo pochodziła z angielskich wyższych sfer, albo sepleniła w dzieciństwie i nauczyła się kontrolować swoją wymowę. George'owi bardzo spodobał się jej sposób mówienia, mógłby przysłuchiwać się jej bez końca. Ale Robert nie dawał spokoju guwernantce i swojej siostrze. George doskonale wiedział, jak czuje się ta mała dziewczynka. A w oczach nauczycielki spostrzegł taką samą skrywaną niecierpliwość, jak kiedyś u Helen.

– Zatonął, panienko! Zrób nowy – zażądał malec, rzucając guwernantce na kolana mokrą łódkę.

George postanowił wtrącić się jeszcze raz.

– Chodź, ja ci pomogę – zawołał Roberta. – Pokażę ci, jak się składa łódki, i będziesz mógł sam je sobie robić.

– Ale przecież pan wcale nie musi… – Młoda kobieta rzuciła mu bezradne spojrzenie. – Robert, narzucasz się panu – powiedziała surowym tonem.

– Ależ skąd – odparł George z lekceważącym gestem. – Wręcz przeciwnie. Lubię składać łódki. A nie miałem po temu okazji od niemal dziesięciu lat. Pora, żebym trochę poćwiczył, bo inaczej zupełnie zgnuśnieję.

Młoda kobieta dalej rachowała z Nancy, a George, sprawnie składając z papieru łódkę, od czasu do czasu rzucał na nią ukradkowe spojrzenia.

Próbował pokazać Robertowi, jak robi się takie łódeczki, ale chłopca interesował wyłącznie rezultat.

– Chodź, puścimy ją na wodę! – wciąż prosił George'a. – Na rzece!

– W żadnym razie na rzece! – guwernantka zerwała się z miejsca. Choć z pewnością sprawiła tym przykrość Nancy, była gotowa pójść z Robertem do kałuży, żeby tylko nie znalazł się ponownie w niebezpieczeństwie. George szedł obok, podziwiając jej lekkie i wdzięczne ruchy. To nie była wiejska dziewka, jak te z wczorajszego wesela w hotelu. Ta dziewczyna była małą damą.

– Chłopiec ma trudny charakter, prawda? – powiedział ze współczuciem.

Skinęła głową.

– Ale Nancy jest bardzo miła. Może Robertowi z wiekiem to minie... – stwierdziła z nadzieją.

– Myśli pani? – zapytał George. – Ma pani doświadczenie?

Młoda kobieta wzruszyła ramionami.

– Nie, to moja pierwsza posada.

– Po seminarium nauczycielskim? – zapytał George. Dziewczyna wydawała mu się zbyt młoda jak na wykształconego pedagoga.

Guwernantka powoli pokręciła głową.

– Nie, nie uczęszczałam do seminarium. W Nowej Zelandii jeszcze żadnego nie otwarto, a przynajmniej nie tutaj, na Wyspie Południowej. Ale potrafię czytać i pisać, znam odrobinę francuski i bardzo dobrze maoryski. Czytałam też klasyków, choć nie po łacinie. Ale te dzieci na razie nie wybierają się do college'u.

– I jak się pani podoba ta praca? – zapytał George.

Dziewczyna popatrzyła na niego i zmarszczyła brwi. George wskazał na ławeczkę stojącą obok „jeziora" i ucieszył się, gdy skorzystała z zaproszenia i usiadła na niej.

– Czy mi się podoba? Nauczanie? Cóż, nie zawsze. To praca jak każda inna.

George usiadł obok niej i zdecydował, że porozmawia z nią bez ogródek.

– Skoro już tutaj sobie rozmawiamy, to pozwoli pani, że się przedstawię? George Greenwood z firmy Greenwood Enterprises. Londyn, Sydney, a ostatnio Christchurch.

Jeśli jego słowa wywarły na niej jakiekolwiek wrażenie, to nie dała tego po sobie poznać. Swobodnie i z niejaką dumą podała swoje nazwisko:

– Elizabeth Godewind.

– Godewind? Brzmi po duńsku. Ale pani nie ma skandynawskiego akcentu.

Elizabeth potrząsnęła głową.

– Nie, ja również pochodzę z Londynu. Ale moja przybrana matka była Szwedką. Adoptowała mnie.

– Tylko matka? A ojciec? – George zganił się w duchu za swoje wścibstwo.

– Pani Godewind była już starszą osobą, gdy do niej trafiłam. Jako osoba do towarzystwa. A później chciała, żebym odziedziczyła po niej dom, a najprościej można to było załatwić właśnie przez adopcję. Spotkanie pani Godewind było najlepszą rzeczą, jaka mi się w życiu przydarzyła... – Młoda kobieta starała się powstrzymać łzy. George odwrócił wzrok, żeby jej dodatkowo nie zawstydzać, i jednocześnie rozejrzał się za dziećmi. Nancy zrywała kwiaty, a Robert robił co mógł, żeby zatopić kolejną papierową łódkę.

Elizabeth znalazła chusteczkę i pomału się uspokajała.

– Proszę mi wybaczyć. Ale minęło dopiero dziewięć miesięcy od jej śmierci i to wciąż tak bardzo boli.

– Ale skoro jest pani zamożna, to czemu szukała pani posady? – zapytał George. Jego dociekliwość była niestosowna, ale ta dziewczyna po prostu go zafascynowała.

Elizabeth wzruszyła ramionami.

– Pani Godewind dostawała rentę i z tego się utrzymywaliśmy. Ale po jej śmierci został nam tyko dom. Najpierw chcieliśmy go wynająć, ale to nie był dobry pomysł. Mnie samej brakuje autorytetu, a Jones, nasz służący, w ogóle go nie ma. Lokatorzy nie płacili czynszu, zachowywali się impertynencko, niszczyli pokoje i wciąż rozkazywali Jonesowi i jego żonie. To było nie do zniesienia. Ten dom jakby już nie był nasz. Znalazłam więc sobie tę posadę. Wolę zajmować się dziećmi. Jestem z nimi tylko w ciągu dnia, a wieczorem wracam do domu.

„A więc wieczory ma wolne". George zastanawiał się, czy mógłby zaproponować jej spotkanie. Zaprosić na kolację do White Hart albo na wspólny spacer. Ale nie, z pewnością by odmówiła. To była dobrze wychowana dziewczyna, a już sama ich rozmowa w parku nie do końca mieściła się w granicach przyzwoitości. Zaproszenie bez pośrednictwa zaprzyjaźnionej rodziny, spotkanie bez przyzwoitki, bez odpowiednich ram – to było nie do pomyślenia. Ale do diaska, przecież nie są w Londynie! Są na końcu świata, a on w żadnym wypadku nie chce stracić jej z oczu. Musi się odważyć. I ona też... Do cholery, nawet Helen się odważyła!

George zwrócił się do dziewczyny, starając się, by jego spojrzenie było jak najbardziej czarujące, a jednocześnie pełne powagi.

– Panno Godewind – powiedział powoli. – Pytanie, które teraz pani zadam, z pewnością wykracza poza konwenanse. Chciałbym oczywiście zachować odpowiednią formę, ruszyć za panią niezauważenie, poznać nazwisko pani chlebodawców i postarać się, żeby jakiś znany członek społeczności Christchurch zapoznał mnie z nimi, a potem liczyć na to, że przy jakiejś okazji zostaniemy sobie oficjalnie przedstawieni. Ale w tym czasie pani mogłaby zdążyć wyjść za kogoś innego, a zresztą ja nie lubię wyręczać się pośrednikami. W każdym razie, jeśli nie chce pani spędzić reszty życia na zmaganiach z takimi urwisami jak Robert, to proszę mnie wysłuchać. Oferuje pani dokładnie to, czego szukam, jest pani piękną kobietą, atrakcyjną i wykształconą, ma pani dom w Christchurch...

Trzy miesiące później George Greenwood poślubił Elizabeth Godewind. Rodzice pana młodego nie byli obecni na uroczystości, Robert Greenwood nie mógł wybrać się w podróż ze względu na interesy, ale przekazał młodej parze swoje błogosławieństwo i najserdeczniejsze życzenia, a jako prezent ślubny przepisał na George'a filię firmy na Nową Zelandię i Australię. Pani Greenwood opowiadała wszystkim swoim przyjaciółkom, że jej syn poślubił córkę szwedzkiego kapitana, sugerując jej powiązania ze szwedzkim rodem królewskim. Nigdy się nie dowiedziała, że Elizabeth tak naprawdę urodziła się w Queens i że to jej własny komitet dobroczynny sierocińca wysłał ją na koniec świata. Wygląd panny młodej pod żadnym względem nie zdradzał zresztą jej pochodzenia. Prezentowała się olśniewająco w sukni z białej koronki, której tren grzecznie nieśli za nią Nancy i Robert. Helen niczym mityczny Argos nie spuszczała chłopca z oczu, George więc mógł być spokojny, że mały będzie się odpowiednio zachowywać. Ponieważ George wyrobił już sobie renomę jako handlarz wełną, a pani Godewind uchodziła za podporę miejscowej społeczności, biskup nie odmówił sobie przyjemności połączenia tej pary. Przyjęcie weselne w wielkim stylu odbyło się w hotelu White Hart. Obecni na nim Gerald Warden i Howard O'Keefe upijali się w przeciwległych końcach sali. Helen i Gwyneira nie dały sobie popsuć uroczystości i mimo wszelkich napięć uzgodniły, że Ruben i Fleur będą razem sypać kwiaty. Przy okazji Gerald Warden po raz pierwszy uświadomił sobie tak naprawdę, że małżeństwo Howarda O'Keefe'a zostało pobłogosławione udanym synem, co jeszcze bardziej zepsuło mu humor. Ta nędzna farma O'Keefe'a będzie więc miała dziedzica! A Gwyneira wciąż była szczupła jak wierzbowa witka. Gerald zatopił wzrok w butelce whisky, a Lucas, który widział jego minę, ucieszył się, że może udać się z Gwyneirą do pokoju hotelowego, zanim jego ojciec po raz kolejny da głośno wyraz swojej wściekłości. W nocy spróbował zbliżyć się do Gwyneiry, a ona jak zwykle okazała dobrą wolę i robiła, co mogła, żeby go zachęcić. Ale Lucas po raz kolejny zawiódł.

5

Stosunki między Jamesem McKenziem i Gwyneirą pozostawały napięte jeszcze długo po wizycie George'a. Gwyn była wściekła, James zaś obrażony. Ale przede wszystkim oboje na nowo uświadomili sobie, że tak naprawdę nic się między nimi nie zmieniło. Gwyn nadal krwawiło serce, gdy widziała, z jaką rozpaczą spogląda na nią James, a on nie mógł znieść myśli, że ona kiedyś znajdzie się w ramionach innego. Odnowienie ich związku było jednak niemożliwe. Gwyn zdawała sobie sprawę, że gdyby choć raz się do siebie zbliżyli, James nigdy już nie pozwoliłby jej odejść.

Życie na Kiward Station i bez tego stawało się coraz trudniejsze do zniesienia. Gerald upijał się każdego dnia i bez przerwy dręczył Lucasa i Gwyn. Przed jego atakami nie chroniła ich już nawet obecność gości. Gwyneira była tak zrozpaczona, że odważyła się zapytać Lucasa o jego trudności z małżeńskim pożyciem.

– Posłuchaj, kochanie – zaczęła pewnego wieczoru cichym głosem, gdy Lucas leżał obok niej, wyczerpany i zawstydzony po kolejnej nieudanej próbie. Gwyneira bardzo starała się go pobudzić, dotykała jego członka, choć była to chyba najbardziej nieprzyzwoita rzecz, jaką mogli razem robić dama i dżentelmen. Jej doświadczenia z Jamesem były jednak bardzo obiecujące. Ale Lucas wcale się nie podniecił, nawet gdy głaskała i lekko masowała jego gładką, delikatną skórę. A przecież to powinno działać. Gwyneira postanowiła odwołać się do wyobraźni Lucasa. – Jeśli ja ci się nie podobam... Bo mam rude włosy albo dlatego, że wolisz krąglejsze kobiety... To może spróbuj wyobrazić sobie inną kobietę? Nie miałabym ci tego za złe.

Lucas delikatnie pocałował ją w policzek.

– Jesteś taka kochana – westchnął. – Taka wyrozumiała. Nie zasługuję na ciebie. Strasznie cię za to wszystko przepraszam. – Zawstydzony Lucas próbował się odwrócić.

– Od twoich przeprosin nie zajdę w ciążę! – odparła ostro Gwyneira. – Lepiej pomyśl o czymś, co cię podnieca.

Lucas spróbował. Ale kiedy oczami wyobraźni ujrzał obraz, który go podniecił, przerażenie natychmiast go otrzeźwiło. To niemożliwe! Przecież nie może współżyć z żoną, marząc o szczupłym, ale mocnym ciele George'a Greenwooda...

Do zaostrzenia sytuacji doszło pewnego grudniowego wieczoru. To był gorący letni dzień bez najmniejszego powiewu wiatru. Na Canterbury Plains rzadko panowała taka pogoda, a upał popsuł humor wszystkim mieszkańcom Kiward Station. Fleur marudziła, a Gerald od samego rana był nie do wytrzymania. Najpierw zrugał pracowników, że maciorki matki nie zostały jeszcze zapędzone w góry, chociaż sam wcześniej przykazał Jamesowi, żeby wypędzić stada dopiero po urodzeniu się ostatniego jagnięcia. Po południu klął, że Lucas siedzi w ogrodzie i rysuje z Fleurette, zamiast zająć się jakąś pożyteczną robotą przy zwierzętach. A na dodatek pokłócił się z Gwyneirą, która odpowiedziała, że akurat teraz przy owcach nic nie trzeba robić. W tak gorącej porze dnia najlepiej zostawić je w spokoju.

Wszyscy czekali na deszcz, a burza wydawała się nieunikniona. Ale gdy zaszło słońce i nadeszła pora kolacji, na niebie wciąż nie pojawiła się nawet najmniejsza chmurka. Gwyneira westchnęła i udała się do swoich pokoi, żeby przebrać się do kolacji. Zupełnie nie była głodna i najchętniej usiadłaby teraz na werandzie w ogrodzie, żeby poczekać, aż noc przyniesie trochę ochłody. Może poczułaby pierwszy powiew nadchodzącej burzy. Może udałoby jej się ją sprowadzić, w końcu Maorysi wierzyli w możliwość zaklinania pogody, a Gwyn od samego rana miała dziwne poczucie, jakby stanowiła część nieba i ziemi, jakby była panią życia i śmierci. Tak czuła się zawsze wtedy, gdy uczestniczyła i pomagała w rodzeniu się nowego życia. Pamiętała, że po raz pierwszy poczuła się w ten sposób przy narodzinach Rubena. Dzisiaj powodem była Cleo. Suczka urodziła rankiem pięcioro wspaniałych szczeniąt. Teraz leżała w swoim koszyku na tarasie, karmiąc młode, i z radością powitałaby towarzystwo i podziw swojej pani. Ale Gerald się uparł, żeby przyszła na kolację, czyli trzy dania podawane w napiętej atmosferze i ciągłej niepewności. Gwyneira i Lucas już dawno się nauczyli, żeby w obecności Geralda ważyć każde słowo. Gwyn wiedziała, że nie powinna wspominać o szczeniętach Cleo, a Lucas opowiadać o akwarelach, które wczoraj wysłał do Christchurch. George Greenwood chciał przesłać je do pewnej galerii w Londynie. Był przekonany, że malarstwo Lucasa zdobędzie tam uznanie. Z drugiej strony musieli o czymś rozmawiać przy stole, bo w przeciwnym wypadku tematy konwersacji wybierał Gerald i zawsze były one nieprzyjemne.

Gwyneira w pochmurnym nastroju zdejmowała z siebie popołudniową suknię. Miała dosyć tego ciągłego przebierania się do kolacji, a gorset będzie ją uciskał w takim upale. Ale przecież wcale nie musi go zakładać. Jest na tyle szczupła, że zmieści się w luźną letnią suknię, którą wybrała na dzisiejszy wieczór. Bez fiszbinowego pancerza od razu poczuła się lepiej. Pośpiesznie poprawiła jeszcze włosy i zbiegła ze schodów. Lucas i Gerald czekali już przed kominkiem, każdy ze szklanką whisky w dłoni. Atmosfera na szczęście była jeszcze przyjazna. Gwyneira uśmiechnęła się do obu panów.

– Czy Fleur już śpi? – zapytał Lucas. – Nie powiedziałem jej jeszcze dobranoc...

To zdecydowanie nie był właściwy temat. Gwyneira musiała jak najszybciej zmienić wątek.

– Była ledwie żywa ze zmęczenia. To wasze malowanie w ogrodzie było fascynujące, ale też bardzo męczące w taki upał. A po południu nie mogła zasnąć, bo było jej za gorąco. I jeszcze ta radość z powodu szczeniąt...

Gwyn najchętniej ugryzłaby się w język. To dopiero był fałszywy trop. Jak można się było spodziewać, Gerald natychmiast zareagował.

– Czyli twoja suka znowu się oszczeniła – burknął. – I pewnie znowu bez żadnych trudności? Gdyby tak jej pani szło równie dobrze... Jak to u zwierząt szybko się dzieje. Cieczka, krycie, kolejny miot! Co u ciebie jest nie tak, moja mała księżniczko? Nie masz cieczki czy...

– Ojcze, zaraz będziemy jeść – Lucas przerwał mu, jak zwykle grzecznym tonem. – Proszę, uspokój się i nie obrażaj Gwyneiry. To nie jej wina.

– To znaczy, że twoja, ty... Ideale dżentelmena! – Gerald wyrzucał z siebie słowa niczym pociski. – To całe wytworne wychowanie zupełnie pozbawiło cię rezonu, co?

– Geraldzie, nie przy służbie – powiedziała Gwyneira, rzucając okiem na Kiri, która właśnie weszła, żeby podać pierwsze danie. Lekkie potrawy i sałatka. „Gerald niewiele z tego zje. I tym szybciej minie kolacja" – pomyślała Gwyneira. A tuż po jedzeniu będzie mogła się pożegnać.

W tym momencie nastąpił jednak incydent, który wszystko zmienił. A przyczyną była Kiri, która zwykle nie sprawiała żadnych problemów. Przez cały dzień była blada, teraz zaś, przy podawaniu kolacji, wydawała się bardzo zmęczona. Gwyneira już miała ją o to zapytać, ale zrezygnowała. Poufałość ze służbą była jedną z wielu rzeczy, których Gerald nie znosił. Nie skomentowała więc niezręczności i nieuwagi ze strony służącej. W końcu każdy może mieć gorszy dzień.

Moana, która okazała się całkiem utalentowaną kucharką, wiedziała, jak zadowolić swoich państwa. Wiedziała, że Gwyneira i Lucas preferują lekkie potrawy, ale jednocześnie zdawała sobie sprawę, że Gerald nie obyłby się bez przynajmniej jednego dania mięsnego. Jako danie główne podano więc jagnięcinę, a Kiri, która właśnie wniosła tę potrawę, wydawała się jeszcze bledsza niż wcześniej. Aromat pieczeni pomieszał się z ciężką wonią róż, które Lucas przyniósł z ogrodu. Ten zapachowy koktajl wydał się Gwyneirze zbyt intensywny, niemal nie do wytrzymania, a Kiri zdawała się podzielać jej zdanie. W momencie gdy chciała nałożyć Geraldowi plaster mięsa, nagle się zachwiała. Gwyn zerwała się z miejsca, gdy służąca przewróciła się obok krzesła Geralda.

Ani sekundy się nie zastanawiając, czy to wypada czy nie, uklękła obok Kiri i potrząsała nią, podczas gdy Lucas zbierał okruchy półmiska i starał się prowizorycznie oczyścić dywan z resztek mięsnego sosu. Witi, który był świadkiem zajścia, zaczął pomagać swojemu panu, a jednocześnie zawołał Moanę. Kucharka szybko nadbiegła i przyłożyła Kiri do czoła szmatkę zmoczoną zimną wodą.

Gerald Warden z pochmurnym wyrazem twarzy obserwował całe to zamieszanie. Incydent jeszcze bardziej popsuł jego i tak nie najlepszy humor. „Do diaska, Kiward Station ma być wielkopańskim dworem! Czy ktoś słyszał o tym, by w londyńskich domach służące przewracały się i wszyscy, włączywszy w to samych państwa, krzątali się wokół nich niczym posługacze?".

A przecież Kiri nic się nie stało. Już do siebie dochodziła. Z przerażeniem patrzyła na szkody, jakie wyrządziła.

– Przepraszam, panie Geraldzie! To już się nigdy więcej nie powtórzy, obiecuję! – ze strachem w oczach zwróciła się do pana domu, który mierzył ją bezlitosnym wzrokiem. Witi wycierał pobrudzony sosem frak Geralda.

– Przecież to nie twoja wina, Kiri – powiedziała Gwyn przyjaznym tonem. – Przy takiej pogodzie może się zdarzyć.

– To nie pogoda, panno Gwyn. To dziecko – wyjaśniła Moana. – Kiri zimą urodzić dziecko. Dlatego dzisiaj czuć się źle cały dzień i nie móc wąchać mięso. Ja jej mówić, żeby nie podawać, ale ona...

– Tak mi przykro, panno Gwyn... – jęczała Kiri.

Gwyneira z cichym westchnieniem pomyślała, że to idealna kulminacja całego nieudanego wieczoru. Czy ta nieszczęsna kucharka musiała o tym wypaplać akurat przy Geraldzie? Ale Kiri trudno było winić za to, że zasłabła. Gwyneira postarała się o uspokajający uśmiech.

– Nie musisz przepraszać, Kiri – powiedziała przyjaznym tonem. – To raczej powód do radości. Ale przez najbliższe kilka tygodni powinnaś się oszczędzać. Teraz idź do domu i połóż się. Witi i Moana wszystko posprzątają...

Kiri wyszła, wciąż powtarzając przeprosiny i przynajmniej trzykrotnie kłaniając się przed Geraldem. Gwyneira miała nadzieję, że go to ułagodzi, ale wyraz jego twarz nie zmienił się ani na jotę i w żaden sposób nie starał się też uspokoić przerażonej dziewczyny.

Moana próbowała uratować choć część dania głównego, ale Gerald odesłał ją zniecierpliwionym gestem.

– Zostaw to, dziewczyno! I tak nie mam już apetytu. Zmykaj, idź do swojej przyjaciółki... Albo też postaraj się o ciążę. Tylko zostaw mnie w spokoju!

Pan domu wstał i podszedł do barku. Kolejna podwójna whisky. Gwyneira wiedziała, że ani ją, ani męża nie czeka już dziś nic miłego. Ale służący wcale nie musieli być przy tym obecni.

– Słyszałaś, Moano... I ty też, Witi. Pan Gerald daje wam dzisiaj wolne. Nie martwcie się o kuchnię. Jeśli będziemy mieli ochotę, sama przyniosę deser. A dywan wyczyścicie jutro. Miłego wieczoru.

– W wiosce będą tańce o deszcz, panno Gwyn – wyjaśnił Witi, jakby się usprawiedliwiając. – To naprawdę pomaga. – Chcąc udowodnić swoje słowa, otworzył górną połowę drzwi na taras. Gwyneira miała nadzieję, że wpłynie tamtędy odrobina chłodnego powietrza, ale na zewnątrz wciąż panował upał. Od strony maoryskiej wioski dochodziły dźwięki bębnów i śpiewów.

– Widzisz – Gwyn zwróciła się do służącego. – Tam się bardziej przydasz niż tutaj. Idź już. Pan Gerald nie czuje się najlepiej...

Gwyneira odetchnęła, gdy za służącymi zamknęły się drzwi. Była pewna, że Moana i Witi nie zabiorą się za sprzątanie kuchni, tylko wezmą swoje rzeczy i opuszczą dwór po kilku minutach.

– Może sherry na poprawę nastroju, moja droga? – zapytał Lucas.

Gwyneira skinęła głową. Nie po raz pierwszy poczuła żal, że nie może tak po prostu upić się, jak pozbawieni zahamowań mężczyźni. Ale Gerald nie pozwolił jej nawet nacieszyć się kieliszkiem sherry. Szybko przełknął swoją whisky i przyglądał się im obojgu przekrwionymi oczami.

– Ta maoryska dziewka jest więc w ciąży. A stary O'Keefe ma syna. Wszyscy wokół są płodni, wszędzie tylko słychać płacze, beczenie i skomlenie. Tylko u was ciągle nic. Czyja to wina, panno Pruderio i panie Oklapły? Czyja to wina?

Zawstydzona Gwyn wbiła wzrok w kieliszek. Najlepiej było po prostu nie słuchać. Z zewnątrz wciąż dochodziło bębnienie. Gwyn starała się skoncentrować na tych dźwiękach i zapomnieć o Geraldzie. Lucas spróbował łagodnego tonu.

– Nie wiemy, czemu nam się nie udaje, ojcze. Najpewniej taka jest wola Boga. Sam wiesz, że nie każde małżeństwo zostaje pobłogosławione licznym potomstwem. Ty i mama, przecież wy też mieliście tylko mnie...

– Twoja matka... – Gerald ponownie chwycił za butelkę. Nawet nie pofatygował się, żeby napełnić szklankę, tylko przytknął ją sobie prosto do ust. – Twoja cudowna matka myślała tylko o nim... O tym... Co noc beczała mi do ucha, nawet najlepszemu byczkowi przeszłaby ochota. – Gerald rzucił pełne nienawiści spojrzenie na portret swojej nieżyjącej małżonki.

Gwyneira obserwowała go z rosnącym przerażeniem. Gerald jeszcze nigdy nie posunął się tak daleko. Dotychczas o matce Lucasa zawsze wyrażał się z najwyższym szacunkiem. Gwyn wiedziała, jaką czcią jej mąż darzy pamięć swojej matki.

Do tej pory Gwyneira odczuła jedynie odrazę, ale teraz pojawił się strach. Najchętniej uciekłaby stamtąd. Szukała jakiejś wymówki, ale to nic by nie dało. Gerald nawet by jej nie wysłuchał. Ponownie zwrócił się do Lucasa.

– Ale ja nie zawiodłem! – obwieścił gromko. – Skoro jesteś mężczyzną... A przynajmniej takie sprawiasz wrażenie... Ale czy ty naprawdę nim jesteś, Lucasie Warden? Czy jesteś mężczyzną? Czy potrafisz posiąść kobietę jak mężczyzna? – Gerald wstał i ruszył w stronę Lucasa, przybierając groźną postawę. Gwyneira dostrzegła w jego oczach palącą wściekłość.

– Ojcze...

– Odpowiedz, mięczaku! Wiesz, jak to się robi? Czy wolisz chłopców, jak mówią w stajni? A mówią, mówią, Lucasie! Ten mały Johnny Oates twierdzi, że ciągle się na niego gapisz. Nie może się od ciebie odpędzić... Czy to prawda?

Gerald gromił wzrokiem swojego syna.

Twarz Lucasa stała się purpurowa.

– Na nikogo się nie gapię – wyszeptał. „Przynajmniej nie świadomie. Czy to możliwe, by ci poganiacze domyślili się jego najskrytszych grzesznych pragnień?".

Gerald splunął Lucasowi pod nogi, a potem odwrócił się od niego, żeby skoncentrować swoją uwagę na Gwyneirze.

– A ty... Mała pruderyjna księżniczko? Nie potrafisz go rozpalić? A przecież potrafisz podniecać facetów. Pamiętam jeszcze, jak przyglądałaś mi się wtedy w Walii... Pomyślałem, że niezła z ciebie sztuka i że szkoda cię na żonę angielskiego arystokraty... Że potrzeba ci prawdziwego mężczyzny. A ci ze stajni też ci się przyglądają, księżniczko! Wszyscy są w tobie zadurzeni, wiedziałaś o tym? A tobie to odpowiada, co? Tylko wobec swojego wytwornego małżonka jesteś zimna jak ryba!

Gwyneira spróbowała głębiej wcisnąć się w fotel. Zawstydzał ją palący wzrok teścia. Żałowała, że ma na sobie głęboko wyciętą i luźną suknię. Wzrok Geralda przesunął się z jej bladej twarzy na dekolt. Jak będzie dłużej patrzył, to zauważy...

– O proszę! – zabrzmiał jego drwiący głos. – Nie masz dziś na sobie gorsetu, księżniczko? Masz nadzieję, że trafi ci się jakiś prawdziwy mężczyzna, kiedy twój małżonek mięczak pójdzie spać?

Gwyneira aż podskoczyła, gdy Gerald wyciągnął ku niej ręce. Instynktownie zaczęła się cofać. Ale Gerald nie ustępował.

– Aha, uciekasz na widok prawdziwego mężczyzny. Tak przypuszczałem... Panienka Gwyn lubi, jak się ją prosi! Ale prawdziwy mężczyzna nie poddaje się tak szybko...

Gerald sięgnął do jej stanika. Gwyneira jęknęła, gdy zaczął ją napastować. Lucas rzucił się, żeby ich rozdzielić.

– Ojcze, zapominasz się!

– Tak? Ja się zapominam? Nie, mój najdroższy synu! – Gerald z całej siły uderzył Lucasa w pierś. Ten nie odważył się oddać. – Chyba postradałem rozum, gdy kupowałem dla ciebie tę pełnej krwi klacz. Szkoda jej dla ciebie, szkoda... Powinienem był od razu wziąć ją dla siebie. Miałbym już całe stado potomków.

Gerald pochylił się nad Gwyneirą, która z powrotem opadła na fotel. Próbowała wstać i uciec, ale jednym uderzeniem powalił ją na ziemię i przygniótł swoim ciężarem, zanim zdążyła się podnieść.

– A teraz wam pokażę... – wystękał. Był zupełnie pijany, plątał mu się język, ale siły mu nie brakowało. W jego oczach Gwyneira widziała czyste pożądanie.

Przerażona próbowała sobie przypomnieć. Jak to było w Walii? Podobała mu się? Czy zawsze tak było, tylko ona niczego dotąd nie zauważyła?

– Ojcze... – Lucas spróbował odciągnąć ojca, ale jego pięść była szybsza. Nawet pijany potrafił celnie uderzyć. Lucasa odrzuciło do tyłu i stracił na chwilę przytomność. Gerald rozpiął sobie spodnie. Gwyneira usłyszała, że Cleo szczeka na tarasie. Zdenerwowana suka drapała drzwi.

– Teraz cię nauczę, księżniczko... Teraz pokażę ci, jak to się robi...

Gwyneira aż jęknęła, gdy jednym ruchem rozerwał jej suknię, podarł bieliznę i brutalnie w nią wszedł. Cuchnął whisky, potem i sosem do pieczeni, który rozlał mu się po koszuli. Była bliska wymiotów. W jego palącym wzroku dostrzegła nienawiść i tryumf. Przytrzymywał ją jedną ręką, a drugą ugniatał jej piersi, łapczywie całując ją po szyi. Ugryzła go, gdy próbował wsunąć jej język do ust. Gdy otrząsnęła się z pierwszego szoku, próbowała walczyć i broniła się tak rozpaczliwie, że musiał trzymać ją obiema rękami. Ale wciąż w nią wchodził, a ból był nie do zniesienia. Teraz zrozumiała, co Helen miała na myśli, i uczepiła się słów przyjaciółki: „Przynajmniej nie trwa to długo...".

Zrozpaczona Gwyneira znieruchomiała. Słyszała dochodzące z zewnątrz dźwięki bębnów i histeryczne ujadanie Cleo. Miała nadzieję, że suka nie będzie próbowała przeskoczyć przez dolną część drzwi. Sama starała się opanować. To przecież musi się kiedyś skończyć...

Gerald zauważył, że zrezygnowała z oporu i uznał to za jej przyzwolenie.

– To ci się podoba, co, księżniczko? – wystękał i pchnął jeszcze mocniej. – Teraz ci się podoba! Aż nie masz dosyć, co? To zupełnie coś innego... Robić to z prawdziwym mężczyzną, tak?

Gwyneira nie miała nawet siły, żeby go przekląć. Ból i upokorzenie zdawały się nie mieć końca. Sekundy przerodziły się w godziny. Gerald jęczał, stękał i wyrzucał z siebie jakieś niezrozumiałe słowa, które zlewały się z bębnieniem i ujadaniem w ogłuszającą kakofonię dźwięków. Gwyneira nawet nie zdawała sobie sprawy, czy krzyczy, czy znosi te tortury w milczeniu. Chciała tylko tego, by Gerald z niej zszedł, nawet jeśli oznaczać by to miało, że on...

Poczuła mdłości, gdy Gerald zostawił w niej swoje nasienie. Czuła się brudna, skalana i upokorzona. Z rozpaczą odwróciła głowę, gdy stękając opadł na nią i przycisnął do jej szyi swoją spoconą twarz. Nie mogła ruszyć się pod ciężarem jego zwalistego ciała. Czuła, że nie ma czym oddychać. Próbowała go z siebie zrzucić, ale nie mogła. Dlaczego on się nie rusza? Może nie żyje? Ucieszyłaby się. Gdyby miała nóż, nie zawahałaby się wbić mu go prosto w serce.

Ale nagle Gerald się poruszył. Z trudem się podniósł, nawet na nią nie patrząc. Co czuł? Zadowolenie? Wstyd?

Wstał, chwiejąc się, i ponownie sięgnął po butelkę.

– Mam nadzieję, że przyda wam się ta nauczka... – powiedział ściszonym tonem. Nie z tryumfem, ale jakby było mu przykro. Rzucił okiem na płaczącą Gwyneirę. – Szkoda, że cię trochę bolało. Ale w sumie ci się podobało, prawda, księżniczko?

Gerald Warden, potykając się, wszedł po schodach, nie obejrzawszy się ani razu. Gwyneira bezgłośnie szlochała.

Lucas w końcu się nad nią pochylił.

– Nie dotykaj mnie! Nawet na mnie nie patrz!

– Nic ci nie zrobię, skarbie... – Lucas chciał pomóc jej wstać, ale odepchnęła go.

– Odejdź – powiedziała przez łzy. – Teraz jest już za późno, nic nie możesz zrobić.

– Ale, ale... – Lucas zająknął się. – Ale co mogłem zrobić?

Gwyneira potrafiłaby z miejsca wymienić wiele propozycji. Nawet nie było trzeba noża. Wystarczyłby leżący tuż obok Lucasa żelazny pogrzebacz do kominka.

Ale Lucasowi nawet nie przyszło do głowy, by uderzyć nim ojca. Jego myśli zajmowało coś innego. – Ale... ale chyba ci się nie podobało, prawda? – zapytał cicho. – Ty chyba tak naprawdę...

Gwyneirę bolał każdy mięsień, ale wściekłość, którą w tym momencie poczuła, pomogła przezwyciężyć słabość i udało jej się wstać. – A gdyby tak było, ty... Ty mięczaku? – zaatakowała Lucasa. Jeszcze nigdy w życiu nie czuła się tak obrażona, tak zdradzona. Jak ten idiota mógł w ogóle pomyśleć, że podobało jej się to upokorzenie? Nagle najbardziej ze wszystkiego zaczęło jej zależeć na tym, by zranić Lucasa. – A gdyby rzeczywiście jakiś inny potrafił to lepiej? Poszedłbyś do niego i wyzwał na pojedynek ojca Fleur? Tak? Czy raczej podkuliłbyś ogon, jak przed chwilą wobec własnego ojca? Do diabła, mam cię dosyć! I tego starca, którego rozpiera nadmierna energia! Co to w ogóle znaczy, że wolisz chłopców? Czy to kolejna rzecz, którą ukrywa się przed damami? – Gwyneira dostrzegła ból w jego oczach i zapomniała o swojej wściekłości. Co ona wyprawia? Dlaczego mści się na Lucasie za to, co uczynił jego ojciec? Lucas nie ponosił winy za to, że jest, kim jest.

– Och, już dobrze, wcale nie chcę tego wiedzieć – powiedziała. – Zejdź mi z oczu, Lucasie. Odejdź. Nie chcę cię już więcej widzieć. Nikogo nie chcę wiedzieć. Odczep się, Lucasie Warden! Po prostu odejdź!

Pogrążona w smutku i bólu nie słyszała, jak odchodził. Próbowała skoncentrować się na dźwiękach bębnów, żeby nie słyszeć myśli, które dręczyły jej umysł. Wtedy przypomniała sobie o Cleo. Suka przestała szczekać, teraz już tylko skomlała. Gwyneira powlokła się do drzwi tarasu, wpuściła Cleo i przeciągnęła przez próg koszyk ze szczeniakami, bo właśnie zaczęły kapać pierwsze krople deszczu. Cleo zlizywała łzy z twarzy swojej pani, a ona słuchała deszczu dudniącego o płytki tarasu… Tak płakał *Rangi*.

Gwyneira również płakała.

Do swojej sypialni zdołała dotrzeć dopiero wtedy, gdy burza nad Kiward Station się uspokoiła, powietrze ochłodziło, a jej nieco rozjaśniło się w głowie. W końcu zasnęła obok Cleo i jej szczeniaków na bladoniebieskim, mechatym dywanie, który kiedyś wyszukał dla niej Lucas.

Nie zauważyła, że Lucas skoro świt opuścił dom.

Kiri ani słowem nie skomentowała tego, co zobaczyła, gdy rano weszła do sypialni Gwyneiry. Nie skomentowała nietkniętego łóżka, podartej sukni ani tego, że Gwyneira była brudna i pokrwawiona. Tak, tym razem krew się pojawiła…

– Pani się wykąpać, panienko. Wtedy poczuć się lepiej, naprawdę – powiedziała Kiri głosem pełnym współczucia. – Pan Lucas na pewno nie chcieć, żeby tak być. Mężczyźni pijani, bogowie rozgniewani, wczoraj być zły dzień…

Gwyneira pokiwała głową i pozwoliła zaprowadzić się do wanny. Kiri nalała wody i już miała dodać olejku różanego, ale Gwyneira ją powstrzymała. Wciąż jeszcze czuła wczorajszy odurzający zapach róż.

– Ja przynieść śniadanie tutaj, tak, panienko? – zapytała Kiri. – Moana zrobić gorące gofry, żeby przeprosić pan Gerald. Ale pan Gerald jeszcze nie wstać...

Gwyneira zastanawiała się, jak kiedykolwiek stanie twarzą w twarz z Geraldem Wardenem. Ale poczuła się trochę lepiej, gdy kilkakrotnie się namydliła i spłukała z siebie jego pot i zapach. Wciąż była obolała i z trudem wykonywała najmniejsze ruchy, ale to minie. A upokorzenie będzie odczuwać do końca swoich dni.

W końcu owinęła się lekkim płaszczem kąpielowym i wyszła z kąpieli. Kiri otworzyła okna w sypialni i uprzątnęła strzępy jej wczorajszego stroju. Świat na zewnątrz był po burzy jak świeżo wypucowany. Powietrze było chłodne i przejrzyste. Gwyneira zrobiła głęboki oddech, próbując uspokoić własne myśli. Jej wczorajsze przeżycie było koszmarem, ale to samo spotyka przecież niejedną kobietę co noc. Jeśli się postara, uda jej się o tym zapomnieć. Musi po prostu zachowywać się tak, jakby nic się nie stało...

Mimo to wzdrygnęła się, słysząc otwierające się drzwi. Cleo zawarczała. Wyczuła niepokój swojej pani. Ale do sypialni weszły tylko Kiri i Fleurette. Dziewczynka była naburmuszona, a Gwyn nie mogła mieć jej tego za złe. Zwykle osobiście budziła córkę pocałunkiem, po czym we trójkę z Lucasem jedli śniadanie. Ta „godzina dla rodziny" bez Geralda, który zwykle odsypiał wieczorne pijaństwo, była dla nich świętością i wszystkim sprawiała radość. Gwyn założyła, że tego ranka to Lucas zajmie się Fleur, ale widocznie pozostawiono ją samej sobie. Świadczył o tym chociażby jej dość awanturniczy strój. Miała na sobie spódniczkę, którą niczym poncho nałożyła na źle zapiętą sukienkę.

– Tatuś odjechał – powiedziała dziewczynka.

Gwyn pokręciła głową.

– Nie, Fleur. Tatuś na pewno nie odjechał. Może wybrał się na przejażdżkę. On... my... My trochę się wczoraj pokłóciliśmy z dziadkiem... – Niechętnie o tym mówiła, ale Fleur tak często była świadkiem ich sprzeczek z Geraldem, że nie była to dla niej żadna nowina.

– Tak, to możliwe, że tata pojechał na przejażdżkę – odparła Fleur. – Na Flyerze. Bo właśnie tego konia nie ma, tak powiedział pan James. Ale dlaczego tata pojechał na przejażdżkę już przed śniadaniem?

Gwyneira również była zdziwiona. Oczyszczanie umysłu podczas galopu przez busz było zachowaniem raczej w jej stylu. I Lucas rzadko sam siodłał konia. Ludzie dworowali sobie nawet z niego, że w ramach pracy na farmie każe poganiaczom przyprowadzać sobie gotowego konia. I dlaczego wziął takiego starego konia? Lucas nie był wybitnym, ale całkiem niezłym jeźdźcem. Stary Flyer znudziłby go, teraz tylko czasami jeździła na nim Fleur. Ale może Fleur i James się mylą, a zniknięcie Flyera nie ma nic wspólnego ze zniknięciem Lucasa. Koń przecież mógł uciec. To się ciągle zdarza.

– Tatuś na pewno zaraz wróci – powiedziała Gwyneira. – A zaglądałaś do atelier? Ale teraz chodź, zjesz gofra.

Kiri nakryła do śniadania stolik przy oknie i nalała Gwyneirze kawy. Fleur także dostała odrobinę kawy z dużą ilością mleka.

– W jego pokoju go nie być, panienko – pokojówka zwróciła się do Gwyneiry. – Witi sprawdzić. W łóżku nikt nie spać. Na pewno być gdzieś na farmie. Wstydzić się... – Kiri popatrzyła na Gwyn znacząco.

Ale Gwyneira zaczęła się martwić. Lucas nie miał powodu, żeby się wstydzić... A może jednak? Czy Gerald nie upokorzył go tak samo jak ją? A i ona sama... Sposób, w jaki potraktowała Lucasa, był niewybaczalny.

– Zaraz pójdziemy go poszukać, Fleur. Na pewno go znajdziemy – Gwyn nie wiedziała, czy pociesza dziecko czy samą siebie.

Nie znalazły Lucasa ani w domu, ani na farmie. Flyer również się nie pojawił. Z kolei James doniósł, że brakuje jednego starego siodła i bardzo zużytego, wielokrotnie łatanego ogłowia.

– Czy jest coś, o czym powinienem wiedzieć? – zapytał cicho Gwyneirę, gdy spostrzegł, jak jest blada i z jakim trudem się porusza.

Gwyn pokręciła przecząco głową i pogodziła się z tym, że po Lucasie zrani jeszcze Jamesa:

– Nic, co mogłoby cię obchodzić!

Wiedziała, że James zabiłby Geralda.

6

Lucas nie wracał przez kilka następnych tygodni. Ta okoliczność w zadziwiający sposób przyczyniła się do względnego unormowania stosunków między Gwyneirą a Geraldem. Musieli się jakoś porozumieć, choćby ze względu na samą Fleur. W ciągu kilku pierwszych dni po zniknięciu Lucasa łączyła ich troska, że coś mu się stało albo że coś sobie zrobił. Akcja poszukiwawcza przeprowadzona w okolicy farmy nie przyniosła jednak rezultatów, a po głębszym namyśle Gwyneira doszła do wniosku, że jej mąż nie popełniłby samobójstwa. Przejrzała rzeczy Lucasa i stwierdziła, że brakuje kilku jego skromniejszych ubrań. I to takich, które najmniej mu się podobały. Lucas zabrał ubranie robocze, płaszcz przeciwdeszczowy, bieliznę i odrobinę pieniędzy. To pasowało do starego konia i zniszczonego siodła. Lucas najwidoczniej nie chciał niczego wziąć od Geralda, zamierzał rozstać się z nim bez żadnych zobowiązań. Gwyneirę zabolało, że opuścił ją bez słowa. Wyglądało na to, że nie zabrał ze sobą żadnej pamiątki, która przypominałaby mu o niej czy o córce, poza kieszonkowym nożem, który kiedyś mu podarowała. Tak jakby nigdy nic dla niego nie znaczyła. Przelotna przyjaźń, która połączyła go z żoną, nie była nawet warta pożegnalnego listu.

Gerald rozpytywał o swojego syna w Haldon, co oczywiście stało się pożywką dla plotek, a także w Christchurch, ale już dyskretniej, przy pomocy George'a Greenwooda. Nic to nie dało, Lucasa Wardena nie widziano w żadnym z tych miejsc.

– Może być Bóg wie gdzie – skarżyła się Gwyneira Helen. – W Otago, w obozie poszukiwaczy złota, albo na Zachodnim Wybrzeżu, a może nawet na Wyspie Północnej. Gerald chce zorganizować poszukiwania, ale to przecież nie ma sensu. Jeśli nie będzie chciał, żeby go znaleziono, to nikt go nie znajdzie.

Helen wzruszyła ramionami i nastawiła nieodzowny w takich sytuacjach czajniczek na herbatę.

– Może tak jest lepiej. Na pewno nie było dla niego dobrze, że żył w takiej zależności od Geralda. A teraz może się wykazać. I Gerald nie będzie mógł ci już dokuczać, że nie macie więcej dzieci. Tylko dlaczego Lucas wyjechał tak nagle? Naprawdę nie było żadnego powodu? Żadnej kłótni?

Gwyneira zaprzeczyła, czerwieniąc się. Nikomu nie powiedziała o gwałcie, nawet swojej najlepszej przyjaciółce. Miała nadzieję, że jeśli zachowa to wspomnienie dla siebie, to ono z czasem zblednie. A wtedy będzie tak, jakby tego wieczoru nigdy nie było, jakby to był jakiś koszmarny sen. Gerald zdawał się podobnie podchodzić do sprawy. Był wobec Gwyneiry niezwykle uprzejmy, rzadko na nią patrzył i z niezwykłą drobiazgowością pilnował, aby nigdy jej nawet przypadkiem nie urazić. Widywali się podczas posiłków, żeby nie dawać służbie powodu do plotek, i nawet udawało im się wtedy prowadzić niezobowiązujące rozmowy. Gerald pił jak dawniej, ale teraz najczęściej dopiero po kolacji, gdy Gwyneira udała się już na spoczynek. Gwyneira wzięła do siebie na służbę ulubioną uczennicę Helen. Piętnastoletnia Rongo Rongo została jej osobistą pokojówką i Gwyn nalegała, żeby spała w jej pokojach i była zawsze do dyspozycji. Miała nadzieję, że w ten sposób zabezpieczy się przed kolejnym atakiem Geralda, ale jej obawy okazały się bezpodstawne. Gerald zachowywał się nienagannie. Gwyneira mogłaby więc kiedyś zapomnieć o tamtej strasznej upalnej nocy. Ale to okazało się niemożliwe. Gdy po raz drugi nie dostała okresu, a pomagająca jej się ubrać Rongo Rongo posłała jej znaczący uśmiech i pogłaskała po brzuchu, Gwyneira musiała w końcu przyznać przed samą sobą, że jest w ciąży.

– Nie chcę go! – powiedziała cała we łzach, gdy po szalonym galopie dotarła do Helen. Nie mogła czekać, aż skończą się lekcje, żeby porozmawiać z przyjaciółką. Ale Helen po jej przerażonej minie od razu się domyśliła, że musiało się stać coś strasznego. Zwolniła dzieci, wysłała Fleur i Rubena, żeby pobawili się w buszu, i ujęła Gwyneirę pod ramię.

– Czy Lucas się znalazł? – zapytała cichym głosem.

Gwyneira popatrzyła na nią jak na wariatkę.

– Lucas? Czemu Lucas... Och, jest znacznie gorzej, Helen, jestem w ciąży! I nie chcę tego dziecka!

– Jesteś zupełnie rozstrojona – powiedziała spokojnie Helen i wprowadziła swoją przyjaciółkę do domu. – Chodź, zrobię ci herbatę, a potem o wszystkim porozmawiamy. Na miłość boską, dlaczego nie cieszysz się z dziecka? Przecież latami starałaś się zajść w ciążę, a teraz… Może się boisz, że urodzi się za późno? To nie jest dziecko Lucasa? – Helen rzuciła Gwyneirze badawcze spojrzenie. Miała czasem wrażenie, że z pojawieniem się Fleur jest związana jakaś tajemnica, a blask w oczach Gwyn na widok Jamesa McKenziego nie umknąłby żadnej kobiecie. Ale ostatnio w ogóle nie widywała ich razem. Gwyn zaś nie byłaby przecież taka głupia, żeby wziąć sobie kochanka zaraz po zniknięciu męża! A może Lucas odszedł właśnie dlatego, że miała kochanka? Helen nie była w stanie sobie tego wyobrazić. Gwyn była damą. Na pewno nie damą bez żadnej skazy, z pewnością jednak niezwykle dyskretną!

– To dziecko to Warden – odpowiedziała stanowczo Gwyn. – Co do tego nie ma żadnych wątpliwości. Ale i tak go nie chcę!

– Przecież to nie zależy od ciebie – stwierdziła Helen. Nie mogła zrozumieć, o czym Gwyn mówi. – Skoro jesteś w ciąży, to znaczy, że będziesz miała dziecko…

– Na pewno jest jakaś możliwość, żeby się go pozbyć. Przecież ciągle zdarzają się poronienia.

– Ale nie u takich młodych i zdrowych kobiet jak ty! – Helen potrząsnęła głową. – Może powinnaś pójść do Matahoruy? Na pewno będzie potrafiła ci powiedzieć, czy dziecko jest zdrowe.

– Tak, może ona będzie mogła mi pomóc… – odpowiedziała pełna nadziei Gwyn. – Może umie sporządzić odpowiedni napój czy coś takiego. Kiedyś na statku Daphne opowiadała Dorothy o fabrykantkach aniołków…

– Gwyn, nawet nie wolno ci o tym pomyśleć! – Helen słyszała w Liverpoolu o takich kobietach. Jej ojciec nieraz chował ofiary ich zabiegów. – To jest bezbożne! I niebezpieczne! Możesz przez to umrzeć. I dlaczego, na miłość boską…

– Idę do Matahoruy! – oświadczyła Gwyn. – Nawet nie próbuj mnie od tego odwieść. Nie chcę tego dziecka!

Matahorua zaprosiła Gwyneirę na rząd kamieni ustawionych z tyłu domu spotkań, bo tam mogły być same. Ona również domyśliła się po minie Gwyn, że stało się coś poważnego. Tym razem musiały poradzić sobie bez tłumacza, ponieważ Rongo Rongo została w Kiward Station. Gwyn nie chciała nikogo wtajemniczać w tę przykrą sprawę.

Gdy Matahorua gestem poprosiła Gwyn, żeby usiadła na jednym z głazów, jej twarz miała obojętny wyraz, a nawet jakby gościł na niej przyjazny uśmiech. Ale Gwyneirze jej mina wydała się groźna. Tatuaże na twarzy starej znachorki zmieniały rysy jej twarzy, a cała jej postać rzucała w świetle słońca dziwaczny cień.

– Dziecko. Ja już wiedzieć od Rongo Rongo. Silne dziecko... Dużo siły. Ale też dużo złości...

– Nie chcę tego dziecka! – wyrzuciła z siebie Gwyneira, nie patrząc na znachorkę. – Możesz coś z tym zrobić?

Matahorua starała się zajrzeć w oczy młodej kobiety.

– Co mam zrobić? Zabić dziecko?

Gwyneira drgnęła. Jeszcze nigdy tak brutalnie nie sformułowała swojego zamiaru. Ale właśnie o to jej chodziło. Nagle poczuła wyrzuty sumienia.

Matahorua uważnie się jej przyglądała, przebiegła wzrokiem po jej twarzy i ciele, i jak zwykle się wydawało, że potrafi przejrzeć człowieka i zajrzeć do znanej tylko jej głębi.

– Ważne dla ciebie, żeby dziecko umrzeć? – zapytała cicho.

Gwyneira poczuła nagły przypływ wściekłości.

– A byłabym tu, gdyby było inaczej? – wyrwało się jej.

Matahorua wzruszyła ramionami.

– Silne dziecko. Jeśli dziecko umrzeć, ty też umrzeć. Aż tak ważne?

Gwyneirę przeszedł dreszcz. Skąd Matahorua miała taką pewność? I dlaczego nikt nie wątpił w jej słowa, choćby najbardziej niedorzeczne? Czy ona naprawdę widziała przyszłość? Gwyneira się zastanowiła. Wobec dziecka w swoim łonie nie czuła nic, najwyżej niechęć i nienawiść, które wzbudzał w niej jego ojciec. Ale ta nienawiść nie była aż tak zajadła, żeby poświęcić własne życie! Gwyneira była młoda i chciała żyć. A poza tym była potrzebna. Co stałoby się z Fleurette, gdyby straciła i drugiego rodzica? Gwyn postanowiła, że pozostawi sprawy ich biegowi. Może uda jej się po prostu urodzić to nieszczęsne dziecko, a potem o nim zapomnieć? To Gerald powinien się o nie zatroszczyć!

Matahorua się roześmiała.

– Ja widzieć, ty nie umrzeć. Ty żyć, dziecko żyć... W nieszczęściu. Ale żyć. I będzie ktoś, kto będzie chcieć...

Gwyneira zmarszczyła czoło.

– Co będzie chcieć?

– Będzie ktoś, kto będzie chcieć to dziecko. W końcu... koło... się zatoczy... – Matahorua utworzyła ze swoich palców koło, a potem pogrzebała w kieszeni. Wreszcie wydobyła z niej niemal okrągły jadeit i wręczyła go Gwyneirze. – Proszę, to dla dziecka.

Gwyneira przyjęła niewielki kamień i podziękowała. Nie wiedziała dlaczego, ale poczuła się lepiej.

Rozmowa z Matahoruą wcale nie odwiodła Gwyneiry od prób wywołania poronienia na wszelkie możliwe sposoby. Pracowała w ogrodzie aż do wyczerpania, najchętniej w zgiętej pozycji, objadała się niedojrzałymi jabłkami, tak że omal nie umarła z powodu rozstroju żołądka, i ujeżdżała najmłodszą córkę Igraine, bardzo trudnego młodego konia. Ku zdumieniu Jamesa uparła się nawet, że przyzwyczai niezdyscyplinowaną klacz do damskiego siodła. Była to ostatnia rozpaczliwa próba ze strony Gwyneiry, która doskonale zdawała sobie sprawę, że utrzymanie się w damskim siodle jest wbrew pozorom łatwiejsze niż w męskim. Większość wypadków w damskim siodle wynikała raczej z tego, że gdy koń się przewracał, amazonka nie była w stanie zsunąć się z siodła. A skutki takich wypadków często bywały śmiertelne. Ale Viviane miała równie pewny chód co jej matka, pomijając już to, że Gwyneira nadal nie miała zamiaru umrzeć razem z dzieckiem. Jej ostatnią nadzieją były mocne wstrząsy podczas zamaszystego kłusa, których damskie siodło nie pozwalało złagodzić. Po półgodzinnej jeździe w terenie miała taką kolkę, że ledwie trzymała się w siodle, ale dziecku nic się nie stało. Bez problemu zniosło pierwsze trzy niebezpieczne miesiące, a Gwyneira aż zapłakała ze złości, gdy spostrzegła, że jej brzuch zaczyna się wyraźnie zaokrąglać. Najpierw próbowała ukryć swój stan, mocniej ściskając się gorsetem, ale na dłuższą metę nie miało to żadnego sensu. W końcu poddała się wyrokom losu i przygotowała na konieczność przyjmowania gratulacji. Przecież nikt by się nawet nie domyślił, jak niepożądany jest mały Warden, który rośnie pod jej sercem.

Panie w Haldon natychmiast zauważyły ciążę Gwyneiry i od razu zaczęły się plotki. Pani Warden jest w ciąży, a pan Warden zniknął. To znakomita okazja to najdziwniejszych spekulacji. Gwyneirze było to zupełnie obojętne.

Bała się raczej tego, co powie Gerald. A najbardziej bała się reakcji Jamesa McKenziego. Niedługo sam zauważy jej stan albo o nim od kogoś usłyszy. Ona zaś nie mogła powiedzieć mu prawdy. Zresztą z drogi schodziła mu już od momentu zniknięcia Lucasa, żeby uniknąć jego pytającego wyrazu twarzy. Teraz z pewnością będzie domagać się odpowiedzi. Gwyneira była przygotowana na zarzuty i złość z jego strony, ale nie na to, jak rzeczywiście zareagował. Była zupełnie nieprzygotowana na to, co zobaczyła, gdy pewnego ranka natknęła się na niego w stajni. Ubrany w strój do jazdy i płaszcz przeciwdeszczowy, ponieważ znowu mżyło, szykował się do podróży. Właśnie mocował sakwę na grzbiecie swojego kościstego siwka.

– Odchodzę, Gwyn – powiedział spokojnie, gdy spojrzała na niego pytająco. – Powinnaś się domyślić dlaczego.

– Odchodzisz? – Gwyneira nie rozumiała. – Dokąd? Ale...

– Odchodzę stąd, Gwyneiro. Opuszczam Kiward Station i poszukam sobie innej pracy – James odwrócił się do niej plecami.

– Opuszczasz mnie? – Słowa te wyrwały się Gwyneirze, zanim zdołała je powstrzymać. Ale ból był taki silny, a wstrząs zbyt nagły. Jak mógł ją porzucić? Przecież go potrzebowała, szczególnie teraz!

James się roześmiał, ale w jego głosie pobrzmiewała raczej rozpacz niż rozbawienie.

– Jesteś zaskoczona? Uważasz, że masz do mnie jakieś prawa?

– Oczywiście, że nie – Gwyn musiała oprzeć się o drzwi stajni. – Ale myślałam, że ty...

– Chyba nie spodziewasz się teraz ode mnie miłosnych wyznań, co, Gwyn? Nie po tym, co zrobiłaś – James nawet nie przestał siodłać konia, jakby prowadził jakąś nieistotną rozmowę.

– Ale ja nic nie zrobiłam! – Gwyneira próbowała się bronić, ale zdawała sobie sprawę, że zabrzmiało to fałszywie.

– Nie? – James odwrócił się i zmierzył ją chłodnym wzrokiem. – A więc mamy kolejny wypadek niepokalanego poczęcia. – Wskazał na jej brzuch. – Nie opowiadaj mi tu bajek, Gwyneiro! Lepiej powiedz prawdę. Kto tym razem był twoim ogierem? Pochodził z lepszej stadniny niż ja? Miał lepsze papiery? Lepsze ruchy? A może nawet jakiś arystokratyczny tytuł?

– Jamesie, ja wcale nie chciałam... – Gwyneira nie wiedziała, co ma powiedzieć. Najchętniej wyjawiłaby mu całą prawdę, otworzyłaby przed nim swoją duszę. Ale wtedy on rzuciłby się na Geralda. Ktoś mógłby zginąć, na pewno byliby ranni, a przy okazji cały świat dowiedziałby się o pochodzeniu Fleurette.

– To był ten Greenwood, prawda? Prawdziwy dżentelmen. Przystojny chłopak, wykształcony, z dobrymi manierami i z pewnością bardzo dyskretny. Szkoda, że nie poznałaś go wcześniej, zanim my...

– To nie był George! Co ty sobie myślisz? George przybył tutaj ze względu na Helen. A teraz ma żonę w Christchurch. Nigdy nie dałam ci powodu do zazdrości. – Gwyneirze nie podobał się błagalny ton własnego głosu.

– Kto więc to był? – James ruszył w jej stronę z groźną miną. Wzburzony chwycił ją za ramiona, jakby chciał nią potrząsnąć. – Powiedz mi, Gwyn! Ktoś z Christchurch? Ten młody lord Barrington? Przecież ci się podoba! Powiedz mi, Gwyn. Mam prawo wiedzieć!

Gwyn potrząsnęła głową.

– Nie mogę ci powiedzieć, a ty nie masz prawa się tego domagać...

– A Lucas? Domyślił się, prawda? Przyłapał cię, Gwyn? W łóżku z innym? Kazał cię obserwować, później zaś zarzucił ci zdradę? Co zaszło między wami?

Gwyneira patrzyła na niego zrozpaczona.

– Nic takiego się nie wydarzyło. Nic nie rozumiesz...

– Wyjaśnij mi więc, Gwyn! Wyjaśnij mi, dlaczego twój mąż porzucił cię, znikając pewnej mglistej nocy? Dlaczego zostawił nie tylko ciebie, ale i starego, dziecko i całe swoje dziedzictwo? Chciałbym to zrozumieć... – Jego spojrzenie zmiękło, choć wciąż trzymał ją w mocnym uścisku. Gwyn zastanawiała się, dlaczego się go mimo wszystko nie boi. Ale James McKenzie nigdy nie wywoływał w niej lęku. Za całą jego wściekłością i podejrzliwością wciąż kryła się miłość.

– Nie mogę, Jamesie. Nie mogę. Proszę, pogódź się z tym, nie bądź zły. I błagam, nie opuszczaj mnie! – Gwyneira wtuliła się w jego ramiona. Chciała być blisko niego, nawet jeśli on sobie tego nie życzył.

James nie odepchnął jej, ale też nie przygarnął do siebie. Opuścił ramiona i delikatnie ją od siebie odsunął, tak żeby ich ciała się nie stykały.

– Bez względu na to co się wydarzyło, Gwyn, ja nie mogę tutaj zostać. Może mógłbym, gdybyś mogła mi to wszystko wytłumaczyć... Gdybyś naprawdę mi zaufała. Ale teraz nie mogę cię zrozumieć. Jesteś taka uparta, tak bardzo zależy ci na nazwisku i dziedzictwie, że nawet teraz będziesz chciała dochować wierności mężowi... A przecież jesteś w ciąży z innym mężczyzną...

– Przecież Lucas nie umarł! – wtrąciła Gwyn.

James wzruszył ramionami.

– To nie ma znaczenia. Bez względu na to czy żyje czy nie, ty i tak nigdy się do mnie nie przyznasz. A to powoli staje się dla mnie nie do zniesienia. Nie mogę codziennie cię widywać i nie mieć do ciebie żadnych praw. Próbuję tak żyć od pięciu lat, Gwyn, ale zawsze gdy na ciebie spojrzę, pragnę cię dotknąć, pocałować i być z tobą. Ale zamiast tego mówimy sobie „panienko Gwyn", „panie Jamesie", a ty jesteś taka uprzejma i zdystansowana, chociaż widzę, że ty też za mną tęsknisz. To mnie wykańcza, Gwyn. Znosiłem to dopóty, dopóki i ty to znosiłaś. Ale teraz... To już zbyt wiele, Gwyn. Ta sprawa z dzieckiem to już za dużo. Powiedz mi przynajmniej, czyje ono jest!

Gwyn ponownie potrząsnęła głową. Była wewnętrznie rozdarta, ale nie odważyła się powiedzieć prawdy.

– Przykro mi, Jamesie. Nie mogę. Jeśli z tego powodu musisz odejść, to odejdź.

Powstrzymała szloch.

James założył koniowi ogłowie i już miał wyprowadzić go na zewnątrz. Daimon jak zwykle chciał mu towarzyszyć. James pogłaskał psa.

– Weźmiesz go ze sobą? – zapytała Gwyn przez ściśnięte gardło.

James zaprzeczył.

– Nie jest mój. Nie mogę tak po prostu wziąć sobie najlepszego psa rozpłodowego z Kiward Station.

– Ale on będzie za tobą tęsknił... – Gwyneira z krwawiącym sercem patrzyła, jak James przywiązuje psa.

– Ja również będę tęsknił za wieloma rzeczami, ale wszyscy jakoś nauczymy się z tym żyć.

Pies zaszczekał w proteście, gdy James ruszył, by opuścić stajnię.

– Daję ci go w prezencie – Gwyneira nagle poczuła, że James powinien mieć chociaż jedną rzecz, która będzie mu o niej przypominać. O niej i o Fleur. I o dniach spędzanych w górach. O pokazie psów na jej weselu. O wszystkim, co robili razem, o wszystkich myślach, które dzielili...

– Nie możesz mi go podarować, on nie należy do ciebie – odpowiedział cicho James. – Pan Gerald kupił go w Walii, nie pamiętasz już?

Jak Gwyn mogłaby nie pamiętać? Jak mogłaby nie pamiętać Walii i uprzejmości, które wymieniała tam z Geraldem? Wtedy uważała go za dżentelmena, może trochę egzotycznego, ale godnego szacunku. A jak doskonale pamiętała pierwsze dni z Jamesem, gdy uczyła go sztuczek pomocnych w szkoleniu młodych psów. Traktował ją poważnie, choć była tylko młodą dziewczyną...

Gwyneira się rozejrzała. Szczeniaki Cleo można już było odstawić od matki, ale wciąż się jej trzymały i teraz też kręciły się wokół Gwyn. Pochyliła się i podniosła największego i najładniejszego szczeniaka. Był bardzo podobny do Cleo, prawie cały czarny, z typowym uśmiechem owczarka collie.

– Ale jego mogę ci podarować. Należy do mnie. Weź go, Jamesie. Proszę, weź go! – w spontanicznym odruchu wcisnęła Jamesowi szczeniaka do rąk. Pies od razu zaczęła lizać go po twarzy.

James uśmiechnął się i zawstydzony odwrócił wzrok, żeby Gwyn nie dostrzegła łez w jego oczach. – Nazywa się Piętaszek, prawda? Jak Piętaszek, który towarzyszył samotnemu Robinsonowi...

Gwyn skinęła głową.

– Nie musisz być samotny... – powiedziała cichym głosem.

James pogładził psa.

– Teraz już nie będę. Bardzo dziękuję, panienko Gwyn.

– Jamesie... – podeszła bliżej i uniosła twarz, żeby spojrzeć mu w oczy. – Jamesie, żałuję, że to nie jest twoje dziecko.

On pocałował ją lekko w usta. Lucas nigdy nie całował tak miękko i delikatnie.

– Mam nadzieję, że będziesz szczęśliwa, Gwyn. Z całego serca ci tego życzę.

Gdy James wyszedł, Gwyneira się rozpłakała. Patrzyła na niego przez okno, widziała, jak się oddala, jadąc przez pola i trzymając przed sobą na siodle szczeniaka. Skierował się w stronę gór. A może pojedzie jej skrótem do Haldon? Gwyneirze było to obojętne. Straciła go. Straciła obu swoich mężczyzn. Oprócz Fleur został jej już tylko Gerald i to przeklęte, niechciane dziecko.

Gerald Warden nawet słowem nie skomentował ciąży swoje synowej, nawet wtedy, gdy była już tak widoczna, że każdy na pierwszy rzut oka musiał się domyślić. Z tego powodu nie omówiono sprawy pomocy przy porodzie. Tym razem nie sprowadzono do domu akuszerki, nie poproszono lekarza, żeby kontrolował przebieg ciąży. Sama Gwyneira starała się ignorować swój stan tak długo, jak tylko się dało. Do ostatnich tygodni ciąży jeździła na najbardziej ognistych koniach i starała się nie myśleć o porodzie. Może dziecko nie przeżyje porodu, jeśli nie będzie żadnej fachowej pomocy.

Wbrew oczekiwaniom Helen uczucia Gwyneiry wobec dziecka nie zmieniły się w trakcie ciąży. Nawet nie wspomniała o pierwszych ruchach nowego życia, które z taką radością witały w wypadku Rubena i Fleur. A gdy pewnego razu dziecko kopnęło tak mocno, że Gwyneira aż stęknęła, dopiero wtedy skomentowała jego najwyraźniej świetną formę, mówiąc ze złością: „Dzisiaj znowu dokucza. Chciałabym się go już pozbyć!".

Helen się zastanawiała, co Gwyn miała na myśli. Przecież dziecko po porodzie nie zniknie, tylko zacznie głośno domagać się swoich praw. Może wtedy wreszcie w Gwyn odezwie się miłość macierzyńska.

Pierwsza w kolejce była jednak Kiri. Młoda Maoryska cieszyła się, że będzie miała dziecko, i próbowała przekazać część swojej radość Gwyneirze. Ze śmiechem porównywała wielkość ich brzuchów i przekomarzała się z Gwyn, że jej dziecko jest co prawda młodsze, ale za to większe. Rzeczywiście, Gwyn miała wyjątkowo duży brzuch. Próbowała go ukrywać, ale czasami, w chwilach zwątpienia, bała się, że nosi bliźnięta.

– To niemożliwe! – stwierdziła Helen. – Matahoura od razu by wiedziała.

Rongo Rongo również śmiała się z lęków swojej pani.

– Nie, w środku jest tylko jedno dziecko. Ale piękne i silne. Poród nie będzie łatwy, panienko Gwyn. Ale wszystko będzie dobrze. Moja babcia mówi, że to będzie wspaniałe dziecko.

Gdy u Kiri pojawiły się bóle, Rongo Rongo zniknęła. Mimo że była jeszcze bardzo młodą dziewczyną, to jako pilna uczennica Matahoruy była pożądaną akuszerką i niejedną noc spędzała w wiosce Maorysów. Tym razem wróciła o świcie z zadowoloną miną. Kiri urodziła zdrową córeczkę.

Już po trzech dniach od porodu służąca z dumą przedstawiła Gwyneirze swoje dziecko.

– Ja ją nazwać Marama. Piękne imię dla piękne dziecko. To znaczy „księżyc". Ja ją przynosić ze sobą do pracy. Będzie móc bawić się z dziecko panienki Gwyn!

Gerald Warden z pewnością miałby na ten temat inne zdanie, ale Gwyneira nic nie powiedziała. Skoro Kiri chciała mieć dziecko przy sobie, ona nie miała nic przeciwko temu. Poza tym Gwyn nie miała już trudności w sprzeciwianiu się teściowi. Gerald zwykle wycofywał się ze sporów w milczeniu. Stosunki na Kiward Station uległy istotnej zmianie, choć Gwyn nie do końca rozumiała, co było tego przyczyną.

Tym razem, gdy Gwyneira rodziła, nikt nie stał pod oknem w ogrodzie i nikt nie czekał w napięciu w salonie. Gwyn nawet nie wiedziała, czy ktokolwiek poinformował Geralda o zbliżającym się porodzie, było jej to zresztą obojętne. Prawdopodobnie stary Warden spędzał kolejną noc w swoich pokojach z butelką whisky. A zanim nastąpi rozwiązanie, będzie już zbyt pijany, żeby zrozumieć, co do niego mówią.

Tak jak zapowiedziała to Rongo Rongo, poród był trudniejszy niż z Fleurette. Dziecko było znacznie większe, a Gwyneira niechętna do współpracy. W wypadku Fleurette nie mogła się doczekać porodu, uważnie słuchała każdej wskazówki akuszerki i starała się być wzorową matką. Ale teraz po prostu obojętnie pozwalała się wszystkiemu dziać, ból zaś albo znosiła ze stoickim wręcz spokojem, albo buntowała się przeciwko niemu. Prześladowały ją wspomnienia bólu, który wiązał się z poczęciem tego dziecka. Miała wrażenie, że znowu czuje na sobie ciężar ciała Geralda, że wącha jego pot. Między skurczami wymiotowała, czuła się słaba i wyczerpana, zaczęła nawet krzyczeć z bólu i wściekłości. W końcu była tak wykończona, że pragnęła już tylko śmierci. A jeszcze lepiej śmierci dziecka, które uczepiło się jej łona niczym jakiś złośliwy pasożyt.

– Wychodź wreszcie! – jęknęła. – Wychodź wreszcie i zostaw mnie w spokoju…

Po blisko dwóch dobach pełnych męki, a pod koniec również bliskiej obłędu nienawiści do wszystkich, których obarczała winą za to wszystko, Gwyneira urodziła swojego syna. Nie poczuła wtedy nic oprócz ulgi.

– Jaki cudowny chłopczyk, panno Gwyn! – rozpromieniła się Rongo Rongo. – Tak jak powiedziała Matahorua. Proszę poczekać, zaraz go umyję i będzie go pani mogła potrzymać. Damy mu jeszcze trochę czasu, zanim przetniemy pępowinę…

Gwyneira potrząsnęła głową.

– Nie, Rongo Rongo, od razu go odetnij. I zabierz go. Nie chcę go trzymać. Chcę spać… Muszę wypocząć…

– Ale zaraz będzie pani mogła odpocząć. Tylko najpierw proszę popatrzeć na dziecko. Proszę, czyż nie jest śliczny? – Rongo Rongo sprawnie wytarła dziecko i położyła je przy piersi Gwyn. Noworodek chciał ssać, ale Gwyn odsunęła go od siebie. „W porządku, jest zdrowy, jest piękny z tymi swoimi malutkim paluszkami i stópkami, ale i tak go nie chcę".

– Zabierz go, Rongo Rongo! – zażądała pewnym głosem.

Rongo Rongo nie rozumiała.

– Ale gdzie mam go zabrać, panienko Gwyn? On pani potrzebuje. Potrzebuje matki!

Gwyn wzruszyła ramionami.

– Zabierz go do pana Geralda. Chciał dziedzica, to teraz ma. Zobaczymy, jak sobie z nim poradzi. A mnie zostaw w spokoju! Możesz się pośpieszyć, Rongo Rongo? O Boże, nie, znowu się zaczyna... – Gwyneira jęknęła. – Czy to normalne, żeby łożysko rodziło się tak długo?

– Panienka Gwyn zmęczona. To normalne – Kiri pocieszyła zdenerwowaną Rongo Rongo, która przyszła z noworodkiem do kuchni. Kiri i Moana sprzątały po kolacji, którą Gerald spożył samotnie. Mała Marama drzemała w koszyku.

– To nie jest normalne! – zaprotestowała Rongo Rongo. – Matahorua odebrała chyba z tysiąc porodów i żadna matka nie zachowywała się tak, jak panienka Gwyn.

– Och, każda matka jest inna... – stwierdziła Kiri i przypomniała sobie ten ranek, gdy znalazła Gwyn w podartej sukni na podłodze sypialni. Wiele przemawiało za tym, że dziecko zostało poczęte właśnie tamtej nocy. Gwyn mogła mieć powody, żeby go nie kochać.

– A co ja teraz mam z nim zrobić? – zapytała z wahaniem Rongo Rongo. – Nie mogę go zanieść panu Geraldowi. On nie umie zajmować się dziećmi.

Kiri się roześmiała.

– Dziecku potrzeba mleka, a nie whisky. Aż tak wcześnie nie musi zaczynać. Nie, Rongo Rongo, zostaw go tutaj. – To mówiąc, rozpięła guziki sukienki, wysunęła dorodną pierś i odebrała chłopczyka od Rongo Rongo. – To będzie dla niego znacznie lepsze.

Noworodek od razu zaczął łapczywie ssać. Kiri delikatnie go kołysała. Gdy w końcu zasnął jej przy piersi, położyła go obok Maramy w koszyku.

– Powiedz panience Gwyn, że jest pod dobrą opieką.

Gwyneiry wcale to nie interesowało. Spała już, a następnego ranka nawet nie zapytała o synka. Ożywiła się dopiero wtedy, gdy Witi przyniósł bukiet kwiatów i pokazał jej przyczepioną do nich karteczkę.

– Od pana Geralda.

Na twarzy Gwyneiry pojawiły się odraza i nienawiść, ale jednocześnie ciekawość. Oderwała karteczkę.

Dziękuję Ci za Paula Geralda Terence'a.

Gwyneira krzyknęła, cisnęła bukietem przez pokój i podarła karteczkę na strzępy.

– Witi! – zawołała do przerażonego kamerdynera. – A najlepiej Rongo Rongo. Ty nie przekręcisz moich słów! Pójdź natychmiast do pana Geralda i powiedz mu, że dziecko będzie nosić tylko imiona Paul Terence, bo inaczej własnoręcznie uduszę je w kołysce!

Witi nic nie rozumiał, ale Rongo Rongo wyglądała na przestraszoną.

– Powiem mu – obiecała cicho.

Trzy dni później dziedzic Wardenów został ochrzczony imionami Paul Terence Lucas. Matka nie uczestniczyła w uroczystości, była niedysponowana. Ale jej służący znali prawdę. Gwyneira do tej pory nawet nie spojrzała na swojego syna.

7

– Kiedy w końcu przedstawisz mi Paula? – zapytała z niecierpliwością Helen. Z oczywistych względów Gwyneira nie mogła do niej przyjechać zaraz po porodzie i nawet teraz, po czterech tygodniach, przybyła z Fleur nie w siodle, tylko powozem. Ale była to już jej trzecia wizyta, najwyraźniej dochodziła do siebie po trudach porodu. Helen zastanawiało tylko to, dlaczego nie wzięła ze sobą niemowlęcia. Po urodzeniu Fleur Gwyn nie mogła się przecież doczekać, kiedy pokaże przyjaciółce swoją maleńką córeczkę. A teraz, gdy Helen zapytała wprost o niego, machnęła tylko lekceważąco ręką.

– Och, jakoś niedługo. To kłopot zabierać go ze sobą, poza tym on ciągle płacze, jak nie jest z Kiri i Maramą. Dobrze się z nimi czuje, to po co mam go zabierać?

– Ale ja chciałabym go chociaż raz zobaczyć – upierała się Helen. – Co się z tobą dzieje, Gwyn? Czy z dzieckiem jest coś nie tak?

Fleurette natychmiast po przybyciu wyruszyła z Rubenem na poszukiwanie przygód. Tego dnia maoryskie dzieci nie przyszły do szkoły, ponieważ w ich wiosce odbywało się jakieś święto. Helen uznała, że to idealna okazja, żeby przycisnąć Gwyn do muru.

Ale Gwyn obojętnie potrząsnęła głową.

– Co miałoby być z nim nie tak? Wszystko jest w porządku. Jest silny, i w końcu to chłopak. Spełniłam swój obowiązek i zrobiłam to, czego ode mnie oczekiwano – Gwyneira obracała w rękach filiżankę z herbatą. – Ale teraz przekaż mi najświeższe wiadomości. Czy w końcu dotarły te organy dla kościoła w Haldon? I czy wielebny pogodzi się jakoś z tym, że to ty będziesz na nich grała, skoro nie zgłosił się żaden mężczyzna organista?

– Nie rozmawiamy o głupich organach, Gwyn! – Helen zareagowała ostro, ale tak naprawdę czuła się bezradna. – Zapytałam cię o twoje dziecko! Co się z tobą dzieje? O byle szczeniaku rozprawiasz z większym zaangażowaniem niż o Paulu. A przecież to twój syn... Powinnaś nie posiadać się z radości! I co się stało z tym dumnym dziadkiem? W Haldon już gadają, że z dzieckiem jest coś nie tak, bo Gerald nie postawił ani jednej kolejki, żeby uczcić narodziny swojego wnuka.

Gwyneira wzruszyła ramionami.

– Nie mam pojęcia, co Gerald sobie myśli. Możemy porozmawiać o czymś innym?

Podkreślając swój brak zainteresowania tym tematem, sięgnęła po ciasteczko.

Helen najchętniej chwyciłaby przyjaciółkę i mocno nią potrząsnęła.

– Nie, Gwyn, nie możemy! Masz mi natychmiast powiedzieć, co się dzieje! Z tobą, dzieckiem albo Geraldem coś jest nie tak! Jesteś zła na Lucasa, że od was odszedł?

Gwyn pokręciła głową.

– Też coś, już dawno o tym zapomniałam. Widocznie miał jakieś powody.

Tak naprawdę sama nie była pewna, co czuje wobec Lucasa. Z jednej strony była wściekła, że pozostawił ją samą sobie w tak trudnej sytuacji, ale z drugiej strony rozumiała, dlaczego uciekł. Od czasu odejścia Jamesa i narodzin Paula mało co ją poruszało, wszystkie jej odczucia były jakby przytłumione. Nic nie czując, czuła się bezpieczna.

– I te powody nie miały z tobą nic wspólnego? Albo z dzieckiem? – Helen drążyła temat. – Nie okłamuj mnie, Gwyn. Musisz zająć jakieś stanowisko, bo inaczej niedługo wszyscy będą o tym plotkować. W Haldon już słychać plotki, wśród Maorysów także. Pewnie wiesz, że oni wspólnie wychowują swoje dzieci, a słowo „matka" nie ma u nich takiego samego znaczenia jak u nas. Kiri nie przeszkadza to, że opiekuje się też Paulem. Ale taki brak zainteresowania, jaki okazujesz swojemu synowi... Powinnaś poprosić Matahoruę o radę!

Gwyn potrząsnęła głową.

– Co miałaby mi doradzić? Czy potrafiłaby sprowadzić Lucasa z powrotem? Czy potrafiłaby... – Przerażona Gwyn powstrzymała się w ostatniej chwili. Niemal nie powiedziała o czymś, o czym nikt na świecie nie powinien wiedzieć.

– Może mogłaby pomóc ci zmienić stosunek do dziecka – upierała się Helen. – Właściwie to dlaczego nie karmisz go piersią? Nie masz mleka?

– Kiri ma dość mleka dla dwojga dzieci… – stwierdziła Gwyn obojętnym tonem. – A ja jestem damą. W Anglii nie ma zwyczaju, żeby kobiety takie jak ja karmiły piersią.

– Oszalałaś, Gwyneiro! – Helen potrząsnęła głową z niedowierzaniem. Zaczynała ogarniać ją wściekłość. – Wymyśl sobie jakąś lepszą wymówkę. W tę historyjkę o byciu damą nikt ci nie uwierzy. Zapytam cię jeszcze raz: czy Lucas odszedł dlatego, że byłaś w ciąży?

Gwyn pokręciła głową.

– Lucas nie ma pojęcia o dziecku… – powiedziała cicho.

– Czy ty go zdradziłaś? W Haldon tak mówią i jeśli tak dalej będzie…

– Do diabła, ile razy mam ci to jeszcze powtórzyć? To cholerne dziecko jest Wardenem! – Gwyn nagle wyrzuciła z siebie cały gniew i zaczęła szlochać. Nie zasłużyła sobie na to wszystko. Była przecież tak bardzo dyskretna, gdy zachodziła w ciążę z Fleur. Nikt, absolutnie nikt nie wątpił w to, że jest dzieckiem z prawego łoża. A prawdziwy syn Wardena ma teraz uchodzić za bękarta!

Helen intensywnie myślała, a Gwyneira wciąż płakała. Lucas nie wiedział o ciąży, a według Matahoruy dotychczasowe problemy Gwyneiry z zajściem w ciążę leżały po jego stronie. Skoro Paul jest synem Wardena, to znaczy…

– O Boże, Gwyn… – Helen wiedziała, że nigdy nie powinna wypowiedzieć na głos podejrzenia, które się w niej zrodziło, choć czuła, że jest słuszne. To Gerald Warden musiał zapłodnić Gwyneirę, a nie wyglądało na to, żeby stało się to za jej zgodą. Chcąc pocieszyć przyjaciółkę, otoczyła ją ramionami. – Och, Gwyn, byłam taka głupia. Powinnam od razu się domyślić. A zamiast tego zadręczam cię swoimi pytaniami. Ale ty… Ty musisz o tym wszystkim zapomnieć! Nieważne, jak Paul został spłodzony. To twój syn!

– Nienawidzę go! – zaszlochała Gwyneira.

Helen potrząsnęła głową.

– To głupota. Nie możesz nienawidzić malutkiego dziecka. Bez względu na to co się wydarzyło, on nie ponosi za to winy. Ma prawo mieć matkę, Gwyn. Tak samo jak Fleur i Ruben. Myślisz, że spłodzenie go sprawiło mi szczególną przyjemność?

– Ale ty przynajmniej robiłaś to z własnej woli – wyrzuciła z siebie Gwyn.

– Dla dziecka to nie ma znaczenia. Proszę, Gwyn, przynajmniej spróbuj. Zabierz go ze sobą, przedstaw paniom w Haldon, bądź z niego choć trochę dumna! Potem jakoś go pokochasz!

Gwyneirze pomogło to, że się wypłakała i ulżyło jej, że Helen domyśliła się wszystkiego, ale jej nie osądzała. Jej przyjaciółka najwyraźniej ani przez moment nie pomyślała, że Gwyn mogłaby dobrowolnie oddać się Geraldowi, a był to koszmar, który prześladował ją, odkąd dowiedziała się o ciąży. Po odejściu Jamesa taka właśnie plotka rozniosła się po stajni, a Gwyn cieszyła się, że przynajmniej James tego nie słyszał. Nie zniosłaby, gdyby ją o to wypytywał. Przy czym Gwyneira jako hodowczyni doskonale rozumiała tok rozumowania, który skłaniał jej pracowników i przyjaciół do takiego przypuszczenia. Skoro Lucas się do tego nie nadawał, spłodzenie potomka z Geraldem wydawało się zupełnie sensownym rozwiązaniem. Gwyneira zastanawiała się, dlaczego nie przyszło jej to do głowy, gdy szukała ojca swojego pierwszego dziecka. Być może dlatego, że ojciec Lucasa był wobec niej tak agresywny, że bała się nawet z nim rozmawiać, a co dopiero przebywać sam na sam. Ale Gerald być może rozważał taką możliwość i być może to było przyczyną jego pijaństwa i złości. Pozwalały mu one stłumić zakazane pożądanie i potworną myśl, by samemu spłodzić własnego wnuka.

Gwyn była głęboko pogrążona w myślach, gdy kierowała powozem w stronę domu. Na szczęście nie musiała zabawiać Fleur, która dumna i szczęśliwa jechała obok dwukółki. George Greenwood podarował małemu Paulowi z okazji chrztu kucyka. Musiał zaplanować to już dawno temu i zamówić tę małą klacz od razu w Anglii, jak tylko dowiedział się o ciąży Gwyn. Fleurette oczywiście natychmiast przejęła konika i od początku doskonale sobie z nim radziła. Na pewno nie będzie chciała z niego zrezygnować, gdy Paul podrośnie. Gwyn będzie musiała coś wymyślić, ale to mogło poczekać. Najpierw musiała zająć się tym, że Paul uchodzi w Haldon za bękarta. To nie do pomyślenia, żeby w ten sposób plotkowano o dziedzicu Wardenów. Gwyneira musiała bronić honoru nazwiska i swojej czci!

Gdy w końcu dotarły do Kiward Station, natychmiast poszła do swoich pokoi, ale tak jak przypuszczała, kołyska okazała się pusta. Dopiero po dłuższych poszukiwaniach znalazła w kuchni Kiri, która karmiła jednocześnie dwoje niemowląt.

Gwyn zmusiła się do uśmiechu.

– O, proszę, jest mój chłopak – powiedziała przyjaznym tonem. – Kiri, jak już skończy, to czy będę mogła... Czy będę mogła go potrzymać?

Nawet jeśli Kiri życzenie jej pani wydało się dziwaczne, nie dała tego po sobie poznać. Uśmiechnęła się do niej promiennie.

– Oczywiście! Ucieszy się, że widzi mamę!

Ale Paul się nie ucieszył. Zaczął wrzeszczeć, jak tylko Gwyn wzięła go z rąk Kiri.

– On wcale tak nie myśleć – mamrotała zakłopotana Kiri. – Tylko nie być przyzwyczajony.

Gwyn kołysała niemowlę w ramionach i starała się opanować narastającą w niej niecierpliwość. Helen miała rację, dziecko nie było niczemu winne. I obiektywnie rzecz biorąc, Paul rzeczywiście był małym sympatycznym bobasem. Miał duże, okrągłe i jasnoniebieskie oczy. Włoski ciemniały mu i były poskręcane w niesforne loki, a szlachetny wykrój ust przypominał Gwyn Lucasa. Nie powinno być trudno nauczyć się kochać to dziecko... Ale najpierw musiała wyeliminować plotki.

– Będę go teraz częściej nosić, żeby się do mnie przyzwyczaił – powiedziała zdziwionej, ale ucieszonej Kiri. – A jutro zabiorę go do Haldon. Możesz z nami pojechać, jeśli chcesz. Jako jego piastunka...

„Wtedy przynajmniej nie będzie cały czas wrzeszczał" – pomyślała Gwyn, gdy malec nie uspokoił się nawet po półgodzinie kołysania w ramionach rodzonej matki. Uspokoił się dopiero wtedy, gdy położyła go z powrotem do koszyka obok Maramy. Kiri najchętniej cały czas nosiłaby oboje dzieci, ale Gerald nie pozwalał, żeby robiła to podczas pracy. Stojąca przy piecu Moana śpiewała im jakąś piosenkę. U Maorysów każda krewna w odpowiednim wieku była dla dziecka niczym matka.

Pani Candler i Dorothy były zachwycone, że w końcu poznają dziedzica Wardenów. Pani Candler podarowała Fleur lizaka i nie mogła się napatrzyć na małego Paula. Gwyneira była przekonana, że jej syn przechodzi właśnie dokładne badania i pozwoliła starej znajomej odwinąć Paula z kocyków i pieluszek i pokołysać go w ramionach. Malec był akurat w dobrym humorze. I jemu, i Maramie podobała się jazda powozem. Oboje słodko spali, kołysani wstrząsami wozu, a Kiri nakarmiła je tuż przed dotarciem na miejsce. Teraz oboje czuwali, a Paul uważnie przyglądał się pani Candler swoimi wielkimi oczami. Żwawo wymachiwał rączkami i nóżkami. Gospodynie z Haldon nie będą więc już miały wątpliwości, czy to dziecko ma jakieś niedostatki. Pozostawała kwestia jego pochodzenia.

– Ciemne włoski! I długie rzęsy! Zupełnie jak dziadek – gruchała pani Candler.

Gwyneira wskazała wykrój ust, a także wydatny podbródek Paula. Taki sam mieli i Gerald, i Lucas.

– A czy ojciec wie już o swoim szczęściu? – wtrąciła się inna matrona, która przerwała sprawunki, żeby przyjrzeć się niemowlęciu. – Czy wciąż jeszcze… Och, proszę mi wybaczyć, to przecież nie moja sprawa!

Gwyneira posłała jej pogodny uśmiech.

– Ależ oczywiście, że wie! Choć nie dostaliśmy jeszcze od niego gratulacji. Mój mąż przebywa w Anglii, pani Brennerman, choć mojego teścia z pewnością by to nie ucieszyło. Stąd te wszystkie tajemnice, rozumie pani. Ale Lucas otrzymał zaproszenie od znanej galerii sztuki, żeby wystawić tam swoje prace…

Było w tym trochę prawdy. George Greenwood rzeczywiście zainteresował kilka londyńskich galerii obrazami Lucasa. Informację tę otrzymała jednak dopiero po tym, jak Lucas opuścił Kiward Station. Ale panie z Haldon niekoniecznie musiały znać szczegóły.

– Och, to cudownie – ucieszyła się pani Candler. – A my myśleliśmy już, że… Och, zapomnijmy o tym! A dumny dziadek? Bywalcy pubu nie mogą się wręcz doczekać wspólnego uczczenia radosnej nowiny.

– Pan Gerald ostatnio nie czuje się najlepiej – stwierdziła Gwyneira. To również nie mijało się zbytnio z prawdą, ponieważ jej teść codziennie zmagał się ze skutkami pijaństwa poprzedniego dnia. – Ale planuje to oczywiście uczcić. Może znowu będzie to wielkie przyjęcie w ogrodzie, bo chrzest urządziliśmy bardzo skromnie. Musimy więc to nadrobić, prawda, Paul? – odebrała dziecko od pani Candler, dziękując niebiosom, że nie zaczęło od razu wrzeszczeć.

Ale to wystarczyło. Rozmówczynie porzuciły temat Kiward Station i zaczęły omawiać planowany ślub Dorothy i najmłodszego z synów państwa Candlerów. Najstarszy z nich dwa lata temu ożenił się z Francine, młodą akuszerką, a średni właśnie wyruszył w świat. Pani Candler pochwaliła się, że niedawno otrzymała od niego list z Sydney.

– Myślę, że się zakochał – powiedziała z filuternym uśmiechem.

Gwyneira ucieszyła się ze szczęścia młodych ludzi, choć doskonale mogła sobie wyobrazić, co czeka panią Candler. Już niedługo plotka o tym, że

Leon Candler żeni się z córką skazańca z Botany Bay zastąpi pogłoski o tym, że Lucas Warden wystawia swoje malunki w Londynie.

– Proszę przysłać do mnie Dorothy w sprawie sukni ślubnej – pożegnała się miłym gestem. – Kiedyś obiecałam jej, że pożyczę jej swoją, gdy będzie wychodzić za mąż.

„Może chociaż jej przyniesie szczęście" – pomyślała Gwyn, prowadząc Kiri z przychówkiem z powrotem do dwukółki.

Ale przynajmniej dzisiaj odniosła sukces.

Teraz musi załatwić sprawę z Geraldem…

– Urządzimy przyjęcie! – ogłosiła Gwyneira, gdy tylko weszła do salonu. Zdecydowanym gestem wyjęła Geraldowi butelkę whisky z ręki i zamknęła w przeznaczonej do tego celu oszklonej szafce. – Teraz je właśnie zaplanujemy, a do tego musisz mieć jasny umysł.

Gerald już zdawał się lekko pijany. Miał szklany wzrok, ale przynajmniej był w stanie wodzić nim za Gwyn.

– A… a co będziemy świętować? – zapytał, choć język mu się plątał.

Gwyneira zgromiła go wzrokiem.

– Narodziny twojego „wnuka"! – odpowiedziała. – Takie wydarzenie uchodzi za okazję do świętowania, jeśli łaskawie raczysz sobie przypomnieć! I całe Haldon nie może się już doczekać, kiedy odpowiednio je uczcisz.

– Pię-piękne święto… z nadąsaną ma-a-atką i… ojcem nie wiadomo gdzie… – zakpił Gerald.

– Sam siebie zapytaj, skąd nasz brak entuzjazmu! – odgryzła się Gwyneira. – Ale jak widzisz, wcale się nie dąsam. Będę na przyjęciu i będę się uśmiechać, a ty odczytasz list od Lucasa, który ku naszemu żalowi wciąż przebywa w Anglii. Gore, Geraldzie, gore! W Haldon wszyscy o nas plotkują. Pojawiły się pogłoski, że Paul… Że Paul nie jest Wardenem…

Przyjęcie odbyło się trzy tygodnie później w ogrodzie Kiward Station. Znowu szampan lał się strumieniami. Gerald wydawał się zachwycony i nawet kazał strzelać na wiwat. Gwyneira cały czas się uśmiechała i wyjaśniała przybyłym gościom, że Paul nosi imiona po swoich pradziadkach. Wobec niemal wszystkich mieszkańców okolicy podkreślała oczywiste podobieństwo malca do Geralda. A Paul błogo drzemał sobie w ramionach piastunki. Gwyn ze słusznych powodów nie zdecydowała się prezentować go osobiście. Wciąż wrzeszczał jak nadziewany na rożen, gdy go nosiła, na co ona sama nadal reagowała złością i zniecierpliwieniem. Zrozumiała, że musi powitać to dziecko w rodzinie i umocnić jego pozycję, ale nie potrafiła wykrzesać z siebie jakichś głębszych uczuć wobec niego. Paul był jej obcy, więcej nawet, każde spojrzenie na jego malutkie oblicze przypominało jej grymas pożądania na twarzy Geralda w tę nieszczęsną noc, gdy został poczęty. Kiedy przyjęcie wreszcie dobiegło końca, Gwyneira uciekła do stajni i tam wypłakała się, tuląc do miękkiej grzywy Igraine. Robiła tak jako dziecko zawsze wtedy, gdy spotykało ją jakieś nieszczęście. Gwyneira żałowała, że to wszystko się wydarzyło. Tęskniła za Jamesem, a nawet za Lucasem. Dalej nie miała żadnych wiadomości od męża, a i zorganizowane przez Geralda poszukiwania nie przyniosły żadnych rezultatów. To był zbyt wielki kraj. Kto tylko chciał, mógł przepaść w nim bez wieści.

8

– Walnij w końcu, Luke! Jeden raz, a mocno, w tył głowy. Nawet nic nie zauważy! – Roger zabił kolejną fokę, jeszcze zanim skończył mówić. I to zgodnie z wszelkimi zasadami sztuki, czyli tak, żeby zabić zwierzę, ale nie zniszczyć jego futra. Myśliwi zabijali foki pałką, którą uderzali je w tył głowy. Jeśli płynęła przy tym jakaś krew, to najwyżej z nosów młodych fok. Potem od razu zabierali się za ściąganie skóry, nawet nie zadawszy sobie trudu, żeby sprawdzić, czy zwierzę na pewno nie żyje.

Lucas Warden uniósł pałkę, ale nie był w stanie opuścić jej na tę małą istotę, która patrzyła na niego wielkimi i pełnymi ufności oczami dziecka. Pomijając już skargi kręcącej się wokół foczej matki. Ale myśliwych interesowało tylko miękkie i cenne futro młodych. Wędrowali po mieliznach, na których foki wychowywały swoje małe, i zabijali focze oseski na oczach ich matek. Skały Zatoki Tauranga aż spływały ich krwią, a Lucasowi z trudem udało się powstrzymać od wymiotów. Nie mógł pojąć, jak myśliwi mogli być tak nieczuli. Cierpienie zwierząt nie miało dla nich żadnego znaczenia, wręcz żartowali z tego, że bezbronne foki tak spokojnie czekają na swoich katów. Lucas przyłączył się do grupy myśliwych przed trzema dniami, ale nie zabił jeszcze ani jednej foki. Początkowo nawet nie zauważyli, że pomaga tylko przy zdejmowaniu skór i układa futra na wozach i w nosidłach. Ale teraz wyraźnie zażądali, żeby wziął udział w rzezi. Lucasowi było niedobrze. Czy coś takiego ma świadczyć o męskości? Czemu zabijanie bezbronnych zwierząt miałoby przynosić więcej zaszczytu niż pisanie czy malowanie? Ale Lucas nie chciał się już nad tym zastanawiać. Był tutaj po to, żeby się sprawdzić. Był zdecydowany wykonywać pracę, która pozwoliła jego ojcu zacząć gromadzić bogactwo. Najpierw zaciągnął się nawet na statek wielorybniczy, ale poniósł haniebną porażkę. Niechętnie to przyznawał, ale po prostu stamtąd uciekł. I to mimo tego że podpisał już kontrakt, a człowiek, który go zatrudnił, nawet mu się podobał...

Lucas poznał Coppera, wysokiego, ciemnowłosego mężczyznę o kanciastej i ogorzałej twarzy typowego mieszkańca wybrzeża, w pubie w Greymouth. Było to tuż po jego ucieczce z Kiward Station, kiedy wciąż jeszcze przepełniała go taka wściekłość i nienawiść do Geralda, że nie potrafił jasno myśleć. Wyruszył wtedy pośpiesznie na Zachodnie Wybrzeże, do tego eldorado dla „twardych facetów", którzy utrzymywali się z polowania na foki i łowienia wielorybów, a ostatnio szukali złota. Lucas chciał wszystkim pokazać, że potrafi sam zarabiać pieniądze, chciał udowodnić, że jest „prawdziwym mężczyzną", później zaś wrócić w pełni chwały i z mnóstwem... Hm... Czego konkretnie? Złota? W takim razie powinien się raczej wyposażyć w łopatę i miskę do płukania i wyruszyć w góry, a nie zaciągać się na statek wielorybniczy. Ale wtedy nie myślał rozsądnie. Chciał tylko uciec, jak najdalej, najlepiej na morze. I chciał też pokonać swojego ojca jego własną bronią. Po przedarciu się przez góry dotarł do Greymouth, nędznej osady, która miała do zaoferowania jedynie szynk i przystań dla statków. Ale to właśnie w pubie Lucas znalazł suchy kąt do przenocowania. Po raz pierwszy od wielu dni znalazł się pod dachem. Jego koce nadal były wilgotne i brudne po nocach spędzonych pod gołym niebem. Lucas chętnie skorzystałby z łóżka, ale takiej możliwości w Greymouth nie było. Lucasa nawet to szczególnie nie zdziwiło. W końcu „prawdziwi mężczyźni" rzadko się myli. Zamiast wody chętniej przelewali piwo i whisky, a po kilku szklankach Lucas zdradził Copperowi swoje plany. Nabrał otuchy, bo jego rozmówca wcale go od razu nie wyśmiał.

– Nie wyglądasz co prawda na wielorybnika – stwierdził, patrząc na szczupłą twarz Lucasa i jego łagodne szare oczy. – Ale też nie wyglądasz na niedołęgę. – Chwycił Lucasa za ramię, żeby sprawdzić jego muskuły. – Więc czemu nie. Niejeden się już nauczył, jak trzymać harpun. – Roześmiał się. Ale potem rzucił Lucasowi badawcze spojrzenie. – Ale czy wytrzymasz trzy albo i cztery lata samotności? Nie będziesz tęsknić za pięknymi portowymi dziewczętami?

Lucas słyszał już wcześniej, że teraz zaciągnięcie się na statek wielorybniczy oznaczało zobowiązanie się na okres od dwóch do czterech lat. Złote lata wielorybnictwa, gdy kaszaloty łowiono tuż przy brzegach Wyspy Południowej, a Maorysi polowali na nie nawet ze swoich kanu, należały do przeszłości. Obecnie wybito już niemal wszystkie wieloryby w bezpośrednim sąsiedztwie brzegów. Trzeba było wypływać daleko w morze, żeby na nie natrafić, a wyprawy trwały miesiącami, jeśli nie latami. Ale tym Lucas zupełnie się nie martwił. Wyłącznie męskie towarzystwo wydawało mu się nawet atrakcyjne, skoro nie będzie się w nim wyróżniać jako syn szefa, tak jak w Kiward Station. Już on da sobie radę, potrafi zyskać sobie szacunek i uznanie! Lucas był zdecydowany, a Copper nie zniechęcał go. Wręcz przeciwnie, przyglądał mu się z zainteresowaniem, poklepywał po plecach i gładził po rękach swoimi wielkimi łapskami cieśli okrętowego i doświadczonego wielorybnika. Lucas wstydził się trochę swoich wypielęgnowanych dłoni, nielicznych odcisków i wciąż stosunkowo czystych paznokci. W Kiward Station pokpiwano z tego, że pewnie je regularnie czyści, ale Copper nie zwrócił uwagi.

W końcu Lucas poszedł z nowym przyjacielem na statek, został przedstawiony szyprowi i podpisał kontrakt, który na trzy lata wiązał go z „Pretty Peg", niewielkim brzuchatym żaglowcem, który podobnie jak jego właściciel sprawiał wrażenie niezniszczalnego. Szyper Robert Milford był co prawda niewysoki, ale jego ciało składało się z samych mięśni. Copper zwracał się do niego z szacunkiem i chwalił jego umiejętności jako głównego harpunnika. Milford przywitał Lucasa mocnym uściskiem dłoni, podał mu wysokość płacy – która Lucasowi wydała się zatrważająco niska – i powiedział Copperowi, by przydzielił mu koję. „Pretty Peg" miała wkrótce wyruszyć. Lucasowi zostały tylko dwa dni, żeby sprzedać konia, przynieść swoje rzeczy na pokład statku i zająć brudną pryczę obok Coppera. Ale to akurat mu odpowiadało. Nawet jeśli Gerald każe go szukać, będzie dawno na morzu, zanim wieść o poszukiwaniach dotrze do położonego na uboczu Greymouth.

Pobyt na pokładzie statku wielorybniczego szybko go jednak otrzeźwił. Już pierwszej nocy nie mógł spać przez pchły, a do tego cierpiał na chorobę morską. Choć ze wszystkich sił starał się opanować, za każdym razem gdy statek przechylał się na falach, przewracało mu się w żołądku. W ciemnym pomieszczeniu wewnątrz statku było jeszcze gorzej niż na pokładzie, w końcu więc spróbował spędzić noc na zewnątrz. Ale zimno i woda – przy gorszej pogodzie fale przelewały się po pokładzie – szybko zapędziły go z powrotem do wnętrza statku. I znowu towarzysze się z niego śmiali, ale tym razem nie przejął się tym zbytnio, ponieważ Copper wyraźnie stanął po jego stronie.

– Wytworny paniczyk z tego naszego Luke'a! – zauważył dobrodusznie. – Musi się najpierw przyzwyczaić. Ale poczekajcie, jak tylko przejdzie chrzest tranem. Będzie w porządku, zobaczycie!

Copper cieszył się szacunkiem załogi. Był nie tylko zręcznym cieślą, ale uchodził też za doskonałego wielorybnika.

Lucasa cieszyła jego przyjaźń, a i ukradkowe dotknięcia, ku którym Copper zdawał się szukać okazji, nie były mu niemiłe. Mogłyby nawet sprawiać mu przyjemność, gdyby warunki higieniczne panujące na „Pretty Peg" nie były aż tak odstręczające. Dysponowali niewielką ilością wody pitnej i nikomu nawet nie przyszłoby do głowy, żeby zmarnować ją na umycie się. Wielorybnicy prawie nigdy się nie golili, nie posiadali też bielizny na zmianę. Po kilku nocach załoga statku i ich koje cuchnęli gorzej niż owczarnie w Kiward Station. Lucas z konieczności próbował się umyć wodą morską, ale to okazało się trudne, a poza tym wywoływało wybuchy wesołości u reszty załogi. Lucas czuł się brudny, całe ciało miał pokąsane przez pchły i wstydził się swojego stanu. Zupełnie niepotrzebnie. Inni mężczyźni cieszyli się swoim towarzystwem i zdawali się nawet nie zauważać odoru niemytych ciał. Lucas był jedynym, któremu to przeszkadzało.

Ponieważ niewiele było do roboty – do obsługi statku wystarczyłaby o wiele mniejsza załoga, a praca dla wszystkich miała być dopiero podczas połowu – wielorybnicy większość czasu spędzali w swoim towarzystwie. Opowiadali historie, oczywiście przechwalając się ile wlezie, śpiewali sprośne piosenki i grali w karty. Lucas do tej pory nie grał w pokera i w oczko, uważając, że to gry mało eleganckie, ale mimo wszystko znał ich reguły, mógł więc brać udział we wspólnej rozrywce. Okazało się jednak, że nie odziedziczył talentu ojca. Nie potrafił blefować ani robić pokerowych min. Widać było po nim, co myśli, a taki przeciwnik nie przynosił chluby współgraczom. Bardzo szybko przegrał tę niewielką ilość pieniędzy, którą wziął ze sobą z Kiward Station, i musiał nawet poprosić o odroczenie spłaty reszty długów. Z pewnością popadłby w tarapaty, gdyby nie pomógł mu Copper. Starszy mężczyzna tak wyraźnie zabiegał o jego względy, że Lucas zaczął się tym martwić. To było przyjemne, ale przecież rzucało się w oczy! Lucas wciąż z odrazą wspominał aluzje poganiaczy z Kiward Station, gdy wolał przebywać z młodym Dave'em niż z doświadczonymi pracownikami. Ale docinki ze strony wielorybników na „Pretty Peg" nie przekraczały pewnych granic. Wśród mężczyzn stanowiących załogę statku zdarzały się bliskie przyjaźnie, a czasami nocą z sąsiednich koi dochodziły dźwięki, które przyprawiały Lucasa o rumieniec wstydu, a jednocześnie wzbudzały w nim zazdrość i pożądanie. Czy to o tym właśnie marzył w Kiward Station i o tym myślał, próbując kochać się z Gwyneirą? Lucas wiedział, że to musi być właśnie coś takiego, nie potrafił jednak w takich warunkach myśleć o miłości. Nie znajdował nic podniecającego w objęciach cuchnących, nieumytych ciał, czy to kobiecych czy męskich. I niewiele miało to też wspólnego z jedynym znanym mu z literatury przykładem tego rodzaju potajemnych żądz, greckim ideałem mentora, który przyjmował do siebie niemal dorosłe pacholę, żeby obdarzyć je nie tylko miłością, ale także swoją mądrością i życiowym doświadczeniem.

Jeśli Lucas miałby być szczery, to nienawidził każdej minuty spędzonej na „Pretty Peg". Nie wyobrażał sobie, jak wytrzyma na pokładzie tego statku aż trzy lata, ale nie miał możliwości rozwiązania podpisanego kontraktu. A przez najbliższe miesiące statek nie zawinie do żadnego portu. Nie było jak stamtąd uciec. Lucasowi pozostała jedynie nadzieja, że z czasem przyzwyczai się do ciasnoty, wzburzonego morza i odoru pod pokładem. Do tego ostatniego przywykł dość szybko. Już po kilku dniach Copper i inni nie wydawali mu się aż tak odpychający, prawdopodobnie dlatego, że sam wydzielał równie okropną woń. Choroba morska też powoli ustępowała, bywały dni, kiedy Lucas wymiotował tylko jeden raz.

Ale potem nastąpił pierwszy połów i wtedy wszystko się zmieniło.

Szyper miał wręcz niesamowite szczęście, że sternik „Pretty Peg" zauważył kaszalota już dwa tygodnie po wyruszeniu w rejs. Jego pełen zachwytu okrzyk obudził załogę, która tak wczesnym rankiem wciąż zalegała w kojach. Na wieść o wielorybie wszyscy się jednak zerwali i natychmiast ruszyli na pokład. Byli podnieceni i pełni zapału, co nie powinno dziwić. Gdyby połów się udał, czekały na nich premie, które zdecydowanie powiększały skromną płacę. Kiedy Lucas wyszedł na pokład, zobaczył najpierw szypra, jak ze zmarszczonymi brwiami przyglądał się waleniowi, który rzeczywiście tam był. Zdawał się bawić z falami w zasięgu wzroku od nowozelandzkiego wybrzeża.

– Wspaniała sztuka! – ucieszył się Milford. – Ogromna! Mam nadzieję, że go dopadniemy! A jak się to uda, to jeszcze dziś zapełnimy połowę beczek! Jest tłusty jak świnia przed świniobiciem!

Załoga wybuchła gromkim śmiechem, ale Lucas wciąż nie potrafił dostrzec ofiary w tym majestatycznym stworzeniu, które prezentowało się przed nimi bez cienia lęku. Dla Lucasa było to pierwsze spotkanie z tymi olbrzymimi ssakami morskimi. Potężny kaszalot, niemal dorównujący rozmiarami „Pretty Peg", z gracją prześlizgiwał się po falach i swawolnie wyskakiwał do góry i obracał się w powietrzu niczym wierzgający koń. W jaki sposób zamierzają upolować to ogromne zwierzę? I czemu w ogóle chcą zniszczyć takie piękno? Lucas nie mógł się napatrzyć na wdzięk i lekkość, z jakimi waleń się poruszał mimo swojej potężnej masy.

– Teraz! – zdenerwowany szyper biegał po pokładzie, każąc przygotować łodzie. Widać było, że jego załoga to zgrana drużyna. Wielorybnicy zręcznie opuszczali małe, stabilne łodzie wiosłowe na wodę. W każdej siadało sześciu wioślarzy, a do tego kapitan łodzi i harpunnik, czasem zaś jeszcze sternik. Harpuny wydały się Lucasowi malutkie w porównaniu z wielkością zwierzęcia, które zamierzano za ich pomocą zabić. Ale Copper roześmiał się tylko, gdy mu o tym wspomniał.

– Liczy się liczba, chłopcze! Jasne, że jeden strzał tylko połaskocze to wielkie bydlę. Ale wystarczy sześć, żeby nie mógł dalej walczyć. A potem ciągniemy go obok statku i kroimy na kawałki. Ciężka robota, ale da się wytrzymać. Szyper nie jest skąpy. Jeśli dorwiemy tego kaszalota, każdy dostanie dodatkową zapłatę. Daj więc z siebie wszystko!

Morze tego dnia było dość spokojne i łodzie szybko zbliżały się do walenia. A ten wcale nie miał zamiaru przed nimi uciekać. Wręcz przeciwnie, kręcące się wokół niego łódki zdawały się go bawić, aż wykonał kilka dodatkowych skoków, jakby chciał sprawić przyjemność wypełniającym je ludziom. Ale wtedy trafił go pierwszy harpun. Harpunnik z łodzi oznaczonej jedynką wbił swój harpun w płetwę wieloryba. Przestraszony i rozzłoszczony kaszalot obrócił się i ruszył wprost na łódź Coppera.

– Uwaga na ogon! Może walić nim wokół, jeśli został porządnie trafiony. Nie podpływajcie za blisko, chłopcy!

Copper wydawał polecenia, celując w klatkę piersiową walenia. W końcu rzucił drugi harpun, trafiając lepiej niż pierwszy harpunnik. Wieloryb zdawał się słabnąć. Teraz padał już na niego prawdziwy deszcz harpunów. Lucas z mieszaniną fascynacji i przerażenia przyglądał się, jak waleń napręża się pod uderzeniami harpunów i wciąż próbuje uciec, choć został już schwytany. Harpuny były przywiązane do lin, którymi miano przyciągnąć kaszalota do statku. Waleń był na wpół oszalały z bólu i strachu. Szarpał więzy i nawet udało mu się wyrwać jeden z harpunów. Krwawił z dziesiątków ran, a woda wokół niego pokryła się czerwoną pianą. Spektakl ten budził odrazę w Lucasie, widział tylko bezlitosną rzeź majestatycznego stworzenia. Walka kolosa z przeciwnikami trwała godzinami, a wielorybnicy opadali z sił, wiosłując, strzelając i ciągnąc liny, żeby pokonać walenia. Lucas nawet nie zauważył, że na jego dłoniach pojawiły się odciski i pęknięcia. Nie czuł też strachu, gdy Copper, pragnąc się wyróżnić, coraz bardziej zbliżał się do umierającego, ale wciąż szarpiącego się olbrzyma. Wciąż jednak czuł odrazę oraz współczucie wobec istoty, która postanowiła walczyć do ostatniego tchu. Nie mógł pojąć, że sam bierze udział w tej walce, ale nie mógł zawieść pozostałych członków załogi. Był częścią spektaklu, a i jego życie zależało od tego, czy uda się zabić walenia. Na rozważania czas przyjdzie później...

W końcu wieloryb legł nieruchomo na wodzie. Lucas nie wiedział, czy jest martwy czy tylko zupełnie wyczerpany, w każdym razie załoga była w stanie ciągnąć go obok statku. A potem zrobiło się jeszcze gorzej. Zaczęło się szlachtowanie. Wielorybnicy wbijali długie noże w ciało wieloryba, żeby wycinać kawałki skóry z tłuszczem, z którego od razu na statku wygotowywano tran. Lucas miał nadzieję, że kaszalot naprawdę jest martwy, gdy wyrywano pierwsze kawałki jego ciała i rzucano je na pokład. W kilka minut wszyscy brodzili już w tłuszczu i krwi. Ktoś otworzył czaszkę wieloryba, by zdobyć pożądany spermacet. Copper opowiadał Lucasowi, że wyrabia się z niego świece, środki czyszczące oraz kosmetyki. Inni w jelitach walenia szukali cennej ambry, poszukiwanego surowca dla przemysłu perfumeryjnego. Cuchnęła potwornie i Lucas aż się wzdrygnął, gdy pomyślał o tych wszystkich wodach zapachowych, które on i Gwyneira mieli w Kiward Station. Nigdy nie przyszłoby mu do głowy, że do ich stworzenia wykorzystano resztki wygrzebane z cuchnących jelit bezlitośnie zabitego zwierzęcia.

Tymczasem rozpalono ogień pod ogromnymi kotłami i cały statek spowił odór gotującego się tłuszczu wieloryba. Powietrze było przesycone tłuszczem, który wydawał się osiadać w drogach oddechowych wielorybników. Lucas wychylił się za reling, ale nie mógł uciec przed zapachem ryb i krwi. Najchętniej zwymiotowałby, lecz jego żołądek od wielu godzin był pusty. Wcześniej chciało mu się pić, teraz jednak wydawało mu się, że wszystko co weźmie do ust, będzie smakować jak tran. Naszło go mgliste wspomnienie, jak w dzieciństwie pojono go tranem i jak strasznie mu nie smakował. A teraz tkwił wśród olbrzymich kawałków tłuszczu i wielorybich wnętrzności, które wrzucano do cuchnących kotłów, żeby potem gotowy tran przelewać do beczek. Jeden z członków załogi, który był odpowiedzialny za napełnianie i sztaplowanie beczek, zawołał go, żeby pomógł mu przy zamykaniu beczek. Lucas robił, co trzeba, cały czas starając się przynajmniej nie zaglądać do kotłów, w których warzyły się części ciała wieloryba.

Pozostali marynarze nie odczuwali takiej odrazy. Wręcz przeciwnie, wydawało się, że te zapachy pobudzają ich apetyt, że cieszą się na posiłek ze świeżego mięsa wieloryba. Żałowali, że nie można zabrać pozostałości jego ciała na pokład, ale ponieważ wielorybie mięso psuje się zbyt szybko, po wycięciu tłuszczu resztę ogromnego korpusu porzucono na morzu. Mimo to przez dwa dni kucharz wycinał mięśnie walenia i przygotowywał dla załogi prawdziwą ucztę. Lucas od razu wiedział, że nie przełknie nawet kawałka.

W końcu zakończono pracę i odcięto resztki walenia od statku. Wieloryb był już prawie całkiem wypatroszony. Na pokładzie wciąż walały się kawały tłuszczu, załoga zaś nadal brodziła w śluzie i krwi. Gotowanie tranu będzie trwać jeszcze wiele godzin, a zanim pokład zostanie uprzątnięty, miną kolejne dni. Lucas wątpił, czy oczyszczenie pokładu w ogóle będzie możliwe. Z pewnością nie za pomocą szczotek i wiader z wodą, których używano do szorowania pokładu. Prawdopodobnie dopiero najbliższy silny sztorm zmyje z desek pokładu pozostałości po ubitym waleniu. Lucas nawet chciałby, żeby napotkali taki sztorm. Im więcej miał czasu na przemyślenie wydarzeń tego dnia, tym wyraźniej odczuwał panikę. Do warunków życia na statku, do ciasnoty i odoru niemytych ciał mógłby się z czasem przyzwyczaić. Ale z pewnością nie do okrutnego mordowania i patroszenia tych ogromnych, lecz przyjaźnie nastawionych stworzeń. Lucas nie wyobrażał sobie, by mógł to wytrzymać przez trzy następne lata.

Z pomocą pośpieszył mu ten szczęśliwy traf, że „Pretty Peg" tak szybko napotkała pierwszego wieloryba. Szyper Milford postanowił, że przybiją do brzegu w Westport i wyładują towar, potem zaś znów wyruszą w rejs. To zajęłoby im tylko kilka dni, a dostaliby dobrą cenę za tak świeży tran i przy okazji opróżniliby beczki na dalsze łowy. Załoga oszalała z radości. Ralphie, niewysoki blondyn pochodzący ze Szwecji, od razu zaczął zachwalać dziewczęta z Westport.

– To co prawda dziura, ale wciąż się rozbudowuje. Na razie są tam tylko wielorybnicy i myśliwi polujący na foki, ale ostatnio zaczęło przybywać poszukiwaczy złota. Podobno pojawili się nawet prawdziwi górnicy, ktoś wspominał o złożach węgla. W każdym razie jest tam pub i kilka chętnych panienek! Byłem tam kiedyś z taką jedną rudą, mówię wam, warta była wydanych pieniędzy!

Copper podszedł od tyłu do Lucasa, który wyczerpany i pełen odrazy opierał się o reling.

– Ty też myślisz już o najbliższym burdelu? Czy może chciałbyś od razu tutaj uczcić udane polowanie? – położył rękę na ramieniu Lucasa i powoli opuszczał ją, niemal gładząc go po rękawie. Lucas nie mógł nie zrozumieć zaproszenia, które kryło się za jego słowami. Ale nie potrafił się zdecydować. Z pewnością był Copperowi dłużny, ten starszy mężczyzna był dla niego bardzo miły. I przecież całe swoje życie myślał o tym, by dzielić łoże z innym mężczyzną. Przecież to właśnie mężczyzn wyobrażał sobie, gdy sam się zadowalał, lub co gorsza, próbował współżyć ze swoją żoną.

Ale tutaj… Lucas miał za sobą lekturę greckich i rzymskich klasyków. W ich epoce ideałem piękna było właśnie ciało mężczyzny, a miłość między dorosłym mężczyzną i chłopcem nie uchodziła za coś odrażającego, o ile pacholę nie było przymuszane siłą. Lucas podziwiał posągi przedstawiające męskie ciała, które tworzono w tamtych czasach. Jakże były piękne! Takie gładkie, czyste, wręcz zapraszające, żeby je dotknąć… Lucas chętnie stawał przed lustrem i porównywał się z nimi, przyjmował podobne pozy, marzył o objęciach kochającego mentora. Ale ten przysadzisty i cuchnący wielorybnik, choć przyjacielski i dobroduszny, wcale go nie przypominał. Nie mieli nawet żadnej możliwości, żeby tego dnia umyć się na „Pretty Peg". Członkowie załogi mieli zamiar spoceni, brudni, umazani śluzem i krwią wślizgnąć się wieczorem pod koce… Lucas spuścił wzrok.

– Nie wiem… To był długi dzień… Jestem zmęczony…

Copper skinął głową.

– To połóż się na koi, chłopcze. Odpocznij. Może będę mógł później… Może przyniosę ci coś do jedzenia. A może nawet uda mi się znaleźć jakąś whisky…

Lucas przełknął ślinę.

– Innym razem, Copper. Może w Westport. Ty… Ja zresztą też… Nie zrozum mnie źle, ale muszę się wykąpać.

Copper roześmiał się gromko.

– Mój mały dżentelmen! Dobrze, osobiście dopilnuję w Westport, żeby dziewczęta przygotowały dla ciebie kąpiel. A najlepiej dla nas obu! Mnie też się przyda! Myślisz, że to dobry pomysł?

Lucas skinął głową. Najważniejsze, że dziś wieczór Copper zostawi go w spokoju. Pełen nienawiści i odrazy do samego siebie i do mężczyzn, z którymi tworzył teraz wspólnotę, udał się na swoją zapchloną pryczę. Może odór tranu i potu odstraszy przynajmniej pchły! Była to jednak złudna nadzieja. Nieprzyjemne zapachy wręcz wabiły żądne krwi owady. Lucas zgniótł ich na sobie kilkadziesiąt i poczuł się przez to jeszcze bardziej brudny. Gdy leżał tak, czekając na sen i przysłuchując się śmiechom i nawoływaniom na pokładzie – szyper rzeczywiście częstował wszystkich whisky – a potem śpiewom pijanych marynarzy, dojrzał w nim pewien plan. W Westport ucieknie z „Pretty Peg". Bez względu na konsekwencje zerwania podpisanego już kontraktu. Dłużej tego nie zniesie!

Ucieczka okazała się całkiem łatwa. Jedyny kłopot polegał na tym, że wszystkie swoje rzeczy musiał zostawić na statku. Wzbudziłby podejrzenia, gdyby zabrał ze sobą koce i kilka swoich ubrań na zmianę na krótki pobyt na lądzie, na który szyper pozwolił swojej załodze. Mimo wszystko wziął trochę bielizny na zmianę, w końcu Copper obiecał mu kąpiel, to więc dało się wyjaśnić. Copper oczywiście śmiał się z niego, ale Lucasowi było to obojętne. Szukał tylko okazji, żeby się oddalić. A ta nadarzyła się bardzo szybko, gdy Copper negocjował z piękną rudowłosą dziewczyną, czy znajdzie się gdzieś u nich balia do kąpieli. Pozostali klienci pubu nie zwracali uwagi na Lucasa, bo albo zajmowali się swoją whisky, albo ponętnymi kształtami obsługujących gości dziewcząt. Lucas nic jeszcze nie zamówił, mógł więc z czystym sumieniem wymknąć się z lokalu i ukryć w stajni. Tam znalazł tylne wyjście. Wyszedł przez nie, prześlizgnął się przez podwórze kowala, obok składu trumien, a potem wzdłuż dopiero wznoszonych budynków. Westport rzeczywiście było dziurą, jak powiedział Copper, i rzeczywiście się rozbudowywało.

Osada była położona na brzegu rzeki Buller. W tym miejscu, tuż przy ujściu do morza, jej wody rozlewały się szeroko i toczyły spokojnie. Lucas dostrzegł piaszczyste plaże poprzecinane gdzieniegdzie skalistymi fragmentami brzegu. Ale przede wszystkim tuż za Westport rozpoczynał się las paproci, ciemnozielona gęstwina, która wyglądała na niezbadaną. Lucas rozejrzał się, ale wokół nie było nikogo. Widocznie nikt oprócz niego nie szukał samotności na uboczu domostw.

Może więc uciec niepostrzeżenie. Podjął decyzję i pobiegł wzdłuż brzegu rzeki, kryjąc się za paprociami, gdy tylko było to możliwe. Przez godzinę biegł w górę rzeki, zanim uznał, że znalazł się na tyle daleko od Westport, żeby móc się odprężyć. Szyper wcale tak szybko nie zauważy jego zniknięcia, bo „Pretty Peg" miała odpłynąć dopiero następnego ranka. Copper na pewno będzie go szukać, ale nie na brzegu rzeki, przynajmniej nie na początku. Później może sprawdzi rzekę, ale na pewno ograniczy się do bezpośredniego otoczenia Westport. Mimo wszystko Lucas najchętniej od razu zagłębiłby się w świat dżungli, gdyby nie powstrzymała go odraza do własnego cuchnącego ciała. Musiał się umyć. Drżąc z zimna, rozebrał się i ukrył brudne ubranie za jakimiś skałami. Najpierw pomyślał, że je upierze i zabierze ze sobą, ale przeszły go ciarki na samą myśl o wypłukiwaniu z niego krwi i tłuszczu. Zostawił więc sobie tylko bieliznę, a koszulę i spodnie musiał spisać na straty. Żal mu ich było, bo gdy znowu znajdzie się w towarzystwie ludzi, będzie dysponował tylko tym ubraniem, które będzie miał na sobie. Ale to i tak było lepsze niż szlachtowanie kolejnych wielorybów na „Pretty Peg".

W końcu zanurzył się w lodowatej wodzie rzeki Buller. Poczuł, jak zimno kąsa jego skórę, ale jednocześnie przejrzysta woda zmywała z niej cały brud. Lucas zanurzył się głębiej, sięgnął po otoczak i zaczął skrobać nim swoje ciało. Skrobał je, aż skóra zrobiła się czerwona, a on nie czuł już nawet, jak zimna jest woda. Potem wyszedł na brzeg, założył czyste ubranie i ruszył w głąb dżungli. Ten las był straszny, wilgotna gęstwina pełna nieznanych potężnych roślin. Lucasowi przydało się teraz zainteresowanie ojczystą florą i fauną. Wiele tych olbrzymich paproci, których liście zwijały się, wyglądając niby żywe gąsienice, widywał w podręcznikach, z łatwością więc pokonywał strach, próbując przypomnieć sobie ich nazwy. W każdym razie na pewno nie były trujące, a nawet największa weta nadrzewna wydawała się mniej krwiożercza niż pchły na pokładzie statku. Lucasa nie przestraszyły także różnorodne odgłosy zwierząt, które rozbrzmiewały w dżungli. Mieszkały tutaj tylko owady i ptaki, przede wszystkim nieszkodliwe papugi, i to właśnie one wypełniały las swoimi przedziwnymi głosami. W końcu Lucas przygotował sobie legowisko z liści paproci i spał nawet lżejszym i spokojniejszym snem niż podczas ostatnich tygodni na „Pretty Peg". Mimo że stracił niemal wszystko, następnego dnia obudził się pełen nadziei. Było to zadziwiające, biorąc pod uwagę, że właśnie uciekł swojemu pracodawcy, zerwał umowę i nie spłacił nagromadzonych długów karcianych. Ale on z rozbawieniem pomyślał, że chyba przez dłuższy czas nikt już nie nazwie go „dżentelmenem"!

Najchętniej zostałby w dżungli, ale oprócz wielkiej obfitości owoców nie było tam nic innego do jedzenia. Przynajmniej tak wydawało się Lucasowi, maoryskie plemię czy traper z prawdziwego zdarzenia pewnie byliby odmiennego zdania. Burczący z głodu brzuch zmusił go jednak do wyruszenia na poszukiwanie jakiejś ludzkiej osady. Ale dokąd powinien się udać? Westport nie wchodziło w grę. Tam już każdy na pewno wiedział, że szyper szuka zbiegłego członka załogi. Możliwe, że „Pretty Peg" jeszcze na niego czeka.

Później jednak przypomniało mu się, że wczoraj Copper wspomniał coś o Zatoce Tauranga. O mieliznach zamieszkanych przez foki. Polujący na nie raczej nie słyszeli nic o zbiegu z „Pretty Peg", zresztą pewnie nic by ich to nie obchodziło. Fok było tam ponoć mnóstwo, miejsce znajdzie się i dla niego. Pełen nadziei wyruszył w drogę. Polowanie na foki nie może być przecież gorsze od połowu wielorybów...

Mężczyźni w Tauranga rzeczywiście przyjęli go z otwartymi ramionami, a ich obozowisko cuchnęło umiarkowanie. Znajdowało się pod gołym niebem, mieszkańcy zaś nie byli stłoczeni. Oczywiście, że z Lucasem coś musi być nie tak, ale nie dopytywali się, czemu wygląda jak obdartus i czemu nie ma ze sobą prawie nic, nawet pieniędzy. Gdy Lucas próbował się tłumaczyć, machali lekceważąco ręką.

– Wszystko w porządku, Luke, jeszcze się odkujesz. Tylko przydaj się do czegoś, załatw parę fok. Pod koniec tygodnia zawozimy skóry do Westport. Wtedy będziesz miał pieniądze. – Norman, najstarszy z myśliwych, z zadowoleniem pykał swoją fajkę. Lucasowi przemknęło przez głowę, że chyba nie jest tutaj jedynym, który przed czymś ucieka.

Lucas całkiem dobrze czułby się wśród milczących i opanowanych mieszkańców wybrzeża, gdyby nie te polowania! O ile takim mianem można w ogóle określić mordowanie bezbronnych focząt na oczach ich przerażonych matek. Zrozpaczony Lucas spoglądał to na trzymaną w ręku pałkę, to na biedne stworzenie...

– No, dawaj, Luke! Zdobądź futro! Chyba nie myślisz, że dostaniesz w niedzielę w Westport pieniądze za to, że pomagałeś nam w ściąganiu skór? Tutaj każdy pomaga każdemu, ale pieniądze dostaje się tylko za własne futra!

Lucas nie miał wyboru. Zamknął oczy i mocno uderzył.

9

Pod koniec tygodnia Lucas miał już prawie trzydzieści foczych skór. Czuł do siebie jeszcze większą nienawiść i wstyd niż po przygodzie na „Pretty Peg". Był zdecydowany, że po weekendowym wyjeździe do Westport nie wróci już do obozowiska. Westport było osadą, która się rozwijała. Na pewno znajdzie tam pracę, które będzie mu bardziej odpowiadać, nawet jeśli miałoby to oznaczać rezygnację z miana prawdziwego mężczyzny.

Handlarz skórami, niski i żylasty mężczyzna, który prowadził jednocześnie sklep w Westport, był pełen optymizmu. Tak jak Lucas przypuszczał, nie skojarzył nowego myśliwego z Zatoki Tauranga z wielorybnikiem, który uciekł z „Pretty Peg". Albo się nie domyślił, albo było mu to obojętne. W każdym razie dał mu po kilka centów za każde futro i chętnie poinformował go o możliwościach zatrudnienia w Westport. Lucas oczywiście nie przyznał się, że zabijanie fok sprawiało mu trudność. Powiedział, że dokuczała mu samotność i brak damskiego towarzystwa w obozowisku myśliwych.

– Chciałbym zamieszkać w mieście – stwierdził. – Może znajdę sobie żonę i założę rodzinę... Nie mam już ochoty patrzeć na martwe walenie i foki – Lucas położył na ladzie pieniądze za śpiwór i ubranie, które chciał kupić.

Kupiec i nowi przyjaciele Lucasa wybuchli gromkim śmiechem.

– Słuchaj, pracę to znajdziesz bez problemu. Ale dziewczynę? Jedyne dziewczęta, jakie możesz znaleźć w tej dziurze, pracują w przybytku Jolandy nad pubem. I nawet wszystkie są w odpowiednim wieku do zamążpójścia!

To chyba był doskonały dowcip, który reszta towarzystwa przyjęła kolejnymi salwami śmiechu.

– Możesz je nawet zaraz spytać! – stwierdził dobrodusznie Norman. – Idziesz przecież z nami do pubu?

Lucas nie mógł odmówić. W zasadzie wolałby zaoszczędzić swój skromny zarobek, ale szklaneczka whisky nie zaszkodzi. Może alkohol pomoże mu zapomnieć o błagalnym spojrzeniu fok i rozpaczliwej walce wieloryba...

Nabywca fok opowiedział Lucasowi o innych możliwościach zarobkowania w Westport. Kowal może potrzebować pomocnika. Czy pracował kiedyś przy kuciu żelaza? Lucas pożałował, że w Kiward Station nigdy nawet nie przyjrzał się, jak James McKenzie podkuwał konie. Odpowiednie umiejętności pozwoliłyby mu teraz zarobić pieniądze, ale Lucas niestety nigdy nie trzymał w ręku młota czy hufnala. Umiał jeździć konno, ale nic poza tym.

Rozmówca zrozumiał, co oznacza milczenie Lucasa.

– Nie masz żadnego fachu w ręku, prawda? Umiesz tylko walić foki po głowach. Może na budowie się przydasz? Cieśle zawsze szukają pomocników. Ledwie nadążają z zamówieniami, wszyscy nagle chcą mieć dom nad rzeką Buller. Jeszcze będziemy mieć tutaj prawdziwe miasto! Ale wiele to oni ci nie zapłacą. Nie ma porównania z tym, co możesz zarobić na tym! – powiedział, wskazując na focze futra.

Lucas skinął głową.

– Wiem. Ale mimo wszystko popytam. Ja... Chyba umiałbym pracować z drewnem.

Pub był mały i niezbyt czysty. Ale Lucas z ulgą stwierdził, że żaden z gości go nie pamięta. Prawdopodobnie nawet nie przyjrzeli się wtedy marynarzowi z „Pretty Peg". Tylko ta rudowłosa dziewczyna, która również dzisiaj obsługiwała gości, przyjrzała mu się uważnie, gdy wycierała stół, żeby postawić przed Normanem i Lucasem szklanki z whisky.

– Przepraszam, że tutaj znowu brudno jak w chlewie – powiedziała. – Mówiłam pannie Jolandzie, że Chińczyk nie umie sprzątać... – Chińczykiem nazywano barmana o egzotycznym wyglądzie. – Ale skoro nikt się nie skarży... Tylko whisky czy podać też coś do jedzenia?

Lucas chętnie by coś przekąsił. Cokolwiek, co nie cuchnęło morzem, morszczynem i krwią i nie zostało naprędce upieczone przy obozowym ognisku, później zaś połykane na wpół surowe. A poza tym dziewczyna zdawała się dbać o czystość. Może więc w kuchni nie było aż tak brudno, jak wydawało się na pierwszy rzut oka.

Norman się roześmiał.

– Poprosimy o jakieś łakocie, malutka! Pojeść możemy sobie w obozie, ale takich cymesów jak ty to tam nie mamy... – powiedział i uszczypnął dziewczynę w pośladek.

– Wiesz, że to kosztuje centa, malutki, prawda? – odpowiedziała. – Powiem pannie Jolandzie, żeby doliczyła ci do rachunku. Ale nie będę taka, za centa możesz jeszcze dotknąć tutaj. – Rudowłosa wskazała swoje piersi. Zachęcony okrzykami towarzyszy, Norman skorzystał z okazji. Potem dziewczyna zręcznie wysmyknęła się z jego rąk. – Więcej dostaniesz później, jak zapłacisz.

Mężczyźni wciąż śmiali się, gdy odchodziła. Miała na sobie wysokie jaskrawoczerwone buty i sukienkę o wielu odcieniach zieleni. Sukienka była stara i wielokrotnie łatana, ale czysta, a koronkowe mankiety, które ją zdobiły, starannie wykrochmalone i wyprasowane. Ta dziewczyna przypominała Lucasowi Gwyneirę. Oczywiście Gwyn była damą, a ta nastolatka dziwką, ale też miała kręcone rude włosy, jasną cerę i blask w oczach, który dowodził, że wcale nie poddała się losowi. Ta dziewczyna na pewno nie ma zamiaru skończyć jako dziewka w pubie w Westport.

– Słodka myszka, co? – zapytał Norman, który zauważył, że Lucas się jej przygląda, ale fałszywie to sobie wytłumaczył. – To Daphne. Najlepsza klacz w stajni panny Jolandy, a do tego jej prawa ręka. Bez niej wszystko tutaj poszłoby w rozsypkę, mówię ci. To ona tu rządzi. Gdyby stara była mądra, adoptowałaby ją. Ale ona myśli tylko o sobie. W końcu dziewczyna jej ucieknie, a ona straci swoją największą atrakcję. To jak? Chcesz ty iść do niej pierwszy? Czy inni też mają ochotę na tę dzikuskę? – mrugnął okiem do towarzyszy.

Lucas nie wiedział, co odpowiedzieć.

Na szczęście Daphne podeszła z drugą kolejką whisky.

– Dziewczęta już się na górze szykują – powiedziała, stawiając szklanki na stole. – Wypijcie spokojnie, przyniosę jeszcze jedną butelkę, a potem przyjdźcie na górę! – uśmiechnęła się zachęcająco. – Ale nie każcie nam zbyt długo czekać. Wiecie przecież, że odrobina wódki pozwala się rozluźnić, ale jej nadmiar może zaszkodzić waszej męskości... – Tak samo szybko jak wcześniej Norman chwycił ją za pośladek, teraz ona w rewanżu złapała go za krocze.

Norman aż się wzdrygnął, ale musiał zachować twarz, roześmiał się więc.

– Dostanę za to centa?

Daphne pokręciła mocno głową, aż rozwiały jej się włosy.

– Nie, ale może całusa? – rzuciła i już jej nie było, zanim Norman zdołał cokolwiek odpowiedzieć. Goście pogwizdywali, gdy mijała ich stoły.

Lucas wypił swoją whisky i poczuł, że jest mu niedobrze. Jak się z tego wykaraska, nie dając znowu plamy? Daphne nawet mu się podobała. I chyba on też wpadł jej w oko. Zdecydowanie dłużej patrzyła na jego twarz i jego szczupłe, ale muskularne ciało, niż na pozostałych gości. Lucas zdawał sobie sprawę z tego, że podoba się kobietom. Tak samo matronom z Christchurch, jak i dziwkom z Westport. Ale co zrobi, jeśli Norman zaciągnie go ze sobą na górę?

Lucas pomyślał o kolejnej ucieczce, ale tym razem to nie było możliwe. Nie mając konia, nie mógł opuścić Westport, na razie musiał zostać w miasteczku. A to się nie uda, jeśli od razu pierwszego dnia haniebnie się skompromituje, uciekając przed rudowłosą dziewką.

Większość towarzystwa chwiała się już lekko na nogach, gdy Daphne znowu się pojawiła i zaprosiła ich na górę. Ale nie byli na tyle pijani, żeby nie zauważyć ewentualnego zniknięcia Lucasa. A i Daphne nie odrywała od niego wzroku...

Dziewczyna wprowadziła klientów do salonu, który urządzono obitymi pluszem meblami i maleńkimi stoliczkami o bardzo pospolitym wyglądzie. Cztery dziewczyny, wszystkie w dopracowanym negliżu, już tam na nich czekały, a wraz z nimi panna Jolanda, niska i gruba kobieta o zimnym spojrzeniu, która od razu zainkasowała od każdego z gości po dolarze. – Przynajmniej żaden mi nie ucieknie, zanim nie zapłaci – stwierdziła flegmatycznie.

Lucas wniósł stosowną opłatę, zaciskając zęby. Niedługo nic nie zostanie z jego tygodniowego zarobku.

Daphne poprowadziła go do jednego z czerwonych foteli i wcisnęła mu do ręki kolejną szklankę whisky.

– Powiedz mi, nieznajomy, jak mogę cię uszczęśliwić? – szepnęła. Dotąd jako jedyna była kompletnie ubrana, ale teraz niby przypadkiem rozwiązała stanik. – Podobam ci się? Ale ostrzegam: rude są gorące jak ogień! Niejeden się już poparzył... – mówiła do niego, wodząc po jego twarzy kosmykiem swoich długich włosów.

Lucas nie reagował.

– Nie? – szeptała dalej Daphne. – Nie masz odwagi? Hm... Może potrzeba tu jakiegoś innego elementu. Dla każdego coś się znajdzie. Ogień, powietrze, woda, ziemia... – Po kolei wskazała na trzy dziewczęta, które umizgiwały się do pozostałych mężczyzn. Pierwsza z nich była bladą, wręcz eteryczną istotą o jasnych włosach i gładkiej skórze. Jej członki były delikatne, niemal chude, ale pod cieniutką koszulą zarysowywały się obfite piersi. Dla Lucasa ten widok był odrażający. W żaden sposób nie mógłby się zmusić, żeby kochać się z tą dziewczyną. Element wody uosabiała ubrana w błękity blondynka o turkusowych oczach. Wydawała się pełna energii i właśnie żartowała sobie z wyraźnie zachwyconym Normanem. Ziemią była ciemnoskóra dziewczyna z burzą czarnych loków, niewątpliwie o najbardziej egzotycznej urodzie w stadku panny Jolandy, choć nie była najładniejsza. Miała pospolite rysy twarzy i przysadzistą figurę. Ale i tak oczarowała mężczyznę, z którym teraz flirtowała. Lucas dziwił się kryteriom, jakimi posługują się przedstawiciele jego płci, dobierając sobie partnerki. Daphne bez wątpienia była tutaj najpiękniejsza. Lucasowi powinno pochlebiać to, że wybrała właśnie jego. Gdyby choć odrobinę go podnieciła, gdyby...

– Powiedz, nie macie w ofercie kogoś młodszego? – zapytał w końcu. Brzydził się własnych słów, ale jeśli miał tej nocy zachować twarz, to jedyną szansą była dla niego szczupła dziewczyna o chłopięcej budowie.

– Jeszcze młodszego niż ja? – zapytała zdumiona Daphne. Miała rację, była młodziutka. Lucas ocenił, że ma najwyżej dziewiętnaście lat. Ale zanim zdołał odpowiedzieć, rzuciła mu badawcze spojrzenie.

– Teraz już wiem, skąd cię znam! To ty jesteś tym facetem, który zwiał wielorybnikom! Kiedy ten gruby pedał, Copper, zamawiał kąpiel dla was obu! Mało nie umarłam wtedy ze śmiechu. Przecież on chyba nigdy w życiu nie miał mydła w ręku! Cóż... Widać, że to była nieodwzajemniona miłość... Ale ty też wolisz chłopców?

Silny rumieniec na twarzy Lucasa wystarczył za odpowiedź na tę niebędącą ani pytaniem, ani stwierdzeniem uwagę.

Daphne uśmiechnęła się przebiegle, ale jednocześnie wyrozumiale.

– Twoi wytworni towarzysze zapewne nie mają o tym pojęcia, co? A ty nie chciałbyś, żeby się wydało. To posłuchaj, przyjacielu, mam coś dla ciebie. Nie, nie chłopca, chłopców tutaj nie mamy. To coś szczególnego. Tylko do patrzenia, dziewczynki niczego nie mogą stracić. Zainteresowany?

– Ale... Czym? – wystękał Lucas. Propozycja Daphne zdawała się jedynym możliwym wyjściem z tej patowej sytuacji. Coś szczególnego, dodającego mężczyźnie prestiżu, ale nie wymagającego współżycia z kobietą? Lucas domyślił się, że będzie musiał wydać na to resztę swojego zarobku.

– To rodzaj... To taki taniec erotyczny. Dwie bardzo młode dziewczyny, ledwie skończyły piętnaście lat. Bliźniaczki. Zapewniam cię, że jeszcze nigdy czegoś takiego nie widziałeś!

Lucas poddał się losowi.

– Ile? – zapytał tylko.

– Dwa dolary! – odpowiedziała szybko Daphne. – Po jednym dla każdej z nich. I oczywiście ten, który zapłaciłeś już za mnie. Nigdy nie zostawiam ich samych z facetami!

Lucas odchrząknął.

– Z mojej... Cóż, z mojej strony na pewno nic im nie grozi.

Daphne się roześmiała. Lucas zdziwił się, jak młody i dźwięczny jest jej głos.

– W to akurat jestem skłonna uwierzyć. A więc dobrze, w drodze wyjątku. Nie masz pieniędzy, prawda? Wszystko zostało na „Pretty Peg"? Prawdziwy z ciebie bohater! Ale teraz maszeruj do pokoju numer jeden. Przyślę tam dziewczynki. A ja tymczasem sprawdzę, jak można uszczęśliwić wujka Normana.

Przeszła do starego myśliwego i natychmiast przyćmiła urodę swojej bladej koleżanki, reprezentującej element wody. Daphne zdecydowanie miała w sobie to coś. Można by nawet powiedzieć, że miała styl.

Lucas wszedł do pokoju numer jeden, który wyglądał dokładnie tak, jak się tego spodziewał. Był urządzony jak pokój w trzeciorzędnym hotelu, dużo pluszu, szerokie łóżko... Czy powinien się na nim położyć? Ale czy to nie przestraszyłoby tych dziewczynek? Zdecydował, że usiądzie na pluszowym fotelu, również dlatego, że łóżko nie wzbudziło jego zaufania. W końcu dopiero co pozbył się pcheł z „Pretty Peg".

Przybycie bliźniaczek poprzedziły pełne podziwu okrzyki z tak zwanego salonu, przez który musiały przejść. Najwyraźniej były prawdziwym luksusem, czymś, co dodawało prestiżu temu, komu pozwolono je zamówić. Daphne nie ukrywała, że dziewczynki są pod jej opieką.

Bliźniaczki sprawiały wrażenie, jakby nie lubiły być w centrum uwagi, mimo że obszerna peleryna chroniła ich ciała przed pełnymi pożądania spojrzeniami klientów. Weszły do pokoju, trzymając się blisko siebie, i najpierw uniosły wielki kaptur, pod którym obie schowały głowy, zanim nie poczuły się bezpiecznie. Ale wciąż wyglądały na niepewne. Obie nisko opuściły jasnowłose główki, prawdopodobnie miały zamiar czekać tak, aż przyjdzie Daphne i je przedstawi. Ale ponieważ dzisiaj miało być inaczej, jedna z nich w końcu uniosła wzrok. Lucas zobaczył szczupłą twarzyczkę i nieufne jasnoniebieskie oczy.

– Dobry wieczór, sir. Czujemy się zaszczycone, że zechciał nas pan wezwać – wypowiedziała wyuczoną formułkę. – Ja jestem Mary.

– A ja Laurie – wyjaśniła druga. – Daphne powiedziała nam, że pan...

– Będę tylko patrzył, nie martwcie się – powiedział Lucas przyjaznym tonem. Nigdy by ich nie dotknął, ale pod jednym względem odpowiadały jego wyobrażeniom. Gdy Mary i Laurie pozwoliły pelerynie opaść i stały przed nim tak, jak stworzył je Bóg, przekonał się, że rzeczywiście mają szczupłe, chłopięce ciała.

– Mam nadzieję, że spodoba się panu nasze przedstawienie – powiedziała grzecznie Laurie i ujęła dłoń swojej siostry. To był wzruszający gest, jakby szukała u niej opieki, a nie sygnalizowała rozpoczęcie erotycznego pokazu. Lucas zaczął się zastanawiać, co je tutaj sprowadziło.

Bliźniaczki podeszły do łóżka, ale nie wślizgnęły się pod kołdrę. Uklękły przodem do siebie i zaczęły się obejmować i całować. Przez kolejne pół godziny Lucas obserwował gesty i pozy, które na zmianę wywoływały na jego twarzy rumieniec lub sprawiały, że mroziło mu krew w żyłach. To co dziewczynki wyprawiały, było w najwyższym stopniu nieprzyzwoite. Ale Lucas nie uważał, żeby było to odrażające. Za bardzo przypominało jego własne marzenia o zjednoczeniu z ciałem, które byłoby podobne do jego ciała, zjednoczeniu pełnym miłości, godności i wzajemnego szacunku. Lucas nie wiedział, czy te nieprzyzwoite ruchy sprawiają dziewczynkom przyjemność, ale trudno mu było to sobie wyobrazić. Ich ciała były zbyt rozluźnione, a twarze zbyt spokojne. Lucas nie dostrzegał w nich ani ekstazy, ani pożądania. Bez wątpienia jednak spojrzenia, którymi siostry się nawzajem obdarzały, były pełne miłości, dotknięcia zaś niezwykle czułe. Ich miłosna gra wywierała na obserwatorze niezwykłe wrażenie, granice między ich ciałami zaczynały się zacierać, były do siebie tak podobne, że bliskość ich ciał sprawiała wrażenie, jakby miał przed sobą tańczącą boginię o wielu ramionach i dwóch głowach. Lucasowi przypominało to pewne wizerunki pochodzące z kolonii indyjskich. Pokaz uznał za inspirujący, ale w dość szczególny sposób, miał bowiem ochotę naszkicować bliźniaczki, a nie się z nimi kochać. W ich tańcu dostrzegał jakiś artyzm. Na koniec zamarły w uścisku i oderwały się od siebie dopiero wtedy, gdy Lucas zaczął bić brawo.

Gdy Laurie podniosła się z łóżka, rzuciła badawcze spojrzenie na krocze Lucasa.

– Nie podobało się panu? – zapytała z przestrachem, gdy zauważyła, że bieliznę ma nierozwiązaną, a na jego twarzy nie widać śladów samozaspokojenia. – Mogłybyśmy... mogłybyśmy pana trochę pogłaskać, ale...

Było widać, że nie byłaby tym zachwycona, ale najwyraźniej niektórzy klienci żądali swojej zapłaty z powrotem, jeśli nie udało im się osiągnąć orgazmu.

– Ale zwykle robi to Daphne – dodała Mary.

Lucas pokręcił głową.

– To nie będzie konieczne, dziękuję. Wasz taniec bardzo mi się podobał. Tak jak powiedziała Daphne, to coś wyjątkowego. Ale skąd w ogóle ten pomysł? Przecież tego rodzaju przybytki nie oferują zwykle takich pokazów.

Dziewczynki odetchnęły i owinęły się z powrotem płaszczem, ale wciąż siedziały na łóżku. Najwyraźniej uznały, że Lucas nie stanowi zagrożenia.

– Och, to był pomysł Daphne! – Laurie chętnie udzieliła wyjaśnień. Obie dziewczynki miały słodkie, szczebiotliwe głosy, co również świadczyło o tym, że wciąż są dziećmi.

– Musiałyśmy jakoś zarabiać – dodała Mary. – Ale nie chciałyśmy... Nie potrafiłyśmy... To przecież grzech, oddawać się mężczyznom za pieniądze.

Lucas się zastanawiał, czy tego też nauczyła ich Daphne. Wyglądało na to, że ona sama nie podziela tego poglądu.

– Choć czasem nie można tego uniknąć! – Laurie stanęła w obronie ich koleżanki. – Ale Daphne mówi, że do tego trzeba dorosnąć. Tylko że panna Jolanda tak nie uważała i wtedy...

– I wtedy Daphne znalazła coś w jednej ze swoich książek. To bardzo dziwna książka... Pełna sprośności. Ale panna Jolanda mówi, że tam skąd pochodzi, ta książka nie jest grzeszna, i jeśli robi się...

– I to co my robimy, też nie jest grzeszne! – wyjaśniła Mary głosem pełnym przekonania.

– Przyzwoite z was dziewczęta – przytaknął Lucas. Nagle zapragnął dowiedzieć się o nich czegoś więcej. – Skąd się tu wzięłyście? Daphne nie jest waszą siostrą, prawda?

Laurie już miała odpowiedzieć, gdy drzwi otworzyły się i do pokoju weszła Daphne. Na jej twarzy pojawił się wyraz ulgi, gdy zauważyła, że ubrane dziewczynki prowadzą sympatyczną rozmowę z ich szczególnym klientem.

– Podobało się? – zapytała, również rzucając okiem na krocze Lucasa.

Lucas skinął głową.

– Twoje podopieczne dostarczyły mi doskonałej rozrywki – powiedział. – A właśnie miały mi opowiedzieć, skąd jesteście. Pewnie skądś uciekłyście, prawda? Wasi rodzice pewnie nie wiedzą, co robicie?

Daphne wzruszyła ramionami.

– Zależy, w co się wierzy. Jeśli moja mama i jej rodzina siedzą w niebie na chmurce i grają na harfie, to pewnie nas widzą. Ale jeśli wylądowała tam, gdzie zwykle lądują tacy jak my, to najwyżej wącha kwiatki od spodu.

– A więc wasi rodzice nie żyją – stwierdził Lucas, nie zwracając uwagi na cynizm zawarty w słowach Daphne. – Przykro mi. Ale skąd wzięłyście się akurat tutaj?

Daphne stanęła tuż przed nim.

– Posłuchaj, Luke, czy jak cię tam zwą. Jednej rzeczy bardzo nie lubimy, a są to dociekliwe pytania. Jasne?

Lucas chciał odpowiedzieć, że nie miał złych zamiarów. Wręcz przeciwnie, zaczął się już nawet zastanawiać nad tym, jak można by pomóc dziewczętom wydostać się z tarapatów, w jakich się znalazły. Laurie i Mary nie były jeszcze małymi dziwkami, a dla tak obrotnej i najwyraźniej niegłupiej dziewczyny jak Daphne też na pewno istniały inne możliwości zarobkowania. Ale w tym momencie był równie ubogi jak one. A nawet uboższy, w końcu Daphne i bliźniaczki właśnie zarobiły trzy dolary. Choć chciwa Jolanda najprawdopodobniej zostawi im z tego najwyżej jednego.

– Przykro mi – powiedział więc tylko. – Nie chciałem wam się narzucać. Posłuchaj, ja... Ja potrzebuję jakiegoś miejsca, żeby się dzisiaj przespać. Nie mogę tu zostać. Mimo przytulności tutejszych pokoi... – Gestem wskazał na wynajmowane na godziny pomieszczenia przybytku panny Jolandy, a Daphne roześmiała się dźwięcznie. Zawtórował jej stłumiony chichot bliźniaczek. – Nie stać mnie na to. Można się gdzieś tu przespać w stajni, czy coś takiego?

– Nie wracasz do obozowiska? – zapytała zdumiona Daphne.

Lucas pokręcił głową.

– Poszukam takiej pracy, przy której nie płynie aż tyle krwi. Podobno cieśle szukają rąk do pracy.

Daphne rzuciła okiem na szczupłe dłonie Lucasa, które nie miały już tak wypielęgnowanego wyglądu jak miesiąc temu, ale wciąż nie były zniszczone i poharatane jak ręce Normana czy Coppera.

– To musisz uważać, żeby nie trafiać młotkiem w palce – powiedziała. – Wtedy jest jeszcze więcej krwi niż przy waleniu pałką w focze łby. A twoja skóra, kolego, z pewnością nie jest tak wartościowa!

Lucas się roześmiał.

– Będę na siebie uważał. Chyba że wcześniej pchły wyssą ze mnie ostatnią kroplę krwi. Mam wrażenie, że już mnie coś swędzi. – Bez żenady podrapał się po ramieniu, czego dżentelmen nigdy by nie zrobił, ale też dżentelmeni niezbyt często musieli użerać się z głodnymi pasożytami.

Daphne wzruszyła ramionami.

– Pewnie przywleczona z salonu. Pokój numer jeden jest czysty, same go sprzątamy. Dziewczynki nie mogą robić swojego pokazu całe pogryzione. I dlatego nie pozwalamy tutaj spać żadnemu z tych brudasów, bez względu na to, ile płacą. Najlepiej, jakbyś spróbował w miejskiej stajni. Często nocują tam młodzi ludzie, którzy są przejazdem. A David potrafi dbać o porządek. Spodoba ci się, jestem pewna. Ale nie zepsuj go!

Tymi słowami Daphne pożegnała gościa i wyprowadziła bliźniaczki z pokoju. Lucas został w nim jeszcze przez chwilę. W końcu jego koledzy myślą, że był z dziewczynkami nago, potrzebuje więc trochę czasu na ubranie się. Gdy w końcu wkroczył do salonu, powitały go wiwaty dochodzące z pijackich gardeł. Norman uniósł szklankę, wznosząc za niego toast.

– No i proszę! Nasz Luke! Poczyna sobie z trzema najlepszymi dziewczynami, a potem wygląda jak spod igły! Słyszeliście kiedyś jakieś niełądne plotki na jego temat? To szybko przeproście, chłopcy, zanim nie zbałamuci i waszych dziewcząt!

10

Lucas chwilę nacieszył się tryumfem, po czym opuścił pub i udał się do stajni. Daphne nie przesadzała. W stajni rzeczywiście panował porządek. Oczywiście było czuć końmi, ale przejście między boksami było zamiecione, w boksach była wysypana gruba warstwa trocin, a siodła i ogłowia w siodlarni wyglądały co prawda na stare, ale zadbane. Pojedyncza latarnia dawała akurat tyle światła, żeby można się było zorientować, gdzie co jest albo zajrzeć w nocy do koni, a jednocześnie nie przeszkadzała zwierzętom w odpoczynku.

Lucas rozejrzał się za jakimś miejscem do spania, ale wyglądało na to, że tej nocy jest jedynym gościem. Zastanawiał się właśnie, czy nie ułożyć się gdziekolwiek, nie zawracając nikomu głowy. Ale w tym momencie w na wpół ciemnej stajni rozległ się dźwięczny głos, w którym pobrzmiewała raczej obawa niż wyzwanie.

– Kto tam? Przedstaw się i powiedz, czego chcesz, nieznajomy!

Lucas z udawanym przestrachem uniósł ręce do góry.

– Jestem... Luke... Hm... Luke Denward. Nie mam złych zamiarów, szukam tylko miejsca na nocleg. A ta dziewczyna, panna Daphne, powiedziała mi, że...

– Pozwalamy tutaj spać tylko tym, którzy zostawiają u nas konie – odpowiedział głos, zbliżając się. W końcu pojawił się i jego właściciel. Jasnowłosy, mniej więcej szesnastoletni chłopak wystawił głowę znad ścianki boksu. – Ale pan nie ma żadnego konia!

Lucas skinął głową.

– To prawda. Ale mogę zapłacić parę centów. I nie potrzebuję całego boksu dla siebie. Wystarczy mi jakiś kącik.

Chłopak pokiwał głową.

– A jak pan tu przybył, bez konia? – zapytał z ciekawością i w końcu się wyprostował. Był wysoki, ale szczupły, a jego twarz miała jeszcze dziecięce rysy. Lucas popatrzył w jasne okrągłe oczy, których barwy nie mógł rozpoznać w przytłumionym świetle. Chłopak wydawał się przyjaźnie nastawiony.

– Przybyłem z foczych mielizn – odpowiedział Lucas, jakby to wyjaśniało, w jaki sposób przedostał się przez Alpy bez konia czy muła. Ale może chłopak sam się domyślił, że jego gość musiał przybyć na statku. Lucas miał nadzieję, że nie skojarzy go od razu z dezerterem z „Pretty Peg".

– Polował pan na foki? Też chciałem, można na tym dużo zarobić. Ale nie potrafiłem... One patrzą na człowieka w taki sposób...

Lucasowi zrobiło się ciepło w sercu.

– Właśnie z tego powodu szukam teraz innej pracy – zdradził chłopcu.

Młody mężczyzna skinął głową.

– Może pan pracować u cieśli albo u drwali. Pracy jest dosyć. Zabiorę pana w poniedziałek. Ja także pracuję na budowie.

– Myślałem, że jesteś stajennym – zdziwił się Lucas. – Jak masz na imię? David?

Chłopak wzruszył ramionami.

– Tak na mnie wołają. Ale tak naprawdę mam na imię Steinbjörn. Steinbjörn Sigleifson. Ale nikt tutaj nie potrafi tego wymówić. Daphne nazwała mnie więc po prostu Davidem. To po Dawidzie Copperfieldzie. On chyba napisał jakąś książkę.

Lucas się uśmiechnął, a Daphne zadziwiła go po raz kolejny. Barowa dziwka, która czytuje Dickensa?

– A gdzie ludzie nazywają swoje dzieci Steinbjörn Sigleifson? – zapytał. David tymczasem zaprosił go za przepierzenie, za którym urządził sobie zupełnie przytulny kącik. Wiązki słomy służyły za stoliki i miejsca do siedzenia, a posłanie ułożono z siana. Dodatkowa sterta siana leżała w kącie, David zaś wskazał Lucasowi, żeby właśnie tam przygotował sobie miejsce na spoczynek.

– W Islandii – powiedział, energicznie pomagając Lucasowi. – Stamtąd pochodzę. Mój ojciec był wielorybnikiem. Ale mama zawsze chciała wyjechać, była z pochodzenia Irlandką. Najchętniej wróciłaby na swoją wyspę, ale potem jej rodzina wyemigrowała do Nowej Zelandii, ona więc koniecznie też chciała tutaj przyjechać, bo nie mogła już wytrzymać islandzkiej pogody, tam zawsze jest ciemno i zawsze zimno... Ale zachorowała i umarła podczas rejsu. W słoneczny dzień. To chyba było dla niej ważne, tak myślę... – David ukradkiem otarł sobie oczy.

– Ale był z tobą jeszcze ojciec, prawda? – zapytał Lucas przyjaznym tonem i zaczął rozkładać swój śpiwór.

David skinął głową.

– Ale niedługo. Gdy się dowiedział, że tutaj też łowią wieloryby, to aż go skręcało z niecierpliwości. Dotarliśmy z Christchurch na Zachodnie Wybrzeże i zaciągnął się od razu na pierwszy statek. Chciał zabrać mnie ze sobą jako chłopca okrętowego, ale nie potrzebowali. I tyle.

– Tak po prostu zostawił cię samego? – Lucas był oburzony. – Ile miałeś wtedy lat? Piętnaście?

– Czternaście – odparł spokojnie David. – Tato uważał, że jestem dość duży, żeby poradzić sobie w pojedynkę. A ja nawet nie znałem angielskiego. Ale jak pan widzi, miał rację. Jestem tutaj, żyję. A poza tym nie sądzę, żebym nadawał się na wielorybnika. Zawsze robiło mi się niedobrze, gdy ojciec wracał do domu i cuchnął tranem.

Gdy obaj układali się do snu w swoich śpiworach, chłopiec z chęcią dzielił się z Lucasem swoimi doświadczeniami z życia wśród twardych mężczyzn z Zachodniego Wybrzeża. Najwyraźniej czuł się wśród nich równie niezręcznie co Lucas i ucieszył się, gdy znalazł pracę jako stajenny. Dbał o porządek w stajni i za to mógł w niej spać. A w ciągu dnia pracował na budowie.

– Chciałbym zostać cieślą i budować domy – wyznał na koniec Lucasowi.

Lucas się uśmiechnął.

– Żeby budować domy, musiałbyś zostać architektem, Dave. A to nie jest proste.

Dave skinął głową.

– Wiem. I kosztuje. Trzeba długo chodzić do szkoły. Ale ja nie jestem głupi, umiem nawet czytać.

Lucas postanowił, że podaruje mu pierwszy egzemplarz *Dawida Copperfielda*, jaki trafi mu w ręce. Odczuwał niejasną błogość, gdy wreszcie życzyli sobie nawzajem dobrej nocy i zwinęli się w śpiworach. Lucas słuchał odgłosów wydawanych przez śpiącego chłopca, jego równomiernego oddechu, i myślał o zwinnych ruchach tego młodego dryblasa, o jego energicznym i dźwięcznym głosie. Właśnie kogoś takiego mógłby pokochać...

David dotrzymał słowa i już następnego dnia przedstawił Lucasa właścicielowi stajni, który znalazł mu miejsce do spania i nawet nie chciał za to pieniędzy.

– Pomóż trochę Dave'owi w stajni, on w ogóle za dużo pracuje. Znasz się na koniach?

Lucas odpowiedział zgodnie z prawdą, że umie je czyścić, siodłać i na nich jeździć, co właścicielowi stajni najwyraźniej wystarczyło. David całą niedzielę spędził na dokładnym sprzątaniu stajni, ponieważ w ciągu tygodnia nie zawsze wystarczało mu na to czasu, a Lucas z chęcią mu pomagał. Chłopiec przy tym cały czas mówił, opowiadał o swoich przygodach, planach i marzeniach, mając w Lucasie wdzięcznego słuchacza. I energicznego pomocnika, który z zapałem machał widłami z gnojem. Jeszcze nigdy praca nie sprawiała mu takiej przyjemności!

W poniedziałek Dave zabrał go do pracy na budowie, a majster z miejsca przydzielił Lucasa do brygady drwali. W celu rozpoczęcia nowych budów konieczne było karczowanie puszczy, a szlachetne gatunki drzew, które ścinano, albo składowano później na miejscu w Westport i następnie wykorzystywano do budowy, sprzedawano do innych miejscowości na wyspie, a nawet wysyłano do Anglii. Cena drewna była wysoka i wciąż rosła, a między Anglią i Nową Zelandią kursowały już parowce, co zdecydowanie ułatwiało transport towarów zajmujących na statku wiele miejsca.

Cieśle z Westport nie wybiegali jednak myślą poza najbliższą budowę. Praktycznie żaden z nich nie uczył się zawodu, nie wspominając już o tym, żeby mieli jakiekolwiek pojęcie o architekturze. Budowali proste chaty z bierwion, a potem zbijali równie proste meble, by je wyposażyć. Lucas z żalem patrzył na takie marnowanie szlachetnych gatunków drzew, zwłaszcza że praca w dżungli była naprawdę ciężka i niebezpieczna. Wciąż dochodziło do wypadków z piłami czy walącymi się pniami. Ale Lucas nie narzekał. Odkąd znał Davida, życie zaczęło mu się wydawać znośniejsze i przyjemniejsze. Teraz niemal zawsze miał dobry humor. A i chłopiec wyraźnie szukał jego towarzystwa. Rozmawiał z Lucasem godzinami i wkrótce odkrył, że starszy przyjaciel wie znacznie więcej i potrafi odpowiedzieć na zdecydowanie więcej pytań niż wszyscy inni mężczyźni, których znał. Lucas często musiał się nieźle wysilać, żeby nie zdradzić przy tym swojego pochodzenia. A tymczasem niemal przestał odróżniać się od innych mieszkańców wybrzeża, przynajmniej pod względem wyglądu. Miał znoszone ubranie i właściwie dysponował tylko jedną jego zmianą. W takich warunkach utrzymanie czystości kosztowało sporo wysiłku. Ku jego radości również David dbał o higienę i regularnie kąpał się w rzece. Wydawało się, że w ogóle nie odczuwa zimna. Gdy Lucas trząsł się cały, dopiero zbliżając się do lodowatej wody, David już ze śmiechem przepływał na drugą stronę.

– Ona w ogóle nie jest zimna! – przekomarzał się z Lucasem. – Powinieneś zobaczyć rzeki w mojej ojczyźnie! Przepływałem przez nie na koniu jeszcze jak spływała kra!

Gdy chłopak wychodził potem nagi i mokry na brzeg i bez skrępowania wyciągał się na ziemi, Lucas miał wrażenie, że widzi przed sobą żywe wcielenie swoich ukochanych greckich posągów. Dla niego ten chłopiec nie był Dawidem Dickensa, lecz Dawidem Michała Anioła. Sam David równie niewiele słyszał do tej pory o tym włoskim malarzu i rzeźbiarzu, co o angielskim powieściopisarzu. I w tym wypadku Lucas mógł podzielić się z nim swoją wiedzą. Szybko nakreślił podobizny najsłynniejszy rzeźb Michała Anioła na kartce papieru.

Dave nie posiadał się ze zdumienia, niemniej jego zainteresowanie wzbudzili nie tyle sami marmurowi młodzieńcy, co zręczność, z jaką Lucas ich narysował.

– Ja ciągle próbuję rysować domy – zdradził swojemu nowemu przyjacielowi. – Ale one zawsze wyglądają nie tak, jak trzeba.

Lucas z radością wyjaśnił Dave'owi, w czym tkwił problem, wprowadzając go w tajniki perspektywy w malarstwie i rysunku. David szybko się uczył. Od tej pory każdą wolną minutę spędzali na nauce. Gdy majster kiedyś ich przy okazji zauważył, natychmiast przeniósł Lucasa z brygady drwali do prac konstrukcyjnych. Lucas nie znał się zbytnio na statyce i budownictwie, orientował się jedynie w podstawowych pojęciach, które każdy miłośnik sztuki poznaje jakby przy okazji zainteresowania romańskimi kościołami czy florenckimi pałacami. Ale i tak miał znacznie większą wiedzę niż większość pracujących przy budowach. Do tego był uzdolniony matematycznie. Od razu zaczęto korzystać z jego umiejętności szkicowania oraz bardziej precyzyjnego formułowania wskazówek dla tartaku, niż czynili to do tej pory sami budowniczowie. Choć Lucas nie miał odpowiedniej zręczności do pracy z drewnem, David wykazywał się sporym talentem w tej dziedzinie i bardzo szybko zaczął ciosać meble zgodnie z projektami Lucasa. Przyszli mieszkańcy nowego domu, czyli handlarz

skórami i jego małżonka, byli zachwyceni, gdy obaj przyjacie
im pierwsze meble.

Lucas często myślał o tym, żeby zbliżyć się do swojego młodego przyjaciela i ucznia również cieleśnie. Marzył, że obejmuje jego ciało, a potem budził się z erekcją albo co gorsza, z plamą wilgoci na kocu. Ale powstrzymywał się z żelazną konsekwencją. W starożytnej Grecji stosunek miłosny między mentorem i pacholęciem był jak najbardziej normalny, ale we współczesnym Westport obaj zostaliby za to wyklęci. Ale z drugiej strony David zbliżał się do niego bez żadnego zakłopotania. Gdy czasem, po pływaniu, leżał obok niego nagi, żeby choć trochę wyschnąć w słabnącym słońcu, głaskał jego ramię albo nogę, a gdy po zimie zrobiło się cieplej i także Lucas chętnie pluskał się w wodzie, chłopak zachęcał go do wspólnego ćwiczenia zapasów. Nie przeszkadzało mu w ogóle, że obejmuje starszego przyjaciela nogami, albo przyciska swoją klatkę piersiową do jego pleców. Lucas cieszył się, że woda w Buller jest zimna również latem i dzięki temu jego erekcja nie utrzymuje się długo. Spędzenie nocy z Davidem byłoby spełnieniem jego marzeń, ale Lucas wiedział, że nie powinien być zbyt zachłanny. Przecież nawet się nie spodziewał, że kiedykolwiek przeżyje coś takiego. Arogancją byłoby pragnienie czegoś więcej. Lucas zdawał sobie też sprawę z tego, że jego szczęście nie będzie trwało wiecznie. David kiedyś dorośnie, pewnie zakocha się w jakiejś dziewczynie i szybko o nim zapomni. Ale Lucas miał nadzieję, że do tej pory nauczy chłopaka wystarczająco dużo, żeby ten mógł bez problemu radzić sobie finansowo jako uzdolniony stolarz. Robił wszystko, żeby tak się stało. Starał się zapoznać Dave'a także z podstawowymi pojęciami matematyki i rachunkowości, po to żeby nie tylko był dobrym rzemieślnikiem, ale jednocześnie sprytnym kupcem. Lucas kochał Davida bezinteresownie, czule i z oddaniem. Cieszył się z każdego dnia, który mogli spędzić razem, i starał się nie myśleć o nieuchronnym końcu tej idylli. David był taki młody! Przed nimi jeszcze lata wspólnego życia.

David – czy też Steinbjörn, jak wciąż o sobie myślał – nie podzielał jednak zadowolenia Lucasa. Chłopak był mądry i pracowity, a jednocześnie głodny sukcesu i życia. Przede wszystkim jednak był zakochany. To była jego tajemnica, której nikomu nie zdradził, nawet Lucasowi, przyjacielowi, który zastępował mu ojca. To właśnie ta miłość sprawiła, że Steinbjörn tak chętnie przyjął nowe imię i to ona powodowała, że teraz każdą wolną chwilę spędzał, męcząc się nad *Dawidem Copperfieldem*. Dzięki tej lekturze będzie miał niewinny temat do rozmowy z Daphne i nikt nie spostrzeże, jak bardzo za nią tęskni. Dave zdawał sobie sprawę z tego, że nie ma u niej żadnych szans. Prawdopodobnie nawet nie zabrałaby go do swojego pokoju, gdyby udało mu się zaoszczędzić dość pieniędzy, by opłacić wspólną noc. Dla Daphne był tylko dzieciakiem, którym trzeba się opiekować, podobnie jak bliźniaczkami, a nie potencjalnym klientem.

Ale też Dave wcale nie pragnął nim zostać. Nie widział w Daphne dziwki, tylko godną szacunku małżonkę u swojego boku. Pewnego dnia zarobi mnóstwo pieniędzy, wykupi Daphne od panny Jolandy i przekona ją, że zasługuje na uczciwe życie. A bliźniaczki też będzie mogła ze sobą zabrać. W swoich marzeniach Dave był w stanie im wszystkim zapewnić utrzymanie.

Ale jeśli te marzenia miały się kiedykolwiek spełnić, Dave potrzebował pieniędzy, mnóstwa pieniędzy, i to szybko. Bolało go serce, gdy widział, jak Daphne obsługuje gości w pubie, a potem znika na piętrze z jednym z nich. Ale wiecznie nie będzie tego robić, przecież ona nie zostanie tutaj na zawsze. Daphne narzekała na jarzmo narzucone jej przez pannę Jolandę. Prędzej czy później ucieknie i gdzieś indziej spróbuje ułożyć sobie życie od nowa.

Żeby tylko Dave zdążył wcześniej złożyć jej swoją propozycję.

Chłopak zdawał sobie sprawę z tego, że pieniędzy, których potrzebuje, nie zarobi jako robotnik budowlany, ani nawet jako utalentowany stolarz. Musiał szybciej zdobyć majątek, a przypadek sprawił, że akurat teraz i akurat w tym rejonie Wyspy Południowej pojawiły się po temu nowe możliwości. Całkiem blisko Westport, kilka kilometrów w górę rzeki Buller, odkryto złoto. Do miasta coraz liczniej ściągali poszukiwacze złota, zaopatrując się w prowiant, szpadle i miski do płukania złota, żeby potem znikać w dżungli albo w górach. Z początku nikt nie traktował ich poważnie, ale gdy pierwsi z nich zaczęli wracać z dumnie wypiętą piersią i lnianymi woreczkami u pasa wypełnionymi złotymi samorodkami, gorączka złota opanowała również mieszkańców wybrzeża od dawna osiadłych w okolicach Westport.

– Może my też spróbujemy, Luke? – zapytał pewnego dnia Dave, gdy siedzieli na brzegu rzeki, obserwując, jak mija ich kolejna grupa poszukiwaczy złota w kanu.

Lucas, który właśnie wyjaśniał swojemu młodemu przyjacielowi pewną szczególną technikę szkicowania, popatrzył na niego ze zdumieniem.

– Czego mielibyśmy spróbować? Szukania złota? Nie rozśmieszaj mnie, Dave, to nie dla nas.

– Ale dlaczego nie? – pożądanie, które odbijało się w okrągłych oczach Dave'a, sprawiło, że serce Lucasa zaczęło mocniej bić. To nie była pożądliwość doświadczonych poszukiwaczy złota, którzy sprawdzili już wiele innych miejsc, zanim doszły ich słuchy o nowych odkryciach koło Westport. W jego wzroku nie można było dostrzec echa dawnych niepowodzeń, niekończących się zim w prymitywnych obozowiskach, upalnych lat, podczas których kopało się, zmieniało bieg strumieni, przesypywało przez sito nieskończone ilości piasku, wciąż żyjąc nadzieją, mimo że po raz kolejny to ktoś inny znajdował grube jak palec samorodki w rzece albo grube żyły złota w skale. Nie, David patrzył raczej jak dziecko na wystawę zabawek. Już widział siebie jako posiadacza wspaniałych skarbów, gdyby tylko niechętny zakupom ojciec nie pokrzyżował mu planów. Lucas westchnął. Z chęcią spełniłby życzenie chłopca, ale nie widział żadnych szans na sukces.

– Davidzie, nie znamy się na poszukiwaniu złota – odparł przyjaźnie. – Nawet nie wiedzielibyśmy, gdzie szukać. Poza tym ja nie jestem żądnym przygód traperem. Jak mielibyśmy sobie dać radę?

Gdyby Lucas miał być całkiem szczery, miał dosyć takiego życia już po kilku godzinach spędzonych w dżungli po ucieczce z „Pretty Peg". Mimo fascynacji niezwykłym światem roślin w tej okolicy, bardzo się denerwował, że może się zgubić. A przecież trzymał się wtedy blisko rzeki i trudno było stracić orientację. Ale poszukując złota, na pewno musieliby się od niej oddalić. Racja, mogliby trzymać się jakiegoś strumienia, ale Lucas nie podzielał wiary Davida, że tak po prostu natkną się na złoto.

– Proszę cię, Luke, moglibyśmy chociaż spróbować! Nie musimy palić za sobą mostów. Wyruszymy tylko na weekend! Pan Miller na pewno pożyczy mi konia. Pojedziemy w piątek wieczorem w górę rzeki, a w sobotę rozejrzymy się tam…

– A gdzie dokładnie jest „tam", Davidzie? – zapytał łagodnym tonem Lucas. – Masz na myśli coś konkretnego?

– Rochford znalazł złoto nad strumieniem Lyell i przy przełomie Buller. Strumień Lyell znajduje się osiemdziesiąt kilometrów w górę rzeki…

– A poszukiwacze złota pewnie deptają już tam sobie po piętach – zauważył Lucas ze sceptycyzmem.

– Wcale nie musimy tam szukać! Złoto jest pewnie wszędzie, i tak zresztą musimy znaleźć sobie własne miejsce! Proszę, Luke, nie psuj zabawy! Tylko jeden weekend! – David zaczął go prosić, a to pochlebiło Lucasowi. W końcu chłopak mógł przyłączyć się do dowolnej grupy poszukiwaczy, ale widocznie chciał być właśnie z nim. Mimo wszystko się wahał. Ta przygoda wydawała mu się zbyt ryzykowna. Ostrożny z natury Lucas od razu dostrzegał niebezpieczeństwa jazdy w tropikalnym lesie po nieznanych ścieżkach, z dala od najbliższej osady. Może nigdy by się nie zgodził, ale wtedy w stajni pojawił się akurat Norman i kilku innych łowców fok. Z radością powitali Lucasa, nie omieszkawszy głośno przypomnieć i sobie, i jemu o nocy, którą spędził z bliźniaczkami. Norman z zadowoleniem poklepał go po plecach.

– Człowieku, a już myśleliśmy, że z ciebie zupełny mięczak! A co teraz porabiasz? Słyszałem, że nieźle sobie radzisz na budowie! Cieszę się. Ale majątku się na tym nie dorobisz. Posłuchaj, ruszamy w górę Buller szukać złota! Może pójdziesz z nami? Może też spróbujesz szczęścia?

David, który właśnie siodłał i przymocowywał pakunki mułom, które wynajęła grupa Normana, z błyskiem w oku popatrzył na starego łowcę fok.

– A robiliście to już kiedyś? Płukaliście piasek? – zapytał podniecony.

Norman pokręcił głową.

– Ja nie. Ale Joe robił to w Australii. Pokaże nam, jak to się robi. To chyba nie jest trudne. Trzymasz miskę w wodzie, a samorodki same do niej wpływają! – roześmiał się.

Lucas tylko westchnął. Wiedział, czego powinien się spodziewać.

– Widzisz, Luke, wszyscy mówią, że to łatwe! – usłyszał zgodnie ze swoimi oczekiwaniami. – Spróbujmy, proszę cię! – zwrócił się do niego David.

Norman dostrzegł zapał w jego oczach i uśmiechnął się jednocześnie do Dave'a i do Lucasa.

– To dopiero zapaleniec! Długo to on tu nie wysiedzi, Luke! To jak, idziecie z nami czy jeszcze się namyślicie?

Z pewnością poszukiwanie złota z całą grupą nie było tym, czego pragnął Lucas. Z jednej strony kusząca wydawała się perspektywa zrzucenia na innych organizacji całej wyprawy albo przynajmniej rozłożenia tego obowiązku na wiele osób. Niektórzy z członków grupy z pewnością mieli więcej traperskiego doświadczenia. Ale o mineralogii na pewno nie mieli żadnego pojęcia. Jeśli znajdą złoto, to wyłącznie przez czysty przypadek, a wtedy zaczną się między sobą kłócić. Lucas machnął ręką.

– Nie możemy wyruszyć tak nagle – wyjaśnił. – Ale za jakiś czas... Jeszcze się pewnie zobaczymy, Norm!

Norman roześmiał się i pożegnał uściskiem dłoni, po którym przez dobrą chwilę bolały Lucasa palce.

– Do zobaczenia, Luke! Może obaj będziemy już wtedy bogaci!

Wyruszyli pewnej soboty skoro świt. Pan Miller, właściciel stajni, rzeczywiście zgodził się pożyczyć Dave'owi konia, ale do dyspozycji miał tylko jednego. Dave zarzucił mu więc torby na goły grzbiet i sam usiadł za Lucasem. W ten sposób nie mogli poruszać się zbyt szybko, ale koń był silny, a las paproci był tak gęsty, że i tak nie dałoby się kłusować czy galopować. Lucas, który niechętnie wsiadał na konia, wkrótce zaczął się cieszyć wspólną przejażdżką. Przez ostatnie kilka dni padało, ale teraz świeciło słońce. Nad dżunglą unosiły się opary mgły, kryjąc szczyty gór i ukazując cały krajobraz w jakimś niezwykłym świetle. Koń miał pewny chód i spokojny charakter, a Lucas radował się, że czuje dotyk ciała Dave'a. Chłopak musiał siedzieć blisko niego i obejmować go rękoma. Lucas czuł, jak poruszają się jego mięśnie, a oddech chłopca na karku przyprawiał go o gęsią skórkę. W końcu Dave się zdrzemnął, jego głowa zaś opadła na ramię Lucasa. Mgła się podniosła i rzeka skrzyła w słońcu, odbijając strome skalne ściany, które teraz często dobiegały aż do jej brzegu. Wreszcie tak bardzo zbliżyły się do rzeki, że nie było którędy przejechać, Lucas musiał więc zawrócić i przejechać kawałek z powrotem, żeby znaleźć odpowiednie podejście. W końcu odkrył coś przypominającego górską ścieżkę, którą wydeptali albo Maorysi, albo inni poszukiwacze złota i którą można było podążać w górę rzeki ponad klifami. Powoli ruszyli więc w głąb lądu. Gdzieś tutaj poprzednie ekspedycje odkryły złoża złota i węgla. Zagadką pozostawało dla Lucasa, jak tego dokonano i za pomocą jakich środków. Dla niego wszystko wokół wyglądało tak samo: górzysty krajobraz, w którym przeważały porośnięte paprociami wzgórzae. Od czasu do czasu stroma ściana prowadząca na płaskowyż, dużo potoków, które w formie mniejszych lub większych wodospadów wpadały do rzeki Buller. Gdzieniegdzie na brzegu rzeki było widać piaszczystą plażę, aż zachęcającą do wypoczynku. Lucas zastanawiał się, czy nie zrobiliby lepiej, wybierając się na tę wyprawę kanu niż konno. Być może plaże te były pokryte złotonośnym piaskiem, choć Lucas musiał przyznać, że tak naprawdę nie dysponuje w tym zakresie żadną wiedzą. Szkoda, że zamiast roślinami i owadami nie interesował się dawniej geologią i mineralogią! Z pewnością kształty skał, ich rodzaje czy gatunek gleby mogły wskazywać na złoża złota. Ale nie, on akurat zajmował się szkicowaniem wet! I tak Lucas powoli dochodził do wniosku, że ludzie z jego otoczenia, a przede wszystkim Gwyneira, mieli rację. Jego zainteresowania nie przynosiły żadnych konkretnych korzyści i bez pieniędzy, które ojciec zarabiał na farmie, byłby nikim. A szanse, żeby on sam kiedyś skutecznie nią zarządzał, zawsze były mizerne. Gerald miał rację, uważając, że jego syn zawiódł pod każdym względem.

Gdy Lucas oddawał się tym ponurym rozważaniom, Dave za jego plecami nabierał coraz więcej otuchy.

– Ha, chyba usnąłem! – oznajmił wesołym głosem. – Och, Luke, co za widok! Czy to przełom Buller?

Rzeka poniżej ścieżki wcinała się między skaliste ściany. Widok rzecznej doliny otoczonej górami zapierał dech w piersiach.

– Tak przypuszczam – odpowiedział Lucas. – Ale jeśli ktoś rzeczywiście znalazł tutaj złoto, to zapomniał ustawić drogowskazy!

– To byłoby za proste! – odparł zadowolony David. – I pewnie dla nas nic by już nie zostało, bo tak długo zwlekaliśmy! Wiesz co, głodny jestem. Zatrzymamy się na chwilę?

Lucas wzruszył ramionami. Ale droga, którą teraz jechali, nie wydała mu się odpowiednia na odpoczynek. Była skalista, a koń nie znalazłby tutaj żadnej trawy. Uzgodnili więc, że pojadą jeszcze z pół godziny, żeby znaleźć lepsze miejsce.

– Nie wygląda też na to, żeby było tutaj złoto – stwierdził David. – A jak się już zatrzymamy, to chciałbym się od razu za nim rozejrzeć.

Cierpliwość obu podróżników wkrótce została nagrodzona. Już po chwili wyjechali na płaskowyż, który porastały nie tylko wszechobecne paprocie, ale także soczysta trawa dla konia. Rzeka Buller toczyła swoje wody głęboko pod nimi, a bezpośrednio pod miejscem gdzie się zatrzymali, rozciągała się jedna z niewielkich plaż. Z piaskiem w kolorze złota.

– Ciekawe, czy komuś przyszło do głowy, żeby go przepłukać? – David ugryzł kawałek chleba i pomyślał to samo, co przed chwilą Lucas. – Całkiem prawdopodobne, że pełno tam samorodków!

– Czy to nie byłoby za proste? – uśmiechnął się Lucas. Bawił go zapał młodego przyjaciela. Ale David się nie poddawał.

– Właśnie! Dlatego nikt jeszcze tego nie zrobił! Ale wszyscy wytrzeszczyliby oczy, gdybyśmy tak od razu znaleźli kilka grudek!

Lucas się roześmiał.

– Może spróbuj na jakiejś plaży, na którą trochę łatwiej się dostać. Musiałbyś chyba umieć latać, żeby znaleźć się tam, na dole.

– Kolejny powód, dlaczego nikt inny jeszcze nie próbował! Luke, tam właśnie leży nasze złoto! Jestem tego pewien! Zejdę na dół!

Lucas z troską pokręcił głową. Chłopak trzymał się swojego pomysłu z uporem maniaka.

– Davidzie, połowa poszukiwaczy złota przemieszcza się rzeką. Już tędy przepływali i na pewno odpoczywali na tej plaży pod nami. Tam nie ma żadnego złota, uwierz mi!

– Skąd możesz to wiedzieć! – David zerwał się z miejsca. – Ja w każdym razie wierzę w swoje szczęście! Zejdę na dół i rozejrzę się!

Chłopak szukał dobrego miejsca, żeby rozpocząć schodzenie w dół po stromej skale, podczas gdy Lucas z przerażeniem wpatrywał się w przepaść.

– Davidzie, to co najmniej czterdzieści pięć metrów! I jak stromo! Nie da się tędy tak po prostu zejść!

– Ależ oczywiście, że się da! – chłopak już zniknął za skrajem klifu.

– Davidzie! – Lucas miał wrażenie, że jego głos zabrzmiał piskliwie. – Davidzie, poczekaj! Pozwól przynajmniej, że przywiążę cię liną!

Lucas nie miał pojęcia, czy lina, którą ze sobą wzięli, jest wystarczająco długa, ale w panice rzucił się na jej poszukiwanie w torbach przytroczonych do siodła.

Ale David nie czekał. Nie dostrzegał niebezpieczeństwa, schodzenie w dół po stromej skale sprawiało mu przyjemność i najwyraźniej nawet nie kręciło mu się w głowie. Nie miał jednak doświadczenia we wspinaczce i nie potrafił ocenić, czy skalny występ jest mocny, czy też grozi osunięciem się. Nie uwzględnił tego, że ziemia pokrywająca taki pozornie stabilny, a nawet porośniętay trawą występ, na którym oparł się całym swoim ciężarem, wciąż jeszcze może być nasiąknięta wodą i śliska.

Lucas usłyszał krzyk, jeszcze zanim zdążył wyjąć linę. W pierwszym odruchu chciał natychmiast podbiec do klifu, ale potem pomyślał, że David na pewno już nie żyje. Nikt nie przeżyłby upadku z takiej wysokości. Lucas zaczął drżeć i na sekundę oparł czoło o torby, które cierpliwy koń wciąż miał przełożone przez grzbiet. Nie wiedział, czy zdobędzie się na odwagę, żeby spojrzeć w dół na roztrzaskane ciało ukochanego…

Nagle usłyszał cichy, zduszony głos.

– Luke… Pomóż mi! Luke!

Lucas pobiegł. „To niemożliwe, przecież on…".

I wtedy ujrzał go na występie skalnym mniej więcej piętnaście metrów pod sobą. Miał krwawiącą ranę nad okiem, a jego noga wydawała się dziwnie przykurczona, ale żył.

– Luke, ja chyba złamałem nogę! Strasznie boli…

David wyglądał na wystraszonego. Było widać, że walczy ze łzami, ale przecież żył! I zdawało się, że nie znajduje się już w niebezpieczeństwie. Występ skalny był na tyle duży, że mógł się tam zmieścić człowiek, a może i dwóch. Lucas postanowił spuścić się na linie, podciągnąć na niej do siebie chłopca i pomóc mu potem wspiąć się na górę. Zastanawiał się, czy nie użyć do pomocy konia, ale bez siodła, do którego można by przywiązać linę, niewiele dało się zrobić. Poza tym nie znał tego konia. Gdyby poniósł, a oni wisieliby akurat na linie, mógłby ich pozabijać. Musi więc przywiązać linę do którejś ze skał! Zrobił tak, a wtedy się okazało, że choć lina jest zbyt krótka, żeby sięgnąć dna wąwozu, to bez problemu dosięgnie do miejsca, w którym znajduje się David.

– Już idę, Davidzie! Leż spokojnie! – Lucas przesunął się nad krawędzią stromego zbocza. Serce mocno mu biło, a koszula już teraz była cała mokra od potu. Lucas też nigdy się nie wspinał i od dziecka bał się dużych wysokości. Ale schodzenie w dół po linie okazało się łatwiejsze, niż przypuszczał. Ściana wcale nie była gładka i bez trudu znajdował występy, na których mógł się na chwilę zatrzymać. Dzięki temu nabrał otuchy, że uda im się także wspinaczka do góry. Tylko nie wolno patrzeć w dół…

David podciągnął się na sam skraj występu i czekał na Lucasa z wyciągniętymi ramionami. Ale Lucas źle ocenił odległości. Okazało się teraz, że wylądował trochę za bardzo na lewo powyżej Davida. Będzie musiał rozhuśtać się na linie, żeby chłopak był w stanie ją chwycić. Lucasowi zrobiło się niedobrze na samą myśl. Do tej pory cały czas czuł oparcie skał, ale żeby się rozhuśtać, musiał całkowicie oderwać się od ściany.

Głęboko odetchnął.

– Schodzę teraz, Davidzie! Chwyć linę i przyciągnij ją do siebie. Jak tylko postawię tam stopę, przysuń się, a ja cię obejmę. Nic się nie bój, utrzymam cię!

David pokiwał głową. Twarz miał bladą i zalaną łzami. Ale był zręczny i było widać, że koncentruje się na czekającym go zadaniu. Na pewno uda mu się złapać linę.

Lucas oderwał się od ściany. Odepchnął się od niej, żeby pokonać jak największą odległość i najlepiej od razu wylądować przy Davidzie. Ale rozhuśtał się w złą stronę i wciąż był za daleko od niego. Poszukał oparcia dla stóp i spróbował drugi raz. Tym razem się udało. David chwycił linę, a Lucas szukał stopą oparcia.

Lecz wtedy lina puściła! Albo oderwał się głaz, do którego Lucas ją przywiązał, albo rozplątał się w pośpiechu zawiązany węzeł. Najpierw wydawało się, że jego ciało obsunęło się tylko trochę w dół. Krzyknął, ale potem wszystko potoczyło się w mgnieniu oka. Lina przeciągnięta przez krawędź klifu całkiem puściła. Lucas poleciał w dół, a David mocno uczepił się liny. Ze wszystkich sił próbował zapobiec upadkowi przyjaciela, ale leżąc ze złamaną nogą, nie miał żadnych szans. Lina prześlizgiwała mu się przez palce, coraz szybciej i szybciej. Jeśli całkiem ją wypuści, to nie tylko Lucas spadnie w przepaść, ale i on straci jakąkolwiek szansę na przeżycie. Gdyby miał linę, mógłby chociaż opuścić się na brzeg rzeki. W przeciwnym razie umrze na występie skalnym z pragnienia i głodu. Myśli przelatywały Lucasowi przez głowę, on sam zaś spadał coraz niżej. Musiał podjąć decyzję. David nie był w stanie go utrzymać, a jeśli nawet przeżyje upadek, to z pewnością będzie ranny. I wtedy lina żadnemu z nich na nic się nie przyda. Lucas postanowił, że ten jeden raz zrobi w życiu to, co należy.

– Trzymaj linę! – krzyknął do Davida. – Trzymaj ją mocno, bez względu na to co się stanie!

Utrzymująca jego ciężar lina coraz szybciej prześlizgiwała się przez palce Davida. Z pewnością pokaleczyła mu już dłonie, niedługo i tak nie wytrzyma z bólu i puści ją.

Lucas spojrzał do góry i zobaczył pełną rozpaczy, ale mimo to piękną twarz chłopca, którego kochał tak bardzo, że gotów był za niego umrzeć. I puścił linę.

Świat był niczym morze bólu, którego ostrza wbijały się w plecy Lucasa. Żył, ale żałował tego w każdej koszmarnej sekundzie tej chwili. Śmierć zaraz powinna po niego przyjść. Z wysokości około piętnastu metrów spadł na „złotą plażę" Davida. Nie mógł poruszyć nogami i miał złamaną lewą rękę. Otwarte złamanie, strzaskana kość przebiła się przez skórę. Oby koniec był bliski...

Lucas zacisnął zęby, żeby nie krzyczeć, i usłyszał dochodzący z góry głos Davida.

– Luke! Trzymaj się, już idę!

I rzeczywiście, chłopak utrzymał linę i udało mu się przywiązać ją gdzieś przy występie. Lucas modlił się, żeby i Dave nie spadł, ale głęboko w sercu wiedział, że węzły Davida mocno się trzymają...

Drżąc z bólu i przerażenia, patrzył, jak chłopak schodzi w dół. Mimo złamanej nogi i z pewnością poranionych palców zręcznie zwieszał się z kolejnych skalnych występów i w końcu dotarł do plaży. Ostrożnie oparł ciężar ciała na zdrowej nodze, ale i tak musiał się podczołgać, żeby dotrzeć do Lucasa.

– Potrzebuję tylko kuli – powiedział z otuchą. – A potem spróbujemy pójść z powrotem w dół rzeki... Albo pójdziemy samą rzeką, jeśli będzie trzeba. Co z tobą, Luke? Tak się cieszę, że żyjesz! Ręka ci się zagoi i...

Chłopak klęknął obok Lucasa i przyjrzał się ranie.

– Ja... ja umieram, Davidzie – wyszeptał Lucas. – To nie tylko ręka. Ale ty... ty wrócisz, Dave. Obiecaj mi, że się nie poddasz...

– Nigdy się nie poddaję! – powiedział David, choć nie udało mu się uśmiechnąć. – A ty...

– Ja... posłuchaj, Dave, czy mógłbyś... Czy mógłbyś mnie objąć? – Lucas nie potrafił powstrzymać się przed wyrażeniem swojej prośby. – Chciałbym... ja...

– Chciałbyś popatrzeć na rzekę? – zapytał David. – Jest piękna i lśni niczym złoto. Ale... Może lepiej by było, żebyś leżał nieruchomo?

– Ja umieram, Davidzie – powtórzył Lucas. – Sekunda wcześniej czy później, co za różnica... Proszę...

Gdy David podciągał go do góry, Lucas poczuł rozdzierający ból, który jednak nagle minął. Lucas nie czuł już nic poza ręką chłopca obejmującą jego tułów, poza jego oddechem, poza ramieniem, na którym się oparł. Wdychał zapach jego potu, który wydawał mu się słodszy niż woń różanego ogrodu w Kiward Station, i usłyszał szloch, którego David nie potrafił już dłużej powstrzymać. Lucas opuścił głowę na bok i złożył ukradkowy pocałunek na klace piersiowej Davida. Chłopiec nie poczuł go, ale jeszcze mocniej przyciągnął do siebie umierającego przyjaciela.

– Wszystko będzie dobrze! – wyszeptał. – Wszystko będzie dobrze. Teraz sobie pośpisz, a potem...

Steinbjörn Siglcifson kołysał umierającego w ramionach, tak jak kołysała go matka, gdy był jeszcze mały. On również znajdował pociechę w tym uścisku, pozwalał mu on zapomnieć o tym, że zaraz znajdzie się na tej odludnej plaży całkiem sam, ranny, bez jedzenia i jakiejkolwiek osłony. Potem wtulił twarz we włosy Lucasa i przytulił się do niego, szukając pocieszenia.

Lucas zamknął oczy i cały poddał się ogarniającemu go poczuciu szczęścia. Wszystko już było dobrze. Miał to, czego pragnął. Był tam, gdzie powinien.

11

George Greenwood zaprowadził konia do stajni w Westport i zalecił właścicielowi, żeby dobrze go nakarmił. Właściciel stajni wyglądał na człowieka, któremu można zaufać, a sama stajnia wydawała się dobrze utrzymana. W ogóle George'owi podobało się to małe miasteczko u ujścia rzeki Buller. Do tej pory było wręcz maleńkie, licząc zaledwie dwustu mieszkańców, ale wciąż przybywali do niego kolejni poszukiwacze złota, później zaś pewnie rozwinie się tutaj wydobycie węgla. Ten surowiec interesował młodego Greenwooda bardziej niż złoto. Odkrywcy złóż węgla poszukiwali inwestorów, którzy zajęliby się budową kopalni, ale w pierwszej kolejności połączenia kolejowego. Dopóki nie istniała sensowna możliwość transportu węgla, jego wydobycie również było nieopłacalne. George chciał wykorzystać swój pobyt na Zachodnim Wybrzeżu między innymi w celu poznania tego terenu i rozważenia ewentualnych połączeń transportowych. Kupiec zawsze powinien dbać o dobre rozeznanie, a dopiero tego lata mógł pozwolić sobie na wędrowanie od jednej owczej farmy do drugiej bez konieczności załatwiania jakichś pilnych interesów związanych z rozwojem jego firmy w Christchurch. Teraz, w styczniu, gdy zakończyła się już strzyża owiec i męczący okres kocenia, postanowił, że na kilka tygodni pozostawi trudny przypadek Howarda O'Keefe'a samemu sobie. George westchnął, przypomniawszy sobie beznadziejnego małżonka Helen. Dzięki jego wsparciu, cennym zwierzętom hodowlanym i ciągłemu doradztwu farma O'Keefe'a zaczęła w końcu przynosić jakiekolwiek zyski, ale Howard wciąż był niepewnym partnerem. Często unosił się gniewem, lubił wypić, niechętnie przyjmował rady, a jeśli już, to tylko od samego George'a, nie od jego podwładnych, a już szczególnie nie od Retiego, byłego ucznia Helen, który pomału stawał się prawą ręką George'a. Każda rozmowa, każde przypomnienie, na przykład że w kwietniu trzeba już w końcu owce spędzić, żeby przy ewentualnym nagłym nawrocie zimy nie stracić żadnego ze zwierząt, wymagały podróży George'a z Christchurch do Haldon. I choć George i Elizabeth bardzo chętnie przebywali w towarzystwie Helen, to jednak odnoszący sukcesy młody biznesmen miał ważniejsze sprawy na głowie niż ciągłe pilnowanie spraw jednego z drobnych farmerów. Na dodatek irytował go upór Howarda oraz jego zachowanie jako męża i ojca wobec Helen i Rubena. Oboje coraz częściej ściągali na siebie jego gniew. Zdaniem Howarda, Helen interesowała się sprawami farmy nadmiernie, z kolei Ruben w stopniu niewystarczającym. Helen już dawno zrozumiała, że pomoc George'a to jedyna rzecz, która może nie tylko uratować ich sytuację finansową, ale także wpłynąć na radykalną poprawę warunków, w jakich żyli. W przeciwieństwie do męża doskonale rozumiała znaczenie rad udzielanych przez George'a. Wciąż naciskała na Howarda, żeby się do nich stosował, wywołując w ten sposób kolejne wybuchy jego gniewu. George często brał ją wtedy w obronę, co pogarszało sytuację. Solą w oku Howarda było również uwielbienie, jakie Ruben wyraźnie okazywał „wujkowi George'owi". Greenwood często obdarowywał chłopca książkami, o których ten marzył, a także szkłami powiększającymi czy innymi przyborami botanika, wspierając w ten sposób jego naukowe zainteresowania. Howard uważał to wszystko za pozbawione sensu. Ruben przejmie po nim farmę, a do tego wystarczą mu przecież podstawowe umiejętności w zakresie czytania, pisania i rachowania. Ale Rubena zupełnie nie interesowały prace na farmie. Florą i fauną także interesował się jedynie w ograniczonym stopniu. Tego rodzaju „prace badawcze" inicjowała raczej jego młodsza przyjaciółka, Fleur. Ruben odziedziczył bardziej humanistyczne zdolności po swojej matce. Już teraz czytał klasyków w oryginale, a silne poczucie sprawiedliwości predestynowało go do kariery duchownego lub prawnika. George nie wyobrażał go sobie jako farmera, to musiało skończyć się jakimś gigantycznym konfliktem między ojcem i synem. Greenwood obawiał się, że jemu samemu w dłuższej perspektywie nie uda się utrzymać współpracy z O'Keefe'em i nawet nie chciał myśleć, jakie będą tego konsekwencje dla Helen i Rubena. Teraz jednak nie chciał się tym zajmować. Wyprawa na Zachodnie Wybrzeże była dla niego czymś w rodzaju urlopu. Chciał podczas niego zapoznać się bliżej z Wyspą Południową, jednocześnie odkrywając potencjalne nowe rynki. Dodatkową motywacją był kolejny tragiczny konflikt między ojcem a synem. Choć George nikomu tego nie zdradził, zamierzał odnaleźć Lucasa Wardena.

Minął już ponad rok, odkąd zniknął dziedzic Kiward Station. W Haldon przestano już plotkować na temat dziecka Gwyneiry i przyjęto jej zapewnienia, że Lucas przebywa w Londynie. Wcześniej i tak mało kto widywał Lucasa Wardena, nikomu więc go nie brakowało. Poza tym tamtejszy bankier nie należał do ludzi szczególnie dyskretnych, dlatego raz po raz rozchodziły się wieści o wielkich sukcesach finansowych Lucasa w starym kraju. Mieszkańcy Haldon zakładali, że Lucas zarabia te pieniądze, malując na miejscu kolejne obrazy. Ale tak naprawdę londyńskie galerie sprzedawały to, czym dysponowały już od dawna. Na prośbę George'a Gwyneira wysłała do stolicy Anglii już trzeci zestaw akwareli i obrazów olejnych swojego męża. Uzyskiwały tam coraz lepsze ceny, a George partycypował w zyskach. Był to dodatkowy poza ciekawością powód, który skłaniał go do wyruszenia na poszukiwanie zaginionego artysty.

Ale na pierwszym miejscu była ciekawość. Zdaniem George'a Greenwooda, akcja poszukiwawcza, jaką Gerald przeprowadził po zniknięciu syna, była zbyt powierzchowna. George się dziwił, dlaczego stary Warden tak naprawdę nikogo w ślad za nim nie wysłał. Dlaczego w ogóle sam nie wyruszył na poszukiwania, co nie powinno przecież stanowić żadnego problemu, gdyż znał Zachodnie Wybrzeże jak własną kieszeń, a Lucas najprawdopodobniej schronił się właśnie tu. O ile Lucas nie zaopatrzył się w jakieś fałszywe dokumenty, co George uważał za mało prawdopodobne, to na pewno nie opuścił Wyspy Południowej, ponieważ listy pasażerów na statkach były bardzo skrupulatnie prowadzone, a jego nazwisko się na nich nie pojawiło. Gdyby zatrzymał się na którejś z owczych farm na Wschodnim Wybrzeżu, wieść o tym szybko by się rozniosła. Na to zaś, żeby ukrywać się u jakiegoś maoryskiego plemienia Lucas był zbyt angielski. Nigdy nie potrafiłby się przystosować do stylu życia tubylców, nie znał zresztą ani jednego słowa w ich języku. Pozostawało więc tylko Zachodnie Wybrzeże, a tam istniała tylko garstka osad. Dlaczego Gerald nie przeszukał ich dokładniej? Co musiało się stać, że stary Warden najwyraźniej cieszył się ze zniknięcia syna? I dlaczego z takim opóźnieniem i jakby pod przymusem świętował narodziny swojego wnuka? George chciałby się tego dowiedzieć, Westport zaś było trzecią osadą, w której zamierzał popytać o Lucasa. Tylko kogo? Właściciela stajni? Czemu nie zacząć właśnie od niego?

Pan Miller pokręcił jednak przecząco głową.

– Młody dżentelmen na starym wałachu? Nic mi na ten temat nie wiadomo. Ale dżentelmeni to u nas raczej rzadkość – roześmiał się. – Ale mogło się zdarzyć, że był tutaj, a ja nic o tym nie wiem. Do niedawna miałem chłopca stajennego, ale on... Cóż, to długa historia. W każdym razie można było na nim polegać i często sam obsługiwał gości, którzy zatrzymywali się tylko na jedną noc. Najlepiej niech pan zapyta w pubie. Tej bystrej Daphne nic nie umyka... A już z pewnością nic związanego z mężczyznami!

George się roześmiał, choć nie do końca zrozumiał żart, i podziękował za wskazówkę. Do pubu wybierał się tak czy inaczej. Być może wynajmują tam pokoje. Poza tym był głodny.

Szynk zaskoczył go równie pozytywnie jak wcześniej stajnia. Tutaj także panował względny porządek i czystość. Ale najwyraźniej nie starano się oddzielić działalności baru od działalności burdelu. Rudowłosa dziewczyna, która zapytała George'a, czego sobie życzy, zaraz po tym jak wszedł, była mocno umalowana i nosiła zwracający uwagę strój dziewki barowej.

– Piwo, coś do jedzenia i pokój, o ile jakieś tu macie – zaordynował George. – Szukam też dziewczyny o imieniu Daphne.

Rudowłosa się roześmiała.

– Zaraz dostanie pan piwo i sandwicza, ale pokoje wynajmujemy tylko na godziny. Chyba że zamówi pan jednocześnie mnie i nie będzie skąpy, to pozwolę się panu potem zdrzemnąć. Któż mnie panu tak gorąco polecał, że pyta pan o mnie, ledwie pan tu wszedł?

George odpowiedział uśmiechem na jej uśmiech.

– A więc to ty jesteś Daphne. Muszę cię jednak rozczarować. Nie polecono mi ciebie ze względu na wyjątkową dyskrecję, tylko dlatego, że podobno znasz tu wszystkich. Czy mówi ci coś nazwisko Lucas Warden?

Daphne zmarszczyła czoło.

– Niby nie, ale jakby wydawało mi się znajome... Przyniosę panu jedzenie i jeszcze się zastanowię.

Tymczasem George wyjął z kieszeni kilka monet, za pomocą których chciał ułatwić Daphne odświeżenie sobie pamięci. Ale to okazało się niepotrzebne, dziewczynie wcale nie chodziło o dodatkowy zarobek. Z kuchni wróciła cała rozpromieniona.

– Na statku, na którym przypłynęłam z Anglii, był jeden pan Warden! – pośpieszyła z wyjaśnieniem. – Wiedziałam, że znam to nazwisko. Ale on nie miał na imię Lucas, tylko Harald albo jakoś tak. I był raczej starszy. Dlaczego pan w ogóle o to pyta?

George się zmieszał. Zupełnie się nie spodziewał, że usłyszy takie informacje. Ale widocznie Daphne i jej rodzina przybyli do Christchurch podobnie jak Helen i Gwyneira na statku „Dublin". Niesamowity zbieg okoliczności, ale jego odkrycie wcale nie ułatwiało mu dalszych poszukiwań.

– Lucas Warden to syn Geralda – odparł. – Wysoki, szczupły mężczyzna o jasnych włosach, szarych oczach i nienagannych manierach. Istnieje uzasadnione przypuszczenie, że przebywa gdzieś tutaj, na Zachodnim Wybrzeżu.

Na przyjaznej dotąd twarzy Daphne pojawił się wyraz nieufności.

– I pan go szuka? Jest pan policjantem czy co?

George pokręcił głową.

– Przyjacielem – wyjaśnił. – Przyjacielem, który przybywa z bardzo dobrymi wieściami. Jestem przekonany, że pan Warden ucieszyłby się z naszego spotkania. Jeśli więc jednak coś pani wie...

Daphne wzruszyła ramionami.

– Teraz to już nie ma znaczenia – mruknęła. – Ale jeśli koniecznie chce pan wiedzieć, to był tu mężczyzna o imieniu Luke, który odpowiada pańskiemu opisowi. Nie znałam jego nazwiska, ale jak już powiedziałam, teraz nie ma to już znaczenia. Luke nie żyje. Ale jeśli pan chce, może pan porozmawiać z Davidem... Jeśli on zechce. Na razie prawie z nikim nie rozmawia. Jest wykończony.

George się przestraszył i od razu poczuł, że dziewczyna się nie myli. Na Zachodnim Wybrzeżu tacy mężczyźni jak Lucas to rzadkość, a ona wyglądała na bystrą obserwatorkę. George wstał. Sandwicz, który przyniosła mu Daphne, wyglądał smakowicie, ale on stracił apetyt.

– Gdzie znajdę tego Davida? – zapytał. – Jeśli Lucas... Jeśli Lucas rzeczywiście nie żyje, chciałbym to wiedzieć. I to jak najszybciej.

Daphne skinęła głową.

– Przykro mi, proszę pana, jeśli to rzeczywiście był Lucas, którego pan szuka. Miły człowiek. Trochę dziwny, ale w porządku. Proszę za mną, zaprowadzę pana do Davida.

Ku zdumieniu George'a nie wyszła z pubu, tylko poprowadziła go schodami w górę. To tutaj musiały znajdować się pokoje wynajmowane na godziny...

– Myślałem, że nie wynajmujecie pokoi na dłużej – powiedział, gdy dziewczyna zdecydowanym krokiem przemierzała salon, z którego przechodziło się do kilku ponumerowanych pokoi.

Daphne skinęła głową.

– Dlatego panna Jolanda narobiła gwałtu, gdy kazałam wnieść tu Davida. Ale gdzie mieli go zanieść, jak był tak ciężko ranny? Nie mamy tutaj nawet lekarza. I chociaż balwierz naprostował mu nogę, to przecież nie można go było takiego rozgorączkowanego i wygłodniałego położyć w stajni! Oddałam mu więc swój pokój. Klientów przyjmuję teraz razem z Mirabelle, a stara odciąga mi połowę wypłaty jako czynsz za pokój. Ale klienci chętnie płacą podwójnie, nie mam zamiaru na tym stracić. Cóż, stara jest chciwa jak diabeł. Niedługo stąd zwieję. Jak tylko David wyzdrowieje, zabiorę dzieci i poszukam czegoś nowego.

„Nawet dzieci już ma – George westchnął. – Ta dziewczyna musiała mieć ciężkie życie!". Ale jego uwagę przykuł pokój, do którego drzwi Daphne właśnie otworzyła. Na łóżku leżał młody mężczyzna.

David wciąż był chłopcem. Wydawał się drobny na tle podwójnego, obitego pluszem łoża, a wrażenie to potęgowała jego prawa noga, którą włożono w szyny i grubo obandażowano, następnie zaś uniesiono za pomocą skomplikowanej konstrukcji z podpórek i linek. Chłopak miał zamknięte oczy. Jego ładna twarz otoczona rozczochranymi jasnymi włosami była blada i zmartwiona.

– Davidzie? – zapytała łagodnie Daphne. – Masz gościa. Ten pan przyjechał z... z...

– Christchurch – wyjaśnił George.

– Podobno znał Luke'a. Davidzie, jak Luke miał na nazwisko? Chyba wiesz, prawda?

Ale dla George'a, który tymczasem rozejrzał się po pokoju, sprawa była już jasna. Na nocnym stoliku obok chłopca leżał szkicownik z rysunkami, których styl był niezwykle charakterystyczny.

– Denward – odpowiedział chłopak.

Godzinę później George znał już całą historię. David opowiedział mu o ostatnich miesiącach życia Lucasa, kiedy pracował jako robotnik budowlany i kreślarz, a na koniec opisał mu ich nieszczęsną wyprawę w poszukiwaniu złota.

– To tylko i wyłącznie moja wina! – powiedział z rozpaczą w głosie. – Luke wcale nie chciał jechać... A ja potem jeszcze uparłem się, że zejdę po tej ścianie! To ja go zabiłem! Jestem mordercą!

George potrząsnął głową.

– Popełniłeś błąd, chłopcze, może nawet niejeden. Ale jeśli było tak, jak mówisz, to był to wypadek. Gdyby Lucas mocniej przywiązał linę, wciąż by żył. Nie możesz sobie tego bez końca wyrzucać, to niczemu nie służy.

W duchu jednak pomyślał sobie, że ten wypadek bardzo pasował do Lucasa. Beznadziejnie niezaradny życiowo artysta. A przy tym tak utalentowany! Co za marnotrawstwo!

– A jak ty się uratowałeś? – zapytał Davida. – Jeśli dobrze zrozumiałem, to byliście przecież dość daleko stąd.

– Wcale nie... Wcale nie byliśmy tak daleko – odpowiedział chłopak. – Obaj się pomyliliśmy. Myślałem, że przejechaliśmy co najmniej osiemdziesiąt kilometrów, a zrobiliśmy tylko trzydzieści. Chociaż piechotą, z tą złamaną nogą, i tak nie dałbym rady. Byłem pewien, że umrę. Ale najpierw... Najpierw pochowałem Luke'a. Tam, na plaży. Niezbyt głęboko, ale... Ale tu chyba nie ma żadnych wilków, prawda?

George zapewnił go, że na Nowej Zelandii nie ma żadnych dzikich zwierząt, które byłyby w stanie wykopać zwłoki.

– A potem czekałem... Czekałem na swoją śmierć. Trwało to chyba ze trzy dni. Niewiele pamiętam, miałem gorączkę, nie miałem nawet siły doczołgać się do rzeki, żeby napić się wody... Ale w tym czasie nasz koń zdołał wrócić do domu, pan Miller pomyślał więc, że coś musiało się stać. Chciał, żeby od razu rozpoczęto poszukiwania, ale go wyśmiali. Luke... Luke nie najlepiej radził sobie z końmi, rozumie pan. Wszyscy myśleli, że źle go gdzieś przywiązał i dlatego nam uciekł. Ale ponieważ wciąż nie wracaliśmy, to wysłali łódź. Zabrali nawet balwierza. I od razu mnie znaleźli. Powiedzieli, że wiosłowali tylko dwie godziny. Ale ja nic z tego nie pamiętam i jak się obudziłem, byłem już tutaj...

George skinął głową i pogładził chłopca po włosach. David wyglądał tak dziecinnie. George mimowolnie pomyślał o dziecku, które jego Elizabeth nosiła już w łonie. Za kilka lat może i on będzie miał takiego syna, równie pełnego zapału i odważnego. Miejmy nadzieję, że urodzi się pod szczęśliwszą gwiazdą niż ten młody człowiek. Kogo widział w nim Lucas? Syna, którego pragnął mieć? Czy raczej kochanka? George był nie w ciemię bity, a poza tym pochodził z wielkiego miasta. Skłonności do tej samej płci nie były mu nieznane, a zachowanie Lucasa w połączeniu z tym, że Gwyneira tyle lat nie mogła doczekać się dziecka, od początku wzbudzało w nim podejrzenie, że młody Warden woli chłopców niż dziewczęta. Cóż, to nie jego sprawa. A jeśli chodzi o Davida, to zakochany wzrok, jakim wodził za Daphne, nie pozostawiał żadnych wątpliwości co do jego orientacji seksualnej. Daphne zdawała się nie dostrzegać tych spojrzeń. Chłopca najwyraźniej czekało kolejne rozczarowanie.

George pomyślał przez chwilę.

– Posłuchaj, Davidzie – powiedział w końcu. – Lucas Warden... Luke Denward... Wcale nie był taki samotny, jak myślałeś. Miał rodzinę i myślę, że jego żona ma prawo dowiedzieć się, jak zginął. Gdy poczujesz się lepiej, w stajni pana Millera będzie czekać na ciebie koń. Pojedziesz na Canterbury Plains i odszukasz Kiward Station i panią Gwyneirę Warden. Zrobisz to? Zrobisz to dla Luke'a?

David z powagą skinął głową.

– Jeśli uważa pan, że on by sobie tego życzył.

– Z pewnością, Davidzie – odparł George. – A potem pojedziesz do Christchurch i zjawisz się w mojej firmie. Greenwood Enterprises. Nie znajdziesz tam co prawda złota, a tylko nieźle płatną pracę jako chłopak stajenny. Jeśli mądry z ciebie chłopak, a pewnie tak jest, skoro Lucas obdarzył cię przyjaźnią, będziesz mógł ułożyć sobie życie.

David ponownie skinął głową, tym razem jednak z wyraźną niechęcią.

Daphne natomiast obdarzyła George'a przyjaznym spojrzeniem.

– Da mu pan taką pracę, przy której można siedzieć, prawda? – zapytała, gdy odprowadzała gościa. – Balwierz mówi, że zawsze już będzie utykał, że ta noga jest zepsuta. Nie będzie już mógł pracować ani w stajni, ani na budowie. Ale gdyby dał mu pan pracę w biurze... Wtedy od razu zacząłby inaczej myśleć o dziewczętach. Dobrze, że nie poleciał na Luke'a, ale ze mnie też kiepska kandydatka na żonę.

Mówiła spokojnym i wolnym od goryczy tonem, a George poczuł lekki żal, że to energiczne i mądre stworzenie jest dziewczyną. Jako mężczyzna Daphne mogłaby wieść w nowym kraju szczęśliwe życie. Jako kobieta mogła być tylko tym, czym pewnie i tak stałaby się w Londynie. Zwykłą dziwką.

Minęło ponad pół roku, zanim Steinbjörn Sigleifson pojawił się i wjechał konno na podjazd Kiward Station. Długo musiał leżeć w łóżku, a potem z mozołem na nowo uczył się chodzić. Poza tym trudno mu było rozstać się z Daphne i bliźniaczkami, mimo że dziewczęta codziennie namawiały go, żeby wreszcie wyruszył w drogę. W końcu nie dało się już tego dłużej odwlekać. Panna Jolanda coraz częściej się domagała, żeby opuścił pokój w jej burdelu, i choć pan Miller pozwolił mu, żeby znowu urządził się w stajni, to przecież nie byłby w stanie odpracować noclegów. W całym Westport nie było pracy dla kaleki, twardzi mieszkańcy Zachodniego Wybrzeża bez skrupułów dali mu to do zrozumienia. Mimo że chłopak poruszał się już całkiem sprawnie, to mocno kuśtykał i nie mógł długo stać. W końcu wyruszył w drogę, a teraz stał zdumiony przed fasadą dworu, w którym mieszkał Lucas Warden. Nadal nie wiedział, dlaczego jego przyjaciel opuścił Kiward Station, ale musiał mieć poważne powody, żeby zrezygnować z życia w takim luksusie. Gwyneira Warden musi być prawdziwym potworem! Steinbjörn – po rozstaniu z Daphne nie widział powodu, żeby nadal używać imienia David – zaczął się zastanawiać, czy nie powinien od razu zawrócić. Kto wie, jak zachowa się wobec niego żona Luke'a? Może ona też uważa, że jest winny jego śmierci.

– Kim jesteś? Przedstaw się i powiedz, czego chcesz.

Steinbjörn wzdrygnął się, gdy usłyszał za sobą dźwięczny głosik. Dochodził z dołu, spośród zarośli, i młody Islandczyk, który wychował się w wierze we wróżki i w elfy mieszkające pod kamieniami, w pierwszej chwili pomyślał, że ma do czynienia z jakąś zjawą.

Mała dziewczynka na kucyku, która pojawiła się tuż za nim, sprawiała jednak wrażenie istoty jak najbardziej z tego świata, choć zarówno amazonka, jak i jej rumak wyglądały nieco baśniowo. Steinbjörn nigdy dotąd nie widział tak małego kucyka, mimo że konie z jego rodzinnej wyspy słynęły z niewielkich rozmiarów. Ale ta drobniutka dereszowata klacz, której maść idealnie harmonizowała z rudoblond lokami dziewczynki, wyglądała niczym miniaturowy koń pełnej krwi. Dziewczynka wprawną ręką prowadziła konia obok niego.

– Długo mam czekać? – zapytała ostro.

Steinbjörn nie potrafił powstrzymać uśmiechu.

– Nazywam się Steinbjörn Sigleifson i szukam lady Gwyneiry Warden. To Kiward Station, prawda?

Dziewczynka z powagą skinęła głową.

– Tak, ale teraz strzyżemy owce, mamy nie ma więc w domu. Wczoraj nadzorowała strzyżę w szopie numer trzy, a dzisiaj jest w tej numer dwa. Zmieniają się z brygadzistą. A dziadek zajmuje się szopą numer jeden.

Steinbjörn nie bardzo rozumiał, o czym dziewczynka w ogóle mówi, ale był przekonany, że mówi prawdę.

– Możesz mnie tam zaprowadzić? – zapytał.

Dziewczynka zmarszczyła brwi.

– Przyjechałeś z wizytą, prawda? W takim razie muszę zaprowadzić cię do domu, ty zaś musisz położyć wizytówkę na srebrnej tacy. Potem przyjdzie Kiri, żeby cię przywitać, a później Witi, i dopiero wtedy zostaniesz zaproszony do salonu i dostaniesz herbatę... Ach tak, a ja muszę cię zabawiać, tak mówi panna Helen. To znaczy, że mam z tobą rozmawiać. O pogodzie i tak dalej. Bo ty jesteś dżentelmenem, prawda?

Steinbjörn wciąż niewiele rozumiał, ale nie mógł odmówić dziewczynce talentu do prowadzenia konwersacji.

– W każdym razie ja jestem Fleurette Warden, a to jest Minty – powiedziała, wskazując na swojego kucyka.

Steinbjörn od razu uważniej jej się przyjrzał. Fleurette Warden – to musi być córka Lucasa! A więc on porzucił też to urocze dziecko... Steinbjörn coraz mniej rozumiał swojego przyjaciela.

– Raczej nie jestem dżentelmenem – poinformował w końcu dziewczynkę. – W każdym razie nie mam wizytówki. Nie moglibyśmy po prostu... Może mogłabyś zaprowadzić mnie prosto do twojej mamy?

Fleurette najwyraźniej niezbyt zależało na kontynuowaniu grzecznej konwersacji, nie trzeba jej więc było długo namawiać. Ruszyła przodem, a koń Steinbjörna musiał mocno się starać, żeby nadążyć. Mała Minty miała drobny, ale całkiem szybki chód, Fleurette zaś pewnie na niej siedziała. Podczas krótkiej jazdy w stronę szop zdążyła zdradzić swojemu nowemu przyjacielowi, że właśnie wróciła ze szkoły, do której właściwie nie powinna jeździć sama, ale podczas strzyży to się zdarzało, bo wszyscy byli zajęci. Opowiedziała o swoim przyjacielu Rubenie i małym braciszku Paulu. Tego ostatniego uważała za niezbyt rozgarniętego, ponieważ nie umiał mówić, tylko krzyczał, zwłaszcza gdy Fleurette brała go na ręce.

– On w ogóle nas wszystkich nie lubi, lubi tylko Kiri i Maramę – powiedziała. – Spójrz, to szopa numer dwa. Zakład, że mama tam jest?

Szopy były podłużnymi budynkami, w których mieściło się wiele zagród i które umożliwiały strzyżenie owiec także podczas deszczowych dni. Przed nimi i za nimi znajdowało się jeszcze sporo okólników, w których nieostrzyżone owce czekały na swoją kolej, a te już pozbawione wełny na odprowadzenie z powrotem na pastwiska. Steinbjörn nie znał się na owcach, ale w swojej ojczyźnie często je widywał. Nawet laik zauważyłby, że te tutaj to owce doskonałej jakości. Owce z Kiward Station wyglądały przed strzyżą niczym czyściutkie, puszyste kłębki wełny na nóżkach. Po strzyży, gdy pędzono je przez specjalnie przygotowaną w celach higienicznych kąpiel, wyglądały nieszczególnie, ale było widać, że są dobrze odżywione i zdrowe. Tymczasem Fleurette zsiadła z konia i przywiązała swojego kucyka przed szopą, stosując fachowy węzeł. Steinbjörn poszedł w jej ślady, a potem wszedł za nią do środka szopy, gdzie od razu uderzył go przenikliwy zapach, mieszkanka gnoju, potu i lanoliny. Fleurette zdawała się go nie zauważać. Zdecydowanym krokiem posuwała się pośród stanowiących rodzaj uporządkowanego chaosu mężczyzn i owiec. Steinbjörn zafascynowany przyglądał się, jak postrzygacze zręcznie chwytają owce, kładą je na plecy i błyskawicznie pozbawiają wełny. Sprawiali wrażenie, że ze sobą rywalizują. Co chwila tryumfującym głosem podawali konkurentom, a przede wszystkim nadzorowi, liczbę ostrzyżonych owiec.

Osoba, która to wszystko nadzorowała, musiała być niezwykle uważna. Ale młoda kobieta, która przechadzała się wśród postrzygaczy, notując osiągane przez nich wyniki, nie wydawała się przeciążona tą pracą. Swobodnie żartowała z robotnikami i sprawiała wrażenie, że nie obawia się, by jej zapiski mogły wzbudzić czyjekolwiek wątpliwości.

Gwyneira Warden miała na sobie prostą szarą suknię do jazdy konnej, a długie rude włosy zaplotła niedbale w warkocz. Była niewysoka, ale najwyraźniej równie energiczna jak jej córka, gdy zaś odwróciła się w stronę Steinbjörna, on aż zmieszał się, tak była piękna. Co do diabła skłoniło Lucasa Wardena, żeby opuścić taką kobietę? Steinbjörn nie mógł oderwać wzroku od szlachetnych rysów jej twarzy, zmysłowych ust i fascynujących oczu w kolorze indygo. Zorientował się, że się na nią gapi, dopiero wtedy, gdy uśmiech na jej twarzy zastąpił wyraz irytacji i natychmiast spuścił oczy.

– To moja mama. A to jest Stein… Stein… Stein-coś-tam – Fleur starała się dokonać formalnej prezentacji gościa.

Steinbjörn zdążył się opanować i pokuśtykał w stronę Gwyneiry.

– Lady Warden? Steinbjörn Sigleifson. Przyjechałem z Westport. Pan Greenwood poprosił mnie, żebym… Cóż, ja byłem razem z pani zmarłym mężem, kiedy on… – Steinbjörn wyciągnął dłoń.

Gwyneira skinęła głową.

– Proszę mówić do mnie pani Warden, nie lady Warden – poprawiła go automatycznie, podając rękę. – Witamy. George rzeczywiście wspominał, że… Ale tutaj nie można rozmawiać. Proszę chwilkę zaczekać.

Młoda kobieta rozejrzała się wokół, dostrzegła wśród postrzygaczy starszego ciemnowłosego mężczyznę i zamieniła z nim kilka słów. Potem oznajmiła reszcie postrzygaczy, że teraz nadzorem w ich szopie zajmie się Andy McAran.

– I mam nadzieję, że nie stracicie przewagi! Do tej pory udało wam się przegonić szopę numer jeden i trzy. Nie dajcie sobie odebrać tej przewagi! Jak doskonale wiecie, na zwycięzców czeka beczka najlepszej whisky! – Pomachała do nich przyjaźnie, a potem zwróciła się do Steinbjörna. – Proszę ze mną, pójdziemy do domu. Ale najpierw poszukamy mojego teścia. On też powinien usłyszeć pańską opowieść.

Steinbjörn poszedł za Gwyn i jej córką w stronę koni. Gwyneira szybko i bez żadnej pomocy wskoczyła na przysadzistą gniadą klacz. Chłopak zauważył teraz też psy, które cały czas jej towarzyszyły.

– Finn, Flora, mnie nie jesteście potrzebne. Raz-dwa do szopy. Ty możesz iść z nami, Cleo – młoda kobieta zapędziła dwa psy z powrotem do postrzygaczy. Trzeci owczarek, starsza suka o posiwiałym pysku, dołączyła do jeźdźców.

Szopa numer jeden, w której strzyżę nadzorował Gerald, znajdowała się po zachodniej stronie dworu. Jeźdźcy mieli więc do pokonania niecały kilometr drogi. Gwyneira jechała w milczeniu, Steinbjörn także się nie odzywał. Tylko Fleur dbała o prowadzenie konwersacji, z ożywieniem opowiadając o szkole, w której najwyraźniej doszło tego dnia do jakiejś kłótni.

– Pan Howard był bardzo zły na Rubena, że był w szkole, zamiast pomagać mu z owcami. A przecież postrzygacze mają przyjechać za kilka dni. Owce pana Howarda wciąż są wysoko w górach i Ruben miał je sprowadzić, ale on zupełnie nie radzi sobie z owcami! Powiedziałam mu, że jutro mu pomogę. Wezmę Finna albo Florę, to załatwimy to migiem…

Gwyneira westchnęła.

– Tylko że pan O'Keefe nie byłby zachwycony, gdyby wiedział, że ktoś z Wardenów zapędza jego owce z pomocą owczarków Silkhamów, podczas gdy jego własny syn wkuwa łacińskie słówka... Uważaj lepiej, czy nie będzie chciał cię ustrzelić!

Steinbjörn uznał sposób wyrażania się matki za równie oryginalny co jej córki, ale Fleur zdawała się wszystko rozumieć.

– On uważa, że Ruben powinien takie rzeczy robić z przyjemnością, skoro jest chłopcem – zauważyła dziewczynka.

Gwyn westchnęła po raz kolejny i zatrzymała konia przed szopą, która wyglądała identycznie jak ta, którą przed chwilą opuścili.

– Nie on jeden. Proszę do środka, panie Sigleifson. Tutaj pracuje mój teść. A może lepiej niech pan poczeka na zewnątrz, zaraz go poproszę. W środku panuje taki sam rejwach jak w mojej szopie...

Ale Steinbjörn zsiadł już z konia i ruszył za nią do wnętrza szopy. Niezbyt uprzejmie byłoby witać starszego mężczyznę z siodła. Poza tym nie znosił, gdy ludzie starali się go oszczędzać z powodu kuśtykania.

W szopie numer jeden panował taki sam hałaśliwy rozgardiasz jak w szopie Gwyneiry, ale atmosfera była zupełnie inna, nie tak przyjacielska i zdecydowanie bardziej napięta. Mężczyźni wydawali się też mniej zmotywowani do pracy – byli raczej poganiani i popędzani. A krzepki starszy mężczyzna, który przechadzał się wśród postrzygaczy, wyraźnie wolał im przyganiać, niż swobodnie sobie z nimi żartować. Poza tym na stole, na którym notował wyniki, stała opróżniona do połowy butelka whisky i szklanka. Nadzorca szopy właśnie pociągał z niej kolejny łyk, gdy Gwyneira podeszła i go zawołała.

Steinbjörn spojrzał w obrzmiałą, naznaczoną przez alkohol twarz i nabiegłe krwią oczy.

– Co ty tutaj robisz? – mężczyzna zrugał Gwyneirę. – Czyżby szopa numer dwa zdążyła już ostrzyc pięć tysięcy owiec?

Gwyneira pokręciła głową. Steinbjörn zauważył, że jednocześnie rzuciła pełne troski i wyrzutu spojrzenie na butelkę whisky.

– Nie, Geraldzie, teraz Andy notuje wyniki. Ja musiałam wyjść. I myślę, że ty też powinieneś. Geraldzie, to jest pan Sigleifson. Przyjechał do nas, żeby opowiedzieć o śmierci Lucasa – przedstawiła Steinbjörna, ale twarz starszego mężczyzny wyrażała wyłącznie pogardę.

– I z tego powodu zostawiłaś szopę? Żeby posłuchać jakiejś historyjki kochasia twojego męża sodomity?

Gwyneira przestraszyła się, ale z ulgą stwierdziła, że młody przybysz nic nie rozumie. Już wcześniej zwróciła uwagę na jego nordycki akcent, a teraz prawdopodobnie nie usłyszał albo nie zrozumiał słów Geralda.

– Geraldzie, nasz młody gość jest ostatnim człowiekiem, który widział Lucasa żywego... – Jeszcze raz spróbowała spokojnie do niego przemówić, ale Gerald zgromił ją wzrokiem.

– I pewnie jeszcze pocałował go na pożegnanie, co? Daruj mi te opowieści, Gwyn. Lucas nie żyje. Niech spoczywa w pokoju, ty też mnie zostaw w spokoju! A tego człowieka ma nie być w moim domu, jak skończę ze strzyżą!

Warden odwrócił się od nich.

Gwyneira wyprowadziła Steinbjörna, starając się go przeprosić.

– Proszę wybaczyć, whisky przemawia przez mojego teścia. Nigdy nie przebolał, że Lucas... Że on był taki, jaki był, i że porzucił farmę... Że zdezerterował, jak to Gerald określa. A przecież, Bóg jeden wie, w jakim stopniu on sam się do tego przyczynił. Ale to stare historie, panie Sigleifson. Ja w każdym razie dziękuję panu za przybycie. Zapraszam do domu, z pewnością chętnie się pan odświeży po podróży...

Steinbjörn nie miał śmiałości wejść do dworu. Był pewien, że będzie popełniać gafę za gafą. Luke zawsze zwracał mu uwagę na zasady grzeczności i odpowiednie zachowanie przy stole, a i Daphne miała o tym jakie takie pojęcie. On sam jednak zupełnie się na tym nie znał i obawiał się, że całkowicie skompromituje się przed Gwyneirą. Ale ona wprowadziła go do domu bocznymi drzwiami i wzięła od niego kurtkę, wcale nie dzwoniąc na służbę. W salonie natknęli się na piastunkę Kiri. Ostatnio Gerald nie zabraniał jej już trzymania dzieci przy sobie podczas sprzątania i innych domowych prac. Zrozumiał, że gdyby kazał jej siedzieć w kuchni, tym samym skazałby Paula na dorastanie właśnie tam.

Gwyneira z sympatią przywitała Kiri i wzięła z noszonego przez nią kosza jedno z dzieci.

– Panie Sigleifson, to mój syn Paul – dokonała prezentacji, choć jej słowa zginęły w ogłuszającym krzyku chłopca. Paul nie znosił, gdy rozdzielano go z jego mleczną siostrą, Maramą.

Steinbjörn zaczął się zastanawiać. Paul wciąż był niemowlęciem. Czyli musiał urodzić się podczas nieobecności Luke'a.

– Poddaję się – westchnęła Gwyneira i odłożyła dziecko z powrotem do koszyka. – Kiri, czy mogłabyś zabrać dzieci? I Fleur też? Musi coś zjeść, a nie powinna przysłuchiwać się naszej rozmowie. I może zrobiłabyś nam herbatę... Albo kawę, panie Sigleifson?

– Proszę mówić do mnie Steinbjörn... – powiedział nieśmiało chłopiec. – Albo David. Luke tak do mnie mówił.

Gwyneira popatrzyła na jego twarz i niesforne włosy, a potem się uśmiechnęła.

– Zawsze zazdrościł Michałowi Aniołowi... – stwierdziła. – Proszę usiąść. Ma pan za sobą długą podróż...

Ku zdziwieniu Steinbjörna rozmowa z Gwyneirą Warden wcale nie była taka trudna. Wcześniej obawiał się, że może w ogóle nie wiedzieć o śmierci Lucasa, ale okazało się, że George Greenwood już ją o tym powiadomił. Gwyneira zdążyła przeżyć swój smutek, a teraz z zainteresowaniem wypytywała Steinbjörna o czas, jaki spędził z Lucasem, o to, jak się poznali i jak wyglądały ostatnie miesiące jego życia.

Na koniec Steinbjörn opisał okoliczności jego śmierci, nie omieszkawszy ponownie obarczyć siebie całą odpowiedzialnością.

Ale Gwyneira miała na ten temat podobny pogląd co pan Greenwood, choć wyraziła go nieco bardziej dosadnie.

– To nie pana wina, że Lucas nie potrafił zawiązać porządnego węzła. To był dobry człowiek, Bóg jeden wie, jak bardzo go ceniłam. I wygląda na to, że był też bardzo utalentowanym artystą. Ale był beznadziejny w sprawach praktycznych. A przy tym zawsze... Myślę, że zawsze pragnął zostać bohaterem. I to mu się na koniec udało, prawda?

Steinbjörn pokiwał głową.

– Wszyscy mówią o nim z najwyższym szacunkiem, pani Warden. Zastanawiają się nawet, czy nie nazwać tamtego klifu jego imieniem. Tego klifu, z którego... Z którego spadliśmy.

Gwyneira była wzruszona.

– Myślę, że niczego nie pragnąłby bardziej – powiedziała cichym głosem.

Steinbjörn bał się, że wybuchnie płaczem, a on nie miał pojęcia, jak mógłby taktownie pocieszyć damę. Ale Gwyneira zdołała się opanować i zaczęła zadawać swojemu rozmówcy kolejne pytania. Ku jego zdumieniu dokładnie wypytała go o Daphne, którą wciąż dobrze pamiętała. Gdy pan

Greenwood przekazał wiadomość, że się z nią spotkał, Helen od razu napisała do Westport, ale do tej pory nie otrzymała odpowiedzi. Steinbjörn potwierdził teraz jej przypuszczenie, że rudowłosa Daphne z Westport to jej dawna wychowanka i wspomniał też o bliźniaczkach. Gwyneira nie posiadała się z radości, gdy usłyszała o Laurie i Mary.

– A więc Daphne odnalazła dziewczynki! Jak jej się to udało? I wszystkie mają się dobrze? Daphne się nimi opiekuje?

– Cóż, one... – Steinbjörn zaczerwienił się lekko. – One... też jakby pracują. Tańczą. O, proszę... Tutaj Luke je namalował. – Chłopiec miał przy sobie torbę, z której wyciągnął teraz teczkę i zaczął kartkować jej zawartość. Dopiero gdy wyjął rysunki, uświadomił sobie, że raczej nie powinien ich pokazywać damie. Ale Gwyneirze nawet nie drgnęła powieka, gdy je oglądała. Żeby zaopatrzyć londyńskie galerie w prace Lucasa, dokładnie przeszukała jego pracownię i nie była już tak naiwna jak jeszcze kilka miesięcy temu. Lucas dawniej też rysował akty, przede wszystkim chłopców przypominających słynnego Dawida, ale także dorosłych mężczyzn w jednoznacznych pozach. Niektóre z rysunków nosiły ślady częstego użycia. Najwyraźniej Lucas wielokrotnie brał rysunki, oglądał je i...

Gwyneira zauważyła, że również akt bliźniaczek, a przede wszystkim erotyczny portret Daphne, są pokryte śladami palców. Lucas? Raczej nie!

– Daphne chyba się panu podoba? – zapytała ostrożnie swojego młodego gościa.

Steinbjörn jeszcze bardziej się zaczerwienił.

– Och, tak! Bardzo! Chciałem się z nią ożenić. Ale ona mnie nie chce. – Głos chłopca wyrażał cały ból wzgardzonego kochanka. Ten młody człowiek z pewnością nigdy nie był „kochasiem" Lucasa!

– Znajdzie pan inną kandydatkę na żonę – pocieszyła go Gwyneira. – Bo pan lubi dziewczęta, prawda?

Steinbjörn popatrzył na nią, jakby zadała najgłupsze z możliwych pytanie. A potem chętnie podzielił się z nią swoimi planami na przyszłość. Miał zamiar odszukać George'a Greenwooda i zacząć pracę w jego firmie.

– Tak naprawdę to wolałbym budować domy – powiedział nieco zasmucony. – Chciałem zostać architektem. Luke mówił, że mam talent. Ale musiałbym pojechać do Anglii i ukończyć tam szkoły, a na to mnie nie stać. Ale prawie zapomniałem... – Steinbjörn zamknął teczkę z rysunkami Lucasa i podał ją Gwyneirze. – To dla pani przywiozłem rysunki Luke'a.

Wszystkie, jakie zostały... Pan Greenwood mówił, że mogą być sporo warte. Nie chcę się na nich wzbogacić. Ale chciałbym zachować jeden z nich. Ten z Daphne...

Gwyneira się uśmiechnęła.

– Proszę zatrzymać wszystkie. Lucas z pewnością by sobie tego życzył... – Zastanowiła się przez chwilę, a potem jakby podjęła jakąś decyzję. – Proszę założyć kurtkę, Davidzie, pojedziemy do Haldon. Jest jeszcze jedna rzecz, której Lucas na pewno by sobie życzył.

Dyrektor banku w Haldon traktował Gwyneirę jak osobę, która postradała zmysły. Wynajdował tysiąc powodów, żeby sprzeciwić się jej życzeniu, ale w końcu uległ wobec jej zdecydowanej postawy. Z ogromną niechęcią przepisał konto, na które przelewano zyski ze sprzedaży obrazów Lucasa, na nazwisko Steinbjörna Sigleifsona.

– Jeszcze będzie pani tego żałować, panno Warden! Na tym koncie uzbiera się majątek! Pani dzieci...

– Moje dzieci już posiadają majątek. Odziedziczą Kiward Station, a sztuka w ogóle ich nie interesuje, przynajmniej mojej córki na pewno nie. My tych pieniędzy nie potrzebujemy, a ten młody człowiek był uczniem Lucasa. Jego... Jak by to powiedzieć...? Bratnią duszą. Potrzebuje pieniędzy, potrafi je wykorzystać i będzie je miał! Proszę, Davidzie, musi pan tutaj podpisać. Imieniem i nazwiskiem, wyraźnie, to ważne.

Steinbjörnowi zaparło dech w piersiach, gdy zobaczył sumę pieniędzy, jaka widniała na koncie. Ale Gwyneira tylko skinęła przyjaźnie głową.

– Bardzo proszę się podpisać. Muszę szybko wracać do szopy, żeby dalej pomnażać majątek moich dzieci! A pan... Najlepiej, gdyby się pan sam zatroszczył o tę galerię w Londynie. Żeby nikt pana nie oszukał przy sprzedaży pozostałych obrazów. Teraz jest pan jakby zarządcą artystycznej spuścizny Lucasa. Niech się pan za to weźmie!

Steinbjörn Sigleifson nie zwlekał już dłużej i złożył swój podpis na dokumencie.

„Dawid" Lucasa znalazł swoją kopalnię złota.

KONIEC

Canterbury Plains – Otago 1870-1877

1

– Paul, Paul, gdzie ty się znowu podziałeś?

Helen wołała swojego najbardziej niezdyscyplinowanego ucznia, choć przypuszczała, że chłopak i tak jej nie usłyszy. Paul Warden raczej nie bawił się grzecznie z maoryskimi dziećmi w pobliżu zaimprowizowanego budynku szkolnego. A kiedy znikał, zawsze oznaczało to potem kłopoty. Albo bił się gdzieś ze swoim największym wrogiem, czyli Tongą, synem wodza plemienia mieszkającego na ziemi należącej do farmy Kiward Station, albo czaił się na Rubena i Fleurette, żeby spłatać im jakiegoś figla. Jego pomysły zaś wcale nie były zabawne. Ruben naprawdę rozpaczał, gdy niedawno Paul wylał całą zawartość kałamarza na jego najnowszą książkę. Sprawa była przykra nie tylko dlatego, że chłopiec od dawna pragnął mieć ten zbiór ustaw, a George Greenwood dopiero co przysłał mu go z Anglii, ale również dlatego, że ta książka była niezwykle kosztowna. Zwrot kosztów nie był dla Gwyneiry żadnym problemem, ale czynem swojego syna była równie przerażona jak Helen.

– Przecież on nie jest już taki mały! – denerwowała się, podczas gdy jedenastoletni Paul obojętnie stał obok. – Paul, przecież wiedziałeś, jaka ta książka jest droga! I to nie stało się przypadkiem! Czy ty sobie myślisz, że w Kiward Station pieniądze rosną na drzewach?

– No, na drzewach to nie, tylko na owcach – odparł Paul nie bez dozy racji. – A takie książki możemy sobie kupować co tydzień, jeśli tylko będziemy mieli ochotę! – Rzucił Rubenowi pełne złości spojrzenie. Chłopiec doskonale orientował się w sytuacji ekonomicznej farm na Canterbury Plains. Dzięki protekcji Greenwood Enterprises Howard O'Keefe zarabiał co prawda znacznie lepiej, ale wciąż daleko mu było do tytułu „owczego barona". Przez ostatnie dziesięć lat stan liczebny i jakość stad w Kiward Station wciąż rosły i rzeczywiście Paul Warden mógł zażyczyć sobie niemal wszystkiego. Ale nie prosił o książki. Wolał dostać najszybszego kucyka albo cieszył się z zabawkowych mieczy i pistoletów. Pewnie miałby już wymarzoną wiatrówkę, gdyby George Greenwood wciąż nie „zapominał" o tym życzeniu, składając zamówienia na towary z Anglii. Helen martwiła się, patrząc na rozwój Paula. Jej zdaniem zbyt rzadko stawiano mu jakiekolwiek granice. Choć Gwyneira i Gerald kupowali mu drogie prezenty, to tak naprawdę w ogóle się chłopcem nie interesowali. Paul wyrósł też już spod wpływu swojej piastunki Kiri. Już dawno przyjął za swoje poglądy uwielbianego dziadka, który uważał, że biali górują nad Maorysami. I to właśnie stanowiło ostatnio powód do ciągłych kłótni z Tongą. Syn wodza był tak samo pewien swoich racji jak dziedzic „owczego barona" i chłopcy zaciekle kłócili się o to, do kogo należy ziemia, na której mieszkają zarówno ludzie z plemienia Tongi, jak i rodzina Wardenów. To również niepokoiło Helen. Tonga najprawdopodobniej zostanie kiedyś następcą swojego ojca, Paul zaś zajmie miejsce Geralda. Będzie ciężko, jeśli wciąż będą pałać do siebie nienawiścią. A każdy krwawiący nos, z którym jeden z chłopców wracał do domu ze szkoły, pogłębiał przepaść między nimi.

Ale była przynajmniej Marama. Jej obecność stanowiła dla Helen pewną pociechę, ponieważ córka Kiri, mleczna siostra Paula, jakimś szóstym zmysłem wyczuwała utarczki między chłopcami i prawie zawsze pojawiała się na placu boju, żeby załagodzić sytuację. Skoro teraz bawi się tutaj spokojnie z koleżankami, to znaczy, że Paul i Tonga nie skaczą sobie do oczu. Marama uśmiechnęła się do Helen, jakby domyślała się, o czym myśli nauczycielka. Była uroczym dzieckiem, przynajmniej w opinii Helen. Miała szczuplejszą twarz niż większość maoryskich dziewcząt, a jej skóra była barwy czekolady. Nie miała jeszcze żadnych tatuaży i być może wcale nie ozdobi ciała w tradycyjny sposób. Maorysi coraz częściej rezygnowali z tego zwyczaju i coraz rzadziej nosili tradycyjne stroje. Wyraźnie starali się dopasować do *pakeha*, co z jednej strony cieszyło Helen, ale czasami napełniało ją bliżej nieokreślonym poczuciem straty.

– Gdzie jest Paul, Maramo? – zwróciła się bezpośrednio do dziewczynki. Paul i Marama zwykle razem przyjeżdżali do szkoły z Kiward Station. Gdyby Paul o coś się zezłościł i wcześniej pojechał do domu, Marama wiedziałaby o tym.

– Już pojechał, panno Helen. Jest na tropie jakiejś tajemnicy – zdradziła Marama wdzięcznym głosikiem. Dziewczynka pięknie śpiewała, a jej współplemieńcy doceniali jej talent.

Helen westchnęła. Niedawno przeczytali kilka książek, których akcja dotyczyła piratów, poszukiwania skarbów, tajemniczych krain czy ogrodów, i teraz wszystkie dziewczynki szukały zaczarowanych ogrodów różanych, a chłopcy z zapałem rysowali mapy ze skarbami. Ruben i Fleur też to robili w ich wieku, ale w wypadku Paula zawsze istniała obawa, że jego zabawy wcale nie okażą się nieszkodliwe. Na przykład niedawno ogromnie rozzłościł Fleurette, uprowadzając jej ukochaną klacz Minette, córkę małej Minty i Madoca, i chowając ją w ogrodzie różanym Kiward Station. Od śmierci Lucasa nikt o niego nie dbał i nikomu też nie przyszło do głowy, żeby szukać tam konia, zwłaszcza że Minette zginęła z zagrody O'Keefe'ów, a nie z własnej stajni. Helen umierała ze strachu na myśl o tym, że Gerald Warden obciąży jej męża odpowiedzialnością za utratę kosztownego wierzchowca. W końcu Minette sama zwróciła na siebie uwagę, głośno rżąc i galopując po zapuszczonym ogrodzie. Ale zrobiła to dopiero po kilku godzinach objadania się wybujałymi chwastami i w tym czasie zrozpaczona Fleurette wyobrażała sobie, że jej klacz zgubiła się w górach albo została porwana przez złodziei.

A skoro mowa o złodziejach... Kradzieże zwierząt niepokoiły farmerów na Canterbury Plains już od kilku lat. Jeszcze przed dekadą Nowozelandczycy chwalili się, że w przeciwieństwie do Australijczyków nie są potomkami skazańców, lecz tworzą społeczeństwo szanujących prawo osadników. Ale teraz i tutaj pojawił się element kryminalny. Co w gruncie rzeczy nikogo nie powinno dziwić. Ogromne stada należące do takich farm jak Kiward Station i wciąż powiększające się majątki ich właścicieli mogły wzbudzać pożądanie. Zwłaszcza że nowym przybyszom coraz trudniej było czegokolwiek się dorobić. Wykształciły się pewne podziały społeczne, ziemi nie można już było kupić za bezcen czy niemal za bezcen, a łowiska fok i wielorybów zostały wyczerpane. Wciąż jednak się zdarzało, że ktoś odkrył dużą ilość złota. Nadal więc było możliwe, żeby człowiek startujący od zera został bogaczem, tyle że raczej nie na Canterbury Plains. Ale to właśnie przedgórze Alp i stada należące do tak zwanych owczych baronów stały się ostatnio polem działania brutalnych złodziei owiec. A wszystko zaczęło się od człowieka, którego znali zarówno Helen, jak i Wardenowie. Od Jamesa McKenziego.

Helen z początku nie chciała wierzyć, gdy Howard wrócił z pubu, przeklinając i wymieniając nazwisko byłego brygadzisty Geralda.

– Licho tam wie, dlaczego Warden wyrzucił go za drzwi, ale teraz wszyscy za to płacimy. Robotnicy mówią o nim, jakby był jakimś bohaterem.

Twierdzą, że kradnie tylko najlepsze zwierzęta, i to tylko najbogatszym hodowcom. Owiec małych farmerów nie tyka. Co za bzdury! Niby jak je odróżnia? I oni się jeszcze z tego cieszą. Wcale się nie zdziwię, jak zaraz zgromadzi się wokół niego cała banda złodziei!

„Zupełnie jak Robin Hood" – pomyślała Helen, ale zaraz zrugała się za romantyczne uniesienie. Za wytwór czystej fantazji uznała również zachwyt, jaki złodziej owiec miał rzekomo wzbudzać wśród prostych ludzi.

– Niby jak jeden człowiek miałby tego dokonać – zwróciła uwagę Gwyneirze. – Spędzić owce, wybrać odpowiednie, zabrać je, przeprowadzić przez góry... Przecież do tego potrzeba całej grupy ludzi.

– Albo takiego psa jak Cleo – odparła Gwyneira nieswoim głosem, myśląc o szczeniaku, którego podarowała Jamesowi na pożegnanie. McKenzie był utalentowanym trenerem psów. Dziś umiejętności Piętaszka z pewnością nie ustępują umiejętnościom jego matki, więcej nawet, pod względem sprawności raczej ją przewyższa. Cleo bardzo się postarzała i prawie całkiem straciła słuch. Wciąż niczym cień chodziła za Gwyn, ale nie nadawała się już do pracy.

Nie trzeba było długo czekać, żeby hymny pochwalne na cześć Jamesa McKenziego zaczęły wspominać o jego genialnym owczarku. Gdy Gwyn po raz pierwszy usłyszała imię Piętaszek, nie miała już żadnych wątpliwości.

Na szczęście Gerald ani słowem nie wspomniał o pasterskich umiejętnościach Jamesa i o szczeniaku, którego brak musiał przecież wtedy zauważyć. Ale tego nieszczęsnego roku i on, i Gwyneira mieli na głowie inne sprawy. Prawdopodobnie „owczy baron" zapomniał o tamtym szczeniaku. Teraz jednak rok w rok tracił przez McKenziego kilka sztuk owiec, podobnie jak Howard, Beasleyowie i wszyscy pozostali więksi hodowcy. Helen chętnie dowiedziałaby się, co Gwyneira o tym myśli, ale jej przyjaciółka starała się unikać tego tematu jak ognia.

Helen miała dosyć bezsensownego poszukiwania Paula. Zacznie lekcje bez niego. Wciąż istniało spore prawdopodobieństwo, że i tak pojawi się w czasie zajęć. Paul szanował Helen, była chyba jedyną osobą, której w ogóle słuchał. Czasem myślała nawet, że powodem jego ciągłych ataków wobec Rubena, Fleurette i Tongi jest po prostu zazdrość. Bystry syn wodza był jednym z jej ulubionych uczniów, a Rubena i Fleurette zawsze traktowała w szczególny sposób. Paul natomiast nie był głupi, ale też nie wyróżniał się w nauce. Wolał odgrywać rolę klasowego błazna, utrudniając w ten sposób życie i sobie, i Helen.

Tego dnia jednak nie było szansy, żeby Paul pojawił się jeszcze w szkole. Był zbyt daleko. Gdy zauważył wymianę porozumiewawczych spojrzeń między Rubenem a Fleur, postanowił dowiedzieć się, o co chodzi. Gdy tylko odjechali, ruszył w ślad za nimi. Wiedział, że tajemnice dotyczą zwykle czegoś zakazanego, dla Paula zaś nie było nic bardziej kuszącego niż możliwość przyłapania Fleur na jakimś przewinieniu. Nie miał wówczas żadnych zahamowań, żeby o tym rozpowiadać, nawet jeśli skutki takiego zachowania rzadko go zadowalały. Kiri prawie nigdy nie karała dzieci, a i matka Paula była bardzo łagodna, gdy przyłapywała Fleur na drobnych kłamstwach albo gdy w trakcie zabawy potłukła wazon czy szklankę. Paulowi rzadko się to zdarzało. Z natury był zręczny, poza tym w zasadzie wychował się wśród Maorysów. Zwinnego chodu myśliwego i umiejętności bezszelestnego podkradania się do ofiary nauczył się więc równie dobrze jak jego rywal Tonga. Maoryscy mężczyźni traktowali małego *pakeha* tak samo jak własne dzieci. Uważali, że skoro są dzieci, to trzeba się nimi zająć, a do obowiązków myśliwych należało wprowadzanie chłopców w tajniki rzemiosła, tak jak kobiety uczyły dziewczynki różnych umiejętności. Paul zawsze należał do najzdolniejszych uczniów, a teraz zdobyte umiejętności pozwalały mu niepostrzeżenie posuwać się w ślad za Fleurette i Rubenem. Szkoda tylko, że prawdopodobnie chodzi tutaj o jakąś tajemnicę młodego O'Keefe'a, nie zaś o wpadkę jego siostry. Radość z kary, jaką wyznaczy Rubenowi panna Helen, z pewnością nie wynagrodzi mu kazania, którego będzie musiał wysłuchać za bycie skarżypytą. Lepszy skutek osiągnąłby, skarżąc na chłopaka jego ojcu, ale Paul nie miał odwagi zbliżyć się do Howarda O'Keefe'a. Wiedział, że mąż Helen i jego dziadek bardzo się nie lubią, i przecież nie mógł pomagać wrogowi Geralda, to byłoby niehonorowe! Paul miał nadzieję, że jego dziadek to doceni. Wciąż próbował zaimponować Geraldowi, ale stary Warden zwykle nawet go nie zauważał. Paul nie miał mu tego za złe. Jego dziadek miał ważniejsze sprawy na głowie niż zabawy z wnukiem. Na farmie Kiward Station Gerald Warden był niemal jak bóg. Ale kiedyś Paul zrobi coś wielkiego i wtedy Gerald zwróci na niego uwagę! Chłopiec najbardziej na świecie pragnął pochwały ze strony dziadka.

Ale co Ruben i Fleurette starają się ukryć? Paul nabrał podejrzeń już z tego powodu, że Ruben nie wziął swojego konia, tylko usiadł przed Fleur na Minette. W ogóle co to za sposób jazdy na koniu! Minette nie miała na sobie siodła, żeby oboje mogli się na niej zmieścić. Ruben siedział z przodu i trzymał wodze, a Fleurette usiadła za nim i przytuliła się do niego, nawet policzek trzymała przyciśnięty do jego pleców, i zamknęła oczy. Jej kręcone złocistorude włosy opadały swobodnie na plecy, Paul zaś przypomniał sobie, że jeden z poganiaczy powiedział, że ta mała wygląda bardzo apetycznie. To pewnie znaczyło, że ten mężczyzna chętnie by z nią poobcował. Choć Paul na razie nie orientował się zbyt dokładnie, co to znaczyło, jedno było jednak pewne. Fleur była ostatnią osobą, o której mógłby myśleć w ten sposób. W ogóle nie myślał o niej w kategoriach piękna. Dlaczego ona tak przytula się do Rubena? Boi się, że spadnie? To mało prawdopodobne, jest przecież świetnym jeźdźcem.

Nie można było inaczej. Paul musiał jakoś zbliżyć się i usłyszeć, o czym oboje szepcą. Szkoda, że jego Minty robi takie drobne i szybkie kroczki! Nie dało się jej chodu utrzymać w tym samym rytmie, co Minette, żeby nie zwracać na siebie uwagi. Ale Fleurette i Ruben niczego się nie spodziewali. Musieli przecież słyszeć uderzenia kopyt, ale zupełnie nie zwracali na to uwagi. Tylko Gracie, suka Fleur, która zawsze towarzyszyła swojej pani, tak jak Cleo Gwyneirze, rzucała podejrzliwe spojrzenia na zarośla z boku. Ale Paul wiedział, że nie zacznie szczekać, bo przecież doskonale go znała.

– Myślisz, że znajdziemy te zbłąkane owce? – zapytał Ruben. Jego głos brzmiał nerwowo, jakby z przestrachem.

Fleurette z wyraźną niechęcią oderwała policzek od jego pleców.

– Oczywiście, że tak – wymruczała. – Nie martw się. Gracie spędzi je w mgnieniu oka. A my… My będziemy nawet mieli czas na małą przerwę.

Paul ze zdumieniem spostrzegł, że jej ręce błądzą po jego koszuli, a palce wślizgują się pod guziki, by dotknąć jego nagiego ciała.

Chłopakowi najwyraźniej to nie przeszkadzało. Nawet sięgnął ręką do tyłu i pogłaskał Fleur po szyi.

– No nie wiem… Te owce… Ojciec mnie zabije, jeśli nie przyprowadzę ich z powrotem.

„A więc o to chodzi. Rubenowi znowu uciekły owce". Paul od razu wiedział które. Już wczoraj w drodze do szkoły zauważył, że byle jak załatano płot okólnika, w którym trzymano młode tryki.

– Doprowadziłeś już chociaż ten płot do porządku? – zapytała Fleur. Dojechali do strumienia i mijali właśnie wyjątkowo uroczy, porośnięty trawą fragment brzegu, który był otoczony skałami i palmami nikau. Drobne, opalone dłonie Fleurette oderwały się od klatki piersiowej Rubena i zręcznie chwyciły wodze. Zatrzymała Minette, zsunęła się z jej grzbietu i rzuciła na ziemię, rozciągając się w prowokacyjnej pozie. Ruben przywiązał klacz do drzewa i położył się obok niej.

– Przywiąż ją porządnie, bo znowu zginie – poleciła Fleur. Oczy miała na wpół przymknięte, ale i tak zauważyła, że Ruben zrobił byle jaki węzeł. Fleur kochała swojego przyjaciela, ale jego dwie lewe ręce doprowadzały ją do takiej samej rozpaczy, jak kiedyś Gwyneirę niezręczność mężczyzny, którego jej córka uważała za swojego ojca. Ale Ruben w przeciwieństwie do Lucasa nie wykazywał żadnych artystycznych talentów. Pragnął udać się do Dunedin i studiować prawo na powstającym tam uniwersytecie. Helen była gotowa go wspierać, ale Howardowi swoich planów na razie jeszcze nie przedstawił.

Teraz niezbyt chętnie wstał i zajął się koniem. Ale nie miał Fleur za złe jej zdecydowanego tonu. Doskonale znał swoje słabe strony i bezgranicznie podziwiał zaradność życiową Fleurette.

– Jutro zajmę się tym płotem – wymamrotał teraz, co ukryty za skałami Paul bezgłośnie skomentował, kręcąc głową. Jeśli Ruben wsadzi tryki za zepsute ogrodzenie, to do jutra znowu uciekną.

Fleurette pomyślała mniej więcej to samo.

– Mogę ci pomóc – zaproponowała, a potem oboje długo milczeli. Paul irytował się, że nic nie widzi i w końcu zakradł się za skałami w takie miejsce, skąd miał lepszy widok. To co zobaczył, zaparło mu dech w piersiach. Pocałunki i pieszczoty, jakimi Ruben i Fleur obdarzali się nawzajem w cieniu drzew, jak najbardziej odpowiadały wyobrażeniom Paula o obcowaniu mężczyzny z kobietą! Fleur leżała na trawie, jej włosy rozpostarły się niczym złocista pajęczyna, a twarz wyrażała całkowite zatracenie. Ruben rozpiął jej bluzkę, gładził i całował piersi, którym Paul z zainteresowaniem się przyglądał. Swojej siostry nie widział nago od co najmniej pięciu lat. Ruben też wyglądał na szczęśliwego, wyraźnie się nie śpieszył i wcale nie poruszał ciałem gorączkowo w tę i z powrotem, jak Maorys, którego Paul widział kiedyś z daleka z kobietą. Ruben nawet nie leżał na Fleur, tylko obok niej, tak naprawdę więc jeszcze ze sobą nie obcowali. Ale Paul i tak był pewien, że to wszystko niezwykle zainteresuje Geralda Wardena.

Fleurette objęła Rubena ramionami i gładziła jego plecy. W końcu wsunęła palce za pasek jego spodni i zaczęła go tam pieścić. Ruben stęknął z rozkoszy i położył się na niej.

„A więc jednak…".

– Nie, najdroższy, przestań… – Fleurette delikatnie zsunęła go z siebie. Nie wyglądała na przestraszoną, tylko na zdecydowaną. – Coś jednak powinniśmy zostawić sobie na noc poślubną… – Otworzyła oczy i uśmiechnęła się do Rubena. Chłopak odwzajemnił uśmiech. Był przystojnym młodym mężczyzną, który odziedziczył po ojcu głównie raczej surowe, ale bardzo męskie rysy twarzy oraz ciemne kręcone włosy. Poza tym bardziej przypominał Helen. Jego twarz była szczuplejsza niż twarz Howarda, oczy zaś były szare i rozmarzone. Prócz tego był wyższy od ojca i raczej szczupły i żylasty niż przysadzisty. Jego łagodne spojrzenie przepełniało pożądanie, lecz był to raczej przedsmak radości niż czysta pożądliwość. Fleurette westchnęła ze szczęścia. Czuła, że jest kochana.

– O ile ta noc kiedyś nadejdzie… – stwierdził w końcu zmartwionym tonem Ruben. – Nie sądzę, żeby mój ojciec i twój dziadek byli zachwyceni naszymi planami.

Fleurette wzruszyła ramionami.

– Ale nasze matki nie będą miały nic przeciwko temu – powiedziała z nutą optymizmu. – Oni więc będą się musieli dostosować. Zresztą co oni mają przeciwko sobie? Co to za spór, który trwa już tyle lat? To przecież chore!

Ruben skinął głową. On miał zrównoważony charakter, ale Fleurette często wpadała w gniew. Mógł sobie z łatwością wyobrazić, że mogłaby żywić do kogoś wrogość przez całe życie. Wręcz widział ją z płomienistym mieczem w dłoni! Uśmiechnął się, ale zaraz spoważniał.

– Znam już tę historię! – zdradził w końcu swojej przyjaciółce. – Wujek George wyciągnął ją w Haldon od tego gadatliwego bankiera i opowiedział mojej mamie. Chcesz ją usłyszeć? – zapytał, bawiąc się jednym ze złotorudych loków.

Paul nadstawił uszu. Coraz lepiej! Wygląda na to, że tego dnia nie tylko poznał tajemnicę Fleur i Rubena, ale dowie się także smakowitych szczegółów z historii rodziny!

– Żartujesz sobie? – zapytała Fleurette. – Płonę z ciekawości! Dlaczego mi jej jeszcze nie opowiedziałeś?

Ruben wzruszył ramionami.

– Jakoś zawsze mieliśmy coś innego do zrobienia… – stwierdził szelmowsko i pocałował ją.

Paul westchnął. Niech się już nie ociągają! Musiał niedługo wyruszyć, jeśli chciał w miarę punktualnie wrócić do domu. Kiri i matka zaczną zadawać pytania, jeśli Marama sama wróci ze szkoły, a wtedy na pewno się dowiedzą, że był na wagarach!

Ale i Fleur bardziej interesowała opowieść niż kolejne pieszczoty. Delikatnie odsunęła od siebie Rubena i usiadła. Przytuliła się do niego, gdy opowiadał, ale jednocześnie zapinała guziki bluzki. Prawdopodobnie i ona zauważyła, że pora zacząć już szukać zaginionych owiec.

– A więc tak. Mój ojciec i twój dziadek przybyli tutaj już w latach czterdziestych. Wtedy nie było jeszcze osadników, tylko sami wielorybnicy i myśliwi polujący na foki. Wówczas jednak można było jeszcze na tym zarobić, poza tym obaj świetnie grali w oczko i w pokera. W każdym razie na Canterbury Plains przyjechali ze sporym majątkiem w kieszeni. Mój ojciec tylko tędy przejeżdżał, chciał dostać się do Otago, bo usłyszał coś o tamtejszym złocie. Ale Warden myślał o założeniu owczej farmy i próbował przekonać mojego ojca, żeby też zainwestował swoje pieniądze w hodowlę. I w ziemię. Gerald od razu umiał dogadać się z Maorysami. I od razu zaczął z nimi kombinować. A Kai Tahu nie mieli nic przeciwko temu, już wcześniej sprzedawali ziemię i dobrze im się układało z nabywcami.

– No i? – wtrąciła Fleur. – Kupili ziemię i…

– Nie tak prędko. Negocjacje się przeciągały, Howard nie mógł się zdecydować, a przez cały ten czas obaj mieszkali właśnie u tych osadników, u Butlerów. I Leonard Butler miał córkę, Barbarę.

– To była przecież moja babcia! – Fleur była coraz bardziej zaintrygowana opowieścią Rubena.

– Tak jest. Ale tak właściwie to powinna być moją matką – wyjaśnił jej Ruben. – W każdym razie mój ojciec zakochał się w Barbarze, i to z wzajemnością. Ale jej ojciec nie był nim zachwycony, w każdym razie Howard uznał, że potrzebuje jeszcze więcej pieniędzy, żeby mu zaimponować…

– Wyruszył więc do Otago, znalazł złoto, a tymczasem Barbara wyszła za Geralda? Och, jakie to smutne, Rubenie! – Fleur rozczulił domniemany romantyzm jego opowieści.

– Nie całkiem – Ruben potrząsnął głową. – Howard chciał zarobić tu i teraz. Zdecydował się na grę w karty…

– I przegrał? Gerald wygrał wszystkie pieniądze?

– Fleurette, pozwól mi skończyć! – stwierdził Ruben ostrym tonem i poczekał, aż Fleur przepraszająco skinie głową. Najwyraźniej nie mogła się doczekać, żeby usłyszeć zakończenie tej historii.

– Howard wcześniej zgodził się zostać wspólnikiem hodowli Geralda i nawet wybrali nazwę dla farmy. Kiward Station, od nazwisk O'Keefe i Warden. Ale potem mój ojciec przegrał nie tylko swoje pieniądze, ale też to, co Gerald mu dał, żeby zapłacić Maorysom za ziemię!

– Och, nie! – zawołała Fleur, która nagle zrozumiała wściekłość Geralda. – Mój dziadek pewnie chciał go zabić!

– Z całą pewnością doszło do gorszących scen – wyjaśnił jej Ruben. – W końcu pan Butler pożyczył Geraldowi trochę pieniędzy, przede wszystkim po to, żeby nie urazić Maorysów, którym obiecano zapłatę za ziemię. Gerald nabył część okolicy, która dzisiaj wchodzi w skład Kiward Station, a Howard nie chciał zostać w tyle. Wciąż miał nadzieję, że ożeni się z Barbarą. W każdym razie ostatnie grosze wydał na kawałek górzystej ziemi i kilka na wpół zagłodzonych owiec. Czyli na naszą farmę. A Barbarę już dawno obiecano Geraldowi. Pożyczone pieniądze miały stanowić jej posag. Później odziedziczyła oczywiście całą ziemię starego Butlera. Nic dziwnego, że Gerald błyskawicznie stał się „owczym baronem".

– I że Howard go nienawidzi! – dodała Fleur. – Och, co za okropna historia. I ta biedna Barbara! Czy ona w ogóle kochała Geralda?

Ruben wzruszył ramionami.

– Wujek George nic na ten temat nie wspomniał. Ale skoro chciała wyjść za mojego ojca… To chyba raczej nie była zakochana w Geraldzie Wardenie.

– O co Gerald pewnie obwiniał Howarda. A może miał mu za złe, że musi ożenić się z Barbarą? Nie, to byłoby zbyt okropne! – Fleur aż zbladła z przejęcia. Zawsze bardzo przeżywała zasłyszane historie.

– W każdym razie taka jest tajemnica Kiward Station i O'Keefe Station – zakończył Ruben swoją opowieść. – I po takiej historii staniemy niedługo przed moim ojcem i twoim dziadkiem i powiemy im, że chcemy się pobrać. Mamy świetne perspektywy, nie uważasz? – roześmiał się gorzko.

„Jeszcze gorsze perspektywy będziecie mieli, jak Gerald wcześniej się o tym dowie" – pomyślał Paul złośliwie. Dzisiejsza wycieczka w przedgórze Alp zdecydowanie się opłaciła! Ale teraz musi zręcznie się wycofać. Bezszelestnie powrócił do swojego konia.

2

Paul dotarł do farmy O'Keefe'ów tuż przed zakończeniem lekcji, ale oczywiście nie odważył się pokazać Helen, tylko zaczekał na najbliższym rozstaju na inne dzieci z Kiward Station. Marama ucieszyła się na jego widok, uśmiechnęła i bez zadawania jakichkolwiek pytań wsiadła za nim na kucyka.

Tonga przyglądał się temu z zaciętą miną. Irytowało go to, że Paul miał własnego konia, a on musiał pokonywać daleką drogę do szkoły piechotą albo mieszkać w czasie roku szkolnego w gościnie u innego plemienia. Z reguły wolał to pierwsze rozwiązanie, bo lubił trzymać rękę na pulsie i nie chciał nawet na chwilę tracić z oczu swojego największego wroga. Ale najbardziej bolała go sympatia, jaką Paulowi okazywała Marama. Odbierał jej przyjazny do niego stosunek jako zdradę. Poglądu tego nie podzielał jednak nikt z dorosłych w jego plemieniu. Dla Maorysów Paul był mlecznym bratem Maramy, którego wręcz powinna kochać. Nie traktowali *pakeha* jako wrogów, a zwłaszcza ich dzieci. Ale Tonga patrzył na sprawę inaczej. Ostatnio zaczął pożądać wielu rzeczy, które posiadali Paul i inni biali. On też chciałby mieć konie, książki i kolorowe zabawki i mieszkać w takim domu, jak dwór w Kiward Station. Jego rodzina i jego plemię, w tym Marama, zupełnie tego nie rozumieli, ale Tonga czuł się po prostu oszukany.

– Powiem pannie Helen, że byłeś na wagarach! – krzyknął za nimi, gdy Paul oddalał się kłusem. Ale chłopak tylko się roześmiał. Tonga zazgrzytał zębami ze złości. Rzeczywiście nie pójdzie ze skargą. Nie wypadało, żeby syn wodza zachowywał się jak donosiciel. Niewielka kara, jaką zapewne otrzymałby Paul, nie była warta takiego poniżenia.

– Gdzie byłeś? – zapytała Marama swoim śpiewnym głosem, gdy oddalili się od Tongi na wystarczającą odległość. – Pani Helen cię szukała.

– Odkrywałem tajemnice! – odparł Paul z powagą. – Nie uwierzysz, co odkryłem!

– Znalazłeś skarb? – zapytała Marama łagodnym tonem. Powiedziała to tak, jakby nie miało to dla niej większego znaczenia. Jak pozostałych Maorysów, niewiele obchodziły ją rzeczy, które *pakeha* uważali za wartościowe. Gdyby ktoś zaoferował Maramie grudkę złota lub jadeit, prawdopodobnie wybrałaby zielony kamyk.

– Nie, przecież mówię, że odkryłem tajemnicę! Chodzi o Rubena i Fleur. Oni to ze sobą robią! – Paul zamilkł, oczekując reakcji Maramy. Ale ona zachowała spokój.

– Ach, to. Ale ja wiem, że oni się kochają! Wszyscy to wiedzą! – stwierdziła swobodnym tonem. Prawdopodobnie uznała za oczywiste, że zakochanych łączy również fizyczna bliskość. Wśród maoryskich plemion panowała spora swoboda obyczajowa. Jeśli jakaś para kochała się na uboczu, nikt nie zwracał na to uwagi. Dopiero gdy kobieta i mężczyzna robili sobie wspólne posłanie w domu służącym wszystkim członkom plemienia za sypialnię, zaczynano uważać ich za małżeństwo. Odbywało się to bez żadnych fajerwerków i zwykle bez większego zaangażowania ze strony rodziców. Nie urządzano też raczej żadnych uroczystości weselnych.

– Ale oni nie mogą się ożenić! – zatryumfował Paul. – Bo mój dziadek i ojciec Rubena od dawna się nienawidzą.

Marama się roześmiała się.

– Ale przecież to nie pan Gerald ma się żenić z panem Howardem, tylko Ruben z Fleur!

Paul głośno wciągnął powietrze.

– Nic nie rozumiesz! Tu chodzi o honor rodziny! Fleur zdradza swoich przodków...

Marama zmarszczyła brwi.

– Co do tego mają przodkowie? Oni przecież czuwają nad nami i chcą dla nas jak najlepiej. Nie można ich zdradzić. Tak mi się przynajmniej wydaje. W każdym razie jeszcze nigdy nie słyszałam o czymś takim. Poza tym na razie nikt nie mówił o ślubie.

– Na razie! – stwierdził zjadliwie Paul. – Ale jak tylko opowiem dziadkowi o Rubenie i Fleur, to się zacznie mówić! Możesz mi wierzyć!

Marama westchnęła. Miała nadzieję, że nie będzie jej wtedy w wielkim domu, bo wciąż się bała, gdy pan Gerald się gniewał. Lubiła panienkę

Gwyn, i Fleur właściwie też. Nie rozumiała, co Paul ma przeciwko niej. Ale pan Gerald... Marama postanowiła, że od razu uda się do swojej osady i tam pomoże przy gotowaniu, zamiast pomagać matce w Kiward Station. Może uda jej się przynajmniej ułagodzić Tongę. Patrzył na nią z taką złością, gdy wsiadała na konia Paula. A Marama nie znosiła, gdy ktoś był na nią zły.

Gwyneira czekała na syna w westybulu, który tymczasem przekształciła w rodzaj biura. W końcu prawie żaden gość nie zostawiał tutaj swojej wizytówki, by następnie czekać, aż gospodarze zostaną powiadomieni o jego obecności. Pokój można więc było wykorzystać inaczej. Nie bała się także reakcji teścia na swój pomysł. Gerald dawał jej wolną rękę co do niemal wszystkich decyzji dotyczących domu i nie sprzeciwiał się także wtedy, gdy mieszała się do spraw farmy. Właściwie doskonale im się współpracowało. I Gerald, i Gwyneira byli urodzonymi farmerami i hodowcami, a gdy kilka lat temu Gerald kupił trochę krów, wyklarował się wyraźny podział obowiązków. On zajmował się bydłem, a Gwyneira hodowlą owiec i koni. Mimo że Gerald był często zbyt pijany, żeby móc szybko podejmować decyzje w skomplikowanych sprawach, nie wspominano o tym ani słowem. Po prostu pracownicy farmy zwracali się do Gwyn, jeśli uważali, że w danym momencie rozmowa z właścicielem posiadłości nie byłaby wskazana, i zawsze uzyskiwali od niej jasne odpowiedzi. Ogólnie Gwyneira pogodziła się ze swoim losem, a przede wszystkim z Geraldem. Szczególnie odkąd znała historię o nim i o Howardzie, nie potrafiła już nienawidzić go tak zaciekle, jak przez pierwsze kilka lat po narodzinach Paula. Od dawna domyślała się, że nigdy nie kochał Barbary Butler. Jej ambicje, jej wyobrażenia o życiu w wielkopańskim dworze czy wychowywanie syna na dżentelmena mogły go zafascynować, ale ostatecznie raczej go zraziły. Gerald nie miał arystokratycznej natury, był karciarzem, rębajłą i poszukiwaczem przygód, przede wszystkim zaś zdolnym farmerem i człowiekiem interesu. Nigdy nie był i nigdy nie pragnął być taktownym „dżentelmenem", z którym Barbara zawarła małżeństwo z rozsądku po tym, jak musiała zrezygnować ze swojej prawdziwej miłości. Gdy spotkał Gwyneirę, musiał uświadomić sobie, jakiej kobiety tak naprawdę pragnął. I bez wątpienia do szewskiej pasji doprowadzała go nieporadność Lucasa w stosunkach z małżonką. Gwyneira była niemal pewna, że Gerald musiał odczuwać wobec niej jakiś rodzaj miłości, gdy zabierał ją do Kiward Station, i że tamtej straszliwej grudniowej nocy nie tylko wyładował swoją złość na nieporadność Lucasa, ale także sprzeciw wobec tego, że od lat dla kobiety, której pożąda, jest niczym więcej jak „ojcem".

Z czasem Gwyn doszła również do wniosku, że Gerald żałuje swojego uczynku, nawet jeśli słowo „przepraszam" nie mogło przejść mu przez usta. Nieumiarkowanie w piciu oraz rezerwa i pobłażliwość w stosunku do niej, a także do Paula, mówiły same za siebie.

Teraz uniosła głowę znad dokumentów dotyczących hodowli owiec i spojrzała na syna, który wpadł do pokoju.

– Halo, Paul! Dokąd się tak śpieszysz? – zapytała z uśmiechem. Ale jak zwykle nie potrafiła poczuć prawdziwej i szczerej radości z jego powrotu do domu. Zawarcie pokoju z Geraldem to jedna sprawa, ale sprawa z Paulem to zupełnie coś innego. Po prostu nie potrafiła go pokochać. Nie potrafiła kochać go tak naturalnie i bezwarunkowo, jak kochała Fleur. Jeśli chciała poczuć coś do Paula, musiała włączać swój umysł. Dobrze wyglądał z tymi swoimi niesfornymi brązowymi włosami o kasztanowym połysku. Po Gwyneirze odziedziczył ich kolor, ale nie strukturę. Zamiast kręconych loków miał gęstą czuprynę. Gerald do dziś wyróżniał się gęstymi włosami. Twarz Paula przypominała Lucasa, ale jego rysy były mniej miękkie, bardziej zdecydowane, a spojrzenie brązowych oczu było bezpośrednie i często ostre, a nie miękkie i rozmarzone. Był bystry, ale wykazywał talenty matematyczne, a nie artystyczne. Z pewnością będzie z niego dobry kupiec. I był bardzo zręczny. Gerald nie mógł wymarzyć sobie lepszego dziedzica dla swojej farmy. Ale Gwyneira zauważyła, że chłopiec nie ma wyczucia do zwierząt, a także do pracowników Kiward Station. Takie spostrzeżenia prędko jednak wyrzucała z głowy. Chciała dostrzegać w Paulu tylko to, co dobre, pragnęła go kochać, kiedy jednak na niego patrzyła, odczuwała to samo, co gdy patrzyła na przykład na Tongę. Miły chłopiec, bystry i z pewnością nadający się do swoich przyszłych zadań. To nie była ta głęboka i porywająca miłość, jaką odczuwała wobec Fleur.

Miała tylko nadzieję, że Paul tego nie zauważy, i zawsze starała się być wobec niego miła i cierpliwa. Teraz też chętnie wybaczyła mu, że zamierzał minąć ją bez powitania.

– Paul, czy coś się stało? – zapytała z troską. – Pokłóciłeś się z kimś w szkole? – Gwyn wiedziała, że Helen ma trudności z Paulem, wiedziała także o jego ciągłych utarczkach z Rubenem i Tongą.

– Nie, nic się nie stało, mamo. Muszę porozmawiać z dziadkiem. Gdzie on jest? – Paul nie zawracał sobie głowy uprzejmościami.

Gwyn spojrzała na wielki stojący zegar, który zajmował prawie całą ścianę westybulu. Do kolacji została godzina. Gerald z pewnością częstuje się już aperitifem.

– Tam, gdzie zwykle jest o tej porze – stwierdziła. – W salonie. A ty doskonale wiesz, że o tej porze lepiej się do niego z niczym nie zwracać. A szczególnie gdy ktoś jest taki brudny i nieuczesany jak ty. Lepiej posłuchaj mojej rady i najpierw idź do swojego pokoju i przebierz się, zanim pokażesz mu się na oczy.

Gerald od dawna nie traktował już obowiązku przebierania się do kolacji zbyt poważnie, a Gwyneira zmieniała suknię tylko wtedy, gdy wracała ze stajni. Tego dnia miała zamiar wystąpić na kolacji w tej samej popołudniowej sukni, którą nosiła przez cały dzień. Ale wobec dzieci Gerald potrafił być surowy. Ściślej mówiąc, o tej porze dnia tylko szukał powodu, żeby móc kogoś zbesztać. Godzina przed wspólną kolacją była pod tym względem najbardziej niebezpieczna. Kiedy podawano kolację, poziom upojenia alkoholowego Geralda był już tak wysoki, że nie był w stanie nawet porządnie się rozgniewać.

Paul się zastanowił. Gdyby od razu poszedł do Geralda z nowiną, ten z pewnością wybuchnie gniewem, ale nieobecność „winnej" popsuje cały efekt. Zdecydowanie lepiej było naskarżyć dziadkowi na Fleur w jej obecności, wtedy Paul miał szanse być świadkiem nieuchronnej sprzeczki. Poza tym matka miała rację. Jeśli Gerald rzeczywiście jest w złym humorze, to może nawet nie pozwoli mu dojść do słowa, tylko to na nim wyładuje swoją złość.

Chłopiec zdecydował więc, że rzeczywiście lepiej zrobi, jeśli najpierw pójdzie do swojego pokoju. Na kolacji zjawi się porządnie ubrany, a Fleur z pewnością się spóźni, a do tego wpadnie do jadalni w stroju do jazdy konnej. Wtedy on pozwoli jej tylko wydukać jakieś przeprosiny i wyskoczy ze swoją bombową nowiną! Zadowolony z siebie Paul wszedł po schodach. Mieszkał w pokoju po swoim ojcu, który był teraz zawalony nie przyborami malarskimi i książkami, lecz zabawkami i sprzętem wędkarskim. Chłopiec starannie przygotował się do kolacji. Nie mógł się jej doczekać.

Fleurette nie składała obietnic bez pokrycia. Jej suka Gracie rzeczywiście w mgnieniu oka zebrała zaginione owce, gdy tylko znaleźli je z Rubenem. A nie było to trudne, ponieważ młode tryki ruszyły w stronę gór, na pastwiska maciorek matek. Otoczone z jednej strony przez Gracie, a z drugiej przez Minette, bez oporu zawróciły jednak w kierunku farmy. Gracie nie znała się na żartach i natychmiast zapędzała każdego brykającego tryka z powrotem do stada. A było ono niewielkie i łatwe do nadzorowania. Dzięki temu Fleurette mogła zamknąć bramkę okólnika z trykami na długo przed zapadnięciem ciemności, a przede wszystkim na długo przed powrotem Howarda z folwarku, gdzie zajmował się resztką swoich krów. Powinien je już dawno sprzedać, ale wbrew radom George'a Greenwooda upierał się przy hodowli bydła jako drugiej gałęzi działalności farmy. Ale farma O'Keefe Station nie dysponowała odpowiednimi pastwiskami dla bydła, można na niej było hodować tylko owce albo kozy.

Fleurette sprawdziła położenie słońca. Nie było jeszcze późno, ale gdyby pomogła Rubenowi przy naprawie płotu, tak jak obiecała, nie dojechałaby na kolację bez spóźnienia. Co miało też swoje dobre strony. Dziadek zwykle zaraz po posiłku udawał się z ostatnią szklaneczką whisky do swoich pokoi, a mama i Kiri na pewno zostawiłyby dla niej coś do jedzenia. Ale Fleur nie lubiła, gdy z jej powodu służba musiała wykonywać jakąkolwiek dodatkową pracę. Poza tym nie miała ochoty spotkać Howarda, a już najgorzej by było, gdyby wróciła do domu w samym środku kolacji. Z drugiej strony nie mogła zostawić Rubena samego z płotem. Wtedy kolejnego dnia tryki z pewnością znowu wydostałyby się na wolność i powędrowały w góry.

Fleurette z ulgą przyjęła pojawienie się matki Rubena. Helen przyjechała na swoim grzecznym mule, przewidująco obładowawszy go najpierw narzędziami i drewnem do naprawy płotu.

Helen mrugnęła do Fleur.

– Jedź spokojnie do domu, Fleur, poradzimy sobie z tym – powiedziała z sympatią. – To bardzo miło, że pomogłaś Rubenowi w sprowadzeniu owiec z powrotem. Nie zasłużyłaś sobie na to, żeby jeszcze pogniewali się na ciebie w domu. A na pewno tak będzie, jeśli się spóźnisz.

Fleurette z wdzięcznością skinęła głową.

– Jutro znowu przyjadę do szkoły, panno Helen! – odparła. Była to wymówka, której wciąż używała, żeby móc codziennie być razem z Rubenem. Fleurette skończyła już naukę. Potrafiła dobrze rachować, czytać i pisać, przeczytała najważniejsze dzieła klasyków, choć nie w oryginale, jak Ruben. Fleur uważała znajomość greki czy łaciny za coś absolutnie zbędnego. Helen nie mogła więc nauczyć jej już niczego więcej. Po śmierci Lucasa Gwyneira przekazała szkole Helen pokaźny zbiór jego książek o botanice i zoologii. Fleur przeglądała je z wielkim zainteresowaniem, podczas gdy Ruben poświęcał się swoim studiom. W przyszłym roku będzie musiał pojechać do

Dunedin, jeśli rzeczywiście chce studiować. Helen nawet nie chciała myśleć o tym, jak miałaby przekonać Howarda do planów syna. Poza tym nie mieli pieniędzy na studia i Ruben będzie musiał skorzystać z hojnej pomocy George'a Greenwooda. Przynajmniej dopóki nie wyróżni się tam na tyle, by móc uzyskać stypendium. W każdym razie studia w Dunedin oznaczały dla Fleur i Rubena rozstanie. Dla Helen ich uczucie było równie oczywiste jak dla Maramy i nawet rozmawiała już na ten temat z Gwyneirą. Właściwie obie matki nie miały nic przeciwko związkowi swoich dzieci, choć oczywiście bały się reakcji panów Wardena i O'Keefe'a. Zgodziły się, że mogą poczekać z tą sprawą jeszcze kilka lat. Ruben niedawno skończył siedemnaście lat, a Fleur nie miała jeszcze szesnastu. Helen i Gwyn jednomyślnie stwierdziły, że są jeszcze zbyt młodzi, żeby wiązać się na poważnie.

Ruben pomógł Fleurette założyć klaczy siodło, które wcześniej zdjęli, żeby móc we dwójkę jechać na jej grzbiecie. Zanim wsiadła na konia, ukradkiem ją pocałował.

– Kocham cię, do jutra – powiedział cicho.

– Tylko do jutra? – zapytała za śmiechem.

– Nie, aż po nieboskłon. Aż do gwiazd! – delikatnie pogłaskał jej dłoń, a ona uśmiechnęła się promiennie, odjeżdżając z farmy. Ruben patrzył za nią, aż ostatni błysk jej złotorudych włosów i równie barwnego ogona dereszowatej klaczy zlał się z pożogą zapadającego zmierzchu. Z zadumy wyrwał go dopiero głos Helen.

– Chodź już, Rubenie, płot sam się nie naprawi. Chyba wolisz skończyć, zanim ojciec wróci do domu?

Fleurette szybko popędziła konia i pewnie zdążyłaby punktualnie na kolację w Kiward Station. Ale w stajni nie zastała nikogo, komu mogłaby przekazać Minette do rozsiodłania, musiała więc sama się nią zająć. Gdy klacz była już rozczesana, napojona i odprowadzona do boksu pełnego siana, najprawdopodobniej podano już pierwsze danie. Fleurette westchnęła. Oczywiście mogłaby ukradkiem zakraść się do domu i w ogóle nie pokazać się na kolacji. Ale bała się, że Paul widział, jak wjeżdża na teren posiadłości. Widziała jakieś poruszenie w jego oknie, a on na pewno by ją zdradził. Postanowiła więc stawić czoła nieuniknionemu. W każdym razie dostanie coś do jedzenia. Po całym dniu spędzonym wysoko na pastwiskach bardzo zgłodniała. Postanowiła podejść do sprawy z optymizmem i z uśmiechem na ustach wkroczyła do jadalni.

– Dobry wieczór, dziadku, dobry wieczór, mamo! Odrobinkę się dzisiaj spóźniłam, bo troszkę przeliczyłam się z czasem, kiedy... kiedy...

Jakoś nie potrafiła wymyślić żadnej wymówki. A przecież nie mogła powiedzieć Geraldowi, że cały dzień spędzała owce Howarda O'Keefe'a.

– Kiedy pomagałaś swojemu ukochanemu szukać owiec? – zapytał Paul z sardonicznym uśmiechem.

Gwyneira się oburzyła.

– Paul, co ty opowiadasz? Czy zawsze musisz dokuczać swojej siostrze?

– Robiłaś to czy nie? – zapytał Paul z bezczelną miną.

Fleurette zaczerwieniła się.

– Ja...

– Z kim szukałaś owiec? – zainteresował się Gerald. Był już nieźle pijany. Może nawet nie zrobiłby Fleur żadnej strasznej sceny, ale coś w słowach Paula przyciągnęło jego uwagę.

– Z... Och, z Rubenem. Jemu i pannie Helen uciekło kilka tryków, więc...

– Jemu i jego cwaniakowatemu ojcu, chciałaś powiedzieć! – zadrwił Gerald. – Typowe dla starego Howarda! Zawsze był za głupi albo za skąpy, żeby dobrze ogrodzić zwierzęta. A ten jego wytworny synalek musi prosić dziewczynę, żeby pomogła mu spędzić owce...

Roześmiał się.

Paul zmarszczył czoło. Inaczej wyobrażał sobie przebieg tej rozmowy.

– Fleur robi to z Rubenem! – wyskoczył nagle, po czym nastąpiło kilka sekund pełnej zdumienia ciszy.

A potem najpierw zareagowała Gwyneira.

– Paul, o czym ty w ogóle mówisz! Proszę natychmiast przeprosić i...

– Chwi... chwileczkę! – Gerald przerwał jej niepewnym, ale donośnym głosem. – Co... co ten chłopak powiedział? Że ona... Że ona robi to z tym... Z chłopakiem O'Keefe'a?

Gwyneira miała nadzieję, że Fleurette po prostu zaprzeczy, ale wystarczyło na nią spojrzeć, żeby domyślić się, że w złośliwej uwadze Paula tkwi przynajmniej ziarno prawdy.

– To nie jest tak, jak myślisz, dziadku! – Fleur starała się go uspokoić. – My... Więc my... My oczywiście tego nie robimy, my po prostu...

– Nie? Co więc takiego robicie? – zagrzmiał Gerald.

– Ale ja ich widziałem, ja ich widziałem – zapiał Paul.

Gwyneira ostrym głosem nakazała mu milczenie.

– My... My się kochamy. I chcemy się pobrać – wyrzuciła z siebie Fleur. Teraz przynajmniej miała to za sobą. Nawet jeśli sytuacja nie była najbardziej odpowiednia na takie wyznania.

Gwyneira próbowała rozładować atmosferę.

– Fleur, mój skarbie, ty nawet nie masz szesnastu lat! A Ruben dopiero w przyszłym roku pojedzie na uniwersytet...

– Co chcecie?! – ryknął Gerald. – Pobrać się? Z tym pomiotem O'Keefe'a? Fleurette, czy ty zupełnie postradałaś rozum?

Fleur wzruszyła ramionami. Z pewnością nie można jej było zarzucić braku odwagi.

– O tym się nie da zdecydować, dziadku. Kochamy się. Tak już jest i nic tego nie zmieni.

– Już my się przekonamy, czy nic tego nie zmieni! – Gerald wstał. – Nigdy więcej nie spotkasz się z tym chłopakiem! Nie wolno ci wychodzić z domu! Koniec z tą całą szkołą. I tak się już zastanawiałem, czego ta kobieta O'Keefe'a może cię jeszcze nauczyć! Jadę zaraz do Haldon i porozmawiam sobie z tym O'Keefe'em! Witi! Przynieś moją flintę!

– Geraldzie, przesadzasz! – Gwyneira starała się zachować spokój. Może chociaż uda się jej przekonać Wardena, żeby zrezygnował z szalonego pomysłu rozprawienia się z Rubenem – a może Howardem? – jeszcze tego samego wieczoru. – Ona jest jeszcze dzieckiem i pierwszy raz się zakochała. Nie ma mowy o żadnym ślubie...

– To dziecko odziedziczy część Kiward Station, Gwyneiro! To oczywiste, że stary O'Keefe myśli o ślubie. Ale ja to wszystko ukrócę! A ty masz ją zamknąć. I to migiem! Nic do jedzenia jej się nie należy, ma pościć i żałować za swoje grzechy! – Gerald chwycił flintę, którą przyniósł mu przerażony Witi i zarzucił płaszcz. A potem w pośpiechu wybiegł na zewnątrz.

Fleurette chciała za nim pobiec.

– Muszę ostrzec Rubena! – wyrzuciła z siebie.

Gwyneira pokręciła głową.

– Skąd weźmiesz konia? Wszystkie ujeżdżone są w stajni, a żeby wsiąść bez siodła na któregoś z tych młodych i ruszyć w busz... Nie, na to ci nie pozwolę, Fleur, złamałabyś kark i sobie, i koniowi. Pomijając już to, że Gerald i tak odesłałby cię z powrotem. Niech mężczyźni załatwią to między sobą! Jestem pewna, że nikomu nic się nie stanie. Jeśli Gerald spotka starego O'Keefe'a, trochę na siebie pokrzyczą i najwyżej poobijają sobie nosy…

– A jeśli spotka Rubena? – zapytała pobladła Fleur.

– To go zabije! – ucieszył się Paul.

I to był błąd. Teraz na nim skupiła się uwaga matki i córki.

– Ty mały zdradziecki bękarcie! – krzyknęła Fleur. – Wiesz chociaż, co narobiłeś, ty podły szczurze? Jeśli Ruben zginie, to…

– Uspokój się, Fleurette, twój przyjaciel jakoś to przeżyje – Gwyneira starała się pocieszyć córkę, choć sama była przestraszona. Znała wybuchowy temperament Geralda, a poza tym był pijany. Liczyła na ugodowy charakter Rubena. Syn Helen na pewno nie da się sprowokować. – A ty, Paul, maszeruj do swojego pokoju. I nie pokazuj mi się przynajmniej do pojutrza. Nie wolno ci wychodzić z domu…

– Fleur też, Fleur też! – Paul nie potrafił się powstrzymać.

– To zupełnie coś innego, Paul – powiedziała Gwyneira surowym tonem i po raz kolejny nie była w stanie wykrzesać z siebie choćby iskierki sympatii dla dziecka, które sama sprowadziła na ten świat. – Dziadek ukarał Fleur, bo uważa, że zakochała się w nieodpowiednim chłopcu. A ja ukarałam ciebie za to, że jesteś złośliwy, że śledzisz innych i potem na nich donosisz. I na dodatek jeszcze się z tego cieszysz! Dżentelmeni tak się nie zachowują, Paulu Wardenie. Tak zachowują się tylko potwory! – już w momencie gdy wypowiadała te słowa, Gwyneira uświadomiła sobie, że Paul nigdy jej ich nie wybaczy. Ale nie potrafiła się powstrzymać. Wciąż jeszcze odczuwała nienawiść do tego dziecka, które narzucono jej siłą, które przyczyniło się do odejścia i śmierci Lucasa i które teraz robiło wszystko, żeby zniszczyć życie także Fleur, burząc jednocześnie chwiejną harmonię w rodzinie Helen.

Paul popatrzył na matkę i zbladł, widząc pustą otchłań w jej oczach. To nie był zwyczajny wybuch złości, jakie zdarzały się Fleurette. Gwyneira mówiła szczerze. Paul się rozpłakał, choć już ponad rok temu obiecał sobie, że będzie mężczyzną i nie będzie płakać.

– Długo mam czekać? Idź już! – Gwyneira nienawidziła za to samej siebie, ale nie potrafiła inaczej. – Idź do swojego pokoju!

Paul wybiegł bez słowa. Fleurette patrzyła na matkę zdumiona.

– Byłaś bardzo surowa – zauważyła trzeźwo.

Gwyneira drżącymi palcami chwyciła kieliszek z winem, ale potem zmieniła zdanie, podeszła do szafki i nalała sobie brandy. – Też chcesz,

Fleurette? Chyba obie potrzebujemy czegoś na uspokojenie. I tak pozostaje nam tylko czekanie. Gerald w końcu wróci, chyba że po drodze spadnie z konia i skręci sobie kark.

Szybko wypiła kieliszek alkoholu.

– A jeśli chodzi o Paula… To jest mi przykro.

Gerald Warden pędził przez busz, jakby gonił go diabeł. Wściekłość na Rubena O'Keefe'a wręcz go rozsadzała. Do tej pory w ogóle nie dostrzegał we Fleurette kobiety. Wciąż była dla niego dzieckiem, małą córeczką Gwyneiry, miłą, ale niezbyt interesującą. Ale teraz rzeczywiście wyrosła, teraz tak samo dumnie odrzucała głowę, jak kiedyś siedemnastoletnia Gwyn, teraz odpowiadała z taką samą pewnością siebie. I Ruben, ten mały gówniarz, ośmielił się do niej zbliżyć! Do Wardenówny! Do jego własności!

Gerald uspokoił się nieco dopiero wtedy, gdy dotarł do farmy O'Keefe'ów i porównał skromne ogrodzenia, zabudowania gospodarcze, a przede wszystkim dom ze swoją posiadłością. Howard chyba nie myślał poważnie, że on pozwoliłby swojej wnuczce żyć w takim otoczeniu.

W oknie domu paliło się światło. Koń Howarda i muł stały na padoku przed domem. Ten bękart jest więc w domu. A jego niewydarzony synalek pewnie też, bo Gerald dostrzegł przy stole w chacie sylwetki trzech osób. Niedbale przywiązał wodze swojego konia do słupka i wyjął flintę z futerału. Jakiś pies rozszczekał się, gdy podchodził do domu, ale w środku nikt nie zareagował.

Gerald gwałtownym ruchem otworzył drzwi. Tak jak się spodziewał, Howard, Helen i ich syn siedzieli przy stole, na którym właśnie postawiono gorącą kolację. Wszyscy troje przestraszeni popatrzyli na drzwi, nie wiedząc, co robić. Gerald wykorzystał element zaskoczenia, wpadł do środka i rzucając się na Rubena, przewrócił stół.

– Karty na stół, chłoptasiu! Co ty wyprawiasz z moją wnuczką?

Ruben wił się w uścisku.

– Panie Warden… czy nie moglibyśmy… porozmawiać jak rozsądni ludzie?

Gerald aż spąsowiał. Tak samo w podobnej sytuacji zareagowałby jego własny niewydarzony syn Lucas. Uderzył. Po jego lewym haku Ruben przeleciał przez pół izby. Helen krzyknęła. W tym samym momencie na Geralda rzucił się Howard. Ale nie do końca skutecznie. Stary O'Keefe dopiero co wrócił z pubu w Haldon. Też nie był trzeźwy. Gerald bez problemu sparował uderzenie O'Keefe'a i ponownie skoncentrował się na Rubenie, który próbował podnieść się z krwawiącym nosem.

– Panie Warden, bardzo proszę...

Howard złapał Geralda mocnym uściskiem, zanim ten mógł ponownie zaatakować jego syna.

– Dobrze już! Porozmawiajmy jak rozsądni ludzie! – wysyczał. – Warden, co się takiego stało, że wpadasz tutaj i rzucasz się na mojego syna?

Gerald spróbował się odwrócić, żeby na niego spojrzeć.

– Co się stało? Ten twój przeklęty gówniarz uwiódł moją wnuczkę!

– Co takiego? – Howard puścił Geralda i zwrócił się do Rubena. – Natychmiast powiedz, że to nieprawda!

Twarz Rubena wszystko zdradzała, tak jak wcześniej mina Fleur.

– Oczywiście, że jej nie uwiodłem! – stwierdził. – Tylko...

– Tylko co? Troszeczkę rozdziewiczyłeś? – zagrzmiał Gerald.

Ruben był blady jak płótno.

– Bardzo proszę, żeby nie mówił pan w ten sposób o Fleur! – powiedział spokojnie. – Panie Warden, kocham pańską wnuczkę i ożenię się z nią.

– Co takiego? – ryknął Howard. – Rozumiem, że ta mała wiedźma zawróciła ci w głowie...

– Nigdy nie ożenisz się z Fleur, ty mały pucybucie! – wrzasnął Gerald.

– Panie Warden! Może postaramy się używać mniej drastycznych sformułowań – odezwała się Helen.

– I tak ożenię się z Fleur, bez względu na to co obaj macie przeciwko temu... – Ruben mówił ze spokojem i z pełnym przekonaniem.

Howard ruszył w kierunku syna i chwycił go za koszulę, tak jak przed chwilą Gerald.

– Teraz już się zamknij! A ty, Warden, wyjdź! Natychmiast. I pilnuj tej swojej małej dziwki. Nie chcę jej tu więcej widzieć, rozumiesz? Wytłumacz jej to, bo inaczej sam to zrobię, a wtedy już nigdy nikogo nie uwiedzie...

– Fleurette nie jest...

– Panie Warden! – Helen stanęła między mężczyznami. – Proszę już iść. Howard wcale tak nie myśli. A jeśli chodzi o Rubena... Wszyscy tutaj bardzo szanujemy Fleurette. Może dzieci parę razy się pocałowały, ale...

– Nigdy więcej nie tkniesz Fleurette! – Gerald zamierzył się, żeby kolejny raz uderzyć Rubena, ale zrezygnował, widząc, jak chłopak bezradnie zwisa w uścisku ojca.

– Nigdy więcej jej nie tknie, to ci mogę obiecać. A teraz wynoś się! Już ja z nim porozmawiam, Warden, możesz być spokojny.

Helen pomyślała, że chyba nie chce, żeby Gerald wyszedł. Słowa Howarda zabrzmiały tak groźnie, że dopiero teraz zaczęła tak naprawdę bać się o Rubena. Howard był zły już przed pojawieniem się Geralda. Po powrocie do domu musiał spędzić młode tryki, ponieważ płot naprawiony przez Helen i Rubena nie oparł się wolnościowym dążeniom młodych owiec. Na szczęście mógł je zapędzić do stajni, żeby znowu nie uciekły w góry. W każdym razie ta dodatkowa praca zdecydowanie nie poprawiła mu humoru. Gdy Gerald wyszedł z chaty, Howard popatrzył na Rubena morderczym wzrokiem.

– A więc zbliżyłeś się do małej Wardenówny – stwierdził. – I wciąż roisz sobie wielkie plany, co? Spotkałem właśnie w pubie tego maoryskiego chłopaka, a on, wyobraź sobie, pogratulował mi, że przyjęli cię na uniwersytet w Dunedin! Na wydział prawa! Tak, ty jeszcze tego nie wiesz, bo taką korespondencję prowadzisz za pośrednictwem swojego ukochanego wujka George'a! Ale ja ci to wybiję z głowy, mój chłopcze! Licz się ze mną, Rubenie O'Keefe, liczyć już przecież umiesz. A jeśli chodzi o studiowanie prawa, to zaraz nauczę cię jednego prawa. Oko za oko, ząb za ząb. Najpierw dostaniesz za owce!

Uderzył Rubena.

– A to za tę dziewuchę! – Prawy hak. – To za wujka George'a! – Lewy hak. Ruben osunął się na podłogę.

– A to za studia prawnicze! – Howard kopnął go w żebra. Ruben jęknął.

– A to za to, że uważasz się za kogoś lepszego! – Kolejne mocne kopnięcie, tym razem w okolice nerek. Ruben się skulił. Helen starała się odciągnąć od niego Howarda.

– A to dla ciebie, za to, że zawsze spiskujesz z tym gówniarzem! – pięść Howarda wylądowała na twarzy Helen. Przewróciła się, ale wciąż starała się osłaniać syna.

Ale Howard zaczął się opamiętywać. Otrzeźwił go widok krwi na wardze Helen.

– Nie jesteście tego warci... Wy... – wystękał i chwiejnym krokiem ruszył w stronę kuchennej szafki, w której Helen trzymała butelkę whisky. Takiej porządnej, drogiej. Częstowała nią tylko gości, przede wszystkim George'a Greenwooda, któremu zawsze po rozmowie z Howardem dobrze robiła odrobina alkoholu. Teraz Howard pił ją łapczywymi haustami prosto z butelki, a potem odłożył butelkę z powrotem do szafki. Ale gdy już miał zamknąć drzwiczki, zmienił zdanie i wziął ją ze sobą.

– Będę spać w stajni! – oznajmił. – Nie chcę na was patrzeć…

Helen odetchnęła, gdy wyszedł na zewnątrz.

– Ruben… Bardzo cię boli? Czy nic ci się nie stało?

– Wszystko w porządku, mamo – wyszeptał Ruben, ale jego wygląd świadczył o czymś zupełnie innym. Rany tłuczone nad jego okiem i ustami krwawiły, z nosa płynęło coraz więcej krwi i nawet nie miał siły usiąść. Lewe oko zaczęło puchnąć. Helen pomogła mu wstać.

– Chodź, położysz się do łóżka. Opatrzę cię – zaproponowała. Ale Ruben potrząsnął głową.

– Nie chcę kłaść się w jego łóżku! – odparł stanowczo i powlókł się do wąskiej pryczy obok kominka, na której sypiał w porze zimowej. Latem już od dawna sypiał w stajni, żeby nie przeszkadzać rodzicom.

Cały się trząsł, gdy Helen wróciła z miską wody i szmatką, żeby obmyć mu twarz.

– To nic, mamo… Mój Boże, mam nadzieję, że Fleur nic się nie stało.

Helen delikatnie osuszyła mu wargi z krwi.

– Fleur nic nie będzie. Ale jak on się dowiedział? Do diabła, powinnam była lepiej pilnować Paula!

– W końcu i tak by się dowiedział – powiedział Ruben. – I wtedy… Ale ja jutro stąd odejdę, mamo. Możesz być pewna. Nie zostanę w jego domu ani jednego dnia dłużej… – Pokazał w kierunku, w którym poszedł Howard.

– Jutro będziesz ledwie żywy – odparła Helen. – I nie powinniśmy podejmować żadnych pochopnych decyzji. George Greenwood…

– Wujek George nic tutaj nie pomoże, mamo. Nie pojadę do Dunedin. Pojadę do Otago. Tam jest złoto. A ja… Ja je znajdę i potem zabiorę stąd Fleur. I ciebie też. On… Nigdy więcej cię nie uderzy!

Helen nic nie odpowiedziała. Posmarowała rany syna maścią gojącą i siedziała przy nim, aż zasnął. Przypomniała sobie wszystkie te noce, które spędziła przy nim, kiedy był chory albo obudził się przestraszony złym snem i po prostu chciał, żeby była blisko. Ruben sprawiał, że była szczęśliwa. Ale Howard zniszczył i to. Tej nocy Helen nie spała.

Całą noc przepłakała.

3

Tej nocy również Fleurette długo płakała. Zarówno ona, jak i Gwyneira i Paul słyszeli, jak Gerald wraca do domu późnym wieczorem, ale żadne z nich nie miało dosyć odwagi, żeby zapytać go, co się wydarzyło. Rano tylko Gwyneira zeszła jak zwykle na dół na śniadanie. Gerald odsypiał kaca, a Paul nie ośmielił się pokazać, dopóki nie nadarzy się okazja, żeby przekonać dziadka do zniesienia zakazu wychodzenia z domu narzuconego mu przez matkę. Fleurette prześladowana własnymi wyobrażeniami, przerażona i bezradna zwinęła się w kącie łóżka i tuliła do siebie Gracie, tak jak kiedyś jej matka tuliła Cleo. Tam znalazła ją Gwyneira, gdy Andy McAran poinformował ją, że w stajni czeka niezapowiedziany gość. Gwyn upewniła się, że w pokojach Geralda i Paula panuje cisza, po czym wślizgnęła się do sypialni córki.

– Fleurette? Fleurette, jest dziewiąta! Dlaczego jesteś jeszcze w łóżku? – Gwyneira pokręciła głową z przyganą, zupełnie jakby to był jakiś zwyczajny dzień, a Fleur zaspała do szkoły. – Ubieraj się, i to migiem. Ktoś czeka na ciebie w stajni. I ten ktoś nie może czekać w nieskończoność.

Uśmiechnęła się do córki z miną spiskowca.

– Ktoś do mnie, mamo? – Fleurette aż podskoczyła. – Kto? Czy to Ruben? Och, jeśli to Ruben, jeśli on żyje…

– Oczywiście, że żyje, Fleurette. Twój dziadek to człowiek, który chętnie używa mocnych słów, a nawet i pięści. Ale przecież nikogo nie zabije! A przynajmniej jeszcze tego nie zrobił. Jeśli jednak natknie się na tego chłopaka w naszej stodole, to za nic nie ręczę. – Gwyneira pomogła Fleur szybko ubrać się w suknię do jazdy konnej.

– Ale będziesz patrzyła, czy dziadek nie idzie, prawda? I Paul też – Fleurette sprawiała wrażenie, jakby brat wzbudzał w niej taki sam strach, jak senior rodu. – Ale z niego gnojek! Chyba nie uwierzyłaś mu, że my…

– Uważam, że Ruben jest zbyt inteligentny, żeby narażać cię na zajście w ciążę – odpowiedziała trzeźwo Gwyneira. – A ty, Fleurette, jesteś równie inteligentna jak on. Ruben chce pojechać na studia do Dunedin, ty zaś musisz jeszcze trochę dorosnąć, zanim w ogóle będzie można mówić o jakimkolwiek ślubie. Ale wtedy szanse młodego prawnika, zatrudnionego w firmie George'a Greenwooda, będą znacznie większe niż szanse młodego chłopaka z farmy, którego ojciec ledwie wiąże koniec z końcem. Nie zapomnij o tym, jak będziesz się z nim dzisiaj widzieć. Chociaż... Według tego co mówił McAran o jego stanie, ciąża raczej ci nie grozi...

Ostatnia uwaga Gwyneiry przypomniała Fleur o jej najgorszych obawach. Zamiast płaszcza, a deszcz lał się strumieniami, zarzuciła tylko chustę na ramiona i zbiegła po schodach. Nawet nie uczesała włosów. Ich rozplątywanie zajęłoby wiele godzin. Zwykle wieczorem rozczesywała je i zaplatała w warkocze, ale wczoraj nie miała na to siły. Teraz więc kłębiły się wokół jej szczupłej twarzy, ale Rubenowi O'Keefe'owi i tak wydała się najpiękniejszą dziewczyną, jaką kiedykolwiek widział. Natomiast Fleurette przeraził wygląd przyjaciela. Chłopak raczej leżał niż siedział na stosie siana. Wciąż całe ciało bolało go przy najmniejszym ruchu. Twarz miał spuchniętą, jedno oko zamknięte, a z ran nadal sączyła się krew.

– Och, mój Boże, Ruben! Mój dziadek ci to zrobił? – Fleurette chciała go objąć, ale Ruben ją powstrzymał.

– Ostrożnie – wystękał. – Moje żebra... Nie wiem, czy są złamane czy tylko obite... W każdym razie cholernie bolą.

Fleurette objęła go delikatniej. Przysunęła się do niego i ułożyła jego zmasakrowaną twarz na swoim ramieniu.

– Niech go piekło pochłonie! – zaklęła. – Niby nikogo nie zabije! A z tobą prawie mu się dało!

Ruben pokręcił głową.

– To nie pan Warden. To mój ojciec. Ale obaj mieli na to taką samą ochotę! Są zaciekłymi wrogami, ale jeśli chodzi o nas, to panuje między nimi pełna zgoda. Odchodzę, Fleur. Dłużej tego nie zniosę!

Fleurette popatrzyła na niego w całkowitym zdumieniu.

– Odchodzisz? Porzucasz mnie?

– Mam czekać, aż zabiją nas oboje? Nie możemy bez końca spotykać się w tajemnicy, zwłaszcza że w twoim domu jest ten mały szpicel. To Paul nas zdradził, prawda?

Fleur skinęła głową.

– I zrobiłby to ponownie. Ale… Ale przecież nie możesz odejść beze mnie! Jadę z tobą! – Fleur podjęła decyzję i w myślach już się pakowała. – Poczekaj tutaj, nie potrzebuję zbyt wielu rzeczy. Za godzinę będziemy mogli ruszyć!

– Ach, Fleur, to niemożliwe. Ale ja nigdy bym cię nie porzucił. Myślę o tobie w każdej minucie, w każdej sekundzie. Kocham cię. W żadnym razie nie mogę jednak zabrać cię ze sobą do Otago… – Ruben gładził ją niezręcznymi ruchami, a Fleur gorączkowo myślała. Gdyby z nim wyjechała, potraktowano by to jak porwanie. Gerald bez wątpienia wysłałby grupę poszukiwawczą, jak tylko zauważyłby jej zniknięcie. A w obecnym stanie Ruben nie mógł jechać szybko… Ale dlaczego on mówi o Otago?

– Chyba wybierasz się do Dunedin? – zapytała, całując go w czoło.

– Zmieniłem zdanie – wyjaśnił. – Zawsze myśleliśmy, że twój dziadek pozwoli nam się ożenić dopiero wtedy, gdy zostanę prawnikiem. Ale on nigdy nie da nam pozwolenia, po wczorajszym wieczorze nie mam co do tego żadnych wątpliwości. Jeśli więc mamy mieć jakąkolwiek szansę, muszę zarobić pieniądze. I to nie trochę pieniędzy, ale dużo. A w Otago jest złoto…

– Chcesz szukać złota? – zapytała zaskoczona Fleur. – Ale skąd… Skąd wiesz, że cokolwiek znajdziesz?

W duchu Ruben uznał, że to dobre pytanie, bo nie miał najmniejszego pojęcia, jak zabrać się za poszukiwanie złota. Ale do diaska, innym się to jakoś udawało!

– W okolicy Queenstown każdy znajduje złoto – stwierdził. – Tam są samorodki wielkości paznokcia.

– I one sobie tam tak po prostu leżą? – zapytała Fleurette podejrzliwie. – Nie trzeba mieć najpierw praw do działki? I odpowiedniego sprzętu? Masz na to pieniądze, Rubenie?

Ruben przytaknął.

– Niewiele. Trochę oszczędności. Wujek George zapłacił mi za to, że w zeszłym roku pomagałem w jego firmie, a także za tłumaczenie rozmów z Maorysami, jak Reti nie mógł. Ale niewiele tego.

– Ja nie mam zupełnie nic – stwierdziła Fleurette z troską. – Dałabym ci, gdybym coś miała. Ale co powiesz na konia? Jak zamierzałeś dotrzeć do jeziora Wakatipu?

– Wziąłem muła mamy – odpowiedział Ruben.

Fleurette wzniosła oczy ku górze.

– Nepomuka? Chcesz na tym starym mule pokonać góry? Ile on ma lat? Dwadzieścia pięć? To przecież bez sensu, Rubenie. Weź jednego z naszych koni!

– Żeby stary Warden ścigał mnie potem jako koniokrada? – zapytał gorzkim tonem Ruben.

Fleurette potrząsnęła głową.

– Weź Minette. Jest mała, ale silna. I należy do mnie. Nikt nie może mi zabronić, żebym ci ją pożyczyła. Ale musisz o nią dbać, słyszysz? I musisz mi ją oddać.

– Wiesz, że wrócę, jak tylko będę mógł! – Ruben z trudem wyprostował się i przyciągnął do siebie Fleurette. Gdy ją całował, poczuła smak jego krwi. – Zabiorę cię stąd. To... To jest tak pewne, jak to, że jutro wstanie słońce! Znajdę złoto, a potem cię zabiorę! Chyba mi ufasz, Fleurette?

Fleurette skinęła głową, starając się jak najostrożniej i najdelikatniej odwzajemnić jego uścisk. Nie wątpiła w to, że ją kocha. Gdyby tylko mogła mieć taką samą pewność co do jego przyszłego bogactwa...

– Kocham cię i będę na ciebie czekać! – powiedziała łagodnym głosem.

Ruben pocałował ją raz jeszcze.

– Będę się śpieszyć. Na razie wokół Queenstown nie ma tak wielu poszukiwaczy złota. Jadą tam tylko wtajemniczeni. Powinno tam być sporo dobrych działek i mnóstwo złota, więc...

– Ale wrócisz, nawet jeśli nie znajdziesz złota, tak? – upewniła się Fleurette. – Wtedy wymyślimy coś innego!

– Znajdę złoto! – stwierdził Ruben. – Bo nie ma innej możliwości. Ale muszę już iść. I tak byłem tutaj za długo. Gdyby zobaczył mnie twój dziadek...

– Mama pilnuje. Zostań tutaj, a ja osiodłam ci Minette, ledwie trzymasz się na nogach. Najlepiej znajdź sobie najpierw jakąś kryjówkę i wykuruj się. Moglibyśmy...

– Nie, Fleurette. Nie ryzykujmy już dłużej, rozstańmy się jak najszybciej. Dojdę do siebie, nie jest ze mną tak źle. Tylko, proszę, oddaj jakoś mojej mamie jej muła – Ruben podniósł się z trudem i stanął obok siodłającej klacz Fleurette. Właśnie gdy chciała założyć jej ogłowie, w drzwiach stanęła Kiri z dwiema wypchanymi sakwami podróżnymi. Uśmiechnęła się do Fleurette.

– Proszę, twoja mama to przysyła. Dla chłopca, którego tutaj wcale nie ma – Kiri znacząco popatrzyła na Rubena. – Trochę prowiantu na kilka dni i ciepłe rzeczy, jeszcze po panu Lucasie. Pani uważa, że mu się przydadzą.

Ruben wzbraniał się przed przyjęciem pomocy, ale Maoryska, nie zwracając uwagi na jego opory, postawiła sakwy na ziemi i wyszła. Fleurette przytroczyła torby do siodła, a potem wyprowadziła Minette ze stajni.

– Uważaj na niego! – wyszeptała do klaczy. – I przywieź mi go z powrotem!

Ruben z trudem podciągnął się na siodło, a potem zdołał jeszcze pochylić się do Fleurette i pocałować ją na pożegnanie.

– Jak bardzo mnie kochasz? – zapytał cicho.

Uśmiechnęła się.

– Aż do nieba. Aż do gwiazd. Do zobaczenia niedługo!

– Do zobaczenia niedługo! – potwierdził Ruben.

Fleurette patrzyła za nim, aż zniknął za gęstą zasłoną deszczu, która tego dnia przesłaniała widok na Alpy. Serce ją bolało, gdy widziała, jak Ruben skulony z bólu niemal zwisa z siodła. Nie mieli szans na wspólną ucieczkę. Ruben tylko w pojedynkę mógł coś osiągnąć.

Paul też widział, jak chłopak odjeżdża. Znów objął posterunek przy swoim oknie i zastanawiał się, czy nie powinien obudzić Geralda. Ale zanimby mu się to udało, Ruben byłby już daleko, pomijając już to, że matka z pewnością go obserwowała. Wciąż miał przed oczami jej wczorajszy wybuch. Potwierdziło się to, co Paul zawsze przeczuwał. Gwyneira kochała jego siostrę znacznie bardziej niż jego. Niczego dobrego nie mógł się po niej spodziewać. Jedyną nadzieją był dziadek. Gerald był dość przewidywalny i jeśli Paul nauczy się, jak z nim postępować, będzie stawał po jego stronie. Paul stwierdził, że od tej pory w rodzinie Wardenów istnieją dwie frakcje: jego matka z Fleur oraz dziadek i on. Musiał tylko przekonać Geralda, że jest mu bardzo potrzebny!

Gerald szalał z wściekłości, gdy się dowiedział, gdzie podziała się Minette. Gwyneirze ledwie udało się powstrzymać go przed sprawieniem lania Fleurette.

– W każdym razie już go tu nie ma! – pocieszył się w końcu sam. – Wszystko jedno, czy pojechał do Dunedin, czy gdzie indziej. Jak się tu jeszcze raz pokaże, to zastrzelę go jak wściekłego psa, możesz być pewna,

Fleurette! Ale wtedy ciebie też tu nie będzie. Wydam cię za pierwszego mężczyznę, który choć trochę się nada!

– Jest o wiele za młoda, żeby wychodzić za mąż – powiedziała Gwyneira. Ale była wdzięczna Bogu, że Ruben opuścił już Canterbury Plains. Dokąd się udał, tego Fleur jej nie powiedziała, ale mogła się domyślić. Za czasów Lucasa celem były łowiska wielorybów i fok, teraz panowała gorączka złota. Kto chciał szybko zdobyć majątek i sprawdzić się jako mężczyzna, zmierzał na płaskowyż Otago. Gwyneira oceniała jednak górnicze umiejętności Rubena równie pesymistycznie jak Fleurette.

– Była wystarczająco dorosła, żeby pętać się z tym bękartem po buszu. Tym bardziej może dzielić łoże z jakimś przyzwoitym mężczyzną. Ile ona ma lat? Szesnaście? W przyszłym roku skończy siedemnaście. Będzie mogła się zaręczyć. Doskonale pamiętam pewną dziewczynę, która jako siedemnastolatka wyruszyła do Nowej Zelandii...

Gerald wpatrywał się w Gwyneirę, która zbladła i poczuła niemal paniczny strach. Gdy miała siedemnaście lat, Gerald zakochał się w niej i zabrał ją za morze do swojego syna. Czy ten starzec zaczyna teraz w ten sam sposób patrzeć na Fleur? Gwyneira nigdy dotąd nie myślała o tym, że Fleurette jest do niej łudząco podobna. Gdyby nie to, że była jeszcze szczuplejsza od matki, miała ciemniejsze włosy i inny kolor oczu, wyglądałaby wręcz identycznie jak młoda Gwyneira... Czy opowieści tego skarżypyty Paula sprawiły, że Gerald teraz też to dostrzegał?

Fleurette zaszlochała i chciała odważnie odpowiedzieć, że nigdy w żadnych okolicznościach nie wyjdzie za innego mężczyznę niż Ruben O'Keefe, ale Gwyneira już nad sobą zapanowała i dyskretnym gestem nakazała jej milczenie. Kłótnia nic by nie dała. Zwłaszcza że znalezienie mężczyzny, „który choć trochę się nada", nie będzie proste. Wardenowie należeli do jednego z najstarszych i najszacowniejszych rodów Wyspy Południowej. Pod względem towarzyskim i finansowym niewiele rodzin mogło się z nimi równać. A we wszystkich tych rodzinach synów było najwyżej dziesięciu i wszyscy albo byli już zaręczeni, albo żonaci, albo o wiele za młodzi dla Fleurette. Syn młodego lorda Barringtona miał na przykład dopiero dziesięć lat, a najstarszy syn George'a Greenwooda tylko pięć. Gdy tylko Gerald się opamięta, sam to zrozumie. Zagrożenia czające się we własnym domu wydawały się Gwyneirze znacznie bardziej realne, ale w końcu uznała, że to raczej jakieś zwidy. Przez wszystkie te lata Gerald tylko raz się na nią rzucił, a był wtedy i pijany, i zdenerwowany, i wyglądało na to, że żałuje tego do dziś. Nie ma więc co panikować.

Gwyneira opanowała emocje i również Fleur zaleciła zachowanie spokoju. Prawdopodobnie za kilka tygodni sprawa zostanie zapomniana.

Ale się myliła. Początkowo nic się nie działo, ale po ośmiu tygodniach od wyjazdu Rubena Gerald wybrał się na spotkanie hodowców do Christchurch. Oficjalnym powodem tego „obżarstwa połączonego z opilstwem", jak określiła spotkanie Gwyneira, były coraz częstsze kradzieże zwierząt na Canterbury Plains. W najbliższej okolicy w ciągu ostatnich kilku miesięcy zginęło niemal tysiąc owiec, a w rozmowach wciąż powtarzało się nazwisko McKenzie.

– Nikt nie ma pojęcia, gdzie on znika z tymi zwierzętami! – wściekał się Gerald. – Ale pewnie gdzieś w górach. Zna je jak własną kieszeń. Wyślemy jeszcze więcej patroli, wystawimy prawdziwą armię!

Gwyneira wzruszyła ramionami, mając nadzieję, że nikt nie zauważy, jak mocno jeszcze dziś bije jej serce na wspomnienie o Jamesie McKenziem. W duchu podśmiewała się z jego partyzantki i z tego, jak najprawdopodobniej zareaguje na wieść o kilku dodatkowych patrolach wysłanych w góry. Wielkie obszary przedgórza Alp wciąż pozostawały niezbadane. Ten rejon był ogromny i nadal skrywał nieodkryte doliny i pastwiska. Upilnowanie zwierząt na tym terenie było niemożliwe, mimo że hodowcy przynajmniej teoretycznie wysyłali na pogórze poganiaczy. Spędzali oni pół roku w prymitywnych, zbitych tylko w tym celu chatach, zwykle po dwóch, żeby nie zdziwaczeć z samotności. Czas wypełniały im głównie gra w karty, polowania i wędkowanie. Byli zupełnie poza kontrolą pracodawców. Ci najbardziej godni zaufania starali się mieć zwierzęta na oku, ale inni nawet nie zwracali na nie uwagi. Jeden człowiek z dobrym psem mógł każdego dnia niepostrzeżenie odpędzić od stada dziesiątki owiec. Jeśli James rzeczywiście znalazł jakąś dobrą kryjówkę, a przede wszystkim zapewnił sobie zbyt na skradzione zwierzęta, owczy baronowie nigdy go nie znajdą, chyba że trafią na niego przypadkiem.

Tymczasem działalność McKenziego zapewniała temat do rozmów oraz mile widzianą okazję do uczestniczenia w spotkaniach hodowców lub wspólnych ekspedycjach na pogórze. I tym razem zapowiadało się dużo gadania i mało wyników. Gwyneira cieszyła się, że nie musi jechać na to spotkanie. *De facto* to ona prowadziła hodowlę owiec w Kiward Station, ale tylko Geralda traktowano poważnie. Odetchnęła, gdy wyjeżdżał z farmy, a za nim, ku ogólnemu zaskoczeniu, Paul. Chłopiec i dziadek zbliżyli się do siebie od czasu awantury z Fleur i Rubenem. Gerald prawdopodobnie odkrył w końcu, że samo spłodzenie dziedzica nie wystarczy. Przyszły właściciel Kiward Station musiał też być wdrożony do pracy na farmie, a także wprowadzony w odpowiednie towarzystwo. Tak więc Paul jechał dumnie obok Geralda do Christchurch, a Fleurette mogła się wreszcie trochę odprężyć. Gerald wciąż decydował o tym, dokąd może się udać i kiedy ma wrócić, a Paul ją obserwował i donosił dziadkowi o najdrobniejszym wykroczeniu przeciwko jego zaleceniom. Po wyładowaniu pierwszej złości Fleurette znosiła to wszystko z godnością, ale mimo wszystko było jej ciężko. Nieco radości do jej życia wniósł nowy koń. Gwyneira zleciła jej ujeżdżenie najmłodszej córki Igraine, Niniane. Czteroletnia klacz przypominała urodą i temperamentem swoją matkę, a gdy Gwyn widziała córkę pędzącą po pastwiskach na grzbiecie Niniane, znowu nachodziło ją niedobre przeczucie. Gerald też musiał odnosić wrażenie, że widzi przed sobą młodą Gwyneirę. Piękną i dziką dziewczynę, która jest dla niego absolutnie niedostępna.

Jego reakcja odpowiadała jej obawom. Miał coraz gorszy humor, bez wyraźnego powodu złościł się na każdego, kto się napatoczył, i pił coraz więcej whisky. W takie wieczory tylko Paul potrafił go ułagodzić.

Gwyn zmroziłoby krew w żyłach, gdyby wiedziała, o czym obaj rozmawiają w zaciszu gabinetu.

Zaczynało się zwykle od tego, że Gerald żądał, żeby Paul opowiadał mu o szkole i o swoich przygodach w buszu, a kończyło na tym, że chłopak opowiadał o Fleur. Której oczywiście nie przedstawiał jako czarującą i niewinną trzpiotkę, jaką kiedyś była Gwyn, tylko jako istotę złą, zdradziecką i zepsutą. Geraldowi łatwiej było zaakceptować fantazje wokół własnej wnuczki, skoro dotyczyły takiej małej bestii, ale zdawał sobie sprawę z tego, że musi jak najszybciej pozbyć się dziewczyny.

W Christchurch nadarzyła się po temu okazja. Gdy Gerald i Paul powrócili ze spotkania hodowców, towarzyszył im Reginald Beasley.

Gwyneira z przyjemnością powitała starego przyjaciela rodziny i po raz kolejny złożyła kondolencje z powodu śmierci jego żony. Pani Beasley zmarła nagle pod koniec zeszłego roku. Dostała udaru w swoim ukochanym ogrodzie różanym. Gwyneira uważała, że tak naprawdę starsza pani nie mogła wymarzyć sobie piękniejszej śmierci, co oczywiście nie zmieniało faktu, że pan Beasley bardzo za nią tęsknił. Gwyn poprosiła Moanę, żeby przygotowała wyjątkowo smaczne jedzenie, sama zaś wyszukała pierwszorzędne wino. Beasley był smakoszem i znawcą wina, a teraz jego czerwona i okrągła twarz cała aż się rozpromieniła, gdy Witi odkorkowywał przy stole butelkę.

– Właśnie otrzymałem partię najlepszych win z Kapsztadu – wyjaśnił, zwracając się ze swoim wyznaniem przede wszystkim do Fleurette. – Są wśród nich też bardzo lekkie wina, paniom powinny bardzo smakować. A jakie wina pani woli, panno Fleur? Białe czy czerwone?

Fleurette nigdy się nad tym szczególnie nie zastanawiała. Rzadko piła wino, a jeśli już, to takie, jakie akurat podano. Ale Helen nauczyła ją, jak powinna zachowywać się dama.

– To zależy od rodzaju wina, panie Beasley – odpowiedziała grzecznie. – Czerwone wina często są zbyt ciężkie, natomiast białe zbyt kwaśne. Wybór odpowiedniego trunku po prostu pozostawiłabym panu.

Pan Beasley wydawał się niezmiernie zadowolony z takiej odpowiedzi i w zamian szczegółowo opowiedział, dlaczego od jakiegoś czasu wyżej ceni wina południowoafrykańskie niż francuskie.

– Kapsztad jest w końcu znacznie bliżej – powiedziała Gwyneira, żeby zamknąć temat. – I ceny wina atrakcyjniejsze.

Fleur uśmiechnęła się w duchu. Jej również argument finansowy przyszedł do głowy pierwszy, ale Helen nauczyła ją, że dama nigdy i w żadnych okolicznościach nie rozmawia z mężczyznami o pieniądzach. Najwyraźniej jej matce takiej lekcji nie udzielono.

Beasley zaczął rozwodzić się nad tym, że kwestie finansowe nie odgrywają żadnej roli, po czym gładko przeszedł do omawiania poważniejszych inwestycji, jakich ostatnimi czasy dokonał. Sprowadził z zagranicy kolejne owce, zwiększył swoją hodowlę bydła...

Fleurette zastanawiała się, dlaczego ten pomniejszy „owczy baron" wciąż zwraca się do niej w taki sposób, jakby liczebność jego stad owiec rasy cheviot stanowiła jej żywotny interes. Rozmowa wciągnęła ją tak naprawdę dopiero wtedy, gdy zaczęła dotyczyć hodowli koni. Beasley jak dawniej hodował konie czystej krwi angielskiej.

– Moglibyśmy je przecież skrzyżować z którymś z pani cobów, gdyby folblut okazał się dla pani zbyt porywczy – wyjaśniał gorliwie Fleurette. – To byłoby interesujące połączenie...

Fleurette zmarszczyła brwi. Nie wyobrażała sobie, żeby jakikolwiek folblut mógł być bardziej energiczny niż Nianiane, choć na pewno niektóre były szybsze. Ale dlaczego, na miłość boską, miałaby w ogóle myśleć o zmianie cobów na konie pełnej krwi angielskiej? Zdaniem jej matki folbluty były zbyt wrażliwe na długie i trudne przejażdżki po buszu.

– W Anglii często się je łączy – przerwała Gwyneira, która była równie zdumiona zachowaniem pana Beasleya, co Fleurette. Przecież w tej rodzinie to ona zajmowała się hodowlą koni! Dlaczego Beasley mówiąc o krzyżówkach, nie zwraca się właśnie do niej? – Uzyskano dość dobre konie do polowań. Ale często dziedziczyły jednocześnie upór i zaciętość po cobach oraz wybuchowość i płochliwość po folblutach. Wolałabym, żeby moja córka nie musiała radzić sobie z taką mieszanką.

Beasley uśmiechnął się potulnie.

– Och, to tylko taka propozycja. Panna Fleurette powinna mieć oczywiście pełną swobodę wyboru, jeśli chodzi o własnego konia. Moglibyśmy nawet znowu urządzić polowanie. Ostatnio zupełnie to zaniedbaliśmy, ale... Miałaby pani ochotę na konne polowanie, panno Fleur?

Fleur skinęła głową.

– Oczywiście, czemu nie? – stwierdziła z umiarkowanym zainteresowaniem.

– Tyle że wciąż nie mamy tu lisów – powiedziała z uśmiechem Gwyn. – Myślał pan już może o ich sprowadzeniu?

– Na miłość boską! – uniósł się Gerald, a dalsza rozmowa skoncentrowała się wokół skąpej nowozelandzkiej fauny.

Fleurette chętnie wypowiedziała się na ten temat, kolacja zakończyła się więc ożywioną dyskusją. Fleur zaraz potem pożegnała towarzystwo i udała się do swojego pokoju. Ostatnio spędzała wieczory na pisaniu długich listów do Rubena, a potem pełna nadziei nadawała je na poczcie w Haldon, choć właściciel poczty nie podzielał jej optymizmu. „Ruben O'Keefe, kopalnie złota, Queenstown" – taki adres wydawał mu się mało konkretny. Ale jak na razie listów nie zwracano.

Gwyneira miała zamiar udać się do kuchni, ale postanowiła, że na chwilę dołączy jeszcze do panów. W salonie nalała sobie kieliszek porto i przeszła z nim do gabinetu obok, w którym panowie po jedzeniu palili, pili, a czasami grali w karty.

– Miał pan rację, ona jest śliczna!

Zaintrygowana Gwyneira, słysząc głos pana Beasleya, zatrzymała się przed przymkniętymi drzwiami.

– Początkowo byłem dość sceptycznie nastawiony. W końcu to taka młoda dziewczyna, prawie dziecko. Ale teraz, gdy ją zobaczyłem, stwierdzam, że jest bardzo dojrzała jak na swój wiek. I bardzo dobrze wychowana! Prawdziwa mała dama!

Gerald przytaknął.

– Przecież mówiłem. Zdecydowanie dojrzała już do małżeństwa. A tak między nami mówiąc, to trzeba bardzo uważać. Sam pan wie, jak to jest na farmie, na której jest tylu mężczyzn. Taka mała kotka w rui może się zapomnieć...

Beasley zachichotał.

– Ale ona przecież wciąż jest... To znaczy, proszę mnie dobrze zrozumieć, jakoś szczególnie mi na tym nie zależy, przecież nawet myślałem o... O jakiejś wdowie, o kobiecie w moim wieku. Ale jeśli ona tak wcześnie ma romanse...

– Reginaldzie, bardzo cię proszę! – Gerald ostro wszedł mu w słowo. – Cześć Fleur pozostaje poza wszelkim podejrzeniem. Właśnie dlatego myślę o wczesnym wydaniu jej za mąż, żeby tak zostało. Jabłko już dojrzało, jeśli rozumie pan, o co mi chodzi.

Beasley znowu się roześmiał.

– Prawdziwie rajska wizja! A co na to sama dziewczyna? Przedstawi jej pan moją propozycję czy powinienem sam... Sam się jej oświadczyć?

Gwyneira nie wierzyła własnym uszom. Fleurette i Reginald Beasley? On miał ponad pięćdziesiąt lat, a może nawet sześćdziesiąt! Mógłby być dziadkiem Fleur!

– Proszę pozwolić, że ja to zrobię. To będzie dla niej raczej niespodzianka. Ale na pewno się zgodzi, proszę się o to nie martwić! W końcu to dama, jak sam pan powiedział – Gerald ponownie uniósł szklankę z whisky. – Za wasz przyszły związek! – uśmiechnął się. – Za Fleur!

– Nie, nie, nie i jeszcze raz nie!

Głos Fleurette dobiegał z gabinetu, do którego Gerald zaprosił ją na rozmowę, przez cały salon aż do biura Gwyneiry. I nie brzmiał wcale jak głos damy. Brzmiał tak, jakby Fleurette miała zamiar urządzić dziadkowi scenę życia. Gwyneira postanowiła, że nie będzie bezpośrednio uczestniczyć w tym starciu. Jeśli Gerald pokłóci się z Fleur, później postara się ich jakoś pogodzić. A pana Beasleya trzeba było tak odprawić, żeby nie poczuł się urażony. Chociaż temu starcowi należała się ostra odprawa. Jak on w ogóle mógł pomyśleć o szesnastoletniej narzeczonej! Gwyneira upewniła się tylko, czy Gerald nie jest zbyt pijany, kiedy wzywał do siebie wnuczkę. Uprzedziła też córkę.

– Pamiętaj o tym, Fleur, że on nie może cię zmusić. Być może już o tym komuś opowiedzieli, najwyżej więc będzie mały skandal. Ale mogę cię zapewnić, że Christchurch przetrwało wiele tego rodzaju afer. Zachowaj spokój i jasno przedstaw swoje zdanie.

Zachowanie spokoju najwidoczniej okazało się dla Fleur zbyt trudne.

– Mam cię słuchać? – mówiła właśnie do Geralda. – Nie mam najmniejszego zamiaru! Prędzej rzucę się do wody, niż wyjdę za tego starucha! Mówię poważnie, dziadku, rzucę się do jeziora!

Gwyneira nie mogła powstrzymać uśmiechu. Skąd u Fleur tyle dramatyzmu? Pewnie z książek Helen. Skok do bajora znajdującego się w pobliżu Kiward Station nikomu nie mógł zaszkodzić. Po pierwsze, było płytko, a po drugie, Fleur dzięki swoim i Rubena maoryskim przyjaciołom umiała doskonale pływać.

– Albo pójdę do klasztoru! – kontynuowała Fleur. Na razie w Nowej Zelandii nie istniał żaden klasztor, ale w tym momencie umknęło to jej uwadze. Gwyneira wciąż starała się dostrzegać komediowy aspekt całej sprawy. Ale potem usłyszała głos Geralda i jej obawy powróciły. Coś było nie tak... Gerald musiał wypić zdecydowanie więcej, niż myślała. Może zrobił to, gdy uprzedzała Fleur o temacie czekającej ją rozmowy? A może pił teraz, słuchając dziecinnych gróźb wnuczki?

– Wcale nie chcesz iść do klasztoru, Fleur! To wręcz ostatnie miejsce, w jakim chciałabyś się znaleźć. Przecież już teraz odczuwasz przyjemność, przewalając się po sianie z tym swoim plugawym kolesiem! Poczekaj, malutka, już niejednej trzeba było przytrzeć rogów. Potrzebujesz mężczyzny, Fleur, ty...

Fleurette również wyczuła niebezpieczeństwo.

– Mama nie pozwoli, żebym już teraz wyszła za mąż... – powiedziała o wiele cichszym głosem. Ale to jeszcze bardziej rozwścieczyło Geralda.

– Twoja matka zrobi, co będę chciał! A ty zaraz zmienisz ton, mała, mogę ci to obiecać! – Gerald przyciągnął dziewczynę, która właśnie otworzyła drzwi, żeby przed nim uciec. – Wszyscy będziecie wreszcie robić to, co każę!

Gwyneira, która pełna obaw podeszła do gabinetu, szybko wpadła do środka. Zobaczyła, jak Fleurette zostaje rzucona na fotel i siedzi tam zapłakana i wystraszona. Gerald chciał się na nią rzucić, przy okazji tłukąc butelkę whisky. Mała strata, była zupełnie pusta. Gwyneira przypomniała sobie, że wcześniej była wypełniona do trzech czwartych.

– Nieposłuszna z ciebie klaczka, co? – wysyczał Gerald do wnuczki. – Nie posmakowałaś jeszcze wędzidła i cugli, tak? To zaraz się to zmieni. Zaraz nauczę cię uległości wobec jeźdźca...

Gwyneira oderwała go od Fleur. Wściekłość i strach o córkę dodały jej sił. Rozpoznała w oczach Geralda ten sam błysk, który od chwili spłodzenia Paula prześladował ją w najgorszych snach.

– Jak śmiesz ją napadać! – krzyknęła na niego. – Natychmiast zostaw ją w spokoju!

Gerald się wzdrygnął.

– Zabierz mi ją z oczu! – rzucił przez zaciśnięte zęby. – Ma siedzieć w swoim pokoju. Tak długo, aż zmieni zdanie w sprawie pana Beasleya. Już mu ją obiecałem! I dotrzymam danego słowa!

Reginald Beasley czekał na górze w pokoju gościnnym, ale awantura nie umknęła jego uwadze. Poruszony wyszedł przed drzwi i napotkał wchodzące po schodach Gwyneirę i jej córkę.

– Panno Gwyn... Panno Fleur... Proszę mi wybaczyć!

Beasley tego dnia był trzeźwy, a jedno spojrzenie na młodziutką, przerażoną twarz Fleur i rozpalony gniewem wzrok Gwyneiry wystarczyło, żeby zrozumiał, że nie ma najmniejszych szans.

– Ja... Ja nie wiedziałem, że... Że przyjęcie mojej propozycji byłoby dla pani tak... Tak trudne. Proszę zrozumieć, nie jestem już młody, ale przecież nie znowu tak stary... I ja... Ja zawsze otaczałbym panią czcią.

Gwyneira zgromiła go wzrokiem.

– Panie Beasley, moja córka nie pragnie być otaczana czcią, tylko chce najpierw dorosnąć. A potem prawdopodobnie wybierze sobie mężczyznę w swoim wieku, a już na pewno takiego, który sam się jej oświadczy, zamiast wysyłać do niej drugiego starego kozła, żeby zaciągnął ją do łóżka. Czy jasno się wyraziłam?

Właściwie zamierzała być uprzejmiejsza, ale widok twarzy Geralda pochylonego nad wciśniętą w fotel Fleur wstrząsnął nią do głębi. W pierwszej kolejności musiała pozbyć się tego podstarzałego konkurenta. To nie powinno być trudne. A potem musiała wymyślić, co zrobić z Geraldem. Nawet nie zauważyła, że siedzi na takiej beczce prochu. Za wszelką cenę musi chronić Fleur!

– Panno Gwyn, Ja... Tak jak powiedziałem, bardzo mi przykro, panno Fleur. I w takich okolicznościach jestem jak najbardziej skłonny... Cóż, odwołać zaręczyny.

– Nie jestem z panem zaręczona! – stwierdziła drżącym głosem Fleur. – Nie mogę być z panem zaręczona, ja...

Gwyneira pociągnęła córkę za sobą, przerywając jej.

– Ta decyzja bardzo mnie cieszy, a panu przynosi chlubę. – Pożegnała Reginalda Beasleya wymuszonym uśmiechem. – Może będzie pan łaskaw przekazać mojemu teściowi, że tym samym została zakończona cała ta przykra sprawa. Zawsze pana wysoko ceniłam i nie chciałabym stracić przyjaciela rodziny, za jakiego pana uważam.

Majestatycznym krokiem minęła pana Beasleya. Fleurette truchtała obok niej. Wydawało się, że chce coś jeszcze powiedzieć, ale Gwyneira nie pozwoliła jej się zatrzymać.

– Ani słowem nie wspominaj o Rubenie, bo może poczuć się urażony – syknęła do córki. – Zostaniesz teraz w swoim pokoju, najlepiej do czasu, aż odjedzie. I na miłość boską, nie wychodź z niego, dopóki twój dziadek nie wytrzeźwieje!

Gwyneira drżącą ręką zamknęła drzwi za córką. Na razie sprawa była załatwiona. Tego wieczoru Gerald znowu będzie pił z Beasleyem, nie groził więc żaden atak z jego strony. A jutro będzie płonąć ze wstydu za swoją dzisiejszą napaść. Ale co będzie potem? Jak długo wyrzuty sumienia powstrzymają Geralda przed zbliżeniem się do własnej wnuczki? I czy powstrzymają go zamknięte drzwi, jeśli będzie zupełnie pijany i wmówi sobie, że powinien „ujeździć" wnuczkę dla jej przyszłego męża?

Gwyneira podjęła decyzję. Musi odesłać córkę z domu.

4

Realizacja tego postanowienia okazała się jednak niełatwa. Nie znalazła ani dobrego pretekstu do odesłania Fleur, ani odpowiedniej rodziny, która mogłaby ją przyjąć. Gwyn myślała o jakimś domu z małymi dziećmi, ponieważ w Christchurch wciąż brakowało guwernantek, a tak miła i wykształcona dziewczyna jak Fleur powinna być przyjęta w każdej młodej rodzinie z otwartymi ramionami. W praktyce w grę wchodzili tylko młodzi Barringtonowie i Greenwoodowie. Antonia Barrington, bardzo niepozorna młoda dama, od razu odrzuciła pomysł Gwyneiry, gdy ta starała się wybadać grunt. Gwyn nie mogła mieć do niej o to żalu. Już pierwsze spojrzenia, jakie młody lord rzucał na jej piękną córkę, przekonały Gwyneirę, że Fleurette wpadłaby z deszczu pod rynnę, przenosząc się do domu Barringtonów.

Z kolei Elizabeth Greenwood z radością przyjęłaby Fleur pod swój dach. Miłość i wierność jej męża pozostawały poza jakimikolwiek podejrzeniami. Fleur szanowała swojego „wujka", a w jego domu mogłaby się dużo nauczyć o prowadzeniu ksiąg i zarządzaniu firmą. Ale Greenwoodowie właśnie wybierali się do Anglii. Rodzice George'a chcieli w końcu poznać swoje wnuki, także Elizabeth bardzo cieszyła się na ten wyjazd.

– Mam tylko nadzieję, że jego matka mnie nie rozpozna – podzieliła się z Gwyneirą swoimi obawami. – Ona przecież myśli, że pochodzę ze Szwecji. Jak teraz się zorientuje, że...

Gwyneira z uśmiechem potrząsnęła głową. Nikt nie mógłby w tej pięknej i zadbanej młodej kobiecie o nienagannych manierach, będącej podporą całej społeczności Christchurch, rozpoznać tamtej wychudzonej i nieśmiałej sierotki, która opuściła Londyn przed blisko dwudziestu laty.

– Zakocha się w tobie – zapewniła młodszą koleżankę. – I nie rób żadnych głupstw, nie próbuj mówić ze skandynawskim akcentem ani nic takiego. Powiesz po prostu, że dorastałaś w Christchurch, co przecież jest prawdą. Dlatego mówisz tak dobrze po angielsku, i już!

– Ale oni przecież usłyszą, że mówię londyńską gwarą – martwiła się Elizabeth.

Gwyn się roześmiała.

– Elizabeth, w porównaniu z tobą wszyscy okropnie kaleczymy angielszczyznę. Oczywiście poza Helen, dzięki której masz taką piękną wymowę. Nie denerwuj się więc tym.

Elizabeth niepewnie przytaknęła.

– Tak, George twierdzi poza tym, że i tak nie będę musiała dużo mówić. Jego matka podobno najchętniej sama prowadzi całą konwersację...

Gwyneira ponownie się roześmiała. Spotkania z Elizabeth zawsze działały na nią odświeżająco. Elizabeth była znacznie inteligentniejsza niż uprzejma, ale trochę nudna Dorothy, która mieszkała w Haldon, czy milutka Rosemary, która tymczasem zaręczyła się z czeladnikiem z piekarni swojego przybranego ojca. Gwyneira jak zwykle pomyślała o trzech pozostałych dziewczętach, które podróżowały z nimi na pokładzie „Dublina", i ich nieznanym losie. Helen otrzymała już odpowiedź z Westport. Niejaka panna Jolanda z irytacją doniosła w swoim liście, że Daphne zniknęła bez śladu wraz z bliźniaczkami oraz przychodem z całego weekendu. Kobieta ta była na tyle bezczelna, żeby zażądać od Helen zwrotu tych pieniędzy. Helen postanowiła nie odpowiadać na jej list.

W końcu Gwyn serdecznie pożegnała się z Elizabeth, nie zapominając przy tym o wręczeniu jej zwyczajowej listy zakupów, jaką każda kobieta z Nowej Zelandii przekazywała przyjaciółce wybierającej się do starej ojczyzny. Oczywiście za pośrednictwem firmy George'a można było zamówić właściwie wszystko, co tylko było dostępne w londyńskich magazynach, ale panie miały także pewne intymne sprawunki, których nie chciały umieszczać w oficjalnych zamówieniach. Elizabeth obiecała, że dokładnie przeszuka domy kupieckie w Londynie w imieniu Gwyn, i rozstały się w najlepszej zgodzie. Gwyneira wciąż jednak nie rozwiązała sprawy Fleur.

Na szczęście w ciągu kilku kolejnych miesięcy atmosfera w Kiward Station złagodniała. Gerald wyraźnie otrzeźwiał po swojej napaści na Fleur. Schodził teraz wnuczce z drogi, a Gwyneira pilnowała, żeby i Fleurette unikała spotkań z dziadkiem. Jeśli chodzi o Paula, to stary Warden dokładał wszelkich starań, by wdrożyć go do pracy na farmie. Obaj często już wczesnym rankiem znikali gdzieś na pastwiskach, aby pojawić się z powrotem dopiero pod wieczór. I choć Gerald wciąż każdego wieczoru raczył się whisky, to nigdy nie osiągał takiego stanu upojenia alkoholowego, jak wcześniej po całodniowym pijaństwie. W opinii Geralda Paul radził sobie całkiem dobrze, ale Kiri i Marama miały wątpliwości. Pewnego dnia Gwyneira usłyszała przypadkiem rozmowę między młodą Maoryską i swoim synem, która bardzo ją zaniepokoiła.

– Wiramu nie jest złym człowiekiem, Paul! Jest pracowity, jest dobrym myśliwym i dobrym pasterzem. To niesprawiedliwe, że chcesz go zwolnić!

Marama czyściła srebra w ogrodzie. W przeciwieństwie do swojej matki robiła to chętnie, lubiła lśniący metal. Czasami przy tym śpiewała, Gerald jednak sobie tego nie życzył, bo nie znosił dźwięków maoryskiej muzyki. Gwyn miała podobne odczucia, ale tylko gdy przypominały jej się bębny, które słyszała tamtej pamiętnej nocy. Ballady, które Marama śpiewała swoim słodkim głosem, podobały się jej, a i Paul o dziwo zdawał się przysłuchiwać im z przyjemnością. Lecz tego dnia to ona słuchała, jak przechwala się swoją wczorajszą wyprawą z Geraldem. Dokonywali inspekcji pastwisk leżących przy drodze prowadzącej w góry i spotkali tam młodego Maorysa Wiramu. Chłopak niósł do swojego plemienia, osiadłego na terenie Kiward Station, ryby z niezwykle obfitego połowu. Nie byłoby w tym nic złego, gdyby młody Maorys nie był członkiem jednego z patroli poganiaczy, które Gerald ostatnio stworzył, żeby ukrócić działalność Jamesa McKenziego na swoim obszarze. Dlatego Wiramu powinien być w górach, a nie u swojej matki w wiosce. Gerald wściekł się i nakrzyczał na niego. A potem kazał Paulowi wymierzyć mu karę według własnego uznania. Paul zdecydował, że Wiramu zostanie zwolniony ze skutkiem natychmiastowym.

– Dziadek nie płaci mu za to, żeby łowił ryby! – wyjaśniał teraz z powagą Maramie. – Powinien był zostać na posterunku!

Marama pokręciła głową.

– Ale przecież patrole się przemieszczają. Chyba wszystko jedno, gdzie Wiramu znajduje się w danej chwili. I przecież oni wszyscy łowią ryby. Muszą polować i łapać ryby. Przecież nie dajecie im żadnego prowiantu?

– To wcale nie wszystko jedno! – zatriumfował Paul. – McKenzie nie kradnie nam owiec spod domu, tylko wysoko na pastwiskach. I właśnie tamte okolice trzeba patrolować. Mogą polować i łowić ryby na własny użytek. Ale nie na potrzeby całej wioski. – Chłopak był absolutnie przekonany o swojej racji.

– Wcale tego nie robią! – Marama nie ustępowała. Za wszelką cenę starała się wyjaśnić Paulowi punkt widzenia swojego ludu. Nie mogła pojąć, dlaczego tak trudno go przekonać. Paul właściwie wychował się wśród Maorysów. Czyżby nie nauczył się od nich niczego poza metodami łowienia ryb i polowania? – Przecież dopiero odkryli tamtą rzekę i tereny wokół niej. Nikt nigdy dotąd nie łowił tam ryb, mieli więc pełne więcierze. Nie mogli tego wszystkiego zjeść sami i nie mieli też czasu, żeby wysuszyć te ryby, bo musieli patrolować okolicę. Gdyby jeden z nich nie pobiegł do wioski, ryby by się zepsuły. A to przecież niedopuszczalne, Paul, ty doskonale o tym wiesz. Nie wolno pozwolić na to, żeby jedzenie się zepsuło, bogowie bardzo tego nie lubią!

Wiramu został wyznaczony przez składającą się głównie z Maorysów grupę patrolującą, żeby zanieść ryby do wioski i poinformować starszyznę o niezwykłej obfitości nowo odkrytych cieków wodnych. Również otaczające je tereny wyglądały na wyjątkowo żyzne jak na tutejsze warunki i obfitujące w zwierzynę łowną. Możliwe, że całe plemię wyruszy wkrótce w to miejsce, żeby jakiś czas tam właśnie polować i łowić ryby. Byłoby to korzystne także dla farmy Kiward Station. W pobliżu obozowiska owce byłyby bezpieczne, bo Maorysi mogliby ich pilnować. Ale o tym ani Gerald, ani jego wnuk w ogóle nie pomyśleli. A raczej nie chcieli pomyśleć. I tylko rozzłościli Maorysów. Towarzysze Wiramu z pewnością przymkną teraz oko na każdą kradzież, a i w przyszłości patrole będą pracować bardzo niemrawo.

– Ojciec Tongi mówi, że zgłosi tę nową ziemię jako własność jego plemienia – dodała Marama. – Wiramu go tam zaprowadzi. Gdyby pan Gerald był dla niego miły, jego też by zaprowadził i to wy moglibyście wymierzyć te działki!

– Sami je znajdziemy! – oświadczył z butą Paul. – Wcale nie musimy być uprzejmi dla jakichś przybłędów.

Marama pokręciła głową, ale zrezygnowała z wyjaśniania chłopcu, że Wiramu nie jest żadnym przybłędą, tylko darzonym przez współplemieńców szacunkiem siostrzeńcem wodza. – Tonga mówi, że Kai Tahu zgłoszą własność tej ziemi w Christchurch – kontynuowała. – On umie pisać i czytać równie dobrze jak ty. I Reti mu pomoże. Głupio zrobiłeś, zwalniając Wiramu, Paul. Po prostu głupio!

Paul gniewnie zerwał się z miejsca i przy okazji zrzucił pudełko ze sztućcami, które Marama już wypolerowała. Zrobił to z pewnością celowo, bo zwykle poruszał się bardzo zręcznie.

– Jesteś tylko dziewczyną, i na dodatek Maoryską. Skąd możesz wiedzieć, co jest głupie?

Marama roześmiała się i spokojnie pozbierała sztućce. Niełatwo było wyprowadzić ją z równowagi.

– Przekonasz się, kto dostanie tę ziemię! – powiedziała spokojnie.

Podsłuchana rozmowa potwierdziła obawy Gwyneiry. Paul niepotrzebnie robił sobie wrogów. Nie odróżniał siły od bezwzględności, co było raczej typowe dla chłopców w jego wieku. Ale Gerald powinien go temperować, a nie dolewać oliwy do ognia. Jak mógł pozwolić na to, żeby ledwie dwunastoletni chłopak decydował o tym, czy ktoś zostanie zwolniony z pracy?

Fleurette powróciła do dawnego trybu życia i nawet znowu zaczęła często jeździć do O'Keefe Station, żeby odwiedzać Helen. Oczywiście robiła to tylko wtedy, gdy Gerald i Paul byli w bezpiecznej odległości, a i niespodziewane pojawienie się Howarda było mało prawdopodobne. Gwyn uważała, że to lekkomyślne zachowanie, i wolała, żeby spotykała się z Helen w Haldon. Odesłała już wcześniej przyjaciółce jej muła Nepomuka.

Fleurette nadal pisała długie listy, które wysyłała do Queenstown, ale nie otrzymała dotąd żadnej odpowiedzi. Podobnie było w wypadku Helen, która bardzo martwiła się o syna.

– Gdyby chociaż pojechał do Dunedin – wzdychała. W Haldon otwarto herbaciarnię, w której przyzwoite kobiety mogły się spotykać, żeby wymienić najświeższe nowiny. – Mógł przecież przyjąć posadę gońca w biurze albo coś takiego. Ale to całe poszukiwanie złota...

Gwyn wzruszyła ramionami.

– Chce być bogaty. I może będzie miał szczęście, podobno złoża złota są tam rzeczywiście ogromne.

Helen uniosła wzrok do góry.

– Gwyn, kocham mojego syna ponad wszystko. Ale złoto musiałoby rosnąć na drzewach i spaść mu prosto na głowę, żeby je znalazł. On wrodził się w mojego ojca, Gwyn, który był szczęśliwy tylko wtedy, gdy siedział w gabinecie zatopiony w starohebrajskich pismach. Jedyna różnica jest taka, że w wypadku Rubena są to teksty ustaw. Myślę, że byłby dobrym adwokatem albo sędzią, a nawet kupcem. George Greenwood powiedział, że dobrze radzi sobie z klientami, że jest bardzo uprzejmy. Ale zmieniać bieg strumieni, żeby szukać złota, albo kopać szyby, czy co tam trzeba robić, to zupełnie do niego nie pasuje.

– Zrobi to dla mnie! – powiedziała Fleur ze stanowczym wyrazem twarzy. – Zrobi dla mnie wszystko! A na pewno będzie próbował!

Ale na razie w Haldon wcale nie rozprawiano o złocie odkrytym przez Rubena O'Keefe'a, tylko o coraz bezczelniejszych kradzieżach dokonywanych przez Jamesa McKenziego. Ataki McKenziego koncentrowały się ostatnio na zwierzętach wielkiego „owczego barona" o nazwisku John Sideblossom.

Sideblossom mieszkał na wyżej położonych terenach, na zachodnim brzegu jeziora Pukaki. Rzadko przyjeżdżał do Haldon, a do Christchurch właściwie nigdy, ale posiadał ogromne obszary ziemi u podnóża Alp. Swoje zwierzęta sprzedawał w Dunedin, nie należał więc do grona klientów George'a Greenwooda.

Wyglądało jednak na to, że Gerald go zna. Ucieszył się wręcz jak dziecko, gdy pewnego dnia otrzymał wiadomość, że pan Sideblossom pragnie spotkać się w Haldon z innymi hodowcami, żeby zaplanować porządną ekspedycję karną w góry przeciwko Jamesowi McKenziemu.

– Jest przekonany, że McKenzie kryje się gdzieś w jego okolicy! – wyjaśnił Gerald, popijając whisky przed kolacją. – Gdzieś tam za jeziorami musiał odkryć nowe tereny. John sądzi, że przechodzi przez jakąś przełęcz, której nikt nie zna. I uważa, że powinniśmy przeprowadzić akcję poszukiwawczą na dużym obszarze. Musimy pościągać ludzi i w końcu wykurzyć tego człowieka z jego kryjówki.

– A ten Sideblossom w ogóle wie, o czym mówi? – zapytała obojętnie Gwyneira. Przez ostatnie kilka lat prawie wszyscy „owczy baronowie" z Canterbury Plains planowali w cieple kominków wielkie ekspedycje. Zwykle kończyło się na tym, że nie byli w stanie uzbierać dość ludzi, żeby przeszukać choćby najbliższą okolicę. Do zjednoczenia zapatrzonych w czubek własnego nosa hodowców owiec potrzeba było kogoś o bardziej charyzmatycznej osobowości niż Reginald Beasley.

– Gwarantuję ci to! – zagrzmiał Gerald. – Johnny Sideblossom jest niczym wściekły pies, możesz mi wierzyć! Znam go jeszcze z czasów polowań na wieloryby, wtedy to był zupełny dzieciak, miał tyle lat, co Paul teraz…

Paul nadstawił ucha.

– Zaciągnął się jako chłopiec okrętowy, razem z ojcem. Ale jego stary pił jak świnia. Pewnego dnia, gdy rzucał harpunem, a wieloryb machał ogonem jak szalony, zmiotło go z łódki. Dokładniej to wywróciło całą łódkę i wszyscy z niej wyskoczyli. Tylko ten mały czekał do ostatniej chwili i zdążył jeszcze rzucić harpunem, zanim łajba się przewróciła. I załatwił tego wieloryba, ten mały Johnny Sideblossom! Miał wtedy dziesięć lat. Ojciec zginął, to go jednak nie zniechęciło. Został najgroźniejszym harpunnikiem na całym Zachodnim Wybrzeżu. Ale jak tylko usłyszał o odkryciu złota koło Westport, raz-dwa i go nie było. Szukał w dole i w górze rzeki Buller, zawsze z dobrym skutkiem. W końcu kupił ziemię nad jeziorem Pukaki. I najlepsze zwierzęta, część z nich nawet ode mnie. Jeśli dobrze pamiętam, ten drań McKenzie zapędził nawet kiedyś do niego jedno stado od nas. To było chyba ze dwadzieścia lat temu...

„Siedemnaście" – pomyślała Gwyneira. Pamiętała, że Jamesowi tak bardzo zależało, żeby dostać to zlecenie, bo nie chciał jej wchodzić w drogę. Czy przedłużył wtedy swoją wyprawę i znalazł tam swój raj?

– Napiszę do niego, że możemy zorganizować to spotkanie u nas! Tak, to wyśmienity pomysł! Zaproszę jeszcze kilku znajomych i w końcu się za to weźmiemy! Dopadniemy go, nie ma obaw. Jak Johnny się za coś bierze, to doprowadzi to do końca! – Gerald najchętniej od razu sięgnąłby po pióro i atrament, ale właśnie weszła Kiri z jedzeniem. Swój zamiar zrealizował więc dopiero następnego ranka, a Gwyn aż westchnęła na myśl o hulankach i pijatykach, które poprzedzą ekspedycję. Ale była ciekawa tego Johnny'ego Sideblossoma. Gdyby choć połowa opowieści, którymi Gerald raczył towarzystwo podczas kolacji, była prawdziwa, to byłby z niego niezły chwat i być może godny przeciwnik dla Jamesa McKenziego.

Niemal wszyscy hodowcy z okolicy przyjęli zaproszenie Geralda i tym razem wydawało się, że nie skończy się na samym świętowaniu. James McKenzie pozwalał sobie na zbyt wiele. A John Sideblossom zdawał się człowiekiem, który potrafi przewodzić innym. Gwyneira uznała, że wygląda imponująco. Jeździł na potężnym czarnym ogierze, bardzo reprezentacyjnym, ale jednocześnie grzecznym i łatwym do prowadzenia. Prawdopodobnie na tym samym koniu objeżdżał pastwiska i kontrolował stada. Sideblossom był wysokim mężczyzną, nawet najpotężniejszych hodowców przewyższał niemal o głowę. Miał mocne i muskularne ciało, opaloną na brąz twarz i dobrze przycięte gęste i kręcone włosy. Nosił je półdługie, co jeszcze bardziej podkreślało surowość jego oblicza. A przy tym miał błyskotliwy umysł i ujmującą osobowość. Od razu przejął prowadzenie konwersacji, klepał starych znajomych po plecach, gromko zaśmiewał się z Geraldem i pił whisky, jakby to była woda, i nic po nim nie było widać. Wobec Gwyneiry i pozostałych kilku kobiet, które zdecydowały się towarzyszyć mężom na spotkanie, okazywał wręcz wyszukaną uprzejmość. Mimo to Gwyn go nie polubiła. Choć nie umiała podać konkretnej przyczyny, od pierwszej chwili poczuła do niego jakąś niechęć. Czy było tak dlatego, że miał wąskie i zacięte usta? Czy dlatego, że kiedy one się uśmiechały, jego oczy pozostawały obojętne? Czy też chodziło o same oczy, tak ciemne, że wydawały się niemal czarne, zimne jak noc i lekceważące? Gwyneira zauważyła, że wciąż taksuje ją wzrokiem, nie patrząc na jej twarz, tylko na wciąż szczupłą figurę i kobiece krągłości. Gdyby była młodą dziewczyną, zaczerwieniłaby się w takiej sytuacji, ale teraz potrafiła odpowiedzieć pewnym spojrzeniem. To ona była tutaj panią, a on gościem, i nie interesowały jej żadne kontakty, które wykraczałyby poza tę relację. Najchętniej trzymałaby Fleur z daleka od starego kumpla Geralda, ale to oczywiście nie wchodziło w rachubę, ponieważ oczekiwano pojawienia się wnuczki gospodarza na wieczornym bankiecie. Gwyn postanowiła też, że nie ostrzeże córki, bo Fleur postarałaby się wtedy, żeby wyglądać jak najmniej atrakcyjnie, co z kolei prawdopodobnie rozzłościłoby Geralda. Gwyneira obserwowała więc tylko wzbudzającego nieufność gościa, kiedy Fleur schodziła po schodach. Promieniała urodą tak samo jak jej matka w swój pierwszy wieczór w Kiward Station. Fleur miała na sobie prostą kremową sukienkę, która podkreślała lekką opaleniznę jej skóry. Przy rękawach, dekolcie i w talii była ozdobiona wyszytym złotą i brązową nicią ażurowym haftem, który doskonale pasował do niezwykłej barwy jasnobrązowych, niemal złotych oczu Fleur. Włosów nie upięła, tylko zebrała po jednym paśmie z prawej i lewej strony głowy, żeby spleść je z tyłu w cienki warkoczyk. Wyglądało to bardzo ładnie, choć miało przede wszystkim znaczenie praktyczne i służyło jedynie temu, żeby włosy nie opadały jej na twarz. Fleurette zawsze czesała się sama. Od dziecka nie zgadzała się, żeby pomagała jej w tym służba.

Szczupła figura Fleur i rozpuszczone włosy sprawiały, że wyglądała jak jakaś baśniowa postać. Choć była bardzo podobna do matki i miała bardzo podobny temperament, to jednak sprawiała odmienne wrażenie. Fleur wyglądała na milszą i uleglejszą niż młoda Gwyn, a w jej oczach zamiast wyzywającego iskrzenia migotało raczej pełne ciepła światło.

Mężczyźni zgromadzeni w salonie z fascynacją wpatrywali się w jej postać. Większość z nich wydawała się oczarowana, ale we wzroku Johna Sideblossoma Gwyneira dostrzegła wyraz pożądania. Jej zdaniem zbyt długo przytrzymał dłoń Fleur, kiedy uprzejmie się z nią witał.

– Pana żona nie mogła przybyć? – zapytała Gwyn, gdy goście i gospodarze zasiedli do stołu. Gwyneira sama wyznaczyła sobie miejsce obok Johna Sideblossoma, ale on zupełnie nie zwracał na nią uwagi, i to do tego stopnia, że niemal ocierało się to o niegrzeczność. Cały czas wpatrywał się we Fleur, która prowadziła raczej nudną rozmowę ze starym lordem Barringtonem. Lord przekazał swoje interesy w Christchurch synowi, a sam przeniósł się na emeryturę na farmę na Canterbury Plains, gdzie z umiarkowanym sukcesem hodował konie i owce.

John Sideblossom popatrzył na Gwyneirę, jakby dotąd nie zauważył jej obecności.

– Nie, pani Sideblossom nie żyje – odpowiedział na jej pytanie. – Moja żona zmarła przed trzema laty, podczas porodu naszego syna.

– Bardzo mi przykro – stwierdziła Gwyn, a grzecznościowa formułka wyjątkowo trafnie odzwierciedlała jej odczucia. – Także ze względu na dziecko. Czy dobrze zrozumiałam, że jemu udało się przeżyć?

Sideblossom skinął głową.

– Tak, mój syn wychowuje się teraz właściwie wśród maoryskiej służby. Nie jest to najlepsze rozwiązanie, ale dopóki jest mały, ujdzie. W dłuższej perspektywie powinienem jednak rozejrzeć się za czymś innym. Tylko wcale nie tak łatwo znaleźć odpowiednią dziewczynę… – Cały czas wpatrywał się we Fleur, co wzbudzało w Gwyn złość i irytację. Ten człowiek mówił o potencjalnej żonie jak o nowej parze bryczesów!

– Czy państwa córka została już z kimś zaręczona? – zapytał bez ogródek. – Wydaje mi się, że to bardzo dobrze wychowana panna.

Gwyn ze zdumienia nie potrafiła wydusić z siebie słowa. Jej rozmówca nie tracił czasu na żadne wstępy.

– Fleurette jest jeszcze bardzo młoda… – stwierdziła w końcu wymijająco.

Sideblossom wzruszył ramionami.

– To raczej plus. Zawsze uważałem, że im wcześniej wydaje się dziewczyny za mąż, tym lepiej, bo w przeciwnym razie przychodzą im tylko do głowy głupie pomysły. I młodym też łatwiej rodzić. Tak mi powiedziała akuszerka po śmierci Marylee. Marylee miała już dwadzieścia pięć lat.

Stwierdziwszy to, odwrócił się od Gwyneiry. Jakieś zdanie wypowiedziane przez Geralda musiało zwrócić jego uwagę i już po chwili zatopił się w ożywionej dyskusji z kilkoma innymi hodowcami.

Gwyneira zachowała spokój, ale w środku aż gotowała się z wściekłości. Była przyzwyczajona do tego, że mężczyźni starają się o jakąś pannę nie ze względu na zalety jej osobowości, tylko z powodów finansowych lub dynastycznych. Ale ten mężczyzna posuwa się zbyt daleko. Już sam sposób, w jaki wyraża się o swojej zmarłej żonie: „Marylee miała już dwadzieścia pięć lat". Mówił to tak, jakby i tak miała wkrótce umrzeć ze starości, bez względu na to czy urodziłaby Sideblossomowi kolejnego potomka czy nie.

Gdy goście znaleźli się potem w salonie i w niewielkich grupkach kończyli rozmowy prowadzone wcześniej przy stole, zanim panie udadzą się na herbatę i likier do saloniku Gwyneiry, a panowie na cygara i whisky do gabinetu Geralda, John Sideblossom mógł wreszcie bezpośrednio zwrócić się do Fleur.

Gwyneira, która nie mogła przerwać swojej konwersacji z lady Barrington, z mieszanymi odczuciami obserwowała, jak irytujący gość podchodzi do jej córki i ją zagaduje. Zachowywał się bardzo grzecznie, użył całego swego uroku. Fleurette uśmiechnęła się zakłopotana, a potem zaangażowała w swobodną wymianę zdań. Sądząc po wyrazie jej twarzy, rozmawiali najpewniej o psach albo o koniach. Gwyneirze nie przychodziło do głowy nic innego, co mogłoby wzbudzić w niej równie duże zainteresowanie. Gdy Gwyn udało się w końcu pozbyć lady Barrington i niepostrzeżenie zbliżyć do Sideblossoma, okazało się, że miała rację.

– Oczywiście bardzo chętnie pokażę panu tę klacz. Jeśli pan chce, możemy wybrać się jutro na przejażdżkę. Widziałam pana ogiera, jest naprawdę piękny! – gość najwyraźniej wzbudził sympatię Fleur. – Chyba że pan już jutro wyjeżdża?

Większość gości miała wrócić na swoje farmy następnego dnia. Podjęto decyzję o zorganizowaniu karnej ekspedycji, a hodowcy mieli w swojej okolicy zwerbować ludzi, którzy byliby chętni do wzięcia w niej udziału. Niektórzy farmerzy sami chcieli w niej uczestniczyć, inni zaś obiecali, że przyślą co najmniej kilku zbrojnych jeźdźców.

John Sideblossom pokręcił jednak głową.

– Nie, zostanę tutaj kilka dni, panno Warden. Ustaliliśmy, że właśnie tutaj zgromadzimy ludzi z okolic Christchurch, a potem już razem pojedziemy na moją farmę. Będzie punktem wyjścia do kolejnych działań. W związku z tym z radością przyjmuję pani propozycję. Mój ogier ma trochę arabskiej krwi. Kilka lat temu udało mi się nabyć jednego araba w Dunedin i skrzyżowałem z nim klacze z mojej farmy. Potomstwo jest bardzo piękne, choć czasem zbyt lekkie.

Gwyn się uspokoiła. Dopóki będą rozmawiać o hodowli koni, Sideblossom będzie się odpowiednio zachowywać. I chyba rzeczywiście spodobał się Fleurette. Pasowaliby do siebie. Sideblossom był poważanym hodowcą i miał nawet więcej ziemi niż Gerald Warden, choć nie tak żyznej. Oczywiście był trochę za stary dla Fleur, ale różnica wieku nie była tak ogromna. Gdyby tylko nie miała takich złych przeczuć! Gdyby ten mężczyzna nie wydawał się jej taki zimny i pozbawiony uczuć! A poza tym był jeszcze Ruben O'Keefe. Fleurette z własnej woli z pewnością nie zrezygnuje ze swojej miłości.

Co nie przeszkadzało jej w ciągu kolejnych kilku dni cieszyć się towarzystwem Johna Sideblossoma. Był odważnym jeźdźcem, co bardzo odpowiadało Fleur, potrafił ciekawie opowiadać, a jednocześnie był wdzięcznym słuchaczem. Miał dużo uroku osobistego i nieco zuchwały sposób bycia, który podobał się Fleur. Roześmiała się, gdy podczas strzelania do rzutek z Geraldem, zamiast rzutki ustrzelił dla niej różę z jednego z zapuszczonych krzewów w zaniedbanym ogrodzie.

– Róża dla róży! – powiedział, niezbyt oryginalnie, ale Fleur jego słowa pochlebiły. Za to Paul wydawał się zirytowany. Zaczął podziwiać Johna Sideblossoma już wtedy, gdy opowiadał o nim Gerald, gdy zaś poznał go osobiście, zaczął go wręcz ubóstwiać. Ale Sideblossom nie zwracał na niego uwagi. Albo pił i gadał z Geraldem, albo nadskakiwał Fleur. Paul zastanawiał się, jak by tu przekazać mu szczerą prawdę o swojej siostrze, ale nie nadarzała się po temu żadna sposobność.

John Sideblossom był człowiekiem, który szybko podejmował decyzje i był przyzwyczajony do tego, że dostaje to, czego chce. Przyjechał na Kiward Station przede wszystkim po to, żeby w końcu zmobilizować hodowców z Canterbury Plains. Ale gdy poznał Fleurette Warden, od razu zdecydował, że przy okazji rozwiąże inny palący problem. Potrzebował nowej żony, a tutaj niespodziewanie napotkał odpowiednią kandydatkę. Młodą, atrakcyjną, z dobrej rodziny i z niezłym wykształceniem. Przynajmniej przez kilka lat będzie mógł zaoszczędzić na pensji guwernera dla małego Thomasa. Poza tym związek z rodziną Wardenów pomógłby mu nawiązać kontakty z dobrym towarzystwem w Christchurch i Dunedin. Jeśli dobrze zrozumiał, to matka Fleurette pochodzi nawet z angielskiej arystokracji. Tyle tylko że dziewczyna wygląda na trochę dziką, a jej matka wyraźnie lubi się rządzić. Sideblossom nigdy nie pozwalał, żeby jego żona brała udział w zarządzaniu farmą czy wręcz uczestniczyła w pędzeniu owiec! Ale to był problem Wardena, on już będzie umiał zapanować nad Fleurette. Oczywiście pozwoli jej wziąć ze sobą ulubione zwierzęta. Jej klacz da wspaniałe źrebaki, a i suka Fleurette przyda się na jego farmie. Ale jak tylko Fleur zajdzie w ciążę, nie pozwoli jej na dalsze prowadzenie owczarka. Sideblossom już teraz starał się wkraść w łaski Gracie, co zjednywało mu coraz więcej sympatii ze strony jej pani. Po trzech dniach Sideblossom był przekonany, że Fleur nie odrzuci jego propozycji. A Gerald Warden powinien być szczęśliwy, że tak dobrze wyda wnuczkę za mąż.

Gerald obserwował zaloty Johna z mieszanymi uczuciami. Tym razem jego wnuczka nie była niechętna wobec konkurenta, Gerald uznał wręcz, że dziewczyna bezwstydnie flirtuje z jego starym znajomym. I choć cieszył się z tego, poczuł też zazdrość. John dostanie to, czego on sam nigdy nie mógłby mieć. Sideblossom nie będzie musiał brać Fleur siłą, ona odda mu się dobrowolnie. Gerald starał się zagłuszyć zakazane myśli za pomocą whisky.

Ale przynajmniej był przygotowany, gdy czwartego dnia swego pobytu w Kiward Station Sideblossom zagadnął go i przedstawił swoją ofertę matrymonialną.

– Mój stary przyjacielu, doskonał wiesz, że będzie jej u mnie dobrze – powiedział. – Lionel Station to wielka farma. Choć dom nie jest tak wspaniały, jak ten tutaj, to jest bardzo wygodny. I mamy sporo służby. Będzie jej miał kto usługiwać. Musi się tylko zająć dzieckiem. Ale na pewno wkrótce będzie miała własne, a łatwiej chować wszystkie razem. Czy masz coś przeciwko temu, żebym się jej oświadczył? – Sideblossom sam nalał sobie whisky.

Gerald pokręcił głową i pozwolił, żeby gość napełnił również jego szklankę. Sideblossom miał rację, jego propozycja była świetnym rozwiązaniem.

– Nie mam nic przeciwko temu. Tyle że moja farma nie przynosi dochodu w gotówce, nie mogę więc zaproponować posagu w takiej formie. Czy zadowoli cię stado owiec? Możemy też porozmawiać o dwóch klaczach zarodowych...

Przez następną godzinę obaj panowie w miłej atmosferze prowadzili negocjacje dotyczące posagu Fleurette. Obaj byli świetnymi ekspertami w sprawach hodowlanych, dlatego tylko przerzucali się ofertami. Gwyneira, która przypadkiem usłyszała ich rozmowę, nie zaniepokoiła się. Odniosła wrażenie, że chodzi o poprawę jakość stad w Lionel Station. Imię jej córki nie padło ani razu.

– Ale mu-muszę cię ostrzec! – stwierdził Gerald, gdy doszli do porozumienia i dobili targu, ustalając wysokość posagu, i przypieczętowali umowę kolejną porcją whisky. – Z tą ma-małą nie będzie ła-łatwo. Wplątała się w jakąś aferę z synem sąsiada... To zupełne głu-głupstwo, on zresztą już dawno wyjechał. Ale wiesz... Wiesz przecież, jakie potrafią być kobiety...

– Odniosłem wrażenie, że nie jestem Fleurette obojętny – zdziwił się Sideblossom. Jak zwykle wydawał się całkiem trzeźwy, mimo że pierwszą butelkę whisky dawno już opróżnili. – Może od razu doprowadzimy sprawę do końca i po prostu ją zapytamy? Dalej, zawołaj ją! Mam ochotę na całusa od narzeczonej! Jutro pozostali hodowcy powinni już wrócić i będziemy mogli oficjalnie ogłosić zaręczyny.

Fleurette, która przed chwilą wróciła z konnej przejażdżki i właśnie zaczęła przebierać się do kolacji, zdziwiła się, gdy Witi nieśmiało zastukał do jej drzwi.

– Panienko Fleur, pan Gerald chciałby z panią mówić... On... jak on to powiedział? On prosi, że pani zaraz przyjść do jego gabinet. – Służący zastanowił się, czy powinien coś jeszcze dodać i powiedział w końcu: – Najlepiej panienka iść szybko. Jak panowie dużo whisky, to mało cierpliwości.

Po historii z Reginaldem Beasleyem Fleur z nieufnością podchodziła do zaproszeń do gabinetu dziadka. Instynktownie postanowiła, że nie zatroszczy się o swój ładny wygląd i z powrotem zapięła suknię do jazdy konnej, zamiast zmienić ją na ciemnozieloną jedwabną suknię wieczorową, którą przygotowała dla niej Kiri. Najchętniej poprosiłaby matkę, żeby jej towarzyszyła, ale nie wiedziała, gdzie Gwyneira może w tej chwili być. Gwyn była bardzo zabiegana przy takiej liczbie gości. Choć na farmie nie powinno być dużo pracy, ponieważ był styczeń i zakończyło się zarówno strzyżenie, jak i kocenie owiec, większość stad wypędzono zaś na pastwiska, to jednak tegoroczne lato było niezwykle deszczowe, wciąż więc trzeba było coś naprawiać, a sianokosy stały pod znakiem zapytania. Fleur postanowiła, że nie będzie czekać na Gwyneirę ani marnować czasu na jej poszukiwanie. Bez względu na to czego Gerald od niej chce, będzie musiała sama stawić temu czoła. Nie obawiała się agresji z jego strony. Witi wspomniał o panach w gabinecie, jest więc tam pewnie też Sideblossom, którego obecność z pewnością załagodzi atmosferę.

John Sideblossom był niemile zaskoczony, gdy Fleur weszła do gabinetu w sukni do jazdy konnej i z potarganymi włosami. Mogła się przecież doprowadzić do porządku, choć i tak bez wątpienia wyglądała zachwycająco. Nie, wbrew pozorom wcale nie będzie mu trudno wprowadzić romantyczny nastrój.

– Panno Fleur – powiedział. – Czy mogę panią o coś zapytać? – Ukłonił się przed nią w bardzo formalny sposób. – W końcu sprawa dotyczy przede wszystkim mnie, a nie jestem człowiekiem, który wysłałby w swaty kogoś w zastępstwie.

Spojrzał w przerażone oczy Fleur i uznał, że to co w nich pobłyskuje, to zachęta, a nie tylko zdenerwowanie.

– Choć dopiero przed trzema dniami ujrzałem panią po raz pierwszy, panno Fleur, to od pierwszego spojrzenia zachwyciłem się panią, pani cudownymi oczami i łagodnym uśmiechem. Przez te kilka dni traktowała mnie pani bardzo uprzejmie, co pozwala mi mieć nadzieję, że moje towarzystwo nie było pani niemiłe. Z tego powodu i ponieważ jestem człowiekiem, który szybko podejmuje odważne decyzje, co mam nadzieję, polubi pani we mnie, postanowiłem, że poproszę pani dziadka o pani rękę. Z radością zgodził się na nasz związek. Tak więc za pozwoleniem pani opiekuna oficjalnie proszę panią o rękę.

Sideblossom uśmiechnął się i uklęknął przed Fleur na jedno kolano. Gerald omal się nie roześmiał, gdy zobaczył, że Fleur z zakłopotania nie wie, gdzie podziać wzrok.

– Ale ja... Panie Sideblossom, to bardzo miłe, ale ja kocham innego – wyrzuciła w końcu z siebie. – Mój dziadek powinien był pana o tym uprzedzić i...

– Panno Fleur – Sideblossom przerwał jej pewnym tonem. – W moich ramionach szybko zapomni pani o tym, którego wydaje się pani, że pani kocha.

Fleurette potrząsnęła głową.

– Nigdy o nim nie zapomnę, proszę pana! Obiecałam mu, że za niego wyjdę...

– Fleur, nie opowiadaj takich głupstw! – zdenerwował się Gerald. – John to odpowiedni mężczyzna dla ciebie! Nie za młody, nie za stary, z dobrego towarzystwa i do tego bogaty. Czego byś jeszcze chciała?

– Muszę kochać swojego męża! – rzuciła zrozpaczona Fleur. – I ja przecież...

– Miłość przychodzi z czasem – wyjaśnił Sideblossom. – Daj spokój, dziewczyno. Spędziłaś ze mną ostatnie trzy dni, nie mogę ci być aż tak niemiły.

W jego oczach pojawił się błysk zniecierpliwienia.

– Pan... Pan nie jest mi niemiły, ale... Ale nie wyjdę za pana z tego powodu. Uważam, że jest pan sympatyczny, ale... ale...

– Przestań robić ceregiele, Fleurette! – Sideblossom przerwał jąkającej się dziewczynie. Jej zastrzeżenia były mu zupełnie obojętne. – Powiedz po prostu „tak" i będziemy mogli omówić szczegóły uroczystości. Moim zdaniem powinniśmy urządzić wesele jeszcze tej jesieni, jak tylko załatwimy tę przykrą sprawę z Jamesem McKenziem. Możesz zresztą od razu pojechać do Lionel Station... Oczywiście wraz z matką, wszystko powinno odbywać się zgodnie z obyczajem...

Fleurette, która odczuwała jednocześnie złość i strach, odetchnęła głęboko. „Dlaczego, do diabła, nikt jej nie słucha?". Postanowiła jasno i zdecydowanie powiedzieć, o co jej chodzi. Ci dwaj mężczyźni chyba są zdolni do zrozumienia najprostszych faktów!

– Panie Sideblossom, dziadku... – Fleurette podniosła głos. – Powiedziałam to już wielokrotnie i pomału zaczynam mieć dosyć powtarzania tego samego w kółko. Nie wyjdę za pana! Dziękuję za propozycję i doceniam pańskie uczucia, ale jestem już z kimś związana. A teraz udam się do swojego pokoju. Proszę przeprosić wszystkich za moją nieobecność, dziadku, ale dziś wieczorem jestem niedysponowana.

Fleur udało się nie wybiec z gabinetu, tylko odwrócić powoli i z godnością. Z dumnie uniesioną głową wyszła z pokoju i powstrzymała się przed głośnym zatrzaśnięciem drzwi. Ale potem pobiegła przez salon i w górę schodów, jakby gonił ją sam diabeł. Najlepiej będzie, jak zostanie w swoim pokoju aż do wyjazdu Sideblossoma. Błysk w jego oczach zupełnie jej się nie podobał. Ten człowiek z pewnością nie był przyzwyczajony do odmowy. A intuicja podpowiadała jej, że może być niebezpieczny, gdy coś nie idzie po jego myśli.

5

Następnego dnia w Kiward Station aż zaroiło się od ludzi i koni. „Owczy baronowie" z Canterbury Plains pokazali, na co ich stać, i liczba uczestników karnej ekspedycji urosła do rozmiarów prawdziwego batalionu. Ale Gwyneirze nie podobali się mężczyźni, których zwerbowali znajomi Geralda. Niemal nie było wśród nich maoryskich poganiaczy, a i białych robotników zjawiło się niewielu. Wyglądało na to, że hodowcy szukali chętnych do udziału w wyprawie w pubach albo barakach nowych emigrantów. Gwyn odniosła wrażenie, że wielu z nich to poszukiwacze przygód czy wręcz szemrane towarzystwo. Nie miała więc nic przeciwko temu, że Fleurette cały dzień trzymała się z daleka od stajni. Zwłaszcza że Gerald nie skąpił gościom popitki, znacznie uszczuplając domowe zapasy alkoholu. Przybysze pili i świętowali w szopach do strzyżenia owiec, podczas gdy poganiacze z Kiward Station, w większości starzy znajomi Jamesa McKenziego, wycofali się stamtąd urażeni.

– Mój Boże, panno Gwyn – Andy McAran wyraził ich wspólną opinię. – Oni będą polować na Jamesa jak na jakiegoś parszywego wilka. Na poważnie rozprawiają o tym, że go ustrzelą! On nie zasłużył na to, żeby ścigały go takie męty. Taka afera o kilka owiec!

– Takie szumowiny nie poradzą sobie w górach – stwierdziła Gwyneira, nie wiedząc, czy pragnie uspokoić starego pasterza czy samą siebie. – Będą sobie tylko wzajemnie deptać po palcach, a McKenzie umrze ze śmiechu! Poczekamy, a zobaczysz, że nic z tego nie wyjdzie. Żeby tylko stąd odjechali! Nie chcę tych ludzi w moim domu. Odesłałam już wcześniej Kiri i Moanę, a Marama też poszła do swoich. Mam nadzieję, że Maorysi pilnują swojej wioski. A wy macie oko na konie i siodła? Nie chciałabym, żeby coś zginęło.

Pod tym względem czekała Gwyn bardzo niemiła niespodzianka. Część uczestników wyprawy przybyła do Kiward Station piechotą, dlatego Gerald, który rano miał ciężkiego kaca, ale do południa zdążył się już upić, a przede wszystkim był rozwścieczony krnąbrnością Fleurette, obiecał im konie z Kiward Station. Gwyn nie została o tym uprzedzona, nie zdążyła więc sprowadzić koni roboczych z letnich pastwisk. Uradowani przybysze, wiwatując, podzielili zatem między siebie wartościowe wierzchowce. Fleurette mogła tylko bezradnie patrzeć przez okno swojego pokoju, jak po kolei próbują zapanować nad Niniane.

– Mamo, on przecież nie może tak po prostu im jej dać! Przecież ona jest nasza! – lamentowała.

Gwyneira wzruszyła ramionami.

– On je tylko wypożycza, nie będą mogli ich sobie zatrzymać. Ale mnie też to nie odpowiada. Większość z nich nawet nie potrafi dobrze jeździć. Chociaż ma to swoje dobre strony. Widzisz przecież, jak konie ich nie słuchają. Jak wrócą, będziemy musieli ujeżdżać je na nowo.

– Ale Niniane…

– Nic nie poradzę, moje dziecko. Moją Morgaine też chcą zabrać. Może rano uda mi się jeszcze raz porozmawiać z Geraldem, ale dzisiaj zupełnie oszalał. A ten Sideblossom zachowuje się tak, jakby był co najmniej współwłaścicielem tej farmy, przydziela ludziom kwatery i wydaje im komendy, a mnie traktuje niczym powietrze. Naprawdę ulży mi, jak już stąd wyjedzie. W każdym razie nie przychodź dzisiaj na bankiet. Już o tym uprzedziłam. Jesteś chora. Nie chcę, żeby Sideblossom znowu się na ciebie gapił!

Gwyneira już dawno zaplanowała, że w nocy zabierze swoje konie w jakieś bezpieczne miejsce. Nie zamierzała pozwolić na to, żeby jej cenne klacze zarodowe wysłano w góry z wyprawą poszukiwawczą. Uzgodniła z Andym McAranem, Pokerem Livingstonem i innymi zaufanymi pracownikami, że nocą przepędzą klacze. One z pewnością zatrzymają się gdzieś na pastwiskach, a ona przez kolejne kilka dni będzie miała dość czasu, żeby je znaleźć i ściągnąć z powrotem. Poganiacze mieli też sprowadzić konie robocze i wstawić do boksów. Pewnie rano będzie z tego powodu trochę zamieszania, ale Sideblossom prawdopodobnie nie odłoży całej wyprawy tylko dlatego, że nagle się okaże, że w stajni są inne konie niż obiecane.

Ale nie zdradziła Fleurette swoich zamiarów. Za bardzo się bała, że dziewczyna będzie chciała wziąć udział w planowanym sabotażu.

– Twoja Niniane będzie z powrotem najpóźniej pojutrze! – pocieszyła Fleur. – Zrzuci tego swojego niby-jeźdźca i wróci do domu. Nie pozwoli, żeby kiepski jeździec nią komenderował. Teraz muszę już iść się przebrać. Kolacja z przywódcami wyprawy wojennej. Cóż za wyzwanie!

Gwyn wyszła, a Fleurette znów zaczęła martwić się i jednocześnie złościć. Nie mogła pogodzić się z własną bezradnością. To było podłe ze strony Geralda, że chce oddać Niniane. W głowie Fleur zakiełkował pewien plan. Zabierze klacz w jakieś bezpieczne miejsce, podczas gdy panowie będą się upijać w salonie. Ale żeby to zrobić, musi natychmiast wyjść z pokoju, bo droga do stajni prowadzi przez salon, który teraz powinien być jeszcze pusty. Goście zaproszeni na bankiet przebierają się w swoich pokojach. A na zewnątrz panuje zupełny chaos. Nikt jej nawet nie zauważy, jeśli schowa włosy pod chustką i prędko tamtędy przebiegnie. Tylko kilka kroków dzieli kuchnię od stodoły. Nawet jeśli ktoś ją zobaczy, to pomyśli, że to dziewka kuchenna.

Plan Fleur nawet mógłby się powieść, gdyby Paul nie zauważył swojej siostry. Chłopak znowu był nie w humorze. Jego idol, John Sideblossom, nie zwracał na niego uwagi, Gerald zaś szorstkimi słowy odrzucił jego prośbę o możliwość wzięcia udziału w wyprawie. Nie miał więc tak naprawdę nic do roboty i wałęsał się wokół stajni, a zniknięcie Fleurette w stodole bardzo go zainteresowało. Paul domyślił się, co jego siostra chce zrobić. Ale już on się postara, żeby Gerald złapał ją na gorącym uczynku.

Gwyneira potrzebowała ogromnych pokładów cierpliwości, żeby przetrwać wieczorny bankiet. Poza nią uczestniczyli w nim sami mężczyźni i wszyscy bez wyjątku byli pijani już na początku kolacji. Przed posiłkiem wychylili kilka szklaneczek, a do stołu podano wino, już po chwili więc niektórzy zaczęli bełkotać. Wszyscy śmiali się z byle czego, sypali sprośnymi żartami, a wobec Gwyneiry zachowywali się zdecydowanie nie jak dżentelmeni.

Ale ona nieswojo poczuła się dopiero wtedy, gdy po ostatnim daniu nagle podszedł do niej John Sideblossom.

– Musimy zamienić kilka słów, panno Gwyn – stwierdził bez ogródek, ponownie wyglądając na jedynego trzeźwego wśród zgrai opojów. Ale Gwyneira zdążyła go trochę poznać i potrafiła rozpoznać oznaki upojenia. Opadały mu wtedy powieki, a jego spojrzenie nie było już chłodne i zdystansowane, tylko płonące i podejrzliwe. Sideblossom panował nad swoimi uczuciami, ale tuż pod powierzchnią aż w nim wrzało.

– Przypuszczam, że wie pani, że wczoraj poprosiłem o rękę pani córki. Fleurette odrzuciła moje oświadczyny.

Gwyneira wzruszyła ramionami.

– Miała prawo. Wśród ludzi cywilizowanych pyta się pannę o zdanie, zanim wyda się ją za mąż. I skoro nie spodobał się pan Fleur, to ja nic na to nie poradzę.

– Mogłaby się pani za mną wstawić... – podsunął Sideblossom.

– Obawiam się, że to na nic by się nie zdało – odparła Gwyneira, czując, że i w niej zaczyna się gotować. – Zresztą i tak bym tego nie zrobiła. Nie znam pana zbyt dobrze, panie Sideblossom, ale to co zobaczyłam, nie bardzo mi się podoba...

Sideblossom skrzywił się.

– Och, proszę, proszę. Nie podobam się szanownej lady! A cóż takiego ma mi pani do zarzucenia, lady Warden? – zapytał chłodnym tonem.

Gwyneira westchnęła. Nie powinna była dać się wciągnąć w taką rozmowę... ale dobrze, skoro sobie tego życzy!

– Ta cała wyprawa wojenna przeciwko jednemu człowiekowi – zaczęła – wydaje mi się niestosowna. A pan ma zły wpływ na innych hodowców. Bez pańskich podszeptów lord Barrington nigdy nie zniżyłby się do tego, żeby wystawić drużynę takich zabijaków, jacy wałęsają się teraz wokół mojego domu. Zachowują się wobec mnie w sposób obelżywy, już nie wspominając o Fleurette. Dżentelmen na pańskim miejscu, panie Sideblossom, starałby się pannę do siebie przekonać. Ale pan robi Fleurette afront, rozkręcając tę całą aferę z końmi. Bo to był pański pomysł, nieprawdaż? Gerald jest zbyt pijany na takie intrygi...

Gwyneira mówiła prędko i ze złością. Cała ta sytuacja doprowadzała ją do wściekłości. A na dodatek Paul podszedł do nich i przysłuchiwał się jej tyradzie.

Sideblossom się roześmiał.

– *Touché*, moja droga! Zasłużyłem sobie, ale ja nie lubię nieposłuszeństwa. Proszę tylko trochę poczekać. Jeszcze dostanę tę waszą małą. Jak wrócimy, dalej będę o nią zabiegał. Nawet wbrew pani woli, droga lady!

Gwyneira chciała już tylko zakończyć nieprzyjemną rozmowę.

– Pozostaje mi więc tylko życzyć panu sukcesów – odparła sztywno. – A ty, Paul, pójdziesz ze mną na górę. Nie znoszę, jak się przy mnie kręcisz i podsłuchujesz!

Paul przestraszył się trochę, ale to co usłyszał, warte było konieczności zniesienia reprymendy. Może to wcale nie z Geraldem powinien omówić sprawę Fleurette. Jego siostrę zaboli o wiele bardziej, jeśli „kradzież konia" w jej wykonaniu udaremni ten mężczyzna.

Gdy Gwyneira poszła do swoich pokoi, Paul zawrócił i poszukał Johna Sideblossoma. Farmer wyraźnie zaczynał nudzić się w towarzystwie pozostałych hodowców. I nic dziwnego, zważywszy, że wszyscy poza nim byli kompletnie pijani.

– Pan... pan chce ożenić się z moją siostrą? – zagadnął go Paul.

Sideblossom popatrzył na chłopca ze zdumieniem.

– Mam taki zamiar, tak. Kolejna osoba, która ma coś przeciwko temu? – zapytał lekko rozbawiony.

Paul potrząsnął głową.

– Jeśli o mnie chodzi, może ją pan sobie wziąć. Ale powinien pan coś o niej wiedzieć. Fleurette wydaje się taka miła. Ale tak naprawdę to ma już przyjaciela. To Ruben O'Keefe.

Sideblossom skinął głową.

– Wiem – odparł z wyraźnym brakiem zainteresowania.

– Ale ona nie powiedziała panu wszystkiego! – zatryumfował Paul. – Nie powiedziała panu, że to z nim robiła! A ja sam widziałem.

Zainteresowanie Sideblossoma wzrosło.

– Co chcesz powiedzieć? Że twoja siostra nie jest już dziewicą?

Paul wzruszył ramionami. Pojęcie „dziewica" nic mu nie mówiło.

– Niech sam ją pan spyta – powiedział tylko. – Jest teraz w stajni!

John Sideblossom znalazł Fleurette w boksie Niniane. Dziewczyna zastanawiała się właśnie, co powinna teraz zrobić. Tak po prostu wypędzić Niniane na zewnątrz? Ale wtedy istniało niebezpieczeństwo, że wcale nie oddali się od stajni, tylko zostanie blisko innych koni. A może byłoby lepiej, gdyby pojechała na niej gdzieś dalej i zostawiła ją na jakimś oddalonym padoku. Ale to rozwiązanie wydawało się Fleurette bardzo śmiałe. Przecież musiałaby wtedy wrócić piechotą i przejść koło wszystkich zabudowań gospodarczych, w których aż roiło się od pijanych uczestników planowanej wyprawy.

Zamyślona czochrała klacz po czole i szeptała do niej. Słyszała inne konie i Gracie węszącą w słomie. Ale nie usłyszała, że ktoś po cichu otworzył drzwi. Gdy Gracie zwróciła na to uwagę i zaczęła szczekać, było już za późno. John Sideblossom stał w przejściu i uśmiechał się do Fleurette.

– Proszę, proszę, moja mała. Chowamy się po nocy w stajni. Jestem nieco zaskoczony, widząc cię tutaj.

Fleurette przestraszyła się i instynktownie schowała za koniem.

– To nasza stajnia – odpowiedziała dzielnie. – I mogę tu przebywać, kiedy tylko chcę. I wcale się tu nie chowam, tylko odwiedzam mojego konia.

– Odwiedzasz swojego konia. To bardzo wzruszające... – Sideblossom podszedł bliżej. Fleur czuła się tak, jakby podkradał się do niej jakiś drapieżnik, a jego oczy groźnie się iskrzyły. – Nie miałaś tu przypadkiem jakiegoś gościa?

– Nie wiem, o czym pan mówi – Fleurette miała nadzieję, że jej głos brzmi pewnie.

– Doskonale wiesz, o czym mówię. Udajesz przede mną niewinne jagniątko, które złożyło obietnicę jakiemuś dzieciakowi, a w rzeczywistości puszczasz się z nim na sianie! Nie zaprzeczaj, Fleurette, wiem to z pewnego źródła, nawet jeśli nie udało mi się przyłapać was teraz *in flagranti*. Ale masz szczęście, mój skarbie. Nie przeszkadza mi to, że towar był używany. Nie przepadam za nieśmiałymi dziewicami. Za dużo z nimi zachodu. Nie martw się więc, będziesz mogła wystąpić w białej sukni przed ołtarzem. Ale chyba mogę już teraz trochę się poczęstować?

Szybkim ruchem sięgnął po Fleurette schowaną za koniem. Niniane spłoszyła się i uciekła do rogu boksu. Gracie zaczęła szczekać.

– Proszę mnie puścić! – Fleurette kopnęła napastnika, ale on tylko się roześmiał. Silnymi rękoma przyciskał ją do ściany stajni, a jego usta przesuwały się po jej twarzy.

– Jest pan pijany, niech mnie pan puści! – Fleur spróbowała go ugryźć, ale mimo sporej ilości wypitej whisky Sideblossom miał doskonały refleks. Zrobił unik, a potem uderzył ją w twarz. Fleur wypadła tyłem z boksu i wylądowała na beli słomy. Sideblossom położył się na niej, zanim zdążyła zerwać się, żeby uciec.

– No, pokaż, co tam masz... – Sideblossom rozerwał jej bluzkę i przyjrzał się delikatnym krągłościom.

– Piękne... w sam raz na moją dłoń! – ze śmiechem sięgnął ręką. Fleurette znowu spróbowała go kopnąć, ale on przygniótł jej kolana swoją nogą, uniemożliwiając jakikolwiek ruch.

– Skończ już z tym! Wierzgasz jak dopiero ujeżdżany koń! A przecież masz już doświadczenie w tych sprawach… Pozwól więc, że ja… – zaczął szukać zapięcia jej spódnicy, ale strój do jazdy konnej Fleurette miał bardzo wyrafinowany krój. Fleurette zaczęła krzyczeć, a potem ugryzła go w rękę, gdy próbował ją powstrzymać.

– Lubię kobiety z temperamentem! – stwierdził ze śmiechem.

Fleur rozpłakała się. Gracie wciąż szczekała, coraz bardziej histerycznie. Aż nagle do panującego w stajni hałasu dołączył się ostry głos.

– Puść moją córkę, zanim to mnie poniesie temperament! – w drzwiach stała Gwyneira. W rękach trzymała strzelbę, którą wycelowała w Johna Sideblossoma. Fleur rozpoznała, że stoją za nią Andy McAran i Poker Livingston.

– Pomału, pomału, ja… – Sideblossom oderwał się od Fleur i w uspokajającym geście uniósł dłonie.

– Zaraz sobie porozmawiamy. Fleur, czy on coś ci zrobił? – Gwyn oddała Andy'emu broń i objęła córkę.

Fleurette potrząsnęła głową.

– Nie… On… On dopiero co się na mnie rzucił. Och, mamo, to było straszne!

Gwyneira skinęła głową.

– Wiem, moje dziecko. Ale to już minęło. Biegnij szybko do domu. Ale twój dziadek może wciąż bankietować w gabinecie, uważaj więc. Ja też zaraz wrócę.

Fleurette nie trzeba było tego dwa razy powtarzać. Drżąc, naciągnęła strzępy bluzki na piersi i wybiegła ze stajni. Mężczyźni z szacunkiem ustępowali jej z drogi, gdy wpadła do stodoły, a stamtąd pobiegła do drzwi kuchni. Pragnęła poczuć się bezpiecznie w swoim pokoju, matka zaś mogła być pewna, że przez salon przemknie niczym wiatr…

– Gdzie jest Sideblossom? – Gerald Warden nie zamierzał jeszcze udać się na spoczynek. Oczywiście był już bardzo pijany, podobnie jak pozostali hodowcy, którzy wciąż wznosili toasty w gabinecie. Nie powstrzymało go to jednak przed zaproponowaniem partyjki gry w karty. Reginald Beasley, który rzadko bywał tak bardzo pijany, już się zgodził, a i lord Barrington nie wydawał się niechętny. Brakowało tylko czwartego gracza. A John Sideblossom zawsze był ulubionym kompanem Geralda, który pomagał mu ogrywać wszystkich w oczko.

– Wyszedł już wcześniej. Pewnie poszedł spać – wyjaśnił mu lord Barrington. – Mło-młodzież nie potrafi do… dotrzymać nam kroku…

– Johnny Sideblossom nigdy nie wymigiwał się od partyjki! – Gerald wystąpił w obronie swojego przyjaciela. – Zawsze jest jeszcze przytomny, gdy wszyscy inni dawno śpią pod stołami. Musi gdzieś tu być… – Gerald był na tyle pijany, by zajrzeć pod stół w poszukiwaniu Sideblossoma. Beasley zajrzał do salonu, ale tam siedział tylko Paul, pozornie zaczytany w książce, ale tak naprawdę chłopak tylko czekał na okazję. Kiedyś w końcu Fleur i Sideblossom wrócą. A tu jeszcze nadarzyła się kolejna sposobność, żeby skompromitować siostrę.

– Szuka pan pana Sideblossoma? – zapytał grzecznie i tak donośnym głosem, że musieli usłyszeć go wszyscy obecni w gabinecie. – Jest w stajni z moją siostrą.

Gerald Warden wybiegł z gabinetu pełen tak wielkiej wściekłości, jaką wywołać może tylko ogromna ilość wypitego alkoholu.

– Co za przeklęta mała dziwka! Najpierw udaje, że takie z niej niewiniątko, a potem kica z Johnnym po sianie! A doskonale wie, że będę musiał przez to zwiększyć jej posag. Jeśli teraz w ogóle jeszcze będzie ją chciał, to tylko wtedy, jeśli oddam mu połowę mojej farmy!

Beasley ruszył za nim równie wzburzony. Jego oświadczyny odrzuciła. A teraz pokłada się z Sideblossomem w słomie?!

Panowie wydawali się niezdecydowani, czy powinni wyjść głównym wejściem czy też kuchennym, żeby dopaść domniemaną parę w stajni, na kilka sekund zapanowała więc cisza, w której rozległ się dźwięk otwieranych drzwi. To Fleurette weszła przez kuchnię do salonu i przerażona stanęła przed dziadkiem i jego kompanami.

– Ty mała bezecna ladacznico! – Gerald wymierzył jej drugi policzek tego wieczoru. – Gdzie zgubiłaś swojego kochasia, co? Gdzie jest Johnny? Co za diabelskie nasienie z niego, żeby zaciągać cię na siano niemal na moich oczach! Ale tak robić nie wolno, Fleurette, nie wolno! – popchnął ją, ale udało jej się utrzymać na nogach, choć żeby zachować równowagę, musiała puścić strzępki bluzki. Rozpłakała się, gdy jej nagie piersi ukazały się wszystkim obecnym w salonie mężczyznom.

Widok ten nieco otrzeźwił Geralda. Gdyby był sam, pewnie poczułby coś zupełnie innego niż zawstydzenie, ale w towarzystwie myślał przede wszystkim o własnym interesie. Po takiej historii nigdy nie znajdzie dla Fleurette przyzwoitego męża. Sideblossom musi ją wziąć, a to oznacza, że należy bronić resztek jej godności.

– Zakryj się i idź do swojego pokoju! – polecił, odwracając wzrok. – Jutro ogłosimy wasze zaręczyny, nawet gdybym musiał prowadzić go do ołtarza z bronią przystawioną do głowy. Ciebie to też dotyczy! Koniec tych ceregieli!

Fleurette była zbyt przestraszona i wyczerpana, żeby cokolwiek odpowiedzieć. Zgarnęła bluzkę i pobiegła po schodach.

Gwyneira znalazła ją po godzinie, szlochającą i roztrzęsioną pod kołdrą. Gwyn też się trzęsła, ale raczej ze złości. Przede wszystkim na siebie, że najpierw rozmówiła się z Sideblossomem, a potem wyprowadziła konie, zamiast dotrzymać towarzystwa Fleurette. Ale z drugiej strony niewiele by to zmieniło. Wtedy wysłuchałyby wściekłej tyrady Geralda obie naraz, a nie w godzinnym odstępie. Panowie wciąż jeszcze nie udali się na spoczynek. John Sideblossom, wysłuchawszy w stajni kazania Gwyn, dołączył do towarzystwa i naopowiadał im nie wiadomo co. W każdym razie Gerald już czekał na Gwyneirę, żeby zasypać ją mniej więcej tymi samymi zarzutami i groźbami co wcześniej Fleur. Najwyraźniej nie był zainteresowany punktem widzenia drugiej strony zajścia, podobnie jak jego „świadkowie". Uparł się, że następnego dnia Fleur i Johnny mają się zaręczyć.

– A... A najgorsze jest to... Że on ma rację... – jęczała Fleur. – Teraz... Teraz nikt mi już nie uwierzy... Oni... Rozpowiedzą o tym w całej... W całej okolicy. Gdybym... Gdybym chciała teraz powiedzieć przed ołtarzem „nie", wyśmialiby mnie.

– I niech się śmieją! – stwierdziła stanowczo Gwyneira. – Nie wyjdziesz za Sideblossoma, obiecuję ci.

– Ale... Ale przecież dziadek jest moim prawnym opiekunem. Zmusi mnie do tego – Fleurette ponownie się rozpłakała.

Gwyneira podjęła decyzję. Fleur musi wyjechać. A odjedzie tylko wtedy, jeśli ona powie jej prawdę.

– Posłuchaj, Fleur, Gerald Warden nie może cię do niczego zmuszać. Ściśle rzecz biorąc, nie jest nawet twoim opiekunem...

– Ale...

– Uchodzi za twojego opiekuna, ponieważ uchodzi za twojego dziadka. Ale nim nie jest. Lucas Warden nie był twoim ojcem.

I już. Stało się. Gwyneira przygryzła wargę.

Fleurette szloch utknął w gardle.
– Ale…
Gwyn usiadła obok niej i objęła ją.
– Posłuchaj, Fleur. Lucas, mój mąż, był dobrym człowiekiem. Ale on… On nie mógł spłodzić dziecka. Próbowaliśmy, ale się nie udawało. A twój dzia… A Gerald Warden uczynił z naszego życia piekło tylko dlatego, że nie daliśmy mu dziedzica Kiward Station. Więc ja… Ja wtedy…
– Zdradziłaś mojego oj… To znaczy… Swojego męża? – zapytała Fleur głosem pełnym najwyższego zdumienia.
Gwyn pokręciła głową.
– Nie zdradziłam go w swoim sercu, jeśli rozumiesz, co mam na myśli. Chodziło tylko o zajście w ciążę. Potem byłam mu już zawsze wierna.
Fleurette zmarszczyła czoło. Gwyn widziała, że intensywnie nad czymś myśli.
– To skąd wziął się Paul? – zapytała w końcu Fleur.
Gwyn zamknęła oczy. Nie, to już byłoby zbyt wiele…
– Paul jest Wardenem – powiedziała. – Ale nie mówmy teraz o Paulu. Fleurette, uważam, że powinnaś stąd wyjechać…
Fleur zdawała się w ogóle jej nie słuchać.
– Kto jest moim ojcem? – zapytała cicho.
Gwyneira milczała. Ale po chwili postanowiła, że powie prawdę.
– Nasz ówczesny brygadzista. James McKenzie.
Fleurette popatrzyła na nią wielkimi oczami.
– Ten McKenzie?
Gwyneira skinęła głową.
– Ten sam. Przykro mi, Fleur…
Fleurette na moment odebrało mowę. Ale potem się uśmiechnęła.
– To ekscytujące. I bardzo romantyczne. Pamiętasz, jak w dzieciństwie bawiliśmy się z Rubenem w Robin Hooda? A teraz okazuje się, że jestem… Jak by to powiedzieć… Córką buntownika!
Gwyneira przewróciła oczami.
– Fleurette, zachowuj się jak dorosła osoba! Życie w górach nie jest romantyczne, jest trudne i niebezpieczne. I wiesz chyba, co Sideblossom zrobi z Jamesem, jeśli go znajdzie.
– Kochałaś go? – zapytała Fleurette z błyskiem w oku. – Tego twojego Jamesa? Kochałaś go tak naprawdę? Było ci smutno, jak odjechał? A dlacze-

go on w ogóle wyjechał? Przeze mnie? Nie, to niemożliwe. Pamiętam go. Wysoki mężczyzna z brązowymi włosami, prawda? Pozwalał mi jeździć na swoim koniu i zawsze się uśmiechał...

Gwyneira z bólem skinęła głową. Ale nie powinna utwierdzać Fleurette w jej marzycielskich rojeniach.

– Nie kochałam go. To był tylko interes, rodzaj... Umowy między nami. Gdy się urodziłaś, wszystko się skończyło. A jego odejście nie miało ze mną nic wspólnego.

To nawet była prawda. Odszedł z powodu Paula i Geralda. Gwyneira wciąż czuła ból. Ale Fleurette nie musi o tym wiedzieć. I nigdy nie powinna się o tym dowiedzieć!

– Ale skończmy już z tym, Fleur, już wkrótce świt. Musisz stąd wyjechać, zanim urządzą jutro huczne zaręczyny, jeszcze bardziej pogarszając sprawę. Zapakuj trochę rzeczy. Przyniosę ci pieniądze z mojego biura. Dam ci wszystko, co tam jest, ale to niezbyt dużo, bo większość naszych przychodów trafia prosto do banku. Andy chyba jeszcze nie śpi, przyprowadzi ci Niniane. A potem pojedziesz, jakby cię diabeł gonił, żebyś była daleko, zanim oni wszyscy odeśpią kaca.

– Nie masz nic przeciwko temu, żebym pojechała do Rubena? – zapytała Fleurette bez tchu.

Gwyneira westchnęła.

– Byłabym spokojniejsza, gdybym miała pewność, że go znajdziesz. Ale dopóki Greenwoodowie są w Anglii, to jedyne wyjście. Do diaska, powinnam cię była wysłać razem z nimi! Ale teraz już za późno. Odszukaj Rubena, wyjdź za niego i bądź szczęśliwa!

Fleur objęła matkę.

– A ty? – zapytała cicho.

– Ja zostanę tutaj – odpowiedziała Gwyn. – Ktoś musi prowadzić farmę, a wiesz, że robię to z przyjemnością. A jeśli chodzi o Geralda i Paula... Cóż, muszę ich akceptować takimi, jakimi są.

Godzinę później Fleurette siedziała już na swojej klaczy Niniane i galopowała w stronę gór. Uzgodniła z matką, że nie pojedzie prosto do Queenstown. Gerald mógłby się domyślić, że będzie szukać Rubena, i wysłać za nią swoich ludzi.

– Ukryj się na kilka dni gdzieś w górach, Fleur – doradziła jej Gwyneira. – A potem pojedź podnóżem Alp do Otago. Może uda ci się spotkać

Rubena gdzieś po drodze. O ile wiem, Queenstown to nie jedyne miejsce, gdzie znaleziono złoto.

Fleurette była pełna obaw.

– Ale Sideblossom będzie jechał właśnie w góry – powiedziała drżącym głosem. – Jeśli będzie mnie szukać…

Gwyn pokręciła głową.

– Fleur, droga do Queenstown to utarty szlak, a góry to wielkie przestrzenie. Nie znajdzie cię, będziesz niczym igła w stogu siana. Jedź już.

Fleur zgodziła się z matką, ale mimo wszystko z wielkim lękiem skierowała konia najpierw w stronę Haldon, a potem w stronę jezior. Gdzieś tam właśnie leży przecież farma Sideblossoma.

„I gdzieś tam obozuje jej ojciec". Ta myśl poprawiła jej humor. Nie będzie w górach sama. James McKenzie też jest ścigany.

6

Okolica powyżej jezior Tekapo, Pukaki i Ohau była przepiękna. Fleurette nie mogła się napatrzyć na krystalicznie czyste jeziora i potoki, grupy skał o intrygujących kształtach i aksamitną zieleń łąk. A tuż za nimi wyrastał masyw Alp. Sideblossom miał rację. Całkiem możliwe, że ukryte doliny i jeziora wciąż czekają tutaj na swoich odkrywców. Fleurette beztrosko zmierzała dalej w stronę gór. Miała przecież czas. Może nawet znajdzie gdzieś tu złoto! Chociaż nie miała najmniejszego pojęcia, gdzie dokładnie powinna go szukać. Bliższe oględziny zimnych górskich potoków, z których piła i w których, cała drżąc, próbowała się obmyć, nie dały rezultatów. Nie znalazła w nich ani jednej grudki złota. Za to mogła w nich łapać ryby, a w trzecim dniu wyprawy odważyła się rozpalić ogień i je upiec. Na początku za bardzo się bała i cały czas liczyła się z nagłym pojawieniem się ludzi Sideblossoma. Ale z czasem zaczęła podzielać zdanie matki. Tak ogromnego obszaru nie można przeszukać. Jej prześladowcy nie wiedzieliby nawet, skąd rozpocząć poszukiwania, a na dodatek zdążył spaść deszcz. Nawet gdyby użyli psów tropiących, w Kiward Station zaś nie było ani jednego psa tego typu, to trop już dawno byłby zimny i rozmyty.

Po kilku dniach Fleur czuła się już na pogórzu swobodnie. Wystarczająco często bawiła się z maoryskimi rówieśnikami i odwiedzała ich wioski. Wiedziała więc, gdzie znajdzie jadalne bulwy, jak ugnieść mąkę i upiec chleb *takakau*, jak łapać ryby i rozniecać ogień. Nie zostawiała też za sobą żadnych śladów swojej obecności. Wygasłe ogniska zasypywała dokładnie ziemią, a resztki jedzenia zakopywała. Była pewna, że nikt jej nie śledzi. Za kilka dni zamierzała wyruszyć na wschód w stronę jeziora Wakatipu, nad którym leżało Queenstown.

Gdyby tylko nie musiała przeżywać tej przygody w pojedynkę! Po blisko dwóch tygodniach jazdy Fleur poczuła się samotna. Przyjemnie było tulić do siebie w nocy Gracie, ale bardzo tęskniła już za ludzkim towarzystwem.

Wyglądało na to, że nie tylko ona tęskni za pobratymcami. Niniane rżała czasem głośno w dal, choć zawsze słuchała poleceń Fleurette.

Ale to Gracie pierwsza znalazła towarzystwo. Wysforowała się na przód, podczas gdy klacz ostrożnie stąpała po kamienistej ścieżce. Fleurette musiała całą swoją uwagę skoncentrować na drodze, była więc całkowicie zdumiona, gdy za jedną ze skał, tam gdzie kamienista ziemia znów przechodziła w porośniętą trawą równinę, ujrzała nagle dwa bawiące się ze sobą owczarki. Pomyślała nawet, że ma przywidzenia. Ale gdyby zaczęła widzieć Gracie podwójnie, to psy musiałaby się poruszać identycznie! A te dwa skakały na siebie, goniły się i wyraźnie radowały się swoim towarzystwem. A były do siebie podobne jak dwie krople wody!

Fleurette podjechała bliżej, żeby zawołać Gracie do siebie. I wtedy dopiero dostrzegła różnice między psami. Ten drugi był trochę większy od Gracie i miał dłuższy nos. Ale bez wątpienia był to rasowy owczarek border collie. Co tu robił? Fleur była pewna, że psy rasy border collie nie wałęsają się i nie polują na dzikie zwierzęta. Bez swojego pana nie zapuszczają się daleko w teren. Poza tym pies wyglądał na zadbanego.

– Piętaszku! – rozległ się męski głos. – Piętaszku, gdzie jesteś? Już pora zacząć je zapędzać!

Fleur się rozejrzała, ale nie potrafiła dostrzec właściciela psa. Pies o imieniu Piętaszek pobiegł na zachód, gdzie równina wydawała się ciągnąć bez końca. Ale wtedy jego właściciela powinno być widać. Fleur wydało się to dziwne. Poza tym wyglądało na to, że Piętaszek wcale nie ma ochoty rozstać się z Gracie. W tym momencie Gracie zwęszyła coś, z błyskiem w oku obejrzała się na Fleur i jej klacz i już oba psy pomknęły prosto przed siebie.

Fleur ruszyła za nimi, choć widziała, że tam dalej nic nie ma, ale wkrótce się zorientowała, że uległa optycznemu złudzeniu. Porośnięta trawą równina nie rozciągała się aż po horyzont, tylko opadała w dół tarasami. Piętaszek i Gracie pędem zbiegały w dół. A Fleur zobaczyła wreszcie, co je tak zainteresowało. Na najniższym, dobrze teraz widocznym tarasie pasło się stado około pięćdziesięciu owiec, którego pilnował mężczyzna prowadzący za uzdę muła. Gdy zobaczył biegnącą za Piętaszkiem Gracie, zdumiał się, podobnie jak wcześniej Fleur, a potem nieufnie popatrzył w kierunku, z którego nadbiegały psy. Fleurette pozwoliła Niniane zeskakiwać z tarasu na taras. Odczuwała raczej ciekawość niż strach. Nieznajomy pasterz nie wyglądał zbyt groźnie, zresztą dopóki siedziała na koniu, i tak nie mógłby jej nic zrobić. Jego ciężko obładowany muł nie najlepiej nadawał się do pościgu.

Gracie i Piętaszek od razu zabrali się za spędzanie owiec. Tak zręcznie i swobodnie pracowały w zespole, jakby ćwiczyły razem od maleńkości.

Mężczyzna, odkąd spostrzegł Fleurette skaczącą na koniu, stał jak wryty.

Fleur spojrzała w jego ogorzałą, kanciastą twarz. Miał gęstą brązową brodę i brązowe włosy poprzetykane gdzieniegdzie siwymi pasmami. Był dobrze zbudowany, ale szczupły, miał znoszone ubranie, a siodło wyglądało na zadbane, choć nosiło ślady zużycia. Pasterz wpatrywał się swoimi brązowymi oczami we Fleur, jakby zobaczył ducha.

– To nie może być ona – powiedział cicho, gdy zatrzymała konia tuż przed nim. – To niemożliwe... I to nie może być jej pies. Przecież... Przecież ona ma dwadzieścia lat więcej. Boże przenajświętszy... – Było widać, że nieznajomy stara się opanować. Oparł się ręką o siodło.

Fleur wzruszyła ramionami.

– Nie wiem, proszę pana, kim nie mogę być, ale ma pan pięknego psa.

Mężczyzna jakby dochodził do siebie. Głęboko wciągnął i wypuścił powietrze, ale wciąż przypatrywał się Fleur z niedowierzaniem.

– Mogę tylko odwzajemnić pani komplement – powiedział swobodniejszym tonem. – Czy... Ona był szkolona? Na psa pasterskiego?

Fleur odniosła wrażenie, że nieznajomy tak naprawdę nie jest zainteresowany Gracie. Wyglądało na to, że chce zyskać trochę czasu, żeby się nad czymś zastanowić. Ale skinęła głową i rozejrzała się, żeby wymyślić psu odpowiednie zadanie do zaprezentowania jego umiejętności. Uśmiechnęła się i wydała Gracie polecenie. Suka pomknęła je wykonać.

– Ten wielki tryk po prawej. Przepędzi go między tamtymi skałami – Fleurette podjechała do skał. Gracie już oddzieliła tryka od reszty stada i czekała na dalsze wskazówki. Piętaszek położył się z tyłu w wyczekującej pozie, gotów w każdej chwili ruszyć jej na pomoc.

Ale Gracie nie potrzebowała pomocy. Tryk spokojnym kłusem przebiegł między skałami.

Mężczyzna pokiwał głową i się uśmiechnął. Wydawał się bardziej rozluźniony. Najwyraźniej doszedł do jakiegoś wniosku.

– Maciorka tam, z tyłu – powiedział, wskazując na okrągłą owcę, i zagwizdał na Piętaszka. Pies pomknął niczym strzała, obiegł stado, oddzielił od niego wskazaną owce i podprowadził do skał. Ale maciorka była mniej uległa niż tryk Gracie. Piętaszek musiał zrobić trzy podejścia, zanim udało mu się przeprowadzić ją między skałami.

Fleurette uśmiechnęła się z zadowoleniem.

– Wygrałam! – stwierdziła.

Oczy nieznajomego rozbłysły, a Fleur odniosła wrażenie, że dostrzega w nich jakby czułość.

– Owce też ma pan piękne – powiedziała szybko. – Trochę się na tym znam. Jestem... Mieszkałam na owczej farmie.

Mężczyzna ponownie skinął głową.

– Jest pani Fleurette Warden z Kiward Station – powiedział. – Mój Boże, najpierw pomyślałem, że widzę duchy! Gwyneira, Cleo, Igraine... Jest pani niezwykle podobna do matki! I równie elegancko trzyma się pani w siodle. Ale to było do przewidzenia. Pamiętam, jak marudziła pani jako dziecko, żebym tylko pozwolił jej wsiąść na konia – uśmiechnął się. – Ale pani mnie nie pamięta. Pozwoli pani, że się przedstawię... James McKenzie.

Fleurette wpatrywała się w niego ze zdumieniem, aż zakłopotana spuściła wzrok. Czego ten mężczyzna od niej oczekiwał? Czy powinna zachowywać się tak, jakby nigdy nie słyszała o jego famie złodzieja owiec? Nie wspominając już o wciąż trudnym do pojęcia fakcie, że to on jest jej prawdziwym ojcem.

– Ja... Proszę posłuchać, niech pan nie myśli, że ja... Że przybyłam tutaj, bo chcę pana aresztować czy coś – zaczęła w końcu. – Ja...

McKenzie roześmiał się głośno, ale zaraz opanował się i odpowiedział dorosłej Fleur z taką samą powagą, z jaką zwracał się kiedyś do czteroletniej dziewczynki.

– Nigdy bym czegoś takiego o pani nie pomyślał, panno Fleur. Zawsze odczuwała pani sympatię do buntowników. Czy przez pewien czas nie zadawała się pani z niejakim Rubenem Hoodem? – W jego oczach pojawił się filuterny błysk, a ona nagle go rozpoznała. Jako dziecko mówiła do niego „panie Jamesie", on zaś od zawsze był jej wyjątkowym przyjacielem.

Fleurette opuściło wszelkie skrępowanie.

– To ciągle trwa! – podjęła zabawę. – Ruben Hood i ja zaręczyliśmy się... To jeden z powodów, dla których się tutaj znalazłam.

– Aha – stwierdził McKenzie. – Pewnie las Sherwood okazał się zbyt mały dla wciąż rosnącej rzeszy waszych zwolenników. W tej sprawie mogę okazać się całkiem pomocny, lady Fleur... Ale najpierw powinniśmy zabrać owce w bezpieczne miejsce. Tutaj grunt zaczyna mi się nieco palić pod nogami. Zechce mi pani towarzyszyć, panno Fleur, i opowie mi pani coś więcej o sobie i o pani matce?

Fleurette gorliwie przytaknęła.

– Bardzo chętnie... Ale pan rzeczywiście powinien udać się w takie miejsce, które jest na pewno bezpieczne. A owce najlepiej jakby pan oddał z powrotem. Pan Sideblossom wyruszył z grupą poszukiwaczy... Uzbierał pół armii, jak stwierdziła moja mama. Towarzyszy mu między innymi mój dziadek. Chcą pana złapać, a mnie...

Fleurette uważnie rozejrzała się wokół. Do tej pory czuła się bezpiecznie, ale jeśli przypuszczenia Sideblossoma były słuszne, znajdowała się na terenie Lionel Station, na ziemi należącej do niego. Prawdopodobnie miał on też pewne wskazówki co do tego, gdzie dokładnie ukrywa się McKenzie.

McKenzie roześmiał się ponownie.

– Panią, panno Fleur? Cóż takiego pani zrobiła, że ruszyli za panią w pościg?

Fleur westchnęła.

– Och, to długa historia...

McKenzie skinął głową.

– Dobrze, odłóżmy więc to, aż będziemy w bezpiecznym miejscu. Proszę za mną jechać, a pani suka może pomóc Piętaszkowi. Szybciej nam pójdzie. – Zagwizdał na Piętaszka, który dokładnie wiedział, czego od niego oczekuje. Popędził owce z boku tarasów, na zachód, w kierunku Alp.

McKnezie wsiadł na swojego muła.

– Proszę się nie martwić, panno Fleur. Miejsce, do którego pojedziemy, jest całkowicie bezpieczne.

Fleurette ruszyła za nim.

– Proszę mówić do mnie po prostu Fleur – poprosiła. – To wszystko... Jest trochę dziwne, ale jeszcze dziwniej jest, gdy mój... Gdy ktoś taki jak pan mówi do mnie *per* pani.

McKenzie rzucił jej tylko badawcze spojrzenie.

Przez jakiś czas jechali obok siebie w milczeniu, podczas gdy psy pędziły owce po raczej nieprzyjemnym, skalistym terenie. Rosło tu niewiele trawy, a droga wciąż pięła się w górę. Fleur się zastanawiała, czy McKenzie poprowadzi ją dalej w góry, ale trudno jej było to sobie wyobrazić.

– Jak doszło do tego... To znaczy, dlaczego pan... – zapytała w końcu, podczas gdy Niniane zręcznie pokonywała skalisty odcinek drogi. Trasa była coraz trudniejsza i prowadziła teraz wąskim wąwozem o stromych ścianach. – Był pan przecież brygadzistą w Kiward Station...

McKenzie uśmiechnął się krzywo.

– Chodzi ci o to, dlaczego szanowany i nieźle opłacany pracownik zmienił się w złodzieja owiec? To też jest długa historia...

– Ale i droga przed nami długa.

McKenzie ponownie popatrzył na nią jakby z czułością.

– Dobrze, Fleur. Gdy odchodziłem z Kiward Station, miałem zamiar kupić sobie ziemię i rozpocząć hodowlę owiec. Miałem trochę oszczędności i kilka lat wcześniej pewnie by mi się to udało. Ale teraz...

– Teraz co? – zapytała Fleur.

– Teraz nie można już kupić pastwisk za rozsądną cenę. Wielcy hodowcy – Warden, Beasley, Sideblossom – zagarniają dla siebie każdy skrawek. Od kilku lat ziemia Maorysów uchodzi za własność Korony. Bez pozwolenia gubernatora nic nie mogą sprzedać. A takie pozwolenie uzyskują tylko wybrani. Poza tym granice nie są ściśle określone. Na przykład do Sideblossoma należą pastwiska między jeziorem a górami. Na razie rości sobie prawo do ziemi aż do tarasów, na których się spotkaliśmy. Ale jeśli dalej też znajdą się łąki, z pewnością będzie twierdził, że też należą do niego. I nikt mu się nie sprzeciwi, chyba że Maorysi się zbuntują i zgłoszą swoje prawa. Ale prawie nigdy tego nie robią. Rzadko obozują dłużej na pogórzu. Przybywają tutaj tylko na kilka tygodni latem, żeby łowić ryby i polować. Co hodowcom nie przeszkadza, w każdym razie tym rozsądnym. Ci mniej rozsądni miewają kłopoty. Takie właśnie konflikty nazywa się teraz w Anglii wojnami maoryskimi.

Fleurette pokiwała głową. Panna Helen opowiadała im o powstaniach, ale one zdarzały się głównie na Wyspie Północnej.

– W każdym razie nie udało mi się kupić ziemi. Pieniędzy wystarczyłoby mi zresztą na maleńką farmę, a zwierząt już w ogóle nie zdołałbym nabyć. Ruszyłem więc do Otago szukać złota. Ale wiedziałem, że najlepiej znaleźć jakieś nowe złoże. Trochę się na tym znam, Fleur, widziałem gorączkę złota w Australii. Pomyślałem, że nie zaszkodzi, jeśli nadłożę drogi i trochę się rozejrzę... I proszę, znalazłem właśnie to.

McKenzie szerokim gestem objął roztaczający się przed nimi widok, a Fleur szeroko otworzyła oczy. Wąwóz już wcześniej zaczął się rozszerzać, a teraz rozpostarł się przed nimi piękny płaskowyż. Soczysta trawa i ogromne pastwiska rozciągnięte na łagodnych zboczach. Owce od razu rozeszły się i zaczęły paść.

– Pani pozwoli, oto McKenzie Station! – powiedział James z uśmiechem. – Na razie mieszkam tu tylko ja i pewne maoryskie plemię, które przechodzi tędy raz do roku i równie chętnie widuje się z panem Sideblossomem, co ja. On zaczął niedawno grodzić wielkie obszary ziemi, przez co oddzielił Maorysów od ich świętych miejsc. W każdym razie są moimi dobrymi przyjaciółmi. Obozujemy razem, wymieniamy się podarkami... Nie zdradzą mnie.

– A komu sprzedaje pan owce? – zapytała z ciekawością Fleur.

James się roześmiał.

– Wszystko chciałabyś wiedzieć, co? Dobrze, powiem ci. Znam pewnego handlarza w Dunedin. Nie przygląda się zwierzętom zbyt dokładnie, jeśli to tylko udane okazy. A ja sprzedaję tylko te, które sam wyhodowałem. Jeśli owce mają palenia, nie oddaję ich, tylko zostają tutaj, a ja pozbywam się dopiero jagniąt. Zapraszam, tutaj jest mój obóz. Dość prymitywny, ale nie chciałem budować chaty. Na wypadek gdyby zapędził się tutaj jakiś poganiacz – McKenzie zaprowadził Fleur do namiotu i ogniska. – Możesz przywiązać konia tam, rozciągnąłem linę między drzewami. Jest tam dużo trawy i chyba zniesie towarzystwo mojego muła. Piękna klacz. Spokrewniona z Igraine?

Fleur skinęła głową.

– To jej córka. A Gracie to córka Cleo. Jest do niej bardzo podobna.

McKenzie roześmiał się.

– Prawdziwie rodzinne spotkanie. Piętaszek jest synem Cleo. Gwyn podarowała mi go na pożegnanie...

Znowu ta czułość w spojrzeniu, gdy wspominał o Gwyn.

Fleur zaczęła się zastanawiać. Jej spłodzenie miało być czystym interesem? Twarz Jamesa wyrażała coś zupełnie przeciwnego. I Gwyneira podarowała mu na pożegnanie szczeniaka, a przecież tak ceniła sobie potomstwo Cleo. Fleur dało to dużo do myślenia.

– Moja matka chyba bardzo pana lubiła... – stwierdziła ostrożnie.

James wzruszył ramionami.

– Chyba za mało... Ale powiedz, Fleur, jak ona się miewa? A stary Warden? Słyszałem, że młody zginął. A ty masz chyba brata?

– Wolałabym nie mieć! – wyrzuciła z siebie Fleurette i w tym momencie z radością uświadomiła sobie fakt, że Paul jest tylko jej przyrodnim bratem.

McKenzie się uśmiechnął.

– Czekam na długą opowieść. Wolisz herbatę, Fleur, czy whisky? – Rozpalił ogień, nastawił wodę i wyjął butelkę z jednej z sakw. – Tak, pozwolę sobie na łyk whisky. Zjawy napędziły mi trochę stracha! – nalał whisky do kubka i wzniósł toast.

Fleur zastanowiła się przez chwilę.

– Może odrobinę – stwierdziła. – Mama mówi, że czasem działa jak lekarstwo...

James McKenzie był dobrym słuchaczem. Siedział rozluźniony przy ognisku, gdy Fleur opowiadała mu o Rubenie i Paulu, o Beasleyu i Sideblossomie, i o tym, że za nic w świecie nie chce żadnego z nich na męża.

– Jesteś więc w drodze do Queenstown – zakończył jej opowieść. – Żeby odnaleźć Rubena... Mój Boże, gdyby twoja matka miała wtedy tyle samo odwagi... – Przygryzł wargę, ale po chwili mówił spokojnie dalej. – Jeśli chcesz, możemy kawałek pojechać razem. Ta wyprawa Sideblossoma wydaje mi się dość niebezpieczna. Chyba odprowadzę owce do Dunedin i zniknę na kilka miesięcy. Może też spróbuję szczęścia w poszukiwaniu złota!

– Och, byłoby wspaniale – powiedziała Fleur. McKenzie wydawał się znać trochę na poszukiwaniu złota. Gdyby udało jej się namówić go do wspólnych poszukiwań z Rubenem, może coś by z tego wszystkiego wyszło.

McKenzie wyciągnął do niej dłoń.

– A więc jedziemy razem! Ale wiesz, co to oznacza? Jeśli nas złapią, będziesz mieć kłopoty, w końcu jestem złodziejem. Zgodnie z prawem powinnaś wydać mnie policji.

Fleurette pokręciła głową.

– Wcale nie – stwierdziła zgodnie z prawdą. – Nie musiałabym tego robić jako członek rodziny. Powiem wprost... Pan... Pan jest moim ojcem.

Twarz Jamesa McKenziego się rozjaśniła.

– A więc Gwyneira ci powiedziała! – stwierdził z promiennym uśmiechem. – Czy opowiadała ci o nas, Fleur? Powiedziała ci może... Powiedziała kiedyś w końcu, że mnie kochała?

Fleur przygryzła dolną wargę. Nie mogła powtórzyć mu słów Gwyneiry. Ale była przekonana, że matka nie powiedziała jej prawdy. W jej oczach odbijało się to samo światło, które teraz dostrzegała w twarzy Jamesa.

– Ona... Martwi się o ciebie – powiedziała w końcu. To była przecież prawda. – Jestem pewna, że chciałaby znowu cię zobaczyć.

Fleurette spędziła noc w namiocie Jamesa. On spał przy ognisku. Rankiem chcieli wcześnie wyruszyć, ale spędzili trochę czasu na łowieniu ryb i pieczeniu placków na prowiant.

– Chciałbym się nie zatrzymywać, dopóki nie ominiemy jezior – wyjaśnił McKenzie. – Będziemy jechać w ciemności i omijać zamieszkane okolice w samym środku nocy. To męczący sposób, Fleur, ale bezpieczny. Wielkie farmy leżą z dala od siebie. A na małych ludzie pilnują swoich spraw. Czasami w nagrodę znajdują wśród swoich owiec dorodne jagnię, ale nie pochodzące z jednej z dużych farm, tylko urodzone tutaj. Jakość małych stad wokół jezior stale wzrasta.

Fleur się roześmiała.

– Czy stąd prowadzi tylko ta jedna droga wąwozem? – zapytała.

McKenzie pokręcił głową.

– Nie. Można też pojechać podnóżem gór w kierunku południowym. To łatwiejsza droga, o niewielkim spadku, a potem trzeba skręcić na wschód wzdłuż potoku. Ale to dłuższa droga, która prowadzi raczej na Fjordland niż na Canterbury Plains. Dobra droga ucieczki, ale nie na co dzień. A teraz siodłaj już konia. Lepiej żebyśmy wyruszyli, zanim Sideblossom wpadnie na nasz ślad.

McKenzie nie wydawał się jednak zaniepokojony. Pewnie rozpoczął pędzenie sporego stada owiec tą samą drogą, którą przemierzyli wczoraj. Zwierzęta nie miały ochoty opuszczać ulubionych pastwisk. Gdy psy przystępowały do działania, głośnym beczeniem protestował przede wszystkim „własny" przychówek McKenziego.

Sideblossom nie tracił czasu w Kiward Station na poszukiwanie podmienionych koni. Było mu wszystko jedno, czy ludzie pojadą na koniach roboczych czy hodowlanych, najważniejsze, żeby wreszcie wyruszyć. Zależało mu na tym jeszcze bardziej, odkąd odkryto ucieczkę Fleur.

– Dopadnę ich oboje! – grzmiał pełen gniewu. – I tego złodzieja, i dziewczynę. Powiesimy go dla uczczenia naszego ślubu! Wyruszajmy, Warden, jedźmy już. Nie, nie po śniadaniu! Trzeba jechać za tą małą bestią, dopóki trop wciąż jest świeży.

Ale pościg nie miał jakichkolwiek szans. Fleur nie zostawiła żadnych śladów. Mogli tylko mieć nadzieję, że jadą jej tropem, kiedy skierowali się w stronę jezior i farmy Sideblossoma. Warden zakładał, że Fleur uciekła w stronę gór. Choć wysłał kilku ludzi na szybkich koniach prosto w kierunku Queenstown, nie spodziewał się, że odniosą sukces. Niniane nie była koniem wyścigowym. Jeśli Fleur chciała uwolnić się od pościgu, mogła zrobić to tylko w górach.

– I gdzie chce pan teraz szukać tego McKenziego? – zapytał przygnębionym głosem Reginald Beasley, gdy cała grupa dotarła do Lionel Station. Farma była pięknie położona na skraju jeziora, a w tle rozciągał się niekończący się ogrom Alp. McKenzie mógł być wszędzie.

Sideblossom uśmiechnął się pod nosem.

– Mamy takiego jednego małego skauta! – zdradził towarzyszom. – Myślę, że dojrzał już do tego, żeby nas poprowadzić. Zanim odjechałem, był jeszcze... Jak by to określić... Niezbyt skłonny do współpracy.

– Małego skauta? – zapytał Barrington. – A cóż to za zagadki, panie Sideblossom?

Sideblossom zeskoczył z konia.

– Tuż przed moim wyjazdem na Canterbury Plains wysłałem jednego z młodych Maorysów, żeby przyprowadził kilka koni z położonych wyżej pastwisk. Nie udało mu się ich odnaleźć. Twierdził, że uciekły. Wtedy trochę go... Hm... Przycisnęliśmy, a on wspomniał o jakiejś przełęczy czy wąwozie, za którym rozciąga się równy teren. Jutro ma nas tam zaprowadzić. W przeciwnym razie zamknę go i będę trzymał o chlebie i wodzie do końca świata!

– Zamknął pan tego chłopca? – zapytał zdumiony Barrington. – A co na to jego plemię? Lepiej, żeby pan nie rozzłościł swoich Maorysów...

– Och, ten chłopak pracuje dla mnie od zawsze. Chyba nawet nie należy do żadnego z tutejszych plemion, a zresztą mnie to i tak obojętne. Najważniejsze, że jutro zaprowadzi nas do tej przełęczy.

Chłopiec był drobny, wychudzony i zupełnie wystraszony. Cały okres nieobecności Sideblossoma spędził w ciemnej stodole i teraz stanowił strzępek nerwów. Barrington zaklinał Sideblossoma, żeby go uwolnił, ale owczy baron tylko się roześmiał.

– Gdybym go teraz puścił, od razu by zwiał. Jutro będzie mógł odejść, gdzie chce, jak tylko pokaże nam drogę. Wyruszamy bardzo wcześnie, panowie, skoro świt. Dlatego oszczędnie z whisky, jeśli nie macie mocnych głów!

Tego rodzaju uwagi nie były w smak farmerom z Canterbury Plains, choć umiarkowanym reprezentantom hodowców, jak Barrington czy Beasley, charyzmatyczny przywódca już dawno przestał się podobać. W przeciwieństwie do poprzednich ekspedycji karnych tropem McKenziego ta wcale nie przypominała prowadzonego w swobodnej atmosferze polowania, lecz prawdziwą operację wojskową.

Sideblossom systematycznie przeczesywał podnóże Alp powyżej Canterbury Plains, dzieląc ludzi na mniejsze oddziały i dokładnie nadzorując ich działania. Do tej pory wierzyli, że chodzi przede wszystkim o złapanie McKenziego. Ale teraz, gdy okazało się, że Sideblossom ma konkretne wskazówki dotyczące jego prawdopodobnej kryjówki, wszyscy domyślili się, że tak naprawdę szukali Fleurette Warden, co niektórym wcale nie odpowiadało. Co najmniej połowa z nich była przekonana, że Fleur sama się znajdzie. A jeśli nie chce wyjść za Sideblossoma, to trudno, jej wola.

Choć z niechęcią, to jednak posłuchali teraz zaleceń gospodarza i zrezygnowali z dobrej kolacji i wyborowej whisky.

– Świętować będziemy po polowaniu – Sideblossom nie pozostawił im wyboru.

O świcie gospodarz czekał już na wszystkich przy stajni, a obok niego stał jęczący i brudny maoryski chłopiec. Sideblossom pozwolił mu ruszyć przodem, nie omieszkawszy pogrozić straszliwymi konsekwencjami, gdyby próbował uciec.

Ale to było raczej niemożliwie, ponieważ wszyscy uczestnicy pościgu siedzieli na koniach, a tylko ich przewodnik biegł boso.

Chłopiec okazał się jednak wytrawnym biegaczem i lekko przeskakiwał skaliste odcinki drogi u podnóża Alp, które konie, a zwłaszcza folbluty Barrintona i Beasleya, pokonywały z trudem.

W pewnym momencie się zdawało, że zgubił drogę, ale kilka ostrych słów ze strony Sideblossoma wystarczyło, żeby przekonać go, że nie może się poddać. Młody Maorys poprowadził pościg wzdłuż potoku, aż do wyschniętego koryta rzeki, które tworzyło ostro wycięty w skale stromy wąwóz...

McKenzie i Fleur być może zdołaliby uciec, gdyby psy nie zapędziły już owiec za zakręt rzeki, i to w miejsce, w którym jej koryto akurat się rozszerzało. Na dodatek owce wciąż głośno beczały, co zapewniło ścigającym dodatkową przewagę. Na widok stada utworzyli rozciągnięty szyk, żeby uniemożliwić przedarcie się do przodu.

McKenzie zobaczył najpierw Sideblossoma, którego koń kroczył na czele oddziału. Złodziej owiec zatrzymał muła i znieruchomiał zdumiony.

– Mamy ich! Jest ich dwóch! – zawołał nagle ktoś z grupy pościgowej. Jego okrzyk otrzeźwił McKenziego. Rozpaczliwie rozważał możliwością ucieczki. Miałby przewagę, gdyby się odwrócił i uciekł, bo ścigający musieliby najpierw przedrzeć się przez liczące trzysta sztuk stado owiec skupione w korycie rzeki. Ale oni mieli szybkie konie, a on tylko muła, który na dodatek dźwigał na grzbiecie wszystkie jego rzeczy. Nie miał żadnych szans. Ale Fleurette...

– Fleur, zawracaj! – krzyknął do niej. – Jedź tak, jak ci mówiłem. Spróbuję ich zatrzymać.

– Ale ty... my...

– Jedź, Fleurette! – McKenzie prędkim ruchem sięgnął do paska spodni, na co kilku ludzi zareagowało ogniem. Na szczęście oddali niecelne strzały. McKenzie odpiął niewielką sakiewkę i rzucił ją Fleur.

– Weź to! I jedź już, do cholery, jedź!

Sideblossom zdołał przeprowadzić swojego wierzchowca między owcami i prawie dotarł już do McKenziego. Zabrakło kilku sekund, żeby rozpoznał Fleurette, którą do tej pory zasłaniała grupa skał. Dziewczyna zwalczyła w sobie pragnienie pozostania przy McKenziem. Miał rację, nie mieli żadnych szans.

Bez przekonania, ale sprawnie zawróciła Niniane, podczas gdy McKenzie wolno podjeżdżał do Sideblossoma.

– Do kogo należą te owce? – rzucił „owczy baron" głosem pełnym nienawiści.

McKenzie popatrzył na niego obojętnie.

– Jakie owce?

Fleur kątem oka zauważyła jeszcze, jak Sideblossom ściąga McKenziego z muła i zaczyna bić. I tylko tyle. Niniane w szalonym tempie galopowała z powrotem na „farmę" McKenziego. Gracie biegła za nimi, ale Piętaszek został. Fleur żałowała, że nie zawołała drugiego owczarka, ale teraz było już za późno. Odetchnęła, gdy zostawiły za sobą niebezpieczne, skaliste dno wąwozu, a kopyta Niniane zaczęły uderzać o trawę. Najszybciej jak się dało, ruszyły na południe.

Nikt jej już nie dogoni.

7

Queenstown w regionie Otago było położone nad urokliwą zatoką jeziora Wakatipu i otoczone wysokimi urwistymi szczytami. Uroda tej okolicy wręcz obezwładniała, ogromne jezioro było stalowobłękitne, gęste lasy i przestronne łąki intensywnie zielone, a góry – surowe, majestatyczne i z pewnością nie do końca zbadane. Ale samo miasto było malutkie. W porównaniu z garstką jednopiętrowych domów, które najwyraźniej wzniesiono w wielkim pośpiechu, nawet Haldon wydawało się metropolią. Jedynym wyróżniającym się budynkiem był dwupiętrowy drewniany dom z szyldem „Hotel u Daphne".

Fleurette, jadąc zakurzoną Main Street, starała się nie poddać uczuciu rozczarowania. Spodziewała się większego miasta, Queenstown uchodziło w końcu za centrum gorączki złota w prowincji Otago. Ale przecież złota nie wydobywano na jego głównej ulicy. Prawdopodobnie poszukiwacze złota mieszkali na swoich działkach, znajdujących się gdzieś w buszu w okolicach miasta. A skoro miejscowość jest niewielka, tym łatwiej będzie odnaleźć Rubena. Fleur śmiało zatrzymała się przed hotelem i przywiązała Niniane. Właściwie sądziła, że hotel powinien mieć własną stajnię, ale ten przybytek już na pierwszy rzut oka różnił się od hotelu w Christchurch, w którym czasami zatrzymywała się z rodziną. Zamiast recepcji był szynk. Najwyraźniej połączono tutaj prowadzenie hotelu z działalnością pubu.

– Jeszcze zamknięte! – Gdy Fleur podeszła bliżej, zza kontuaru rozległ się dziewczęcy głos. Dostrzegła młodą jasnowłosą kobietę, która pilnie uwijała się za ladą. Kiedy zauważyła Fleur, popatrzyła na nią w zdumieniu.

– Jest pani... Jedną z nowych dziewcząt? – zapytała zmieszana. – Myślałam, że mają przyjechać dyliżansem. I najwcześniej w przyszłym tygodniu... – Dziewczyna miała niebieskie oczy o łagodnym spojrzeniu i bardzo delikatną jasną cerę.

Fleurette uśmiechnęła się do niej.

– Szukam noclegu – powiedziała niepewnie, zaskoczona dziwnym przyjęciem. – To hotel, prawda?

Młoda kobieta wciąż wpatrywała się we Fleur ze zdumieniem.

– Chce pani pokój? Teraz? Sama?

Fleurette się zaczerwieniła. Rzeczywiście to było niespotykane, żeby dziewczyna w jej wieku podróżowała zupełnie sama.

– Tak, właśnie przyjechałam. Mam się tutaj spotkać z moim narzeczonym.

Młodej recepcjonistce wyraźnie ulżyło.

– To pewnie ten... Narzeczony zaraz przyjdzie. – Słowo „narzeczony" wymówiła tak, jakby Fleur nie mówiła poważnie.

Fleur zaczęła się zastanawiać, czy to ona zachowuje się dziwnie, czy może ta dziewczyna ma nie po kolei w głowie?

– Nie, mój narzeczony nie wie, że przyjechałam. A ja nie wiem też, gdzie on dokładnie jest. Dlatego właśnie potrzebuję pokoju. Chciałabym przynajmniej wiedzieć, gdzie spędzę dzisiejszą noc. Zapłacę za hotel, mam pieniądze...

To była prawda. Fleurette miała przy sobie nie tylko trochę pieniędzy matki, ale także sakiewkę, którą w ostatniej chwili rzucił jej McKenzie. Okazała się pełna złotych dolarów. To był pokaźny majątek, prawdopodobnie było to wszystko, co jej ojciec zarobił przez ostatnie lata na kradzieży owiec. Fleur nie wiedziała, czy ma te pieniądze dla niego przechować, czy też może z nich korzystać. Ale rozważaniem tej kwestii zamierzała zająć się później. W każdym razie na pewno było ją stać na opłacenie rachunku hotelowego.

– Chce pani zostać na całą noc? – zapytała najwyraźniej upośledzona umysłowo dziewczyna. – Proszę poczekać, przyprowadzę Daphne! – Zadowolona z podjętej decyzji blondynka zniknęła w kuchni.

Po kilku minutach pojawiła się trochę starsza kobieta. Na jej twarzy pojawiły się już pierwsze zmarszczki oraz ślady za długich wieczorów i za dużej ilości whisky. Ale jej oczy były czujne i intensywnie zielone, a bujne rude włosy zawadiacko upięte.

– Proszę, proszę, rudzielec! – stwierdziła ze śmiechem na widok Fleur. – A do tego oczy w kolorze złota, rzadka kombinacja! Słuchaj, jeśli chcesz u mnie pracować, biorę cię od razu. Ale Laurie twierdzi, że chcesz tylko wynająć pokój...

Fleurette jeszcze raz powtórzyła to, co mówiła młodej blondynce.

– I zupełnie nie rozumiem, co takiego śmiesznego widzi w tym pani podwładna – zakończyła z lekką irytacją.

Kobieta się roześmiała.

– Nic w tym śmiesznego, tylko Laurie nie jest przyzwyczajona do gości hotelowych. Posłuchaj, dziecko, nie wiem, skąd pochodzisz, ale stawiam na Christchurch albo Dunedin, czyli miejsca, w których bogaci ludzie zatrzymują się w hotelach. U nas goście zatrzymują się naprawdę na krótko, wynajmujemy pokoje na godzinę albo dwie i jednocześnie zapewniamy towarzystwo. Chyba rozumiesz?

Fleurette cała spąsowiała. Trafiła na dziwki! Ten przybytek to po prostu... Nie, nawet nie chciała o tym myśleć.

Daphne obserwowała ją z uśmiechem i zatrzymała ją, gdy Fleur chciała wybiec na zewnątrz.

– Ale poczekaj, mała! Dokąd się wybierasz? Nie bój się, nikt ci tu nie zrobi krzywdy.

Fleur się zatrzymała. Rzeczywiście głupio było tak uciekać. Daphne nie wzbudzała strachu, a tym bardziej ta jasnowłosa dziewczyna.

– Gdzie mogłabym więc przenocować? Jest tutaj... Jakiś... Jakiś...

– Jakiś przyzwoity pensjonat? – skończyła za nią Daphne. – Niestety nie. Mężczyźni, którzy tędy przejeżdżają, śpią w stajni razem ze swoimi końmi. Albo jadą prosto do obozu poszukiwaczy złota. Tam zawsze znajdzie się dodatkowe miejsce dla kogoś nowego.

Fleur skinęła głową.

– Dobrze. W takim razie... W takim razie ja też od razu tam pojadę. Może znajdę tam mojego narzeczonego. – Dziarsko chwyciła swoją torbę i ponownie ruszyła do wyjścia.

Daphne pokręciła głową.

– W żadnym wypadku, dziecko! Dziewczyna, taka jak ty, między setką czy dwiema setkami facetów wyposzczonych do granic możliwości? Oni zarabiają tyle, że na dziewczynę u nas stać ich najwyżej raz na pół roku! To nie są dżentelmeni, młoda damo. A ten twój „narzeczony", jak on się nazywa? Może go znam.

Fleurette znowu się zaczerwieniła, tym razem z oburzenia.

– Ruben nigdy by nie... On by nigdy...

Daphne się roześmiała.

– To by znaczyło, że jest niezwykle wyjątkowym reprezentantem swojego gatunku! Uwierz mi, mała, że wszyscy w końcu tu lądują. Chyba że są pederastami. Ale w waszym wypadku nie będziemy robić takiego założenia.

Fleur nie zrozumiała użytego przez Daphne słowa, ale była pewna, że Ruben nigdy nie przestąpił progu tego przybytku. Mimo wszystko podała jego nazwisko. Właścicielka burdelu zastanawiała się długo, żeby w końcu potrząsnąć głową.

– Nie słyszałam o nim. A mam dobrą pamięć do nazwisk. Wygląda więc na to, że twój ukochany nie dorobił się tutaj jeszcze majątku.

Fleur skinęła głową.

– Gdyby dorobił się majątku, już dawno by po mnie wrócił! – stwierdziła z całkowitym przekonaniem. – Ale muszę już iść, zaraz zrobi się ciemno. To gdzie są te obozowiska?

Daphne westchnęła.

– Nie mogę cię tam wysłać, dziecko, mimo najlepszych chęci, a już zwłaszcza na noc. Z pewnością nie wróciłabyś stamtąd bez szwanku. Nie pozostaje mi więc nic innego, jak wynająć ci pokój. Na całą noc.

– Ale... Ale ja nie mogę... – Fleur nie wiedziała, jak wybrnąć z tej sytuacji. Z drugiej strony nie widziała żadnej innej możliwości.

– Dziecino, pokoje mają drzwi, a drzwi mają zamki. Możesz wziąć pokój numer jeden. Używają go bliźniaczki, ale one rzadko mają klientów. Chodź, pokażę ci ten pokój. A jeśli chodzi o psa... – Wskazała na Gracie, która leżała u stóp Fleur, wpatrując się w nią typowym dla owczarków border collie pełnym uwielbienia spojrzeniem. – Możesz wziąć ze sobą. Jest pewnie bardziej czysty niż niejeden z naszych klientów. Nie bój się – dodała, widząc, że Fleur wciąż się waha, i ruszyła po schodach.

Fleurette ruszyła za nią pełna niepokoju, ale już na drugim piętrze przybytek Daphne wyglądał raczej jak hotel White Hart w Christchurch niż siedlisko rozpusty. Inna jasnowłosa kobieta, niezwykle podobna do tej z dołu, pastowała podłogę. Ukłoniła się zdumiona, gdy zauważyła Daphne i jej gościa.

Daphne zatrzymała się i uśmiechnęła.

– To panna... Jak się nazywasz? – zapytała. – Muszę sprawić sobie porządną książkę meldunkową, skoro zamierzam wynajmować pokoje na dłużej niż godzinę! – mrugnęła okiem.

Fleurette gorączkowo myślała. Raczej nie powinna podawać swojego prawdziwego nazwiska.

– Fleurette – odpowiedziała w końcu. – Fleur McKenzie.

– Jesteś spokrewniona albo spowinowacona z niejakim Jamesem McKenziem? – zapytała Daphne. – On podobno też ma takiego psa.

Fleur znowu się zaczerwieniła.

– Och... Nie miałam pojęcia – wyjąkała.

– Zresztą i tak go złapali, biedaka. A Sideblossom z Lionel Station chce go powiesić – wyjaśniła Daphne, po czym przypomniała sobie o niedokończonej prezentacji. – Słyszałaś, Mary, to panna Fleur McKenzie. Wynajęła u nas pokój numer jeden.

– Na... Na całą noc? – zdziwiła się teraz Mary.

Daphne westchnęła.

– Na całą noc, Mary, będziemy teraz przyzwoitym hotelem. Oto i pokój numer jeden. Zapraszam do środka, dziecko!

Otworzyła pokój i Fleur weszła do niewielkiego pomieszczenia, które urządzono zaskakująco przytulnie. Meble były skromne, grubo ciosane z miejscowych gatunków drewna, a łóżko szerokie i wyjątkowo porządnie pościelone. W ogóle cały pokój lśnił porządkiem i czystością. Fleur postanowiła, że nie będzie się dłużej wahać.

– Bardzo tu ładnie! – powiedziała i zabrzmiało to szczerze. – Bardzo dziękuję, panno Daphne. Czy raczej pani Daphne?

Daphne pokręciła głową.

– Panno. W moim zawodzie rzadko wychodzi się za mąż. A sądząc po moich doświadczeniach z mężczyznami, i to wieloma, moje dziecko, nie mam czego żałować. Zostawiam cię samą, żebyś mogła się odświeżyć. Mary albo Laurie przyniesie ci zaraz wodę do mycia – chciała zamknąć drzwi, ale Fleurette ją powstrzymała.

– Tak... Ale... Muszę najpierw zatroszczyć się o moją klacz. Wspomniała pani o miejskiej stajni, gdzie ona jest? I gdzie jeszcze mogłabym ewentualnie zapytać o mojego narzeczonego?

– Stajnia jest za rogiem – odpowiedziała Daphne. – Możesz tam o niego zapytać, ale nie sądzę, żeby stary Ron cokolwiek wiedział. Nie jest najbystrzejszy, nigdy nie zapamiętuje klientów, najwyżej ich konie. Może Ethan, właściciel poczty, będzie coś wiedział. Prowadzi także sklep i urząd pocztowy. Na pewno tam trafisz, poczta jest po drugiej stronie ulicy. Ale pośpiesz się, bo Ethan zaraz zamyka. Zawsze pierwszy przychodzi do pubu.

Fleurette podziękowała raz jeszcze i zeszła za Daphne po schodach. Chciała załatwić te sprawy jak najszybciej. Jak tylko zacznie się ruch w pubie, najlepiej zrobi, jak zabarykaduje się w swoim pokoju.

Rzeczywiście znalazła sklep bez problemu. Ethan, chudy, łysy mężczyzna w średnim wieku, właśnie sprzątał wystawę przed zamknięciem.

– Znam właściwie wszystkich poszukiwaczy złota – odpowiedział na jej pytanie. – Odbieram dla nich pocztę. Zwykle listy są zaadresowane podobnie: John Smith, Queenstown. Oni przychodzą tutaj je odebrać, a o te do Johna Smitha nawet się dwóch chłopaków pobiło...

– Mój przyjaciel nazywa się Ruben. Ruben O'Keefe – pośpiesznie wyjaśniła Fleurette, choć rozsądek podpowiadał jej, że niczego się nie dowie. Jeśli Ethan mówił prawdę, jej listy wylądowały właśnie u niego. I nikt ich nie odebrał.

Właściciel poczty się namyślał.

– Nie, panienko, przykro mi. Znam to nazwisko, przychodzą do niego najgrubsze listy. Wszystkie odkładam. Ale jeśli chodzi o adresata...

– Może zmienił nazwisko! – stwierdziła z ulgą Fleurette. – Może Davenport? Ruben Davenport?

– Davenportów mam nawet trzech – odparł Ethan. – Ale żaden z nich nie ma na imię Ruben.

Gorzko rozczarowana Fleur już chciała wyjść, ale w ostatniej chwili postanowiła, że zada jeszcze jedno pytanie.

– A może przypomni pan go sobie po wyglądzie. Wysoki, szczupły mężczyzna... A raczej chłopiec, ma osiemnaście lat. Ma szare oczy, takiej barwy jak niebo przed deszczem. I ciemnobrązowe włosy, z takim rudawym połyskiem, lekko kręcone... Nigdy nie udaje mu się ich porządnie uczesać. – Uśmiechnęła się z rozmarzeniem, ale mina właściciela poczty natychmiast ją otrzeźwiła.

– Nie znam takiego. A ty, Ron? Masz może jakiś pomysł? – Ethan zwrócił się do niskiego grubego mężczyzny, który właśnie wszedł i oparł się o ladę.

Grubas wzruszył ramionami.

– A jakiego ma muła?

Fleurette przypomniała sobie, że Daphne wspomniała o Ronie, który jest właścicielem stajni, i ponownie nabrała nadziei.

– On ma konia, proszę pana! Małą klacz o bardzo zwartej budowie, podobną do mojej… – Wskazała ręką przez otwarte drzwi na Niniane, która wciąż czekała pod hotelem. – Jego jest mniejsza i dereszowata. I nazywa się Minette.

Ron z namysłem pokiwał głową.

– Elegancki koń! – stwierdził, nie zaznaczając jednak przy tym, czy ma na myśli Niniane czy Minette. Zniecierpliwionej Fleurette trudno było zachować spokój.

– Chyba chodzi o tego młodego Rube'a Kaysa. Tego, który ma razem że Stue Petersem tą śmieszną działkę nad rzeką Shotover. Stue przecież znasz. To ten…

– To ten, który zawsze skarży się, że moje narzędzia są do niczego! Tak, przypominam sobie. I tego drugiego też, ale on zwykle niewiele mówi. Zgadza się, mają podobnego konia. – Ethan zwrócił się do Fleur – Ale dzisiaj nie może tam już pani pojechać. To w górach, co najmniej dwie godziny jazdy stąd.

– I czy on na pewno się ucieszy na twój widok…? – zasugerował Ron. – Nic nie chcę mówić, ale skoro zadał sobie tyle trudu, żeby zmienić nazwisko i żeby ukryć się przed tobą w najodleglejszym zakątku Otago…

Fleurette spłonęła rumieńcem, ale była zbyt szczęśliwa z odnalezienia Rubena, żeby się zirytować.

– On z pewnością ucieszy się na mój widok – zapewniła. – Ale dzisiaj rzeczywiście jest zbyt późno. Czy mogę zostawić moją klacz u pana, panie… Panie Ronie?

Fleur spędziła nadspodziewanie spokojną noc w pokoju u Daphne. Choć z dołu dochodził dźwięk gry na pianinie, w pubie tańczono i ogólnie ożywiony ruch trwał tam do północy, to nikt jej nie niepokoił i mogła zupełnie spokojnie zasnąć. Rankiem obudziła się bardzo wcześnie i przypuszczała, że nikt poza nią jeszcze nie wstał. Ale pod jedynką czekała już na nią jedna z jasnowłosych bliźniaczek.

– Mam zrobić pani śniadanie, panno Fleur – powiedziała uprzejmie. – Daphne mówi, że czeka panią dłuższa wyprawa w górę Shotover, żeby mogła pani spotkać się z narzeczonym. Laurie i ja uważamy, że to bardzo romantyczne!

A więc to musiała być Mary. Fleur podziękowała za kawę, chleb i jajka, i wcale jej nie przeszkadzało to, że Mary poufale się do niej przysiadła.

Najpierw jednak zaserwowała Gracie miseczkę z resztkami mięsa. – Słodki piesek, panienko. Znałam kiedyś podobnego. Ale to było dawno temu... – Twarz Mary przybrała niemal marzycielski wyraz. Ta dziewczyna zupełnie nie odpowiadała wyobrażeniu, jakie Fleur miała o prostytutkach.

– Dawniej myślałyśmy, że też znajdziemy sobie miłych chłopców – gawędziła dalej Mary, głaskając Gracie. – To głupota, że jeden mężczyzna nie może poślubić dwóch kobiet. A my nie chcemy się rozdzielić. Musimy sobie znaleźć bliźniaków.

Fleurette się roześmiała.

– Myślałam, że w waszym zawodzie rzadko wychodzi się za mąż – powtórzyła wczorajszą uwagę Daphne.

Mary z powagą przyjrzała się jej swoimi okrągłymi błękitnymi oczami.

– To nie jest nasz zawód, panienko. Jesteśmy przyzwoitymi dziewczętami, wszyscy to wiedzą. To prawda, że trochę tańczymy. Ale nie robimy nic nieprzyzwoitego. To znaczy tak naprawdę nieprzyzwoitego. Nie robimy nic z mężczyznami.

Fleurette się zdziwiła. Czy taki przybytek, jakim zarządzała Daphne, mógł pozwolić sobie na utrzymanie dwóch służących?

– Sprzątamy także u pana Ethana i u balwierza, pana Foksa, żeby trochę dorobić. Ale to przyzwoita praca, Daphne zawsze nas pilnuje. Gdyby ktoś nas tknął, zrobiłaby awanturę. Wielką awanturę! – Twarz Mary się rozpromieniła. Naprawdę wyglądała na troszkę opóźnioną. Czy właśnie dlatego Daphne tak się nimi opiekowała? Ale Fleur musiała już iść.

Mary machnęła tylko ręką, gdy chciała zapłacić za pokój.

– Załatwi to pani z Daphne, jak znowu tu pani zajrzy. Zapraszamy też dzisiaj wieczorem z powrotem, mam to pani przekazać. Gdyby z tym pani przyjacielem... Gdyby nic z tego nie wyszło...

Fleurette z wdzięcznością skinęła głową i uśmiechnęła się w duchu. Najwyraźniej stała się w Queenstown tematem plotek. I miejscowa społeczność niezbyt optymistycznie zapatrywała się na jej sercowe sprawy. Ale Fleurette była bardzo szczęśliwa, jadąc najpierw na południe wzdłuż brzegu jeziora, a potem w górę szerokiej rzeki na zachód. Po drodze nie zauważyła żadnych większych zabudowań związanych z wydobyciem złota. Jego poszukiwania koncentrowały się na terenach dawnych owczych farm, położonych znacznie bliżej Queenstown niż działka Rubena. Wznoszono na nich osiedla baraków, ale w oczach Mary były to raczej współczesne wersje

Sodomy i Gomory. Dziewczyna opisała te straszliwe obozowiska bardzo obrazowo, najwyraźniej świetnie znała Biblię. Fleur się ucieszyła, że Ruben nie wmieszał się w takie towarzystwo. Jechała na Niniane wzdłuż brzegu rzeki i cieszyła się czystym, rześkim powietrzem. Teraz, późnym latem, na Canterbury Plains wciąż było ciepło, ale te okolice znajdowały się wyżej, a liście na drzewach przy drodze zapowiadały już jesienną feerię barw. Za kilka tygodni zakwitną łubiny.

Fleur dziwiła się trochę, że okolica jest tak bezludna. Jeśli można tu było zajmować działki, to powinno się tutaj wręcz roić od poszukiwaczy złota!

Ethan, właściciel poczty, zaprezentował jej nawet dokładne mapy pokazujące położenie poszczególnych działek i dokładnie opisał, jak trafić na teren należący do Rubena i Stue. Ale i bez tego nie miałaby żadnych trudności z odnalezieniem ich. Obozowali nad rzeką, a Gracie i Niniane uświadomiły sobie ich obecność znacznie wcześniej niż Fleur. Niniane postawiła uszy i wydała z siebie ogłuszające rżenie, które natychmiast doczekało się odzewu. Gracie zaczęła węszyć i rzuciła się pędem, żeby powitać Rubena.

Fleur najpierw zobaczyła Minette. Przywiązana obok jakiegoś muła klacz stała trochę dalej od brzegu i intensywnie się w nią wpatrywała. Bliżej rzeki Fleur spostrzegła ognisko i prymitywnie sklecony namiot. „Zbyt blisko rzeki" – pomyślała od razu. Gdyby Shotover nagle wezbrała, a to często zdarzało się w wypadku rzek zasilanych górskimi potokami, jej wody porwałyby namiot ze sobą.

– Minnie! – zawołała do klaczy, a ta odpowiedziała jej głębokim, pełnym szczęścia rżeniem. Podjechała bliżej i zsunęła się z siodła, żeby objąć Minette. Ale gdzie jest Ruben? Z niezbyt gęstego lasu, który zaczynał się tuż za obozowiskiem, dochodziły dźwięki piłowania i uderzeń młotka, które po chwili nagle zamilkły. Fleurette się uśmiechnęła. Gracie właśnie znalazła Rubena.

I rzeczywiście, chłopiec zaraz wybiegł z lasu. Fleurette pomyślała, że tak właśnie urzeczywistniają się marzenia. On tu jest, znalazła go! I na pierwszy rzut oka wygląda całkiem nieźle. Szczupła twarz Rubena była pokryta opalenizną, a jego oczy rozbłysły na jej widok, tak jak zawsze. Ale gdy wziął ją w ramiona, poczuła wystające żebra, był przerażająco chudy. W jego twarzy odbijało się znużenie i wyczerpanie, na rękach zaś miał pełno zadraśnięć i odcisków. Nigdy nie miał zdolności do prac ręcznych.

– Fleur! Fleur! Skąd się tutaj wzięłaś? Jak mnie znalazłaś? Nie mogłaś już czekać i uciekłaś z domu? Jesteś okropna, Fleurette! – roześmiał się.

– Pomyślałam sobie, że sama się wezmę za zdobywanie majątku – stwierdziła Fleurette, wyciągając z kieszeni sukni sakiewkę ojca. – Popatrz, nie musisz już szukać złota. Ale to nie dlatego uciekłam. Musiałam... Bo...

Ruben nawet nie spojrzał na sakiewkę, tylko ujął jej dłoń.

– Później mi opowiesz. Najpierw pokażę ci nasz obóz. To piękne miejsce, o wiele lepsze niż ta okropna stara farma, na której mieszkaliśmy wcześniej. Chodź, Fleur...

Pociągnął ją w stronę lasu, ale Fleur potrząsnęła głową.

– Najpierw trzeba przywiązać konia, Rubenie! Jak ci się w ogóle udało nie zgubić Minette przez tyle miesięcy?

Ruben się uśmiechnął.

– To ona pilnowała, żebym ja się jej nie zgubił. W końcu takie właśnie zadanie otrzymała, przyznaj się, Fleur! Na pewno kazałaś jej, żeby na mnie uważała! – Pogłaskał Gracie, która skakała na niego, skomląc.

Niniane znalazła przytulne miejsce między Minette a mułem, Fleurette zaś ruszyła za podekscytowanym Rubenem na teren obozowiska.

– Tu śpimy... To nic wielkiego, ale przynajmniej mamy czysto. Nie wyobrażasz sobie, jak to jest na farmach... A tutaj nasz potok. Złotonośny! – Ruben wskazał na wąski, ale wartko zmierzający w kierunku wód rzeki Shotover strumień.

– A po czym to widać? – zapytała Fleur.

– Tego nie widać, to się wie! – pouczył ją Ruben. – Trzeba je wypłukać. Pokażę ci później, jak to się robi. Budujemy do tego specjalną rynnę. A to... To jest Stue!

Wspólnik Rubena również opuścił miejsce pracy i właśnie do nich podszedł. Fleurette od razu wydał się bardzo sympatyczny. Muskularny jasnowłosy olbrzym, z szeroką twarzą o przyjaznym wyrazie i śmiejących się niebieskich oczach.

– Stuart Peters, do usług *madame*! – Wyciągnął w stronę Fleurette swoją olbrzymią rękę, w której zginęła jej drobna dłoń. – Jest pani tak piękna, jak opisywał to Ruben, jeśli wolno mi się tak wyrazić.

– Ależ z pana pochlebca, Stue! – Fleurette roześmiała się i spojrzała na drewnianą konstrukcję, przy której pracował Stuart. Była to opadająca w dół płaska drewniana rynna oparta na słupach, którą zasilał niewielki wodospad.

– To rynna do płukania złota! – wyjaśnił z zapałem Ruben. – Tutaj wrzuca się ziemię, a następnie puszcza wodę. Woda wypłukuje piasek, złoto zaś zatrzymuje się w tych rowkach...

– Żłobkowaniach – poprawił go Stuart.

Fleurette była pod wrażeniem.

– Zna się pan na wydobyciu złota, panie Peters? – zapytała.

– Stue. Proszę mówić do mnie po prostu Stue. Tak właściwie to jestem kowalem – przyznał Stue. – Ale pomagałem już kiedyś przy budowaniu czegoś takiego. To całkiem proste. Chociaż starzy poszukiwacze złota udają, że to jakaś wielka sztuka. Że wszystko zależy od prędkości przepływu wody i tak dalej...

– Ale to bzdury! – zgodził się z nim Ruben. – Jeśli coś jest cięższe od piasku, to musi zostać, przecież to logiczne. Nieważne, jak szybko płynie woda. Zawsze najpierw wypłucze piasek.

Fleurette wcale tak nie uważała. Wartko płynący potok z pewnością wypłucze też przynajmniej drobniejsze grudki złota. Ale wszystko oczywiście zależało od tego, jakiej wielkości grudki interesują chłopców. Może mogą pozwolić sobie na to, żeby odsiewać tylko te większe. Skinęła więc uprzejmie głową i poszła z nimi z powrotem do obozowiska. Stue i Ruben zgodnie ustalili, że zrobią sobie teraz przerwę. Już po chwili w prymitywnym garnku na ogniu gotowała się kawa. Fleurette zauważyła przy okazji, jak skromnym wyposażeniem dysponują młodzi poszukiwacze złota. Mieli tylko jeden garnek i dwie miski, a kawę musiała pić wspólnie z Rubenem z jednego kubka. Nie wyglądało na to, żeby odnieśli sukces w poszukiwaniach.

– Cóż, tak naprawdę to dopiero zaczynamy – bronił się Ruben, gdy Fleur delikatnie zwróciła mu na to uwagę. – Wytyczyliśmy naszą działkę dopiero dwa tygodnie temu i na razie budujemy rynnę.

– A szłoby nam o wiele szybciej, gdyby ten Ethan, ten odrzyskóra z Queenstown, nie sprzedawał takiego byle czego zamiast narzędzi! – zaklął Stuart. – Mówię poważnie, Fleur, w ciągu dwóch dni zużyliśmy trzy brzeszczoty do piły. A przedwczoraj znowu wygiął się szpadel! Szpadel! Takie rzeczy powinny służyć przez całe życie! A trzonki muszę wymieniać co drugi dzień, nigdy dobrze się nie trzymają. Nie mam pojęcia, skąd Ethan bierze te swoje narzędzia, ale są drogie i do niczego!

– Ale działka jest śliczna, prawda? – zapytał Ruben, patrząc rozmarzonym wzrokiem na brzeg rzeki. Fleur musiała przyznać mu rację. Okolica wydawałaby jej się jeszcze piękniejsza, gdyby znaleźli tu choć odrobinę złota.

– A kto... Kto doradził wam, by wytyczyć tę właśnie działkę? – zapytała ostrożnie. – Bo na razie jesteście tutaj zupełnie sami. Czy ktoś wam to miejsce doradził?

– To było natchnienie! – wyjaśnił z dumą Stuart. – Zobaczyliśmy to miejsce i... Od razu wiedzieliśmy, że to działka dla nas! Że tutaj się dorobimy!

Fleurette zmarszczyła brwi.

– To znaczy... Że do tej pory nikt w tej okolicy nie znalazł złota?

– Tylko trochę – przyznał Ruben. – Ale nikt tak porządnie nie szukał!

Obaj chłopcy patrzyli na nią, promieniejąc dumą. Fleur obdarzyła ich wymuszonym uśmiechem i postanowiła, że weźmie sprawy w swoje ręce.

– A próbowaliście już płukać tu złoto? – zapytała. – W waszym potoku. Pokażecie mi, jak się to robi?

Ruben i Stuart jednocześnie skinęli głowami.

– Trochę udało nam się już znaleźć – stwierdzili i z entuzjazmem podali jej miskę.

– Pokażemy ci, jak to robić, a potem możesz trochę popłukać, jak będziemy kończyć z rynną! – zaproponował Ruben. – Na pewno przyniesiesz nam szczęście!

Ponieważ Fleurette nie potrzebowała aż dwóch instruktorów, Stuart ruszył z powrotem w górę strumienia, zapewniając jednocześnie im obojgu odrobinę prywatności. Przez kilka kolejnych godzin dochodziły do nich tylko jego przekleństwa, gdy psuły się kolejne narzędzia.

Fleurette i Ruben wykorzystali chwilę, gdy byli zupełnie sami, żeby przywitać się tak naprawdę. Musieli na nowo poczuć, jak słodkie są ich pocałunki i jak naturalnie ich ciała reagują na siebie nawzajem.

– Ożenisz się teraz ze mną? – zapytała w końcu Fleur sennym głosem. – To znaczy, nie bardzo mogłabym żyć tutaj z tobą, gdybyśmy nie mieli ślubu.

Ruben z powagą skinął głową.

– Oczywiście, tak nie można. Ale tu chodzi o pieniądze... Fleur, będę z tobą szczery. Dotąd nie udało mi się nic oszczędzić. Tę niewielką kwotę, którą zarobiłem na poszukiwaniu złota w okolicy Queenstown, przeznaczyłem na wyposażenie. A to co udało nam się znaleźć tutaj, wydaliśmy na nowe narzędzia. Stuart ma rację, że stary Ethan sprzedaje wybrakowany towar. Kilku starszych poszukiwaczy wciąż miało miski, łopaty i kilofy jeszcze z Australii. Ale narzędzia, które kupujemy tutaj, wytrzymują zaledwie kilka dni, a kosztują majątek!

Fleur się roześmiała. – To więc, co mam tutaj, powinniśmy wydać na coś innego – powiedziała i po raz drugi tego dnia wyciągnęła z kieszeni sakiewkę swojego ojca. Tym razem Ruben zajrzał do niej i wręcz oniemiał na widok złotych dolarów.

– Fleur! To cudownie! Skąd to masz? Nie mów, że obrabowałaś własnego dziadka! Ale aż tyle pieniędzy! Moglibyśmy za to skończyć rynnę, zbudować dom i może zatrudnić kilku pomocników! Fleur, za takie pieniądze możemy wydobyć z tej ziemi całe złoto, jakie się w niej kryje!

Fleurette postanowiła, że nie skomentuje planów Rubena. Opowiedziała mu za to o swojej ucieczce.

– Nie wierzę! James McKenzie jest twoim ojcem?!

Fleurette podejrzewała, że Ruben mógł wiedzieć o tym już wcześniej. W końcu ich matki nie miały przed sobą właściwie żadnych tajemnic, a to co wiedziała Helen, zwykle w ten czy inny sposób przekazywała synowi. Ale o tej sprawie chłopak nie miał najmniejszego pojęcia i przypuszczał, że Helen również nie była wtajemniczona.

– Zawsze myślałem, że to Paula dotyczy jakaś tajemnica – powiedział. – Wydaje mi się, że moja mama coś o nim wie. Ale tylko ona, ja nigdy niczego się nie dowiedziałem.

Tymczasem podeszli do potoku i Ruben pokazał jej, jak płucze się złoto. Zawsze myślała, że używa się do tego jakiegoś sita, ale ta najprostsza metoda uzyskiwania złota polegała tak naprawdę na wypłukiwaniu. Trzeba było zręcznie kołysać i potrząsać misą, żeby wypłukać lżejsze cząsteczki piasku i pozostawić na dnie miski ciemną masę, tak zwany czarny piach, w którym pojawiały się drobinki złota. Rubenowi praca ta sprawiała trudność, ale Fleurette szybko złapała, o co chodzi. I Ruben, i Stuart podziwiali jej zręczność. Fleur jednak nie podzielała ich zachwytu. Choćby nie wiadomo jak zgrabnie i szybko płukała, drobinki złota i tak pojawiały się zbyt rzadko. Do wieczora intensywnie przepracowała sześć godzin, a chłopcy w tym czasie zepsuli dwa kolejne brzeszczoty do piły, choć pracy przy wznoszeniu rynny nie posunęli zbyt daleko. Ale dla Fleurette nie miało to już znaczenia. Uważała, że poszukiwanie w tym miejscu złota za pomocą rynny do płukania nie miało najmniejszego sensu. Drobniutkie okruchy złota, które udało jej się dzisiaj wypłukać, prąd strumienia porwałby razem z piaskiem. Na dodatek cały jej wysiłek nie na wiele się zdał. Stuart wycenił wartość wypłukanego przez nią złota na mniej niż dolara.

Mimo to młodzi mężczyźni wciąż rozprawiali o ogromnych ilościach złota, smażąc przy ognisku ryby, które Fleurette tymczasem złapała w potoku. Z goryczą pomyślała, że sprzedając je, z pewnością zarobiłaby więcej niż na płukaniu złota.

– Jutro musimy pojechać najpierw do Queenstown, żeby kupić nowe brzeszczoty do piły – westchnął Stuart, po czym wycofał się, ponownie okazując wyrozumiałość młodej parze. Stwierdził, że zamiast w namiocie, równie dobrze może spać pod drzewem obok koni.

– I wziąć ślub! – dodał z powagą Ruben, obejmując Fleurette. – Jak myślisz, czy byłoby bardzo źle, gdybyśmy już dzisiaj urządzili sobie noc poślubną?

Fleur potrząsnęła głową i przytuliła się do niego.

– Nie, tylko nikomu o tym nie powiemy.

8

Wschodzące nad górami słońce stanowiło idealny początek weselnego dnia. Alpy połyskiwały złotem i purpurą, w powietrzu unosił się rześki zapach trawy i lasu, a pomruk potoku mieszał się z szumem rzeki, zastępując szmer gratulacji. Fleurette czuła się szczęśliwa i spełniona, gdy obudziła się w ramionach Rubena i wystawiła głowę z namiotu. Gracie powitała ją mokrym psim całusem.

Fleur pogłaskała ją.

– Mam dla ciebie złą wiadomość, Grace, znalazłam kogoś, kto całuje lepiej niż ty! – powiedziała ze śmiechem. – Biegnij obudzić Stuarta, a ja zrobię śniadanie. Sporo się dzisiaj wydarzy, Gracie! Nie pozwolimy, żeby chłopcy przespali taki wielki dzień!

Stuart uprzejmie odwracał wzrok, gdy Fleurette i Ruben niemal nie odrywali od siebie rąk podczas przygotowań do podróży. Obaj bardzo się zdziwili, gdy Fleur się uparła, żeby zabrać prawie cały ich dobytek.

– Przecież wrócimy najpóźniej jutro! – stwierdził Stuart. – Oczywiście-,jeśli zaczniemy robić porządne zakupy sprzętu i tak dalej, to może potrwać trochę dłużej, ale...

Fleur pokręciła głową. W nocy nie tylko posmakowała rozkoszy miłości, ale także porządnie się zastanowiła. W żadnym wypadku nie zamierzała wydać pieniędzy swojego ojca na niemające żadnej przyszłości przedsięwzięcie. Ale najpierw musiała to jakoś dyplomatycznie uświadomić Rubenowi.

– Posłuchajcie, chłopcy, to kupowanie narzędzi chyba nie bardzo ma sens – zaczęła ostrożnie. – Sami mówicie, że są bardzo kiepskie. Czy to, że mamy na nie trochę więcej pieniędzy, coś zmieni?

Stuart wciągnął powietrze.

– Nic a nic. Stary Ethan dalej będzie nam wciskał bezużyteczny szmelc.

Fleur skinęła głową.

– Znajdźmy więc inne wyjście. Jesteś kowalem, prawda? A czy potrafisz odróżnić dobre narzędzia od złych? Ale tak na pierwszy rzut oka, jak je kupujesz, a nie dopiero wtedy, gdy ich używasz?

Stuart przytaknął.

– Oczywiście, że potrafię. Gdybym tylko miał tutaj wybór...

– Dobrze – Fleur wpadła mu w słowo. – Wynajmiemy w Queenstown wóz albo od razu go kupimy. Możemy zaprząc coby, we dwójkę dadzą radę! I pojedziemy do... Jakie jest najbliższe duże miasto? Dunedin? Pojedziemy do Dunedin. Kupimy tam narzędzia i inne materiały, których potrzebują tutejsi poszukiwacze złota.

Ruben ze zdumieniem kiwał głową.

– Bardzo dobry pomysł. Działka nam nie ucieknie. Ale nie potrzebujemy wozu, Fleur, wystarczy obładować muła.

Fleurette pokręciła głową.

– Kupimy największy wóz, jaki nasze konie będą w stanie uciągnąć, i załadujemy na niego tyle towaru, ile się tylko zmieści. Przywieziemy go do Queenstown i sprzedamy poszukiwaczom złota. Jeśli to prawda, że wszyscy są niezadowoleni z narzędzi od Ethana, ubijemy niezły interes!

Po południu tego samego dnia sędzia pokoju w Queenstown udzielił ślubu Fleurette McKenzie i Rubenowi Kaysowi, który przy okazji wrócił do swojego prawdziwego nazwiska O'Keefe. Fleurette miała na sobie swoją kremową suknię, która była idealnie wyprasowana. Zadbały o to Mary i Laurie. Przystroiły też kwiatami włosy Fleur i ozdobiły ogłowia Niniane i Minette, które przywiozły młodych państwa do pubu. Ze względu na brak kościoła lub innego miejsca na publiczne zgromadzenia ślub odbywał się właśnie tutaj. Stuart był świadkiem Rubena, a Daphne druhną Fleurette. Wzruszone Mary i Laurie nie mogły powstrzymać łez.

Ethan przekazał Rubenowi w prezencie ślubnym całą pocztę na jego nazwisko z zeszłego roku. Ron puchł z dumy, bo Fleurette wszystkim mówiła, że szczęśliwie spotkanie z Rubenem zawdzięcza wyłącznie jego doskonałej znajomości koni. W końcu Fleurette sięgnęła do sakiewki i zaprosiła całe Queenstown do świętowania ich ślubu. Nie zrobiła tego wcale bezinteresownie, gdyż zyskała okazję nie tylko do poznania wszystkich mieszkańców miasta, ale też dokładnego ich wypytania. Nie, w okolicy działki Rubena nikt nigdy nie znalazł złota, potwierdził balwierz, który mieszkał w mieście od początku jego istnienia, a sam przybył tutaj jako poszukiwacz złota.

– Ale na szukaniu złota i tak niewiele można zarobić, panno Fleur – wyjaśnił. – Za dużo ludzi, za mało złota. Jasne, od czasu do czasu ktoś znajdzie olbrzymi samorodek. Ale zaraz się go pozbywa. I co wtedy ma? Dwieście, najwyżej trzysta dolarów za wyjątkowy okaz. Ale to nawet nie wystarczy na farmę i kilka sztuk bydła. Nie mówiąc już o tym, że oni wtedy zupełnie tracą rozum i wszystkie te pieniądze wydają na kolejne działki, rynny do płukania i zatrudnienie kolejnych maoryskich pomocników. Pieniądze się rozchodzą, ale nic nowego nie znajdują. Za to jako fryzjer i balwierz... Tu w okolicy mieszkają tysiące mężczyzn, a wszyscy muszą obcinać włosy. I każdy kiedyś wbije sobie kilof w stopę albo pobije się z kimś, albo zachoruje...

Fleurette doskonale to rozumiała. Tymczasem w hotelu Daphne zjawiło się z tuzin poszukiwaczy złota, którzy z chęcią częstowali się darmową whisky i odpowiadali na pytania panny młodej. Nawiasem mówiąc, niemal nie wywołała w ten sposób małej rewolty. Samo wspomnienie o narzędziach dostarczanych przez Ethana natychmiast podgrzało atmosferę. W końcu Fleur była przekonana, że otwierając skład z narzędziami, nie tylko się wzbogaci, ale i uratuje czyjeś życie. Jeśli nic się nie zmieni, poszukiwacze wkrótce dokonają linczu na Ethanie.

Podczas gdy Fleurette rozpytywała gości, Ruben rozmawiał z sędzią pokoju. Sędzia wcale nie był prawnikiem, tylko grabarzem i wytwórcą trumien.

– Ktoś musiał się tym zająć – odpowiedział, wzruszając ramionami na wyrażone przez Rubena zdziwienie. – A ludzie uznali, że będzie mi zależało, żeby rozstrzygać spory i nie dopuszczać do rozlewu krwi. Bo w ten sposób oszczędzę sobie pracy...

Fleur z zadowoleniem obserwowała konwersację męża z sędzią pokoju. Jeśli Ruben znajdzie tutaj okazję do zgłębiania prawa, to po powrocie z Dunedin nie będzie naciskał na natychmiastowy powrót na tamtą nieszczęsną działkę.

Fleurette i Ruben swoją drugą, tym razem formalną noc poślubną spędzili w wygodnym podwójnym łóżku w pokoju numer jeden w hotelu Daphne.

– W przyszłości przemianujemy ten pokój na apartament dla nowożeńców – stwierdziła Daphne.

– Ale tutaj przecież rzadko się zdarza, żeby ktoś tracił dziewictwo! – zachichotał Ron.

Stuart, który nie żałował sobie whisky, uśmiechnął się do niego z miną spiskowca.

– Zdarzało się, zdarzało! – zdradził.

Następnego dnia koło południa wyruszyli do Dunedin. Ruben kupił wcześniej wóz od swojego nowego przyjaciela.

– Weź go sobie, chłopcze, tych kilka trumien dowiozę na cmentarz choćby taczkami!

Fleurette również przeprowadziła kolejne interesujące rozmowy. Tym razem z wąskim gronem szacownych obywatelek miasta, czyli z żoną sędziego pokoju oraz żoną balwierza. W rezultacie miała dodatkową listę zakupów do zrobienia w Dunedin.

Gdy dwa tygodnie później wrócili z obładowanym wozem, brakowało im już tylko zadaszonego miejsca, żeby rozpocząć sprzedaż. Fleurette pomyślała o tym przed wyjazdem, ale uznała, że mogą dalej liczyć na ładną pogodę. Jesień w Queenstown była jednak deszczowa, a zimą padał śnieg. Za to ostatnio nikt tutaj nie umarł. Sędzia pokoju z chęcią udostępnił im swój skład trumien. Był jedyną osobą, która nie dopytywała się o nowe narzędzia. Poprosił za to Rubena o pomoc w studiowaniu literatury prawniczej, na którą poszło sporo złotych dolarów z sakiewki McKenziego.

Ale dzięki sprzedaży przywiezionego towaru sakiewka szybko zapełniła się z powrotem. Poszukiwacze złota wręcz oblegli sklep Rubena i Stuarta i już na drugi dzień po otwarciu wykupili wszystkie narzędzia. Panie potrzebowały trochę więcej czasu na dokonanie wyboru, zwłaszcza że małżonka sędziego pokoju miała początkowo opory, żeby udostępnić swój salon jako przymierzalnię dla wszystkich kobiet z miasta.

– Przecież mogą skorzystać z pomieszczenia obok składu trumien – stwierdziła, przyglądając się nieufnie Daphne i jej dziewczętom, które aż paliły się do przymierzenia sukni i bielizny, które Fleur przywiozła z Dunedin. – Tego, w którym Frank trzyma zwłoki…

Daphne wzruszyła ramionami.

– Jeśli jest akurat puste. Chociaż mnie to bez różnicy. Założę się, że żaden z delikwentów nawet nie marzył o takiej oprawie pogrzebu, co?

Łatwo było namówić Stuarta i Rubena do kolejnej wyprawy do Dunedin, a po zakończeniu drugiej sprzedaży Stuart był już po uszy zakochany w córce balwierza i ani myślał o powrocie w góry. Ruben zajął się prowadzeniem księgowości ich małego interesu i ze zdumieniem przekonał się o tym, o czym Fleurette wiedziała już od dawna. Każda z wypraw do Dunedin przynosiła więcej pieniędzy, niż można by zarobić na poszukiwaniu złota przez cały rok. Pomijając już to, że sam bardziej nadawał się na kupca niż na poszukiwacza złota. Gdy po sześciu tygodniach, podczas których trzymał pióro zamiast szpadla czy kilofu, zagoiły się ostatnie otarcia i odciski na jego dłoniach, Ruben był już całkowicie przekonany do pomysłu ze sklepem.

– Powinniśmy wybudować własny skład – stwierdził w końcu. – Coś w rodzaju magazynu. Moglibyśmy wtedy poszerzyć asortyment.

Fleurette skinęła głową.

– Artykuły gospodarstwa domowego. Kobiety pilnie potrzebują porządnych garnków i pięknych naczyń… Nie machaj mi tu ręką, Ruben. Przekonasz się, że popyt na taki towar będzie wzrastał, bo będziemy mieć tutaj coraz więcej kobiet. Queenstown stanie się prawdziwym miastem!

Sześć miesięcy później O'Keefe'owie świętowali otwarcie Składu O'Kay w Queenstown w prowincji Otago. To Fleurette wymyśliła jego nazwę i była z niej bardzo dumna. Oprócz nowych pomieszczeń sklepowych firma nabyła dwa kolejne wozy oraz sześć ciężkich koni pociągowych. Fleurette mogła więc znowu jeździć konno na swoich klaczach, a zmarli w Queenstown znowu elegancko podróżowali na cmentarz na wozie, a nie na taczkach. Stuart Peters wzmocnił kontakty handlowe z Dunedin, po czym wycofał się z interesu. Chciał się ożenić i miał dosyć ciągłego podróżowania na wybrzeże. Dzięki swojemu udziałowi w zyskach otworzył w Queenstown kuźnię, która okazała się znacznie zyskowniejszą kopalnią złota niż te prawdziwe kopalnie rozsiane po okolicy. Fleurette i Ruben zatrudnili na jego miejsce pewnego starszego poszukiwacza złota, który zajął się sprawami transportu w firmie. Leonard McDunn był spokojnym człowiekiem, który znał się na koniach i na ludziach. Fleurette martwiła tylko kwestia dostaw dla pań.

– Przecież nie mogę zlecić mu wyboru bielizny – poskarżyła się Daphne, z którą zaprzyjaźniła się mimo oburzenia pozostałych dwóch szacownych obywatelek miasteczka. – On się czerwieni już przy tym, jak proszę go o przywiezienie katalogów. Będę musiała tam jeździć co najmniej co drugi czy trzeci raz...

Daphne wzruszyła ramionami.

– Wyślij moje bliźniaczki. Nie są może najbystrzejsze, nie można im zlecić negocjacji umów i tak dalej. Ale mają dobry gust, zawsze bardzo o to dbałam. Wiedzą, jak ubierają się damy, ale wiedzą też, jak ubieramy się my w hotelu. A poza tym poznałyby trochę świata i coś tam zarobiły.

Fleurette była początkowo dość sceptycznie nastawiona do tego pomysłu, ale szybko się przekonała, że Daphne ma rację. Mary i Laurie przywiozły z Dunedin i eleganckie ubrania, i absolutnie nieprzyzwoite dessous, które ku zdumieniu Fleur spotkały się z ogromnym zainteresowaniem ze strony klientek, i to nie tylko prostytutek. Młoda żona Stuarta, cała w pąsach, zdecydowała się na czarny gorset, a kilku mieszkańców okolicy uznało, że ich maoryskie żony ucieszą się z kolorowej bielizny. Fleur wątpiła, czy te fatałaszki rzeczywiście im się spodobają, ale interes to interes. Dysponowała już także dyskretną garderobą do przymierzania, wyposażoną w wielkie lustra, a nie deprymujący podest na trumny.

Praca w sklepie pozwalała Rubenowi poświęcać wiele czasu na studiowanie prawa, co wciąż sprawiało mu radość, nawet jeśli pożegnał się już ze swoim marzeniem o zostaniu adwokatem. Był zaskoczony, jak szybko nadarzyła się okazja do praktycznego wykorzystania zdobytej wiedzy. Sędzia pokoju coraz częściej prosił go o radę, a w końcu zaangażował go bezpośrednio w rozstrzyganie sporów. Ruben doskonale się przy tym spisywał, przed następnymi wyborami dotychczasowy sędzia przygotował więc dla niego niespodziankę. Nie stanął do wyborów, tylko zaproponował kandydaturę Rubena jako swojego następcy.

– Spójrzcie na to w ten sposób – wyjaśnił w swojej przemowie. – U mnie zawsze występował konflikt interesów. Jeśli nie dopuściłem do tego, żeby ludzie się pozabijali, nie miałem zbytu na swoje trumny. Pełniąc urząd, sam siebie doprowadzałem jednocześnie do ruiny. U młodego O'Keefe'a będzie zupełnie inaczej. Jak dwóch gości porozwala sobie łby, to żaden nie kupi już u niego narzędzi. W jego interesie leży więc utrzymywanie spokoju i porządku. Wybierzcie więc jego, a mnie dajcie już spokój.

Mieszkańcy Queenstown poszli za jego radą i Ruben znaczną większością głosów został wybrany na nowego sędziego pokoju.

Fleurette ucieszyła się, choć nie do końca przekonała ją argumentacja grabarza.

– Nasze narzędzia idealnie nadają się do rozbijania łbów – szepnęła do Daphne. – I mam nadzieję, że Ruben nie będzie zbyt często powstrzymywać klientów od takich chwalebnych czynów.

Jedyną kroplą goryczy w szczęśliwym życiu Fleurette i Rubena w rozkwitającym mieście poszukiwaczy złota był brak kontaktu z rodziną. Oboje z radością napisaliby do swoich matek, ale nie mieli odwagi.

– Nie chcę, żeby ojciec dowiedział się, gdzie jestem – Ruben jasno postawił sprawę, gdy Fleurette chciała napisać do swojej matki. – I lepiej, żeby twój dziadek też nie wiedział, gdzie jesteś. Kto wie, co może przyjść mu do głowy. Nie byłaś pełnoletnia, gdy braliśmy ślub. Mogliby wpaść na pomysł, żeby zrobić nam z tego powodu jakieś trudności. Poza tym obawiam się, że ojciec wyładowałby swój gniew na matce. To nie byłby pierwszy raz. Nawet nie chcę myśleć, co się działo, jak wyjechałem.

– Ale w jakiś sposób musimy je powiadomić! – stwierdziła Fleurette. – Wiesz co? Napiszę do Dorothy. Dorothy Candler. A ona przekaże wiadomość mojej mamie.

Ruben złapał się za głowę.

– Oszalałaś? Jeśli napiszesz do Dorothy, to ona na pewno powie pani Candler. Równie dobrze mogłabyś wykrzyczeć, gdzie jesteśmy, na samym środku rynku w Haldon. Jeśli koniecznie chcesz do kogoś napisać, to lepiej do Elizabeth Greenwood. Jej dyskrecji można ufać.

– Ale wujek George i Elizabeth są w Anglii – zaprotestowała Fleurette.

Ruben wzruszył ramionami.

– To co? Kiedyś przecież wrócą. Nasze matki muszą po prostu poczekać. I kto wie, może panna Gwyn dowie się czegoś o Jamesie McKenziem. On przecież siedzi w jakimś więzieniu na Canterbury Plains. Może nawiąże z nim jakiś kontakt.

9

Proces Jamesa McKenziego miał się odbyć w Lyttelton. Początkowo powstało pewne zamieszanie w sprawie miejsca procesu, ponieważ John Sideblossom opowiadał się za przeprowadzeniem go w Dunedin. Argumentował, że tam będą najlepsze szanse na wykrycie nabywcy kradzionych owiec i zlikwidowanie całego przestępczego łańcucha.

Lord Barrington energicznie się jednak temu sprzeciwił. Uważał, że Sideblossom chce zaciągnąć McKenziego do Dunedin tylko dlatego, że lepiej zna tamtejszych sędziów i łatwiej będzie mu doprowadzić do skazania złodzieja na powieszenie.

Sideblossom najchętniej powiesiłby McKenziego bez żadnych ceregieli od razu po tym, jak go złapał. Tryumf przypisywał tylko sobie, w końcu to on sam rzucił się na McKenziego i go pobił. Zdaniem pozostałych uczestników wyprawy bójka w wąwozie była zupełnie zbyteczna. Co więcej, gdyby Sideblossom nie ściągnął złodzieja owiec z jego muła i nie zaczął go bić, pozostali mogliby rzucić się w pościg za wspólnikiem McKenziego. A tak ten drugi mężczyzna uciekł, choć niektórzy członkowie grupy pościgowej uważali, że była to młoda dziewczyna.

Pozostali „owczy baronowie" nie pozwolili też, żeby Sideblossom wlókł McKenziego niczym niewolnika przywiązanego do swojego konia. Nie widzieli powodu, dla którego ciężko pobity człowiek miałby iść piechotą, skoro mieli do dyspozycji jego muła. W którymś momencie górę wzięli bardziej rozsądni członkowie wyprawy, jak Barrington i Beasley, i wręcz zrugali Sideblossoma za jego zachowanie. Ponieważ McKenzie większość przestępstw popełnił na Canterbury Plains, niemal jednogłośnie uznano, że tam powinien za nie odpowiedzieć. Mimo protestów Sideblossoma ludzie Barringtona uwolnili złodzieja z więzów, przyjęli jego obietnicę, że nie ucieknie, i poprowadzili ze sobą do Lyttelton, gdzie miał przebywać w areszcie aż do procesu. Sideblossom, który zamknął McKenziego w szopie, uparł się, że zatrzyma sobie jego psa, co sprawiło McKenziemu większy ból niż stłuczenia po bójce czy więzy na dłoniach i stopach, których Sideblossom nie poluźniał nawet na noc. McKenzie ściśniętym głosem poprosił, żeby pozwolono psu mu towarzyszyć.

Ale Sideblossom był nieugięty.

– Ten pies może dla mnie pracować – wyjaśnił. – Znajdę kogoś, kto będzie umiał go poprowadzić. Taki świetny owczarek kosztuje majątek. Zatrzymam go jako rodzaj drobnej rekompensaty za szkody, na jakie ten człowiek mnie naraził.

Piętaszek został więc u Sideblossoma. Wył rozdzierająco, gdy jego pana wyprowadzano z farmy.

– Wiele pożytku to John z tego psa mieć nie będzie – stwierdził Gerald. – One są przyzwyczajone do swojego pasterza od małego.

W sporach dotyczących McKenziego Gerald nie potrafił zająć jednoznacznego stanowiska. Z jednej strony był Sideblossom, jeden z jego najdawniejszych przyjaciół, ale z drugiej strony byli mieszkańcy Canterbury Plains, z którymi musiał żyć w zgodzie. Poza tym, podobnie jak prawie wszyscy pozostali uczestnicy wyprawy, odczuwał mimowolny podziw dla genialnego złodzieja owiec. Oczywiście był wściekły, że go okradał, ale natura hazardzisty sprawiała, że rozumiał, że ktoś mógł zdecydować się na prowadzenie niekoniecznie najuczciwszego trybu życia. A jeśli ktoś taki na dodatek przez ponad dziesięć lat nikomu nie dał się złapać, to naprawdę zasługiwał na szacunek.

McKenzie po stracie Piętaszka popadł w ponure milczenie i nie odezwał się nawet wtedy, gdy zamknęła się za nim brama więzienia w Lyttelton.

Mężczyźni z Canterbury Plains byli rozczarowani. Chętnie usłyszeliby relację z pierwszej ręki, w jaki sposób McKenzie organizował kradzieże owiec, jak nazywali się jego nabywcy i kto był tym tajemniczym wspólnikiem, któremu udało się uciec. Na szczęście nie musieli długo czekać na proces. Miał się rozpocząć w następnym miesiącu, a przewodzić miał mu sędzia Justice Stephen.

Miasteczko Lyttelton dorobiło się tymczasem własnego budynku sądu. Procesy od dawna nie odbywały się już w pubie czy pod gołym niebem, jak to bywało w pierwszych latach osadnictwa. Ale w wypadku procesu Jamesa McKenziego i tak się okazało, że sala sądu jest zbyt mała, żeby pomieścić wszystkich mieszkańców Canterbury Plains, który pragnęli choć rzucić okiem na sławnego złodzieja. Nawet poszkodowani „owczy baronowie" i członkowie ich rodzin musieli bardzo wcześnie przybyć, jeśli chcieli zająć dobre miejsca. Gerald, Gwyneira i podekscytowany Paul już dzień wcześniej przyjechali do hotelu White Hart w Christchurch, żeby wczesnym rankiem przejechać do Lyttelton przełęczą Bridle Path.

– Masz chyba na myśli jazdę wierzchem? – zapytała zaskoczona Gwyneira, gdy Gerald przedstawił jej te plany. – Przecież to Bridle Path!

Gerald roześmiał się z zadowoleniem.

– Zdziwisz się, jak ten szlak się zmienił – powiedział. – Rozbudowano go, utwardzono i teraz można go pokonać wozem. Wypoczęci i odpowiednio ubrani pojedziemy sobie po prostu powozem.

W dniu rozpoczęcia procesu Gerald założył swój najlepszy strój. A Paul włożył swój pierwszy surdut z kamizelką, w którym wyglądał bardzo dorośle.

Gwyneira męczyła się natomiast z dobraniem odpowiedniej garderoby. Szczerze powiedziawszy, już od lat tak dużo nie myślała o tym, w co się ubrać. Ale choć wciąż powtarzała sobie, że to zupełnie wszystko jedno, co dama w średnim wieku będzie miała na sobie na sali sądowej, jeśli tylko będzie to strój przyzwoity i nierzucający się w oczy, to jednak serce biło jej mocniej za każdym razem, gdy pomyślała, że znowu zobaczy Jamesa McKenziego. Co gorsza, i on zobaczy ją i bez wątpienia ją rozpozna. Ale co poczuje na jej widok? Czy jego oczy rozbłysną tak jak w czasach, gdy nie umiała tego docenić? Czy poczuje raczej litość, że się zestarzała, że ma pierwsze zmarszczki, że troski i obawy wyryły już na jej twarzy swój ślad? Może poczuje po prostu obojętność, może będzie dla niego tylko dalekim, wyblakłym wspomnieniem, niemal całkowicie wymazanym przez dziesięć lat awanturniczego życia. A jeśli jego tajemniczy wspólnik rzeczywiście był kobietą? Jego kobietą?

Gwyneira zbeształa się za własne myśli, które często przeradzały się w przystające młodej dziewczynie marzenia, kiedy wywoływała w pamięci obraz tygodni spędzonych z Jamesem. Czy mógł zapomnieć o dniach, które spędzili na brzegu jeziora? O zaczarowanych godzinach w kamiennym kręgu? Ale przecież rozstali się w gniewie. Nigdy nie wybaczyłby jej, że urodziła Paula. Kolejna rzecz, którą Paul zniszczył...

Gwyneira zdecydowała się w końcu na skromną, ciemnoniebieską suknię z pelerynką, zapinaną z przodu na guziki. Wykonane z szylkretu guziki stanowiły małe dzieła sztuki. Kiri upięła jej włosy. Surową fryzurę łagodził figlarny kapelusik, dopasowany kolorystycznie do sukni. Gwyneira miała wrażenie, że spędziła przed lustrem całe godziny, poprawiając kosmyki włosów, przesuwając kapelusik to do przodu, to do tyłu, czy tak układając mankiety sukni, żeby było widać szylkretowe guziki. Gdy w końcu usiadła w powozie, była blada z niecierpliwości i strachu, choć jednocześnie odczuwała jakby przedsmak radości. Jeśli tak dalej pójdzie, będzie musiała uszczypnąć się w policzki, żeby nabrać kolorów przed wejściem na salę. Ale zawsze to lepsze niż rumieniec. Gwyn miała nadzieję, że na widok McKenziego jej twarz nie stanie się pąsowa. Drżała i wmawiała sobie, że to tylko przez chłód jesiennego dnia. Nie wiedziała, co zrobić z rękoma. Zacisnęła je w końcu na zasłonkach w oknie powozu.

– Co się dzieje, mamo? – zapytał Paul, a Gwyn drgnęła. Paul doskonale wyczuwał ludzkie słabości. W żadnym wypadku nie może się dowiedzieć, że kiedyś coś łączyło ją z Jamesem McKenziem.

– Denerwujesz się z powodu McKenziego? – Od razu zaczął drążyć. – Dziadek mówił, że go znałaś. On też go znał. Był brygadzistą w Kiward Station. To dziwne, że tak nagle uciekł i zaczął kraść owce, prawda, mamo?

– Tak, bardzo dziwne – wydusiła z siebie Gwyneira. – Nie spodziewałam się… Nikt się czegoś takiego po nim nie spodziewał.

– A teraz możliwe, że go powieszą! – zauważył Paul z przyjemnością. – Pojedziemy zobaczyć, jak go będą wieszać, dziadku?

Gerald wciągnął powietrze.

– Nie powieszą tego łotra. Trafiło mu się z sędzią. Stephen nie jest hodowcą. Nie przejmie się tym, że McKenzie niemal doprowadził ludzi do ruiny…

Gwyneira ledwie powstrzymała uśmiech. Z tego co wiedziała, kradzieże McKenziego były dla opływających w dostatki poszkodowanych tak dokuczliwe, jak ukłucia komara.

– Ale trafi na kilka lat za kratki. I kto wie, może opowie nam dzisiaj trochę więcej o swoich wspólnikach. Przecież nie mógł wszystkiego robić sam… – Gerald nie wierzył w historię o kobiecie u boku McKenziego. Sądził raczej, że był to jakiś młody wspólnik, ale sam widział go z bardzo daleka.

– Szczególnie interesująco byłoby, gdyby zdradził nazwisko pasera. A na to byłyby większe szanse, gdyby trafił przed sąd w Dunedin. Pod tym względem Sideblossom miał rację. A oto i on! Popatrzcie! Wiedziałem, że nie opuści tego procesu.

John Sideblossom podjechał galopem na swoim czarnym ogierze do powozu Wardenów i uprzejmie ich powitał. Gwyneira westchnęła. Wcale nie miała ochoty na spotkanie z „owczym baronem" z Otago!

Sideblossom nie miał jednak Geraldowi za złe jego poparcia dla reprezentujących Canterbury członków wyprawy pościgowej za McKenziem i nawet zajął dla niego i jego rodziny miejsca w sali sądowej. Z Geraldem przywitał się serdecznie, z Paulem raczej protekcjonalnie, a z Gwyneirą z lodowatym chłodem.

– Czy pani urocza córka raczyła się pojawić? – zapytał ironicznie, gdy zajęła miejsce. Wybrała to z czterech zarezerwowanych miejsc, które znajdowało się najdalej od niego.

Gwyneira nie odpowiedziała. Wyręczył ją Paul, który natychmiast zapewnił swojego idola, że wciąż nic nie wiadomo o Fleur.

– W Haldon mówią, że pewnie wylądowała w jakimś burdelu! – obwieścił, za co Gerald gwałtownie go skarcił. Gwyneira nie zareagowała. Przez ostatnie tygodnie przyzwyczaiła się do tego, że coraz rzadziej zwraca uwagę Paulowi. Chłopak już dawno wyrósł spod jej wpływu, jeśli w ogóle kiedykolwiek jej uwagi znajdowały u niego jakikolwiek posłuch. Słuchał się już tylko Geralda, przestał nawet jeździć na lekcje do Helen. Gerald wciąż wspominał o zatrudnieniu dla niego guwernera, ale Paul uważał, że zdobył już wystarczająco dużo szkolnej wiedzy jak na przyszłego farmera i hodowcę. Tymczasem niczym gąbka chłonął wiedzę przekazywaną mu podczas prac na farmie przez pasterzy i postrzygaczy. Był dokładnie takim dziedzicem, jakiego Gerald sobie wymarzył. Pewne zastrzeżenia do przyszłego wspólnika miał jednak George Greenwood. Młody Maorys Reti, który prowadził interesy George'a podczas jego pobytu w Anglii, już nieraz skarżył się Gwyneirze. Jego zdaniem Gerald wychowywał kolejnego ignoranta, jak Howard O'Keefe, i na dodatek takiego, który dysponował większą władzą, za to jeszcze mniejszym doświadczeniem.

– Ten chłopak już dzisiaj nie pozwala sobie nic powiedzieć – żalił się Reti. – Pracownicy farmy go nie lubią, a Maorysi wręcz nienawidzą. Ale pan Gerald na wszystko mu pozwala. Żeby nadzór nad postrzygaczami powierzyć dwunastoletniemu chłopakowi!

Gwyneira o wszystkim dowiedziała się już wcześniej od samych postrzygaczy, którzy poczuli się niesprawiedliwie potraktowani. Paul tak bardzo chciał pokazać, jaki jest ważny i wygrać tradycyjną rywalizację między drużynami postrzygaczy, że zanotował więcej ostrzyżonych owiec, niż rzeczywiście było. Postrzygacze nie protestowali, bo przecież dostają pieniądze za każdą ostrzyżoną sztukę. Ale potem się okazało, że liczba run nie zgadza się z zapisami. Gerald wściekł się i zrzucił winę na postrzygaczy. Pozostali postrzygacze skarżyli się, że manipulowano wynikami i że niesprawiedliwie przydzielono premie. Ogólnie zapanował totalny rozgardiasz i w rezultacie Gwyn musiała wszystkim zapłacić więcej, żeby w przyszłym roku postrzygacze w ogóle zechcieli zatrzymać się na ich farmie.

Gwyneira miała już dosyć przykrego charakteru Paula. Najchętniej wysłałaby go na kilka lat do internatu w Anglii albo przynajmniej w Dunedin. Ale Gerald nawet nie chciał o tym słyszeć, Gwyn więc robiła to co zawsze, odkąd urodziła Paula. Ignorowała go.

Teraz na sali sądowej na szczęście zachowywał się spokojnie. Przysłuchiwał się rozmowie między Geraldem i Sideblossomem oraz lodowatym powitaniom między pozostałymi „owczymi baronami" a gościem z Otago. Sala szybko się zapełniła, Gwyn zaś skinęła na Retiego, który wcisnął się do pomieszczenia jako jeden z ostatnich. Nie obyło się bez trudności, niektórzy *pakeha* wcale nie zamierzali zrobić miejsca Maorysowi, wzmianka o panu Greenwoodzie otwierała jednak Retiemu wszystkie drzwi.

W końcu wybiła godzina dziesiąta, a sędzia Justice Stephen punktualnie wkroczył do sali sądowej i rozpoczął proces. Ale dla większości zgromadzonych najciekawsze zaczęło się dopiero wtedy, gdy wprowadzono oskarżonego. Publiczność zareagowała na pojawienie się Jamesa McKenziego mieszaniną przekleństw i wiwatów. James nie zwrócił uwagi ani na jedne, ani na drugie. Miał spuszczoną głowę i wyglądało na to, że ucieszył się, gdy sędzia nakazał publiczności zachowanie spokoju.

Gwyneira zerkała zza pleców wysokiego robotnika rolnego, za którym siedziała. Wybrała nie najlepsze miejsce, gdyż zarówno Gerald, jak i Paul mieli znacznie lepszy widok. Ale chciała uciec jak najdalej od Sideblossoma. Jamesowi McKenziemu mogła się tak naprawdę przyjrzeć dopiero wtedy, gdy doprowadzono go na miejsce obok obrońcy z urzędu, sprawiającego wrażenie wyjątkowo ospałego. James podniósł wzrok dopiero wtedy, gdy usiadł.

Gwyneira od wielu dni się zastanawiała, co poczuje, gdy ponownie znajdzie się blisko Jamesa. Czy w ogóle go pozna i czy nadal będzie dostrzegać w nim to, co wtedy... Ale właściwie co to było? Czy on zrobił na niej wrażenie? Oczarował ją? Cokolwiek to było, minęło dwanaście lat. Może zupełnie niepotrzebnie się denerwowała. Może okaże się, że dziś jest dla niej kimś zupełnie obcym, kogo nawet nie rozpoznałaby na ulicy.

Ale już pierwszy rzut oka na wysokiego mężczyznę na ławie oskarżonych przekonał ją, że jest inaczej. James McKenzie prawie się nie zmienił. Przynajmniej nie dla Gwyneiry. Sądząc po szkicach w gazetach, które donosiły o jego aresztowaniu, powinien wyglądać jak zarośnięty dzikus. Ale McKenzie był gładko ogolony i miał na sobie skromne, ale czyste ubranie. Tak jak wcześniej był szczupły, wręcz żylasty, ale mięśnie widoczne pod znoszoną białą koszulą świadczyły o jego sile. Twarz miał opaloną na brąz, poza miejscami, które wcześniej zasłaniał zarost. Jego usta wydawały się wąskie, co znaczyło, że czymś się martwi. Gwyneira znała ten wyraz jego twarzy. A jego oczy... Nic, zupełnie nic nie zmieniło się w ich zuchwałym i czujnym spojrzeniu. Oczywiście nie lśnił teraz w nich ironiczny uśmiech, tylko napięcie i może odrobina strachu, ale wszystkie drobne zmarszczki wciąż tam były, choć głębsze, tak że James sprawiał wrażenie człowieka bardziej surowego, bardziej dojrzałego i bardziej poważnego. Gwyneira rozpoznałaby go natychmiast. Och tak, rozpoznałaby go wśród wszystkich mieszkańców Wyspy Południowej, jeśli nie wśród wszystkich mężczyzn całego świata.

– Jamesie McKenzie!

– Wysoki Sądzie?

Gwyneira rozpoznałaby też jego głos. Głos o ciemnej i ciepłej barwie, który mógł brzmieć tak delikatnie, a jednocześnie tak pewnie i zdecydowanie, gdy wydawał rozkazy ludziom lub psom.

– Panie McKenzie, oskarża się pana o dokonanie licznych kradzieży zwierząt zarówno na Canterbury Plains, jak i w rejonie Otago. Czy przyznaje się pan do winy?

McKenzie wzruszył ramionami.

– W tych okolicach ginie dużo zwierząt. Ale nie wiem, co to miałoby mieć wspólnego ze mną...

Sędzia głośno wciągnął powietrze.

– Godni zaufania obywatele poświadczyli, że napotkali pana ze stadem skradzionych owiec powyżej jeziora Wanaka. Czy chociaż to może pan potwierdzić?

James McKenzie ponownie wzruszył ramionami.

– Jest wielu mężczyzn o nazwisku McKenzie. I wiele owiec.

Gwyneira omal się nie roześmiała, ale zaraz potem spoważniała. Przecież w ten sposób James tylko rozzłości sędziego Stephena. A zaprzeczanie wszystkiemu nie ma żadnego sensu. Twarz McKenziego wciąż nosiła ślady bójki z Sideblossomem, a i Sideblossom nieźle oberwał. Gwyn poczuła lekką satysfakcję, widząc, że „owczy baron" ma mocniej podbite oko niż James.

– Czy ktoś z sali może potwierdzić, że ten mężczyzna to złodziej owiec McKenzie, a nie jakiś przypadkowy człowiek o tym samym nazwisku? – zapytał sędzia z westchnieniem.

Sideblossom wstał.

– Ja mogę to potwierdzić. Posiadamy też dowód, który nie pozostawi żadnych wątpliwości. – Zwrócił się w kierunku drzwi do sali, gdzie stał jego pomocnik. – Wypuść psa!

– Piętaszek! – mały czarny cień niczym wiatr pomknął przez salę sądową prosto do Jamesa McKenziego. A ten zupełnie zapomniał, jaką rolę zamierzał odgrywać przed sędzią. Pochylił się, podniósł psa i zaczął go tulić. – Piętaszek!

Sędzia przewrócił oczami.

– Można to było załatwić w mniej dramatyczny sposób, ale niech będzie. Proszę zaprotokołować, że dokonano konfrontacji oskarżonego z psem, który pilnował stada skradzionych owiec i że oskarżony rozpoznał psa jako swojego. Panie McKenzie, chyba nie zacznie mi pan teraz opowiadać, że ten pies też ma swojego sobowtóra.

James uśmiechnął się jak za dawnych lat.

– Nie – odpowiedział. – Ten pies jest jedyny w swoim rodzaju! – Piętaszek dyszał i lizał Jamesa po rękach. – Wysoki Sądzie, chyba możemy skrócić ten proces. Powiem wszystko i przyznam się do wszystkiego, jeśli obieca mi pan, że Piętaszek będzie mógł ze mną zostać. Nawet w więzieniu. Proszę spojrzeć na tego psa, widać, że prawie nic nie jadł, odkąd nas rozdzielono. On do niczego się temu… On do niczego się panu Sideblossomowi nie przyda, nie będzie nikogo słuchać…

– Panie McKenzie, ten proces nie dotyczy pana psa! – sędzia przerwał mu surowym tonem. – Ale skoro wspomniał pan o przyznaniu się do winy... Czy kradzieże na farmach Lionel Station, Kiward Station, Beasley Farms, Barrington Station... Czy to wszystko pańska sprawka?

McKenzie ponownie odpowiedział wzruszeniem ramion.

– Już mówiłem, że jest wiele kradzieży. Mogło mi się zdarzyć, że wziąłem jedną albo dwie owce... Taki pies potrzebuje przecież treningu. – Wskazał na Piętaszka, co wywołało gromki śmiech na sali. – Ale żeby aż tysiące owiec...

Sędzia ponownie westchnął.

– Dobrze więc. Skoro nie chce pan inaczej. Wzywam świadków. Pierwszy wystąpi Randoph Nielson, brygadzista z farmy Beasleyów...

Wystąpienie Nielsona stanowiło początek korowodu robotników rolnych i hodowców, którzy zgodnie poświadczali, że na wymienionych przez sędziego farmach dokonano kradzieży setek owiec. Wiele z nich odnalazło się potem w stadzie prowadzonym przez McKenziego. Wysłuchiwanie zeznań było męczące, a James mógł to wszystko ukrócić, ale on jakby się zaparł i zaprzeczał, jakoby miał cokolwiek wiedzieć o skradzionych zwierzętach.

Podczas gdy świadkowie recytowali liczby i daty, palce McKenziego błądziły w miękkiej sierści Piętaszka, a jego wzrok wędrował po sali. Tuż przed procesem pewne sprawy zaprzątały go bardziej niż strach przed stryczkiem. Proces miał odbyć się w Lyttelton na Canterbury Plains, stosunkowo niedaleko Kiward Station. Czy ona tu będzie? Czy Gwyneira przyjedzie? Noce przed procesem James spędził na przypominaniu sobie każdej chwili, każdego najdrobniejszego wydarzenia związanego z Gwyneirą. Od tamtego pierwszego spotkania w stajni aż po pożegnanie, kiedy to podarowała mu Piętaszka. Po tym, jak go zdradziła? Od tamtej pory nie było dnia, by James o tym nie myślał. Co się wtedy wydarzyło? Kogo wolała od niego? I dlaczego była tak smutna i zrozpaczona, gdy próbował zmusić ją do mówienia? Przecież powinna być zadowolona. W końcu z tym drugim poszło jej tak samo dobrze, jak z nim...

James dostrzegł w pierwszym rzędzie Reginalda Beasleya, a obok niego Barringtonów. Podejrzewał kiedyś młodego lorda, ale Fleurette w odpowiedzi na jego ostrożne pytania zapewniła go, że niemal nie utrzymywał kontaktów z Wardenami. Chyba interesowałby się Gwyneirą, gdyby był ojcem jej syna? O dzieci, które siedziały na ławce między nim a jego niepozorną żoną, troszczył się w każdym razie we wzruszający sposób. George'a Greenwooda nie było na sali. Ale według tego co mówiła Fleur, on również nie wchodził w rachubę jako ojciec Paula. Choć utrzymywał ożywione kontakty ze wszystkimi farmami, to jego protegowanym był przede wszystkim syn Helen O'Keefe, Ruben.

A oto i ona. W trzecim rzędzie, niemal całkiem ukryta za dwoma tęgimi hodowcami, którzy też pewnie będą zeznawać. Zerkała na niego, ale musiała się nagimnastykować, żeby zatrzymać na nim wzrok, co udawało jej się bez trudu, bo wciąż była szczupła i gibka. Och, tak, wciąż jest piękna! Tak samo piękna, bystra i energiczna jak zawsze. Włosy jak zwykle wymknęły się ze skromnej fryzury, za pomocą której chciała nad nimi zapanować. Jej twarz była blada, a usta lekko rozchylone. James nie starał się uchwycić jej wzroku, to byłoby zbyt bolesne. Może później, gdy serce nie będzie mu już tak mocno walić, gdy nie będzie się już bał, że w jego oczach będzie widać wszystko, co wciąż do niej czuje... Teraz zmusił się, żeby oderwać od niej wzrok i dalej powędrować spojrzeniem po ławkach z publicznością. Spodziewał się ujrzeć obok Gwyneiry Geralda, ale siedziało tam jakieś dziecko, chłopiec, mniej więcej dwunastoletni. James wstrzymał oddech. Oczywiście, to musi być Paul, jej syn. Paul był już na tyle duży, żeby towarzyszyć dziadkowi i matce na procesie. James przyjrzał mu się. Może rysy jego twarzy zdradzą mu nazwisko ojca... Fleurette prawie wcale go nie przypominała, ale to różnie bywa. A u tego chłopaka...

McKenzie zamarł, gdy bliżej przyjrzał się twarzy chłopca. To niemożliwe! Ale to prawda... W końcu człowiek, do którego Paul był uderzająco podobny, siedział tuż obok niego. Był to Gerald Warden.

McKenzie u obu dostrzegał identyczny kwadratowy podbródek, czujne, blisko siebie osadzone brązowe oczy, mięsisty nos. Wyraziste rysy, identyczny wyraz zdecydowania na młodej i na starej twarzy. W tym wypadku nie mogło być żadnych wątpliwości, że to dziecko jest Wardenem. James miał w głowie mętlik. Skoro Paul był synem Lucasa, to dlaczego Lucas uciekł wtedy na Zachodnie Wybrzeże? Czyżby...

W momencie gdy James uświadomił sobie prawdę, zabrakło mu tchu, jakby dostał prosto w żołądek. Syn Geralda! Nie mogło być inaczej, chłopiec zupełnie nie przypominał męża Gwyneiry. I pewnie dlatego Lucas uciekł. Wcale nie przyłapał żony na zdradzie z jakimś nieznajomym mężczyzną, tylko z własnym ojcem... Ale to przecież niemożliwe! Gwyneira nigdy dobrowolnie nie oddałaby się Geraldowi. A jeśli nawet, zrobiłaby to z pełną dyskrecją i Lucas nigdy by się o tym nie dowiedział. Ale w takim razie... Gerald musiał Gwyn do tego zmusić.

James poczuł skruchę i ogromną wściekłość na siebie samego. Teraz zrozumiał, dlaczego Gwyn nie mogła o tym rozmawiać, dlaczego stała przed nim zawstydzona, bezradna i przerażona. Nie mogła powiedzieć mu prawdy, bo byłoby jeszcze gorzej. James zabiłby wtedy starego Wardena.

Zamiast tego opuścił ją. Jeszcze pogorszył sprawę, zostawiając ją samą z Geraldem i zmuszając, żeby wychowywała to nieszczęsne dziecko, o którym Fleurette wyrażała się z odrazą. James czuł, jak narasta w nim rozpacz. Gwyn może mu tego nigdy nie wybaczyć. Powinien był się wtedy domyślić albo przynajmniej zaakceptować jej prawo do milczenia bez zbędnych pytań. Powinien był jej zaufać. A tak...

James ponownie spojrzał ukradkiem na jej szczupłą twarz i przestraszył się, gdy uniosła głowę i popatrzyła wprost na niego. Ale w tej sekundzie wszystko zniknęło. Sala sądowa rozpłynęła się, nigdy nie było Paula Wardena. W magicznym kręgu stali naprzeciwko siebie tylko Gwyn i James. On widział ją jako młodą dziewczynę, która z wielką odwagą zdecydowała się na nowe życie w Nowej Zelandii, a jednocześnie była bezradna wobec problemu znalezienia tymianku do angielskiej potrawy. Dokładnie pamiętał, jak uśmiechnęła się do niego, gdy podał jej bukiet ziół. Potem zaś to jej niezwykłe pytanie, czy zechce zostać ojcem jej dziecka... I wspólnie spędzane dni nad jeziorem i w górach. To niewiarygodne uczucie, gdy po raz pierwszy zobaczył Fleur w jej ramionach.

Między Gwyneirą a Jamesem nawiązała się w tym momencie dawno zerwana więź, której teraz już nic nie będzie w stanie zniszczyć.

– Gwyn... – Wargi Jamesa bezgłośnie wypowiedziały jej imię, a Gwyn uśmiechnęła się leciutko, jakby go zrozumiała. Nie, nie miała mu tego za złe. Wszystko mu wybaczyła. I była teraz wolna. Teraz była już dla niego wolna. Gdyby tylko mógł z nią porozmawiać! Muszą spróbować jeszcze raz, oni po prostu do siebie należą. Gdybyż nie było tego nieszczęsnego procesu! Gdyby on też był wolny! Na miłość boską, żeby tylko nie chcieli go powiesić...

– Wysoki Sądzie, myślę, że moglibyśmy skrócić ten proces! – James McKenzie poprosił o głos, tuż zanim sędzia wezwał kolejnego świadka.

Sędzia Stephen z nadzieją uniósł wzrok.

– Chce się pan przyznać?

McKenzie skinął głową. Przez następną godzinę spokojnym głosem odpowiadał na pytania dotyczące kradzieży i tego, w jaki sposób trafiały do Dunedin.

– Ale Wysoki Sąd musi zrozumieć, że nie mogę podać nazwiska kupca, który nabywał ode mnie zwierzęta. On też nigdy nie pytał o moje nazwisko.

– Ale na pewno zna pan jego nazwisko! – stwierdził niechętnie sędzia.

McKenzie po raz kolejny wzruszył ramionami.

– Podał mi jakieś nazwisko, ale czy to jego prawdziwe? Poza tym nie jestem zdrajcą, Wysoki Sądzie. Ten człowiek nigdy mnie nie oszukał i dobrze mi płacił. Proszę nie wymagać ode mnie, że złamię dane mu słowo.

– A pański wspólnik? – zawołał ktoś z sali. – Kim był ten mężczyzna, który wymknął nam się z rąk?

McKenzie sprawiał wrażenie zdumionego.

– Jaki wspólnik? Zawsze pracowałem sam, Wysoki Sądzie, tylko ja i pies. Przysięgam na Boga.

– Kim więc był ten mężczyzna, który towarzyszył panu podczas aresztowania? – zapytał sędzia. – Niektórzy twierdzą nawet, że to była kobieta...

McKenzie skinął z pochyloną głową.

– Tak, to prawda, Wysoki Sądzie.

Gwyneira zadrżała. A więc jednak kobieta! James ożenił się albo przynajmniej żył z jakąś kobietą. A przecież... Przecież przed chwilą patrzył na nią w taki sposób... Przecież przed chwilą pomyślała...

– Co ma znaczyć „tak, to prawda"? – zapytał z niecierpliwością sędzia Stephen. – To był mężczyzna, kobieta czy może jakaś zjawa?

– Kobieta, Wysoki Sądzie – McKenzie jeszcze niżej spuścił głowę. – Młoda Maoryska, z którą żyłem.

– I której dałeś konia, sam jadąc na mule, a ona pognała na nim niczym diabeł wcielony? – zawołał ktoś z sali, co wywołało salwy śmiechu. – Takie bajki możesz opowiadać najwyżej własnej babci.

Sędzia Stephen przywołał publiczność do porządku.

– Muszę przyznać – zauważył – że pańska opowieść i w moich uszach brzmi nieco dziwnie.

– Ta dziewczyna jest dla mnie bardzo cenna – odpowiedział spokojnie McKenzie. – Jest czymś najcenniejszym w moim życiu. Zawsze oddałbym jej najlepszego konia, zrobiłbym dla niej wszystko. Oddałbym za nią życie. I dlaczego młoda kobieta nie miałaby umieć jeździć?

Gwyneira przygryzła wargę. A więc James rzeczywiście znalazł nową miłość. I jeśli wyjdzie cało z tego procesu, wróci do tej swojej dziewczyny...

– Aha – odparł sucho sędzia. – Młoda Maoryska. Czy to piękne dziewczę ma jakieś imię i czy pochodzi z któregoś z plemion?

McKenzie przez chwilę się zastanawiał.

– Nie należy do żadnego plemienia. Ona... Wyjaśnienie tego trwałoby zbyt długo, ale ona pochodzi ze związku mężczyzny i kobiety, którzy nigdy oficjalnie nie dzielili łoża. Ale ich związek i tak został pobłogosławiony. Ona urodziła się, żeby... – James odszukał wzrok Gwyneiry – żeby osuszyć łzy Boga.

Sędzia zmarszczył brwi.

– Nie prosiłem pana o wprowadzenie nas w tajniki pogańskich obrzędów związanych z poczęciem. Na tej sali są przecież dzieci! Dziewczyna ta została więc wygnana z plemienia i nie ma imienia...

– Ma imię. Jej imię to Pua... Pakupaku Pua – McKenzie patrzył Gwyn prosto w oczy, wypowiadając to imię, a ona miała nadzieję, że nikt jej nie obserwuje, bo na przemian bladła i czerwieniła się. Jeśli dobrze go zrozumiała...

Gdy kilka minut później sąd udał się na obrady, popędziła przez tłum, nawet nie tłumacząc się przed Geraldem i Sideblossomem. Musiała znaleźć kogoś, kto jej to potwierdzi, kogoś, kto zna maoryski lepiej od niej. Zdyszana stanęła przed Retim.

– Reti! Co za szczęście, że pan tu jest! Reti, co... Co znaczy *pua*? I *pakupaku*?

Maorys roześmiał się.

– Na pewno pani wie, panno Gwyn. *Pua* to kwiat, a *pakupaku*...

– To mały... – wyszeptała Gwyneira. Poczuła taką ulgę, że miała ochotę krzyczeć, płakać i tańczyć jednocześnie. Ale tylko się uśmiechnęła.

Tamta dziewczyna miała na imię Mały Kwiatuszek. Teraz Gwyn zrozumiała, co mówił skierowany na nią błagalny wzrok McKenziego. On spotkał się z Fleurette.

James McKenzie został skazany na karę pięciu lat więzienia, którą odbyć miał w Lyttelton. Psa oczywiście nie mógł zatrzymać. John Sideblossom mógł go sobie wziąć, skoro mu na tym zależy. Sędziemu Stephenowi było to obojętne. Sąd, jak podkreślił po raz kolejny, nie zajmuje się zwierzętami domowymi.

To co działo się później, było okropne. Urzędnicy sądowi i policjant musieli siłą oderwać Piętaszka od McKenziego. Owczarek ugryzł Sideblossoma, gdy ten zakładał mu smycz. Paul stwierdził z zadowoleniem, że złodziej owiec płacze.

Ale Gwyneira tego nie słyszała. Nie była też obecna na ogłoszeniu wyroku, była zbyt wzburzona. Paul, widząc ją w takim stanie, zacząłby zadawać pytania, a ona bała się jego niesamowitej intuicji.

Czekała więc na zewnątrz pod pretekstem zapotrzebowania na świeże powietrze i odrobinę ruchu. Chcąc uniknąć tłumu, który czekał na wyrok pod sądem, spacerowała wokół budynku. Przypadkiem po raz ostatni zobaczyła Jamesa McKenziego. Skazaniec wił się w uścisku dwóch przysadzistych mężczyzn, którzy ciągnęli go od tylnego wyjścia do czekającego na nich wozu policyjnego. James walczył zaciekle, ale uspokoił się na widok Gwyneiry.

– Do zobaczenia – odczytała z jego ust. – Do zobaczenia, Gwyn!

10

Od procesu Jamesa McKenziego nie upłynęło nawet sześć miesięcy, gdy mała zdenerwowana maoryska dziewczynka przerwała Gwyneirze wykonywanie codziennych obowiązków. Gwyn jak zawsze miała za sobą pracowity ranek, zepsuty na dodatek kolejnym sporem z Paulem. Chłopiec uraził dwóch maoryskich poganiaczy i to akurat teraz, tuż przed strzyżą i wypędzaniem owiec w góry, kiedy każda dodatkowa para rąk była na wagę złota. Obaj mężczyźni byli nie do zastąpienia, obaj doświadczeni, godni zaufania i nie było najmniejszego powodu, żeby obrażać ich tylko dlatego, że wykorzystali zimę na odbycie tradycyjnej wędrówki plemiennej. To było normalne. Gdy kończyły się zapasy, które dane plemię odłożyło na zimę, Maorysi przenosili się, żeby polować w innej okolicy. Wówczas z dnia na dzień porzucali swoje domostwa na brzegu jeziora i nikt z nich nie przychodził do pracy, z wyjątkiem kilkorga wiernych służących. Nowi przybysze wśród *pakeha* początkowo się temu dziwili, ale starzy osiedleńcy od dawna byli przyzwyczajeni do tego obyczaju. Zwłaszcza że Maorysi nie znikali nie wiadomo kiedy, tylko wtedy, gdy w najbliższej okolicy wioski nie mogli już zdobyć wystarczającej ilości jedzenia, a u *pakeha* zarabiali zbyt mało, żeby móc żywność zakupić. Gdy nadchodził czas zasiewów na ich polach, albo strzyża i wypędzanie owiec w góry zapewniały możliwość zarobkowania, Maorysi wracali. Tak samo zrobili dwaj robotnicy Gwyneiry, którzy zupełnie nie rozumieli, dlaczego Paul niegrzecznie zrugał ich za nieobecność.

– Pan Paul przecież wiedział, że wrócimy! – stwierdził jeden z urażonych Maorysów. – Tyle czasu mieszkał w naszym obozie. Był niczym syn jak był mały, niczym brat Maramy. A teraz... Tylko ta złość. I złość na Tongę. Pan Paul mówi, że my jego nie słuchać, że my słuchać Tonga. A Tonga chcieć odejść. Ale to nieprawda. Tonga jeszcze nie nosi *tokipoutangata*, jeszcze nie nosi wodzowskiego topora... A i pan Paul nie jest jeszcze panem na farmie!

Gwyneira westchnęła. Ostatnia uwaga Ngopinisa pozwoliła jej ułagodzić urażonych Maorysów. Tak jak Tonga nie był jeszcze wodzem ich plemienia, tak samo farma wciąż jeszcze nie należała do Paula. Nie miał więc prawa nikogo upominać, a tym bardziej zwalniać. Udobruchani przeprosinami i sporą liczbą siewek robotnicy zgodzili się ostatecznie znowu pracować dla Gwyn. Ale kiedyś w końcu Paul przejmie interes i straci pracowników. Tonga prawdopodobnie przeniesie całą wioskę, kiedy doczeka się godności wodza, żeby nigdy więcej nie musieć widywać się z Paulem.

Gwyneira poszukała syna i wszystko to mu wyjaśniła, ale Paul tylko wzruszył ramionami.

– To zatrudnię wtedy nowych imigrantów. Są znacznie posłuszniejsi! A Tonga i tak nie odważy się stąd odejść. Maorysi potrzebują pieniędzy, które u nas zarabiają, i ziemi, na której mieszkają. Kto inny pozwoli im się u siebie osiedlić? Teraz cała ziemia należy do białych hodowców. A oni wcale nie potrzebują wichrzycieli!

Zirytowana Gwyneira musiała przyznać, że Paul ma rację. Nikt nie przyjmie plemienia Tongi z otwartymi ramionami. Tyle że ta myśl wcale jej nie uspokoiła, ale wręcz przeraziła. Tonga jest w gorącej wodzie kąpany. Trudno przewidzieć, co zrobi, gdy uświadomi sobie to wszystko, co Paul jej właśnie powiedział.

A do tego jeszcze ta mała dziewczynka, która weszła do stajni, gdy Gwyn siodłała konia. Kolejny wystraszony Maorys. Miejmy nadzieję, że chociaż ta dziewczynka nie przyszła ze skargą na Paula.

Ale mała Maoryska nie należała do pobliskiego plemienia. Gwyn rozpoznała w niej jedną z młodszych uczennic Helen. Dziewczynka zbliżyła się nieśmiało i dygnęła przed Gwyn jak dobrze wychowane angielskie dziecko.

– Panienko Gwyn, przysyła mnie panna Helen. Mam pani powiedzieć, że na farmie O'Keefe'ów ktoś na panią czeka. I że powinna pani przyjechać szybko, zanim zapadnie noc i zanim wróci pan Howard, jeśli dzisiaj akurat nie pójdzie do pubu. – Dziecko przemówiło doskonałą angielszczyzną.

– A któż to może tam na mnie czekać, Maro? – zapytała zdumiona Gwyneira. – Przecież wszyscy wiedzą, gdzie mieszkam...

Dziewczynka z powagą skinęła głową.

– To tajemnica! – wyjaśniła z godnością. – I nie wolno mi o tym powiedzieć nikomu, tylko pani!

Serce Gwyneiry mocno zabiło.

– Fleurette? Czy to moja córka? Czy to Fleur wróciła? – Nie miała żadnej pewności, ale wierzyła, że jej córka od dawna żyje z Rubenem gdzieś w Otago.

Mara pokręciła głową.

– Nie, panienko, to mężczyzna... Oj, to znaczy dżentelmen. I mam panią poprosić, żeby się pani pośpieszyła, panienko. – Dziewczynka ponownie dygnęła.

Gwyneira skinęła głową.

– Dobrze, dziecko. Przynieś sobie z kuchni coś słodkiego. Moana przed chwilą upiekła ciasto. A ja tymczasem zaprzęgnę konia do powozu. Będę mogła odwieźć cię do domu.

Dziewczynka potrząsnęła głowa.

– Umiem szybko biegać, panienko Gwyn. Lepiej niech pani wsiądzie na konia. Panna Helen mówiła, że to bardzo, bardzo pilna sprawa!

Gwyneira nic już nie rozumiała, ale posłusznie dokończyła siodłanie konia. Czyli dzisiaj zamiast inspekcji szop do strzyżenia czeka ją wizyta u Helen. Kto może być tym tajemniczym gościem? W pośpiechu założyła ogłowie Raven, córce Morgaine. Klacz lubiła pośpiech, od razu puściła się szybkim kłusem, gdy tylko Gwyneira zostawiła za sobą zabudowania Kiward Station. Tymczasem droga na skróty przez busz między farmami była już tak dobrze przetarta, że Gwyn nie musiała kontrolować konia i pomagać mu w przemierzaniu trudniejszych odcinków. Raven pokonała strumień potężnym skokiem. Gwyneira z tryumfującym uśmiechem pomyślała o ostatnim polowaniu, które urządził Reginald Beasley. Farmer zdążył się już ponownie ożenić, a jego wybranką została pewna wdowa z Christchurch w odpowiednim wieku. Była doskonałą panią domu, a ogrodem różanym opiekowała się niezwykle troskliwie. Tyle że nie była szczególnie namiętna, w związku z czym Beasley znowu zaczął inwestować swoją energię w wyścigi konne. Tym bardziej irytowało go, że Gwyneira wygrywała na Raven każde kolejne polowanie na lisa. Reginald postanowił, że w przyszłości wybuduje tor wyścigowy. Wtedy jej coby nie będą już miały żadnych szans z jego folblutami!

Tuż przed farmą Helen Gwyn musiała jednak powstrzymać konia, żeby nie stratował dzieci, które wracały ze szkoły.

Tonga i kilku innych Maorysów z osady nad jeziorem powitało ją z ponurymi minami. Tylko Marama uśmiechnęła się jak zwykle przyjaźnie.

– Czytamy nową książkę, panno Gwyn! – wyjaśniła z zadowoleniem. – Taką dla dorosłych! Pana Bulwera-Lyttona. On jest bardzo znany w Anglii! W tej książce chodzi o osadę Rzymian, to takie stare angielskie plemię. Ich wioska leży blisko wulkanu, a on wybucha. To ta-a-a-akie smutne, panno Gwyn... Mam nadzieję, że chociaż te dziewczęta przeżyją. A Glaukus tak bardzo kocha Ione! Ale ludzie powinni być rozsądniejsi. Nie można zakładać osady tak blisko ognistej góry. I to jeszcze takiej dużej osady, z domami do spania i tak dalej! Jak pani myśli, czy Paul też chciałby przeczytać tę książkę? Ostatnio tak mało czyta, a panna Helen mówi, że dżentelmen powinien dużo czytać. Poszukam go później i dam mu tę książkę! – Marama oddaliła się w podskokach, a Gwyneira uśmiechnęła się pod nosem. Gdy zatrzymała się na przed domem Helen, wciąż jeszcze się uśmiechała.

– Twoje dzieci wykazują się niezwykle zdrowym rozsądkiem – zadrwiła z Helen, która wyszła z domu natychmiast, gdy usłyszała stukot końskich kopyt. Wyraźnie odczuła ulgę, że to Gwyn, a nie ktoś inny. – Nigdy nie wiedziałam, dlaczego nie lubię Bulwera-Lyttona, ale Marama mnie oświeciła. To wszystko wina Rzymian. Gdyby nie zbudowali miasta pod Wezuwiuszem, Pompeje nie zostałyby zniszczone, a pan Bulwer-Lytton mógłby oszczędzić nam pięciuset stron lektury. Powinnaś tylko uświadomić dzieci, że akcja jego powieści wcale nie toczy się w Anglii...

Uśmiech Helen wydawał się wymuszony.

– Marama to mądra dziewczyna – powiedziała. – Ale chodź już, Gwyn, nie możemy marnować czasu. Jeśli Howard go tutaj znajdzie, zabije go. Wciąż jest wściekły, że Warden i Sideblossom pominęli go przy organizacji wyprawy poszukiwawczej...

Gwyneira zmarszczyła brwi.

– Jakiej wyprawy? I kogo zabije?

– No McKenziego. Jamesa McKenziego! Och, no tak, nie podałam Marze jego nazwiska ze względów bezpieczeństwa. Ale on tu jest, Gwyn. I pilnie chce z tobą mówić!

Pod Gwyneirą ugięły się nogi.

– Ale... James jest w więzieniu w Lyttelton. Przecież nie może...

– Uciekł stamtąd, Gwyn! A teraz idź już, daj mi konia. McKenzie jest w stodole.

Gwyn pobiegła prosto do stodoły. Co powinna mu powiedzieć? Co on jej powie? Ale on tu jest... On tu jest i oni zaraz...

James McKenzie objął Gwyneirę i przyciągnął do siebie, jak tylko przestąpiła próg stodoły. Nie zdążyła go powstrzymać, ale też wcale tego nie chciała. Głęboko westchnąwszy, wtuliła się w jego ramiona. Minęło trzynaście lat, ale czuła się w nich tak samo wspaniale, jak wtedy. W nich była bezpieczna. Nieważne, co działo się wokół, kiedy tylko James ją obejmował, była chroniona przed całym światem.

– Gwyn, tyle czasu minęło... Nigdy nie powinienem był cię opuścić – szept Jamesa ginął w jej włosach. – Powinienem był się domyślić, o co chodzi z Paulem. A zamiast tego...

– Powinnam była ci powiedzieć – stwierdziła Gwyneira. – Ale nie przeszłoby mi przez gardło... Skończmy już z tymi przeprosinami, w końcu zawsze dokładnie wiedzieliśmy, czego chcemy... – Uśmiechnęła się do niego szelmowsko. McKenzie nie mógł się napatrzyć na szczęśliwy wyraz jej zaczerwienionej od szybkiej jazdy twarzy. Ale skorzystał oczywiście z okazji i pocałował jej chętne usta.

– Dobrze więc, przejdźmy do rzeczy! – powiedział potem ostrym tonem, choć jego oczy lśniły filuternie. – Przede wszystkim ustalmy jedno. Chcę przy tym usłyszeć prawdę i tylko prawdę. Teraz, kiedy nie masz już męża, wobec którego powinnaś być lojalna, i nie musisz okłamywać żadnego dziecka, powiedz mi, Gwyn, czy wtedy to naprawdę był tylko interes? Czy rzeczywiście chodziło tylko i wyłącznie o dziecko? Może jednak mnie kochałaś? Chociaż odrobinkę?

Gwyneira uśmiechnęła się, ale potem zmarszczyła czoło, jakby intensywnie się nad czymś zastanawiała.

– Odrobinkę? Chyba tak, jeśli dobrze pamiętam, to odrobinkę cię kochałam.

– Dobrze – James wciąż mówił poważnym tonem. – A teraz? Jak już to sobie zdążyłaś dobrze przemyśleć i tymczasem wychować tak wspaniałą córkę? Jak już jesteś wolna, Gwyneiro, i nikt nie może ci już rozkazywać? Czy wciąż kochasz mnie tę odrobinkę?

Gwyneira potrząsnęła głową.

– Raczej nie – odpowiedziała powoli. – Teraz nie kocham cię odrobinkę, bardzo cię kocham!

James ponownie ją objął, a ona odwzajemniła pocałunek.

– Kochasz mnie wystarczająco mocno, żeby ze mną pojechać? – zapytał. – Wystarczająco mocno, żeby ze mną uciec? Więzienie jest okropne, Gwyn, nie chcę tam wracać!

Gwyneira pokręciła głową.

– Jak to sobie wyobrażasz? Dokąd chcesz się udać? Znowu kraść owce? Jak cię znowu złapią, powieszą cię! A mnie zamkną w więzieniu.

– Nie złapali mnie przez ponad dziesięć lat! – stwierdził przekornie.

Gwyn westchnęła.

– Tylko dlatego, że znalazłeś tamte tereny i tamten wąwóz. To była idealna kryjówka. Zresztą nazywają teraz ten obszar Wyżyną McKenziego. Pewnie będą go tak nazywać jeszcze długo po tym, gdy nikt nie będzie pamiętał Johna Sideblossoma i Geralda Wardena!

McKenzie się uśmiechnął.

– Ale chyba nie myślisz poważnie, że znowu uda się nam coś takiego odkryć! Musisz odsiedzieć w więzieniu te pięć lat, Jamesie. Jak wtedy będziesz już naprawdę wolny, to zobaczymy co dalej. I tak nie mogłabym tak po prostu stąd odejść. Ludzie tutaj, te wszystkie zwierzęta, cała farma... Jamesie, to ja się tym wszystkim zajmuję. Całą hodowlą owiec. Gerald więcej pije, niż pracuje, a jeśli w ogóle czymś się zajmuje, to tylko krowami. Ale nawet nadzór nad hodowlą bydła w coraz większym stopniu przekazuje Paulowi...

– A przy tym chłopak nie jest zbyt lubiany... – mruknął James. – Fleurette trochę mi o nim opowiedziała, tak samo szeryf z Lyttelton. Wiem chyba wszystko o tym, co dzieje się na Canterbury Plains. Strażnik w więzieniu okropnie się nudzi, a tylko ze mną może gadać całymi dniami.

Gwyn się uśmiechnęła. Poznała szeryfa przy jakiejś towarzyskiej okazji i wiedziała, jak bardzo lubi rozmawiać.

– Paul jest trudny w obyciu, to prawda – przyznała. – Tym bardziej jestem tutaj ludziom potrzebna. Przynajmniej na razie. Za pięć lat wszystko będzie wyglądać inaczej. Paul będzie już prawie pełnoletni i w ogóle nie pozwoli sobie nic powiedzieć. Nie wiem nawet, czy chciałabym mieszkać na farmie prowadzonej przez Paula. Ale może moglibyśmy wydzielić sobie kawałek ziemi. Należy mi się po tym wszystkim, co zrobiłam dla Kiward Station.

– Ale nawet gdyby, to taka działka i tak nie wystarczyłaby na hodowlę owiec – stwierdził z żalem James.

Gwyn wzruszyła ramionami.

– Ale wystarczy na hodowlę psów albo koni. Twój Piętaszek to teraz bardzo znany pies, a moja Cleo... Cóż, jeszcze żyje, ale to już długo nie potrwa. Farmerzy będą się bić o psy, które ty wyszkolisz.

– Ale aż pięć lat, Gwyn...

– Już tylko cztery i pół! – Gwyneira znowu się do niego przytuliła. Jej też wydawało się, że pięć lat to wieczność, ale nie potrafiła wyobrazić sobie żadnego innego rozwiązania. A już na pewno nie wspólnej ucieczki w góry czy zamieszkania w obozie dla poszukiwaczy złota.

McKenzie westchnął.

– Dobrze, Gwyn. Ale mnie musisz dać szansę! Jestem wolny. Nie mam najmniejszego zamiaru dobrowolnie wracać do celi. Jeśli mnie nie złapią, dołączę do poszukiwaczy złota. I uwierz mi, Gwyn, znajdę je!

Gwyneira się uśmiechnęła.

– W końcu Fleurette udało ci się znaleźć. Ale nie opowiadaj już więcej takich historii, jak wtedy w sądzie! Myślałam, że serce przestanie mi bić, jak mówiłeś o swojej wielkiej miłości do jakiejś maoryskiej dziewczyny!

James uśmiechnął się do niej.

– A co miałem zrobić? Zdradzić im, że mam córkę? Młodej Maoryski nie będą szukać, doskonale wiedzą, że nie mieliby szans jej znaleźć. Chociaż Sideblossom się domyśla, że musiała zabrać wszystkie pieniądze.

Gwyn zmarszczyła brwi.

– Jakie pieniądze, Jamesie?

McKenzie uśmiechnął się jeszcze szerzej.

– Cóż, ponieważ pod tym względem Wardenowie zupełnie się nie sprawdzili, pozwoliłem sobie zapewnić córce odpowiedni posag. Wszystkie pieniądze, które przez te kilka lat zarobiłem na owcach. A sporo tego było, możesz mi wierzyć, Gwyn! Mam też nadzieję, że Fleur rozsądnie się z nimi obchodzi.

Gwyn się uśmiechnęła.

– Uspokoiłeś mnie. Bałam się o nią i tego jej Rubena. To dobry chłopak, ale ma dwie lewe ręce. Ruben jako poszukiwacz złota... To tak jakbyś ty chciał zostać sędzią pokoju.

McKenzie popatrzył na nią z przyganą w oczach.

– Och, przecież mam wyjątkowo silne poczucie sprawiedliwości, panienko Gwyn! Jak myślisz, dlaczego porównują mnie do Robin Hooda? Okradałem tylko bogaczy, a nie ludzi, którzy zarabiają na chleb własnymi rękoma! Owszem, wybrałem dość niekonwencjonalny sposób...

Gwyneira się roześmiała.

– Przyznajmy, że nie jesteś dżentelmenem, a i ja nie jestem już damą, po tym wszystkim, co z tobą wyprawiałam. Ale wiesz co? Wcale mi na tym nie zależy!

Pocałowali się po raz kolejny i James powoli osunął się z Gwyn na siano. W tym momencie przerwała im Helen.

– Niechętnie wam przeszkadzam, ale właśnie byli u mnie ludzie szeryfa. Spociłam się jak mysz, ale tylko pytali i wcale nie mieli zamiaru przeszukiwać farmy. Tyle że wygląda to na spore poruszenie. „Owczy baronowie" dowiedzieli się już o pana ucieczce, panie McKenzie, i wysłali za panem ludzi. Mój Boże, nie mógł pan poczekać jeszcze kilka tygodni? W środku strzyży nikt by pana nie ścigał, ale teraz jest mnóstwo ludzi, którzy od miesięcy nie mieli nic konkretnego do roboty. Aż palą się do przeżycia przygody! W każdym razie powinien pan tutaj zostać aż do zapadnięcia zmroku, a potem jak najszybciej zniknąć. Najlepiej, gdyby pan wrócił do więzienia. To byłoby najlepsze rozwiązanie. Ale pewnie pan to wie. A ty, Gwyn, jak najszybciej wracaj do domu. Jeszcze tego brakowało, żeby twoi ludzie zaczęli coś podejrzewać! To nie jest zabawa, panie McKenzie. Ludzie, którzy przed chwilą tu byli, dostali rozkaz, żeby pana zastrzelić!

Gwyneira, całując Jamesa na pożegnanie, aż drżała ze strachu. Znowu będzie się o niego bać. I to akurat teraz, gdy wreszcie się odnaleźli.

Oczywiście ona też nakłaniała Jamesa, żeby wrócił do Lyttelton, ale odmówił. Chciał jechać do Otago. I najpierw odebrać Piętaszka.

– Zupełne szaleństwo! – skomentowała Helen.

A potem na poszukiwanie złota.

– Dasz mu przynajmniej coś do jedzenia na drogę? – zapytała Gwyn smutnym głosem przyjaciółkę, gdy wychodziły ze stodoły. – I bardzo ci dziękuję, Helen. Wiem, jak wiele ryzykujesz.

Helen lekceważąco machnęła ręką.

– Jeśli u dzieci wszystko poszło tak jak trzeba, to znaczy, że on jest teściem Rubena... Chyba że wciąż masz zamiar zaprzeczać temu, że jest ojcem Fleurette?

Gwyn się uśmiechnęła.

– Przecież zawsze wiedziałaś, Helen! Sama wysłałaś mnie do Matahoruy i kazałaś słuchać jej rad. I co, dobrego mężczyznę sobie wybrałam?

*

Jamesa McKenziego złapano jeszcze tej samej nocy, ale można stwierdzić, że miał szczęście w nieszczęściu. Wpadł na grupę poszukiwawczą z Kiward Station, którą dowodzili jego starzy przyjaciele, Andy McAran i Poker Livingston. Gdyby byli sami, na pewno puściliby go wolno, ale towarzyszyli im jeszcze dwaj nowi pracownicy farmy i nie mogli ryzykować. W każdym razie, choć nie zamierzali strzelać do Jamesa, to roztropny McAran podzielał zdanie Helen i Gwyn.

– Gdyby znalazł cię ktoś od Beasleyów albo Barringtonów, ustrzeliliby cię niczym psa! Nie wspominając o Sideblossomie! Warden, tak między nami mówiąc, sam jest niezłym kanciarzem. W pewnym sensie więc cię rozumie. Ale Barrington jest bardzo rozczarowany. W końcu dałeś mu słowo, że nie uciekniesz.

– Ale tylko w drodze do Lyttelton! – James próbował bronić swojego honoru. – Nie było mowy o pięciu latach więzienia!

Andy wzruszył ramionami.

– W każdym razie jest wściekły. A Beasley panicznie boi się kolejnych kradzieży owiec. Te dwa ogiery, które sprowadził sobie z Anglii, kosztowały fortunę. Farma jest zadłużona po uszy. Beasley nie okaże więc żadnej litości! Najlepiej odsiedź tę swoją karę.

Szeryf nawet się ucieszył na widok McKenziego.

– To moja wina – mruknął. – Teraz już będę cię pilnował, McKenzie! Zobaczysz!

McKenzie trzy kolejne tygodnie przesiedział grzecznie w więzieniu, ale gdy uciekł, szeryf miał pewne powody, żeby sądzić, że powinien udać się do Gwyneiry Warden w Kiward Station.

Gwyneira dokonywała właśnie inspekcji stada maciorek matek i ich jagniąt, ostatniej przed wypędzeniem ich na pastwiska w górach, gdy dostrzegła na drodze dojazdowej Laurence'a Hansona, najwyższego rangą strażnika prawa w hrabstwie Canterbury. Hanson jechał powoli, ponieważ ciągnął na smyczy coś drobnego i czarnego. Pies mocno się opierał i robił kilka kroków do przodu tylko wtedy, gdy groziło mu uduszenie. A potem znowu wbijał się czterema łapami w ziemię.

Gwyn zmarszczyła brwi. Czyżby uciekł któryś z psów z ich farmy? To się w zasadzie nigdy nie zdarzało. A jeśli nawet, to nie powinien się tym zajmować sam szef policji. Gwyneira prędko pożegnała obu maoryskich poganiaczy i wysłała ich w góry wraz z owcami.

– Do zobaczenia na jesieni! – powiedziała do pasterzy, którzy mieli spędzić lato w szałasie, opiekując się owcami. – Uważajcie przede wszystkim na to, żeby mój syn wcześniej się tutaj na was nie natknął! – To była całkowita iluzja, zakładać, że Maorysi spędzą na pastwiskach całe lato, nie odwiedzając tymczasem swoich żon. Ale może to żony pójdą do nich w góry. Tego nigdy nie można być pewnym, maoryskie plemiona ciągle są w ruchu. Gwyneira miała za to pewność, że każde rozwiązanie spotka się z potępieniem ze strony Paula.

W tej chwili jednak poszła do domu, żeby przywitać zgrzanego szeryfa, który właśnie nadjeżdżał. Wiedział, gdzie znajduje się stajnia i najwidoczniej zamierzał tam zostawić swojego konia. Czyli nie śpieszyło mu się. Gwyn westchnęła. Nie bardzo mogła pozwolić sobie na spędzenie całego dnia na pogaduszkach z Hansonen. Ale za to szeryf na pewno szczegółowo opowie jej, jak się miewa James.

Gdy Gwyn zbliżyła się do stajni, Hanson właśnie zamierzał odwiązać psa, którego smycz miał przywiązaną do siodła. To z pewnością był owczarek, tyle że w pożałowania godnym stanie. Długa sierść była matowa i posklejana, a pies był tak chudy, że można mu było policzyć żebra. Gdy szeryf pochylił się nad nim, wyszczerzył zęby i zawarczał. Owczarki border collie rzadko się tak zachowywały. Ale Gwyn i tak rozpoznała tego psa.

– Piętaszek! – powiedziała delikatnie. – Proszę pozwolić mi to zrobić, szeryfie, może on mnie pamięta. W końcu był moim psem, zanim skończył pięć miesięcy.

Hanson wydawał się nie wierzyć, że owczarek przypomni sobie kobietę, która udzielała mu pierwszych lekcji zapędzania owiec, ale Piętaszek zareagował na delikatny głos Gwyneiry. A przynajmniej się nie bronił, gdy Gwyn go głaskała i rozwiązywała smycz przywiązaną do popręgu.

– Skąd pan go ma? Przecież to…

Hanson skinął głową.

– Tak, to pies McKenziego. Dwa dni temu pojawił się w Lyttelton, zupełnie wyczerpany. Widzi pani zresztą, jak wygląda. McKenzie zobaczył go przez okno i zrobił awanturę. Ale co ja mogłem zrobić, przecież nie mogłem wpuścić go do więzienia! Do czego byśmy w ten sposób doszli? Jeśli jeden będzie mógł trzymać tam psa, to drugi zechce kotka, a jak ten kotek zje kanarka trzeciego więźnia, to dojdzie do buntu.

– Aż tak źle chyba nie będzie – Gwyn się uśmiechnęła. Zwłaszcza że aresztanci w Lyttelton spędzali w więzieniu za mało czasu, żeby potrzebować towarzystwa zwierząt. W większości wypadków trzeźwieli po jednym dniu i wychodzili na wolność.

– W każdym razie tak nie wolno! – powiedział szeryf surowym tonem. – Zabrałem więc tego psa do domu, ale on nie chciał tam zostać. Jak tylko drzwi się uchyliły, znowu biegł do więzienia. A drugiej nocy McKenzie uciekł. Włamał się do rzeźnika i ukradł mięso dla tego kundla. Na szczęście dobrze się skończyło. Rzeźnik stwierdził potem, że to był prezent, nie będzie więc dochodzenia... A McKenziego i tak złapaliśmy na drugi dzień. Ale tak się na dłuższą metę nie da. Ten człowiek jest gotów zaryzykować własne życie dla tego psa. Tak więc sobie pomyślałem... Że skoro on jest z pani hodowli, a pani pies niedawno padł...

Gwyneira przełknęła ślinę. Wciąż na każdą myśl o Cleo łzy pojawiały się w jej oczach. Nadal też nie wybrała dla siebie nowego psa. Rana była zbyt świeża. Ale oto ma Piętaszka, który pod każdym względem dorównuje swojej matce.

– I słusznie pan pomyślał! – odpowiedziała spokojnym tonem. – Piętaszek może tu zostać. Proszę przekazać panu McKenziemu, że się nim zaopiekuję. Dopóki on... Dopóki on go nie odbierze. Ale zapraszam do środka na poczęstunek, panie oficerze. Po takiej długiej jeździe na pewno chce się panu pić.

Piętaszek leżał, dysząc, w cieniu. Wciąż był przywiązany na smyczy i Gwyn zdawała sobie sprawę, że ryzykuje, schylając się nad nim i odwiązując ją.

– Chodź, Piętaszku! – powiedziała miękko.

Pies posłusznie ruszył za nią.

11

Rok po skazaniu Jamesa McKenziego George i Elizabeth Greenwoodowie powrócili z Anglii, a Helen i Gwyneira w końcu otrzymały wiadomości od swoich dzieci. Elizabeth bardzo poważnie potraktowała prośbę Fleur o dyskrecję i osobiście pojechała małą dwukółką do Haldon, żeby przekazać listy. Nawet męża nie wtajemniczyła w swoje spotkanie z Helen i Gwyn na farmie O'Keefe'ów. Helen i Gwyn zasypały gościa pytaniami o podróż do Anglii, która najwyraźniej doskonale zrobiła młodej damie. Elizabeth wydawała się pewna siebie i odprężona.

– Londyn jest cudowny! – stwierdziła z błyskiem w oku. – Matka George'a, pani Greenwood, jest odrobinę... Cóż, trzeba się do niej przyzwyczaić. Ale nie rozpoznała mnie, uznała, że jestem bardzo dobrze wychowana! – Elizabeth rozpromieniła się niczym mała dziewczynka i popatrzyła na Helen, jakby oczekiwała pochwały. – A pan Greenwood jest uroczy i był bardzo miły dla dzieci. Za to brata George'a nie polubiłam. A ta kobieta, którą poślubił! Jest naprawdę ordynarna – Elizabeth zmarszczyła nosek i starannie złożyła serwetkę. Gwyneira zauważyła, że wciąż robi to tak samo, jak kiedyś Helen nauczyła ją i pozostałe dziewczęta. – Ale najważniejsze są listy, przykro mi, że tak bardzo przedłużyliśmy nasz pobyt – przeprosiła Elizabeth. – Pewnie bardzo się pani martwiła, panno Helen. I pani też, panno Gwyn. Ale wygląda na to, że Fleur i Ruben są cali i zdrowi.

Helen i Gwyn rzeczywiście poczuły wielką ulgę, i to nie tylko dzięki wieściom od samej Fleur, ale także dzięki jej opowieści o Daphne i bliźniaczkach.

– Daphne musiała natknąć się na dziewczynki gdzieś w Lyttelton – przeczytała Gwyn w jednym z listów od Fleur. – Prawdopodobnie żyły na ulicy i utrzymywały się z kradzieży. Daphne wzięła je do siebie i troskliwie się nimi zaopiekowała. Panna Helen może być z niej dumna, chociaż Daphne jest... Chyba powinnam to słowo przeliterować... D z i w k ą. – Gwyneira się roześmiała. – No to odnalazłaś wszystkie swoje owieczki, Helen. Ale co zrobimy z tymi listami? Spalimy je? Będzie mi bardzo żal, ale ani Gerald, ani Paul w żadnym wypadku nie powinni ich znaleźć! I Howard przecież też!

– Mam skrytkę – stwierdziła Helen spiskowym tonem i podeszła do jednej z kuchennych szafek. Jedna z desek w jej tylnej ścianie była obluzowana i można było za nią chować jakieś drobiazgi. Helen trzymała tam trochę zaoszczędzonych pieniędzy i kilka pamiątek z dzieciństwa Rubena. Lekko zawstydzona pokazała pozostałym paniom jeden z jego rysunków i kosmyk włosów.

– Jakie to słodkie! – powiedziała Elizabeth i przyznała się Helen i Gwyn, że nosi przy sobie kosmyk włosów George'a ukryty w medalionie.

Gwyneira niemal poczuła ukłucie zazdrości o te namacalne dowody ich miłości, ale potem popatrzyła na niewielkiego psa, który leżał przed kominkiem i wpatrywał się w nią wzrokiem pełnym uwielbienia. Nic nie mogło bardziej związać ją z Jamesem niż Piętaszek.

Gdy minął kolejny rok, Gerald i Paul wrócili zdenerwowani z zebrania hodowców bydła, które odbyło się w Christchurch.

– Ten gubernator zupełnie nie wie, co robi! – zaklął Gerald, nalewając sobie whisky. Po krótkiej chwili zastanowienia napełnił też mały kieliszek dla czternastoletniego Paula. – Dożywotnie wygnanie! Kto niby tego dopilnuje? Jak mu się tam nie spodoba, wróci najbliższym statkiem!

– Kto wróci? – zapytała Gwyneira z umiarkowanym zainteresowaniem. Zaraz miano podać kolację, a ona właśnie dołączyła do panów z kieliszkiem porto, głównie po to, żeby mieć Geralda na oku. Zupełnie jej się nie podobało, że tak wcześnie zachęca Paula do picia alkoholu. Chłopak jeszcze zdąży się rozsmakować. Poza tym nawet na trzeźwo trudno było okiełznać jego temperament. Pod wpływem alkoholu będzie jeszcze bardziej niesforny.

– McKenzie! Ten przeklęty złodziej owiec! Gubernator go ułaskawił!

Gwyneira poczuła, jak krew ucieka jej z twarzy. James jest wolny?

– Pod warunkiem, że natychmiast opuści kraj. Wysyłają go do Australii najbliższym statkiem. Przynajmniej tyle, chociaż powinni odesłać go znacznie dalej. Będzie tam przecież wolnym człowiekiem. Kto przeszkodzi mu tu wrócić? – wściekał się Gerald.

– Czy to nie byłoby niemądre z jego strony? – zapytała Gwyneira cicho. Jeśli James naprawdę wyjedzie do Australii... Cieszyła się z jego ułaskawienia, ale przecież w ten sposób straciłaby go na zawsze.

– W ciągu najbliższych trzech lat tak – stwierdził Paul. Popijał whisky drobnymi łyczkami, uważnie przyglądając się matce.

Gwyn ze wszystkich sił starała się opanować.

– A potem? Upłynie czas jego kary, jeszcze kilka lat i się przedawni. Jeśli do tego będzie miał dość sprytu, żeby wrócić nie przez Lyttelton, tylko na przykład przez Dunedin... Może też zmienić nazwisko, w końcu nikt nie sprawdza list pasażerów. Co się dzieje, mamo? Nie wyglądasz dobrze...

Gwyneira chwyciła się myśli, że Paul z pewnością ma rację. James znajdzie jakąś możliwość, żeby do niej wrócić. Ale ona musi go jeszcze raz zobaczyć! Musi to usłyszeć z jego ust, żeby móc mieć tę nadzieję.

Piętaszek przytulił się do Gwyn, która w zamyśleniu tarmosiła jego sierść. Nagle Gwyn wpadła na pewien pomysł.

Oczywiście, pies! Gwyn postanowiła, że następnego dnia rano pojedzie do Lyttelton, żeby oddać szeryfowi Piętaszka, żeby ten mógł go przekazać zwolnionemu z więzienia Jamesowi. Będzie mogła zapytać szeryfa, czy może zobaczyć się z Jamesem, żeby porozmawiać z nim o psie. W końcu opiekowała się nim przez blisko dwa lata. Hanson na pewno się zgodzi. To dobroduszny człowiek i z całą pewnością nie ma pojęcia, co łączy ją z McKenziem.

Żeby jeszcze nie oznaczało to rozstania z Piętaszkiem! Gwyn krwawiło serce na samą myśl. Ale nic nie mogła na to poradzić, Piętaszek należał do Jamesa.

Oczywiście Gerald się zezłościł, gdy Gwyn oświadczyła, że następnego dnia odwiezie psa. – Żeby ten łajdak mógł od razu zacząć kraść owce w Australii? – zapytał z ironią. – Zupełnie oszalałaś, Gwyn!

Gwyneira wzruszyła ramionami.

– Możliwe, ale ten pies jest jego własnością. I będzie mu łatwiej znaleźć przyzwoitą pracę, jeśli będzie miał ze sobą psa pasterskiego.

Paul głośno wciągnął powietrze.

– On nie będzie szukał przyzwoitej pracy! To ryzykant i zawsze nim zostanie!

Gerald już miał przyznać wnukowi rację, ale Gwyn tylko się uśmiechnęła.

– Słyszałam o zawodowych hazardzistach, którzy stali się szanowanymi hodowcami owiec – zauważyła ze spokojem.

*

Następnego dnia skoro świt Gwyneira wyruszyła do Lyttelton. Miała do pokonania sporą odległość i nawet energiczna Raven dopiero po pięciu godzinach ostrej jazdy dotarła do przełęczy Bridle Path. Biegnący za koniem Piętaszek wyglądał na wyczerpanego.

– Odpoczniesz sobie na posterunku – powiedziała do niego przyjaznym tonem Gwyn. – Kto wie, może Hanson od razu wpuści cię do twojego pana. A ja wezmę pokój w White Hart. Mam nadzieję, że Paul i Gerald przeżyją jeden dzień beze mnie, nie czyniąc żadnych szkód.

Laurence Hanson właśnie zamiatał swoje biuro, gdy Gwyn otworzyła drzwi do posterunku, na którego tyłach znajdowały się cele więźniów. Nigdy tutaj nie była, ale czuła dreszczyk radości. Zaraz zobaczy Jamesa! Po raz pierwszy po blisko dwóch latach!

Hanson rozpromienił się, gdy ją poznał.

– Pani Warden! Panno Gwyn! To dopiero niespodzianka. Mam nadzieję, że nie zawdzięczamy pani wizyty jakimś nieprzyjemnym okolicznościom? Nie przyjechała chyba pani, żeby zgłosić jakieś przestępstwo? – Szeryf mrugnął okiem. Najwyraźniej nie był w stanie wyobrazić sobie takiej sytuacji, szanująca się kobieta przysłałaby raczej któregoś z męskich członków rodziny. – A jaki piękny pies wyrósł z małego Piętaszka! I jak, mały, teraz też będziesz chciał mnie ugryźć?

Pochylił się nad Piętaszkiem, ale on tym razem podszedł do niego z ufnością.

– Ale ma miękką sierść! Naprawdę, panno Gwyn, doskonale zadbany!

Gwyneira skinęła głową i pośpiesznie odwzajemniła słowa powitania, po czym od razu przeszła do rzeczy.

– Przyjechałam właśnie z powodu psa, szeryfie. Usłyszałam, że pan McKenzie został ułaskawiony i że wkrótce zostanie uwolniony. Chciałam więc mu oddać psa.

Hanson zmarszczył czoło. Gwyn, która właśnie zamierzała poprosić go o możliwość widzenia się z Jamesem, zamilkła, widząc jego zafrasowaną minę.

– To godne pochwały z pani strony – stwierdził szeryf. – Ale przybyła pani za późno. „Reliance" wypłynął dzisiaj w rejs w kierunku Botany Bay. A my, zgodnie z zarządzeniem gubernatora, musieliśmy wsadzić McKenziego na pokład.

Gwyneirze zamarło serce.

– To on nie chciał na mnie poczekać? Chyba... Chyba nie chciał bez psa...

– Co pani jest, panno Gwyn? Nie czuje się pani dobrze? Proszę usiąść, z przyjemnością zrobię pani herbatę! – Hanson z troską przysunął jej krzesło. Dopiero gdy usiadła, odpowiedział na jej pytanie.

– Nie, oczywiście, że nie chciał wyjechać bez psa. Błagał mnie, żebym pozwolił mu go odebrać, ale ja nie mogłem się na to zgodzić. A potem... A potem przepowiedział, że pani przyjedzie! Mnie by to do głowy nie przyszło... Pokonać taki kawał drogi dla takiego drania, a przecież w międzyczasie na pewno sama pani polubiła tego psa! Ale McKenzie był pewny, że pani przyjedzie. Błagał o odroczenie wyjazdu, ale rozkaz był jednoznaczny: wydalenie na pokładzie najbliższego statku, a tym statkiem był właśnie „Reliance". Nie mógł zrezygnować z takiej okazji. Ale proszę poczekać, zostawił dla pani list! – powiedział szeryf i zaczął go szukać. Gwyn miała ochotę go udusić. Dlaczego od razu jej nie powiedział?

– Proszę bardzo, panno Gwyn. Pewnie dziękuje w nim pani za opiekę nad jego psem... – Hanson wręczył jej prostą, zaklejoną kopertę i czekał w napięciu. Może nie otworzył dotąd koperty tylko dlatego, że zakładał, że Gwyn przeczyta go w jego obecności. Ale Gwyn nie uczyniła mu tej przyjemności.

– Ten statek... „Reliance", tak?... Czy on na pewno już odpłynął? Może stoi jeszcze w porcie? – Gwyneira z udawanym lekceważeniem wsunęła list do kieszeni sukni. – Czasem wypłynięcie się przedłuża...

Hanson wzruszył ramionami.

– Nie sprawdzałem. Ale nawet jeśli, to nie stoi przy nabrzeżu, tylko jest zakotwiczony gdzieś w zatoce. I tak się pani nie dostanie na pokład, chyba że łódką...

Gwyneira wstała.

– Na wszelki wypadek rozejrzę się, szeryfie, nigdy nic nie wiadomo. W każdym razie dziękuję panu. Również za... Pana McKenziego. On chyba docenia, jak wiele pan dla niego zrobił.

Gwyneira opuściła posterunek, zanim Hanson zdążył zareagować. Wskoczyła na czekającą na zewnątrz Raven i zagwizdała na psa.

– Chodź, spróbujemy. Do portu!

Gwyn od razu po przybyciu na nabrzeże zorientowała się, że się nie udało. Na kotwicy nie stał żaden dalekomorski statek, a od Botany Bay w Australii dzieliło ją ponad tysiąc mil morskich. Mimo wszystko krzyknęła w stronę jednego z kręcących się po porcie rybaków:

– „Reliance" dawno odpłynął?

Mężczyzna rzucił okiem na spoconą kobietę na koniu. A potem wskazał na morze.

– Tam, daleko, jeszcze go widać, proszę pani! Właśnie odpływa. Podobno do Sydney…

Gwyneira pokiwała głową. Rozpalonym wzrokiem wpatrywała się w niknący na horyzoncie statek. Piętaszek przytulił się do jej nóg i cicho skamlał, jakby wiedział, co się dzieje. Gwyn pogłaskała go i wyciągnęła z kieszeni list.

Moja ukochana Gwyn!

Wiem, że przyjedziesz, żeby zobaczyć się ze mną przed tą nieszczęsną podróżą, ale jest już za późno. Będziesz musiała dalej nosić mój obraz w swoim sercu. Ja w każdym razie mam przed oczami Twój obraz, gdy tylko o Tobie myślę, a nie ma godziny, bym tego nie czynił. Gwyn, przez najbliższe lata będzie nas dzieliło trochę więcej kilometrów, niż dzieli Haldon i Lyttelton, ale mnie nie sprawia to żadnej różnicy. Obiecałem Ci, że wrócę, a zawsze dotrzymywałem swoich obietnic. Czekaj więc na mnie i nie trać nadziei. Wrócę, jak tylko będzie to bezpieczne. Jeśli tylko będziesz się mnie spodziewać, zjawię się! Masz Piętaszka, a on będzie Ci o mnie przypominać. Życzę Ci szczęścia, moja pani, i przekaż Fleur wyrazy miłości, jeśli dostaniesz od niej wieści.

Kocham Cię,
James

Gwyneira przycisnęła do siebie list i znów wpatrzyła się w statek, który powoli znikał w dali Morza Tasmańskiego. On wróci, jeśli tylko przetrwa tę przygodę. Wiedziała, że James uważa wygnanie za swoją szansę. Wolał wolność w Australii od nudy w celi.

– I tym razem nie miałyśmy szansy z nim być – westchnęła Gwyn i pogłaskała miękką sierść Piętaszka. – Chodź, pojedziemy do domu. Statku nie dogonimy, nawet gdybyśmy umiały szybko pływać!

Kolejne lata upływały na Kiward Station i na O'Keefe Station w zwyczajowym rytmie. Gwyneira wciąż lubiła pracę na farmie, podczas gdy Helen jej nie znosiła. A to właśnie ona miała coraz więcej pracy. Dawała sobie radę tylko dzięki wydatnej pomocy George'a Greenwooda.

Howard O'Keefe nie mógł pogodzić się z utratą syna. A kiedy jeszcze z nimi był, nigdy nie mógł powiedzieć o nim nic dobrego i musiał już dawno uświadomić sobie, że chłopak nie nadaje się do pracy na farmie. Mimo wszystko Ruben był jego dziedzicem i Howard był przekonany, że kiedyś pójdzie po rozum do głowy i przejmie po nim farmę. Przez lata napawał się myślą, że O'Keefe Station w przeciwieństwie do wspaniałej farmy Geralda ma dziedzica. Ale teraz Gerald znowu był lepszy. Jego wnuk Paul wręcz rwał się do przejęcia Kiward Station, podczas gdy syn Howarda przepadł i od lat nie dawał znaku życia. Wciąż nalegał na Helen, żeby zdradziła mu miejsce przebywania chłopaka. Był przekonany, że ona coś wie, ponieważ nie szlochała już każdego wieczoru w poduszkę, jak w pierwszym roku po zniknięciu Rubena, tylko sprawiała wrażenie dumnej i pełnej nadziei. Helen nic nie chciała mu jednak powiedzieć bez względu na to, jak jej dokuczał, a nie przebierał w środkach. Upust swojej wściekłości dawał zwłaszcza wtedy, gdy późną nocą wracał do domu z pubu, gdzie widywał Geralda i Paula, jak dumni opierają się o bar i omawiają z miejscowymi rozmaite sprawy Kiward Station.

Gdyby tylko Helen zdradziła mu, gdzie podział się ten pętak! Pojechałby tam i przyciągnął go z powrotem za włosy. Ściągnąłby go z tej małej dziwki, która uciekła zaraz po nim i wbiłby mu do głowy, co znaczy obowiązek. Howard aż zaciskał pięści, gdy o tym myślał.

A tymczasem nie widział sensu w dbaniu o dziedzictwo Rubena. Niech sobie odbuduje farmę, jak wróci. Dobrze mu zrobi, jak będzie musiał postawić nowe ogrodzenia i naprawić dachy szop do strzyżenia! Howard skupiał się teraz na jak najszybszym zdobywaniu gotówki. W tym celu pozbywał się wielce obiecujących młodych sztuk ze swojego stada, zamiast samemu je hodować, ryzykując, że zginą w górach. Szkoda tylko, że nie rozumie tego ani George Greenwood, ani ten zarozumiały młody Maorys, którego Greenwood tak wysoko ceni i którego ciągle przysyła do Howarda w roli doradcy.

– Howardzie, wyniki ostatniej strzyży są bardzo niezadowalające! – stwierdził George podczas swojej ostatniej wizyty u podopiecznego, którego nazywał swoim wiecznym utrapieniem. – To nawet nie jest wełna przeciętnej jakości, do tego jest zanieczyszczona. A przecież osiągnęliśmy już wysoki poziom! Gdzie są te wszystkie pierwszorzędne stada, które stworzyłeś? – George starał się zachować spokój. Choćby dlatego, że siedząca obok niego Helen i bez tego wyglądała na zatroskaną i pozbawioną wszelkiej nadziei.

– Trzy najlepsze tryki rozpłodowe zostały kilka miesięcy temu sprzedane i poszły do Lionel Station – wtrąciła Helen z goryczą. – Do Sideblossoma.

– Zgadza się! – stwierdził Howard z triumfem w głosie, nalewając whisky. – Koniecznie chciał je kupić. Uważał, że są lepsze niż wszystkie zwierzęta, które proponowali mu Wardenowie! – patrzył na Greenwooda, spodziewając się pochwał.

George tylko westchnął.

– Oczywiście. Gwyneira Warden najlepsze tryki zachowała dla siebie. Sprzedaje tylko drugi garnitur. A o co chodzi z bydłem, Howardzie? Znowu kupiłeś trochę krów. A przecież uzgodniliśmy, że wasza ziemia ich nie wyżywi...

– Gerald Warden doskonale zarabia na bydle! – Howard z uporem powtarzał swoje stare argumenty.

George musiał się powstrzymać, żeby nim nie potrząsnąć i samemu nie zacząć powtarzać starych zarzutów. Howard po prostu nic nie rozumiał i sprzedawał cenne zwierzęta rozpłodowe, żeby kupić dodatkową paszę dla bydła. A bydło wystawiał potem na sprzedaż za taką samą cenę, jaką chcieli uzyskać Wardenowie i która wydawała się wysoka. Ale jak mało zysku tak naprawdę przynosił Gwyneirze interes z bydłem, to wiedziała tylko Helen, i to ona obliczała już sobie, kiedy jej farma znowu stanie na krawędzi bankructwa, tak jak stało się to przed kilku laty.

Ale również inni klienci Greenwooda, którzy mieli większą smykałkę do interesów, czyli Wardenowie, także dawali mu ostatnio do myślenia. Choć kwitła u nich zarówno hodowla owiec, jak i bydła, było widać, że pod pozornie spokojną powierzchnią aż się gotuje. George najpierw domyślił się tego po tym, że Gerald i Paul Warden nie zapraszali już na rozmowy z nim Gwyneiry. Według Geralda Paul powinien wdrażać się w prowadzenie interesów, a jego matka raczej w tym przeszkadzała, niż pomagała.

– Nie spuszcza chłopaka ze smyczy, jeśli rozumie pan, co mam na myśli! – wyjaśnił Gerald, nalewając whisky. – Zawsze wszystko wie lepiej, to nawet mnie działa na nerwy. A co dopiero Paulowi, który zaledwie stawia pierwsze kroki?

Podczas rozmowy z dziadkiem i wnukiem George szybko stwierdził, że Gerald już dawno stracił nadzór nad hodowlą owiec w Kiward Station. A Paulowi brakowało rozsądku i dalekowzroczności, co nie mogło dziwić u szesnastolatka. Głosił przedziwne teorie dotyczące hodowli, które przeczyły wszelkiemu doświadczeniu. I najchętniej wróciłby do hodowli merynosów.

– Wełna dobrej jakości to przecież ważna rzecz. A merynosy dają lepszą wełnę niż owce krótkowłose. Jeśli skrzyżujemy je z większą liczbą merynosów, uzyskamy zupełnie nową krzyżówkę. To będzie rewolucja!

George tylko kręcił głową, ale Gerald słuchał chłopca z błyskiem w oku. W przeciwieństwie do Gwyneiry, która wpadła w gniew.

– Jak dopuszczę tego chłopaka do prowadzenia farmy, to wszystko zejdzie na psy! – zdenerwowała się, gdy następnego dnia George odwiedził ją i wyraźnie wzburzony zrelacjonował swoją rozmowę z Geraldem i Paulem. – Owszem, kiedyś odziedziczy Kiward Station, wtedy nie będę już miała nic do powiedzenia. Ale na razie ma jeszcze kilka lat, żeby nabrać rozumu. Gdyby jeszcze Gerald był roztropniejszy i miał na Paula odpowiedni wpływ! Nie rozumiem, co się z nim dzieje. Mój Boże, przecież ten człowiek doskonale znał się na hodowli owiec!

George wzruszył ramionami.

– Teraz lepiej zna się na whisky.

Gwyneira skinęła głową.

– Pije i traci rozum. Pan wybaczy, że wyrażam się tak nieoględnie, ale taka jest prawda. A ja pilnie potrzebuję wsparcia. Pomysły Paula to nie wszystkie problemy. Wręcz przeciwnie, to najmniejszy z nich. Gerald jest silny i zdrowy, to potrwa lata, zanim Paul przejmie farmę. I nawet jeśli padnie mu kilka owiec, farma to przetrwa. Ale teraz największy problem to konflikty z Maorysami. Oni chyba nie znają pojęcia pełnoletności, a może inaczej ją definiują. W każdym razie wybrali sobie właśnie Tongę na wodza...

– Tonga to jeden z chłopców, których uczyła Helen, dobrze pamiętam? – zapytał George.

Gwyneira przytaknęła.

– Bardzo mądry chłopak. I śmiertelny wróg Paula. Proszę mnie nie pytać dlaczego, ale oni dwaj darli koty już w piaskownicy. Myślę, że tutaj chodzi o Maramę. Podoba się Tondze, ale ona uwielbia Paula od czasu, gdy razem leżeli w kołysce. Nawet teraz, gdy żaden z Maorysów nie chce mieć z Paulem nic wspólnego, ona zawsze przy nim jest. Rozmawia z nim, próbuje go ułagodzić, a on w ogóle nie dostrzega, jaki to skarb! W każdym razie Tonga go nienawidzi i wydaje mi się, że coś kombinuje. Maorysi stali się bardzo skryci, odkąd Tonga nosi święty topór. Choć nadal przychodzą do pracy, nie przykładają się do niej, nie są już tacy... bezbronni. Mam wrażenie, że coś się szykuje, chociaż wszyscy uważają, że oszalałam.

George zastanowił się przez chwilę.

– Mógłbym wysłać do nich Retiego. Może on się czegoś dowie. W swoim własnym gronie na pewno będą bardziej rozmowni. Ale wrogość między którymś z właścicieli Kiward Station a plemieniem Maorysów znad jeziora to sprawa gardłowa. Przecież musicie mieć robotników!

Gwyneira pokiwała głową.

– A poza tym ja ich lubię. Kiri i Moana, nasze pokojówki, już od dawna są moimi przyjaciółkami, ale teraz prawie nie zamieniają ze mną słowa. „Tak, panienko Gwyn", „Nie, panienko Gwyn". Tylko tyle. Źle się z tym czuję. Zastanawiam się, czy nie powinnam osobiście porozmawiać z Tongą...

George pokręcił głową.

– Przekonajmy się najpierw, co wskóra Reti. Jeśli rozpocznie pani jakieś rozmowy za plecami Paula i Geralda, tylko pogorszy pani sprawę...

George wysłał swojego człowieka do Maorysów, a uzyskane informacje były na tyle alarmujące, że już po tygodniu ponownie odwiedził Kiward Station w towarzystwie swojego asystenta Retiego.

Tym razem nalegał, żeby Gwyneira uczestniczyła w jego rozmowie z Geraldem i Paulem, a najchętniej rozmawiałby tylko z Geraldem i Gwyn. Stary Warden uparł się jednak, żeby zaangażować wnuka w sprawy farmy.

– Tonga wniósł skargę. Do urzędu gubernatora w Christchurch, ale sprawa trafi oczywiście do Wellington. Powołuje się w niej na traktat z Waitangi. Zgodnie z nim, Maorysi zostali pokrzywdzeni przy nabywaniu Kiward Station. Tonga domaga się anulowania aktów własności albo przynajmniej zawarcia ugody. To oznaczałoby zwrot ziemi lub wypłatę rekompensaty.

Gerald przełknął whisky.

– Bzdura! Przecież Kai Tahu nawet nie podpisali wtedy traktatu!

George skinął głową.

– Ale to nie wpływa na jego ważność. Tonga powoła się na to, że traktat był do tej pory stosowany, jeśli tylko odpowiadało to *pakeha.* Teraz domaga się takiego samego prawa dla Maorysów. Bez względu na to jaką decyzję podjął jego dziadek w tysiąc osiemset czterdziestym roku.

– Co za małpa! – zagrzmiał Paul. – Ja go chyba...

– Zamilcz! – powiedziała ostrym tonem Gwyneira. – Gdybyś nie zaczął tego waszego dziecinnego sporu, w ogóle nie mielibyśmy problemu. George, czy Maorysi mogą wygrać tę sprawę?

George wzruszył ramionami.

– Nie można tego wykluczyć.

– To całkiem możliwe – wtrącił Reti. – Gubernatorowi bardzo zależy na dobrych stosunkach między Maorysami i *pakeha*. Korona potrafi docenić to, że konflikty są u nas rzadkością. Nie zaryzykuje powstania z powodu jednej farmy.

– Powstanie to chyba za dużo powiedziane! Weźmiemy parę strzelb i wykurzymy tę całą bandę! – zdenerwował się Gerald. – I taka właśnie wdzięczność za naszą łagodność. Latami pozwalałem im mieszkać nad jeziorem, mogli wędrować po mojej ziemi, gdzie tylko chcieli...

– I pracować u pana za głodowe stawki – wpadł mu w słowo Reti.

Paul miał ochotę się na niego rzucić.

– Taki inteligentny młody mężczyzna jak Tonga na pewno potrafiłby wywołać powstanie, proszę się nie oszukiwać! – potwierdził George. – Jeśli podburzy też inne plemiona. Już zaczął wpływać na Maorysów zamieszkujących ziemię O'Keefe'a, a te tereny także nabyto przed tysiąc osiemset czterdziestym rokiem. A czy u Beasleyów nie jest podobnie? Myśli pan, że tacy ludzie jak Sideblossom wertowali traktaty, zanim wycyganili ziemię od Maorysów? Jak Tonga zacznie sprawdzać księgi, to wywoła prawdziwą burzę. A wtedy tylko wystarczy, żeby jakiś młody zapaleniec – tu zerknął na Paula – albo i starszy, jak Sideblossom, strzelił Tondze w plecy. Wtedy rozpęta się piekło. Gubernator na pewno opowie się za ugodą.

– A są już jakieś konkretne propozycje? – zapytała Gwyn. – Rozmawiał pan z Tongą?

– Na pewno chce tę ziemię, na której leży ich osada... – Reti zaczął mówić, ale spotkał się z natychmiastowymi protestami ze strony Paula i Geralda.

– To ziemia bezpośrednio granicząca z farmą. Nie ma mowy!

– Nie chcę mieć takiego sąsiada! To się nie może dobrze skończyć!

– W przeciwnym razie najchętniej przyjmie gotówkę... – wyjaśniał dalej Reti.

Gwyn się zastanowiła.

– Z gotówką będzie trudniej, musi to zrozumieć. Już prędzej ziemia. Może zgodzi się na wymianę. Żeby dwa bojowe koguciki mieszkały tuż obok siebie... To nie najlepszy pomysł.

– To już naprawdę przesada! – Gerald podniósł głos. – Chyba nie myślisz, że będziemy z nim negocjować, Gwyn! To w ogóle nie wchodzi w rachubę. Nie dostanie ani pieniędzy, ani ziemi. Najwyżej kulkę między oczy!

*

Konflikt jeszcze bardziej przybrał na sile, kiedy następnego dnia Paul pobił jednego z maoryskich robotników. Mężczyzna ten twierdził, że nic nie zrobił, najwyżej trochę za wolno wykonał jedno z poleceń. Paul natomiast oświadczył, że ten robotnik zachował się arogancko, czyniąc aluzje do żądań Tongi. Kilku innych Maorysów potwierdziło wersję swojego współplemieńca. Tego wieczoru Kiri odmówiła podania kolacji Paulowi, a nawet łagodny Witi go zignorował. W rezultacie Gerald, który znów był zupełnie pijany, wpadł we wściekłość i zwolnił całą służbę domową. Choć Gwyneira miała nadzieję, że Maorysi nie potraktują tego poważnie, następnego dnia ani Kiri, ani Moana się nie pojawiły. W stajniach i w ogrodzie też nie było Maorysów, tylko Marama niezręcznie starała się zaprowadzić porządki w kuchni.

– Nie potrafię dobrze gotować – wyjaśniła Gwyneirze, choć udało jej się przygotować na śniadanie ulubione ciasteczka Paula. Ale w południe dotarła do granic swoich możliwości i podała rybę i słodkie kartofle. Wieczorem znowu były słodkie kartofle z rybą, a na kolejny lunch ponownie ryba i słodkie kartofle.

To była dodatkowa przyczyna, która sprawiła, że następnego popołudnia wściekły Gerald wyruszył do maoryskiej wioski. Ale już w połowie drogi nad jezioro natknął się na uzbrojony w oszczepy patrol. Dwaj Maorysi z powagą oświadczyli, że na razie nie mogą go przepuścić. Tongi nie ma w wiosce, a nikt inny nie posiada upoważnienia do prowadzenia negocjacji.

– Jest wojna! – stwierdził ze spokojem jeden z młodych strażników. – Tonga mówić, że od teraz wojna!

– Będzie pani musiała poszukać sobie nowych robotników w Christchurch albo w Lyttelton – powiedział dwa dni później ze współczuciem Andy Maran do Gwyneiry. Mieli ogromne zaległości z pracą na farmie, ale Gerald i Paul wściekali się, gdy tylko któryś z pracowników obwiniał za to strajk Maorysów. – Ludzie z wioski nie pokażą się tutaj, zanim gubernator nie podejmie decyzji w sprawie ziemi. I niech pani, na miłość boską, nie spuszcza z oka syna! Pan Paul z trudem się hamuje. A Tonga w wiosce tylko czeka na jego wybuch. Jeśli jeden na drugiego podniesie rękę, poleje się krew!

12

Howard O'Keefe szukał pieniędzy. Dawno już nie był aż tak wściekły. Jeśli nie pojedzie dziś wieczorem do pubu, chyba się udusi! Albo znowu pobije Helen, choć tym razem to nie była jej wina. Tym razem wina leżała po stronie Wardena, który dopiekł swoim Maorysom do żywego. I tego nieudacznika Rubena, jego własnego syna, który wałęsa się nie wiadomo gdzie, zamiast pomagać ojcu w strzyży i wypędzaniu owiec w góry!

Howard gorączkowo przeszukiwał kuchnię swojej żony. Helen na pewno odłożyła gdzieś pieniądze, nazywa to swoją żelazną rezerwą. Diabeł jeden wie, w jaki sposób udało jej się cokolwiek odłożyć ze skromnych środków na utrzymanie domu! Coś tu musi być nie w porządku! A poza tym to w końcu jego pieniądze. Wszystko w tym domu należy do niego!

Howard gwałtownym ruchem otworzył drzwiczki kolejnej szafki, przeklinając z kolei George'a Greenwooda. A handlarz wełny spełnił dziś tylko funkcję posłańca przekazującego złe wieści. Kolonia postrzygaczy, która zwykle pracowała w tej części Canterbury Plains, najpierw odwiedzając Kiward Station, później zaś farmę O'Keefe'a, w tym roku nie zamierzała się pojawić. Postrzygacze chcieli ruszyć do Otago, jak tylko skończą pracę u Beasleya. W pewnym stopniu dlatego, że część kolonii stanowili maoryscy postrzygacze, którzy nie chcieli pracować dla Wardenów. Nie mieli nic przeciwko Howardowi, ale w ostatnich latach nie czuli się u niego najlepiej i musieli wykonywać dużo dodatkowych prac, teraz więc nie zamierzali nadkładać dla niego drogi.

– Co za rozpuszczone towarzystwo! – narzekał Howard, mając po części rację. „Owczy baronowie" rzeczywiście rozpuszczali swoich postrzygaczy, którzy uważali się za *crème de la crème* pracowników farm. Wielkie farmy prześcigały się w wysokości premii dla najlepszych drużyn postrzygaczy, zapewniano im tam pierwszorzędne warunki, a po zakończeniu strzyży urządzano zabawy. Z kolei pracujący na akord postrzygacze zajmowali się tylko i wyłącznie strzyżą, ponieważ sprowadzenie i odprowadzenie owiec oraz przygotowanie ich do strzyżenia należało do obowiązków poganiaczy. Tylko u O'Keefe'a było inaczej. Miał niewielu pomocników, głównie młodych i niedoświadczonych Maorysów ze szkoły Helen, postrzygacze musieli więc pomagać przy zapędzaniu owiec, a po strzyży odprowadzać je na padoki, żeby w szopach zrobić miejsce dla następnych sztuk. A Howard nic im za to nie płacił, tylko za strzyżę. Wynagrodzenie za strzyżę ostatnio zresztą obniżył, ponieważ jakość runa nie była zadowalająca, obciążył tym zatem również postrzygaczy. Teraz odczuwał skutki swojego postępowania.

– Musi pan poszukać pomocy w Haldon – stwierdził George, wzruszając ramionami. – W Lyttelton siła robocza jest pewnie tańsza, ale połowa tych ludzi pochodzi z wielkich miast i nigdy w życiu nie widzieli owcy. Zanim przyuczyłby pan odpowiednią liczbę robotników, lato dawno by minęło. I niech się pan pośpieszy. Wardenowie też będą się rozglądać w Haldon. Ale oni wciąż mają swoich stałych pracowników, z których każdy potrafi strzyc. Owszem, ukończenie strzyży zajmie im trzy, cztery razy więcej czasu, ale panna Gwyn jakoś da sobie radę.

Helen zasugerowała, żeby popytać o pomocników wśród Maorysów. To właściwie był doskonały pomysł, ponieważ odkąd plemię Tongi ogłosiło strajk wobec Wardenów, wielu doświadczonych pasterzy było wolnych. Howard nie był zachwycony, głównie dlatego, że to nie on sam wpadł na ten pomysł, ale nie sprzeciwił się, gdy Helen od razu wyruszyła w drogę do wioski. Sam zamierzał pojechać do Haldon i dlatego potrzebował pieniędzy!

Tymczasem zaczął już przeszukiwać trzecią szafkę, rozbijając przy okazji dwie filiżanki i talerz. Rozzłoszczony, zawartość ostatniej szafki od razu wyrzucił na podłogę. Stały tam tylko poobtłukiwane kubki do herbaty... Ale... O, tutaj! Zaraz, zaraz, tam coś jest! Gorączkowym ruchem Howard wyjął obluzowaną deskę z tylnej ścianki szafki. No proszę, trzy dolary! Z zadowoleniem wetknął sobie pieniądze do kieszeni. Ale co Helen tu jeszcze przechowuje? Czyżby miała jakieś sekrety?

Howard rzucił okiem na rysunek Rubena i kosmyk jego włosów i odrzucił wszystko na bok. Sentymentalne bzdety! Ale proszę, są tutaj jakieś listy. Howard sięgnął głęboko do skrytki i wyjął porządnie związany plik listów.

Nie potrafił odczytać pisma… Do diabła, w tej chałupie zawsze jest tak ciemno!

Podszedł z listami do stołu i przysunął listy do lampy naftowej. Teraz udało mu się odczytać nazwisko nadawcy.

Ruben O'Keefe, Skład O'Kay, Main Street, Queenstown, Otago

I już ma go w garści! I ją też! Miał rację, że Helen od dawna utrzymywała kontakt z jego niewydarzonym synalkiem! Przez pięć lat wodziła go za nos! No, to się dopiero doczeka, jak wróci do domu!

Ale Howarda przede wszystkim opanowała ciekawość. Co Ruben robi w Queenstown? Howard miał ogromną nadzieję, że przynajmniej przymiera głodem. I niemal mógł być tego pewien. Tylko niewielu poszukiwaczy złota dorabiało się majątku, a Ruben zdecydowanie nie należał do najzręczniejszych. Howard z ciekawością otworzył ostatni list.

Kochana Mamo!

Z wielką radością donoszę Ci o narodzinach Twojej pierwszej wnuczki. Mała Elaine Florence przyszła na ten świat dwunastego października. Poród był lekki, a Fleurette czuje się doskonale. Nasza córeczka jest taka malutka i delikatna, że najpierw trudno mi było uwierzyć, że taka drobniutka istota może być zdrowa i zdolna do życia. Ale akuszerka zapewniła nas, że wszystko jest w najlepszym porządku, a sądząc po sile głosu, jaki wydaje z siebie płacząca Elaine, zakładam, że przypomina moją ukochaną żonę zarówno pod względem delikatnej figury, jak i siły przebicia. Mały Stephen jest oczarowany swoją siostrą i chciałby bez przerwy kołysać ją w kołysce. Fleurette boi się, że przy okazji przewróci kołyskę, ale Elaine chyba podoba się takie szalone kołysanie, bo aż pieje z zachwytu, gdy Stephen kołysze ją coraz mocniej i mocniej.

Poza tym u nas i w naszej firmie same dobre wieści. Skład O'Kay kwitnie, a szczególnie dział mody damskiej. Fleurette miała rację, proponując jego utworzenie. Queenstown coraz bardziej przypomina prawdziwe miasto i mieszka w nim coraz więcej kobiet.

Mnie coraz bardziej pochłania praca sędziego pokoju. Wkrótce zostanie utworzone stanowisko szeryfa. Nasze miasto rozwija się pod każdym względem.

Do pełni szczęścia brakuje nam już tylko kontaktu z Tobą i rodziną Fleurette. Może narodziny naszego drugiego dziecka to dobra okazja, żeby w końcu powiadomić ojca. Gdy dowie się o naszym szczęśliwym życiu w Queenstown, zrozumie, że słusznie postąpiłem, opuszczając wtedy O'Keefe Station. Skład od dawna przynosi więcej dochodu, niż kiedykolwiek mógłbym uzyskać z farmy. Rozumiem, że ojciec chce trzymać się swojej ziemi, ale musi zaakceptować to, że ja wolę prowadzić inne życie. Fleurette też chciałaby Was odwiedzić. Uważa, że Gracie jest znudzona, odkąd opiekuje się dziećmi zamiast owcami.

Serdeczne pozdrowienia dla Ciebie i być może Ojca przesyłają Twój kochający syn Ruben i Twoja synowa Fleurette wraz z dziećmi

Howard aż zatrząsł się z wściekłości. Skład! Ruben nie poszedł więc w jego ślady, tylko, jakżeby mogło być inaczej, w ślady swojego uwielbianego wuja George'a! Ten pewnie nawet udostępnił mu początkowy kapitał, a wszystko w największej tajemnicy, wszyscy wiedzieli, tylko nie on! A Wardenowie się z niego śmiali! Oni mogli być zadowoleni z zięcia w Queenstown, który przypadkiem nazywa się O'Keefe. Mają przecież dziedzica!

Howard chwycił listy i zerwał się od stołu. Dziś wieczorem pokaże Helen, co sądzi o jej „kochającym synu" i jego „kwitnącym interesie"! Ale najpierw do pubu! Najpierw trzeba sprawdzić, czy znajdzie się tam kilku porządnych postrzygaczy i oczywiście coś do wypitki! A jeśli będzie się tam kręcił ten Warden...

Howard chwycił swoją strzelbę, która wisiała obok drzwi. Już on mu pokaże! Już on wszystkim pokaże!

Gerald i Paul Wardenowie siedzieli w pubie w Haldon przy stoliku w kącie, zatopieni w negocjacjach z trzema młodymi mężczyznami, którzy zgłosili się do nich jako postrzygacze. Dwóch dobrze się do tego nadawało, a trzeci pracował nawet w kolonii postrzygaczy. Szybko się wyjaśniło, dlaczego nie jest już tam mile widziany. Pochłaniał whisky w szybszym tempie niż Gerald. Ale w kryzysowej sytuacji był na wagę złota. Potrzebny będzie tylko uważny nadzór. Drugi mężczyzna pracował na różnych farmach jako poganiacz i przy okazji nauczył się także strzyżenia owiec. Na pewno nie umiał robić tego szybko, ale i tak będzie z niego pożytek. Co do trzeciego mężczyzny Paul miał pewne wątpliwości. Dużo mówił, ale nie potrafił udowodnić swoich znajomości. Paul postanowił, że zaproponuje dwóm pierwszym stałą umowę, a trzeciego zatrudni na próbę. Dwóch wybrańców od razu się zgodziło, jak tylko złożył im swoją propozycję. Trzeci natomiast z zainteresowaniem zerkał na bar.

Howard O'Keefe ogłaszał tam właśnie, że szuka postrzygaczy. Paul wzruszył ramionami. Bardzo proszę, jeśli ten człowiek nie chce pracy na próbę na Kiward Station, niech O'Keefe go sobie weźmie.

Ale O'Keefe'owi wpadł w oko jeden z postrzygaczy, któremu Wardenowie zaproponowali już stałą umowę. Joe Triffles, ten, który nie wylewał za kołnierz. Najwyraźniej znali się z Howardem. W każdym razie O'Keefe podszedł do nich i pozdrowił Trifflesa, nie zaszczycając Paula i Geralda jednym spojrzeniem.

– Czołem, Joe! Potrzebuję kilku dobrych postrzygaczy. Jesteś zainteresowany?

Joe Triffles wzruszył ramionami.

– Byłbym zainteresowany, Howard, ale właśnie się nająłem. Dostałem dobrą ofertę, cztery tygodnie stałego wynagrodzenia plus premia od każdej ostrzyżonej owcy.

Rozwścieczony Howard oparł się o stół.

– Zapłacę ci więcej! – stwierdził.

Joe z żalem potrząsnął głową.

– Za późno, Howie, dałem już słowo. Nie wiedziałem, że będzie tutaj licytacja, poczekałbym...

– I dałbyś się nabrać! – roześmiał się Gerald. – Ten człowiek robi dużo hałasu, ale już w zeszłym roku nie był w stanie zapłacić postrzygaczom! I dlatego nikt nie chce do niego iść. Poza tym jego szopy mają dziurawe dachy i deszcz leje się do środka.

– Za to należy się dodatek! – stwierdził trzeci mężczyzna, który jeszcze nie był po słowie z Geraldem. – Bo od tego dostaje się reumatyzmu!

Wszyscy przy stole się roześmieli, a Howard zapienił się z wściekłości.

– Tak, ja nie płacę? – krzyknął. – Może to i prawda, że moja farma nie przynosi takich zysków, jak wspaniałe Kiward Station. Ale przynajmniej nie musiałem siłą zaciągać do łóżka dziedziczki Butlerów! Płakała za mną, Geraldzie? Opowiadała ci, jaka była ze mną szczęśliwa? Podniecało cię to?

Gerald zerwał się z miejsca i zmierzył Howarda ironicznym spojrzeniem.

– Czy ona mnie podniecała? Barbara? Ta beksa? Ta bezbarwna istota bez żadnej ikry? Posłuchaj, Howardzie, jeśli o mnie chodzi, to mogłeś ją sobie mieć! Nie tknąłbym tego chudzielca nawet obcęgami do gwoździ. Ale ty musiałeś przegrać naszą farmę! I moje pieniądze, Howard! Wszystkie moje cholerne pieniądze! Jak mi Bóg miły, wolałem więc wsiąść na tę małą, zamiast zaciągać się znowu na statek wielorybniczy! A to, za kim beczała w noc poślubną, było mi zupełnie obojętne!

Howard rzucił się na niego.

– Była mi obiecana! – krzyczał do niego. – Była moja!

Gerald odpierał jego ciosy. Był już mocno pijany, ale wciąż udawało mu się unikać niecelnych uderzeń Howarda. Przy okazji zauważył łańcuszek z kawałkiem jadeitu, który Howard wciąż nosił na szyi. Jednym gestem zerwał go i uniósł wysoko, żeby wszyscy w pubie mogli mu się przyjrzeć.

– I dlatego wciąż jeszcze nosisz prezent od niej! – zakpił. – Jakie to wzruszające, Howie! Symbol wiecznej miłości! A co na to twoja Helen?

Mężczyźni w pubie się roześmieli. Wściekły Howard bezradnie starał się odzyskać pamiątkę, ale Gerald ani myślał mu jej oddać.

– Barbara nikomu nie była obiecana – powiedział za to. – Bez względu na wszystkie wasze słodkie słówka. Myślisz, że Butler dałby ją takiemu golcowi i hazardziście jak ty? Mogłeś nawet wylądować w więzieniu za sprzeniewierzenie cudzych pieniędzy! Ale dzięki pobłażliwości mojej i Butlera dostałeś swoją farmę! Miałeś swoją szansę! I jak ją wykorzystałeś? Dom w ruinie i kilka zaniedbanych owiec! Nie jesteś godny nawet tej żony, którą sprowadziłeś sobie z Anglii! Nic dziwnego, że uciekł od ciebie własny syn!

– A więc o tym też już wiesz! – wyrzucił z siebie O'Keefe, a potem zamachnął się i uderzył Wardena prosto w nos. – Wszyscy wiedzą o moim wspaniałym synu i jego cudownej żonie. Może nawet pomogłeś im finansowo, co, Warden? Tylko żeby mi dokuczyć?

Oślepiony wściekłością Howard gotów był uwierzyć we wszystko. Tak, tak właśnie musiało być! To Wardenowie stali za małżeństwem, które oddaliło od niego syna, za tym składem, który sprawił, że Ruben mógł gwizdać na ojca i jego farmę...

O'Keefe uchylił się przed prawym sierpowym Geralda, pochylił się i z całej siły uderzył go głową w żołądek. Gerald zgiął się wpół. Howard wykorzystał okazję, żeby dobrze wycelować i uderzył go od dołu pięścią w podbródek. Gerald przeleciał przez pół pubu. Gdy jego czaszka uderzyła o kant baru, rozległ się nieprzyjemny trzask.

W sali zapanowało pełne przerażenia milczenie, gdy jego ciało bez życia zsunęło się na ziemię.

Paul zobaczył, że z ucha Geralda płynie cieniutka strużka krwi.

– Dziadku! Dziadku, słyszysz mnie? – przerażony kucnął przy Geraldzie, który cicho postękiwał. Stary Warden powoli otworzył oczy, ale jego oczy patrzyły tak, jakby nie dostrzegał Paula i całego pubu. Z trudem próbował się podnieść.

– Gwyn... – wyszeptał. A potem jego spojrzenie stało się szkliste.

– Dziadku!

– Gerald! Mój Boże, nie chciałem tego, Paul! Nie chciałem!

Wystraszony Howard O'Keefe stał przez zwłokami Geralda Wardena.

– O mój Boże, Gerald...

Goście pubu powoli zaczynali otrząsać się ze zdumienia. Ktoś wołał lekarza. Ale większość z nich patrzyła na Paula, który powoli wstawał, mierząc Howarda nieruchomym i zimnym jak lód spojrzeniem.

– Zabił go pan! – powiedział Paul cichym głosem.

– Ale ja... – Howard aż się cofnął. Niemal fizycznie czuł chłód i nienawiść w oczach Paula. Howard nie pamiętał, żeby kiedyś odczuwał aż taki strach. Instynktownie sięgnął po strzelbę, którą oparł o jedno z krzeseł. Ale Paul był szybszy. Od czasu wybuchu buntu Maorysów na Kiward Station ostentacyjnie nosił przy sobie rewolwer. Twierdził, że do samoobrony, bo przecież Tongo mógł go zaatakować w każdej chwili. Ale do tej pory nigdy nie wyciągnął go z kabury. Teraz też nie działał szybko. Nie był rewolwerowcem z tanich powieści, którymi zaczytywała się jego matka jako młoda dziewczyna. Był zimnym mordercą, który powoli wyjął rewolwer z kabury, wycelował i strzelił. Howard O'Keefe był bez szans. Gdy kula przeszyła jego ciało, w jego oczach wciąż jeszcze odbijał się strach i niedowierzanie. Był martwy, zanim jeszcze uderzył o ziemię.

– Paul, na miłość boską, coś ty uczynił! – George Greenwood wszedł do pubu już w trakcie bójki między Geraldem i Howardem. Chciał zaingerować, ale Paul skierował na niego broń. W jego oczach czaił się płomień.

– Ja... To było w obronie własnej! Wszystko widzieliście! On sięgnął po broń!

– Paul, odłóż broń! – George miał nadzieję, że zapobiegnie dalszemu rozlewowi krwi. – Wszystko opowiesz szeryfowi. Poślemy po pana Hansona...

Małe, spokojne miasteczko Haldon nie miało jeszcze swojego własnego stróża prawa.

– Znam Hansona! To była obrona własna, każdy to poświadczy. A on zabił mojego dziadka! – Paul ukląkł obok Geralda. – Pomściłem go! Tak musiało być. Pomściłem cię, dziadku! – Paul szlochał, a jego plecy dygotały.

– Mamy go aresztować? – zapytał cicho Clark, właściciel pubu.

Przerażony Richard Candler zaprzeczył.

– Ależ skąd! Przecież wciąż ma broń… Jeszcze nam życie miłe! Niech Hanson sobie z nim radzi. Najpierw sprowadźmy doktora. – Haldon miało swojego lekarza i okazało się, że został już wezwany. Po chwili pojawił się w pubie i od razu stwierdził zgon Howarda O'Keefe'a. Do Geralda nie ośmielił się podejść, ponieważ szlochający Paul wciąż trzymał swojego dziadka w ramionach.

– Nie może pan zrobić czegoś, żeby go puścił? – zapytał Clark, kierując swoje pytanie do George'a Greenwooda. Najwyraźniej zależało mu, żeby jak najszybciej pozbyć się zwłok ze swojego lokalu. Najlepiej jeszcze przed zamknięciem, bo strzelanina z pewnością ożywi ruch.

Greenwood wzruszył ramionami.

– Zostawcie go. Dopóki płacze, nikogo nie zastrzeli. I nie denerwujcie go jeszcze bardziej. Jeśli uważa, że to była obrona konieczna, to niech mu będzie. A co jutro opowiecie szeryfowi, to już inna sprawa.

Paul powoli dochodził do siebie i pozwolił lekarzowi zbadać dziadka. Z ostatnim błyskiem nadziei w oku obserwował, jak doktor Miller osłuchuje Geralda.

Lekarz pokręcił głową.

– Przykro mi, Paul, nic nie można zrobić. Złamanie czaszki. Uderzył o kant kontuaru. Zabiło go nie uderzenie Howarda, tylko nieszczęśliwy upadek. W zasadzie był to wypadek. Bardzo mi przykro, chłopcze. – Żeby pocieszyć Paula, doktor Miller poklepał go po plecach. Greenwood zastanawiał się, czy lekarz wie, że chłopak przed chwilą zastrzelił Howarda.

– Zabierzemy ich teraz obu do grabarza, Hanson będzie mógł ich jutro obejrzeć – zdecydował Miller. – Czy ktoś odwiezie chłopca do domu?

George Greenwood zaoferował się z pomocą, mieszkańcy Haldon zachowali jednak rezerwę. Nie byli przyzwyczajeni do strzelanin, nawet do bójek dochodziło rzadko. Zwykle chętnych do bójki od razu rozdzielano, ale w tym wypadku słowna potyczka między Geraldem i Howardem okazała się zbyt intrygująca. Prawdopodobnie każdy z obecnych przy niej mężczyzn cieszył się, że wkrótce będzie mógł zdać relację własnej żonie. „Jutro – pomyślał George – całe miasto będzie o tym mówić. Ale właściwie nie miało to żadnego znaczenia. Musi teraz zabrać Paula do domu, a potem zastanowić się, co można zrobić. Warden oskarżony o morderstwo?". W George'u wszystko się przeciw temu buntowało. Musi znaleźć sposób, żeby ukręcić tej sprawie łeb.

Gwyneira zwykle już spała, gdy Paul i Gerald wracali do domu. W ciągu ostatnich miesięcy była wieczorami bardziej zmęczona niż zwykle, ponieważ teraz oprócz pracy na farmie zajmowała się także pracami domowymi. Choć zmuszony okolicznościami Gerald zgodził się na zatrudnienie białych robotników rolnych, o służbie domowej nie pomyślał. Miała więc do pomocy tylko Maramę, a ona nie była zbyt zręczna. Choć od małego pomagała Kiri, swojej matce, w pracach domowych, nie miała żadnych uzdolnień w tym kierunku. Była utalentowana artystycznie, już teraz uchodziła wśród swoich współplemieńców za małą *tohungę*, uczyła inne dziewczęta śpiewać i tańczyć i opowiadała fantastyczne opowieści, które składały się z legend jej ludu oraz baśni *pakeha*. Byłaby w stanie poprowadzić maoryskie gospodarstwo domowe, rozpalić ogień i ugotować potrawy na gorących kamieniach czy w żarze, ale nie potrafiła dobrze polerować mebli, trzepać dywanów czy elegancko podawać do stołu. A to właśnie na dobrej kuchni najbardziej zależało Geraldowi, żeby więc go nie złościć, Gwyneira z Maramą zaczęły korzystać z przepisów nieżyjącej Barbary Warden. Na szczęście Marama umiała doskonale czytać po angielsku. Tym razem Biblia nie była w kuchni potrzebna.

Tego wieczoru jednak Paul i Gerald mieli zjeść kolację w Haldon. Marama i Gwyn zadowoliły się chlebem i owocami. A potem usiadły razem przy kominku.

Gwyneira zapytała Maramę, czy inni Maorysi nie mają jej za złe, że łamie ich strajk, ale Marama zaprzeczyła.

– Tonga oczywiście jest zły – odpowiedziała swoim śpiewnym głosem. – Chce, żeby wszyscy robili to, co on każe. Ale u nas nie ma takiego zwyczaju. Sami podejmujemy decyzje, a ja jeszcze nie położyłam się z nim we wspólnym domu, nawet jeśli on uważa, że kiedyś to zrobię.

– To twoja matka i ojciec nie mają w tej sprawie nic do powiedzenia? – Gwyneira nie do końca rozumiała obyczaje Maorysów. Nie mogła pojąć, że dziewczęta same wybierają sobie mężczyzn, a nawet dość często ich zmieniają.

Marama pokręciła głową.

– Nie. Moja matka mówi tylko, że to byłoby dziwne, gdybym położyła się z Paulem, bo jesteśmy mlecznym rodzeństwem. To byłoby niestosowne, gdyby był jednym z nas, ale on jest *pakeha*, więc to zupełnie coś innego... Z pewnością nie jest członkiem naszego plemienia.

Gwyneira omal nie zakrztusiła się sherry, gdy Marama w tak swobodny sposób mówiła o sypianiu z jej siedemnastoletnim synem. Ale jednocześnie zaświtało w niej podejrzenie, dlaczego Paul był tak agresywny wobec Maorysów. Chciał, żeby go odrzucili. Żeby pewnego dnia móc przespać się z Maramą? Czy też żeby nie uchodzić wśród *pakeha* za „obcego"?

– To wolisz Paula od Tongi? – Gwyn zapytała ostrożnie młodą Maoryskę.

Marama skinęła głową.

– Kocham Paula – powiedziała wprost. – Tak jak *Rangi* kochał *Papa*.

– Dlaczego? – to pytanie wymknęło się Gwyneirze z ust, zanim zdążyła się zastanowić. A potem się zaczerwieniła. Przyznała przecież w końcu, że nie potrafi znaleźć we własnym synu niczego godnego miłości. – Chodzi mi o to... – próbowała załagodzić wydźwięk swoich słów – że Paul ma trudny charakter i...

Marama ponownie skinęła głową.

– Miłość też nie jest łatwa – wyjaśniła. – Paul jest niczym rwący potok, w którym trzeba brodzić, zanim dotrze się do najlepszych łowisk. Ale to potok pełen łez, panno Gwyn. Trzeba go uspokoić miłością. Tylko wtedy będzie mógł... Tylko wtedy stanie się człowiekiem...

Gwyn długo zastanawiała się nad słowami maoryskiej dziewczyny. Wstydziła się za to wszystko, co czyniła synowi, nie kochając go. Ale też niewiele miała ku temu powodów! Gdy po raz setny tej nocy przekręciła się w łóżku, Piętaszek zaczął szczekać. To było dziwne. Choć z parteru dochodziły męskie głosy, pies zwykle nie reagował w ten sposób na powrót Geralda i Paula. Czyżby przywieźli ze sobą jakiegoś gościa?

Gwyneira narzuciła podomkę i wyszła z sypialni. Jeszcze nie było tak późno, może panowie byli na tyle trzeźwi, żeby móc powiadomić ją o wynikach poszukiwania postrzygaczy. A jeśli przywlekli ze sobą jakiegoś kompana do wypitki, to przynajmniej będzie wiedziała, co ją czeka kolejnego dnia.

Na wszelki wypadek, żeby móc wrócić do sypialni niezauważona, bezgłośnie podeszła do schodów. Zdumiała się, gdy w salonie spostrzegła George'a Greenwooda. Zaprowadził Paula, który wyglądał na zupełnie wykończonego, do gabinetu Geralda i zapalił światło. Gwyneira zeszła do nich na dół.

– Dobry wieczór, George... Paul! – Dała znać o swojej obecności. – Gdzie jest Gerald? Czy coś się stało?

George Greenwood nie odpowiedział na powitanie. Zdecydowanym ruchem otworzył barek, wyjął butelkę brandy, którą wolał od wszechobecnej whisky, i napełnił trzy kieliszki bursztynowożółtym płynem.

– Proszę, Paul, napij się. I pani też, panno Gwyn. Przyda się pani – podał jej kieliszek. – Gerald nie żyje, Gwyneiro. Zabił go Howard O'Keefe. A Paul zabił Howarda.

Gwyneira potrzebowała chwili, żeby dotarło do niej to, co usłyszała. Powoli piła brandy, a George relacjonował jej wydarzenia tego wieczoru.

– To była obrona konieczna! – bronił się Paul. Nie wiedział, czy płakać, czy utwierdzać się w oporze.

Gwyn rzuciła George'owi pytające spojrzenie.

– Można tak na to spojrzeć – stwierdził George z wahaniem. – O'Keefe bez wątpienia sięgnął po swoją strzelbę. Ale tak naprawdę całą wieczność trwałoby, zanimby ją podniósł, odbezpieczył i złożył się do strzału. Do tego momentu inni goście już dawno by go rozbroili. Paul sam mógł powstrzymać go jednym celnym uderzeniem pięścią albo przynajmniej wyrwać mu broń. Obawiam się, że tak właśnie przedstawią sytuację świadkowie.

– Bo to była zemsta! – zatriumfował Paul i szybko przełknął swoją brandy. – On pierwszy zabił!

– Uderzenie pięścią z nieszczęśliwymi skutkami to nie to samo co strzał z premedytacją prosto w pierś! – odparł George, który też zaczął się denerwować. Zabrał butelkę z brandy, zanim Paul zdążył sobie dolać. – O'Keefe zostałby oskarżony najwyżej o nieumyślne zabójstwo. Jeśli w ogóle zostałby oskarżony. Większość ludzi z pubu poświadczyłaby, że to był wypadek.

– A z tego co wiem, nie ma czegoś takiego jak prawo do zemsty – westchnęła Gwyn. – To co zrobiłeś, Paul, nazywa się linczem. I to jest karalne.

– Nie mogą zamknąć mnie w więzieniu! – głos Paula zaczął się łamać.

George skinął głową.

– Ależ mogą. I obawiam się, że to właśnie zrobi szeryf, kiedy jutro tutaj przyjedzie.

Gwyneira podała mu swój kieliszek do napełnienia. Nie potrafiła sobie przypomnieć, żeby kiedykolwiek wypiła więcej niż kilka łyków brandy, ale dzisiaj potrzebowała takiego wzmocnienia.

– Co więc robić, George? Możemy coś zrobić?

– Nie zostanę tutaj! – krzyknął Paul. – Ucieknę i pójdę w góry. Umiem żyć tak jak Maorysi! Nigdy mnie nie znajdą!

– Nie opowiadaj głupstw, Paul! – skarciła go Gwyneira.

George Greenwood obracał w dłoniach swój kieliszek.

– Może chłopak ma trochę racji, Gwyneiro – powiedział. – Chyba nie może zrobić nic lepszego, jak zniknąć na jakiś czas, aż sprawa przycichnie. Za rok albo dwa lata chłopcy z pubu zapomną o tym zajściu. A tak między nami, nie sądzę, żeby Helen O'Keefe z jakąś szczególną energią dążyła do ukarania winnego. Gdy Paul wróci, oczywiście będzie trzeba sprawę wyjaśnić. Ale wtedy jego teoria o obronie koniecznej będzie bardziej wiarygodna. Wiesz, jacy są ludzie, Gwyn! Jutro będą jeszcze pamiętać, że jeden z nich miał starą flintę, a drugi rewolwer bębnowy. Za trzy miesiące będą pewnie opowiadać, że każdy dysponował armatą...

Gwyneira skinęła głową.

– Przynajmniej oszczędzimy sobie zamieszania związanego z procesem, dopóki trwa ten drażliwy spór z Maorysami. Dla Tongi byłby to łakomy kąsek... Proszę nalać mi jeszcze brandy, George. Nie mogę w to wszystko uwierzyć. Siedzimy sobie tutaj i rozmawiamy o strategicznie najmądrzejszym posunięciu, a przecież zginęło dwóch ludzi!

Gdy George kolejny raz napełniał kieliszek Gwyneiry, Piętaszek znowu zaczął szczekać.

– Szeryf! – Paul chwycił swój rewolwer, ale George złapał go za ramię.

– Na miłość boską, nie sprowadź na siebie nieszczęścia, chłopcze! Jeśli jeszcze kogoś zastrzelisz, a nawet jeśli tylko pogrozisz Hansonowi, zawiśniesz na szubienicy, panie Warden. I nie uchroni cię przed tym ani twoje nazwisko, ani cały twój majątek!

– Zresztą to nie może być szeryf – stwierdziła Gwyneira i wstała, lekko się chwiejąc. Nawet gdyby mieszkańcy Haldon już tej nocy wysłali posłańca do Lyttelton, Hanson mógłby się pojawić najwcześniej następnego dnia po południu.

Zamiast szeryfa w drzwiach między kuchnią a salonem stanęła Helen O'Keefe, drżąca i przemoknięta od deszczu. Zdziwiona głosami dobiegającymi z gabinetu, nie odważyła się wejść do środka, tylko niepewnie spoglądała to na Gwyneirę, to na George'a.

– George... Ty tutaj? Nieważne, Gwyn, musisz mnie dzisiaj jakoś przenocować. Mogę spać w stajni, tylko daj mi jakieś suche rzeczy. Zupełnie przemokłam. Nepomuk nie jest zbyt szybki.

– Ale co ty tutaj robisz? – Gwyneira objęła ramieniem swoją przyjaciółkę. Helen nigdy jeszcze nie była w Kiward Station.

– Ja... Howard znalazł listy od Rubena... Porozrzucał je po całym domu i porozbijał naczynia... Gwyn, jeśli on dziś wróci do domu pijany, to mnie zabije!

Helen wykazała się sporym opanowaniem, kiedy przyjaciółka opowiedziała jej o śmierci Howarda. Łzy, którymi zapłakała, świadczyły raczej o bólu, cierpieniu i niesprawiedliwości, których doświadczyła i które widziała. Miłość do męża już dawno wygasła w jej sercu. O wiele bardziej zmartwiła się tym, że Paul może zostać oskarżony za morderstwo.

Gwyneira zebrała wszystkie pieniądze, jakie udało jej się znaleźć w domu, i kazała Paulowi pójść na górę i spakować swoje rzeczy. Zdawała sobie sprawę z tego, że powinna mu w tym pomóc, bo chłopak był zdezorientowany i zupełnie wykończony. Z pewnością nie był w stanie jasno myśleć. Ale kiedy potykając się, zaczął wchodzić po schodach, naprzeciw wyszła mu Marama z gotowym węzełkiem.

– Potrzebna mi twoja torba podróżna, Paul – powiedziała miękko. – A potem musimy pójść do kuchni, powinniśmy zabrać ze sobą trochę jedzenia, jak myślisz?

– My? – zapytał zdziwiony Paul.

Marama skinęła głową.

– Oczywiście. Idę z tobą. Będę przy tobie.

13

Szeryf Hanson nieźle się zdziwił, kiedy następnego dnia spotkał w Kiward Station Helen O'Keefe zamiast Paula Wardena. Nie omieszkał wyrazić swojego niezadowolenia z zastanej sytuacji.

– Panno Gwyn, ludzie w Haldon oskarżają pani syna o morderstwo. A na dodatek uciekł przed śledztwem. Sam nie wiem, jak mam to potraktować.

– Jestem przekonana, że on wróci – oświadczyła Gwyneira. – To wszystko... Śmierć dziadka, a potem pojawienie się tutaj Helen... Było mu przed nią ogromnie wstyd. To było dla niego zbyt wiele.

– Cóż, miejmy nadzieję, że ma pani rację. Proszę nie lekceważyć tej sprawy, panno Gwyn. Wygląda na to, że strzelił tamtemu człowiekowi prosto w pierś. A O'Keefe, jak twierdzą zgodnie świadkowie, był właściwie nieuzbrojony.

– Ale to on go sprowokował – wtrąciła Helen. – Mój mąż, niech Bóg ma go w swojej opiece, bywał niezwykle porywczy, szeryfie. A chłopak na pewno nie był trzeźwy.

– I nie był w stanie właściwie ocenić sytuacji – dodał George Greenwood. – Śmierć dziadka musiała go oszołomić. A potem zobaczył, że Howard O'Keefe sięga po broń, więc...

– Chyba nie chce pan przerzucić winy na ofiarę! – szeryf przerwał mu surowym tonem. – Z tą starą myśliwską flintą nie stanowił przecież żadnego zagrożenia!

– To prawda – ustąpił George. – Chciałem raczej powiedzieć, że... Cóż, to stało się w niezwykle niefortunnych okolicznościach. Ta głupia bójka, ten okropny wypadek. Wszyscy powinniśmy byli wcześniej zainterweniować. Ale myślę, że ze śledztwem można poczekać, aż Paul wróci.

– Jeśli wróci! – burknął Hanson. – Zastanawiam się, czy nie wysłać za nim grupy poszukiwawczej.

– Moi ludzie są do pańskiej dyspozycji – oświadczyła Gwyneira. – Proszę mi wierzyć, że wolałabym, żeby mój syn był bezpieczny w pańskim areszcie, niż sam nie wiadomo gdzie w górach. Zwłaszcza że nie może oczekiwać pomocy ze strony maoryskich plemion.

Bez wątpienia miała rację. Szeryf zrezygnował na razie ze śledztwa i nawet nie próbował odciągnąć robotników „owczych baronów" od pracy w połowie strzyży, żeby wzięli udział w poszukiwaniach chłopaka. Za to Tonga zamierzał wykorzystać sytuację. Paul miał przy sobie Maramę. Bez względu na to czy poszła z nim dobrowolnie czy też nie, Paul miał dziewczynę, której Tonga pragnął. A teraz nie chroniły już Paula mury domów *pakeha*. Paul nie był teraz bogatym hodowcą owiec, a Tonga nie był już maoryskim chłopakiem, którego nikt nie traktuje poważnie. Obecnie byli tylko dwoma mężczyznami w górach. Dla Tongi Paul był wyjęty spod prawa. Ale postanowił poczekać. Nie był tak głupi jak biali, żeby bez namysłu rzucać się w pogoń za uciekinierem. Kiedyś się dowie, gdzie ukryli się Paul i Marama. I wtedy ich znajdzie.

Gwyneira i Helen pochowały Geralda Wardena i Howarda O'Keefe'a. A potem powróciły do swojego życia, przy czym dla Gwyneiry niewiele się ono zmieniło. Dalej nadzorowała strzyżę, a przede wszystkim złożyła Maorysom propozycję zawarcia pokoju.

Z Retim jako tłumaczem udała się do ich wioski i rozpoczęła negocjacje.

– Dostaniecie ziemię, na której stoi wasza wioska – oświadczyła i uśmiechnęła się niepewnie. Tonga stał naprzeciw niej z niewzruszonym wyrazem twarzy, opierając się na świętym toporze jako oznace godności wodzowskiej. – Albo będziemy musieli wymyślić coś innego. Nie mam zbyt wiele gotówki, ale po strzyży powinno to lepiej wyglądać, a może będzie też można sprzedać część majątku. Jeszcze nie przyjrzałam się dokładnie spadkowi po panu Geraldzie. Ale na razie... Co powiecie na ziemię między naszymi ogrodzonymi pastwiskami a O'Keefe Station?

Tonga uniósł jedną brew.

– Panno Gwyn, doceniam pani starania, ale nie jestem głupi. Dobrze wiem, że nie ma pani żadnych podstaw, żeby składać nam jakiekolwiek propozycje. Nie jest pani dziedziczką Kiward Station, ta farma należy do pani syna, Paula. I chyba nie powie mi pani, że upoważnił panią do prowadzenia ze mną negocjacji w jego imieniu?

Gwyneira spuściła wzrok.

– Nie, nie upoważnił mnie. Ale, Tonga, przecież my tu razem mieszkamy. I zawsze żyliśmy w pokoju…

– Pani syn złamał ten pokój! – powiedział ostrym tonem Tonga. – Obraził mnie i moich ludzi… A pan Gerald na dodatek oszukał nasze plemię. Wiem, że to było dawno, ale potrzebowaliśmy więcej czasu, żeby to odkryć. Nikt nas do tej pory za to nie przeprosił…

– Ja przepraszam! – powiedziała Gwyn.

– Nie nosi pani świętego topora! Szanuję panią, panno Gwyn, ale jako *tohungę*. Wie pani więcej o hodowli owiec niż większość waszych mężczyzn. Ale z punktu widzenia prawa jest pani niczym i niczego pani nie posiada. – Wskazał na małą dziewczynkę, która bawiła się na skraju placu. – Czy to dziecko może mówić w imieniu Kai Tahu? Nie. Tak samo niewiele może pani, panno Gwyn, w imieniu plemienia Wardenów.

– Co więc zrobimy? – zapytała zrezygnowana Gwyn.

– To samo co do tej pory. Pozostaniemy w stanie wojny. Nie będziemy pani pomagać, wręcz przeciwnie, będziemy pani przeszkadzać, jak tylko się da. Nie dziwi pani to, że nikt nie chce strzyc waszych owiec? To dzięki nam. Zablokujemy też wasze drogi, żeby uniemożliwić transport waszej wełny. Nie damy spokoju Wardenom, panno Gwyn, dopóki gubernator nie ogłosi wyroku, a wasz syn nie będzie gotów go uznać.

– Nie wiem, jak długo Paula nie będzie – stwierdziła bezradnie Gwyneira.

– My więc także nie wiemy, jak długo będziemy walczyć. Przykro mi, panno Gwyn – Tonga skończył mówić i się odwrócił.

Gwyneira westchnęła.

– Mnie również.

Przez kolejne tygodnie zmagała się ze strzyżą, a pomagali jej robotnicy z farmy i dwóch postrzygaczy, których Gerald i Paul najęli w Haldon. Joe Triffle musiał być pod stałym nadzorem, ale jeśli udało się utrzymać go z dala od alkoholu, strzygł trzy razy więcej owiec niż zwykli poganiacze. Helen, która wciąż nie znalazła żadnych pomocników, zazdrościła Gwyn tak zdolnego pracownika.

– Odstąpię ci go – powiedziała Gwyn. – Ale wierz mi, nie będziesz w stanie go sama upilnować, to się może udać tylko wtedy, gdy cała grupa ma na niego oko. Wyślę więc do ciebie wszystkich, jak tylko tutaj skończymy. Tylko że to tak okropnie długo trwa. Dasz radę tak długo wyżywić owce?

W porze strzyży pastwiska wokół farm były w większości wyjedzone. Na lato wypędzano owce w góry.

– Ledwie, ledwie – burknęła Helen. – Daję im paszę, która miała być dla krów. George sprzedał je wszystkie w Christchurch, inaczej nie miałabym jak opłacić pochówku. Farmę też będę musiała w końcu sprzedać. Nie jestem taka jak ty, Gwyn, nie potrafię prowadzić jej sama. I jeśli mam być szczera, to nie przepadam za owcami. – Niewprawnie głaskała młodego owczarka, którego Gwyn niedawno jej podarowała. Był doskonale wyszkolony i bardzo pomagał Helen w pracy na farmie, choć nie do końca potrafiła nad nim panować. Jej jedyna przewaga nad Gwyn polegała na tym, że nadal utrzymywała przyjacielskie stosunki z Maorysami. Uczniowie pomagali jej w pracach na farmie, Helen miała więc przynajmniej warzywa z ogrodu, jajka, mleko i nawet świeże mięso, gdy chłopcy ćwiczyli się w polowaniu, albo gdy ich rodzice przekazywali ryby w prezencie dla nauczycielki.

– Napisałaś już do Rubena? – zapytała Gwyn.

Helen skinęła głową.

– Wiesz przecież, ile to trwa. Listy idą najpierw do Christchurch, potem do Dunedin…

– A stamtąd wozy składu O'Kay mogą je od razu zabrać – zauważyła Gwyneira. – Fleur napisała w ostatnim liście, że w Lyttelton mają do odebrania jakąś dostawę. Muszą kogoś po nią wysłać. Pewnie wóz już jest w drodze. Ale pomówmy teraz o mojej wełnie. Maorysi zagrozili, że zablokują nasze drogi do Christchurch, a ja podejrzewam, że Tonga byłby wręcz gotów po prostu zrabować moją wełnę jako drobną zaliczkę na poczet rekompensaty, którą przyzna mu gubernator. Cóż, mam zamiar nieco popsuć mu szyki. Zgodzisz się, żebyśmy całą naszą wełnę przewieźli do ciebie, złożyli w oborze, aż skończy się twoja strzyża, i potem wszystko razem zawieźli do Haldon? Zaczniemy ją sprzedawać trochę później niż inni hodowcy, ale nic nie można na to poradzić…

Tonga był wściekły, gdy Gwyn zrealizowała swój plan. Podczas gdy jego ludzie pilnowali dróg, a ich zapał malał, George Greenwood przejął w Haldon wełnę z Kiward Station i O'Keefe Station. Ludzie Tongi, którym obiecał spory zarobek, stracili cierpliwość i zarzucili mu, że o tej porze roku zwykle zarabiali pieniądze u *pakeha*.

– Wystarczało na prawie cały rok! – skarżył się mąż Kiri. – A teraz będziemy musieli przenosić się i polować, jak za dawnych czasów. Kiri wcale nie ma ochoty spędzać zimy w górach!

– Może spotka tam swoją córkę! – odparł rozzłoszczony Tonga. – I tego jej białego męża. Będzie się mogła mu poskarżyć, to on jest za to odpowiedzialny.

Tonga wciąż nie wiedział, gdzie przebywają Paul i Marama. Ale był cierpliwy. Czekał. A na zorganizowaną przez niego blokadę dróg natknął się inny wóz. Nie z Kiward Station, lecz z Christchurch, i nie wiózł wełny, tylko damskie fatałaszki, i właściwie nie było żadnego powodu, żeby go zatrzymywać. Ale ludzie Tongi nie potrafili się powstrzymać. Konsekwencje ich działań były zupełnie inne od oczekiwań ich wodza.

Leonard McDunn kierował ciężkim wozem po wciąż wyboistej drodze prowadzącej z Christchurch do Haldon. W ten sposób nadkładali drogi, ale jego pracodawca, Ruben O'Keefe, zlecił mu nadanie kilku listów w Haldon oraz rozejrzenie się po jednej z farm w okolicy.

– Tylko dyskretnie, McDunn, bardzo proszę! Jeśli mój ojciec się domyśli, że matka utrzymuje ze mną kontakt, rozpęta piekło. Moja żona uważa, że to zbyt ryzykowny pomysł, ale mam jakieś złe przeczucia... Nie mogę uwierzyć, że farma tak doskonale się rozwija, jak twierdzi moja matka. Prawdopodobnie wystarczy, jeśli nadstawi pan ucha w Haldon. Tam wszyscy wszystkich znają, a szczególnie gadatliwa jest właścicielka sklepu...

McDunn przyjaźnie skinął głową i ze śmiechem zauważył, że zastosuje wyrafinowane techniki przesłuchań. W przyszłości, myślał sobie teraz zadowolony, mogą mu się przydać. To była jego ostatnia wyprawa w roli woźnicy O'Keefe'a. Niedawno mieszkańcy Queenstown wybrali go na konstabla. McDunn, przysadzisty, spokojny mężczyzna koło pięćdziesiątki, zdawał sobie sprawę, że otrzymana funkcja jest zaszczytem i wymaga bardziej osiadłego trybu życia. Już od czterech lat jeździł dla O'Keefe'a i miał dosyć.

Mimo wszystko podróż do Christchurch sprawiała mu przyjemność, szczególnie że odbywał ją w miłym towarzystwie. Po jego prawej stronie siedziała na koźle Laurie, a po lewej Mary, albo odwrotnie, bo wciąż nie był pewien, czy potrafi odróżnić bliźniaczki. Ale im to nie przeszkadzało. Obie z równym zapałem zagadywały McDunna, zadawały dociekliwe pytania i z ciekawością naiwnego dziecka rozglądały się po okolicy. McDunn wiedział, że Mary i Laurie są świetnymi sprzedawczyniami i pomocnicami do wszystkiego w Składzie O'Kay. Są grzeczne i dobrze wychowane, potrafią nawet czytać i pisać. Ale mają prostą naturę, łatwo im zaimponować i łatwo je zadowolić. Łatwo też się załamywały, jeśli ktoś niewłaściwie je traktował. Ale to zdarzało się rzadko, zwykle obie były w doskonałym humorze.

– Zatrzymamy się niedługo, panie McDunn? – zapytała wesoło Mary.

– Przygotowałyśmy jedzenie na piknik, panie McDunn! Mamy nawet pieczone udka kurczaka od Chińczyka w Christchurch... – świergotała Laurie.

– Ale czy to na pewno kurczak, panie McDunn? A nie pies? W hotelu mówili, że w Chinach ludzie jedzą psie mięso.

– Może sobie pan wyobrazić, jak ktoś zjada Gracie, panie McDunn?

McDunn się uśmiechnął, a jednocześnie poleciała mu ślinka. Pan Lin, Chińczyk z Christchurch, z pewnością nie podsuwał klientom psich udek zamiast kurczaków.

– Owczarki, takie jak Gracie, są za drogie, żeby je jeść – odpowiedział. – A co jeszcze macie w swoich koszyczkach? Bo u piekarza też byłyście, prawda?

– Och, tak, odwiedziłyśmy Rosemary! Niech pan pomyśli, panie McDunn, że ona przypłynęła do Nowej Zelandii tym samym statkiem co my!

– A teraz jest żoną piekarza z Christchurch. Czy to nie ekscytujące?

McDunn nie uważał, żeby małżeństwo z piekarzem z Christchurch było szczególnie fascynujące, powstrzymał się jednak od komentarza. Zamiast tego zaczął się rozglądać za dobrym miejscem na odpoczynek. Nie musieli się spieszyć. Gdyby znalazł odpowiednie miejsce, mógłby wyprząc konie na dwie godziny i pozwolić im się popaść.

Ale nagle wydarzyło się coś niespodziewanego. Właśnie minęli zakręt, za którym ukazał im się widok na małe jezioro oraz rodzaj blokady. W poprzek drogi leżał pień drzewa, a obok czuwali maoryscy wojownicy. Wyglądali bardzo groźnie. Całe twarze mieli pokryte tatuażami i malunkami, ich nagie torsy błyszczały, a biodra okrywały przepaski, które sięgały im do kolan. Byli uzbrojeni we włócznie, które unieśli teraz w groźnym geście na widok McDunna.

– Dziewczęta, przeczołgajcie się na tył wozu! – krzyknął woźnica do Mary i Laurie, starając się ich dodatkowo nie przestraszyć.

A potem się zatrzymał.

– Czego ty chcieć w Kiward Station? – zapytał groźnym tonem jeden z maoryskich wojowników.

McDunn wzruszył ramionami.

– A to nie jest droga do Haldon? Jadę z towarami do Queenstown.

– Ty kłamać! – zarzucił mu wojownik. – To droga do Kiward Station, nie do Wakatipu. Ty jedzenie dla Wardenów!

McDunn przewrócił oczami, wykazując spore opanowanie.

– Z pewnością nie jestem jedzeniem dla Wardenów, kimkolwiek oni są. Nawet na wozie nie mam żadnej żywności, tylko damską bieliznę.

– Damską...? – Wojownik zmarszczył czoło. – Ty pokazać!

Szybko wskoczył na kozioł i zerwał plandekę. Mary i Laurie pisnęły z przerażenia. Pozostali wojownicy zaczęli pokrzykiwać z uznaniem.

– Powoli, powoli! – skarcił go McDunn. – Wszystko pan zniszczy! Chętnie pokażę, co mam na wozie, ale...

Wojownik w tym czasie wyciągnął nóż i gwałtownym ruchem odciął wiązania plandeki. Ku uciesze swoich kompanów odsłonił towar oraz bliźniaczki, które pojękując ze strachu, tuliły się do siebie.

Teraz McDunn poważnie się zaniepokoił. Na wozie nie było na szczęście ani broni, ani artykułów żelaznych, które mogłyby za broń posłużyć. On miał strzelbę, ale zanim złożyłby się do strzału, Maorysi dawno by go rozbroili. Nawet wyciągnięcie noża wydawało się zbyt ryzykowne. Poza tym ci chłopcy wcale nie wyglądali na zawodowych rabusiów, tylko raczej na pastuchów, którzy bawią się w wojnę. Na razie nie groziło im z ich strony żadne niebezpieczeństwo.

Pod warstwami bielizny, którą Maorys ku uciesze swoich pobratymców ściągał z wozu i chichocząc, przykładał sobie do piersi, znajdowały się jednak bardziej kuszące towary. Jeśli wojownicy znajdą beczułki z najlepszą brandy i spróbują jej na miejscu, może się zrobić gorąco. Tymczasem na wóz uwagę zwrócili też inni Maorysi. Najwidoczniej znajdowali się w pobliżu maoryskiej wioski. W każdym razie podeszło do nich kilku podrostków i starców, którzy w większości byli ubrani po europejsku i nie mieli tatuaży. Jeden z nich właśnie wydobył spod stosu gorsetów skrzynkę najlepszego beaujolais, stanowiącego osobiste zamówienie pana Rubena.

– Wy iść z nami! – powiedział surowym tonem jeden z przybyszów. – To wino dla Wardenów. Ja być kamerdyner, ja znać! My was zaprowadzić do nasz wódz! Tonga wiedzieć, co robić!

McDunn nie był szczególnie zachwycony perspektywą bycia przedstawionym wielkiemu wodzowi. Nadal nie sądził, żeby groziło im niebezpieczeństwo, ale jeśli skieruje teraz wóz do obozu buntowników, może spisać ładunek na straty, a być może także konie i sam wóz.

– Za mną! – rozkazał były kamerdyner i ruszył w drogę. McDunn rzutem oka ocenił otoczenie. Okolica była płaska, a w odległości kilkuset metrów droga się rozwidlała. Prawdopodobnie źle skręcili. Najwyraźniej była to prywatna droga, a Maorysi mieli zatarg z jej właścicielem. Fakt, że dojazd do Kiward Station wyglądał lepiej niż publiczna droga, zmylił McDunna i sprawił, że wybrał zły kierunek. Gdyby udało mu się teraz przedostać prosto przez busz na lewo, na pewno znowu trafiłby na drogę do Haldon... Niestety maoryski wojownik wciąż stał tuż przed nim, tym razem pozując z biustonoszem na głowie i jedną nogą na koźle, a drugą we wnętrzu wozu.

– Jak sobie zrobisz krzywdę, to już twoja wina! – burknął McDunn, ruszając wozem. Chwilę trwało, zanim ciężkie konie rasy shire ruszyły, ale Leonard wiedział, że potem nabiorą tempa. Gdy konie zrobiły pierwsze kroki, cmoknął na nie, jednocześnie ostro skręcając w lewo. Kłus wytrącił tańczącego z bielizną wojownika. Nie zdążył nawet unieść włóczni, gdy McDunn zrzucił go z wozu. Laurie i Mary krzyknęły. Leonard miał tylko nadzieję, że Maorys nie wpadł pod koła wozu.

– Schowajcie się, dziewczęta! I trzymajcie się mocno! – krzyknął na tył wozu, gdzie grad włóczni spadał właśnie na skrzynie z gorsetami. Cóż, fiszbiny powinny to wytrzymać. Oba konie już galopowały, a od tętentu ich kopyt aż drżała ziemia. Jeźdźcowi nietrudno byłoby dogonić ciężki wóz, ale McDunn z ulgą skonstatował, że nikt nie wyruszył w pościg.

– Wszystko w porządku, dziewczęta? – zawołał do Mary i Laurie, gdy jeszcze bardziej popędził konie, modląc się, żeby równy teren nagle się nie zmienił. Konie pociągowe nie tak łatwo zatrzymać, a złamanie osi wozu to ostatnia rzecz, jakiej by sobie teraz życzył. Teren pozostał jednak płaski i wkrótce dostrzegli przed sobą drogę. McDunn nie miał pewności, czy rzeczywiście prowadzi ona do Haldon, zwłaszcza że wyglądała na wąską i krętą. Ale na pewno była przejezdna i było widać ślady wozów, raczej lekkich dwukółek niż wozów towarowych, ale woźnice dwukółek też na pewno nie ryzykowaliby jazdy nierówną drogą i złamania osi. McDunn ponownie popędził konie. Dopiero gdy oddalili się od wioski Maorysów na co najmniej dwa kilometry, pozwolił koniom na wolniejsze tempo.

Laurie i Mary odetchnęły z ulgą i przeczołgały się na przód wozu.

– Co to było, panie McDunn?

– Czy oni chcieli nam coś zrobić?

– Przecież tubylcy są przyjaźnie nastawieni.

– Tak, Rosemary mówiła, że zwykle są mili!

McDunn odetchnął, gdy bliźniaczki na nowo podjęły swoją wesołą paplaninę. Wyglądało na to, że wyszli z opresji bez szwanku. Teraz musiał się tylko zorientować, dokąd prowadzi ta droga.

Po przeżytej przygodzie Mary i Laurie znowu poczuły głód, ale wszyscy zgodnie stwierdzili, że lepiej będzie zjeść chleb, kurczaka i pyszne ciasteczka Rosemary na koźle. McDunn wciąż czuł się zaniepokojony spotkaniem z Maorysami. Słyszał co prawda o maoryskich powstaniach na Wyspie Północnej, ale tutaj? W środku spokojnych Canterbury Plains?

Droga wciąż prowadziła na zachód. Na pewno nie była to droga publiczna, wyglądała raczej na ścieżkę, którą ktoś latami przemierzał i dlatego była ubita. Krzewów i zagajników nie wycinano, tylko je omijano. A do tego jeszcze ten strumień...

McDunn westchnął. Bród nie wyglądał na niebezpieczny i z pewnością ktoś niedawno go pokonał. Ale na pewno nie takim ciężkim wozem. Na wszelki wypadek kazał dziewczętom zsiąść i ostrożnie ruszył wozem przez wodę. Potem się zatrzymał, żeby bliźniaczki mogły wsiąść, i przeraził się, gdy usłyszał krzyk Mary.

– Panie McDunn, tam! Maorysi! Na pewno nie mają dobrych zamiarów!

Dziewczynki w panice wpełzły między towary na wozie, a McDunn rozglądał się wokół, wypatrując wojowników. Ale zobaczył tylko dwoje dzieci, które pędziły przed sobą krowę.

Gdy spostrzegły wóz, zaciekawione podeszły bliżej.

McDunn uśmiechnął się do nich, dzieci nieśmiało mu pomachały. A potem ku jego zdumieniu powitały go w bardzo dobrym angielskim.

– Dzień dobry panu.

– Czy możemy w czymś pomóc, proszę pana?

– Proszę pana, czy jest pan obwoźnym handlarzem? Słyszeliśmy o cygańskich wozach! – dziewczynka niecierpliwie zaglądała pod prowizorycznie przywiązaną plandekę.

– Też coś, Kia, to na pewno kolejne owcze runa od Wardenów. Panna Helen pozwoliła przecież, żeby składowali u niej całą swoją wełnę – stwierdził chłopiec, jednocześnie przytrzymując wyrywającą się krowę.

– Nieprawda! Postrzygacze już dawno są tutaj i wszystko przywieźli ze sobą. To na pewno Cyganie! Tylko konie nie są srokate!

McDunn się uśmiechnął.

– Młoda damo, jesteśmy co prawda handlarzami, ale nie cygańskimi kotlarzami – powiedział do dziewczynki. – Jedziemy z dostawą do Haldon, ale chyba pomyliliśmy drogę.

– Niekoniecznie – pocieszyła go Maoryska.

– Jeśli przy domu wybierze pan odpowiednią drogę dojazdową, po czterech kilometrach dotrze pan do drogi do Haldon – sprecyzował chłopiec i zdumionym wzrokiem zmierzył bliźniaczki, które odważyły się ujawnić. – Dlaczego te panie wyglądają tak samo?

– To dobra wiadomość – powiedział McDunn, nie zważając na uwagę chłopca. – Możesz mi jeszcze powiedzieć, gdzie my w ogóle jesteśmy? To chyba nie jest już… Jak to się nazywało? Kiward Station?

Dzieci zachichotały, jakby powiedział jakiś dobry żart.

– Nie, to O'Keefe Station. Ale pan O'Keefe nie żyje.

– Zastrzelił go pan Warden! – dodała dziewczynka.

Rozbawiony McDunn pomyślał, że jako policjant nie mógłby wymarzyć sobie lepszych informatorów. Ruben miał rację, gdy twierdził, że ludzie w Haldon są bardzo uczynni.

– A teraz jest w górach, a Tonga go szuka.

– Cicho, Kia, nie powinnaś tego mówić!

– Chce pan się udać do panny Helen? Czy mamy ją przyprowadzić? Jest albo w szopie, albo…

– Nie, Matiu, jest w domu. Zapomniałeś? Powiedziała, że musi gotować dla tych wszystkich ludzi…

– Panna Helen? – zapiszczała Laurie.

– Nasza panna Helen? – zawtórowała jej Mary.

– Czy one zawsze mówią to samo? – zapytał zdziwiony chłopiec.

– Najlepiej od razu zaprowadź nas na tę farmę – odpowiedział spokojnie McDunn. – Wygląda na to, że znaleźliśmy właśnie to, czego szukaliśmy.

A pan Howard – pomyślał z ukradkowym uśmiechem – nie będzie nam robić żadnych trudności.

*

Pół godziny później konie były już wyprzęgnięte i stały w stajni Helen. Helen, która nie posiadała się z radości i zaskoczenia, mocno przytuliła do siebie bliźniaczki, z którymi płynęła kiedyś na „Dublinie". Myślała, że już nigdy ich nie zobaczy. Teraz nie mogła uwierzyć, że tamte na wpół zagłodzone dziewczynki wyrosły na takie wesołe i hoże panny, które właśnie przejęły rządy w jej własnej kuchni.

– I to ma wystarczyć dla całej kompanii głodnych mężczyzn, panno Helen?

– Nie ma szans, panno Helen, musimy trochę pokombinować.

– Czy to mają być paszteciki, panno Helen? To lepiej weźmy więcej słodkich kartofli, a za to mniej mięsa.

– I bardzo dobrze, bo od mięsa mężczyźni robią się swawolni.

Bliźniaczki zachichotały z zadowoleniem.

– I tak się nie ugniata ciasta na chleb, panno Helen! Proszę poczekać, najpierw zrobimy herbatę!

Mary i Laurie od lat przygotowywały posiłki dla klientów hotelu Daphne. Nie miały żadnych trudności z wykarmieniem gromady postrzygaczy. Szczebiocząc, krzątały się po kuchni, a Helen usiadła przy kuchennym stole z Leonardem McDunnem. Opowiedział jej o dziwnej przygodzie z Maorysami, która ich do niej sprowadziła, Helen zaś zrelacjonowała mu okoliczności śmierci Howarda.

– Oczywiście noszę żałobę po mężu – wyjaśniła, wygładzając skromną granatową suknię, którą od pogrzebu Howarda nosiła niemal bez przerwy. Na zakup czarnej sukni nie wystarczyło jej pieniędzy. – Ale w pewnym sensie odczuwam też ulgę... Przepraszam, pewnie uważa mnie pan za osobę pozbawioną serca...

McDunn potrząsnął przecząco głową. W żadnym razie nie uważał Helen za kobietę bez serca. Wręcz przeciwnie, nie mógł się napatrzyć na jej radość, kiedy wcześniej przytulała do siebie bliźniaczki. Ze swoimi błyszczącymi brązowymi włosami, szczupłą twarzą i spokojnymi szarymi oczami wydała mu się niezwykle atrakcyjna. Wyglądała jednak na wymizerowaną i wyczerpaną, i to mimo opalenizny. Było widać, że sytuacja ją przerasta. Najwyraźniej w kuchni czuła się równie źle jak w oborze. Wcześniej bardzo jej ulżyło, gdy maoryskie dzieciaki zaproponowały, że od razu wydoją krowę.

– Pani syn dawał do zrozumienia, że z jego ojcem nie zawsze było łatwo. Co zamierza pani zrobić z farmą? Sprzedać?

Helen wzruszyła ramionami.

– Jeśli znajdzie się kupiec... Najprościej byłoby przyłączyć ją do Kiward Station. Howard przewróciłby się w grobie, ale mnie to obojętne. Prowadzenie O'Keefe Station jako odrębnej farmy w zasadzie nie może przynieść zysku. Jest tu sporo ziemi, ale jest za mało żyzna, żeby wyżywić zwierzęta. Gdyby ktoś i tak chciał ją prowadzić, musiałby mieć doskonałą wiedzę i spory kapitał. Farma popadła w ruinę, panie McDunn. Muszę to, niestety, przyznać.

– A pani przyjaciółka z Kiward Station... To matka panny Fleur, prawda? – zapytał Leonard. – Nie byłaby zainteresowana przejęciem pani farmy?

– Owszem, byłaby zainteresowana... Och, dziękuję ci bardzo, Laurie, jesteście cudowne, co ja bym bez was zrobiła! – Helen podała filiżankę Laurie, która właśnie podeszła do stołu ze świeżą herbatą.

Laurie nalała herbatę w taki sposób, jakiego Helen nauczyła ją kiedyś na statku.

– Skąd pani wie, że to Laurie? – zapytał zdumiony Leonard. – Nie znam nikogo, kto potrafiłby je odróżnić.

Helen się roześmiała.

– Jeśli same mogły wybrać, Mary zawsze nakrywała do stołu, a Laurie podawała. Niech pan zwróci na to uwagę. Laurie jest bardziej otwarta, a Mary woli być na drugim planie.

Leonard nie zauważył tego, ale podziwiał doskonały zmysł obserwacji u Helen.

– To jak z pani przyjaciółką?

– Cóż, Gwyneira ma własne problemy – stwierdziła Helen. – Sam pan miał okazję się o nich przekonać. Ten maoryski wódz chce rzucić ją na kolana, a ona nie ma możliwości, żeby zrobić cokolwiek bez Paula. Może kiedy gubernator w końcu ogłosi swoją decyzję...

– A jest możliwość, że ten Paul wróci i sam rozwiąże swoje problemy? – zapytał Leonard. Wydawało mu się to niesprawiedliwe, że obie kobiety zostały same ze wszystkimi nieszczęściami na głowie. Co prawda nie poznał jeszcze Gwyneiry Warden. Ale jeśli była podobna do swojej córki, dałaby sobie radę z krnąbrnymi dzikusami z połowy kontynentu.

– Rozwiązywanie problemów to nie jest mocna strona mężczyzn z rodu Wardenów – Helen uśmiechnęła się wieloznacznie. – A jeśli chodzi o powrót Paula... Atmosfera w Haldon zmienia się bardzo powoli, George Greenwood miał co do tego rację. Najpierw wszyscy najchętniej by go zlinczowali, ale teraz przeważa współczucie dla Gwyn. Uważają, że potrzebny jej mężczyzna na farmie, są więc gotowi zapomnieć o takim drobiazgu jak morderstwo.

– Jest pani cyniczna, panno Helen! – skarcił ją Leonard.

– Jestem realistką. Paul bez ostrzeżenia strzelił nieuzbrojonemu człowiekowi prosto w pierś. Na oczach dwudziestu świadków. Ale zostawmy to, przecież wcale nie życzę mu stryczka. Co by to zmieniło? Ale jeśli wróci, konflikt z maoryskim wodzem wybuchnie ze zdwojoną siłą. I wtedy może zawiśnie za kolejne morderstwo!

– Chłopakowi najwyraźniej pisana jest szubienica – westchnął Leonard. – Ja…

Przerwało mu stukanie do drzwi. Otworzyła je Laurie, a zaraz potem nieduży pies śmignął jej między nogami. Piętaszek, dysząc, przypadł do stóp Helen.

– Mary, chodź tutaj! To chyba panna Gwyn! I Cleo! Że też ona jeszcze żyje, panno Gwyn!

Ale Gwyneira zdawała się nie dostrzegać bliźniaczek. Była tak zdenerwowana, że nawet ich nie rozpoznała.

– Helen – powiedziała od razu. – Ja zabiję tego Tongę! Ledwie się powstrzymałam, żeby nie pojechać ze strzelbą do wioski! Andy powiedział, że jego ludzie napadli na wóz z plandeką. Bóg jeden wie, kto to do nas jechał i gdzie teraz jest! W wiosce za to świetnie się bawią i biegają w stanikach i pantalonach… Och, bardzo pana przepraszam, ja… – Gwyneira zaczerwieniła się, gdy spostrzegła, że Helen gości jakiegoś mężczyznę.

McDunn się roześmiał.

– Już dobrze, pani Warden. Jestem świadomy istnienia damskiej bielizny. A dokładniej mówiąc, to ja ją zgubiłem. To był mój wóz. Pani pozwoli, że się przedstawię. Leonard McDunn ze Składu O'Kay.

– Może pojedzie pani z nami do Queenstown? – zapytał po kilku godzinach McDunn i popatrzył na Helen.

Gwyneira uspokoiła się, razem z Helen i bliźniaczkami nakarmiła głodnych postrzygaczy. Pochwaliła wszystkich za postępy w strzyżeniu owiec, choć była zdumiona kiepską jakością wełny. Słyszała wcześniej, że u O'Keefe'ów wełna często jest wybrakowana, ale nie sądziła, że problem jest aż tak duży. Teraz siedzieli wraz z Helen i McDunnem przed kominkiem i właśnie otworzyli uratowaną szczęśliwym trafem butelkę beaujolais.

– Za Rubena i jego doskonały gust! – powiedziała z zadowoleniem. – Skąd on go ma, co Helen? To pierwsza butelka od lat, jaką odkorkowano w tym domu!

– U pana Bulwera-Lyttona, Gwyn, którego dzieła czytuję wraz z uczniami, w eleganckich sferach pija się od czasu do czasu alkohol – odparła z przesadną emfazą Helen.

McDunn wypił łyk wina, a potem rzucił propozycję wyjazdu do Queenstown.

– Mówię poważnie, panno Helen, z pewnością chciałaby pani zobaczyć syna i wnuki. A jest po temu okazja. Będziemy na miejscu za kilka dni.

– Teraz, w połowie strzyży? – zbyła go Helen.

Gwyneira się roześmiała.

– Chyba nie sądzisz, Helen, że twoja obecność wpłynie na liczbę owiec, jaką ostrzygą moi ludzie? I chyba nie zamierzasz też osobiście wypędzać owiec na pastwiska, co?

– Ale... Ale ktoś musi zadbać o robotników... – Helen była niezdecydowana. Propozycja padła zbyt nagle, nie mogła jej przyjąć. Z drugiej jednak strony była niezwykle kusząca!

– U mnie dbali sami o siebie. O'Toole wciąż robi lepszy irlandzki gulasz, niż mnie czy Moanie kiedykolwiek się udało. O tobie nawet nie wspomnę. Jesteś moją najlepszą przyjaciółką, Helen, ale twoje umiejętności kucharskie...

Helen się zaczerwieniła. W innej sytuacji taki przytyk byłby jej obojętny. Ale w obecności pana McDunna zrobiło się jej przykro.

– Niech pani im pozwoli zarżnąć kilka owiec, a do tego zostawimy jedną z naszych beczułek, których broniłem z narażeniem życia. To co prawda grzech, bo ta brandy jest za dobra dla tej zgrai, ale już zawsze będą panią kochać! – zaproponował niewzruszony McDunn.

Helen się uśmiechnęła.

– Sama nie wiem... – opierała się.

– Ale ja wiem! – stwierdziła rezolutnie Gwyn. – Chętnie sama bym pojechała, ale moja obecność w Kiward Station jest niezbędna. W związku z tym pojedziesz również w moim imieniu. Dobrze się rozejrzyj w tym Queenstown. I biada Fleurette, jeśli nie wytresowała porządnie psa! A poza tym zabierzecie kucyka dla naszych wnuków. Żeby nie zostali takimi kiepskimi jeźdźcami jak ty.

14

Helen pokochała Queenstown już w momencie, gdy ujrzała, jak to małe miasteczko pobłyskuje na brzegu wielkiego jeziora Wakatipu. Nowe, schludne domy odbijały się w gładkiej powierzchni jeziora, a mały port gościł kolorowe łodzie zaopatrzone w wiosła i żagle. Obramowanie tego obrazu stanowiły góry z pokrytymi śniegiem szczytami. Przede wszystkim jednak Helen od pół dnia nie widziała ani jednej owcy!

– Mam coraz mniejsze wymagania – zwierzyła się Leonardowi McDunnowi, którego przez osiem dni spędzonych na koźle wozu poznała lepiej niż Howarda podczas całego okresu małżeństwa. – Gdy przed laty przybyłam do Christchurch, aż zapłakałam, bo tak bardzo różniło się ono od Londynu. A teraz cieszy mnie widok niewielkiego miasteczka, bo będę tam miała do czynienia z ludźmi, a nie z bydlętami.

Leonard się roześmiał.

– Och, Queenstown ma wiele wspólnego z Londynem, przekona się pani. Oczywiście nie pod względem wielkości, tylko żywej atmosfery. Tu zawsze się coś dzieje, panno Helen, tu czuć postęp, zmiany! Christchurch jest ładne, ale tam ciągle chodzi o to, żeby zachować stare wartości i być bardziej angielskim niż Anglicy. Weźmy choćby katedrę i uniwersytet! Człowiek czuje się tak, jakby był w Oksfordzie! A tutaj wszystko jest nowe, wszystko się rozwija. Tylko poszukiwacze złota są nieokrzesani i sprawiają trochę kłopotu. To nie do pomyślenia, że najbliższy posterunek policji znajduje się w odległości osiemdziesięciu kilometrów od miasta! Ale poszukiwacze zapewniają też miastu dopływ gotówki i energii. Spodoba się pani tutaj, panno Helen, proszę mi wierzyć!

Helen podobało się już to, jak kołą wozu dudnią po Main Street, która choć podobnie jak ulice w Haldon, nie była wybrukowana, to aż roiła się od ludzi. Tu jakiś poszukiwacz złota kłócił się z właścicielem poczty, którego podejrzewał o otwarcie listu. Tam dwie chichoczące panny zerkały do zakładu fryzjerskiego, gdzie strzygł się właśnie jakiś przystojny młodzieniec. U kowala podkuwano konie, a dwóch starych górników oglądało muła. Budynek z napisem „Hotel" właśnie malowano. Jakaś rudowłosa kobieta w jaskrawozielonej sukni nadzorowała malarzy, klnąc przy tym jak szewc.

– Daphne! – bliźniaczki od razu się rozświergotały, omal nie spadając przy okazji z wozu. – Daphne, przywieźliśmy pannę Helen!

Daphne O'Rourke odwróciła się. Helen spojrzała w znaną sobie twarz o kocim zarysie. Daphne się postarzała, wyglądała na zmęczoną życiem i była mocno umalowana. Ale gdy popatrzyła w stronę siedzącej na koźle Helen, ich spojrzenia się spotkały. Wzruszona Helen zauważyła, że Daphne oblewa się rumieńcem.

– Dzień... Dzień dobry, panno Helen!

McDunn nie mógł w to uwierzyć, ale pewna siebie Daphne dygnęła przed swoją nauczycielką niczym mała dziewczynka.

– Proszę zatrzymać wóz, Leonardzie! – zawołała Helen. Nie czekała, aż McDunn całkiem zatrzyma konie, tylko zeskoczyła z kozła, podbiegła do Daphne i serdecznie ją objęła.

– Proszę tego nie robić, panno Helen, jeszcze ktoś zobaczy... – powiedziała Daphne. – Jest pani damą. Nie powinna się pani pokazywać z kimś takim jak ja – spuściła wzrok. – Przykro mi, panno Helen, że tak skończyłam.

Helen roześmiała się i ponownie ją objęła.

– A cóż takiego strasznego zrobiłaś, Daphne? Zostałaś kobietą interesu! I wspaniała matką zastępczą bliźniaczek. Nie mogłabym sobie życzyć lepszej uczennicy.

Daphne jeszcze raz spłonęła rumieńcem.

– Może jeszcze nikt nie powiedział pani, jakiego rodzaju... interesy prowadzę – powiedziała cichym głosem.

Helen przyciągnęła ją do siebie.

– Interesy zależą od popytu i podaży. Nauczył mnie tego mój inny uczeń, George Greenwood. A jeśli chodzi o ciebie... Gdyby był popyt na Biblie, pewnie sprzedawałabyś Biblie.

Daphne zachichotała.

– Robiłabym to z wielką przyjemnością, panno Helen.

Gdy Daphne witała się z bliźniaczkami, McDunn zaprowadził Helen do Składu O'Kay. Choć Helen bardzo ucieszyła się ze spotkania z bliźniaczkami i Daphne, to powitanie syna, Fleurette i własnych wnuków sprawiło jej jeszcze większą radość.

Mały Stephen od razu uczepił się jej sukni, natomiast u Elaine większy zachwyt wzbudził widok kucyka.

Helen rzuciła okiem na jej rudą czupryne i błyszczące oczy, które już teraz były bardziej niebieskie niż u większości dzieci.

– Od razu widać, że to wnuczka Gwyneiry – stwierdziła. – Do mnie w ogóle nie jest podobna. Uważajcie, bo na trzecie urodziny zażyczy sobie parę owiec!

Leonard McDunn dokładnie rozliczył się z ostatniej wyprawy z Rubenem O'Keefe'em, po czym objął swoje nowe stanowisko. Najpierw trzeba było odmalować posterunek, a areszt z pomocą Stuarta Petersa zaopatrzyć w kraty. Helen i Fleur przyniosły materace i koce, żeby jakoś urządzić cele.

– Może jeszcze postawicie tu wazony z kwiatami – burknął McDunn, ale nawet Stuart był pod wrażeniem.

– Zatrzymam sobie jeden klucz! – zażartował. – Gdybym potrzebował noclegu dla gości.

– Możesz od razu sam posiedzieć na próbę – postraszył go McDunn. – Ale tak na poważnie, to obawiam się, że już dzisiaj będziemy mieć tutaj tłok. Panna Daphne zaplanowała irlandzki wieczór. Zakład, że na koniec połowa klientów zacznie się tłuc?

Helen zmarszczyła czoło.

– Ale to chyba nie będzie niebezpieczne, Leonardzie, prawda? Proszę na siebie uważać! Ja... My... My wszyscy potrzebujemy naszego konstabla całego i zdrowego!

McDunn się rozpromienił. Bardzo się ucieszył, że Helen się o niego martwi.

Nie minęły trzy tygodnie, a musiał stawić czoła poważniejszemu problemowi niż zwykłe spory między poszukiwaczami złota.

Czekał w Składzie O'Kay, aż Ruben będzie miał czas, żeby udzielić mu rady. Z tylnych pomieszczeń magazynu dochodziły głosy i śmiechy, ale Leonard nie chciał się narzucać. Mimo że przyszedł w sprawie służbowej.

W końcu to nie Leonard czekał na swojego przyjaciela, tylko konstabl na sędziego pokoju. Odetchnął jednak z ulgą, gdy Rubenowi w końcu udało się wyrwać i podejść do niego.

– Leonardzie! Przepraszam, że musiałeś na mnie czekać! – O'Keefe aż kipiał energią. – Ale właśnie mamy okazję do świętowania. Wygląda na to, że po raz trzeci zostanę ojcem! Ale powiedz, z jaką sprawą przyszedłeś. Czy mogę ci jakoś pomóc?

– To sprawa służbowa. I jednocześnie prawniczy dylemat. Zjawił się u mnie niejaki John Sideblossom, zamożny farmer, który jest zainteresowany inwestowaniem w kopalnie złota. Był bardzo natarczywy. Mam koniecznie aresztować mężczyznę, którego widział w obozie poszukiwaczy. Niejakiego Jamesa McKenziego.

– Jamesa McKenziego? – zapytał Ruben. – Złodzieja owiec?

McDunn skinął głową.

– Jego nazwisko od razu wydało mi się znajome. Kilka lat temu złapano go w górach, a potem w Lyttelton skazano na więzienie.

Ruben pokiwał głową.

– Tak, wiem.

– Zawsze miał pan dobrą pamięć, panie sędzio! – stwierdził Leonard z uznaniem. – A wiesz też, że tego McKenziego ułaskawiono? Sideblossom twierdzi, że mieli go wysłać do Australii.

– Miał zostać wydalony – poinformował go Ruben. – A Australia była najbliżej. „Owczy baronowie" chętnej wysłaliby go do Indii albo jeszcze dalej. I najlepiej, żeby od razu trafił do tygrysiego żołądka.

McDunn się roześmiał.

– Dokładnie takie wrażenie sprawiał ten Sideblossom. Ale jeśli ma rację, to McKenzie wrócił, mimo dożywotniego wygnania. Sideblossom uważa, że muszę go aresztować. Ale co ja miałbym z nim zrobić? Przecież nie mogę trzymać go w areszcie do końca życia. A i pięć lat więzienia jest bez sensu, zwłaszcza że w zasadzie je odsiedział. Pomijając już to, że w ogóle nie mam miejsca. Ma pan może jakiś pomysł, panie sędzio?

Ruben wyglądał tak, jakby intensywnie myślał. Ale McDunn dostrzegł, że na jego twarzy gości raczej radość. Mimo wiadomości o McKenziem czy też właśnie z jej powodu?

– Posłuchaj, Leonardzie – powiedział w końcu Ruben. – Najpierw sprawdzisz, czy to na pewno ten McKenzie, o którego chodzi Sideblossomowi. A potem zamkniesz go na tak długo, jak chciał tu być. Powiesz mu, że to dla jego ochrony. Sideblossom mu groził, a ty nie chcesz awantur.

McDunn się uśmiechnął.

– Ale mojej żonie ani słowa! – nakazał mu Ruben. – To ma być niespodzianka. Ach, jeszcze coś. Przed aresztowaniem zafunduj panu McKenziemu golenie i strzyżenie, jeśli okaże się to konieczne. Odwiedzi go pewna dama i to zaraz, jak tylko rozgości się w twoim Grand Hotelu!

W ciągu pierwszych tygodni ciąży Fleurette zawsze łatwo się wzruszała, omal więc sobie oczu nie wypłakała, gdy odwiedziła McKenziego w więzieniu. Nie było wiadomo, czy były to łzy radości z ponownego spotkania czy też łzy rozpaczy na widok jego ponownego uwięzienia.

James McKenzie nie wydawał się niezadowolony. Miał nawet dość dobry humor, dopóki Fleurette nie wybuchła płaczem. Teraz ujął ją za rękę i nieporadnie głaskał po plecach.

– No, nie płacz, malutka, nic mi się tutaj nie stanie! Na zewnątrz jest o wiele niebezpieczniej. Wciąż mam na pieńku z Sideblossomem!

– Dlaczego musiałeś znowu wpaść mu w ręce! – szlochała Fleurette. – Co ty w ogóle robiłeś wśród poszukiwaczy złota? Chyba nie miałeś zamiaru wytyczyć sobie działki?

McKenzie potrząsnął głową. Wcale nie wyglądał jak ci wszyscy poszukiwacze szczęścia, którzy rozkładali swoje obozy na starych owczych farmach w pobliżu miejsc, gdzie odkryto złoto. McDunn wcale nie musiał zachęcać go do kąpieli i strzyżenia, ani dawać mu na to pieniędzy. James McKenzie wyglądał raczej jak dobrze sytuowany farmer w podróży. Był równie dobrze ubrany i zadbany jak jego stary wróg Sideblossom.

– Wytyczyłem w swoim życiu już dość działek, a na jednej z nich w Australii nawet nieźle zarobiłem. Tajemnica polega na tym, żeby nie roztrwonić znalezionego złota w takich przybytkach, jak ten panny Daphne – roześmiał się do córki. – A w tutejszych obozowiskach szukałem oczywiście twojego męża. Nie przyszło mi do głowy, że mieszka sobie przy głównej ulicy i każe wsadzać do kozy niewinnych podróżnych – powiedział, mrugając okiem. Rubena poznał jeszcze przed spotkaniem z Fleurette i zięć bardzo przypadł mu do gustu.

– A co będzie teraz? – zapytała Fleurette. – Odeślą cię z powrotem do Australii?

McKenzie westchnął.

– Mam nadzieję, że nie. Co prawda stać mnie na bilet… Nie patrz tak na mnie, Ruben, wszystko uczciwie zarobiłem! Przysięgam, nie ukradłem w Australii ani jednej owcy! Ale zmarnowałbym tylko w ten sposób czas. Oczywiście zaraz bym wrócił, tylko tym razem z papierami na inne nazwisko. I już nie spotkałaby mnie taka przygoda jak z Sideblossomem. Ale Gwyn wciąż musiałaby czekać. A jestem pewien, że ma już dosyć czekania, podobnie jak ja!

– Fałszywe dokumenty to żadne rozwiązanie – stwierdził Ruben. – Uszłoby, gdyby chciał pan zamieszkać w Queenstown, na Zachodnim Wybrzeżu albo gdzieś na Wyspie Północnej. Ale jeśli dobrze pana zrozumiałem, to chce pojechać na Canterbury Plains i ożenić się z Gwyneirą Warden. Ale przecież tam zna pana każde dziecko!

McKenzie wzruszył ramionami.

– To też prawda. Będę musiał porwać Gwyneirę. I tym razem nie będę miał żadnych skrupułów!

– Byłoby lepiej, gdyby zalegalizował pan swój pobyt – powiedział surowym tonem Ruben. – Napiszę do gubernatora.

– Ale Sideblossom zrobi to samo! – Fleurette znowu była bliska łez. – Przecież pan McDunn opowiadał, że wściekł się jak wariat, gdy się dowiedział, że mojego ojca traktują tutaj niczym księcia…

Sideblossom zajrzał na posterunek w południe, gdy bliźniaczki akurat podawały strażnikowi i aresztantowi wystawny posiłek. Nie był zachwycony.

– Sideblossom to farmer i stary oszust. Jeśli jego słowo stanie przeciwko mojemu, gubernator będzie wiedział, co robić – uspokoił ją Ruben. – A przedstawię mu sytuację w najdrobniejszych szczegółach, uwzględniając dobrą pozycję finansową McKenziego, jego powiązania rodzinne oraz plany małżeńskie. Opiszę też jego doświadczenie i zasługi. Owszem, ukradł kilka owiec. Ale przecież odkrył Wyżynę McKenziego, na której teraz Sideblossom wypasa swoje zwierzęta. Powinien być panu wdzięczny, Jamesie, a nie dybać na pańskie życie! A poza tym jest pan doświadczonym pasterzem i hodowcą. Byłby pan cennym nabytkiem dla Kiward Station teraz, gdy zabrakło Geralda Wardena.

– Moglibyśmy pana zatrudnić! – wtrąciła się Helen. – Może chciałby pan zostać zarządcą O'Keefe Station, panie Jamesie? To byłoby jakieś rozwiązanie, bo w niedalekiej przyszłości kochany Paul pewnie wyrzuci matkę na bruk.

– Albo Tonga – zauważył Ruben. Zbadał ostatnio dogłębnie sytuację prawną Gwyneiry w sporze z Maorysami i nie był najlepszej myśli. Roszczenia Tongi były uzasadnione.

James McKenzie wzruszył ramionami.

– Kiward Station czy O'Keefe Station, wszystko jedno. Ważne, żebym był z Gwyneirą. W każdym razie Piętaszkowi przydałoby się kilka owiec.

Ruben wysłał swój list do gubernatora już na drugi dzień, ale nikt nie spodziewał się szybkiej odpowiedzi. James McKenzie nudził się więc w areszcie, a Helen spędzała w Queenstown cudowny czas. Bawiła się z wnukami, z biciem serca obserwowała, jak Fleurette po raz pierwszy posadziła małego Stephena na kucyka i pocieszała Elaine, która z płaczem przeciwko temu protestowała. Z ciekawością obejrzała niewielką szkołę, która właśnie została otwarta. Może będzie mogła na coś się tu przydać i zostać w Queenstown na zawsze. Na razie jednak w szkole było tylko dziesięcioro uczniów, więc młoda nauczycielka, sympatyczna dziewczyna z Dunedin, nie potrzebowała pomocy. Także w składzie Rubena i Fleurette niewiele było pracy dla Helen. Nieustannie kręciły się po nim bliźniaczki, które na wyścigi starały się we wszystkim wyręczać uwielbianą pannę Helen. Helen w końcu usłyszała całą opowieść o życiu Daphne. Zaprosiła ją na herbatę, nie zważając na to, że dostarczy w ten sposób tematu do plotek dla szacownych mieszkanek Queenstown.

– Jak go załatwiłam, pojechałam najpierw do Lyttelton – Daphne opowiedziała jej o swojej ucieczce od lubieżnego Morrisona. – Najchętniej wróciłabym najbliższym statkiem do Londynu, ale to oczywiście nie było możliwe. Nikt nie zabrałby takiej dziewczyny jak ja. Myślałam też o Australii. Ale tam mają przecież dosyć... Hm... Dziewcząt, którym trudno dostać pracę jako sprzedawczyni Biblii. I wtedy natknęłam się na bliźniaczki. Miały taki sam plan jak ja. Byle stąd uciec. A uciec stąd można tylko statkiem.

– A jak one się odnalazły? – zapytała Helen. – Przecież mieszkały w oddalonych od siebie okolicach.

Daphne wzruszyła ramionami.

– Ale to w końcu bliźniaczki. Jak jedna wpadnie na jakiś pomysł, to druga wpada na taki sam. Proszę mi wierzyć, mam je obok siebie od ponad dwudziestu lat i wciąż mnie zadziwiają. Jeśli dobrze je wtedy zrozumiałam, to spotkały się na przełęczy Bridle Path. A jak się tam każda z nich znalazła, nie mam pojęcia. W każdym razie wałęsały się po porcie, razem kradły jedzenie i chciały ukryć się na jakimś statku. Zupełne szaleństwo, przecież od razu by je znaleźli. Co miałam zrobić? Zatrzymałam je przy sobie. Byłam miła dla jednego marynarza, a on załatwił mi dokumenty pewnej dziewczyny, która zmarła w drodze z Dublina do Lyttelton. Oficjalnie nazywam się Bridley O'Rourke. Mam rude włosy, wyglądam więc na Irlandkę. Ale bliźniaczki nazywają mnie oczywiście Daphne, dlatego imię zachowałam własne. Zresztą to dobre imię dla... To znaczy, to biblijne imię, nie tak łatwo się go pozbyć.

Helen się roześmiała.

– Niedługo zostaniesz świętą!

Daphne zachichotała, a wyglądała przy tym jak mała dziewczynka sprzed lat.

– Wyruszyłyśmy na Zachodnie Wybrzeże. Trochę się tam pokręciłyśmy, a w końcu wylądowałyśmy w burdelu... To znaczy w przybytku panny Jolandy. To była niemal ruina. Musiałam tam najpierw posprzątać, a potem zadbać o odpowiednie obroty. I tam znalazł mnie wasz pan Greenwood, ale to nie przez niego uciekłam. Uciekłam dlatego, że Jolanda nigdy nie była zadowolona. A pewnego dnia stwierdziła, że w następną sobotę zlicytuje bliźniaczki! Uznała, że nadszedł czas, żeby ktoś je ujeździł... Tak to się chyba nazywa w Biblii.

Helen musiała się roześmiać.

– Twoja znajomość Biblii jeat naprawdę doskonała, Daphne! – powiedziała. – Potem sprawdzimy, czy pamiętasz *Dawida Copperfielda*.

– W każdym razie w piątek zrobiłam porządną awanturę, a w sobotę zwiałyśmy z kasą. To oczywiście nie było zbyt eleganckie.

– Powiedzmy oko za oko, ząb za ząb – stwierdziła Helen.

– Tak, później zaś poddałyśmy się gorączce złota – uśmiechnęła się Daphne. – I nie żałujemy! Myślę, że ląduje u mnie siedemdziesiąt procent wydobycia wszystkich kopalni.

Ruben się zdziwił, a nawet nieco zaniepokoił, gdy już sześć tygodni po wysłaniu listu do gubernatora otrzymał pismo, które wyglądało na bardzo oficjalne. Nawet właściciel poczty przekazał mu je uroczyście.

– Z Wellington! – stwierdził z powagą. – Od rządu! Zostaniesz szlachcicem, Ruben? A może to królowa do nas przyjedzie?

Ruben się roześmiał.

– To mało prawdopodobne, Ethan, naprawdę – poskromił chęć odpieczętowania listu od razu na miejscu, ponieważ Ethan z wielką ciekawością zaglądał mu przez ramię, a i Ron znowu przesiadywał na poczcie u kolegi.

– Do zobaczenia później! – pożegnał się z pozornym spokojem, ale już w drodze do składu zaczął obracać w palcach kopertę. Mijając posterunek policji, zmienił zdanie. List bez wątpienia dotyczył McKenziego. Powinien z pierwszej ręki się dowiedzieć, co gubernator postanowił w jego sprawie.

Po chwili Ruben, McDunn i McKenzie z niecierpliwością pochylili się nad pismem. Wszyscy jęknęli na widok długiego wstępu gubernatora, w którym przede wszystkim wychwalał wszystkie zasługi Rubena dla rozwoju młodego miasta Queenstown. Ale potem gubernator przeszedł do rzeczy:

Cieszę się, że możemy pozytywnie odpowiedzieć na pańską prośbę o ułaskawienie złodzieja owiec Jamesa McKenziego, którego sprawę tak szczegółowo nam Pan przedstawił. My również sądzimy, że McKenzie może przydać się młodemu społeczeństwu Wyspy Południowej, o ile w przyszłości będzie swoje niewątpliwe talenty wykorzystywać wyłącznie w sposób zgodny z prawem. Mamy nadzieję, że działamy jednocześnie po myśli pani Gwyneiry Warden, którą niestety musieliśmy rozczarować w innej przedłożonej nam do rozstrzygnięcia sprawie. Proszę jednak zachować o tym milczenie, ponieważ strony nie zostały jeszcze powiadomione o naszej decyzji…

– Do diaska, chodzi o ten konflikt z Maorysami! – westchnął James. – Biedna Gwyn… Wygląda na to, że została z tym wszystkim zupełnie sama. Powinienem natychmiast wyruszyć do Canterbury.

McDunn skinął głową.

– Ze swojej strony nie widzę żadnych przeszkód – stwierdził z uśmiechem. – Wręcz przeciwnie, wreszcie zwolni się pokój w moim Grand Hotelu!

– Powinnam od razu do pana dołączyć, Jamesie – powiedziała z lekkim żalem Helen. Gorliwe bliźniaczki właśnie podały ostatnie danie wystawnej pożegnalnej kolacji. Fleurette uparła się, że choć raz ugości u siebie w domu własnego ojca, zanim na lata wyjedzie on do Canterbury Plains. Oczywiście obiecał, że wraz z Gwyneirą wkrótce ich odwiedzi, ale Fleur wiedziała, jak to jest na wielkich farmach. Ci, którzy je prowadzą, zawsze są niezbędni.

– Tu jest cudownie, ale pomału muszę znowu zacząć myśleć o farmie. I nie chciałabym wciąż stanowić dla was ciężaru – Helen złożyła swoją serwetkę.

– Nie jesteś żadnym ciężarem! – powiedziała Fleurette. – Wręcz przeciwnie! Nie wiem, co byśmy bez ciebie zrobili, Helen!

Helen się roześmiała.

– Nie kłam, Fleur, nigdy nie umiałaś oszukiwać. Mówię poważnie, moje dziecko, choć bardzo mi się tutaj podoba, muszę mieć coś do roboty! Całe życie uczyłam. Siedząc tutaj i tylko czasem bawiąc dzieci, czuję, że marnuję czas.

Ruben i Fleurette popatrzyli na siebie. Wyglądało na to, że chcą coś powiedzieć, ale nie wiedzą jak. W końcu Ruben zabrał głos.

– Dobrze, chcieliśmy cię o to zapytać trochę później, jak wszystko będzie już załatwione – powiedział, patrząc na matkę. – Ale lepiej powiedzmy teraz, zanim nam uciekniesz. Fleurette i ja, i Leonard McDunn też, już wymyśliliśmy, czym mogłabyś się tutaj zająć.

Helen potrząsnęła głową.

– Ja już byłam w szkole, Ruben, i...

– Zapomnij o szkole, Helen! – przerwała jej Fleur. – Nauczaniem zajmowałaś się już wystarczająco długo. Pomyśleliśmy... A więc tak... Najpierw chcemy kupić farmę za miastem. Albo raczej dom, bo nie myślimy o prowadzeniu farmy. Bo tutaj przy głównej ulicy zrobił się za duży ruch. I jest za głośno... Chciałabym, żeby dzieci miały więcej swobody. Możesz sobie wyobrazić, Helen, że Stephen jeszcze nigdy nie widział wety?

Helen uznała, że jej wnuk doskonale poradzi sobie bez takiego doświadczenia.

– W każdym razie wyprowadzamy się z tego domu – oświadczył Ruben, szerokim gestem obejmując piękną dwupiętrową kamienicę. Budowę ukończono dopiero w zeszłym roku, nie szczędząc wydatków. – Moglibyśmy oczywiście go sprzedać. Ale Fleurette wpadła na pomysł, że to idealne miejsce na hotel.

– Hotel? – zapytała zdziwiona Helen.

– Tak! – wykrzyknęła Fleurette. – Spójrz, jest tutaj tyle pokoi, od razu zakładaliśmy, że będziemy mieli liczną rodzinę. Mieszkając na dole, mogłabyś wynajmować pokoje na górze…

– Ja miałabym prowadzić ten hotel? – zapytała Helen. – Czy ty jesteś przy zdrowych zmysłach?

– To byłby raczej pensjonat – do rozmowy włączył się McDunn, spoglądając na Helen z zachętą.

Fleurette skinęła głową.

– Nie sugeruj się nazwą hotel – powiedziała pośpiesznie. – To będzie prawdziwy hotel, nie taka spelunka jak hotel Daphne, w którym gnieżdżą się bandyci i dziewczęta lekkich obyczajów. Nie, myślałam raczej o tym, że kiedy do miasta przyjeżdżają nowi ludzie, na przykład lekarz czy urzędnik bankowy, to przecież muszą gdzieś mieszkać… I oczywiście… Młode kobiety też… – Fleurette bawiła się gazetą, którą przypadkiem położyła na stole. Była to gazetka anglikańskiej parafii z Christchurch.

– To chyba nie to, co myślę, prawda? – zapytała Helen i zdecydowanym ruchem sięgnęła po cieniutką broszurę, która była otwarta na stronie z ogłoszeniami.

Queenstown, Otago. Jeśli jakaś chrześcijańska panna, mocnej wiary i obdarzona pionierskim duchem, byłaby zainteresowana zawarciem związku małżeńskiego z uczciwym i dobrze sytuowanym członkiem naszej parafii…

Helen pokręciła głową. Nie wiedziała, czy ma się śmiać czy płakać.

– Wtedy to byli wielorybnicy, a teraz poszukiwacze złota! Czy te szanowne parafianki i podpory wspólnoty wiedzą, co tak naprawdę czynią tym młodym dziewczynom?

– Cóż, tutaj chodzi o panny z Christchurch, mamo, a nie z Londynu. Jeśli jakiejś się tu nie spodoba, za trzy dni znowu będzie w domu – uspokajał ją Ruben.

– A tam uwierzą jej na słowo, że jest tak samo nietknięta i dziewicza jak przed wyjazdem! – ironizowała Helen.

– Nie uwierzą, jeśli będzie mieszkać u Daphne – stwierdziła Fleurette. – Nie mam nic przeciwko Daphne, ale nawet mnie chciała zwerbować, jak tylko się tu pojawiłam! – roześmiała się. – Ale jeśli te panny będą mieszkać w czystym i porządnym pensjonacie prowadzonym przez panią Helen

O'Keefe, szanowaną mieszkankę miasta? Wieści o nim szybko się rozniosą, droga Helen. Od razu w Christchurch będą go polecać dziewczętom i ich rodzicom.

– A pani będzie miała okazję, żeby poukładać im w głowach – dodał Leonard McDunn, który miał podobne do Helen zdanie na temat małżeństw aranżowanych przez ogłoszenia. – Skuszą je samorodki w kieszeni jakiegoś szaleńca o rozognionym wzroku, a potem obudzą się w dziurawej szopie w kolejnej rzekomo złotonośnej okolicy.

Helen miała zacięty wyraz twarzy.

– Może być pan tego pewien! Nigdy nie zostałabym czyimś świadkiem na ślubie po trzech dniach znajomości!

– To poprowadzisz hotel? – zapytała pospiesznie Fleurette. – Podejmiesz się tego?

Helen rzuciła jej nieco urażone spojrzenie.

– Moja droga Fleurette, nauczyłam się już w życiu czytać Biblię po maorysku, doić krowę, zarzynać kurczaki, a nawet kochać muła. Naprawdę dam radę prowadzić mały pensjonat.

Reszta towarzystwa przy stole roześmiała się, ale potem McDunn ponaglająco zabrzęczał kluczami. Pora wracać. Ponieważ hotel Helen jeszcze nie działał, pozwolił swojemu byłemu aresztantowi jeszcze jedną noc spędzić w celi. Świeżo nawrócony grzesznik łatwo mógłby ulec pokusom przybytku Daphne.

Zwykle Helen odprowadzała Leonarda, żeby jeszcze trochę porozmawiać z nim na ganku, ale tym razem McDunn szukał towarzystwa Fleurette. Lekko zawstydzony zwrócił się do młodej kobiety, podczas gdy James żegnał się z Helen i Rubenem. – Ja... Ja nie chciałbym być niedyskretny, panno Fleur, ale... Wie pani, że jestem zainteresowany panną Helen i... I...

Fleur słuchała jego dukania ze zmarszczonym czołem. Czego ten McDunn chce? Jeśli to ma być propozycja matrymonialna, to najlepiej, gdyby zwrócił się z nią bezpośrednio do Helen.

W końcu Leonard zebrał się na odwagę i wyjawił, co go trapi.

– Więc... Panno Fleur... Do diabła, o co właściwie chodziło pannie Helen z tym mułem?

15

Paul Warden nigdy wcześniej nie czuł się taki szczęśliwy.

Właściwie sam nie rozumiał, co się z nim stało. Przecież znał Maramę od dzieciństwa, zawsze była częścią jego życia i wystarczająco często dawała mu się we znaki. Teraz też z mieszanymi uczuciami pozwolił, żeby razem z nim uciekła w góry. A już pierwszego dnia wpadł we wściekłość, bo jej muł beznadziejnie wolno truchtał za jego koniem. Marama była kulą u nogi, w ogóle jej nie potrzebował.

Ale teraz Paul wstydził się tego wszystkiego, co wykrzyczał na nią podczas podróży. Tylko że ona wcale go wtedy nie słuchała, zawsze wydawała się nie słuchać tego, co Paul mówił w złości. Marama dostrzegała jedynie jego zalety. Uśmiechała się, gdy był miły, i milczała, gdy wpadał w złość. Rozładowywanie wściekłości na Maramie nie przynosiło mu ulgi. Wiedział to już jako dziecko i dlatego nigdy nie była celem jego złośliwości. A teraz... W ciągu ostatnich kilku miesięcy Paul nagle odkrył, że kocha Maramę. Stało się tak, gdy stwierdził, że ona nie chce nim sterować, że go nie krytykuje, że na jego widok nie musi przełamywać odrazy. Marama pomogła mu oczywiście znaleźć dobre miejsce na obozowisko. Z dala od Canterbury Plains, w niedawno odkrytej okolicy, którą nazywano Wyżyną McKenziego. Dla Maorysów tereny te wcale nie były nowe, wyjaśniła mu Marama. Była tu już kiedyś ze swoim plemieniem, jako dziecko.

– Nie pamiętasz już, jak wtedy płakałeś? – zapytała go swoim śpiewnym głosem. – Do tamtej pory zawsze byliśmy razem, nazywałeś nawet Kiri swoją mamą, tak jak ja. Ale wtedy żniwa się nie udały, pan Warden pił coraz więcej i często wpadał we wściekłość. Ludzie nie chcieli dla niego pracować, a do strzyży zostało jeszcze dużo czasu...

Paul skinął głową. W takich sytuacjach Gwyneira zwykle dawała Maorysom zaliczkę, żeby zatrzymać ich w pobliżu na wiosnę, gdy pracy będzie dużo. Ale to było ryzykowne. Część Maorysów rzeczywiście zostawała, potem zaś pamiętali o wypłaconych pieniądzach, ale inni brali zaliczkę i znikali, a jeszcze inni zapominali o niej i po strzyży ostro domagali się wynagrodzenia bez odliczeń. Dlatego Gerald i Paul w ostatnich latach nie decydowali się na takie rozwiązanie. Maorysi mogli sobie wędrować, ile chcieli. Na strzyżę wrócą, a jeśli nie, znajdą się inni chętni do pracy. Paul zdążył już zapomnieć, że sam padł ofiarą takiej polityki.

– Kiri oddała cię twojej mamie, ale ty tylko płakałeś i krzyczałeś. I twoja mama powiedziała, że jeśli o nią chodzi, to możemy cię zabrać, ale pan Gerald ją za to skrzyczał. Ja też nie wszystko z tego pamiętam, ale Kiri mi potem opowiadała. Mówi, że nigdy nam nie wybaczyłeś, że cię wtedy zostawiliśmy. Ale co ona mogła wtedy zrobić? Panna Gwyn też tak na pewno nie myślała, ona cię przecież kocha.

– Nigdy mnie nie lubiła! – stwierdził szorstko Paul.

Marama potrząsnęła głową.

– Nieprawda. Byliście tylko jak dwa strumienie, których wody nie mogą się połączyć. Ale może pewnego dnia się odnajdziecie. Wszystkie strumienie płyną do morza.

Paul zamierzał rozbić prymitywne obozowisko, ale Marama chciała mieć prawdziwy dom.

– Przecież i tak nie mamy nic do roboty! – powiedziała łagodnym tonem. – A ty na pewno powinieneś zostać tu na dłużej. Po co mamy potem marznąć?

Paul ściął więc kilka drzew siekierą, którą znalazł w ciężkich sakwach przytroczonych do muła Maramy. Za pomocą cierpliwego zwierzęcia wciągnął je na wyżej położony teren nad potokiem. Marama wybrała to miejsce, dlatego że tuż obok sterczało z ziemi pasmo potężnych skał. Duchy są tutaj szczęśliwe, stwierdziła. Poprosiła Paula o ozdobienie domu rzeźbieniami, żeby ładnie wyglądał i żeby *Papa* nie czuła się urażona. Gdy dom odpowiadał już jej wyobrażeniom, w uroczysty sposób wprowadziła Paula do stosunkowo dużego i pustego wnętrza.

– Teraz wezmę cię za męża! – oświadczyła z powagą. – Położę się z tobą pod dachem, nawet jeśli nie ma tutaj nikogo z mojego plemienia. Kilkoro naszych przodków na pewno tu jest i będą naszymi świadkami. Ja, Marama, potomkini tych, którzy przybyli do *Aotearoa* na kanu *Uruao*, biorę sobie ciebie, Paulu Wardenie! Tak się to u was mówi, prawda?

– To trochę bardziej skomplikowane… – odpowiedział Paul. Nie był pewien, jak powinien zareagować, ale Marama wyglądała tego dnia przepięknie. Czoło ozdobiła kolorową przepaską, miała nagie piersi, a biodra owinięte pledem. Paul nigdy nie widział jej tak ubranej, w domu Wardenów i w szkole zawsze nosiła skromny ubiór na zachodnią modłę. A teraz stała przed nim półnaga, jej jasnobrązowa skóra błyszczała, w oczach zaś płonął łagodny ogień. I patrzyła na niego tak, jak *Papa* patrzyła na *Rangi*. Kochała go. Bezwarunkowo, bez względu na to kim był i co uczynił.

Paul objął ją ramionami. Nie wiedział, czy Maorysi całują się w takich sytuacjach, tylko więc delikatnie potarł jej nos swoim. Marama kichnęła, po czym zachichotała. A potem zdjęła pled z bioder. Paul wstrzymał oddech, gdy stanęła przed nim zupełnie naga. Miała drobniejszą budowę niż większość Maorysek, ale jej biodra były szerokie, piersi pełne, a pośladki obfite. Paul przełknął ślinę, Marama zaś spokojnie rozłożyła pled na podłodze i pociągnęła Paula do siebie na dół.

– Chyba chcesz zostać moim mężem, prawda? – zapytała.

Paul musiał teraz odpowiedzieć, choć nigdy dotąd się nad tym nie zastanawiał. Do tej pory rzadko myślał o małżeństwie, a jeśli już, to raczej o zaaranżowanym przez rodzinę układzie z jakąś odpowiednią, miłą i białą dziewczyną, może córką Greenwoodów albo Barringtonów. Ale co widziałby w oczach takiej dziewczyny? Odrazę, jak w oczach własnej matki? Z pewnością byłaby pełna wątpliwości. Zwłaszcza teraz, po zabiciu Howarda. A czy on potrafiłby ją pokochać? Czy nie pozostałby na zawsze czujny i podejrzliwy?

Pokochanie Maramy wydawało się za to proste. Była tu, chętna i czuła, całkowicie mu oddana... Nie, to nieprawda, była niezależna. Nigdy nie był w stanie jej do niczego zmusić. Ale też nigdy tego nie pragnął. Może na tym polega istota miłości, że można ją dawać tylko dobrowolnie. Wymuszona miłość, taka jak miłość jego matki, nie jest nic warta.

Paul skinął więc głową. Ale potem uznał, że to nie wystarczy. Nie wystarczy potwierdzić miłości fizycznym stosunkiem, musiał zrobić to zgodnie ze swoją tradycją.

Przypomniał sobie ślubną formułę.

– Ja, Paul, biorę sobie ciebie, Maramo, za żonę, przed Bogiem i ludźmi... I przodkami...

Od tego momentu Paul był szczęśliwym człowiekiem. Żyli z Maramą jak maoryska para. On polował i łowił ryby, a ona gotowała i próbowała założyć ogródek. Zabrała ze sobą trochę nasion, co tłumaczyło, dlaczego jej ciężko obładowany muł nie mógł nadążyć za koniem Paula, i cieszyła się jak dziecko, gdy wzeszły pierwsze sadzonki. Wieczorem opowiadała Paulowi historie i śpiewała mu. Opowiadała o swoich przodkach, którzy dawno, dawno temu przybyli na *Aotearoa* w kanu *Uruao* z Polinezji. Zdradziła Paulowi, że każdy Maorys jest dumny z kanu, którym przypłynęli jego przodkowie. Przy oficjalnych okazjach używali nazwy tego kanu jako części swojego nazwiska. Oczywiście wszyscy znali opowieść o odkryciu nowej ziemi.

– Przybyliśmy z kraju nazywanego Hawaiki – opowiadała, a jej opowieść brzmiała niczym pieśń. – Był tam pewien mężczyzna o imieniu Kupe, który kochał dziewczynę, która nazywała się Kura-maro-tini. Ale nie mógł się z nią ożenić, ponieważ ona położyła się już pod dachem ze swoim kuzynem Hoturapą.

Paul dowiedział się, że Kupe utopił Hoturapę i dlatego musiał uciekać ze swojego kraju. A potem o tym, że Kura-maro-tini, która mu towarzyszyła, ujrzała nad morzem przepiękny biały obłok, który okazał się nową ziemią, *Aotearoa*. Marama śpiewała mu o groźnych walkach z morskimi potworami i duchami przy zdobywaniu nowej krainy i o powrocie Kupe do Hawaiki.

– Opowiedział swojemu ludowi o *Aotearoa*, ale nie wrócił. Nigdy już nie powrócił…

– A Kura-maro-tini? – zapytał Paul. – Czy Kupe ją tak po prostu porzucił?

Marama ze smutkiem pokiwała głową.

– Tak. Została sama… Ale miała dwie córki. Były pewnie jej pociechą. Ale Kupe zachował się bardzo nieładnie.

Jej ostatnie słowa tak doskonale pasowały do wzorowej uczennicy panny Helen, że Paul nie mógł się nie roześmiać. Przyciągnął do siebie Maramę.

– Nigdy cię nie opuszczę, Maramo. Nawet jeśli czasem zachowuję się bardzo nieładnie!

Tonga dowiedział się o Paulu i Maramie od pewnego chłopca, który uciekł z Lionel Station przed surowością Johna Sideblossoma. Chłopak usłyszał o prowadzonym przez Tongę „powstaniu" przeciwko Wardenom i nie mógł się doczekać, żeby dołączyć do ochotników i wspomóc ich w walce przeciwko *pakeha*.

– W górach mieszka jeszcze jeden – doniósł podekscytowany. – Z Maoryską. To znaczy oni są w porządku. On jest gościnny, dzieli się z nami swoim jedzeniem, gdy wędrujemy. A ta dziewczyna pięknie śpiewa. To *tohunga*! Ale ja mówię, że wszyscy *pakeha* są zepsuci! I nie powinni mieć naszych dziewcząt!

Tonga skinął głową.

– Masz rację – odpowiedział poważnym tonem. – Żaden *pakeha* nie powinien hańbić naszych dziewcząt. Zostaniesz moim przewodnikiem i poniesiesz topór wodza, byśmy mogli pomścić niesprawiedliwość!

Chłopiec się rozpromienił. Od razu następnego dnia poprowadził Tongę w góry.

Tonga i jego przewodnik spotkali Paula przed jego chatą. Młody mężczyzna nazbierał drewna i pomagał teraz Maramie wykopać jamę do gotowania. W wiosce się tego nie robiło, ale oboje słyszeli o takim zwyczaju wśród Maorysów i postanowili spróbować. Zadowolona Marama wyszukiwała odpowiednie kamienie, a Paul wbijał szpadel we wciąż wilgotną po ostatnim deszczu ziemię.

Tonga wyszedł zza skał, które według Maramy zapewniały bogom dobry nastrój.

– Czyj to grób kopiesz, Warden? Znowu kogoś zastrzeliłeś?

Paul obrócił się, trzymając szpadel przed sobą. Marama wydała z siebie cichy okrzyk przestrachu. Wyglądała tego dnia uroczo, ponownie miała na sobie tylko spódnicę, a ozdobna opaska przytrzymywała jej włosy. Jej skóra lśniła potem po wysiłku i jeszcze przed chwilą się śmiała. Paul wysunął się do przodu, zasłaniając ją. Wiedział, że to dziecinne, ale nie chciał, żeby ktokolwiek oglądał ją tak lekko ubraną, nawet jeśli jej strój na pewno nie mógł zgorszyć żadnego Maorysa.

– Co to ma być, Tonga? Przestraszyłeś moją żonę. Znikaj stąd, to nie twoja ziemia!

– Prędzej moja niż twoja, *pakeha*! Ale jeśli chcesz wiedzieć, to i Kiward Station już niedługo przestanie do ciebie należeć. Ten wasz gubernator przyznał mi rację. Jeśli nie będziesz w stanie mnie spłacić, będziesz musiał podzielić się ziemią! – Tonga swobodnie oparł się na toporze wodza, który zabrał ze sobą, żeby prezentować się z odpowiednią godnością.

Marama stanęła między nimi. Zauważyła, że Tonga nosi ozdoby wojownika i nie był to tylko malunek. Młody wódz kazał wytatuować swoje ciało w tradycyjny sposób.

– Tonga, będziemy sprawiedliwie negocjować – powiedziała miękko. – Kiward Station jest duże, każdy dostanie swoją część. A Paul nie chce już dłużej być twoim wrogiem. Jest moim mężem, należy do mnie i do mojego ludu. Jest więc też twoim bratem! Zawrzyjcie pokój, Tonga!

Tonga się roześmiał.

– On? Moim bratem? To powinien też być potraktowany jak mój brat! Zabierzemy mu ziemię i zburzymy dom. Bogowie dostaną z powrotem ziemię, na której stoi ten dom. A wy możecie oczywiście zamieszkać w naszym plemiennym domu... – Tonga podszedł do Maramy. Jego spojrzenie ślizgało się po jej nagich piersiach. – A wtedy może zechcesz położyć się z kimś innym. Nic jeszcze nie zostało postanowione...

– Ty cholerny gnojku!

Paul rzucił się na Tongę, gdy ten wyciągnął dłoń w stronę Maramy. Po sekundzie obaj leżeli na ziemi, bijąc się, wrzeszcząc i przeklinając. Używali pięści, paznokci i zębów, wszystkiego, byle tylko zranić drugiego. Marama obojętnie przyglądała się tym zapasom. Nie pamiętała już, jak często obserwowała takie pozbawione godności zachowanie obu rywali. Jak małe dzieci!

– Przestańcie – krzyknęła w końcu. – Tonga, jesteś wodzem! Pomyśl o swojej godności. A ty, Paul...

Ale oni jej nie słyszeli, tylko dalej zaciekle walczyli. Marama musiała poczekać, aż w końcu jeden powali drugiego na plecy. Szanse były wyrównane. Marama wiedziała, że wiele zależy od szczęścia i potem do końca życia się zastanawiała, czy wszystko nie potoczyłoby się zupełnie inaczej, gdyby los tym razem nie sprzyjał Paulowi, któremu udało się przygwoździć Tongę do ziemi. Paul kucał nad nim, dysząc, z wykrzywioną i posiniaczoną twarzą. Ale tryumfował. Wyszczerzył zęby i uniósł pięść.

– Masz jeszcze jakieś wątpliwości, że Marama jest moją żoną, ty bękarcie? Teraz i na zawsze? – zapytał, potrząsając Tongą.

W przeciwieństwie do Maramy młody chłopak, który przyprowadził tu wodza, obserwował walkę pełen gniewu i poczucia bezradności. Dla niego to nie była bójka dzieciaków, tylko walka o władzę między Maorysami i *pakeha*, plemienna wojna przeciwko oprawcy. I ta dziewczyna miała rację, wodzowi nie przystoi prowadzić walki w ten sposób! Tonga nie powinien dać się tarmosić jak mały chłopiec. A teraz jeszcze leżał pod przeciwnikiem! Mógłby stracić ostatki swej godności... Chłopak nie mógł do tego dopuścić. Uniósł włócznię.

– Nie! Nie, chłopcze, nie! Paul! – Marama krzyknęła i rzuciła się, żeby powstrzymać uniesione ramię młodego Maorysa. Ale było już za późno. Paul Warden, który kucał wyprostowany nad swoim pokonanym przeciwnikiem, upadł na ziemię z piersią przebitą włócznią.

16

James McKenzie pogwizdywał zadowolony. Misja, którą zmierzał wypełnić, była co prawda delikatna, ale tego dnia nic nie mogło popsuć mu dobrego humoru. Od dwóch dni znowu był na Canterbury Plains, a jego ponowne spotkanie z Gwyneirą nie pozostawiło nic do życzenia. Jakby od czasów ich młodości wcale nie było tych wszystkich nieporozumień i długich lat rozłąki. James do tej pory się uśmiechał, przypominając sobie, jak bardzo Gwyn starała się wtedy unikać słów o miłości! Teraz robiła to bez skrępowania i w ogóle miał wrażenie, że cała pruderia walijskiej księżniczki po prostu wyparowała.

Kogo zresztą Gwyn miałaby się teraz wstydzić? Wielki dom Wardenów należał na razie tylko do nich. James dziwnie się czuł, gdy przekraczał jego próg nie jako ledwie tolerowany najemny pracownik, lecz jako ktoś, kto obejmuje go w posiadanie i korzysta z foteli w salonie, kryształowych kieliszków, whisky i szlachetnych cygar Geralda Wardena. Wciąż jednak najlepiej czuł się w kuchni i w stajni, a i Gwyneira właśnie w tych miejscach spędzała najwięcej czasu. Nadal nie miała maoryskiej służby, biali poganiacze byli zaś zbyt kosztowni – i przede wszystkim zbyt dumni – żeby wykonywać najprostsze prace przy domu. Gwyneira sama więc nosiła wodę, wykopywała warzywa z ogródka i szukała jajek w kurniku. Świeżych ryb i mięsa prawie nie jadła, bo na wędkowanie brakowało jej czasu, a ukręcić łba kurze nie potrafiła. Menu w Kiward Station uległo więc znacznemu urozmaiceniu, odkąd zamieszkał z nią James. Cieszył się, że jej pomaga, choć w jej urządzonej po dziewczęcemu sypialni nadal czuł się jak gość. Gwyneira powiedziała mu, że to Lucas urządził dla niej ten pokój. Choć zwiewne koronkowe zasłony i delikatne mebelki nie pasowały do Gwyn, nie chciała zmieniać wystroju ze względu na pamięć o mężu.

Ten Lucas Warden to był naprawdę niezwykły mężczyzna! Dopiero teraz James zauważył, jak mało go znał i jak bliskie prawdy były wtedy te złośliwe uwagi poganiaczy. Ale na swój sposób kochał Gwyneirę, a przynajmniej ją szanował. Również Fleurette zawsze ciepło wspominała swojego oficjalnego ojca. James zaczął odczuwać żal i współczucie wobec Lucasa. Nawet jeśli miał słaby charakter, to był dobrym człowiekiem, który po prostu urodził się w niewłaściwym miejscu i czasie.

James skierował swojego konia do maoryskiej wioski nad jeziorem. Właściwie mógł tam dotrzeć piechotą, ale jechał z oficjalną misją, jako wysłannik Gwyneiry, i czuł się pewniejszy i ważniejszy, siedząc na czworonożnym symbolu statusu *pakeha*. Zwłaszcza że ten koń bardzo mu się podobał. Podarowała mu go Fleurette. To był syn jej klaczy Niniane i wyjątkowego arabskiego ogiera.

McKenzie spodziewał się, że już gdzieś na drodze z Kiward Station do wioski Maorysów natknie się na blokadę. Opowiadał przecież o nich McDunn, a i Gwyneira irytowała się, że próbują odciąć ją od drogi do Haldon.

Bez przeszkód jednak dotarł do wioski. Właśnie mijał pierwsze zabudowania i dostrzegł już nawet zarys wielkiego domu zgromadzeń. Nastrój w wiosce był zupełnie inny, niż się spodziewał.

Maorysi nie zachowywali się wyzywająco, nie było czuć atmosfery buntu i przekory, o których mówiła Gwyneira, a także Andy Maran i Poker Livingston. A przede wszystkim nie było widać triumfu z powodu decyzji gubernatora. James miał wrażenie, że wyczuwa raczej pełne wyczekiwania napięcie. Ludzie nie otoczyli go, przyjaźnie zagadując, jak działo się podczas jego poprzednich wizyt w wiosce, ale też nie wyglądali groźnie. Widział pojedynczych mężczyzn z wojowniczymi tatuażami, wszyscy jednak mieli na sobie spodnie i koszule, a nie tradycyjne przepaski i włócznie. Kilka kobiet wykonywało codzienną pracę, starając się nie spoglądać na gościa.

W końcu z jednego z domów wyszła Kiri.

– Panie Jamesie. Słyszałam, że pan wrócić – powitała go oficjalnym tonem. – To wielka radość dla panny Gwyn.

James się uśmiechnął. Od dawna przypuszczał, że Kiri i Moana wszystkiego się domyślają.

Ale Kiri nie odpowiedziała na jego uśmiech, tylko spojrzała na niego z powagą, zanim zaczęła mówić dalej. Słowa dobierała z namysłem, wręcz ostrożnością.

– I chciałabym powiedzieć… Że jest mi przykro. Moanie też jest przykro i Witiemu. Jeśli teraz być pokój, my chętnie wrócić z powrotem do domu. I my wybaczamy panu Paulowi. Marama mówi, że on się zmienić. Że dobry człowiek. Dla mnie dobry syn.

James skinął głową.

– To wspaniale, Kiri. I dla Paula też. Panna Gwyn ma nadzieję, że on wkrótce wróci. – Był zdumiony, gdy Kiri nagle się od niego odwróciła.

Nikt inny nie odezwał się do niego, dopóki James nie dotarł do chaty wodza. Zsiadł z konia. Był pewien, że Tongę powiadomiono o jego przybyciu, ale najwyraźniej młody wódz lubił, żeby go prosić.

James podniósł głos.

– Tonga! Musimy porozmawiać! Panna Gwyn otrzymała decyzję gubernatora. Chce negocjować.

Tonga powoli wyszedł z chaty. Miał na sobie przepaskę, a jego ciało zdobiły tatuaże wojownika, ale nie trzymał w ręku włóczni, tylko święty topór wodza. James po śladach na jego twarzy domyślił się, że brał udział w bójce. Czyżby wciąż walczył z konkurentami? Czy jego pozycja nie była już ostatecznie ustalona?

James wyciągnął dłoń, ale Tonga to zignorował.

McKenzie wzruszył ramionami. Nie, to nie. Uważał, że Tonga zachowuje się jak dzieciak, ale czego można się było spodziewać po tak młodym chłopaku? James postanowił, że nie weźmie udziału w tych gierkach i bez względu na okoliczności zachowa się uprzejmie. Może odwołanie się do godności Tongi trochę pomoże.

– Tonga, jesteś bardzo młody, a już zostałeś wodzem. To znaczy, że twoi ludzie uważają cię za człowieka rozsądnego. Panna Helen też ma o tobie dobre mniemanie, a to, co udało ci się osiągnąć u gubernatora, jest godne pozazdroszczenia. Udowodniłeś, że jesteś odważny i wytrwały. Ale teraz musimy dojść do jakiegoś porozumienia. Pana Paula nie ma, ale panna Gwyn będzie go reprezentować. I ręczy za to, że on dotrzyma zawartej umowy. Będzie musiał, w końcu gubernator już postanowił w tej sprawie. Skończ już tę wojnę, Tonga! Także dla dobra twoich ludzi. – James rozłożył ręce, by pokazać, że jest nieuzbrojony. Tonga powinien wiedzieć, że przychodzi w pokoju.

Młody Tonga jeszcze bardziej się wyprostował, o ile było to możliwe przy jego wysokim wzroście. Ale i tak był niższy od Jamesa. Był też niższy od

Paula i martwił się tym przez całe dzieciństwo. Teraz jednak nosił godność wodza plemienia. Niczego nie musiał się wstydzić! Nawet zabicia Paula...

– Przekaż Gwyneirze Warden, że jesteśmy gotowi do negocjacji – odpowiedział chłodnym tonem. – Nie wątpimy w dotrzymanie warunków ugody. Od ostatniej pełni księżyca panna Gwyn jest głową plemienia Wardenów. Paul Warden nie żyje.

– To nie Tonga... – James trzymał Gwyneirę w ramionach, opowiadając o śmierci jej syna. Gwyneira zaszlochała, ale z jej oczu nie popłynęły łzy. Nienawidziła siebie za ich brak. Paul był jej synem, a ona nawet nie potrafiła po nim zapłakać.

Kiri w milczeniu postawiła imbryk z herbatą na stole. Wraz z Moaną odprowadziła Jamesa do domu. Obie w naturalny sposób na nowo objęły we władanie kuchnię i pomieszczenia gospodarcze.

– Nie możesz czynić Tondze wyrzutów, bo to zniweczy negocjacje. Myślę, że on sam czyni sobie wyrzuty. Jeśli dobrze zrozumiałem, jeden z jego wojowników stracił panowanie nad sobą. Uznał, że jest zagrożona godność jego wodza, i przebił Paula włócznią – od tyłu! Tonga musi być ogromnie zawstydzony. A ten morderca nawet nie należał do jego plemienia. I Tonga nie ma nad nim żadnej władzy. Nie został więc ukarany. Tonga po prostu odesłał go tylko do jego plemienia. Jeśli chcesz, możesz oficjalnie zgłosić zabójstwo. Tonga i Marama byli świadkami i na pewno nie skłamią przed sądem. – James nalał herbaty do jednej z filiżanek, mocno ją posłodził i spróbował podać Gwyneirze.

Ale ona pokręciła głową.

– I co to zmieni? – zapytała cicho. – Wojownik widział zagrożenie swojej godności, Paul widział zagrożenie swojej żony, Howard czuł się urażony... Gerald ożenił się z dziewczyną, której nie kochał... Jedno nieszczęście prowadzi do kolejnego i to nigdy się nie kończy. Mam już tego dosyć, Jamesie! – Drżała na całym ciele. – I tak bardzo chciałabym powiedzieć Paulowi, że go kocham.

James przyciągnął ją do siebie.

– Wiedziałby, że kłamiesz – powiedział cicho. – Nie mogłaś tego zmienić.

Skinęła głową.

– Będę musiała z tym żyć i każdego dnia będę się za to nienawidzić. Miłość to dziwna rzecz. Nie potrafiłam nic poczuć do Paula, a Marama go przecież kochała… I to było dla niej oczywiste, jak oddychanie, i nie miała żadnych zastrzeżeń, bez względu na to co Paul robił. Mówisz, że była jego żoną? Gdzie ona jest? Czy Tonga jej nie skrzywdził?

– Nie wiem, czy oficjalnie była żoną Paula. Ale mimo to Tonga i Paul pobili się o nią. Paul traktował więc sprawę poważnie. Nie wiem, gdzie ona teraz jest. Nie znam się na ceremoniach żałobnych Maorysów. Prawdopodobnie pochowała Paula i teraz go opłakuje. Będziemy musieli zapytać Tongę albo Kiri.

Gwyneira się wyprostowała. Wciąż drżały jej dłonie, ale objęła palcami filiżankę i uniosła ją do ust.

– Musimy się tego dowiedzieć. Nie można dopuścić, żeby jej się coś przydarzyło. I tak wybieram się do wioski, najszybciej jak się da, chcę to mieć za sobą. Ale nie dzisiaj. Nie tej nocy. Tej nocy muszę być sama, Jamesie… Muszę wszystko przemyśleć. Jutro w południe porozmawiam z Tongą. Będę walczyć o Kiward Station, Jamesie! Tonga nie dostanie naszej farmy!

James objął Gwyneirę, podniósł ją delikatnie i zaniósł do sypialni.

– Jak sobie życzysz, Gwyneiro. Ale nie zostawię cię samej. Będę przy tobie również tej nocy. Możesz płakać albo mówić o Paulu… Na pewno masz też o nim jakieś dobre wspomnienia. Na pewno czasami byłaś z niego dumna! Opowiedz mi o nim i o Maramie. Albo tylko pozwól mi trzymać cię w ramionach. Nie musisz nic mówić, jeśli nie chcesz. Ale nie będziesz sama.

Gwyneira miała na sobie czarną suknię, gdy spotkała się z Tongą nad brzegiem jeziora, w połowie drogi między Kiward Station a wioską Maorysów. Maorysi nie prowadzili negocjacji w zamkniętych pomieszczeniach, żeby ich świadkami mogli być przodkowie, bogowie i duchy. Gwyneirze towarzyszyli James, Andy, Poker, Kiri i Moana, a Tondze około dwudziestu wojowników o zaciętych minach.

Po krótkim formalnym powitaniu wódz ponownie wyraził wobec Gwyn swój żal z powodu śmierci jej syna. Jego angielski był idealny, a słowa bardzo wyważone. Gwyneira od razu rozpoznała szkołę Helen. Tonga stanowił niezwykłą mieszankę dzikusa i dżentelmena.

– Gubernator uznał – powiedziała potem Gwyneira pewnym głosem – że zakup ziemi, którą dziś nazywa się Kiward Station, pod pewnymi względami nie odpowiadał zasadom traktatu z Waitangi…

Tonga roześmiał się szyderczo.

– Pod pewnymi względami? Zakup naszej ziemi był bezprawny...

Gwyneira potrząsnęła głową.

– Nie, nie był. Zakupu dokonano przed podpisaniem traktatu, który gwarantował Maorysom minimalną cenę za ziemię. Nie można było złamać traktatu, który jeszcze nie istniał i którego zresztą Kai Tahu nigdy potem nie podpisali. Gubernator uznał jednak, że Gerald Warden oszukał was, kupując od was ziemię – głęboko odetchnęła. – A ja po dokładnym przestudiowaniu dokumentów muszę przyznać mu rację. Gerald Warden zapłacił wam grosze. Dostaliście najwyżej dwie trzecie tego, co się należało. Gubernator postanowił, że albo zwrócimy wam brakującą kwotę, albo oddamy odpowiednią ilość ziemi. To drugie rozwiązanie wydaje mi się bardziej sprawiedliwe, ponieważ ceny ziemi są dzisiaj zcznie wyższe.

Tonga patrzył na Gwyneirę z uszczypliwym uśmieszkiem.

– Czujemy się zaszczyceni, panno Gwyn! – stwierdził, markując ukłon. – Naprawdę zechce się pani podzielić z nami swoją cenną farmą?

Gwyneira miała ochotę przywołać do porządku tego aroganckiego chłystka, ale to nie był odpowiedni moment. Postarała się więc zachować wyważony ton, mówiąc dalej.

– Jako rekompensatę chciałabym wam zaproponować farmę, którą znacie jako O'Keefe Station. Wiem, że wędrujecie w tamte okolice, a ponieważ są one bardziej górzyste niż Kiward Station, to są też bogatsze w tereny łowieckie i łowiska ryb. Nie bardzo jednak nadają się do hodowli owiec. Byłoby to rozwiązanie korzystne dla wszystkich. Powierzchnia O'Keefe Station to mniej więcej połowa powierzchni Kiward Station. Otrzymalibyście więc więcej ziemi, niż przyznał wam gubernator.

Gwyneira przygotowała tę propozycję, gdy tylko dowiedziała się o decyzji gubernatora. Helen chciała sprzedać swoją farmę. Miała zamiar zostać w Queenstown, Gwyneira zaś mogła płacić jej za O'Keefe Station w ratach. W ten sposób rekompensata dla Maorysów nie stanowiłaby tak dużego jednorazowego obciążenia dla Kiward Station. Także Howard pewnie by wolał, żeby jego ziemia trafiła w ręce Maorysów, a nie znienawidzonych Wardenów.

Mężczyźni stojący za Tongą zaczęli szeptać między sobą. Najwyraźniej byli zainteresowani ofertą Gwyneiry. Ale Tonga pokręcił głową.

– Cóż za łaska z pani strony, panno Gwyn! Kawałek niewiele wartej ziemi z podupadłą farmą i Maorysi już są szczęśliwi, tak? – Roześmiał się. – Nie, ja wyobrażam to sobie zupełnie inaczej.

Gwyneira westchnęła.

– Czego chcesz? – zapytała.

– Czego chcę... Czego tak naprawdę bym chciał... To ziemia, na której stoimy. Od drogi do Haldon aż do tańczących kamieni... – Tak Maorysi nazywali kamienny krąg znajdujący się między farmą a pogórzem.

Gwyneira zmarszczyła brwi.

– Ale na tej ziemi stoi nasz dom! To nie wchodzi w rachubę!

Tonga się uśmiechnął.

– Mówię, że tego bym chciał... Ale jesteśmy pani coś winni za poniesioną przez panią krwawą ofiarę, panno Gwyn. Pani syn zginął z mojej winy, choć nie z mojej ręki. Nie chciałem tego, panno Gwyn. Chciałem go zranić, ale nie zabić. Chciałem, żeby patrzył, jak burzę jego dom albo nawet w nim zamieszkuję! Z Maramą jako moją żoną. To zabolałoby go bardziej niż jakakolwiek włócznia. Ale stało się. Postanowiłem, że panią oszczędzę. Proszę zachować swój dom, panno Gwyn. Ale chcę całej ziemi od tańczących kamieni aż do strumienia, który oddziela Kiward Station od O'Keefe Station – Tonga skończył mówić i patrzył na nią wyzywająco.

Gwyneira miała poczucie, jakby ziemia usuwała się jej spod nóg. Odwróciła wzrok od Tongi i spojrzała na Jamesa. W jej oczach odbijało się zakłopotanie i zwątpienie.

– To nasze najlepsze pastwiska – powiedziała. – I stoją tam dwie z trzech szop do strzyżenia! I prawie cały teren jest ogrodzony!

James objął ją ramieniem i twardo spojrzał na Tongę.

– Może oboje powinniście to sobie jeszcze przemyśleć... – powiedział spokojnym tonem.

Gwyneira wyprostowała się z błyskiem w oku.

– Jeśli damy wam to, czego żądacie – wyrzuciła z siebie z gniewem – to możemy od razu porzucić Kiward Station! Może nawet powinniśmy to zrobić! Przecież nie ma już dziedzica. A my dwoje, Jamesie, możemy się urządzić na farmie Helen...

Gwyneira wciągnęła powietrze i powiodła spojrzeniem po ziemi, którą od dwudziestu lat chroniła i pielęgnowała.

– Wszystko pójdzie w ruinę – powiedziała jakby do siebie. – Plan hodowli, owce i bydło... A włożono w to tyle pracy. Mieliśmy najlepsze zwierzęta na Canterbury Plains, jeśli nie na całej wyspie. Do diabła, Gerald Warden miał swoje wady, ale nie zasłużył na coś takiego! – zagryzła wargę, żeby nie zapłakać. Po raz pierwszy poczuła, że mogłaby zapłakać nad Geraldem. Nad Geraldem, Lucasem i Paulem.

– Nie! – odezwał się jakiś cichy, ale wyraźny głos. Śpiewny głos, głos urodzonej opowiadaczki i pieśniarki.

Grupa wojowników stojących za Tongą rozstąpiła się, żeby zrobić miejsce Maramie. Dziewczyna powoli przeszła między nimi.

Twarz Maramy nie była pokryta tatuażami, lecz dzisiaj pomalowała ją znakami swojego plemienia. Malunki zdobiły jej brodę i skórę między nosem i ustami, sprawiając, że jej szczupła twarz wyglądała niczym jedna z masek wyobrażających bogów, które Gwyneira widziała w chacie Matahoruy. Marama wysoko upięła włosy, tak jak robią to dojrzałe Maoryski z okazji świąt. Jej tułów był nagi, choć na ramiona zarzuciła chustę, a na dole miała na sobie białą szeroką spódnicę, która kiedyś podarowała jej Gwyneira.

– Nie waż się nazywać mnie swoją żoną, Tonga! Nigdy z tobą nie leżałam i nigdy tego nie zrobię. Byłam i jestem żoną Paula Wardena. A to była i jest jego ziemia! – Marama powiedziała to wszystko po angielsku, ale teraz przeszła na rodzimą mowę. Chciała, żeby dobrze zrozumieli ją wszyscy towarzysze Tongi. Ale jednocześnie mówiła tak wolno, żeby także Gwyneirze i Jamesowi nie umknęło żadne słowo. Wszyscy na Kiward Station powinni usłyszeć to, co ma do powiedzenia Marama Warden.

– Ta ziemia należy do Wardenów, ale także do Kai Tahu. I urodzi się dziecko, którego matka pochodzi z plemienia tych, którzy przybyli na *Aotearoa* w kanu *Uruao.* A ojciec z plemienia Wardenów. Paul nigdy nie powiedział mi, jakim kanu przybyli tu przodkowie jego ojca, ale przodkowie Kai Tahu pobłogosławili nasz związek. Matki i ojcowie *Uruao* z radością powitają to dziecko. A to będzie jego ziemia.

Młoda kobieta położyła ręce na swoim brzuchu, a potem uniosła je do góry, tak jakby tym szerokim gestem chciała objąć otaczającą ich okolicę i góry.

W szeregach stojących za Tongą wojowników odezwały się głosy. Brzmiały przychylnie. Nikt nie zamierzał przeczyć prawu dziecka Maramy do farmy, zwłaszcza jeśli cała ziemia należąca do O'Keefe Station z powrotem wróciłaby do Maorysów.

Gwyneira uśmiechnęła się, przygotowując swoją odpowiedź. Trochę kręciło jej się w głowie, ale przede wszystkim odczuwała ulgę. Miała tylko nadzieję, że uda jej się dobrać odpowiednie słowa i poprawnie je wypowiedzieć. To była jej pierwsza przemowa w języku Maorysów, która daleko wykraczała poza słownictwo dotyczące codziennych czynności, a zależało jej, by wszyscy ją zrozumieli.

– Twoje dziecko pochodzi z plemienia tych, którzy przybyli do Aotearoa na kanu „Dublin". Również rodzina ojca powita to dziecko z radością. Jako dziedzica farmy, która zwie się Kiward Station, w krainie Kai Tahu.

Gwyneira próbowała wykonać taki sam gest jak Marama, tyle że w jej objęciach znalazła się synowa i nienarodzony wnuk.

Podziękowania

Podziękowania należą się mojej pierwszej czytelniczce, Melanie Blank-Schröder, która od razu uwierzyła w tę powieść, a przede wszystkim mojemu genialnemu agentowi Bastionowi Schlückowi.

Dziękuję też Heike, która skontaktowała mnie z Pawhiri, oraz Pawhiri i Sigrid za odpowiedzi na moje niekończące się pytania o kulturę Maorysów. Jeśli mimo wszystko do powieści zakradły się jakieś błędy, tylko ja ponoszę za to odpowiedzialność.

Dziękuję również Klarze za fachowe informacje na temat jakości wełny i ras owiec, pomoc przy zbieraniu informacji w Internecie o emigrantach do Nowej Zelandii w XIX wieku oraz merytoryczną korektę.

I oczywiście dziękuję cobom, których galop pozwalał mi „przewietrzyć głowę", i Cleo za tysiąc pełnych uwielbienia uśmiechów owczarka.